LA GRAMMAIRE
ANGLAISE
DE L'ÉTUDIANT

ISBN : 2-7080-0609-6

© Editions OPHRYS, 1989

OPHRYS, 6, avenue Jean-Jaurès, 05002 GAP Cédex
OPHRYS, 10, rue de Nesle, 75006 PARIS

S. Berland - Delépine
Agrégé de l'Université

LA GRAMMAIRE
ANGLAISE
DE L'ÉTUDIANT

*Nouvelle édition entièrement
revue et augmentée*

avec la collaboration de

R. BUTLER
B.A. (Cantab), M.A., Ph. D. (Manchester)

OPHRYS

PRÉFACE

Cette grammaire est destinée aux étudiants des Universités et des Grandes Ecoles depuis le début de leurs études supérieures jusqu'aux examens et concours de tous niveaux.

Cette nouvelle édition n'est pas plus que la précédente un manuel exposant un système linguistique original et cohérent. Le but est tout autre, à la fois modeste et ambitieux : il s'agit avant tout d'aider les étudiants à assimiler et à utiliser les schémas de l'anglais d'aujourd'hui, tel qu'il est parlé et écrit sans affectation ni vulgarité par les anglophones (Britanniques et Américains) instruits ou moyennement instruits. On a eu recours à des notions que le développement de la recherche linguistique a rendues familières aux étudiants seulement dans la mesure où cela a paru pédagogiquement utile, ce qui est bien sûr un choix subjectif. Il a semblé qu'une grammaire conçue dans cet esprit n'était pas surperflue et répondait aux besoins de la plupart des étudiants.

Quelques caractéristiques de cet ouvrage :

1) l'accent mis, dans chaque leçon, sur les niveaux de langue (langue familière, style écrit, langue très soignée, etc.), toujours précisés en particulier quand il a paru nécessaire de mentionner des tournures recherchées, voire archaïques, ou au contraire relâchées, considérées comme incorrectes, les principales différences étant récapitulées dans la leçon 54;

2) l'importance accordée au régime des verbes, des noms et des adjectifs, la connaissance du sens d'un mot étant peu utile si on ne sait pas aussi comment il se construit dans une phrase;

3) les américanismes (surtout des points de détail) toujours signalés au cours de l'ouvrage puis résumés dans la leçon 55;

4) les huit leçons (44 à 51) dans lesquelles sont examinées les différentes façons d'exprimer certaines notions abstraites (but, préférence, incertitude, contraste, etc.), domaine dans lequel il n'y a pas de frontière nette entre le vocabulaire et la grammaire (mais ici l'accent est mis, bien évidemment, sur la syntaxe);

5) les nombreux exercices (de transformation, de traduction, de Q.C.M., etc., en tout plus de 250) pour la plupart desquels un corrigé est donné, et que les étudiants sont invités à considérer comme compléments essentiels de chaque leçon;

6) un index alphabétique précis qui doit permettre de trouver sans peine le paragraphe dont on a besoin;

7) un marque-page où sont indiqués les signes phonétiques utilisés au cours des leçons quand c'est nécessaire, avec des listes de mots souvent mal prononcés par les francophones.

5

Signalons brièvement en quoi cette nouvelle édition « entièrement revue et augmentée » diffère de la précédente : on a ajouté de nombreux exemples empruntés aux bons auteurs du XXᵉ siècle; on a adopté une présentation différente pour le régime des verbes, noms et adjectifs; les leçons consacrées aux « notions » ont été développées; et les étudiants trouveront quelques « exercices de récapitulation » qui pourront les aider à faire le point de leurs connaissances.

Une fois encore, l'auteur remercie de sa collaboration M. Ronnie Butler, qui a relu tout l'ouvrage et dont les avis et les suggestions ont été précieux, notamment en ce qui concerne les niveaux de langue.

Comme pour les grammaires précédentes de la même collection, les observations et suggestions des enseignants et des étudiants seront accueillies avec reconnaissance.

———————

Sauf indications différentes, les numéros, précédés ou non du signe §, renvoient aux paragraphes et non aux pages.

On trouvera p. 539 le corrigé de tous les exercices dont le numéro est entre crochets (ex. : [B], [F], etc.).

DMC = « Dix mots-charnières » (à sens multiples), leçon 41.
Postp. = Postpositions (leçon 8).
Br. E. = British English.
Am. E. = American English.

1

LE VERBE
ET LA CONSTRUCTION
DE LA PHRASE

1. — CONJUGAISON DES VERBES. GÉNÉRALITÉS

1. — IMPORTANCE DES FORMES PÉRIPHRASTIQUES

1 (a) Un tableau de conjugaison d'un verbe français, par exemple *chanter*, remplit une page entière d'un livre de grammaire, tant sont nombreuses les formes que prend ce verbe aux différentes personnes, aux différents temps et modes (39 en tout, et il en reste encore 27 si l'on omet les temps peu employés dans la langue parlée : passé simple et imparfait du subjonctif). Un tel tableau serait superflu dans une grammaire anglaise, chaque verbe n'ayant en tout que 4 formes différentes s'il est régulier, entre 3 et 5 s'il est irrégulier.

> Work, works, worked, working
> Sing, sings, sang, sung, singing
> Shut, shuts, shutting

Ces formes sont nettement **différentes entre elles phonétiquement**, ce qui n'est pas toujours le cas en français (*chante, chantes, chantent; chanté, chanter, chantez,* etc.).

L'absence de désinences compliquées facilite les conversions, même à partir de mots étrangers (976), mais elle interdit (sauf exceptions rares, 700) de sous-entendre le pronom sujet (comparer avec le latin : « cogito, ergo sum », l'espagnol, l'italien).

2 (b) Si les formes sont peu nombreuses, le système de conjugaison n'en est pas moins complexe. Il est fondé sur l'emploi de **périphrases** utilisant des auxiliaires (be, have, do, let, will, can, used...) et des expressions diverses (be going to, be likely to, had better...).

Le verbe peut être accompagné de plusieurs auxiliaires (**He must have been sleeping. They would have been disappointed**).

Ces formes périphrastiques permettent de conjuguer le verbe dans tous les autres cas que le présent et le preterite, seuls temps simples, et d'exprimer de nombreuses notions d'**aspect** (durée, achèvement, répétition) et de **modalité** (nécessité, probabilité, volonté, etc.) ainsi que la **voix passive**.

Quant à l'infinitif, il existe sous deux formes dont les emplois sont nettement délimités : une forme périphrastique utilisant la particule **to** (to sing, to work) appelée **infinitif complet**; et une forme simple (sing, work) appelée **infinitif sans to**, qui est le radical du verbe (ou **base verbale**). Voir leçon 18.

3 (c) Les deux **temps simples** (**présent** et **preterite**) ne sont en réalité simples qu'à la **forme affirmative non emphatique**.

Comparer :

Does she play tennis ?	**Did he tell you ?**
She doesn't play tennis	**He didn't tell you**
She does play tennis	**He did tell you**
She plays tennis	**He told you**

Si les phrases « **she plays tennis** » et « **he told you** » n'ont rien d'exceptionnel par leur emploi, elles sont en fait exceptionnelles par leur forme, la règle générale étant la forme périphrastique, qui est une tendance constante de l'anglais, langue analytique.

D'autre part, à ces mêmes temps simples correspondent des formes composées quand le verbe est employé à l'aspect progressif :

She is playing tennis   **He was telling you a lie**

Et l'auxiliaire est toujours indispensable, avec les temps simples comme avec les autres (et il faut donc l'avoir présent à l'esprit), pour former les « *tags* » qui permettent de terminer une phrase ou d'y répondre elliptiquement, ce qui se fait très couramment dans la langue parlée. Voir leçon 7.

She plays tennis, *doesn't she ?*
He told you. — ***Did he* really ?** — **Yes, *he did*.**

L'auxiliaire (*does, did*), qui sert ici à rappeler le verbe tout en indiquant son temps et parfois sa personne, lui est étroitement lié. Il est toujours prêt à « apparaître » en cas de besoin.

---

2. — CLASSIFICATION DES VERBES

4 (a) On peut les classer en deux catégories :

1° *les auxiliaires :*

— *be* et *have* (voir leçon 3)
— *do*, qui est tantôt un auxiliaire (leçons 2 et 6), tantôt un verbe ordinaire conjugué comme les autres c'est-à-dire avec l'auxiliaire *do* (I didn't do it, 24)
— *les auxiliaires de modalité* (« modals », aussi appelés *défectifs*, leçon 4) : *can, could, may, might, must, shall, should, will, would, ought*, ainsi que l'auxiliaire *used*, qui n'existent qu'aux formes figurant dans cette liste. *Dare* et *need* se construisent tantôt comme des verbes ordinaires, tantôt comme des auxiliaires de modalité.

Ces trois sous-catégories ont en commun le fait de pouvoir se contracter avec *not* sous la forme *-n't* (isn't, haven't, doesn't, mustn't, shouldn't...). Les formes verbales pouvant ainsi se contracter avec *not* sont parfois appelées « *formes anomales* » ou « *anomalous finites* » (finites = formes conjugables, par opposition avec l'infinitif, les participes et le gérondif). Elles seules s'emploient pour former les « tags » et autres constructions elliptiques (leçon 7). Il y en a 24 :

am, is, are, was, were;
have, has, had;
do, does, did;
can, could; may, might; will, would; shall, should;
must; need; dare; ought; used.

5 2° *les verbes « ordinaires »*, c'est-à-dire tous les autres verbes, qui ne peuvent pas se contracter avec *not* et dont les conjugaisons négative et interrogative se forment au présent et au preterite à l'aide de l'auxiliaire *do/does/did*. Comparer les deux séries de phrases interrogatives :

Is he in England ?	**Does he like jazz ?**
Can you help me ?	**Do you play tennis ?**
Should we write to them ?	**Did they go with you ?**

Remarque : Tout en se conjuguant comme des verbes ordinaires, un certain nombre de verbes peuvent jouer le rôle d'auxiliaires : *get* (you'll get punished, 423), *make* (they make me laugh, 504), *keep* (he kept complaining, 348), etc. C'est aussi le cas de **let**, qui s'emploie pour la conjugaison de l'impératif (**let them wait**); sa forme négative peut se construire avec ou sans **do** (**don't let's wait / let's not wait**), mais il ne se contracte pas avec **not** (leçon 19).

On verra (leçon 3) que **have** est souvent considéré (et conjugué) comme un verbe ordinaire.

6 (b) La plupart des verbes ordinaires forment leur **preterite** (temps du passé) et leur participe passé avec un **suffixe à dentale** [d], [t] ou [id], orthographié **-ed** (ou simplement **-d** si l'infinitif se termine par un **e**).

Love → *loved* [d]
Work → *worked* [t] ⎬ voir §§ 10 à 12.
Wait → *waited* [id]

Ce sont les **verbes réguliers**.

Mais certains (en tout plus de 180, dont environ 150 d'emploi courant) ont des formes spéciales pour ces deux temps, ou seulement l'un d'eux.

Ce sont les **verbes irréguliers**, qui ne se distinguent des autres qu'à ces deux formes (voir listes p. 587).

See	preterite : *saw*	participe passé : *seen*
Come [ʌ]	*came* [ei]	*come* [ʌ]
Keep	*kept*	*kept*
Show	*showed* (régulier)	*shown* (irrégulier)
Put	*put*	*put*

Dans ce dernier exemple le passé est donc semblable au présent, sauf à la 3ᵉ personne du singulier (**he puts/he put**).

7 (c) Un grand nombre de verbes peuvent être accompagnés de **postpositions**, adverbes qui en précisent le sens ou le modifient complètement. Ce sont alors des **verbes composés**, ou « **phrasal verbs** » (leçon 8).

To put on, *mettre sur soi*.
To put off, *remettre à plus tard*, ou : *rebuter*.
To put away, *ranger*.
To put out, *éteindre*.
To put up with, *supporter*.

Il existe aussi des verbes composés, en plus petit nombre, dont le premier élément (adverbe, nom, etc.) précise le sens du second.

To overstate, *exagérer*.
To crash-land, *atterrir en catastrophe*.
To brainwash, *faire un lavage de cerveau à*.
To spoonfeed, *nourrir à la cuillère*, d'où : *mâcher le travail à*.

Les deux types de formation peuvent exister parallèlement, avec des sens différents.

To take over, *reprendre (une affaire), prendre à sa charge*.
To overtake, *rattraper, doubler (un véhicule)*.

8 (d) L'anglais n'a qu'un petit nombre de **verbes pronominaux** proprement dits, c'est-à-dire accompagnés d'un pronom en **-self** sans que le sens soit réfléchi (ex. : **to avail oneself of**, *profiter de*; **to enjoy oneself**, *bien s'amuser*, 720).

Lorsque le sens le permet, les verbes peuvent être suivis de **pronoms réfléchis**, à sens vraiment réfléchi cette fois (**If only you could see yourself !** *Si seulement* *vous pouviez vous voir !*) ou de **pronoms réciproques** (They hate each other. *Ils se haïssent*). Voir leçon 36.

Aux verbes pronominaux français comme *se lever, se demander, se dépêcher, se réjouir, se rappeler, s'apercevoir, se servir de* correspondent des verbes conjugués sans pronoms : **to get up, to wonder, to hurry, to rejoice, to remember, to notice, to use.**

Dans certains cas le pronom français est traduit indirectement par un adjectif possessif (*Je me lave les mains*. **I wash my hands**).

Certains verbes pronominaux français se traduisent par des passifs. Voir leçon 20.

> *Le thé ne se boit pas dans un verre*. **Tea is not drunk out of a glass.**
> *Nous nous sommes ennuyés*. **We were bored.**
> *Ils se sont mariés en juin*. **They got married in June.**

---

3. — LES DÉSINENCES VERBALES

9 (a) *La 3ᵉ personne du singulier du présent* des verbes ordinaires se termine par une *désinence à sifflante* [z], [s], [iz], orthographiée *-s* ou *-es*. L'orthographe est -es quand le radical du verbe se termine par une sifflante ou une chuintante.

Dress → **dresses**; rush → **rushes**; watch → **watches**; relax → **relaxes**.

Dans les autres cas on ajoute simplement un *s*, que le radical soit terminé ou non par une *e* (Pour *does* et *goes*, voir ci-dessous remarque 2)

Cette désinence se prononce de trois façons différentes :

- [z] après une voyelle, c'est-à-dire un son vocalique quelle que soit l'orthographe (par exemple order ['ɔːdə], roar [rɔː], sigh [sai], bow [bau] se terminent phonétiquement par des voyelles).

  plays [pleiz], **lies** [laiz], **stares** [stɛəz], **roars** [rɔːz], **orders** ['ɔːdəz], **prefers** [priˈfəːz], **bows** [bauz], **sighs** [saiz]

- [z] ou [s] après une consonne autre que les sifflantes ou les chuintantes, selon que c'est le plus facile : [s] après une consonne sourde, [z] après une consonne sonore.

  [s] **hopes** [houps], **waits, works, laughs**
  [z] **robs, adds, begs, loves, opens, dreams, travels** (là encore on ne tient compte que de la prononciation : phonétiquement, **hope** et **love** se terminent par des consonnes).

- [iz] (orthographié *-es*) après une sifflante ou une chuintante, afin de bien faire entendre la désinence.

  dresses, whizzes, rushes, watches, relaxes, changes [-dʒiz] (dans ce dernier cas l'*e* appartient au radical; de même pour : **judges, manages,** etc.).

Aux verbes terminés par *-th* s'ajoute simplement un *s*. Comparer :

{ To bath → **She baths** [bɑːθs] **the baby**
{ To bathe → **She bathes** [beiðz] **in the lake**
To loathe → **He loathes** [louðz] **travelling by air**

Pour ces deux derniers verbes l'*e* de la terminaison *-thes* ne se prononce pas, car les consonnes [ð] et [z] sont assez différentes pour qu'il soit possible de faire entendre distinctement le radical et la désinence sans intercaler de voyelle.

Remarques : (1) Les règles de prononciation ci-dessus s'appliquent aussi aux pluriels et aux génitifs des noms, également terminés par [z], [s] ou [iz] (544 et 732).

(2) On ajoute *-es* à *do* et *go* : does [dʌz], **goes** [gouz]. Le premier est irrégulier phonétiquement.

(3) Est également irrégulière phonétiquement la 3ᵉ personne du singulier de *say* [sei] : **says** [sez] (comparer avec **lays** [leiz] et **stays** [steiz] qui sont réguliers).

(4) Bien prononcer les terminaisons *-sts, -sks, -sps.* On doit entendre les deux *s :* **insists, asks, risks, grasps.**

10 ⓑ *Le preterite et le participe passé des verbes réguliers* se terminent par une *désinence à dentale* [d], [t], [id], orthographiée *-ed* (simplement *-d* si l'infinitif se termine par un *e*).

Cette désinence se prononce de trois façons différentes :
- [d] après une voyelle, quelle que soit l'orthographe.

   played [pleid], **died** [daid], **agreed, stared** [stɛəd], **bored** [bɔːd], **fired** [faiəd], **appeared** [ə'piəd], **preferred** [pri'fəːd], **sighed** [said] (le radical de tous ces verbes se termine phonétiquement par une voyelle)
- [t] ou [d] après une consonne autre que les dentales [t] et [d], selon que c'est le plus facile : [t] après une consonne sourde, [d] après une consonne sonore.

   [t] **stopped, worked, laughed** [lɑːft], **passed, watched**
   [d] **robbed, begged, loved, paused, changed, travelled, opened, blamed**
   (l'*e* ne se prononce pas)
- [id] après [t] ou [d], afin de bien faire entendre la désinence.

   waited, invited, added, needed

Remarques : (1) Les règles de prononciation ci-dessus s'appliquent aussi aux adjectifs composés du type « middle-aged, short-sighted, etc. » (631).

(2) Dans la terminaison *-red*, l'*r* ne se prononce pas : **ordered** ['ɔːdəd].
Bien distinguer les prononciations [id] dans **waited, admitted, insisted**; et [əd] dans **offered, ordered, entered**.

11 (3) On prononce [id] la terminaison du nom **hatred** et des *adjectifs :* **wicked** *(méchant),* **wretched** *(misérable),* **ragged** *(en haillons),* **rugged** *(rugueux),* **jagged** *(déchiqueté),* **crooked** *(courbé; malhonnête),* **dogged** *(obstiné),* **naked** *(nu),* **sacred** *(sacré),* **blessed** *(bienheureux,* souvent ironique), **cursed** *(maudit),* **learned** *(érudit),* **aged** *(âgé),* **beloved** *(bien-aimé)*

Ne pas confondre les cinq derniers adjectifs avec les participes passés des verbes **to bless, to curse, to learn, to age** et le participe passé **beloved** (forme verbale isolée), dont la prononciation obéit à la règle générale.

   An aged ['eidʒid] **aunt / He has aged** [eidʒd] **considerably.**
   His beloved [bi'lʌvid] **wife / She is beloved** [bi'lʌvd] **by all.**

Comparer phonétiquement les titres des deux romans « **The Loved** [lʌvd] **One** » (Evelyn Waugh) et « **Cry, the Beloved** [bi'lʌvid] **Country** » (Alan Paton).

Dans les Béatitudes **blessed** se prononce ['blesid] (**Blessed are the poor in spirit...**).

(4) Dans les chansons, les « hymns », les oratorios, etc., les terminaisons *-ed* sont souvent prononcées [ed] au lieu de [id] (sacred, blessed, exalted, etc.), en particulier quand la mélodie impose à la syllabe finale inaccentuée une longueur anormale. Dans les sermons, les pasteurs prononcent souvent blessed, sacred, etc., avec la terminaison [əd] (diction lente, articulation très soignée).

12   (5) Comparer la prononciation des participes passés **fixed** [fikst], **supposed** [səˈpouzd], **assured** [əˈʃuəd], **deserved** [diˈzəːvd], **advised** [ədˈvaizd] avec celle des adverbes **fixedly** [ˈfiksidli], **supposedly** [səˈpouzidli], **assuredly** [əˈʃuəridli], **deservedly** [diˈzəːvidli], **advisedly** [ədˈvaizidli].

> **I use the word** (ou : **the words**) **advisedly**. *Je pèse mes mots.*

Mais cela n'est pas une règle : **determinedly** [-ndli].

(6) La dentale finale s'entend toujours, même dans les prononciations relâchées. Ainsi, dans « he asked me », pour éviter d'avoir quatre consonnes de suite [sktm], c'est le [k] qui souvent n'est pas prononcé : [ˈɑːstmi].

(7) La désinence est parfois orthographiée **'d** quand elle s'ajoute à des mots étrangers terminés par des lettres qu'on ne trouve pas normalement dans des terminaisons anglaises (To ski → **he ski'd**; voir aussi 976).

13 ⓒ *Le participe présent et le gérondif* sont semblables; ils se terminent par la désinence [iŋ], orthographiée *-ing*. Un *e* final non prononcé disparaît devant *-ing* (love → **loving**; manage → **managing**; mais see → **seeing**; be → **being**). Toutefois on garde l'*e* dans **dyeing** (to dye, *teindre*) pour éviter une confusion avec **dying** (to die), dans **singeing** (to singe, *roussir*) pour éviter une confusion avec **singing** (to sing) et dans **ageing** (to age, *vieillir*).

Remarquer que pour les verbes comme **to order, to prefer, to bore**, l'*r* ne se prononce pas devant *-ed* (10) mais se prononce devant *-ing*.

> **ordered** [ˈɔːdəd], **ordering** [ˈɔːdəriŋ]

L'orthographe est la même pour le preterite et les participes de **to bathe** [beið] et de **to bath** [bɑːθ] :

> **She bathed** [beiðd] **in the sea; she was bathing** [ˈbeiðiŋ] **in the sea.**
> **She bathed** [bɑːθt] **the baby; she was bathing** [ˈbɑːθiŋ] **the baby.**

---

4. — LE SYSTÈME DE CONJUGAISON D'UN VERBE ORDINAIRE

14   1° *Le radical* (ou « radical + désinence zéro », ou *base verbale*) s'emploie :
— seul comme *impératif de la 2ᵉ personne* (**Play !**)
— seul comme « *infinitif incomplet* » (ou « *sans to* », leçon 18), que l'on trouve notamment *après les auxiliaires de modalité* (**We can play, you must play**..., leçon 4). Précédé de shall/will et de should/would il sert à former des *périphrases à sens du futur et de conditionnel* (**He will play, he would play**, leçons 13 et 14). Il s'emploie avec l'auxiliaire *do/does/did* aux *formes interrogative, négative* (**He doesn't play, does he play ?** leçon 2) *et emphatique* (**He does play**, leçon 6). Il s'emploie avec l'auxiliaire *let* pour former l'impératif des 1ʳᵉ et 3ᵉ personnes (**Let's play, let them play**, leçon 19).
— précédé de la particule *to*, comme « *infinitif complet* », que l'on trouve après un grand nombre de verbes et de périphrases, dont plusieurs servent à exprimer la modalité ou l'aspect (**He wants to play, he is going to play, he used to play, he happened to play, he ought to play**, leçons 5, 18, 24, 25).
— comme *présent de l'indicatif* (présent simple), sauf à la 3ᵉ personne du singulier (**I play, you play, they play**..., leçon 10).
— comme « *présent* » *du subjonctif*, à toutes les personnes (**They insisted that he play**, leçon 16).

15   2° *Le radical + désinence à sifflante* ne s'emploie que pour la 3ᵉ personne du singulier du présent de l'indicatif, et seulement à la forme affirmative non emphatique **(He plays tennis)**.

16 3° *Le radical* + *désinence à dentale* (pour les verbes réguliers) s'emploie :
— comme *preterite* (temps du passé), à toutes les personnes, mais seulement à la forme affirmative non emphatique (he **played**, leçon 11).
— comme *preterite modal* (subjonctif preterite), à toutes les personnes (I **wish** he **played better**, leçon 16).
— comme *participe passé*, qui sert notamment à former :
  • *la voix passive*, avec l'auxiliaire *be* (cricket **is played in all schools**, leçon 20).
  • *les perfects*, avec l'auxiliaire *have* (leçon 11).
    present perfect (he **has played**)
    past perfect (he **had played**)
    future perfect (he **will have played**)
    conditional perfect (he **would have played**)
    « modal + have + participe passé » (he **must have played,**...)
    perfects impersonnels (**to have played, having played**).

On voit que les perfects forment un système complet parallèle (le verbe *to have played*, qui s'oppose au verbe *to play* par une différence d'aspect, notion qui sera définie à la leçon 10).

Il faut savoir les preterites et participes passés des verbes irréguliers, qui ne sont pas terminés par une désinence à dentale orthographiée -*ed* (voir listes, p. 586).

17 4° *Le radical* + *désinence* -*ing* s'emploie :
— comme *participe présent*, servant notamment à conjuguer avec l'auxiliaire *be* la *forme progressive*, qui existe à tous les temps et se combine avec les auxiliaires de modalité (he **is playing, he was playing, he would be playing, he might have been playing**, leçon 10). Comme pour les « perfects » (voir plus haut), on a un système complet à la forme progressive (le verbe *to be playing*, qui s'oppose au verbe *to play* et au verbe *to have played* par une différence d'aspect).
— comme *gérondif* (he **is fond of playing tennis**, leçon 17).

18 On remarque l'importance des *alternances* suivantes :
(a) désinence zéro / désinence à sifflante.
    he plays / I play; he plays / they play; he plays / he does't play; he plays / he does play.
(b) désinence zéro / désinence à dentale.
    I play / I played; I played / I didn't play; I played / I did play.
(c) désinence à sifflante / désinence à dentale.
    he plays / he played.
(d) désinence à dentale / -ing.
    he is tired / he is tiring.
(e) pour les verbes irréguliers : base verbale / preterite.
    I see / I saw; I saw / I didn't see; I saw / I did see.

5. — MODIFICATIONS ORTHOGRAPHIQUES

19 (a) Devant -*ed* et -*ing* on redouble la consonne finale quand le radical se termine par une seule consonne précédée d'une seule voyelle et que la syllabe finale est accentuée (ou que le verbe est monosyllabique).

    to **admit** [əd'mit] → *admitted, admitting*.
    to **prefer** [pri'fə:] → *preferred, preferring*.
    to **stop** → *stopped, stopping*.

Mais sans redoublement de la consonne finale :

to rain → *rained, raining* (deux voyelles).
to help → *helped, helping* (deux consonnes).
to happen ['hæpn] → *happened, happening* (finale non accentuée)
to hope → *hoped, hoping* (l'infinitif se termine par un e). Cf. **to hop** → *hopped, hopping*.

Exceptions : (1) Les verbes en *-el* non accentués sur la syllabe finale redoublent l'*l* en Angleterre (to travel → **travelled, travelling**) mais non aux Etats-Unis, où la règle ci-dessus est appliquée (**traveled, traveling**).

De la même façon, on redouble la consonne finale de **to dial** en Angleterre (**dialled, dialling**, malgré les deux voyelles), mais non aux Etats-Unis (**dialed, dialing**).

(2) Quelques verbes terminés par un *p* redoublent cette lettre quoique la syllabe finale ne soit pas accentuée; notamment to worship → **worshipped, worshipping**; to kidnap → **kidnapped, kidnapping**. Aux Etats-Unis ces formes sont généralement orthographiées avec un seul *p*. Dans les deux pays : **handicapped** (en français : *handicapé*).

(3) **To zigzag** redouble le *g* final quoique la syllabe finale ne soit pas accentuée (**zigzagged, zigzagging**), en Amérique comme en Angleterre.

(4) De même pour **to picnic, to mimic**, mais le *c* est redoublé sous la forme *ck* (**picnicking, mimicked**), en Amérique comme en Angleterre.

(5) Le participe passé **biased** [baiəst] (**to be biased**, *être de parti pris*) est aussi orthographié **biassed**.

20 (b) Les verbes en *-y* ont les terminaisons *-ies, -ied* si l'*y* est placé après une consonne; mais après une voyelle l'orthographe est régulière.

to carry → **carries, carried**; to supply → **supplies, supplied**.
to play → **plays, played**; to obey → **obeys, obeyed**.

Cette règle s'applique également aux pluriels des noms (toys, cherries) et aux terminaisons des comparatifs et superlatifs (gayer, merrier).

(c) Inversement les verbes **to die, to tie, to lie** (*être étendu* ou *mentir*) font au participe présent **dying, tying, lying**. Ne pas confondre **dying** et **dyeing** (de **to dye**, *teindre*).

---

6. — FORMES ARCHAÏQUES

21 (a) *La 2ᵉ personne du singulier* ne s'emploie plus dans la langue courante depuis plusieurs siècles. Elle est remplacée par la 2ᵉ personne du pluriel.

L'anglais n'a donc ni tutoiement, ni pluriel de politesse. L'emploi des prénoms entre amis correspond un peu à notre tutoiement. En réalité les Anglais, et plus encore les Américains, utilisent les prénoms plus librement que nous ne tutoyons.

La 2ᵉ personne du singulier subsiste en *poésie* (invocations) et dans les *textes religieux*, pour la plupart composés à l'époque de la Réforme, où Dieu est tutoyé. La traduction officielle de la Bible publiée en 1611 (« Authorized Version » ou « King James Version »), lue couramment encore aujourd'hui, a contribué à perpétuer cet emploi religieux du tutoiement.

Principales formes :

thou art, thou wast (ou : **thou wert**)
thou hast, thou hadst

thou shalt, thou wilt
thou dost [dʌst], **thou didst.**

Verbes ordinaires : suffixe *-st* (ou : *-est*) : **thou workest** ['wəːkist], **thou workedst** (les preterites en *-edst* sont encore plus rares aujourd'hui que les autres formes).

Pronoms : sujet **thou** [ðau], complément **thee** [ðiː], réfléchi **thyself** [ðai'self]. Possessifs : adjectif **thy** [ðai], pronom **thine** [ðain].

> **Hail to *thee*, blithe spirit,**
> **Bird *thou* never wert.**
>   Shelley (To a Skylark).
> **Our Father, which *art* in heaven, hallowed be *Thy* name; *Thy* kingdom come; *Thy* will be done... *Thine* is the kingdom...** (dans la prière).
> **O Lord, why *hast thou* forsaken me ?** *O Seigneur, pourquoi m'as-tu abandonné ?*
> ***Thou shalt* not kill.** *Tu ne tueras point.*
> **Love *thy* neighbour as *thyself*.** *Aime ton prochain comme toi-même.*

N.B. On entend encore des formes de tutoiement dans le nord de l'Angleterre, notamment dans les villages miniers du Yorkshire : **I'll go with thee. Th'art** [ðaːt] (= thou art) **a fool,** etc. (cf. dans 'Wuthering Heights', la langue parlée par les personnages les moins instruits, Joseph et Hareton : « **If thou weren't more a lass than a lad, I'd fell thee** »).

22 (b) Dans la poésie et les textes religieux on trouve aussi une forme ancienne de la *3ᵉ personne du singulier* terminée par *-th* ou *-eth* [əθ] :

He hath, he doth [dʌθ], **he speaketh, he saith** [seθ] ou **he sayeth** [seiəθ].

> **Thus saith the Lord...** (dans la Bible).
> **It is an ancient Mariner,**
> **And he *stoppeth* one of three.**
> **"By *thy* long grey beard and glittering eye,**
> **Now wherefore *stopp'st thou* me ?"**

(premiers vers du poème de Coleridge « The Rime of the Ancient Mariner », dans lequel les formes anciennes sont des archaïsmes poétiques destinés à créer un climat de ballade médiévale).

EXERCICES

[A] Mettre à la 3ᵉ personne du singulier du présent et au preterite les verbes suivants (tous réguliers). Noter la prononciation des terminaisons à l'aide de l'alphabet phonétique, puis classer suivant leur prononciation (a) les 3ᵉˢ personnes du singulier, (b) les preterites (voir 9, 10, 19, 20). Les lire avec soin : To hope, to rain, to punch, to insist, to order, to stop, to deny, to manage, to bore, to laugh, to face, to vote, to obey, to offer, to skid, to pass, to play, to stare, to excite, to profit, to suffer, to stay, to mix, to conquer, to need, to rush, to appear, to dry, to amaze, to answer, to knock, to endeavour.

B Lire (et écrire avec l'alphabet phonétique les mots terminés par -s ou -ed) : Baked potatoes; the naked truth; a wretched fellow; we fetched him; a wicked man; he picked up his paper; he is very learned; they learned their lessons; the car jogged along; a dogged resistance; the bishop blessed the new church; this blessed city; this blessed fog ! (= this damned fog ! this cursed fog !); they lagged behind; their ragged clothes; the jagged peak; he sighed with relief; « Cry the Beloved Country »; he says he plays very well; their clothes; warmly clothed; it closes at 5; table-cloths; he bathes every day when he is at the sea-side; she baths the baby every morning (Mettre ces deux dernières phrases au preterite).

[C] Mettre au participe présent, par écrit et oralement :

a — To whine, to spin, to sin, to shine, to imagine, to fine, to win, to dine, to repine;

b — To rap, to rape, to shape, to kidnap, to strap, to ape, to escape, to develop, to hope, to hop, to grope;

c — To happen, to obtain, to clean, to pen, to open, to listen, to mention, to ban, to threaten, to rain;

d — To hit, to admit, to invite, to profit, to permit, to fit, to excite, to submit;

e — To agree, to sigh, to defy, to bow, to see, to lie, to be, to neigh, to roar, to obey, to tie, to spy;

f — To order, to stare, to occur, to injure, to stir, to tire, to insure, to star, to infer, to appear, to prefer, to offer, to blur, to differ, to jar, to suffer, to confer, to consider.

2. — INTERROGATION ET NÉGATION

1. — RÈGLES FONDAMENTALES

23 Aux formes interrogative, négative et interro-négative :

(a) *les auxiliaires* (*be, have, auxiliaires de modalité*) se conjuguent sans l'auxiliaire *do*.

Mr Morgan is at home
{ int : Is Mr Morgan at home ?
nég : Mr Morgan *isn't* (= is not) at home.
interro-nég : Isn't Mr Morgan at home ?

They are coming with us
{ int : Are they coming with us ?
nég : They *aren't* (= are not) coming with us.
interro-nég : Aren't they coming with us ?

His son can speak French
{ int : Can his son speak French ?
nég : His son *can't* (= cannot) speak French.
interro-nég : Can't his son speak French ?

John will leave tomorrow
{ int : Will John leave tomorrow ?
nég : John *won't* (= will not) leave tomorrow.
interro-nég : Won't John leave tomorrow ?

(b) *les verbes ordinaires au présent et au preterite* se conjuguent *avec l'auxiliaire do* ([du] devant une voyelle, [du] ou [də] devant une consonne), qui devient *does* [dʌz] à la 3ᵉ personne du singulier du présent et *did* au preterite, le verbe lui-même restant invariable.

Our friends get up early
{ int : Do our friends get up early ?
nég : Our friends *don't* (= do not) get up early.
interro-nég : Don't our friends get up early ?

Margaret plays the piano
{ int : Does Margaret play the piano ?
nég : Margaret *doesn't* (= does not) play the piano.
interro-nég : Doesn't Margaret play the piano ?

She bought a paper
{
int : Did she buy a paper ?
nég : She **didn't** (= did not) buy a paper.
interro-nég : Didn't she buy a paper ?
}

A la 2ᵉ personne la prononciation familière rapide de la forme interrogative s'écrit parfois « **d'you** » [djuː] ou [djə].

D'you mind if I open the door ? *Ça vous ennuie que j'ouvre la porte ?*

A la 3ᵉ personne du singulier, **does** est parfois contracté (et noté **'s**), notamment après **what**, dans une langue peu soignée.

What's he say in his letter ? *Que dit-il dans sa lettre ?*

24   **Remarques :** (1) Ne pas oublier que le verbe ordinaire **to do** [duː] se conjugue, comme les autres, avec l'auxiliaire **do**. Voir aussi 154.

I didn't do it on purpose. *Je ne l'ai pas fait exprès.*
How do you do ? *Enchanté de faire votre connaissance* (Cette formule n'est pas à proprement parler une question puisqu'on répond « How do you do ? ». C'est pourquoi on omet parfois le point d'interrogation).
Doesn't he do his best ? *Ne fait-il pas de son mieux ?*

(2) Le verbe **to have** se conjugue tantôt comme un auxiliaire, tantôt comme un verbe ordinaire, avec **do**. Ce cas particulier sera étudié à la leçon 3.

---

2. — FORME INTERROGATIVE

25 (a) **L'inversion** se fait avec **le premier auxiliaire** s'il y en a plusieurs.

Would the children have worked ? *Les enfants auraient-ils travaillé ?*
How long have the Robinsons been living here ? *Depuis combien de temps les Robinson habitent-ils ici ?*
Had he been helped ? *Avait-il été aidé ?*

(b) **Le sujet n'est jamais répété.**

Vos parents sont-ils chez eux ? **Are your parents at home ?**
Ton frère joue-t-il aux échecs ? **Does your brother play chess ?**

26 (c) Si la phrase commence par un terme interrogatif (qui peut être un groupe de mots) servant de **sujet** au verbe, celui-ci se met à la **forme affirmative**...

Who wrote this play ? *Qui a écrit cette pièce ?*
Who speaks German ? — I do. *Qui parle l'allemand ? — Moi* (171, 705)
Which of the two trains arrives first ? *Lequel des deux trains arrive le premier ?*

... alors que si le terme interrogatif est **complément** le verbe se met à la **forme interrogative** (comme en français).

What did he tell you ? *Que vous a-t-il dit ?*
To whom were you talking ? *A qui parliez-vous ?* (On dit beaucoup plus couramment : **Who were you talking to ?** Dans cette phrase **who** est complément, voir 784).

Comparer : **Who saw them ?** (**who** est sujet). *Qui les a vus ?*
et : **Who** (beaucoup plus couramment que **whom**) **did they see ?** (**who** / **whom** est complément). *Qui ont-ils vu ?*

27 (d) Il arrive que dans la conversation familière le sujet (généralement **you**) et l'auxililiaire soient **sous-entendus**.

> (Have you) **Had a good day ?** *Tu as passé une bonne journée ?*
> (Do you) **Like my dress ?** *Ma robe te plaît ?*
> (Have you) **Ever been to America ?** *Vous êtes déjà allé en Amérique ?*
> (Do you) **See what I mean ?** *Tu vois ce que je veux dire ?*

(e) Parfois on ne sous-entend que l'auxiliaire, ce qui revient à employer une forme affirmative, mais avec intonation ascendante.

> **You see what I mean ?** *Tu vois ce que je veux dire ?*

Mais cela se fait beaucoup plus rarement qu'en français, et il est sage de prendre l'habitude de bien construire les phrases interrogatives.

> *Vous vous êtes bien amusés ?* **Did you enjoy yourselves ?**
> *C'est bon ?* **Is it good ?**
> *Ils t'ont attendu ?* **Did they wait for you ?**

Ne pas confondre les questions dont l'auxiliaire est sous-entendu avec les « *fausses questions* » (elles aussi à la forme affirmative suivie d'un point d'interrogation), qui reprennent ce qui vient d'être dit par un interlocuteur pour exprimer une surprise ou introduire un commentaire.

> **(So) you know Dr Smith ? We've known him for years.**
> **Your husband plays tennis ? I wish you had told me before.**

28 (f) Noter l'expression littéraire (rare et exceptionnelle) dans laquelle **to come** (= to happen) est conjugué à la forme interrogative sans auxiliaire :

> **How comes it** (plus couramment : **How is it**) **that he is so ignorant ?**
> *Comment se fait-il qu'il soit si ignorant ?*

Ne pas confondre cette construction avec « *How did you come to... ?* » (138) et avec l'expression familière « *How come... ?* » (= *Comment se fait-il que... ?*).

> **How come you haven't paid us back the money ?** *Comment se fait-il que vous ne nous ayez pas rendu l'argent ?*

Noter aussi l'expression familière : « **How goes it ?** » *(Ça va ?).*

(g) Le verbe est souvent sous-entendu après l'auxiliaire de la forme interrogative (« tags », phrases elliptiques, voir leçon 7).

> **They said they were sorry. — Oh, did they ?** (ton sarcastique). *Ils ont dit qu'ils étaient navrés. — Ah, vraiment ?*

(h) Voir 448 et 449 (constructions interrogatives à **sens exclamatif**).

> **What did I tell you !** *Qu'est-ce que je vous disais !* (= N'est-ce pas que j'avais raison ?).

(i) Pour les différents types de phrases interrogatives (**questions fermées** et **questions ouvertes, interrogatives indirectes**), voir leçon 22.

---

3. — FORME NÉGATIVE

29 (a) Une proposition négative ne comporte qu'*une seule négation*. Comparer :

> He does *not* smoke et : He *never* smokes
> He has *not* come   et : *Nobody* has come

C'est pourquoi dans une phrase comportant déjà une négation on emploie :

any et non **no**
ever et non **never**
either et non **neither**

I haven't seen him anywhere. *Je ne l'ai vu nulle part.*
Nobody has ever seen him laugh. *Jamais personne ne l'a vu rire.*
I haven't been to Venice yet. — I haven't been there yet either. *Je ne suis pas encore allé à Venise. — Moi non plus, je n'y suis pas encore allé.*

On suit la même règle après les adverbes **hardly, scarcely, barely** *(presque pas, ne... guère)* qui sont considérés comme des **termes négatifs.**

There was hardly anybody on the beach. *Il n'y avait presque personne sur la plage* (On ne dit pas couramment « almost nobody »).

De même : *presque rien* = **hardly anything**
presque jamais = **hardly ever**
presque pas de = **hardly any**

30 ⓑ Dans la langue parlée on emploie les **contractions** des différents auxiliaires (**les 24 « formes anomales »**) avec **not.** On ne détache la négation pour la prononcer plus clairement que si l'on a une raison spéciale de le faire (147).

Veiller à bien prononcer les contractions. Certaines sont irrégulières :

aren't [ɑːnt] = are not (se prononce comme « aunt »)
weren't [wəːnt] = were not (rime avec « burnt »)
can't [kɑːnt] = cannot   **won't** [wount] = will not
shan't [ʃɑːnt] = shall not   **don't** [dount] = do not
mustn't [mʌsnt] = must not (le t de must reste muet)

Il existe une contraction familière (courante dans le Nord de l'Angleterre) « **an't** » [ɑːnt] (aussi orthographiée « a'n't » ou, de plus en plus souvent, « aren't »), correspondant à **am not.** Mais on dit plus souvent **I'm not.** A la forme interro-négative on emploie couramment « **aren't I ?** » (39).

Quant à « **ain't** » [eint], qui s'emploie à toutes les personnes (= am not, is not, are not, et souvent have not, has not), c'est une forme considérée comme vulgaire (américanisme courant).

He ain't right = *Il a* (sic) *pas raison.*

Comparer ces deux phrases incorrectes :

« **I ain't got no time** » (avec deux négations au lieu d'une).
« *J'ai pas l'temps* » (avec omission de la négation *ne*).

Bien orthographier toutes ces contractions **-n't** (et non 'nt).

31 ⓒ Les contractions terminées par **-n't** peuvent être placées à n'importe quel endroit de la phrase, par exemple en position finale (Comparer avec l'emploi des contractions du type : he's, they'd, we'll, 38).

I thought it was raining, but it isn't. *Je croyais qu'il pleuvait, mais je me suis trompé (**It isn't** est plus courant que **it's not**, tournure emphatique, 147).*

ⓓ On verra (178 à 181) qu'après certains verbes **not** équivaut à toute une proposition subordonnée négative (introduite par **that**) sous-entendue.

Will it rain this afternoon ? — I hope not (not = that it won't rain). *Va-t-il pleuvoir cet après-midi ? — J'espère que non.*

32 (e) Le verbe *to fail* sert à former des phrases de sens négatif dans un style soigné (quand il est sous-entendu que l'on pourrait s'attendre au contraire). Voir 149.

> **I fail to understand.** *Je ne comprends pas.*
> **We waited for him, but he failed to come.** *Nous l'avons attendu, mais il n'est pas venu.*
> **He has failed to answer my letter.** *Il a omis de répondre à ma lettre.*
> Voir aussi 146 à 150 (Phrases négatives emphatiques).

33 (f) Noter les expressions littéraires archaïques dans lesquelles *to know* est conjugué à la forme négative sans auxiliaire :

> **A queer sound coming he knew not whence.** *Un bruit insolite provenant il ne savait d'où.*
> **She feared she knew not what.** *Elle éprouvait une peur indéfinissable.*

Quelques expressions comme *not a word, not at all, not the least, not the slightest*... sont parfois placées après le verbe, sans auxiliaire, dans le style littéraire.

> **He waited, gaped, and said not a word.** *Il attendit, regarda bouche bée, et ne dit mot.*
> **This mattered not at all, since nobody would ever know about it.** *Cela n'avait pas la moindre importance, vu que personne n'en saurait jamais rien.*
> **She paid not the slightest attention to what they were doing.** *Elle ne prêta pas la moindre attention à ce qu'ils faisaient.*

(g) Pour la forme négative de l'impératif, du gérondif et de l'infinitif, voir 413-414, 382, 392.

(h) Le verbe est souvent sous-entendu après l'auxiliaire de la forme négative (« *tags* », *phrases elliptiques*, voir leçon 7).

> **He said he would ring us up, but he didn't.** *Il a dit qu'il nous appellerait (au téléphone), mais il ne l'a pas fait.*

---

4. — FORME INTERRO-NÉGATIVE

34 Elle est plus employée qu'en français. Dans la langue parlée, nous exprimons couramment la même idée par une forme négative suivie d'un point d'interrogation, et parfois par une forme affirmative.

Quand on pose une question à la forme interro-négative, c'est généralement que l'on s'attend à une *réponse affirmative*, comme en français.

(a) *Dans la conversation* courante et dans le style écrit familier (dans les lettres, dans de nombreux romans) on emploie les *contractions en -n't*.

> **Don't you think he looks like his father?** *Vous ne trouvez pas qu'il ressemble à son père ?*
> **Didn't they come to see you yesterday?** *Ils ne sont pas venus vous voir hier ?*
> **Couldn't your parents help you?** *Tes parents ne pourraient pas t'aider ?*
> **Won't you have a cup of tea?** *Vous prendrez bien une tasse de thé.*

Cet emploi des contractions à la forme interro-négative est particulièrement fréquent dans les « tags » (leçon 7).

> **The film was very good, wasn't it?** *Le film était très bon, n'est-ce pas ?*

35 (b) *Lorsqu'on ne fait pas la contraction* (style plus relevé) l'ordre des mots varie selon que le sujet est un *pronom : not après le sujet...*

> **Is she not a witch ?** *N'est-elle pas sorcière ?*
> **Can you not see that I mean what I say ?** *Ne voyez-vous pas que je parle sérieusement ?*

... ou un *nom : not après l'auxiliaire* (sauf dans un style emphatique, avec une nuance d'indignation, par exemple en présence d'un doute surprenant, d'un comportement scandaleux).

> **Are not the English a nation of heroes ?** *Les Anglais ne sont-ils pas un peuple de héros ?*
> **Did not this man betray his country ?** *Cet homme n'a-t-il pas trahi son pays ?*

Mais :

> **Are the English not a nation of shopkeepers ?** *Doutez-vous que les Anglais soient une nation de boutiquiers ?*
> **What ! Are these pupils not working ?** *Comment ! Mais ces élèves ne travaillent pas ?*

36 (c) Voir 449, c (constructions interro-négatives à *sens exclamatif*).

> **Isn't it ridiculous !** *Comme c'est ridicule !*
> **Didn't they laugh !** *Ils ont bien ri !*
> **I need money. — Don't we all !** (= You're not the only one !). *J'ai besoin d'argent. — Tu n'es pas le seul !*

(d) Pour les *réponses affirmatives* aux questions interro-négatives (en français : *si !* et non : *oui !*), voir 158.

EXERCICES

A   Mettre à la forme interro-négative (avec les contractions) :

1. Your wife can drive. — 2. Maud's boy-friend works in this office. — 3. They have got a large garden. — 4. She will like it. — 5. You agree with us. — 6. The Robinsons went with them. — 7. His sister sings in the choir. — 8. Our neighbours have bought a new car. — 9. Your parents' house is rather small. — 10. All the children of this school learn French. — 11. John and Jennie would be pleased to see us. — 12. This man is a bore. — 13. You should write to them. — 14. The Morgans are living in Newport. — 15. They were told where to go.

[B] Donner des phrases synonymes construites avec *hardly*.

Exemple : He doesn't come to see us very often → He hardly ever comes to see us.
1. There were very few people at the concert. — 2. There isn't much wind today. — 3. We very seldom go to the pictures. — 4. There are very few coloured people in this city. — 5. Very few people know about it. — 6. There were few flowers in the garden. — 7. I haven't often seen him laugh. — 8. There wasn't much left for us. — 9. How many mushrooms have you found ? — Very few. — 10. How much did you understand ? — Very little. — 11. Not much has happened so far. — 12. I very seldom receive any letter. — 13. Because of the weather the event attracted very few people. — 14. Since living here, I've made very few friends. — 15. He was so accurate that he made very few mistakes.

C   Donner des phrases synonymes construites avec *to fail*.
Exemple : He didn't answer my letter → He failed to answer my letter.

1. We didn't understand what he meant. — 2. We waited for him but he didn't come. — 3. I can't see why you're so bad-tempered. — 4. He came in very late and didn't apologize. — 5. He didn't realize how serious the situation was. — 6. He never gives his wife a birthday present. — 7. He has intended to buy a car for ten years, but so far he hasn't. — 8. So far our plans haven't materialized. — 9. He took the present but didn't say thank you. — 10. They knew what had happened but they didn't tell us. — 11. I asked him for his address but he didn't give me it. — 12. The driver had a car accident but he did not report it to the police. — 13. He didn't turn up for his exam and didn't give a reason for his absence. — 14. He received his income tax forms but did not fill them in. — 15. He borrowed my bicycle while I was away and didn't tell me about it.

D   Répondre aux questions à l'aide de deux phrases, l'une négative, l'autre affirmative, sur le modèle suivant :

Did you go to Oxford ? — No, I didn't (go to Oxford), I went to Cambridge.

L'élément nouveau de la réponse est donné entre parenthèses. La plupart des verbes sont irréguliers.

1. Did you fly to London by night ? (by day). — 2. Did they buy the blue car ? (the black one). — 3. Did he swear at you ? (at my wife). — 4. Did you drink wine ? (water). — 5. Did you know him ? (his brother). — 6. Did the dog bite your hand ? (leg). — 7. Did they drive to Italy ? (to Spain). — 8. Did you wake up early ? (late). — 9. Did he speak quietly (angrily). — 10. Did he catch the 8.30 train ? (the 9 o'clock train). — 11. Did they teach the students Russian ? (German). — 12. Did you draw a map of England ? (a map of Scotland). — 13. Did they steal the jewels ? (only the money). — 14. Did they leave before lunch ? (after lunch). — 15. Did he come by bus ? (by train). — 16. Did Shakespeare write novels ? (plays). — 17. Did she give you a book ? (a tie). — 18. Did you wait long ? (only five minutes). — 19. Did she bring all her children ? (only the baby). — 20. Did you think he was going to win ? (he was going to lose). — 21. Did you lose all your money ? (only £ 20). — 22. Did she sing an Irish folk song ? (a Negro spiritual). — 23. Did you eat the two cakes ? (only one). — 24. Did you understand all he said ? (very little). — 25. Did they bring him up well ? (badly). — 26. Did you ring them up last night ? (this morning). — 27. Did the wind blow from the north ? (from the west). — 28. Did he show you his pictures ? (his stamps). — 29. Did you ride on the donkey ? (on the mule). — 30. Did you feel happy ? (very sad).

[E] Traduire.

1. Peter, sa femme et ses enfants sont-ils toujours en Italie ? — 2. Vous n'avez pas faim ? Vous n'êtes pas fatigué ? — 3. Vous ne pouvez pas venir avec nous ? — 4. Fred ne vous a pas téléphoné hier soir ? — 5. Vous n'êtes pas content d'être ici ? — 6. Personne ne va jamais les voir. — 7. Il ne comprend jamais rien. — 8. Il n'y a presque rien à manger. — 9. Nous n'allons presque jamais au théâtre. — 10. Je n'ai jamais entendu personne dire cela. — 11. Il n'y a presque personne dans la City le dimanche. — 12. Nous ne pouvons presque rien faire pour eux. — 13. Betty et son mari seraient-ils venus si nous les avions invités ? — 14. Que signifie ce mot ? — 15. Que veut faire Dicky quand il sera grand ? — 16. Qui avez-vous rencontré ? — 17. Que font les Anglais le dimanche ? — Ils ne font presque rien. — 18. Pourquoi n'êtes-vous pas venus par le train ? — 19. Qui vous a dit cela ? — 20. Que vous a-t-il dit ?

3. — TO BE, THERE IS, TO HAVE

1. — FORMES PLEINES ET FORMES FAIBLES

37 Les auxiliaires, ainsi que d'autres mots grammaticaux (pronoms personnels, adjectifs possessifs, articles, prépositions, etc.), existent sous deux formes (ce que l'orthographe n'indique pas toujours) : une **forme pleine**, quand ils sont accentués (ce qui est exceptionnel), et une **forme faible**, quand ils sont inaccentués (ce qui est le cas général). Voir leçon 53 (Phonétique et grammaire).

(a) **To be** est le seul verbe qui ait trois formes différentes au présent (**am, is, are**) et deux au preterite (singulier : **was** [wɔz]; pluriel : **were** [wəː]). Le participe passé est **been**.

On entend parfois « we was », « you was », « they was » dans une langue considérée comme très vulgaire (« substandard »).

Le preterite subjonctif (ou : preterite modal) est **were** à toutes les personnes dans une langue soignée (357 à 360).

> **I wish I were in England** (langue moins soignée, mais non vulgaire : **I wish I was in England**). *Je voudrais être en Angleterre.*

Les formes composées (**we shall be, he has been...**), le participe présent (**being**), et l'impératif (**Be quiet. Let's be quiet**) se construisent comme pour les autres verbes.

La forme progressive de **to be**, d'emploi exceptionnel (**You are being silly**) sera étudiée au § 250.

To be ne se conjugue avec **do** qu'à l'impératif négatif (**Don't be afraid**) et emphatique (**Do be a good boy**). Voir 414 et 416.

Toutefois, on peut conjuguer avec **do** l'expression **to be quiet** quand elle signifie « *se taire* », « *se calmer* », comme s'il s'agissait d'un verbe ordinaire (périphrastique).

> **If you don't be (ou : aren't) quiet you'll have to leave the room.** *Si vous ne vous taisez pas vous devrez quitter la salle.*

(b) **To have** est moins irrégulier que to be : radical unique terminé par un **s** à la 3e personne du singulier du présent (**has**) et par un **d** au preterite et au participe passé (**had**). Les formes composées (**he will have, we have had, he had had**) se construisent régulièrement. Aux perfects (16) le participe passé **had** est accentué, l'auxiliaire qui le précède (have, has, had) ne l'est pas.

> **They had (ou : They'd) had a good rest** (le second **had** est accentué). *Ils s'étaient bien reposés.*

38 (c) **Les formes faibles** s'emploient couramment dans la langue parlée, mais pas en fin de phrase. Comparer :

I'm very tired	et : **How tired *I am* !**
She's in the garden	**I don't know where *she is*.**
You're a liar	**What a liar *you are* !**
I think *they've* seen the film	Yes, *they have*.

Au preterite de to be l'orthographe est la même (**was, were**) pour les formes pleines : [wɔz], [wəː] et les formes faibles : [wəz], [wə].

Les formes faibles des auxiliaires se rencontrent plus couramment après un pronom (**they're ready**) qu'après un nom (**the children are ready**). Toutefois on rencontre assez souvent *'s* après des noms (**the money's disappeared**, phrase dans laquelle *'s* = has). Les formes faibles ne s'emploient pas normalement dans la prose écrite soignée (récit, description, analyse...).

Attention à la forme *'s*, qui représente tantôt *is*, tantôt *has.*

> **What's happening ?** ('s = is). *Que se passe-t-il ?*
> **What's happened ?** ('s = has). *Que s'est-il passé ?*

De même, *'d* représente tantôt *had*, tantôt *would* (ou *should*).

> **She'd never said that** ('d = had). *Elle n'avait jamais dit cela.*
> **She'd never say that** ('d = would). *Elle ne dirait jamais cela.*

39 (d) ***Les contractions avec not*** (isn't, aren't, wasn't, weren't, haven't, hasn't, hadn't) sont courantes dans la langue parlée (**he isn't** est plus courant que **he's not, we haven't** plus courant que **we've not**).

Am ne se contracte pas normalement avec *not* (voir 30). A la forme négative on dit *I'm not*, à la forme interro-négative « *aren't I ?* ».

> **I'm strong, aren't I ?** *N'est-ce pas que je suis fort ?*

Pour l'américanisme « *ain't* » (forme vulgaire), voir 30.

> "**She ain't** (= isn't) **ready yet**". « *Elle est* (sic) *pas encore prête* ».
> "**I ain't** (= haven't) **got a lighter**". « *J'ai pas* (sic) *de briquet* ».

N.B. La contraction *'tis* (= it is) est archaïque.

---

2. — EMPLOIS DE TO BE

40 (a) Il n'a que rarement son ***sens plein*** (*être, exister*).

> **I think, therefore I am.** *Je pense, donc je suis.*
> **The greatest genius that ever was.** *Le plus grand génie qui ait jamais existé.*
> "**To be, or not to be, that is the question**". *Etre ou ne pas être, tout est là !* (traduction de Sophie Becker pour le T.N.P.).

Généralement, simple ***verbe copulatif***, son rôle se borne à lier le sujet au reste de la phrase (le prédicat). C'est pourquoi il est parfois ***possible de le sous-entendre*** (44) sans nuire à la clarté de la phrase.

(b) En tant qu'***auxiliaire***, il peut être suivi :

— d'un ***participe présent*** (c'est la ***forme progressive***).

> **They are working.** *Ils travaillent* (ils sont en train de travailler).
> **We are leaving tomorrow.** *Nous partons demain* (expression du futur, 321).

— d'un ***participe passé*** (c'est le ***passif***).

> **They are often punished.** *Ils sont souvent punis.*

— d'un ***infinitif complet*** (exprimant une action convenue, surtout dans la langue écrite).

> **We are to spend a week in Rome.** *Nous devons passer une semaine à Rome* (la même tournure peut aussi exprimer l'obligation, la fatalité, la possibilité, 122 à 127).

— de ***périphrases (likely to, sure to, bound to, going to)*** exprimant diverses nuances de modalité (leçon 5).

ALPHABET PHONÉTIQUE — VOYELLES

		Orthographes les plus courantes	Quelques autres orthographes
COURTES	[i]	fish, ship, fifty, wishes, fitted, oldest, the (animal)	pretty, women, busy, business, live, village, committee, coffee, England, English
	[e]	hen, men, wet	(m)any, Thames, bury, head, (I've) read, breakfast, says, said, friend
	[æ]	cat, man, pal, drank, apple, angry	
	[ɔ]	dog, not, wrong, foreign ['fɔrin]	gone, shone, because, cough [kɔf], what, want, wash, watch, wander
	[u]	bull, put, good, foot, wood	would [wud], should, could woman, wolf
	[ʌ]	duck, dull, but, sun, drunk, hungry	son, some, one, won, does, done, love, nothing, other, mother, come, money, month, front, wonder, London, blood, young, country, enough [i'nʌf], southern
	[ə]	(seulement dans des syllabes non accentuées) 'sister, 'older, a'gain, for'get, the (dog), a (dog), an (animal), for (me), as (tall) as (you), cupboard ['kʌbəd], Melbourne ['melbən], Portsmouth ['pɔːtsməθ], vineyard ['vinjəd], delicious [di'liʃəs].	
LONGUES	[iː]	sheep, see, sea, leave, to read	evening, receive, believe, people, key, police, machine
	[aː]	calf [kɑːf], half [hɑːf], car, dark	heart, laugh, aunt, clerk
	[ɔː]	horse, fork, wall, walk [wɔːk], saw, law	board, bored, door, war, water, quarter, bought, thought [θɔːt], caught, court, yours, pour
	[uː]	goose, moon, root	move, shoe, rule, blue, blew, two, who, fruit, youth, through [θruː], route
	[əː]	bird, first, burn, burst	learn, heard, journey, journalist, hers, were, person, work, world, worse
DIPH-TONGUES	[ai]	fly, five, life, die, high, right	height, eye, island, buy, either
	[ei]	snake, name, say, Shakespeare ['ʃeikspiə], snail, wait, way	eight, weigh(t), neighbour ['neibə], break, great, steak
	[ɔi]	boy, oil, noise	buoy
	[au]	cow, now, out, south, county	bough [bau], plough
	[ou]	goat, road, stone, go, only, over, old, folk [fouk], know, show(n), whole [houl]	sew, don't, won't, soul, though [ðou]
	[ɛə]	bear, wear, dare, mare, chair, hair	where, there, theirs, mayor [mɛə]
	[iə]	deer, beer, happier	here, hear, dear, theatre, serious
	[uə]	poor, moor	sure, tour
	[ɔə]	(aussi [ɔː]) door, bored, pour	
TRIPH-TONGUES	[aiə]	fire, hire, tyre, tired	lion, iron [aiən], science, choir [kwaiə]
	[auə]	flower, power	hour, flour, ours

ALPHABET PHONÉTIQUE — CONSONNES

SOURDES		SONORES	
[p]	pie, port, pier	[b]	buy, bought, beer
[t]	tie, heart, stopped [stɔpt], Thames	[d]	die, hard, robbed [rɔbd]
[k]	coat, could, crow, kill, chemist	[g]	goat, good, grow, get, give, guard [gɑːd]
[f]	fan, off, laugh, enough, photo, of (devant consonne sourde : a cup of tea)	[v]	van, even, Stephen, of (devant voyelle ou consonne sonore : a glass of beer)
[s]	sort, street, goose, disagree, face, Mississippi, psychology (sans [p])	[z]	nose, zoo, Dickens, scissors ['sizəz], Missouri
[θ]	thing, thought, death, cloth [ɔθ]	[ð]	this, then, though, mother, clothes [ouðz]
[ʃ]	shoe, wash, shop, sugar, nation, ocean, artificial, Russia, machine, Chicago	[ʒ]	pleasure, occasion, usual, prestige, Brezhnev (zh dans les noms russes)
[tʃ]	church, watch, chop, nature, China	[dʒ]	judge, bridge, cage, village, jam, jet, gin, gem, soldier ['souldʒə]

- [w] west, wing, wool, which, when, why [wai] (ou [hwai])
- [r] rest, ring, drink, three; write, wrong (sans [w])
- [j] yes, yard, year, you, youth, ewe [juː], (k)new, few, duty, united, beauty, Europe, Euston, Houston ['hjuːstən]
- [h] house, hill, ahead, childhood; who, whose, whole (sans [w])
- [m] mother; autumn, damn, hymn (sans [n]); climb, lamb (sans [b])
- [n] nice, mind, sign [sain], foreign ['fɔrin]; knock, knee (sans [k])
- [ŋ] singing, song, drink, drunk, young, strength, anxious ['æŋkʃəs]
- [l] life, plane, clean
     (« dark l ») well, shall, will, bill, milk, Churchill, dull

Remarques :

(1) Un r en fin de mot ne se prononce pas (Dear John; it's bigger; for me; shut the door), sauf pour faire une liaison si le mot suivant commence par une voyelle (Dear Anne; bigger and bigger; for us; the door is shut). C'est le seul phénomène de liaison en anglais.

(2) Dans l'orthographe phonétique le signe ' précède la syllabe accentuée.
Ex. : democrat ['deməkræt], democracy [di'mɔkrəsi], democratic [demə'krætik].

(3) Sauf indication contraire, la prononciation notée dans ce livre est celle de l'anglais britannique tel qu'il est parlé par les personnes instruites du sud de l'Angleterre.

PRONONCIATION DES LETTRES DE L'ALPHABET.

a [ei], b [biː], c [siː], d [diː], e [iː], f [ef], g [dʒiː], h [eitʃ], i [ai], j [dʒei], k [kei], l [el], m [em], n [en], o [ou], p [piː], q [kjuː], r [ɑː], s [es], t [tiː], u [juː], v [viː], w [dʌbljuː], x [eks], y [wai], z [zed] (en Amérique [ziː]).

A = capital a   ee, pp, etc. = double e, double p.

He is sure to fail. *Il va sûrement échouer.*

41   On trouve *to be* à la place de *to have* conjuguant un perfect (leçon 11), dans des cas exceptionnels, principalement dans la langue écrite, pour exprimer l'*état résultant d'une action* et non l'action elle-même (surtout avec les verbes de déplacement *to go, to come, to arrive,* et aussi avec *to finish,* plus rarement *to become*).

> **The door was locked, they were gone** (= they were no longer there). *La porte était fermée à clef, ils étaient partis.* Ici *gone* a la valeur d'un adjectif (= absent). Mais on dit : **They had just gone. They had gone to watch the match.**
>
> **'Good-bye !' She gave him a little hurried kiss; she was gone** (K. Mansfield) « *Au revoir !* » *Elle lui donna une petit baiser à la hâte; et la voilà partie.*
>
> **When he was** (ou : **had**) **finished, he went for a walk.** *Quand il eut terminé, il alla se promener* (mais : **When he had finished his work...**).
>
> **When you are finished with your work** (= when you've finished your work), **we can go for a walk.** *Quand vous aurez fini votre travail, nous pourrons aller nous promener.* (Cet emploi de l'auxiliaire *be* avec *to finish* appartient à la langue parlée aussi bien qu'à la langue écrite).

42 ⓒ Il introduit des *attributs* et des compléments divers (de lieu...).

> **His father is an engineer.** *Son père est ingénieur.*
>
> **We wondered where John was. He wasn't in the house.** *Nous nous demandions où était John. Il n'était pas dans la maison.*

Suivi d'un adjectif il correspond parfois à notre verbe *avoir* suivi d'un nom.

I am cold, *j'ai froid.*	**I am sleepy,** *j'ai sommeil.*
I am hungry, *j'ai faim.*	**I am thirsty,** *j'ai soif.*
I am right, *j'ai raison.*	**I am wrong,** *j'ai tort.*
I am lucky, *j'ai de la chance.*	**I am unlucky,** *je n'ai pas de chance.*
I am afraid, *j'ai peur.*	**I am** (= **I feel**) **dizzy** (= **giddy**), *j'ai le vertige.*

> **I was sick,** *j'ai eu mal au cœur,* ou : *j'ai vomi.*

43 ⓓ Plus employé que notre verbe *être,* il exprime notamment :

— *la dimension*

> **How deep is the well ? It's 20 feet deep.** *Quelle est la profondeur du puits ? Il est profond de 20 pieds.*
>
> **How tall are you ? I'm 6 ft. 2 ins. tall** (ft. = foot ou feet, voir 811; ins. = inches). *Quelle est votre taille ? Je mesure 6 pieds 2 pouces.* (La réponse est souvent elliptique : **I'm six foot two**).

— *la distance*

> **How far is the station from the village ?** *Quelle distance y a-t-il du village à la gare ?*
>
> **It's a good three miles** (**from... to...**). *Il y a au moins cinq kilomètres (de... à ...).*
>
> **The station is three miles from here.** *La gare est à cinq kilomètres d'ici.*

— *l'âge*

> **How old is she ? She will be eighteen in June.** *Quel âge a-t-elle ? Elle aura dix-huit ans en juin.* On peut dire aussi : **She will be eighteen years old** (sur le même modèle que : It's 20 feet deep) mais on sous-entend

généralement « years old » quand il s'agit de l'âge d'une personne (on dit évidemment : **This desk is three hundred years old**).

He is still in his teens (entre thirteen et nineteen), ou : **He is not yet out of his teens**. *Il n'a pas encore vingt ans.*

Noter les expressions : **When I was your age...** *Quand j'avais votre âge...* **People my age** (c. à d. people who are my age). *Les gens de mon âge.*

— *la santé*

How are you ? — I'm (ou : **I'm feeling) better.** *Comment allez-vous ? — Je vais mieux.*

How's your father ? *Comment va votre père ?*

Pour l'expression « How do you do ? », autrefois employée dans ce sens, voir 24.

— *la température*

What's the weather like ? *Quel temps fait-il ?*

It's cold, it's very windy. *Il fait froid, il fait beaucoup de vent.*

44 (e) Le verbe *to be et son sujet* sont souvent *sous-entendus* après *if, unless, as, when, while, though, until, whether, the more,* surtout dans la langue écrite, lorsque cela ne nuit pas à la clarté de la phrase. Voir aussi 907 (« however ignorant »).

He made up his mind to relate what he had seen if told to do so. *Il décida de raconter ce qu'il avait vu si on le lui demandait.*

If anything, he is a little taller than I am. *Si vraiment il y a une différence, il doit être un peu plus grand que moi.*

Unless compelled to stay in by bad weather, I go for a walk every day. *A moins que le mauvais temps ne me contraigne à rester à l'intérieur, je fais une promenade tous les jours.*

As a boy I used to be fond of honey. *Quand j'étais enfant j'aimais le miel.*

When in Rome, do as the Romans do (proverbe). *A Rome, faites comme les Romains.*

When in doubt, abstain. *Dans le doute, abstiens-toi.*

While in London I went to the cinema twice a week. *Pendant mon séjour à Londres je suis allé au cinéma deux fois par semaine.*

Though a British citizen, he couldn't speak English. *Bien qu'il fût citoyen britannique, il ne parlait pas l'anglais.*

Sugar is stored in the liver until needed. *Le sucre est emmagasiné dans le foie jusqu'à ce qu'on en ait besoin.*

Whether rich or poor, all have to die. *Riches ou pauvres, tous doivent mourir.*

The sooner you get there the better. *Plus tôt vous y arriverez, mieux cela vaudra* (voir 666);

Le verbe *to be* est souvent *sous-entendu dans les titres des journaux* (988).

Prime Minister to visit (= is to visit) **Germany.** *Le Premier Ministre doit se rendre en Allemagne.*

Aussi, dans un match de tennis télévisé : « **Connors to serve** ».

Cf. les notices de posologie des médicaments : « **To be taken three times a day** » (= This medicine is to be taken...).

(f) Le verbe *to be* s'accorde parfois avec l'attribut pluriel qui le suit (lorsqu'on peut intervertir sujet et attribut).

The next act were the clowns (= The clowns were...). *Le numéro suivant fut celui des clowns.*

The best part of the menu were the sweets. *La meilleure partie du menu fut les desserts.*

3. — THERE IS

45 (a) ***There is, there was*** sont suivis de singuliers, ***there are, there were*** de pluriels. Cette expression est généralement inaccentuée.

> **There's** ([ðəz] plus couramment que [ðɛəz]) **a little garden in front of the house.** *Il y a un petit jardin devant la maison.*
> **There was** [ðəwəz] **a crowd on the pavement.** *Il y avait un attroupement sur le trottoir.*
> **There are only six houses in our street.** *Il n'y a que six maisons dans notre rue.*
> **How many people were there ?** *Combien de gens y avait-il ?.*

Voir 207 (inversions) et 167 (« question tag » après ***there is***).

Quand ***there is*** est suivi d'une longue énumération, l'accord se fait souvent avec le premier nom de la liste : **He examined everything that lay on the desk : there was** (et non : there were) **a tray with two cups and saucers, an old typewriter, a fountain pen and a number of papers.**

On emploie ***there is, there was*** devant des pluriels exprimant des sommes d'argent ou des durées (**There was ten minutes to wait. There's still £ 5 to be paid**).

> **There was three weeks to go** (A. Christie). *Il restait trois semaines* (avant un événement prévu).

Dans une langue peu soignée ***there's*** remplace souvent ***there are*** quel que soit le contexte.

> **'There's queer things going on here'** (A. Christie). « *Il se passe ici des choses bizarres* ». Voir 775 (citation de J.B. Priestley).

Le participe présent *(there being)* et l'infinitif *(there to be)* s'emploient dans la langue écrite soignée.

> **He had not expected there to be such a large audience.** *Il ne s'était pas attendu à ce qu'il y eût un auditoire aussi nombreux.*
> **The author would prefer there to be no interval** (A. Wesker). *L'auteur préfèrerait qu'il n'y ait pas d'entracte.*
> **There being nobody else in the house, the least noise frightened her.** *Comme il n'y avait personne d'autre dans la maison, le moindre bruit l'effrayait.*

Pour la construction « ***for there to be*** », voir 397.

46 (b) Cette expression peut se construire avec tous les ***auxiliaires*** et avec les ***périphrases*** exprimant l'aspect et la modalité.

> **There's** (= has) **been a lot of fog this year, hasn't there ?** (167). *Il y a eu beaucoup de brouillard cette année, n'est-ce pas ?*
> **There will be no time to waste.** *Il n'y aura pas de temps à perdre.*
> **"There'll always be an England".** *Il y aura toujours une Angleterre.*
> **There's going to be a general election.** *Il va y avoir une élection générale.*
> **There used to be a theatre here.** *Autrefois il y avait ici un théâtre.*
> **There might be a gale.** *Il pourrait y avoir une tempête.*
> **There ought to be two lifts.** *Il devrait y avoir deux ascenseurs.*

There must have been an accident. *Il a dû y avoir un accident.*
'Let there be light'. And there was light. *« Que la lumière soit ». Et la lumière fut.*
Let there be no misunderstanding. *Qu'il n'y ait pas de malentendu.*
There's bound to be a conflict. *Il y aura inévitablement un conflit.*
Voir 372 (*Should there be...*).

47 (c) Cette expression peut aussi se construire avec des verbes comme *to seem, to happen, to fail, to prove.*

There seems to be a mistake. *Il semble y avoir une erreur.*
There happened to be a doctor on the train. *Le hasard voulut qu'il y eût un médecin dans le train.*
If the present system of government goes on, there cannot fail to be a revolt of the whole country (Alan Moorehead). *Si le régime actuel est maintenu, il y aura inévitablement une révolte de tout le pays.*
There proved to be no need for such drastic measures (Algernon Blackwood). *Il se révéla que des mesures aussi draconiennes étaient superflues.*
There were believed to have been no casualties. *On pensait qu'il n'y avait pas eu de victimes.*

48 *Remarques :* (1) *D'autres verbes que to be* s'emploient parfois avec *there* dans des expressions de même type (langue écrite très soignée).

There have never existed any such creatures. *Il n'a jamais existé de créatures de ce genre.*
There took place a series of events that were to shake the world. *Il se produisit une série d'événements qui devaient ébranler le monde.*
There came a time when we had to sell the house. *Il arriva un moment où il nous fallut vendre la maison.*
It was then that there arose an unexpected difficulty. *C'est alors que surgit une difficulté imprévue.*
There remains only this possibility. *Il ne reste que cette possibilité.*
There seemed (= there seemed to be) no end to the dispute. *La dispute semblait ne jamais devoir se terminer.*

49 (2) Ne pas confondre *there is* (= *il y a*) avec *there is* (= *voilà*; dans ce cas *there* est accentué).

There's [ˈðɛəz] Mrs Jones. Let's invite her to join us. *Voilà Mme Jones. Invitons-la à se joindre à nous.*
There she is. *La voilà* (sujet avant le verbe quand c'est un pronom, 207).
There's your "brave new world" for you ! *Le voilà, votre « meilleur des mondes »* ! (remarque ironique).
Don't do that, there's a good boy. *Ne fais pas cela, tu seras gentil.*
Comparer cette expression avec *here is / here are (voici).*

Here are the two tickets. *Voici les deux billets.*
Here they are. *Les voici.*
"Here you are" (familier) = *Tenez* (en remettant un objet à quelqu'un).

50 (3) *« Il y a » ne se traduit pas par « there is » :*
— pour l'expression de *la distance.*

Il y a trois miles de la gare au village. It's three miles from the station to the village.

— pour l'expression de *la durée.*

> *Il a acheté sa maison il y a trois ans.* **He bought his house three years ago** **(= It's three years since he bought his house).**
> *Il y a trois ans qu'il habite ici.* **He's been living here for three years.** (Voir leçon 12).

— dans l'expression *« qu'y a-t-il ? »* *(= que se passe-t-il ?)* : **What's the matter ?** **(= What's up ? What's going on ? What's wrong ?).**

---

3. — EMPLOIS ET CONJUGAISON DE TO HAVE

51   Ce verbe est tantôt un *auxiliaire*, tantôt un *verbe ordinaire.*

Quand il est *auxiliaire* il est généralement inaccentué (les formes faibles sont souvent notées : *'ve, 's, 'd*) et il peut se contracter avec *not* (**haven't, hasn't, hadn't**). Les formes interrogative et négative se conjuguent *sans do* (**Have you... ?** **You haven't... You have..., haven't you ?**). Il n'y a pas de forme progressive.

Quand c'est un *verbe ordinaire* il est généralement accentué, il se conjugue *avec do* (**Do you have... ? You don't have... You have..., don't you ?**) et il possède dans certains cas une forme progressive (**He is having...**).

On distinguera six emplois de ce verbe, qu'il convient d'examiner en même temps que la conjugaison interrogative et négative.

52   (1) *You've seen this film, haven't you ?*

Suivi d'un participe passé, have sert à former *les perfects* (230).

> *Present perfect :* **They have** (ou : **They've**) **bought a new car.**
> *Past perfect :* **I had** (ou : **I'd**) **met him before.**
> *Future perfect :* **He will** (ou : **He'll**) **have done it by Saturday.**
> *Conditional perfect :* **She would** (ou : **She'd**) **have been disappointed.**
> Schéma *« modal + have + participe passé »* : **You must have felt** **guilty.**

L'emploi de l'auxiliaire *do* est ici impossible.

> **Have they left ?** *Sont-ils partis ?*
> **I haven't finished my work.** *Je n'ai pas fini mon travail.*
> **You've seen this film, haven't you ?** *Vous avez vu ce film, n'est-ce pas ?*

Have s'emploie souvent dans des *réponses elliptiques* (formes faibles alors impossibles).

> **Who has seen this film ? — I have** (et non « I've »). *Qui a vu ce film ? —* *Moi* (Dans la réponse le sujet *I* est accentué. Voir 705).

L'infinitif passé, ou *perfect* (**to have seen**, *avoir vu* ; **to have left**, *être parti*) peut être précédé d'un autre verbe; sans *to*, il peut être précédé d'un auxiliaire de modalité. Dans ces constructions composées *have*, inaccentué, est toujours prononcé [əv] ou [əf] (sans h). Voir 100 à 110.

> **He pretended to have lost our address.** *Il a fait semblant d'avoir perdu* *notre adresse.*
> **They are likely to have come while we were out.** *Il est probable qu'ils* *sont venus pendant que nous étions sortis.*
> **You must have been tired.** *Vous deviez être fatigué.*

53   (2) *We'd better wait for them.*

L'expression *« had better + infinitif sans to »* (117) est un preterite modal à sens de présent. A la forme négative, construite *sans do, not* se place *place après better*; on ne peut donc pas faire de contraction.

We'd better wait for them. *Nous ferions mieux de les attendre.*
You'd better not listen to him. *Tu ferais mieux de ne pas l'écouter.*

La forme interrogative est rare, mais on emploie couramment la *forme interro-négative*.

Hadn't you better write to them now ? *Ne ferais-tu pas mieux de leur écrire maintenant ?*

Avec une *réponse elliptique :*

Do you think I ought to leave now ? — Yes, you'd better. *Crois-tu que je devrais partir maintenant ? — Oui, tu ferais bien.*

Avec le *« question tag » :*

He'd better give it up, hadn't he ? *Il ferait mieux d'y renoncer, n'est-ce pas ?*

N.B. L'expression « had rather » s'emploie surtout aujourd'hui sous la forme « would rather », pour exprimer la préférence. Voir 116, 118.

54   (3) *Have you got a car ? Do you have a car ?*

Exprimant la *possession, have* est souvent suivi dans la langue familière de *got* (participe passé de *to get* = *se procurer, obtenir*, qui n'a alors aucun sens précis). Cet emploi de *got* est moins fréquent au preterite qu'au présent, et moins fréquent pour les liens de parenté que pour la possession d'objets : **He's got** (= he has) **plenty of money. He has three sisters.**

Dans une langue relâchée *'s* et *'ve* disparaissent parfois complètement, le mot accentué étant *got*, si bien qu'on dit « *I got, he got*... » (= I have, he has...). Cette construction est encore plus courante en américain.

« I got a guitar ». *J'ai une guitare.*
(Have you) Got a light ? *Tu as du feu ?*

Ne pas oublier qu'il faut considérer *I've got* comme un présent et non comme un present perfect (et *I'd got* comme un preterite et non comme un past perfect). Le present perfect est *I've had*, le past perfect *I'd had* (on n'ajoute pas *got* aux forme composées).

I've got a car (présent), **I've had it for three years** (present perfect). *J'ai une voiture, je l'ai depuis trois ans.*

Dans cet emploi, *have* n'a pas de forme progressive (« I'm having a car » est impossible).

Aux formes interrogative et négative on conjugue *to have* en américain *avec do*, c'est-à-dire comme un verbe ordinaire.

> En British English : **Have you got a car ?** (langue plus soignée : **Have you a car ?**)
> En American English : **Do you have a car ?**

> En Br. E. : **They haven't got a house, have they ?** (langue plus soignée : **They haven't a house, have they ?**)
> En Am. E. : **They don't have a house, do they ?**

Mais la conjugaison « américaine » s'entend de plus en plus en Angleterre (pour la possession des objets plus que pour les liens de parenté : « **I don't have a car** » est moins typiquement américain que « **I don't have a sister** »).

32

Le *preterite* se conjugue généralement **avec did**, en Br. E. comme en Am. E.

> **Did you have enough money ?** *Aviez-vous assez d'argent ?*
> **I didn't have** (ou : **I hadn't**) **any money left.** *Il ne me restait pas d'argent.*
> **How many children did she have ?** (ou : **had she ?**) *Combien d'enfants avait-elle ?*

La *forme emphatique* construite avec **do** s'emploie, en Br. E., surtout pour la description de caractères permanents (**He does have a cockney accent, a stammer**). Elle peut s'employer en Am. E. dans tous les cas (**He does have a fine car, a pretty sister**).

Avec une *réponse elliptique :*

> **Who has a tape-recorder ? — I have** (Am. E. : **I do**). *Qui a un magnéto-phone ? — Moi.*

55   **(4)** ***Did you have to wait long ?***

Suivi d'un infinitif complet **have** exprime la **nécessité** (90 à 92, 918 à 920).

> **We shall have to wait.** *Nous devrons attendre.*

Au présent on peut ajouter **got** dans la langue familière, surtout s'il s'agit d'une obligation immédiate, ou dans un style emphatique.

> **I've got to write a letter.** *Il faut que j'écrive une lettre.*
> **You've simply got to see this film** (**got** est fortement accentué). *Il faut absolument que tu voies ce film.*

Pour la forme progressive (« he is having to... »), voir 249.

Les *formes interrrogative et négative* se construisent presque toujours **avec do** (seule construction en Am. E.).

> **Do you have to read all these books ?** *Faut-il que tu lises tous ces livres ?* (Parfois : « **Have you got to...** ? quand il s'agit d'obligations immédiates, non permanentes : **Have you got to go to school this afternoon ? / Do you have to go to school on Saturdays ?** Mais « Do you have to... ? » est toujours possible).
> **Did you have to wait long ?** (seule construction au preterite) *Avez-vous dû attendre longtemps ?*
> **They didn't have to help me.** *Ils n'ont pas eu à m'aider.*

En Am. E. *have to* peut exprimer la quasi-certitude.

> **You have to be joking** (Br. E. : You must be joking). *Vous devez plaisanter.*

56   **(5)** ***I must have my car washed*** (« have + objet + participe passé »).

Cette *construction causative de to have* (traduite par *faire + infinitif*) sera étudiée à la leçon 27 (§ 508). Les formes interrogative et négative se conjuguent **avec do**. Il y a une forme progresive.

> **I must have my car washed.** *Il faut que je fasse laver ma voiture.*
> **When did you last have your hair cut ?** *Quand t'es-tu fait couper les cheveux pour la dernière fois ?*
> **We are having our living-room repainted.** *Nous faisons repeindre notre salle de séjour.*

Voir aussi les constructions avec un infinitif sans to (505) et avec un participe présent (507).

57   **(6)** ***They are having lunch.***

Dans un grand nombre d'*expressions idiomatiques to have* a un sens précis (= to take, to eat, to experience, to enjoy...). On le conjugue alors **avec do** et on n'ajoute pas **got**.

To have a bath *(prendre un bain),* to have lunch *(déjeuner),* to have a cup of tea *(prendre une tasse de thé),* to have a dream *(faire un rêve),* to have a rest *(se reposer un instant),* to have a look at *(jeter un coup d'œil à),* to have a good time *(bien s'amuser),* to have a word with *(dire quelques mots à)...*

Do you have lunch at the canteen ? *Déjeunez-vous à la cantine ?*
Did you have a nice time ? *Vous êtes-vous bien amusés ?*
I didn't have any breakfast this morning. *Je n'ai pas pris de petit déjeuner ce matin.*

Ces expressions peuvent se mettre à la forme progressive et se conjuguer à l'impératif (ordinaire ou emphatique).

He was having a rest. *Il était en train de se reposer.*
They are having lunch. *Ils sont en train de déjeuner.*
They were having a wonderful time. *Ils s'amusaient prodigieusement.*
Let's have a cup of tea. *Prenons une tasse de thé.*
Have it your own way. *Faites à votre idée.*
Do have a cigar. *Prenez donc un cigare.*

To have a good time peut se mettre au passif :

A good time was had by all. *Tout le monde s'amusa bien.*

58   *Remarques :* (a) Avec certaines expressions (**to have a cold, to have some work to do, to have trouble with**...) on fait parfois une distinction entre les cas particuliers (conjugaison *sans do :* **Have you got a cold now ?** *Etes-vous enrhumé en ce moment ?*) et les vérités générales, les états permanents (conjugaison *avec do :* **Do you often have colds ?** *Vous enrhumez-vous souvent ?*). Mais, comme pour l'expression *to have to* (55), cette distinction n'est pas toujours faite, la conjugaison *avec do* étant la plus fréquente, surtout au preterite (**Did you have a cold ?** *Etiez-vous enrhumé ?*).

Do you have many mosquitoes here ? *Avez-vous beaucoup de moustiques ici ?*

(b) *To have* s'emploie avec *will* à la forme interrogative pour offrir quelque chose :

Will you have a cigarette ? *Voulez-vous une cigarette ?*

(c) *To have* s'emploie au passif dans l'expression familière "*we've been had*" (*on nous a eus*), quand il est synonyme de *to get, to receive* (surtout sous la forme de l'infinitif to be had) et dans l'expression *to be had up* (*être poursuivi en justice*).

The best education to be had in Great Britain. *La meilleure instruction que l'on puisse recevoir en Grande-Bretagne.*
"No ice ! Only to be had from the fishmonger's" (K. Mansfield). *Pas de glace ! On ne peut en avoir que chez le poissonnier.*
He was had up for exceeding the speed limit. *Il a eu une contravention pour excès de vitesse.*

(d) *En résumé,*

— dans les emplois 1 (**You've seen this film**) et 2 (**We'd better wait for them**) *have* se conjugue *sans do;*
— dans les emplois 3 (**They've got a car**) et 4 (**We have to wait**) *have* se conjugue avec ou sans *do,* mais *de plus en plus généralement avec do;*
— dans les emplois 5 (**He had his car washed**) et 6 (**He has lunch at the canteen**) *have* se conjugue *avec do.*

EXERCICES

[A] Remplacer les parenthèses par le verbe *to be* au temps demandé, puis traduire.

1. There (present perfect) several good concerts this month. — 2. There (conditionnel) trouble if he knew about this. — 3. I'm sure there (futur) no difficulty in persuading him. — 4. There (preterite) some people waiting outside. — 5. There (présent) too much furniture in this room. — 6. There (present perfect) two world wars. — 7. There (past perfect) no sunshine all day. — 8. There (present perfect) a slight misunderstanding. — 9. There (futur) plenty of time for you to rest. — 10. There (impératif) no mistake about it.

B Mettre au preterite, au futur, et conjuguer (au présent) avec *to seem* et avec *must*.

1. There is nothing to do. — 2. There are fewer people than last week. — 3. There is little time to waste. — 4. There are a great many problems to be solved. — 5. There is no alternative.

N.B. Voir aussi leçon 4, exercice P.

C Mettre à la forme interrogative.

1. They had to wait long. — 2. The neighbours have got a new car.— 3. He had his watch repaired. — 4. You have a bath every morning. — 5. John has been waiting outside in the rain. — 6. They have a dog. — 7. They had tea on the lawn. — 8. You have to take these tablets every evening. — 9. The children have taken their raincoats. — 10. They had a pleasant time at the seaside. — 11. They have lunch at the canteen. — 12. John has brought his record-player. — 13. They had a rest after lunch. — 14. Your neighbours have got a French cook. — 15. You had a word with him.

[D] Traduire.

1. Combien y avait-il de gens à la réunion ? — 2. Quel âge avait-il quand ses parents sont morts ? — 3. Quelle est la longueur de votre voiture ? — Elle a onze pieds de long. — 4. Il semble qu'il y ait une erreur. — 5. Quel âge aurez-vous le 31 décembre ? — J'aurai juste 18 ans. — 6. Quelle est la largeur de cette fenêtre ? — Elle a 5 pieds 6 pouces de large. — 7. Mon arrière-grand-père aura 94 ans la semaine prochaine. — 8. Il doit y avoir deux mille élèves dans ce collège. — 9. Il semble y avoir très peu d'étrangers dans cette ville. — 10. Il y a eu trois accidents à ce carrefour depuis le début de l'année. — 11. Combien y aura-t-il de discours ? — 12. Il semblait y avoir beaucoup de pauvreté dans les villages. — 13. Vous en avez de la chance ! — 14. N'aie pas peur ! Sois un homme ! — 15. J'ai sommeil. Comme j'ai sommeil ! — 16. Quelle distance y a-t-il d'ici à la mer ? — 17. Il y a douze miles de Cardiff à Newport (ou : Newport est à douze miles de Cardiff). — 18. Le Pas de Calais a vingt miles de large. — 19. Quel temps a-t-il fait pendant que vous étiez en Angleterre ? — 20. Il y avait eu un orage pendant la nuit.

4. — LES AUXILIAIRES DE MODALITÉ : CAN - MAY - MUST - OUGHT TO - NEED - DARE

59 (a) Les auxiliaires *can, may, must, shall, will* et *ought*, ainsi que *need* et *dare* dans certains de leurs emplois, ont une conjugaison incomplète, défective (c'est pourquoi on les appelle aussi « *verbes défectifs* »; par exemple, en français *faillir*, qui n'a ni présent ni imparfait, est un verbe défectif) : quatre d'entre eux n'ont que deux formes, un présent et un preterite :

> *can (could), may (might), shall (should), will (would)*

... alors que les autres ont une forme unique.

Ils ne prennent pas d'*s* à la 3e personne du singulier du présent : **he can swim, she must go, it may rain.**

Ce sont des « *anomalous finites* » (voir § 4) qui se conjuguent *sans do* aux formes interrogative et négative et forment avec *not* des contractions courantes en *-n't* (toutefois *mayn't* s'emploie peu).

She can drive.
{ inter. : **Can she drive ?**
{ nég. : **She can't** (= **cannot**) **drive.**
{ interro-nég. : **Can't she drive ?**

Cannot s'écrit en un seul mot en Angleterre (en un ou deux mots en Amérique).

60 (b) Ils servent à *conjuguer d'autres verbes*, qui sont à l'*infinitif sans to* (à l'infinitif complet après *ought*, seule exception). Cet infinitif peut être celui de l'auxiliaire *have* servant à conjuguer un perfect (voir 100 et 110).

L'infinitif peut être sous-entendu pour éviter une répétition.

> **I'll help you if I can.** *Je vous aiderai si je le peux.*
> **I'll do all I can** (= I can do) **to help you.** *Je ferai tout ce que je pourrai pour vous aider.*

Ces auxiliaires ne peuvent pas être suivis d'un complément d'objet.

> *Il peut tout.* **He can do everything.**
> *Je crois qu'il le faut.* **I think it must be done.**
> *Voulez-vous une tasse de thé ?* **Will you have a cup of tea ?**

61 (c) Les preterites *could, might, should* et *would* ont tantôt la valeur d'un passé, tantôt la valeur d'un mode (ce sont alors des *preterites modaux*, cf. 363, g).

Comparer :

> **I tried to start the car, but I couldn't.** *J'ai essayé de mettre la voiture en marche, mais je n'y suis pas arrivé* (*could* a la valeur d'un passé).
> **I wish I could speak Italian.** *J'aimerais savoir parler l'italien* (**could** a la valeur d'un subjonctif, c'est un « irréel du présent », voir 359).

Ces quatre preterites ont souvent la valeur de *conditionnels*.

> **If she came this afternoon, we could play tennis.** *Si elle venait cet après-midi, nous pourrions jouer au tennis.*

2. — NOTION DE MODALITÉ

62   Le rôle principal des auxiliaires *can, may, must, shall, will, ought to, need* et *dare* est d'exprimer diverses nuances de modalité. On les appelle *auxiliaires de modalité (modals)*.

(a) La *modalité* concerne l'*attitude d'esprit du locuteur* vis-à-vis de l'idée qu'il exprime. Il précise que l'action dont il parle lui paraît certaine / possible / éventuelle / nécessaire / superflue / inévitable / souhaitable, etc. Il peut choisir d'exprimer une nuance de volonté, de refus, d'intention, de reproche, de conseil, etc. Chaque nuance ainsi ajoutée à l'idée exprimée par le verbe principal de la phrase donne à celle-ci une coloration différente. Ce n'est pas une information sèche, impersonnelle. Le locuteur dit comment il voit les choses, comment il y réagit.

(b) La préférence, l'éventualité, la nécessité, la volonté, l'intention, etc., s'expriment en français à l'aide de verbes (pouvoir, devoir, vouloir), d'adverbes (peut-être, vraisemblablement, sûrement), ou de périphrases impersonnelles (il faut que, il se peut que) suivies du subjonctif. L'anglais peut se servir de verbes ordinaires (to want, to prefer, to intend...), mais il s'agit alors d'affirmations sèches (qui ne répondent pas à la définition ci-dessus de la modalité). On peut aussi employer des adverbes comme *perhaps, certainly, inevitably*, etc. Mais on préfère généralement se servir d'auxiliaires de modalité ou de périphrases à valeur modale (leçon 5). Comparer les phrases :

You have to read this book.	**You *must* read book.**
She refuses to come with us	**She *won't* come with us.**
They intend to buy a house.	**They *are going to* buy a house.**
He prefers to stay here.	**He *would rather* stay here.**

Les deux séries ne sont pas exactement synonymes : les phrases de la colonne de gauche donnent des informations non personnalisées, alors que le ton de celles de droite est plus familier, plus vivant, moins catégorique, grâce à l'emploi des auxiliaires de modalité *must, won't*, et des périphrases à valeur de modalité *are going to* et *would rather*.

N.B. Le verbe ordinaire *to want* se comporte à peu près comme un auxiliaire de modalité lorsque « want to » est remplacé par la forme relâchée américaine « *wanna* » ['wɔnə]. Comparer : « **I ('m) gonna do it** » (= I'm going to do it) et « **I wanna do it** » (= I want to do it).

63 (c) Dans la plupart des cas, ce sont clairement *les opinions et les sentiments du locuteur* (et non ceux du sujet de la phrase prononcée par lui si elle n'est pas à la 1ʳᵉ personne) qui sont ainsi exprimés. Quand je prononce les phrases suivantes, quoique je ne parle pas directement de moi, c'est bien de mes opinions, de mes sentiments qu'il s'agit, sans aucune ambiguïté :

He may come tonight (c'est moi qui crois sa venue possible).
He is sure to fail (c'est moi qui crois son échec certain).
You shall have your fur coat (c'est moi qui le promets).
And now, you're going to obey me (c'est moi qui exprime la ferme intention de me faire obéir).

Mais quand je dis « **She won't come with us** », ce n'est pas moi, le locuteur, qui refuse de venir. En réalité nous avons ici, en quelque sorte, une phrase au *style indirect elliptique*, qui signifie : « **She says she won't come with us** » (au style direct : **She ways, « I won't go with you »**). Je cite donc implicitement les paroles d'un second locuteur, et c'est la volonté de celui-ci qu'exprime le modal *won't*.

Il faut par conséquent bien distinguer (a) les cas où le locuteur exprime ses propres sentiments (**She may not come. She should come. She is sure to come. She'd better stay here**) de (b) ceux où les paroles ou les sentiments d'une autre personne sont rapportés au style indirect elliptique (**She won't come. She'd rather stay here. She's going to buy a car**).

Cette distinction est parfois délicate, notamment dans des phrases construites avec *be going to*, où seul le ton de la voix (ou le contexte) renseigne sur le sens (voir 317 : « **Martin's going to help you** ». Voir aussi 122 : « **He is to go to London next week** »).

Sur la notion de *modalité* au *futur*, voir 297 (« remarque »).

64 (d) Il convient d'un autre point de vue de distinguer deux catégories de phrases construites avec des auxiliaires de modalité. Dans certains cas le locuteur *ne sait pas* ce qu'est la réalité, il la suppose. La modalité exprime alors divers *degrés de vraisemblance*.

> **She may be older than you think** (c'est incertain).
> **They must be tired** (c'est presque certain).
> **It can't be true, it would be too awful** (c'est impensable).

Dans d'autres cas le locuteur *sait* ce que sont les faits et il porte un jugement à leur sujet.

> **You should work harder** (sous-entendu : I know you are not working very hard).
> **You needn't work so hard** (sous entendu : I know you are working hard).

Les différences entre ces deux types de phrases apparaissent très clairement dans les constructions utilisant un infinitif perfect (100 à 110).

65 (e) Quand un modal est employé dans une subordonnée il y a souvent style indirect si la principale a un sujet personnel (**He insisted that she should come. He was afraid that they might fail**). Les sentiments ou opinions exprimés par *should (suggestion)* et *might* (*éventualité*) sont ceux du sujet de la principale (*he*), que le narrateur cite implicitement. Si la principale a un sujet impersonnel (**It is incredible that he should have failed**) ou si la phrase exprime une concession avec *may* (**Whatever you may think, he isn't a fool**), les sentiments ou opinions exprimés par *should* (jugement critique) et *may* (éventualité) sont ceux du locuteur.

66 (f) A la *forme interrogative* la modalité concerne les intentions, le consentement, les opinions, etc. de *l'interlocuteur consulté ou interrogé* (sous-entendu : « à votre avis ? qu'en pensez-vous ? »).

> **May I go with you ?**
> **Shall I help you ?**
> **Is he likely to come ?**
> **Must they wait for you ?**

67 (g) La nuance de modalité est parfois très estompée dans certains cas; elle colore seulement plus ou moins le sens d'auxiliaires ou de périphrases qui sont alors principalement des *auxiliaires de temps ou d'aspect*.

Exemple :
— *will* est *auxiliaire de modalité* dans : **Will you have a cup of tea ?** (idée de volonté, de choix).
— il exprime l'*aspect fréquentatif* (avec une légère idée de volonté : l'obstination du destin) dans : **Accidents will happen**.

38

— il n'est guère qu'un *auxiliaire du futur*, sans nuance spéciale (« plain future ») dans : **How old will you be at the end of the year ?** (Voir 297, remarque).

Dans une subordonnée, le sens d'un modal est parfois très estompé (bien qu'il ne disparaisse jamais entièrement), et on considère souvent qu'il joue alors le rôle d'un *auxiliaire du subjonctif*. Il est d'ailleurs possible de l'omettre dans certains cas : **He insisted that she** *(should)* **come. Whatever you** *(may)* **think.** Voir 364.

68 (h) Il faut remarquer qu'en grammaire anglaise on est amené à inclure dans la modalité des notions (volonté, intention, préférence) qui n'y sont pas incluses par les grammairiens de la langue française. Pour ceux-ci « modalité » garde un sens proche de celui que l'on trouve chez les logiciens (possibilité et nécessité).

(i) On étudiera dans cette leçon les emplois de *can, may, must, need, ought to* et *dare. Shall* et *will* seront étudiés à la leçon 13 (expression du futur), leurs preterites *should* et *would* à la leçon 14 (conditionnel), et certains emplois de *may* et de *should* à la leçon 16 (subjonctif). Les leçons 5 et 6 concernent également un certain nombre de nuances en relation avec la notion de modalité.

Dans les paragraphes qui suivent, il a paru souhaitable d'étudier séparément *can* et son preterite *could, may* et son preterite *might.*

3. — CAN

69 Il se prononce [kæn] quand il est accentué, sinon [kən] ou [kn].

I can see them [aikn'si:ðm]

On ne peut parler de modalité (au sens défini ci-dessus) que pour les emplois (a) (possibilité, vraisemblance) et (c) (permission).

(a) *Possibilité, vraisemblance* (selon l'opinion du locuteur).

Anything can happen. *Tout peut arriver.*
That can't be true. *Il est impossible que cela soit vrai* (cf. *may,* 78).
Nobody's wearing a coat, it can't be very cold. *Personne ne porte un manteau, il ne doit pas faire très froid (***It can't be cold** est le contraire de **It must be cold***).
You can't be serious ! (= you must be joking !) *Vous ne parlez pas sérieusement !*

Dans les questions, il s'ajoute parfois une nuance d'étonnement, d'impatience, d'inquiétude.

Where can he be ? (can accentué) *Où peut-il bien être ?*
What can he mean ? (can accentué) *Que peut-il bien vouloir dire ?*

A la forme affirmative, il peut s'agir de possibilité qui n'apparaît que de temps en temps.

It can be very hot here in June. *Il arrive qu'il fasse très chaud ici en juin.*
He can be cruel (= he is apt to be cruel). *Il lui arrive d'être cruel* (contrairement à ses habitudes).

Le passé (notamment celui qu'exige la concordance des temps) est *could.* Il n'y a pas d'autre temps.

I knew that couldn't be true. *Je savais que cela ne pouvait pas être vrai* (comparer avec le jugement rétrospectif : « ***That cannot have been true*** », *il est impossible que cela ait été vrai,* 101).

70 (b) *Capacité physique, faculté intellectuelle* (être assez fort, assez grand, assez intelligent pour...), *pouvoir d'action* dépendant de circonstances (avoir assez de temps ou d'argent pour..., être à même de...). La périphrase *to be able to* (pour la forme négative, parfois : *to be unable to*) s'emploie parallèlement à cet auxiliaire, surtout au preterite (72), et pour le futur, le conditionnel, le gérondif, etc.

> **Can you lift this trunk ?** *Peux-tu soulever cette malle ?*
> **I can't reach the top shelf, I'm not tall enough.** *Je ne peux pas atteindre l'étagère du haut, je ne suis pas assez grand.*
> **You can't understand because you're a foreigner.** *Vous ne pouvez pas comprendre parce que vous êtes étranger.*
> **Come as often as you can.** *Venez aussi souvent que vous le pouvez.*
> **I can't afford to drink such expensive wines.** *Je ne peux me permettre de boire des vins aussi chers.*
> **Can you lend me ten pounds ?** *Pouvez-vous me prêter dix livres ? (Can you... ?* s'emploie souvent pour demander un service).

71 *Can* s'emploie aussi pour exprimer que des *réflexes* ont été *acquis par la pratique* (en français : *savoir*). *To be able to* s'emploie moins couramment dans ce cas.

> **Can your son drive ?** *Votre fils sait-il conduire ?* (alors que l'on demandera : « **Is your son able to drive ?** » si l'on sait qu'un handicap physique l'en empêche peut-être : « *peut-il conduire ?* »).
> **She can play the piano and the organ.** *Elle sait jouer du piano et de l'orgue.*
> **I can't speak one word of German.** *Je ne parle pas (ou : je ne sais pas) un seul mot d'allemand.*

72 Le *passé* est *could* quand il s'agit d'une faculté ou capacité permanente. Pour la réalisation d'une action précise on emploie plutôt la périphrase *was / were able to* ou le preterite de *to manage*.

> **He could speak German fluently when he was a boy.** *Il parlait l'allemand couramment quand il était enfant.*
> **I was able to speak to him on the phone.** *J'ai pu lui parler au téléphone* (**I could speak to him** = *je pourrais lui parler*, 77).
> **Were you able to speak to him ?** (ou : **Did you manage to speak to him ?**) *Avez-vous pu lui parler ? (Could you... ?* = *Pourriez-vous... ?* cf. 77, d).
> **I was able to** (= **I managed to**) **jump over the gate before the bull reached me.** *Je réussis à sauter par-dessus la barrière avant que le taureau ne m'eût rattrapé.*

A la forme négative on peut employer *could* dans tous les cas.

> **I tried to open the door but I couldn't.** *J'ai essayé d'ouvrir la porte mais je n'y suis pas arrivé.*
> **We couldn't help laughing.** *Nous n'avons pas pu nous empêcher de rire.*

73 Le *futur* se forme avec la périphrase *be able to*, mais *can* peut s'employer avec le sens d'un futur quand il s'agit de « pouvoir d'action dépendant de circonstances », en particulier dans les subordonnées.

> **He can swim, his brother will soon be able to swim.** *Il sait nager, son frère saura bientôt nager.*
> **Will you be able to go home for lunch when you are in that school ?** *Pourrez-vous rentrer chez vous pour le déjeuner quand vous serez dans cette école ?*

Can you come tomorrow ? *Pourrez-vous venir demain ?* (plutôt que : Will you be able to come... ?)

I'll do what I can to help you. *Je ferai ce que je pourrai pour vous aider.*

74 Les *perfects* et les *modes impersonnels* se forment avec la périphrase *be able to*.

I haven't been able to solve the problem. *Je n'ai pas pu résoudre le problème.*

He's been able to swim since he was 5. *Il sait nager depuis l'âge de 5 ans.*

He apologized for not being able to come. *Il s'excusa de ne pouvoir venir.*

It's pleasant to be able to go home for lunch. *Il est agréable de pouvoir rentrer chez soi pour le déjeuner.*

Voir 367 (*can/could* ou *may/might* dans les subordonnées à valeur de subjonctif pour l'expression du but).

75 ⓒ *Permission* (le ton est plus familier qu'avec *may*, 80).

Can I use your pen ? *Je peux me servir de ton stylo ? (Could I...* ? est plus poli; *May I...* ? est encore plus poli : *Puis-je...* ?).

You can smoke if you like. *Vous pouvez fumer si vous voulez.*

You can come again next week. *Vous pouvez revenir la semaine prochaine* (permission accordée pour une action située dans le futur).

La forme négative exprime une interdiction formelle (règlement, règles du jeu, etc.).

You can't behave like that here. *Il n'est pas permis de se conduire comme cela ici (can't* est ici synonyme de *mustn't*).

Pour l'expression de la permission dans le passé on peut employer *could* ou la périphrase *was/were allowed to* (81).

She couldn't (= wasn't allowed to) go out without her parents until she was 15. *Elle n'a pas pu sortir sans ses parents avant l'âge de 15 ans.*

76 ⓓ *Can* sert souvent d'*auxiliaire* pour conjuguer les *verbes de perception involontaire* ainsi que *to understand, to remember, to imagine*, etc. (opérations de l'esprit). Il ne se traduit généralement pas dans ce cas.

Can you hear the bells ? *Entendez-vous les cloches ?*

I can't see anything. *Je ne vois rien.*

I can understand your feelings. *Je comprends vos sentiments.*

Can you remember their phone number ? *Vous rappelez-vous leur numéro de téléphone ?*

Au passé : *could.*

I couldn't hear a word of what he said. *Je n'entendais pas un mot de ce qu'il disait.*

---

4. — COULD

77 Il se prononce [kud] quand il est accentué, sinon [kəd] ou [kd].

ⓐ *Preterite de can* exprimant le *passé* (voir ci-dessus : **We couldn't help laughing. I knew that couldn't be true. I couldn't hear a word of what he said**). Mais dans certains cas, surtout à la forme affirmative, on doit employer *was/were able to* et non *could* (voir 72).

(b) *Preterite modal* à valeur d'*irréel du présent* (subjonctif, 359).

> **I wish I could speak Russian.** *Je regrette de ne pas parler le russe.*

(c) *Preterite modal* à valeur de *conditionnel présent.*

> **He could help us if he weren't so busy.** *Il pourrait nous aider s'il n'était pas si occupé.*
> **I could smack his face.** *Je le giflerais* (si je ne me retenais pas).

Ne pas confondre :

> **We wondered what he could do** (conditionnel = what he would be able to do) *Nous nous demandions ce qu'il pourrait faire* (cf. 70, pouvoir d'action).
> **We wondered what he could be doing** (passé). *Nous nous demandions ce qu'il pouvait bien faire* (cf. 69, vraisemblance).

(d) *Preterite modal* à valeur de *conditionnel de politesse* (plus poli que *can*; c'est une *demande plus timide* ou une simple *suggestion* concernant le présent ou l'avenir).

> **Could I have a glass of water ?** *Pourrais-je avoir un verre d'eau ?*
> **Could you come tomorrow ?** *Pourriez-vous venir demain ?*
> **Could you post this letter ?** *Pourriez-vous mettre cette lettre à la poste ?*
> C'est le sens le plus fréquent de « *could you...* ? ». Ne pas confondre avec : **Were you able to post the letter ?** *Avez-vous pu mettre la lettre à la poste ?* Voir 72.
> **Perhaps we could invite him.** *Peut-être pourrions-nous l'inviter.*

Il peut s'agir d'une suggestion ironique (en fait, d'un reproche).

> **You could (= might) say "thank you".** *Tu pourrais dire « merci ».*

(e) *Preterite modal* exprimant une *possibilité* avec une légère *nuance de doute* concernant le présent. C'est cette nuance de doute qui distingue le preterite *could* du présent *can*. Il peut exprimer une éventualité concernant l'avenir.

> **That could be true.** *Il n'est pas impossible que cela soit vrai* (**That can be true.** *Il est fort possible que cela soit vrai*).
> **There could be showers** (ici *could* a le sens de *might*). *Il pourrait y avoir des averses.*

A la forme négative *couldn't* est synonyme de *can't*.

> **That couldn't be true.** *Il est impossible que cela soit vrai* (69).

(f) Pour la tournure « *could have* + *participe passé* », voir 102.

> 5. — MAY

78 (a) *Incertitude, éventualité. May* est alors accentué.

Quand je dis « **he may be in England** » (*il se peut qu'il soit en Angleterre*), cela implique que je ne serais cependant pas surpris d'apprendre qu'il n'y est pas. Je considère simplement ce qui me paraît possible, envisageable, mais je reste dans l'incertitude à ce sujet.

Dans les deux phrases « **that may be true** » (*il se peut que cela soit vrai*) et « **that may not be true** » (*il se peut que cela ne soit pas vrai*) il y a de l'*incertitude*, alors qu'il n'y en a pas dans « **that must be true** » (*cela doit être vrai*) et dans « **that can't be true** » (*il est impossible que cela soit vrai*).

He may be right and he may be wrong. *Il se peut qu'il ait raison et il se peut qu'il ait tort* (les deux sont également possibles).

Don't disturb him, he may be working (= perhaps he is working). *Ne le dérange pas, il se peut qu'il travaille.*

They may not know our address (= perhaps they don't know...). *Il se peut qu'ils ne sachent pas notre adresse.*

He may not be very intelligent but he is hard-working. *Il n'est peut-être pas très intelligent mais il est travailleur* (Idée de contraste, de concession).

La contraction en *-n't* n'est pas très courante, surtout en américain.

'It sounded like a French name, I mayn't have got it right' (A. Christie). *On aurait dit un nom français, il se peut que je ne l'aie pas bien saisi.*

Dans cet emploi *may* ne se construit pas à la forme interrogative. On peut se servir de l'expression *to be likely to* (112).

Are they likely to be home now? *Se peut-il qu'ils soient rentrés maintenant?*

Accompagné de *well* (ou de *rightly, easily*...) *may* exprime l'idée qu'« il est compréhensible de réagir ainsi ».

You may well be surprised. *Je comprends que vous soyez surpris.*

She may rightly feel a bit hurt. *Elle a des raisons d'être un peu vexée.*

He may easily assume that we are going to invite him. *Il peut fort bien s'attendre à ce que nous l'invitions.*

79 *May* peut avoir un sens de *futur* (action future incertaine).

She may come (= she may be coming) **tonight.** *Il se peut qu'elle vienne ce soir.*

Owing to the bad weather the ship may be late. *A cause du mauvais temps il se peut que le navire ait du retard.*

L'incertitude concernant des faits passés s'exprime à l'aide de la tournure « *may have + participe passé* » (voir 103 et 944).

Might s'emploie à la place de *may* lorsque l'exige la concordance des temps.

He said he might come on Sunday. *Il a dit qu'il viendrait peut-être dimanche.*

Voir 84 (*might* remplaçant couramment *may* dans la langue familière).

80 ⓑ *Permission. May* n'est pas accentué.

May s'emploie comme *can* (mais dans un style plus soigné) pour demander une permission (**May I... ?**) ou l'accorder (**you may...**). En fait il y a dans la forme affirmative une petite nuance de condescendance (« *Je veux bien vous accorder la permission* »). En réponse à « **May I... ?** », il vaut mieux dire « **Yes, please do** », ou « **By all means do** », plutôt que « **yes, you may** ».

May I use your pen? *Puis-je me servir de votre stylo?*

... if I may say so. *... si je puis m'exprimer ainsi* (Je feins de me poser la question : **May I... ?**).

You may smoke if you wish (moins familier que : **You can smoke if you like**). *Vous pouvez fumer si vous voulez.*

A la forme négative on emploie *mustn't* (ou *can't*, 75).

You mustn't tell him. *Tu ne dois pas lui en parler* (contraire de : **You may tell him if you like.** *Tu peux lui en parler si tu veux*).

Toutefois *may not* s'emploie (parallèlement à *should not*) dans les avis officiels.

> **These magazines may not** (ou : **should not**) **be taken out of the library.**
> *Ces revues doivent rester à la bibliothèque* (Interdiction plus brutale :
> **These magazines are not to be taken...**, 125).

81 Quand il n'y a pas de modalité, la permission s'exprime avec les expressions *to be allowed to* et *to be permitted to*. Quand je dis « **May I smoke ?** » je demande la permission à une personne présente; quand je dis « **Am I allowed to smoke ?** » je m'informe pous savoir si un règlement m'y autorise.

> **We aren't supposed** (= allowed) **to sit on the grass.** *Il n'est pas permis de s'asseoir sur l'herbe.*

Au *passé*, comparer :

> **He asked me if he might** (ou = **could**) **come with us** (style indirect, modalité). *Il m'a demandé s'il pouvait venir avec nous.*
> **I wasn't allowed to smoke until I was 16** (simple information, pas de modalité). *On ne m'a pas permis de fumer avant l'âge de 16 ans.*

Avec idée de *futur*, comparer :

> **You may go and play when you have finished your homework.** *Tu pourras aller jouer quand tu auras fini tes devoirs* (permission accordée par le locuteur : modalité).
> **He won't be allowed to speak to them.** *Il ne pourra pas (On ne lui permettra pas de) leur parler* (le locuteur transmet une information qui ne l'engage pas : pas de modalité).

82 ⓒ *Souhait (optatif)*, dans un style solennel (*May* est en tête de phrase).

> **May you succeed !** *Puissiez-vous réussir !*
> **May that never happen !** *Pourvu que cela ne se produise jamais !*
> **May the Lord have mercy on your soul !** *Que Dieu ait pitié de votre âme !*
> (formule qui termine une sentence capitale).

83 ⓓ *May* forme des *périphrases à valeur de subjonctif* dans des subordonnées comportant une idée

— de *concession*, avec nuance d'*éventualité* (notamment après les composés de *-ever*), voir 365,

— d'*espoir* ou de *crainte*, avec nuance d'*éventualité* (après *to hope, to be afraid*...), voir 368,

— de *but*, avec nuance de *possibilité* (après *so that, in order that*), voir 367 (sens ancien de *I may* : I can, I am strong enough to).

> **6. — MIGHT**

---

84 ⓐ *Incertitude, éventualité, risque* (faits présents ou futurs plus souvent que passés). En principe avec *might* il y a une plus grande part de doute qu'avec *may*. En réalité *may* est souvent remplacé par *might* dans la langue parlée sans qu'il soit perçu de différence de sens, certaines personnes pensant que *may* appartient à une langue trop châtiée.

> **Let's hurry up, they might be waiting for us.** *Dépêchons-nous, il se pourrait qu'ils nous attendent.*
> **It might rain this afternoon.** *Il se pourrait qu'il pleuve cet après-midi.*

Might s'emploie comme *may* accompagné de ***well*** (réaction compréhensible, 78).

> **He looked bewildered, as well he might** ("Miss Read"). *Il avait l'air abasourdi, ce qui n'avait rien d'étonnant.*
>
> **Obviously she had been frightened out of her wits, as well she might be** (G. Orwell). *On l'avait manifestement terrorisée, si bien qu'elle n'avait plus tous ses esprits, ce qui n'était pas surprenant.*

Might a le sens d'un passé surtout au **style indirect.**

> **I thought he might need our help.** *J'ai pensé qu'il pourrait avoir besoin de notre aide.*

Voir « ***may have* + *participe passé*** » et « ***might have* + *participe passé*** » (103 et 104).

85 (b) *Suggestion* ou *reproche* (suggestion ironique), seulement à la forme affirmative.

> **We might ask a policeman.** *Nous pourrions demander à un agent.*
>
> **We might as well stay where we are.** *Nous pourrions tout aussi bien rester où nous sommes.*
>
> **You might at least help us.** *Tu pourrais au moins nous aider.*

Si je dis « **You might give me a cigarette** », le sens dépend du ton sur lequel je prononce la phrase (suggestion dans le style familier, voire désinvolte; mais plus souvent reproche motivé par une déception).

86 (c) *Permission.* « ***Might I...?*** » est très poli, voire cérémonieux. Il s'agit, comme pour *could*, d'une « ***demande timide*** ».

> **Might I make a suggestion?** *Puis-je (Me permettriez-vous de) faire une suggestion?* (voir 80).

Might exprimant la permission ne s'emploie guère dans un contexte passé qu'au **style indirect.** Seule l'accentuation permet d'éviter l'ambiguïté dans des phrases comme :

> **I said he might come with us** (*might* n'est pas accentué : permission accordée).
>
> **I said he 'might come with us** (*might* est accentué : éventualité, voir 78).

(d) *Preterite de may* à valeur d'auxiliaire du **subjonctif.** Voir 365 à 368.

| 7. — MUST |

87 Il se prononce [mʌst] quand il est accentué, [məst], [mst], [ms] quand il est inaccentué. ***Mustn't*** se prononce [mʌsnt].

Cet auxiliaire **n'existe qu'au présent.** La forme unique ***must*** peut toutefois s'employer comme passé dans des phrases de style indirect, qu'il s'agisse de probabilité (a) ou de nécessité (b). Voir 435, remarque 1.

> **He said it must be true.** *Il a dit que ce devait être vrai.*
>
> **He said he must catch that train.** *Il a dit qu'il devait prendre ce train.*

88 (a) *Forte probabilité, quasi-certitude, conclusion logique*

> **You must be hungry** (= I'm sure you're hungry). *Vous devez avoir faim.*
>
> **He hasn't come, he must be ill.** *Il n'est pas venu, il doit être malade.*

Look at the frost, it must be very cold outside. *Regardez le givre, il doit faire très froid dehors* (cela ne fait guère de doute).
They must have a lot of money. *Ils doivent avoir beaucoup d'argent.*
How proud you must feel ! *Comme vous devez vous sentir fier !*

Dans ce sens *must* s'emploie surtout à la forme affirmative. Le contraire de « **that must be true** » est généralement « **that *can't* be true** » en anglais britannique (69). Exemple de *must not* exprimant une quasi-certitude : **A Western diplomat's wife told me how her Russian maid had questioned her about her husband and after discovering that he did not periodically get drunk and beat up his wife, pronounced her very Russian verdict : 'He *must not* be very much of a man'** (Hedrick Smith, auteur américain).

Il n'y a pas de forme interrogative (on demande : « **Do you think it's cold ?** »).

Dans ce sens *must* est surtout suivi de *be* (ou d'un autre verbe introduisant un attribut : *look, feel*), de *have*, ou de verbes exprimant des opérations intellectuelles (*think, remember, wonder*). On peut faire suivre *must* d'une forme progressive si le sens le demande.

They must be waiting for us. *Ils doivent nous attendre.*
She must be wondering where we are. *Elle doit se demander où nous sommes.*

On peut exprimer la même idée en se servant de l'adverbe *certainly*, des expressions *I'm sure, I daresay* (945), *I suppose*.

I daresay you don't like it (ou : **I don't suppose you like it**) **very much here.** *Vous ne devez pas vous plaire beaucoup ici.*

89 Contrairement à *may* exprimant une incertitude (79), *must* exprimant une quasi-certitude *ne s'emploie pas avec un sens de futur*. On peut avoir recours à la périphrase *to be sure to* (Comparer : « **It must be cold in Scotland today** » et « **It's sure to be cold in Scotland tomorrow** »).

Pour une quasi-certitude portant sur des faits passés on emploie « *must have + participe passé* » (105).

Pour le style indirect voir 435, remarque 1.

90 (b) *Nécessité, obligation.*

I must finish this work today. *Il faut que je finisse ce travail aujourd'hui.*
You must read this book. *Il faut que vous lisiez ce livre* (je vous le conseille vivement).

Il s'agit ici des sentiments du locuteur. Pour donner une information impersonnelle concernant une nécessité on emploie la périphrase « *to have to* ».

Comparer :

You have to be back by 10. *Il faut que vous soyez de retour pour 10 heures* (je rappelle quel est le règlement).
You must be back by 10 (c'est moi qui vous le demande, ou : j'insiste pour que vous n'oubliiez pas).

De même « **Must I read it ?** » n'a pas exactement le même sens que « **Do I have** (ou : **Do I need**) **to read it ?** ». Dans la première phrase je demande à un ami ce qu'il en pense; dans la deuxième je demande si un règlement (par exemple un programme scolaire) m'y oblige.

46

Dans un style emphatique on peut dire : « **You've got to read it** ». *Il faut absolument que vous le lisiez* (je vous le conseille très vivement). *Got* est alors fortement accentué (« *have got to* » peut donc avoir un contenu modal que n'a pas « *have to* »).

A la 1re personne, quand il s'agit d'une obligation habituelle on emploie plus volontiers *I have to*, alors que si l'obligation concerne le moment présent on se sert plus couramment de *must* ou de l'expression familière « *I've got to* ».

> **I have to go to London every week.** *Il faut que j'aille à Londres chaque semaine* (je donne ici une *information*).
> **I'm afraid I must go** (= **I've got to go**) now. *Il faut malheureusement que je parte maintenant* (je donne ici une *opinion*).

Dans ce dernier cas « I have to go » exprimerait une nécessité absolue (style emphatique : *Il faut absolument que je parte*).

Must s'emploie dans des formules familières pour insister.

> **You must come and see us** (= Do come and see us).
> **I must ask you not to tell anybody** (= Please don't tell anybody).

91 A la forme négative, bien distinguer l'interdiction (*you mustn't*) de l'absence de nécessité (*you needn't, you don't have to*). Comparer :

> **You mustn't come.** *Il ne faut pas que vous veniez* (je vous l'interdis, ou : je vous le déconseille fortement).
> **You needn't come, you don't have to come.** *Il n'est pas nécessaire que vous veniez.* Voir **need**, 94.
> **You mustn't be late.** *Il ne faut pas que vous soyez en retard* (je vous le déconseille).

92 *Must* s'emploie souvent à la forme affirmative avec le sens d'un *futur* (= *shall / will have to*) quand le contexte est clair.

> **You must do it tomorrow.** *Il faudra que vous le fassiez demain.*
> **If nobody helps me I shall have to give it up** (ou : **I must give it up**). *Si personne ne m'aide il me faudra abandonner.*

Dans les exemples suivants (au futur, au conditionnel, au passé, au present perfect) on donne (ou on demande) des informations et non un point de vue personnel. On emploie la périphrase « *to have to* ».

> **You won't have to wait.** *Vous n'aurez pas à attendre.*
> **When shall we have to leave ?** *Quand devrons-nous partir ?*
> **If he wanted to get there before lunch he would have to start very early.** *S'il voulait arriver avant le déjeuner il devrait* (= *il lui faudrait*) *partir très tôt.*
> **We've had to alter our plans.** *Nous avons dû modifier nos projets* (mais dans : « *Nous avons dû nous tromper* » on exprime une quasi-certitude. Voir 105 : **We must have made a mistake** »).
> **They had to sell their house.** *Ils durent vendre leur maison.*
> **How long did you have to wait ?** *Combien de temps avez-vous dû attendre ?*

Voir 124 (cas où à la forme interrogative du preterite on emploie « *was he to* », « *were they to* », etc. et non « *did he have to* », « *did they have to* »).

93 C'est tantôt un verbe ordinaire, tantôt un auxiliaire de modalité.

(a) **Le verbe ordinaire to need** (régulier, conjugué **avec do**) peut être suivi :

(1) d'un nom complément d'objet direct.

Do you need your dictionary ? *As-tu besoin de ton dictionnaire ?*

(2) d'un gérondif qui a un sens passif (468).

Your coat needs brushing. *Votre manteau a besoin d'être brossé.*

(3) d'un infinitif complet.

He needed to think it over before making a decision. *Il avait besoin d'y réfléchir avant de prendre une décision.*

94 (b) **L'auxiliaire de modalité need** (conjugué **sans do**) s'emploie principalement aux **formes interrogative et négative**, ou dans des phrases comportant un terme restrictif (**hardly, only, all**).

(1) **La forme négative** exprime l'**absence de nécessité** ou de justification (ou une nécessité restreinte) dans le présent ou le futur. La négation peut accompagner le verbe d'une proposition principale si **need** est dans une subordonnée.

You needn't come if you don't want to. *Il n'est pas nécessaire* (ou : *Il est superflu) que vous veniez si vous n'en avez pas envie* (**You mustn't come** exprimerait une interdiction, 91).

She needn't worry, everything will be all right. *Elle n'a pas à s'inquiéter, tout ira bien.*

I need hardly tell you that I was surprised. *Je n'ai guère besoin de vous dire que j'ai été surpris.*

All you need do is sign here. *Il vous suffit de signer ici.*

I don't think you need worry. *Je ne pense pas que vous ayez à vous inquiéter.*

He said that I needn't do it. *Il a dit qu'il n'était pas nécessaire que je le fasse* (**Need**, de même que **must**, s'emploie comme preterite dans des phrases de style indirect. Cette phrase est synonyme de : He said, « You needn't do it »).

Dans ces phrases, c'est **l'avis du locuteur** qui est donné. L'absence de nécessité peut s'exprimer de façon plus impersonnelle avec **don't have to, don't need to** (**need** est alors conjugué comme un verbe ordinaire), au futur avec **won't need to**.

You don't really need to read all these books, do you ? *Il n'est pas vraiment nécessaire que vous lisiez tous ces livres, n'est-ce pas ?*

You won't need to bring your bicycle, they'll lend you one. *Il sera inutile que vous apportiez votre bicyclette, ils vous en prêteront une.*

95 (2) **A la forme interrogative need** a un sens voisin de **must**. Toutefois « **Need I... ?** » exprime plutôt l'espoir d'une réponse négative (**No, you needn't**).

Need I attend the lecture ? *Faut-il vraiment que j'assiste à la conférence ?*

Aux questions commençant par « **Need I... ?** » deux réponses sont possibles :

{ **Yes, you must** *(il le faut)*
{ **No, you needn't** *(ce n'est pas nécessaire).*

(**No, you mustn't** est plutôt une réponse à la question commençant par « **May I... ?** »). Voir aussi 158.

Need you wait for them ? *Faut-il vraiment que vous les attendiez ?*

I wonder if we need invite them. *Je me demande s'il faut vraiment que nous les invitions* (interrogative indirecte).

Dans toutes ces phrases je demande l'**avis de l'interlocuteur**. Pour demander une simple information impersonnelle on emploie « **Do you (we...) need to... ?** » ou « **Do you (we...) have to... ?** ».

Do you need to have all your meals in the Hall ? *Est-il obligatoire que vous preniez tous vos repas au Réfectoire ?*

96 ⓒ *Au passé* deux tournures sont possibles.

We didn't need (= we didn't have) to wait, they were just on time. *Nous n'avons pas eu à attendre, ils étaient juste à l'heure* (cela n'a pas été nécessaire, il s'agit d'un fait, non d'une opinion).

We needn't have waited, they didn't come. *Nous avons attendu inutilement, ils ne sont pas venus* (nous regrettons d'avoir attendu, c'est une opinion). Voir 106.

Comparer : « **They didn't need to do it** » (ils n'ont pas eu à le faire, donc ils ne l'ont pas fait) et : « **They needn't have done it** » (il était superflu de le faire, ils l'ont fait quand même).

Cette dernière tournure, où **need** est auxiliaire de modalité, s'emploie parfois dans la langue familière avec une nuance de reproche indirect. « **You needn't have done that** » signifie souvent « **You shouldn't have done that** », ou même « **It was silly of you to do that** ».

---

9. — OUGHT TO

97   C'est le seul de ces auxiliaires qui soit suivi d'un *infinitif complet*. C'est un *preterite modal* à sens de présent. Toutefois il peut (comme *must* et *need*) s'employer comme *passé* dans des phrases de *style indirect*.

ⓐ *Conseils moraux ou amicaux.*

You ought to be ashamed. *Vous devriez avoir honte.*
You oughtn't to be so selfish. *Vous ne devriez pas être si égoïste.*
She ought to spend a year in England. *Elle devrait passer un an en Angleterre.*
We ought to ring him up, oughtn't we ? *Nous devrions lui téléphoner, n'est-ce pas ?*
Oughtn't we to thank him ? — I think we ought (= I think we ought to). *Ne devrions-nous pas le remercier ? — Je pense que si.*
He told me I ought to sell my car. *Il m'a conseillé de vendre ma voiture* (passé, style indirect).

A la forme négative on entend parfois « **They didn't ought to...** » au lieu de « **They oughtn't to...** ». Cette construction est considérée comme une faute vulgaire.

'We didn't ought to 'ave trusted the buggers' (G. Orwell) = « *On aurait (sic) pas dû faire confiance à ces salauds* ».

Should s'emploie également pour exprimer un conseil amical ou moral. **Ought to** insiste un peu plus sur une *contrainte extérieure*, en particulier d'ordre moral. Son contenu modal est donc moins net. Mais la différence n'est pas toujours perçue nettement et les deux auxiliaires sont souvent interchangeables (**You shouldn't be so selfish. She should spend a year in England**...). Voir 328. De plus, à la forme négative, **shouldn't** est souvent préféré à **oughtn't to** parce que plus facile à prononcer.

Suivi d'un **infinitif passé ought to** (= **should**) exprime un regret, un reproche (107).

98 (b) **Probabilité** (on sous-entend : le contraire serait surprenant).

> **What's on at the Pavilion ? — A film with Laurence Olivier — That ought to be very good.** *Que joue-t-on au Pavilion ? — Un film avec Laurence Olivier — Cela doit être très bien.*
>
> **Manchester United ought to win.** *Manchester United devrait gagner* (pronostic).
>
> **The date ought to suit them.** *La date devrait leur convenir.*
>
> **Ask your science teacher, he ought to know.** *Demande à ton professeur de sciences, lui doit le savoir.*

On peut, là encore, remplacer **ought to** par **should**. Voir 331.

---

10. — DARE

99 Comme **need**, c'est tantôt un verbe ordinaire, tantôt un auxiliaire. On ne le construit comme un auxiliaire qu'aux **formes interrogative et négative**. Dans ce cas on fait couramment la contraction **daren't** [dɛənt].

Le **preterite** est **dared**, parfois **dare** (**durst** est archaïque), sa forme négative est **daredn't** ou **daren't**.

> **He daren't speak to me.** *Il n'ose pas m'adresser la parole.*
>
> **How dare you say such a thing ?** *Comment osez-vous dire une chose pareille ?*
>
> **I would have liked to speak to him, but I daren't.** *J'aurais aimé lui parler, mais je n'ai pas osé* (ici **daren't** est un preterite).

A la forme affirmative on conjugue **dare** comme un verbe ordinaire.

> **I wonder how he dared to say such a thing.** *Je me demande comment il a osé dire une chose pareille.*

Aux formes composées (perfects, futur, conditionnel) le verbe qui suit **dare** est à l'infinitif complet ou incomplet.

> **I would not dare (to) disturb him.** *Je n'oserais pas le déranger.*

Comparer ces deux phrases d'un roman d'Agatha Christie : « **She wouldn't dare use it** » (après l'infinitif **dare** : un infinitif sans to). « **Some servant might have spilt the stuff and then not dared to own up** » (après le participe passé **dared** : un infinitif complet).

Remarques : (1) A la forme négative du présent on peut dire : « **He doesn't dare to speak to me** » (style plus soigné que : « **He daren't speak to me** »).

(2) Dans la langue familière, **I daresay** (généralement en un seul mot) = I suppose, I expect (seulement à la 1re personne du singulier du présent).

> **I daresay you are right.** *Vous avez sans doute raison.*

(3) Quand **to dare** est synonyme de **to challenge** il se construit comme un verbe ordinaire (474).

> **He dared me to dive from the pier** (proposition infinitive). *Il m'a mis au défi de plonger du haut de la jetée.*

50

100 Il s'agit de l'infinitif sans *to* (sauf après *ought*) de l'auxiliaire *have* suivi d'un participe passé : **He might have seen. They must have been. You needn't have bought**, etc., mais : **You ought *to* have said.**

Have est toujours *inaccentué :* [əv] ou [v]; parfois [əf] ou [f] devant une consonne sourde (p, t, k, s, f, θ, ʃ).

On exprime ainsi les sentiments du locuteur sur une action passée, achevée (aspect perfectif, voir 230). Ce sont des *jugements rétrospectifs.*

Cette tournure ne s'emploie que pour certains sens des auxiliaires de modalité, qu'il faut examiner séparément.

101 (a) *Can have* + *participe passé* (presque toujours à la forme négative, parfois à la forme interrogative) exprime la possibilité, la *vraisemblance* d'un fait considéré rétrospectivement (voir 69).

> **He can't have done this work all by himself.** *Il est impossible qu'il ait fait ce travail tout seul* (je n'y crois pas).
> **I wonder where he can have** [knv] **got to.** *Je me demande où il peut bien être passé* (interrogative indirecte).
> **He can't have** [əf] **told them about it because he didn't know it.** *Il est impossible qu'il leur en ait parlé parce qu'il ne le savait pas* (conclusion logique négative; voir 105, « *must* + *infinitif perfect* »).

102 (b) *Could have* + *participe passé* exprime une *capacité*, une faculté (qui ne s'est pas réalisée, dont on n'a pas profité, si la phrase est affirmative). Voir 77.

> **We could have walked there.** *Nous aurions pu y aller à pied* (mais nous ignorions que c'était tout près).
> **You could have had your breakfast in your room.** *Vous auriez pu prendre votre petit déjeuner dans votre chambre* (vous ignoriez que c'était possible).

Cette tournure est aussi synonyme du past perfect (= had been able to) après *if* ou l'expression *I wish* (359, 2°).

> **If only he could have spoken to her !** *Si seulement il avait pu lui parler !*
> **I wish you could have seen him.** *Je regrette que vous ne l'ayez pas vu.*

Aux formes interrogative et négative il s'agit souvent de possibilité, de vraisemblance (dans un contexte passé).

> **How could she have thought him trustworthy ?** *Comment avait-elle pu le croire digne de confiance ?*
> **Who could have guessed ?** *Qui aurait pu deviner ?*
> **He couldn't possibly have done it by himself.** *Il ne pouvait absolument pas l'avoir fait seul.*

Noter aussi l'emploi de « *could have* + *participe passé* » dans :

> **He could have wept for joy.** *Il en aurait pleuré de joie* (s'il ne s'était pas retenu). Voir aussi 104 (*might/could*).

103 (c) *May have* + *participe passé* exprime une *incertitude* concernant un fait passé que l'on considère possible.

> **He may have come while we were out.** *Il se peut qu'il soit venu pendant que nous étions sortis.*
> **She may not** (plutôt que **mayn't**) **have received our letter.** *Il se peut qu'elle*

n'ait pas reçu notre lettre (Ne pas confondre avec : **She can't have received...** *Il est impossible qu'elle ait reçu...*).

104 (d) *Might have* + *participe passé* exprime un *hasard* concernant un fait passé (sous-entendu : « mais le sort ne l'a pas voulu ainsi »), une *éventualité*, un doute au sujet d'un fait passé (sous-entendu : « il n'est pas absurde de le supposer »), un *risque* qui a été couru (sous-entendu : « on l'a échappé belle »).

> **She might never have known the truth.** *Elle aurait pu ne jamais savoir la vérité.*
> **Why didn't you invite them ? They might have come.** *Pourquoi ne les as-tu pas invités ? Ils seraient peut-être venus.*
> **They might have been killed.** *Ils auraient pu se tuer.*

Il s'ajoute parfois une nuance d'irritation, de *reproche* (moins direct qu'avec *should* ou *ought*).

> **They might have waited for us.** *Ils auraient pu nous attendre.*
> **You might at least have tried.** *Tu aurais pu au moins essayer.*
> **I might have known** (ton amer). *J'aurais pu m'en douter.*

Dans certains cas le sens de la phrase permet d'employer *could* ou *might* indifféremment. On note d'ailleurs une tendance à employer *could* au lieu de *might* (éventualité, risque couru).

> **We were in Rome at the same time, we could** (ou : **might**) **have met.** *Nous étions à Rome en même temps, nous aurions pu nous rencontrer.*
> **He could** (= **might**) **have broken his neck.** *Il aurait pu se casser le cou.*

Might s'emploie parfois dans le sens de *may* (84), c'est pourquoi, en dehors de tout contexte, il pourrait y avoir ambiguïté dans des phrases comme : « **I might have lost my passport at the airport** » : (1) *j'aurais pu le perdre* (par chance je ne l'aie pas perdu); (2) *il se peut que je l'aie perdu*, mais ce n'est pas certain (= **I may have lost...**).

105 (e) *Must have* + *participe passé* exprime une *quasi-certitude*, une conclusion logique concernant un fait passé (88), presque toujours à la forme affirmative.

> **You must have been tired.** *Vous deviez être fatigué.*
> **He must have gone to sleep.** *Il a dû s'endormir* (ou : « *il se sera endormi* »). La forme négative est : « **he can't (possibly) have gone to sleep** » (*il est impossible qu'il se soit endormi*). « **He mustn't have gone to sleep** » est beaucoup moins courant.

Ne pas confondre les deux sens de « *ils ont dû* » dans les phrases :

> *Ils ont dû avoir peur* (quasi-certitude : « je parierais que... »). **They must have beeen afraid.**
> *Ils ont dû appeler un docteur* (nécessité : « il leur a fallu... »). **They had to call a doctor.**

106 (f) *Needn't have* + *participe passé* exprime le caractère *superflu* d'une action passée (94).

> **You needn't have done all this work.** *Il n'était pas nécessaire que vous fassiez tout ce travail* (vous l'avez fait inutilement).

107 (g) *Ought to* (ou : *should*) *have* + *participe passé* exprime un *regret*, un *reproche* (puisqu'il est trop tard pour donner un conseil).

> **We ought to** (ou : **should**) **have invited her.** *Nous aurions dû l'inviter.*
> **She ought to** (ou : **should**) **have told me about it.** *Elle aurait dû m'en parler.*

He shouldn't have drunk so much whisky. *Il n'aurait pas dû boire tant de whisky.*

108 *Remarques :* (1) L'infinitif perfect peut être à la **forme progressive**.

They must have been wondering where we were. *Ils devaient se demander où nous étions.*

He should have been working instead of watching television. *Il aurait dû travailler au lieu de regarder la télévision.*

109 (2) Les différences entre le **preterite**, le **present perfect** et le **past perfect** ne sont pas marquées quand une action passée est exprimée à l'aide d'un auxiliaire de modalité suivi d'un infinitif perfect.

He must have known it for years, though he pretends to know nothing about it = I'm sure he has known it... (*Il doit le savoir depuis des années...*).

He must have been afraid when he heard the shot = I'm sure he was afraid. ... (*Il a dû avoir peur quand il a entendu le coup de feu*).

He must have been waiting for hours when you arrived = I'm sure he had been waiting... (*Il devait attendre depuis des heures quand vous êtes arrivé*).

He hasn't come, he may have forgotten the appointment = Perhaps he has forgotten... (*Il se peut qu'il ait oublié le rendez-vous*).

He may have thought I was joking = Perhaps he thought... (*Peut-être a-t-il pensé que je plaisantais*).

110 (3) Dans les exemples suivants, remarquer les **contrastes :**

must/cannot : **He can't have said that in earnest, he must have been joking.** *Il est impossible qu'il ait dit cela sérieusement, il devait plaisanter.*

should/might : **He should have driven very slowly, he might have skidded on the ice.** *Il aurait dû rouler très lentement, il aurait pu déraper sur le verglas.*

could/needn't : **You needn't have taken a taxi, you could have come by bus.** *Il n'était pas nécessaire que vous preniez un taxi, vous auriez pu venir par l'autobus.*

Dans le premier exemple le locuteur **ignore** s'il y a eu ou non plaisanterie, il ne peut que le **supposer** (**must/cannot** exprime la quasi-certitude, **may/may not** exprimerait l'incertitude). Dans les deux autres exemples le locuteur **sait** ce qui s'est passé (il n'y a pas eu dérapage; on est venu en taxi), les auxiliaires de modalité lui permettent de **commenter** ces faits (voir 64).

EXERCICES

A Transformer les phrases suivant les modèles :

Perhaps she's angry with me → She **may be** angry with me (incertitude dans le présent).
Perhaps they'll come tonight → They **may come** tonight (incertitude dans le futur)
May est alors accentué, il ne se contracte pas couramment avec not.

1. Perhaps George will be late for dinner. — 2. Perhaps our friends are waiting for us. — 3. Perhaps we'll go to Cornwall in July. — 4. Perhaps it won't rain tomorrow. — 5. Perhaps you don't agree with me. — 6. Perhaps you'll never be a doctor. —

7. Perhaps there's too much luggage. — 8. Perhaps Mrs Morgan will think we are rude. — 9. Perhaps they're having tea. — 10. Perhaps you think he's a fool. — 11. Perhaps she won't get our letter in time. — 12. Perhaps he's right and perhaps he's wrong. — 13. Perhaps we'll be disappointed. — 14. Perhaps he isn't the murderer. — 15. Perhaps there'll be a storm tonight. — 16. Perhaps I'm mistaken. — 17. Perhaps I shan't be at home when you arrive. — 18. Perhaps we'll spend a week in Cambridge. — 19. Perhaps they're away on holiday. — 20. Perhaps he's very clever, but he's such a bore !

B Transformer les phrases suivant les modèles :

Perhaps he's lost our address → He **may have lost** our address.
Perhaps he was right → He **may have been** right.
Le schéma « may have + participe passé » (incertitude concernant le passé) correspond à des phrases au **present perfect** ou au **preterite**.

1. Perhaps John has read this book before. — 2. Perhaps I made a mistake. — 3. Perhaps he didn't see the lights were at red. — 4. Perhaps they came when we were out. — 5. Perhaps I haven't told you about it. — 6. Perhaps there was a mistake. — 7. Perhaps he didn't understand what you said. — 8. Perhaps you haven't met him. — 9. Perhaps he thought it was a joke. — 10. Perhaps he hasn't received our letter. — 11. Perhaps it was true. — 12. Perhaps she felt tired. — 13. Perhaps she hasn't been to England. — 14. Perhaps the policeman saw you. — 15. Perhaps our friends didn't like the film. — 16. Perhaps there was an accident. — 17. Perhaps he's forgotten your name. — 18. Perhaps there were unexpected difficulties. — 19. Perhaps they've misinterpreted your behaviour. — 20. Perhaps the exercise was too difficult for them.

N.B. On peut aussi faire les exercices A et B ensemble, en alternant les phrases (A1, B1, A2, B2, A3, B3, etc.).

C Transformer les phrases suivant le modèle :

I'm sure you're tired → You **must be** tired (quasi-certitude dans le présent, mais non dans le futur, à la différence de **may** exprimant l'incertitude, ex. A). Ce schéma s'emploie rarement à la forme négative.

1. I'm sure he's very strong. — 2. I'm sure it's a good film. — 3. I'm sure that's true. — 4. I'm sure he's over eighty. — 5. I'm sure they're twin brothers. — 6. I'm sure it's very expensive. — 7. I'm sure she thinks we're joking. — 8. I'm sure it's very late. — 9. I'm sure she's waiting for us. — 10. I'm sure she's older than her husband. — 11. I'm sure your friends feel proud of their children. — 12. I'm sure he's good at languages. — 13. I'm sure your tea is cold. — 14. I'm sure there's a lot of ice on the road. — 15. I'm sure they're having tea. — 16. I'm sure they're home by now. — 17. I'm sure there's a police station near here. — 18. I'm sure Greece is a wonderful country. — 19. I'm sure they're Americans. — 20. I'm sure he's the oldest man in the town.

D Transformer les phrases suivant les modèles :

I'm sure he's read it before → He **must have read** it before.
I'm sure you were tired → You **must have been** tired.
Le schéma « must have + participe passé » (quasi-certitude concernant un fait passé) correspond à des phrases au present perfect ou au preterite.

1. I'm sure it was very hot. — 2. I'm sure you felt disappointed. — 3. I'm sure she's forgotten our invitation. — 4. I'm sure he spent at least three years in America. — 5. I'm sure he wondered what you meant. — 6. I'm sure he enjoyed the film. — 7. I'm sure he thought I was a liar. — 8. I'm sure they've forgotten me. — 9. I'm sure you were late. — 10. I'm sure they missed their train. — 11. I'm sure he's drunk too much whisky. — 12. I'm sure your father was very angry. — 13. I'm sure she

heard what you said. — 14. I'm sure it was a joke. — 15. I'm sure you hated me. — 16. I'm sure they were delighted to see you. — 17. I'm sure it cost him a lot of money. — 18. I'm sure she was afraid. — 19. I'm sure there was a misunderstanding. — 20. I'm sure you've been waiting for hours.

N.B. On peut aussi faire les exercices C et D ensemble, en alternant les phrases (C1, D1, C2, D2, C3, D3, etc.).

E Mettre à la forme négative les dix premières phrases de l'exercice C et les transformer suivant le modèle :

I'm sure he's not very strong → He *can't be* very strong.

[F] Transformer les phrases suivant les modèles :

They are perhaps at the theatre → They *may be* at the theatre.
They are certainly at the theatre → They *must be* at the theatre.

Ne pas changer le temps de la phrase.

1. They will perhaps come by plane. — 2. He is certainly very sorry. — 3. She has certainly noticed your mistake. — 4. Perhaps they found the play a bit boring. — 5. It was certainly a mistake. — 6. They will perhaps be having tea when you arrive. — 7. There was perhaps an accident. — 8. She has certainly forgotten the appointment. — 9. She has perhaps forgotten the appointment. — 10. He was certainly very pleased. — 11. They are certainly waiting for us. — 12. There will perhaps be a lot of difficulties. — 13. Perhaps they heard what we were saying. — 14. There were certainly more than a thousand people. — 15. He was certainly a nuisance. — 16. They are certainly enjoying themselves. — 17. They are perhaps in bed by now. — 18. Perhaps he felt sorry for what he did. — 19. He is certainly working hard for his exam. — 20. It certainly took him a long time.

G Transformer les phrases suivant les modèles :

(a) If I were you I'd buy a car → You *ought to buy* a car (= you *should buy* a car).
(b) I advise you to wait a few minutes → You *ought to wait* a few minutes (= you *should wait* a few minutes).

(a) 1. If I were you I'd get up earlier. — 2. If I were John I'd give up smoking. — 3. If I were him I'd learn German. — 4. If I were you I'd spend a couple of months in England. — 5. If I were his father I'd give him less pocket money. — 6. If I were you I'd go to that concert. — 7. If I were your mother I shouldn't spoil you the way she does. — 8. If I were him I shouldn't be so kind to them. — 9. If I were you I'd stop bothering. — 10. If I were you I'd tell nobody about it.

(b) 1. I advise you to hurry up. — 2. I advise you not to mind what he says. — 3. I advise him to work harder. — 4. I advise Ken not to drive so fast. — 5. I advise you to see this film. — 6. I advise you all to listen to this carefully. — 7. I advise them to try and understand. — 8. I advise her to consult a doctor. — 9. I advise you not to refuse his help. — 10. I advise his parents to forgive him.

H Transformer les phrases suivant les modèles :

It's a pity that you lost your temper → You *shouldn't have lost* your temper.
I'm sorry that I didn't tell you → I *should have told* you (= *I ought to have told* you).

Le schéma « should have + participe passé » exprime une action qu'il aurait été souhaitable de faire mais qui n'a pas été faite (à la forme négative, une action qu'il aurait été souhaitable de ne pas faire mais qui a été faite).

1. It's a pity that John made that silly mistake. — 2. It's a pity that you didn't apologize to them. — 3. I'm sorry that I forgot their invitation. — 4. It's a pity that you haven't brought your camera. — 5. I'm sorry that I haven't answered their

letter. — 6. It's a pity that there weren't more people at the lecture. — 7. I'm sorry that I trusted them. — 8. It's a pity that she didn't tell us that she couldn't come. — 9. It's a pity that you didn't buy the Observer last Sunday. — 10. I'm sorry that I have spent all my money. — 11. It's a pity that you didn't wake me up. — 12. I'm sorry that I was such a fool. — 13. It's a pity that she didn't follow her doctor's advice. — 14. It's a pity that you quarrelled with him. — 15. It's a pity that there wasn't a policeman at the cross-roads. — 16. It's a pity that the Smiths have sold their house. — 17. It's a pity that they didn't play Franck's sonata. — 18. I'm sorry that I didn't introduce you to my wife. — 19. It's a pity that you didn't visit the exhibition. — 20. It's a pity that they didn't phone the fire brigade at once.

I Transformer les phrases suivant les modèles :

(a) Perhaps they will come tonight → They **might come** tonight (incertitude, parfois risque, dans le présent ou le futur).

(b) Why don't you try and help him ? → You **might try** and help him (suggestion, parfois reproche).

(a) 1. Perhaps you'll meet him at the party. — 2. Perhaps she'll feel a bit hurt. — 3. Perhaps he'll need our help. — 4. Perhaps it'll rain this afternoon. — 5. Perhaps he's over sixty. — 6. Perhaps this will cost him a lot of money. — 7. Perhaps he won't like the food. — 8. Perhaps I'll go to London for the week-end. — 9. Perhaps this book is too difficult for him. — 10. Perhaps the news will kill him.

(b) 1. Why don't you hire a car ? — 2. Why aren't you more sociable ? — 3. Why don't you thank him for his help ? — 4. Why isn't he nicer to his sister ? — 5. Why don't they stop quarrelling ? — 6. Why don't you pretend you know nothing about it ? — 7. Why doesn't he avoid hurting her feelings ? — 8. Why don't you take a yearly subscription ? — 9. Why don't they listen when I'm speaking to them ? — 10. Why don't you tell us the truth for a change ?

J Transformer les phrases suivant les modèles :

(a) You were lucky the policeman didn't see you → The policeman **might have seen** you (un risque a été couru, « mais le sort ne l'a pas voulu ainsi »).

(b) Why didn't you help them ? → You **might have helped** them (reproche relatif à un fait passé, parfois indignation).

(a) 1. He was lucky he didn't miss his train. — 2. I was lucky the car didn't skid on the ice. — 3. You were lucky you weren't hit by a stone. — 4. You were lucky they didn't catch you. — 5. I was lucky I wasn't injured. — 6. How lucky that the child wasn't run over ! — 7. We were lucky we saw him in the crowd. — 8. How lucky there wasn't an accident ! — 9. We were lucky it didn't rain during the match. — 10. You were lucky you didn't lose your way in the fog.

(b) 1. Why didn't you ring us up last night ? — 2. Why didn't they ask my advice ? — 3. Why didn't you tell us that you couldn't swim ? — 4. Why didn't he keep his self-control ? — 5. Why didn't he warn us that the road was dangerous ? — 6. Why didn't you wait for me ? — 7. Why wasn't he less selfish ? — 8. Why weren't you more friendly to my brother ? — 9. Why didn't you answer his question more politely ? — 10. Why didn't your parents lend you the money you needed ?

K Construire des phrases suivant le modèle :

You / to put on an overcoat / to catch cold → You **should have put** on an overcoat (ce qu'il aurait fallu faire), you **might have caught** cold (ce qui aurait pu se produire, mais ne s'est pas produit).

1. They / to work harder / to fail. — 2. He / to drive slowly / to skid on the ice. — 3. You / to keep one's ticket in one's pocket / to lose it. — 4. The children / not to play on the river bank / to fall into the river. — 5. He / not to insult the

policeman / to be arrested. — 6. Jack / not to play with the camera / to break it. — 7. We / to leave earlier / to miss the train. — 8. You / to be careful / to knock down the old lady. — 9. You / to buy a lottery ticket / to win an American car. — 10. Jack / not to carry the vase / to drop it. — 11. He / not to park one's car on the bridge / to get into trouble with the police. — 12. You / not to be so touchy / to spoil the party. — 13. They / not to speak so loudly / to be overheard. — 14. I / to try again / to succeed in the end. — 15. We / to take one's umbrella / to get drenched. — 16. You / not to make that remark / to hurt someone's feelings. — 17. You / to bring the tape-recorder / to record the concert. — 18. You / not to throw the bottle out of the train window / to kill somebody. — 19. You / not to bang the doors / to wake up everyone in the house. — 20. The child / not to climb onto the roof / to fall and break one's neck.

L Modifier les phrases pour exprimer l'idée contraire, suivant les modèles :
You must read this book → You *needn't read* this book (absence de nécessité).
You may smoke → You *mustn't smoke* (interdiction).
1. They must do it at once. — 2. I must explain what it means. — 3. You may use my tape-recorder. — 4. You must hurry. — 5. You and your friends may play in the back garden. — 6. You must go to that party. — 7. You may go to that party. — 8. They must let us know in advance if they are coming. — 9. You may tell all your friends about it. — 10. You must wait until they come. — 11. They must lock the door. — 12. You may go out after dinner. — 13. You must wear a tie. — 14. You may call her Betty. — 15. We must write to them every week. — 16. You must learn it by heart. — 17. You may eat with your fingers. — 18. The boys must wear their school uniforms. — 19. You may use a dictionary. — 20. We must invite them all.

M Traduire :
1. You shouldn't have made that remark. — 2. They can't have missed him. — 3. She may have thought I meant what I said. — 4. What fun that must have been ! — 5. They shouldn't have stayed near the car, the engine might have burst. — 6. Do you think the Germans could have landed in Britain in July 1940 ? — 7. He ought to have sent them a present. — 8. You needn't have sent them a present. — 9. You must have felt terribly ashamed. — 10. He can't possibly have liked that play. — 11. You might have told us that you didn't want to meet him. — 12. John may have broken the window with his ball but it may also have been the wind. — 13. You should have put your scarf on, you might have caught cold. — 14. He may have tried to ring us up while we were at the bottom of the garden. — 15. He cannot have done this work all by himself. — 16. He may not have done this work all by himself. — 17. He should not have done this work all by himself. — 18. He needn't have done this work all by himself. — 19. He couldn't have done this work all by himself. — 20. He didn't have to interfere. — 21. He needn't have interfered. — 22. There may have been some unexpected difficulties. — 23. There must have been some unexpected difficulties. — 24. There might have been some unexpected difficulties. — 25. You may not have met him. — 26. You can't have met him. — 27. He needn't have bought that dictionary. — 28. He didn't need to buy that dictionary. — 29. She must have read it. — 30. She should have read it. — 31. She may have read it. — 32. She cannot have read it. — 33. She may not have read it. — 34. She needn't have read it. — 35. She didn't have to read it. — 36. You needn't have waited for us. — 37. We didn't need to wait for them. — 38. We might have waited for them. — 39. We could have waited for them. — 40. How nervous you must have felt !

N Bâtir des phrases suivant le modèle :
You / to take a taxi / to come by bus → You *needn't have taken* a taxi, you *could have come* by bus (instead).

« Needn't have + participe passé » : action qui était superflue, mais qui a été faite, inutilement.

« Could have + participe passé » : possibilité dont on n'a pas profité (peut souvent être remplacé par « might have + participe passé » pour ajouter une nuance de regret ou de reproche).

1. You / to buy those expensive books / to borrow them from the Public Library. — 2. He / to write to them / to phone. — 3. You / to speak to that man / to ignore him. — 4. We / to get up so early / to stay in bed till eight. — 5. Father / to wash the car / to ask me to do it. — 6. Your brother / to buy a house / to rent a flat. — 7. You / to listen to that boring lecture / to leave before the end. — 8. We / to go to their party / to find an excuse for not going. — 9. You / to read « Gone with the wind » / to see the film. — 10. They / to drink water / to order a bottle of wine.

N.B. On peut ensuite transformer les phrases obtenues suivant le modèle :
You needn't have taken a taxi, you could have come by bus → Why didn't you come by bus instead of taking a taxi ?

O Transformer les phrases suivant le modèle :
Why (on earth) did you tell him ? → You *needn't have* told me (cf. §§ 96 et 106).
1. Why did he go there ? — 2. Why did she tell so many lies ? — 3. Why were you so rude to her ? — 4. Why did you argue with them ? — 5. Why did you interfere ? — 6. Why did she type the text ? — 7. Why was he so touchy about it ? — 8. Why did you make your bed ? — 9. Why did you shout at me ? — 10. Why did you give him a tip ?

[P] Exprimer la même idée à l'aide du schéma « *there* + *modal* + *be* » (ou : « *there* + *modal* + *have been* »)
Exemples : I'm sure there's a mistake → *There must be* a mistake.
I'm sure there was a mistake → *There must have been* a mistake.

1. Perhaps there was a lot of fog. — 2. It's a pity that there aren't two hospitals in this city. — 3. I'm sure there were many casualties. — 4. I'm sure there's a telephone box near here. — 5. Take your macs, perhaps there'll be a shower. — 6. I can't believe there was a mistake. — 7. It's a pity that there weren't more people at the concert. — 8. Perhaps there's no room at the inn. — 9. Perhaps there was no room at the inn. — 10. We were lucky, there wasn't a long queue outside the cinema. — 11. I'm sure there's a misunderstanding. — 12. I'm sure there was a misunderstanding. — 13. Perhaps there's a misunderstanding. — 14. Perhaps there was a misunderstanding. — 15. I can't believe that there was any cheating. — 16. There was such a lot of fuss, which was unnecessary. — 17. I'm sure there were at least a thousand people. — 18. I'm sure there's a solution to this problem. — 19. I can't believe that there are two solutions to this problem. — 20. Perhaps there's no solution to this problem.

[Q] Traduire (« *pouvoir* ») :
1. Il se peut que cela lui déplaise. — 2. Avez-vous pu comprendre ce qu'il disait ? — 3. Nous ne pourrons pas rester ici très longtemps. — 4. Pourriez-vous me traduire cette lettre ? — 5. La route était en mauvais état, mais nous avons pu arriver à l'auberge avant la nuit. — 6. Avez-vous pu l'aider ? — 7. Je n'ai pas encore pu faire leur connaissance. — 8. Vous pouvez m'appeler John si vous voulez. — 9. J'ai pu finir mon travail pendant le week-end. — 10. Pourriez-vous venir dimanche ? — 11. Il n'a pas pu me recevoir, il était trop occupé; heureusement, j'ai pu lui parler au téléphone. — 12. Il a essayé de réparer le moteur, mais il n'a pas pu. — 13. Vous pourrez vous arrêter un instant quand vous serez fatigué. — 14. Ils ne nous entendent pas, il se peut qu'ils regardent la télévision. — 15. Il se pourrait que nous allions aux Etats-Unis l'année prochaine. — 16. Il se peut qu'il

ait mal compris ce que je lui ai dit. — 17. Il est impossible qu'il ait mal compris ce que je lui ai dit. — 18. Il se peut qu'il n'ait pas aimé la pièce. — 19. Vous auriez pu vous casser la jambe. — 20. Il nous a demandé s'il pouvait emprunter notre tondeuse à gazon. — 21. Ils auraient pu au moins nous prévenir. — 22. Il n'est pas possible qu'il ait dépensé tout cet argent en un mois. — 23. Vous rendez-vous compte que vous auriez pu m'écraser ? — 24. Vous pourriez au moins dire « pardon ». — 25. Pourquoi nous avez-vous fait attendre ? Vous pouviez nous téléphoner que vous ne pouviez pas venir. — 26. Nous ferons tout ce que nous pourrons pour ne pas être en retard. — 27. Si je ne l'avais pas empoignée par le bras, elle aurait pu se faire écraser. — 28. Si seulement nous avions pu deviner ce qu'il voulait ! — 29. Nous aurions pu ne jamais nous rencontrer. — 30. Je me demande ce qu'il a bien pu leur dire. — 31. Il se peut que vous n'ayez pas faim, mais moi si. — 32. Il se peut qu'ils aient laissé un message pour nous. — 33. Il se peut qu'il y ait eu du verglas sur la route. — 34. Il se pourrait qu'Oxford gagne la course cette année. — 35. Il n'est pas possible qu'il soit coupable. — 36. Il se peut qu'il ne soit pas coupable. — 37. Il se peut qu'il ne nous ait pas vus. — 38. Il est impossible qu'il nous ait vus. — 39. Ils le virent se noyer sans pouvoir le secourir. — 40. Ils se sont excusés de ne pouvoir venir.

[R] Traduire (« *devoir, falloir* ») :

1. Il possède trois usines, il doit être très riche. — 2. Faut-il que nous les attendions ? — 3. Vous devriez savoir cela, vous auriez dû l'apprendre à l'école. — 4. Il faudra que vous appreniez à taper à la machine. — 5. Je ne retrouve pas sa lettre, j'ai dû la perdre. — 6. Tu aurais dû la ranger dans ton bureau. — 7. Nous devrions les inviter, nous aurions dû le faire il y a longtemps. — 8. Ils ont dû annuler leur voyage parce que leur fils était malade. — 9. Fallait-il vraiment les inviter ? — Je crois que cela n'était pas nécessaire. — 10. Comme ils ont dû être heureux de vous voir ! — 11. Nous avons dû faire la queue pendant vingt minutes. — 12. Nous avons dû nous tromper de chemin. — 13. Vous n'auriez pas dû le réveiller si tôt. — 14. A quelle heure devrez-vous vous lever ? — 15. Faut-il que vous vous leviez à 6 heures tous les matins ? — 16. Il doit avoir au moins quatre-vingts ans. — 17. Il devait avoir au moins cinquante ans quand son fils est né. — 18. La maison est silencieuse : ils doivent se reposer. — 19. Nous aurions pu nous dispenser d'aller le chercher en voiture, il aurait pu venir à pied. — 20. Il n'a pas été nécessaire d'aller le chercher en voiture, il nous a écrit qu'il préférait venir à pied.

5. — PÉRIPHRASES EXPRIMANT LA MODALITÉ

1. — BE LIKELY TO, BE SURE TO, BE BOUND TO

111   Ces trois périphrases permettent au locuteur de dire ce qu'il pense du *degré de vraisemblance de l'action* exprimée par l'infinitif qui suit. L'action peut lui paraître simplement probable, vraisemblable *(likely to)*, à peu près certaine *(sure to)*, absolument inévitable *(bound to)*. Il s'agit bien des sentiments du locuteur et non de ceux du sujet de la phrase quand ce n'est pas une première personne du singulier.

Seul *be likely to* s'emploie couramment aux formes interrogative et négative.

Suivies d'infinitifs présents, ces périphrases concernent des actions présentes (l'infinitif est alors souvent à la forme progressive) ou futures; suivies d'infinitifs perfects, elles expriment des opinions rétrospectives sur des actions antérieures. Il est possible de les conjuguer au preterite (contexte passé) ou au conditionnel.

112 (1) *Be likely to*

They are likely to be at home (to be having tea). *Il est vraisemblable qu'ils sont chez eux (qu'ils sont en train de prendre le thé).*

He's likely to be waiting for us. *Il est probablement en train de nous attendre.*

It's likely to last for a long time. *Cela va probablement durer longtemps.*

There's likely to be a thunderstorm tonight. *Il y aura sans doute un orage ce soir.*

Is he likely to accept our offer? *Y a-t-il des chances pour qu'il accepte notre offre ?* (à la forme interrogative, je demande l'avis de l'interlocuteur).

'They are hardly likely to know that' (A. Christie). *Il est peu vraisemblable qu'ils sachent cela.*

That isn't likely (= That's unlikely) to happen again. *Il y a des chances pour que cela ne se reproduise plus.*

They are likely to have found the play a bit boring. *Il est probable qu'ils ont trouvé la pièce un peu ennuyeuse.*

Are they likely to have come while we were out? *Se peut-il qu'ils soient venus pendant que nous étions sortis ?*

The plans were likely to appeal to him. *Ces projets devaient normalement lui plaire.*

If he'd done that I'd be unlikely to know. *S'il avait fait cela il est peu vraisemblable que je le saurais.*

Remarque : **May** exprime une idée voisine, en insistant toutefois un peu plus sur l'incertitude (avec *may*, on peut supposer en même temps une chose et son contraire, ce qui n'est pas possible avec *be likely to*). Voir 78.

113 (2) *Be sure to* (parfois : *be certain to*).

Au présent cette périphrase s'emploie surtout avec le sens d'un *futur.*

It's sure to be cold tomorrow. *Il fera certainement froid demain.*

The trip is sure to be very pleasant. *Le voyage promet d'être très agréable.*

He is sure to fail. *Il va certainement échouer* (C'est moi, et non lui, qui le pense; sinon la phrase serait : **He is sure that he will fail, he is sure of failing,** ou : **he expects to fail**).

Something is sure to turn up. *Il se présentera sûrement une occasion.*

She is sure to be wondering where we are. *Elle doit se demander où nous sommes.*

It's certain to have been a mistake. *Cela a certainement été une erreur.*

He is sure to have been a nuisance. *Il s'est sûrement rendu insupportable.*

If you said that, he would be certain to (= he wouldn't fail to) declare that you have slandered him. *Si vous disiez cela, il prétendrait à coup sûr que vous l'avez calomnié.*

Nan would be certain to make some objections (Iris Murdoch). *Il était certain que Nan ferait des objections.*

Remarque : **Must** exprime à peu près la même idée (en insistant toutefois un peu moins sur la certitude), mais ne s'emploie couramment que suivi de certains verbes (88, 89), et uniquement pour des actions présentes ou passées. **Must** et **be sure to** ne s'emploient ni à la forme négative ni à la forme interrogative.

Noter l'impératif « **Be sure to...** » (familièrement : « **Be sure and...** »), synonyme de « **Don't fail to...** » (impératif emphatique, 415).

> **Be sure to write every week.** *Ne manquez pas d'écrire chaque semaine.*
> Au style indirect : **She told him to (...) be sure to wait for her after school** (Kingsley Amis). *Elle lui dit de ne pas manquer de l'attendre après les classes.*

114   (3) **Be bound to**

> **She's bound to be a bit worried.** *Il est inévitable qu'elle soit un peu inquiète.*
> **It's bound to be a failure.** *Ce sera inévitablement un échec.*
> **You're bound to admit I was right, it's so obvious.** *Vous ne pouvez pas ne pas reconnaître que j'avais raison, c'est tellement évident.*
> **If he hears about it there's bound to be trouble.** *S'il l'apprend il va inévitablement y avoir des ennuis.*
> **She is bound to have noticed it.** *Elle ne peut pas ne pas l'avoir remarqué.*
> **That was bound to happen !** *Cela devait arriver ! (C'était fatal !)*
> **They were bound to dislike my remark.** *Ma remarque ne pouvait que leur déplaire.*

N.B. Pour l'expression de l'incertitude, de la quasi-certitude, etc., voir aussi leçon 49, §§ 944 à 948.

---

2. — BE LIABLE TO, BE APT TO

115   (1) **Be liable to** s'emploie pour exprimer un **risque permanent** auquel est exposé le sujet de la phrase, selon l'opinion du locuteur.

> **We are all liable to make mistakes.** *Nous sommes tous exposés à faire des erreurs.*
> **They are more liable to catch colds as they are not used to the climate.** *Ils sont plus exposés à s'enrhumer parce qu'ils ne sont pas habitués au climat.*

(2) **Be apt to** s'emploie pour exprimer une **tendance** (généralement regrettable) constatée par le locuteur chez le sujet de la phrase.

> **He is apt to be cruel (= He can be cruel).** *Il lui arrive d'être cruel.*
> **He is apt to (= He tends to) forget his appointments.** *Il est sujet à oublier ses rendez-vous.*

(3) Dans de nombreux cas, en particulier avec un sujet neutre, ces deux notions sont proches et les deux périphrases peuvent s'employer indifféremment. De plus, **liable to** s'emploie de plus en plus couramment à la place de **apt to**.

> **These toys are liable (= apt) to go wrong.** *Ces jouets sont sujets à se détraquer.*
> **Difficulties are liable (= apt) to occur.** *Des difficultés sont susceptibles de se présenter.*

(4) Dans la langue familière américaine, « **I'm liable to be there** » = I'm likely to be there. *Il y a des chances pour que j'y sois.*
« **He's liable to be the winner** ». *C'est probablement lui qui va gagner.*

116   Les expressions *I had better* (*je ferais mieux de, je ferais bien de*) et *I would rather*, ou *I had rather* (*je préférerais, je préfère*) sont semblables à des auxiliaires de modalité : elles n'existent qu'à un temps, le **preterite modal** à sens de présent, et sont suivies d'un infinitif sans *to*.

La forme *I had rather* s'emploie beaucoup moins aujourd'hui que *I would rather*. Dans la langue parlée on dit généralement *I'd better, I'd rather*.

117 (a) *Had better* exprime les sentiments du lecteur (voir aussi 53). Il s'agit souvent d'un *conseil très ferme* (par exemple pour éviter des ennuis).

> **We'd better stay where we are, hadn't we ?** *Nous ferions mieux de rester où nous sommes, vous ne trouvez pas ?*
> **You'd better not tell anybody about it.** *Vous feriez mieux de n'en parler à personne.*
> **If you are going to tell them the truth, it had better be the whole truth.** *Si vous devez leur dire la vérité, il vaut mieux que ce soit toute la vérité.*
> **Better let him do what he likes** (Sujet et *had* sous-entendus en tête de phrase). *Il vaut mieux le laisser faire ce qu'il veut.*

La *forme interro-négative* permet de consulter l'interlocuteur sur ce qu'il convient de faire.

> **Hadn't we better phone the police ?** *Ne ferions-nous pas mieux* (ou : *Ne convient-il pas*) *de téléphoner à la police ?*

N.B. 1° Noter l'américanisme *would better* (pour *had better*).

2° *I had best* s'emploie parfois comme synonyme de *I had better* dans la langue familière **(You had best go by plane).**

118 (b) *Would rather* (aussi : *would sooner*) exprime les sentiments (*préférences*) du sujet du verbe, cités implicitement quand il n'est pas à la 1re personne (style indirect elliptique, 63).

Cette expression s'emploie dans trois constructions :

(1) Suivie d'un *infinitif sans to*, dans des contextes présents ou futurs.

> **I'd rather stay where I am.** *Je préfère rester où je suis.*
> **You'd rather come with us, wouldn't you ?** *Tu préférerais venir avec nous, n'est-ce pas ?*
> **Which of these two cars would you rather have ?** *Laquelle de ces deux voitures préféreriez-vous ?*
> **We'd rather go to Spain than stay in France.** *Nous préférerions aller en Espagne plutôt que de rester en France* (remarquer la construction semblable à un comparatif de supériorité, avec *than*).
> **I'd sooner die than marry him.** *Je préférerais mourir plutôt que de l'épouser.*
> **I'd rather not know the truth.** *Je préfère ne pas savoir la vérité* (la place de *not*, après *rather*, ne permet pas de faire de contraction).

Dans une réponse elliptique :

> **Hadn't you better ask him what he thinks about it ? — I'd rather not.** *Ne feriez-vous pas mieux de lui demander ce qu'il en pense ? — Je n'y tiens pas (Cela ne me dit rien).*

119   (2) Suivie d'un *infinitif* (sans to) *passé* (ou perfect), dans des contextes passés (préférence concernant un fait qui ne s'est pas produit).

62

They'd rather have gone by plane than by train. *Ils auraient préféré y aller en avion plutôt que par le train.*
I'd much rather have done it myself. *J'aurais bien préféré le faire moi-même.*
He would rather have resigned than have signed that treaty. *Il aurait préféré démissionner plutôt que de signer ce traité* (remarquer le temps du second verbe; on dit aussi : **than signed,** et très couramment : **than sign**).

120   (3) Suivie d'un *preterite* (ou d'un *past perfect*) *modal*, quand il y a deux sujets différents. Dans cette construction la périphrase *would rather* n'est pas apparentée aux auxiliaires de modalité mais au verbe *to wish* (361).

I'd rather you came tomorrow. *Je préférerais que tu viennes demain.*
I'd rather you hadn't told them. *Je préférerais que tu ne leur en aies pas parlé.*

121   *Remarques :* 1° L'expression *I would (just) as soon* (*j'aimerais autant*) est suivie elle aussi d'un infinitif sans *to*. Le complément est introduit par *as* (comparatif d'égalité).

I would just as soon stay at home. *J'aimerais (tout) autant rester à la maison.*
I would as soon die as live in poverty. *J'aimerais autant mourir que de vivre dans la misère.*

2° Le verbe *to prefer* s'emploie dans le même sens que *would rather* (915, 916). Mais le ton est plus sec, impersonnel. Comparer « **she prefers to stay at home** » (préférence vue de l'extérieur) et « **she would rather stay at home** » (citation implicite de ce que dit ou pense le sujet « she », modalité).

---

4. — BE + INFINITIF COMPLET, BE DUE TO

122   La périphrase « *be + infinitif complet* » exprime l'idée qu'une action *doit se produire* (parce qu'elle a été projetée, parce qu'elle est imposée, parce qu'elle est souhaitable, parce que le destin l'a décidé ainsi, etc.). Après *be,* comme après d'autres verbes (456), l'emploi de l'infinitif complet est lié à une *notion de futur*.

L'auxiliaire ne peut s'employer dans cette périphrase qu'au présent et au preterite.

(a) *Action projetée, prévue, convenue* (principalement dans une langue soignée). En français, le verbe *devoir* peut exprimer cette nuance.

We are to see them tomorrow (plus couramment : **We are due to see...,** 128). *Nous devons les voir demain* (cette rencontre est prévue, un rendez-vous a été pris, etc.; ne pas confondre avec « we have to see... », qui exprime une nécessité).
They are (couramment : **They are due) to be married in June.** *Ils doivent se marier en juin.*
They are to spend their holidays in Scotland. *Ils doivent passer leurs vacances en Ecosse.*

N.B. A la 2ᵉ et à la 3ᵉ personnes un projet est exprimé plus clairement à l'aide du présent progressif ou de « be due to » (**He is going/He is due to go to London next week.** *Il doit aller à Londres la semaine prochaine*), la phrase « **He is to go...** » pouvant parfois être comprise comme un ordre donné par le locuteur (voir 125 et 63).

Cette tournure est souvent elliptique dans les titres des journaux.

>**President to go** (= is to go) **to Moscow.** *Le Président doit se rendre à Moscou.*

Voir aussi 44 (e), derniers exemples.

123 Au passé, deux constructions sont possibles, qu'il ne faut pas confondre :

>(1) **He was to have written** (*was/were* + *infinitif perfect*) **to us, he must have forgotten.** *Il devait nous écrire, il a dû oublier* (on constate **rétrospectivement** que *ce qui avait été convenu n'a pas été fait*; on dit aussi, couramment : **He was supposed to write to us...**; comparer « he was to have written » et « he ought to have written », 107).

>(2) **When we met them they said they were to spend** *(was/were + infinitif)* **their holidays in Paris.** *Quand nous les avons rencontrés ils ont dit qu'ils devaient passer leurs vacances à Paris* (on rapporte **quels étaient à cette date leurs projets**, sans préciser s'ils ont été ou non réalisés; c'est un « futur dans le passé », 324).

>**He was to become a priest in those days.** *A cette époque-là il devait (= avait projeté de) devenir prêtre.*

Dans 'The Unicorn', Iris Murdoch définit ainsi **quel rôle a été assigné** à l'un des personnages : **He returned at Christmas; but already the drama had taken on a certain settled form... He was to be in love with Hannah, he was to be Hannah's servant, he was to come running back whenever he could, he was to be tolerated by everybody, he was to be harmless.**

Voir aussi 127 (citation d'Agatha Christie).

Cette seconde construction *(was/were* + *infinitif)* peut exprimer une **décision du destin.**

>**He was to die at the age of thirty.** *Il devait mourir à l'âge de trente ans.*
>**They had no idea that they were never to meet again.** *Ils ne se doutaient pas qu'ils ne devaient plus jamais se revoir.* Voir aussi 48 (deuxième exemple).

Cette expression de la fatalité se trouve aussi au présent.

>**I cannot believe that this is to be the end** (Bertrand Russell, dans un discours sur le péril nucléaire). *Je ne puis croire que tout doive finir ainsi.*

124 (b) *Action qu'il convient de faire,* qu'il est nécessaire ou souhaitable de faire. Ils s'agit surtout de *phrases interrogatives* dans lesquelles on consulte un interlocuteur.

>**What am I to tell them ?** (ou : What shall I tell them ?). *Que faut-il que je leur dise ?*
>**What is to be done ?** (ou : What must be done ?). *Que faut-il faire ?*
>**Am I to understand that you are calling me a liar ?** (Must I understand... ? Am I expected to understand... ?) *Dois-je comprendre que vous me traitez de menteur ?*

Au style indirect :

>**He asked her where he was to** (= where he should, where she expected him to) **put the vase.** *Il lui demanda où il devait mettre le vase.*

Au preterite on emploie « *was he to* », « *were they to* » (et non « did he have to », « did they have to ») quand on se remémore une question qui s'est posée au sujet d'une action nécessaire; on évoque le moment où il y a eu hésitation, doute, dilemme (style indirect elliptique).

64

What was he to do if the train had left ? *Qu'allait-il faire si le train était parti ?*

What were they to do when they had spent all their money ? *Qu'allaient-ils faire quand ils auraient dépensé tout leur agent ?*

How long were they to wait ? *Combien de temps fallait-il attendre ?*

Mais : **How long did they have to wait ?** *Combien de temps leur a-t-il fallu attendre ?* (ou : *ont-ils dû attendre ?*). Dans cette phrase je n'évoque pas une question qui se posait au moment de l'attente; c'est maintenant, après coup, que je pose une question à ce sujet.

A la forme affirmative on trouve surtout des verbes au passif.

They are to be congratulated. *Il faut (il convient de) les féliciter.*

The poor woman is more to be pitied than blamed. *Cette pauvre femme est plus à plaindre qu'à blamer.*

Noter l'expression familière elliptique « **Not to worry** » (= you are not to worry), *vous n'avez pas à vous inquiéter (ne vous en faites pas).*

125 ©️ *Action imposée* (*ordre sévère* donné ou transmis ou cité par le locuteur, rappel d'un règlement). La forme négative (interdictions) est plus courante que la forme affirmative.

You are to obey at once. *Tu dois obéir immédiatement* (sous-entendu : je ne reviendrai pas sur cette décision, ou : tel est l'ordre que je transmets, le ton est plus sec qu'avec **must**, auxiliaire plus courant).

You are not to read (plus sec que « **you mustn't read** ») **this letter.** *Je vous interdis de lire cette lettre.*

He is on no account to be told about it. *Il ne faut à aucun prix lui en parler.*

You are not to smoke in this room. *Vous ne devez pas fumer dans cette pièce* (je vous rappelle cette interdiction).

Was to / were to s'emploie, notamment à la forme négative, parallèlement à *must* dans le style indirect (ordre ou conseil très insistant).

She said that he was not to come with us. *Elle a dit qu'il ne devait pas venir avec nous* (= **She said that he must not come with us**, 87).

Vois aussi 437 (citation de Katherine Mansfield; au style direct on aurait : « You simply must wear that sweet hat... »).

126 ⓓ *Be + infinitif complet* peut exprimer la *possibilité* dans certaines expressions, en particulier avec des passifs comme *to be seen, to be found, to be expected*, et dans les questions commençant par « *How am I to know* (to guess, to find, etc.)... ? ». La périphrase a alors le même sens que *can, could*.

The letter was nowhere to be found. *On ne put retrouver la lettre nulle part.*

It was not to be expected that he should (ou : **would**) **thank them.** *Il ne fallait pas s'attendre à ce qu'il les remerciât.*

How am I to know (= How could I know) **what he told them ?** *Comment pourrais-je savoir ce qu'il leur a dit ?*

Voir aussi § 58, citation de Katherine Mansfield (où « **to be had** » = it is to be had).

127 ⓔ Enfin, *après if,* cette tournure n'exprime rien de précis et joue le rôle d'un *simple auxiliaire,* ou bien exprime une *éventualité peu vraisemblable* (langue soignée).

If we are to believe him, he can speak Russian fluently. *A l'en croire (= S'il faut l'en croire), il parle couramment le russe.*

If I were to tell you the truth, you wouldn't believe me. *Si je vous disais la vérité, vous ne me croiriez pas* (pour l'emploi de **were**, voir 357, 358). Voir aussi 208.

If he were to refuse... (= **If he should refuse...**, 372). *S'il allait refuser...* (sous-entendu : ce qui est peu vraisemblable).

Remarquer les deux emplois de **was/were to** dans : « **I was following her instructions. If ever, she said, she were to meet with an accident, or if she died away from home, I was to destroy her business papers** » (Agatha Christie). **If she were to** : *éventualité (s'il lui arrivait de); I was to* : rappel du *rôle assigné au locuteur (je devais, on attendait de moi que je....,* 123).

128 (f) **Be due to** exprime ce qui doit normalement arriver, sauf imprévu (idée voisine de ce qu'exprime **be + infinitif complet**, 122, mais dans une langue plus simple). Cette périphrase s'emploie notamment avec des verbes comme **to leave, to start, to land, to arrive** (ce dernier verbe est parfois sous-entendu).

> **She is due to arrive on July 21st.** *Elle doit arriver le 21 juillet.*
> **She was due to leave for America on July 21st but had to cry off because her daughter was ill.** *Elle devait partir en Amérique le 21 juillet mais elle a dû annuler son voyage parce que sa fille était malade.*
> **The ship is due** (= is due to arrive) **at 12.30.** *Le bateau doit arriver (= est attendu) à 12 h. 30.*
> **He glanced at his watch. « My first patient's about due »** (Nigel Balchin). *Il jeta un coup d'œil à sa montre. « C'est à peu près l'heure de mon premier client ».*

Remarque : L'expression (surtout américaine) **be scheduled to** ['skedjuːld] a le même sens : **The President is scheduled** (= is due) **to make a speech Thursday** (voir 991, 8°).

---

5. — BE GOING TO

Cette périphrase, qui exprime une nuance de **modalité**, est aussi un véritable **auxiliaire du futur.** Elle sera étudiée avec **shall** et **will** dans la leçon 13 (§§ 317 à 320).

EXERCICES

A Donner des phrases synonymes construites avec les périphrases :
- **be likely to** (probably)
- **be sure to** (= **must**, sauf au futur) (certainly)
- **be bound to** (inevitably).

(a) présent : 1. (certainly) She thinks you are mad. — 2. (inevitably) They feel we have forgotten them. — 3. (probably) Are they in bed by now ? — 4. (certainly) He is making a fool of himself. — 5. (probably) They are wondering where we are. — 6. (certainly) They are on the phone. — 7. (inevitably) There is a solution to this problem. — 8. (probably) They are not working in this tropical heat. — 9. (certainly) He knows where they are. — 10. (inevitably) There is a police station near here.

(b) futur : 1. (probably) He will not get home before midnight. — 2. (inevitably) She will object to your behaviour. — 3. (certainly) It will be a great surprise to them. — 4. (probably) There will be long queues outside the cinemas. — 5. (certainly)

He will say we have been unfair to him. — 6. (certainly) He will have many supporters. — 7. (probably) He will not get your letter until Monday. — 8. (inevitably) It will be more expensive than he expected. — 9. (probably) It will be raining when we get to Dover. — 10. (inevitably) They will be in bed when we get there.

(c) passé : 1. (certainly) He has left the door open. — 2. (inevitably) He noticed how worried she was. — 3. (probably) It has cost him a lot of money. — 4. (certainly) The children enjoyed their visit to the zoo. — 5. (probably) There was a long delay. — 6. (inevitably) They have received our telegram. — 7. (certainly) It was a great mistake. — 8. (probably) He got on the wrong bus. — 9. (inevitably) It caused a stir. — 10. (certainly) He has forgotten to post the letter.

B Construire des phrases utilisant *had better* suivant le modèle :

I advise you to wait
You should wait   } → *You had better wait* (pron. : *You'd better wait*)
You ought to wait

1. I advise you to give it up. — 2. I advise you not to trust him. — 3. I would advise him to forget about it. — 4. I would advise them to stop complaining. — 5. We ought to leave at once. — 6. Shouldn't we call a doctor ? — 7. I would advise him not to waste his time. — 8. Shouldn't they tell her the truth ? — 9. Shall I tell them about it ? — I advise you not to. — 10. Don't you think you ought to sell your car ?

C Construire des phrases utilisant *would rather* suivant le modèle :

He prefers to wait → *He would rather wait* (pron. : *He'd rather wait*).

1. I prefer to stand. — 2. Where would you prefer to sit ? — 3. I prefer tea to coffee. — 4. We would have preferred to go to a concert. — 5. You prefer to avoid meeting them, don't you ? — 6. I prefer to be left alone. — 7. I would prefer not to answer this question. — 8. I'd have preferred to know the truth. — 9. Would you like to join them ? — I prefer not to. — 10. He prefers to go to Scotland, doesn't he ?

[D] Traduire en employant des périphrases construites avec *to be* (et examiner si d'autres traductions sont possibles).

1. Il lui arrive d'être de mauvaise humeur le lundi matin. — 2. Il est exposé à échouer de nouveau. — 3. Nous devons déjeuner ensemble dans un restaurant chinois. — 4. Il va inévitablement se rendre compte qu'il a fait une erreur. — 5. Ma remarque lui a certainement déplu. — 6. Ils devaient venir de bonne heure, je me demande ce qui leur est arrivé. — 7. Il ne faut pas que tu sortes avant d'avoir fini tes devoirs. — 8. Il est probable qu'il y a eu très peu de clients. — 9. Vous ne pouvez pas ne pas les avoir vus. — 10. Il y a des chances pour qu'ils aient renoncé à leur pique-nique. — 11. Ils attendent certainement depuis longtemps. — 12. Cela va probablement se reproduire. — 13. Il lui arrive de perdre son sang-froid quand les choses marchent mal. — 14. Il conduit si vite qu'il risque toujours d'avoir un accident. — 15. Il devait y avoir un concert en plein air hier soir, mais il a plu toute la soirée. — 16. Le Premier Ministre doit parler à la télévision ce soir. — 17. Il lui arrivait de vexer ses amis sans s'en apercevoir. — 18. Le docteur disait qu'elle risquait de mourir d'un instant à l'autre. — 19. Leur avion doit arriver à 4 heures. — 20. Elle ne peut pas ne pas avoir remarqué qu'il est amoureux d'elle.

6. — DEGRÉS DE RÉALISATION DE L'ACTION. PHRASES EMPHATIQUES

Les degrés de réalisation de l'action peuvent être indiqués à l'aide d'**adverbes de modalité**, de l'expression « *at all* », de certains verbes ordinaires exprimant **le succès, l'échec, les apparences, le hasard**. Enfin l'**insistance** sur la réalité de l'action peut être marquée phonétiquement ou grammaticalement **(phrases emphatiques)**.

1. — ADVERBES DE MODALITÉ

129   On a réuni ici quelques-uns des adverbes couramment employés pour préciser le degré d'accomplissement ou de réalité de l'action. Il ne s'agit pas d'une liste complète.

(a) **Hardly, scarcely, barely** sont considérés comme des termes négatifs (= not really). Il faut en tenir compte pour la construction du « question tag ». **Hardly** s'emploie plus couramment que les deux autres adverbes dans la langue parlée.

> **You hardly know him, do you ?** *Vous le connaissez à peine, n'est-ce pas ?*
> **I hardly ever meet him.** *Je ne le rencontre presque jamais* (voir 29).
> **We had hardly gone out when it started to rain.** *A peine étions-nous sortis qu'il se mit à pleuvoir* (voir 958).
> **I scarcely knew what to answer.** *Je ne savais guère quoi répondre.*
> **He can barely read and write.** *C'est tout juste s'il sait lire et écrire.*

Voir 150, 6° (emploi emphatique de **hardly** et de **scarcely**).

130 (b) **Nearly** s'emploie quand l'action n'a pas été faite mais qu'il s'en est fallu de peu (en français, *faillir* exprime souvent cette idée). Dans ce sens, **nearly** s'emploie surtout avec un verbe au passé.

> **I nearly fell down the stairs.** *J'ai failli tomber dans l'escalier.*
> **He very nearly died.** *Il a frôlé la mort.*
> **He nearly insulted them.** *C'est tout juste s'il ne les a pas insultés.*

Nearly peut être remplacé par **almost** (qui est moins courant dans cet emploi et n'est jamais précédé de **very**).

All but est synonyme de **very nearly** (surtout dans la langue écrite, voire littéraire).

> **He all but fainted when they told him the news.** *Il faillit s'évanouir quand on lui annonça la nouvelle.*

As good as exprime la même idée (= *pas tout à fait, mais presque*), surtout avec le verbe **to say** et après **to be** (principalement dans la langue écrite).

> **He as good as said I was a liar.** *Il a quasiment dit que j'étais un menteur.*
> **The battle was as good as lost.** *La bataille était autant dire perdue.*

131 (c) **Sort of, kind of** (dont la prononciation relâchée, surtout américaine, est parfois transcrite « **kinda** » ['kaində]) s'emploient, en anglais familier, pour exprimer le caractère vague, imprécis de l'action.

68

I sort of feel that he isn't the right man for the job. *J'ai comme (= comme qui dirait) l'impression qu'il ne fera pas l'affaire pour cette place.*
I began to sort of realize what was up. *J'ai commencé à comprendre vaguement ce qui se préparait* (phrase construite avec un « split infinitive », voir 225).
We kind of expected this. *Nous nous attendions plus ou moins à cela.*
"He kinda sniggered". *Il a fait entendre une sorte de ricanement.*

132 (d) *Merely, just* indiquent que l'action est (a été) faite, sans plus.

I merely observed that it was too late anyhow. *Je me suis borné à faire remarquer que de toute façon il était trop tard.*
He just managed to do it. *C'est tout juste s'il est arrivé à le faire.*
Just phone me if you need some help. *Vous n'avez qu'à me téléphoner si vous avez besoin d'aide.*

133 (e) *Half* (à demi) s'oppose à *quite* (tout à fait).

We quite understand how you are feeling. *Nous comprenons fort bien ce que vous ressentez.*
You are quite right; I quite agree. *Vous avez tout à fait raison; je suis tout à fait d'accord.*
I half guess what you mean. *Je devine à demi ce que vous voulez dire.*
We half expect them to refuse. *Nous nous attendons à moitié à ce qu'ils refusent.*

N.B. Dans la langue familière, *not half* = very much.

« He didn't half swear ». *Il a juré comme un charretier* (« *didn't arf* » en « cockney English »).

134 (f) *Even* insiste sur la réalité d'une action par contraste avec ce qui aurait pu (ou aurait dû) se passer.

He even apologized. *Il est allé jusqu'à s'excuser.* Voir 221.
He never even went to see her once. *Il n'est même pas allé la voir une seule fois.*

135 (g) *Actually* insiste sur la réalité d'une action par contraste avec les apparences, le doute ou la vraisemblance.

He looks strong, but actually he is seriously ill. *Il a l'air fort, mais en réalité il est gravement malade.*
Did you actually mean to kill him ? *Aviez-vous vraiment l'intention de le tuer ?*
He has never actually said so. *Il n'est jamais allé jusqu'à dire cela.*
He actually expected me to lend him my car (avec la forme d'insistance : he did actually expect me..., voir 153). *Il s'attendait effectivement* (ou : *bel et bien*) *à ce que je lui prête ma voiture.*

136 (h) *Indeed* permet d'attirer l'attention sur l'idée exprimée.

Indeed she looked (She did indeed look) remarkably young for her age. *Il faut avouer qu'elle avait l'air remarquablement jeune pour son âge.*

(i) *All right*, dans la langue parlée familière, permet d'insister sur le fait qu'il ne peut y avoir aucun doute au sujet de ce qu'on affirme. Cette expression ne s'emploie qu'à la forme affirmative, en fin de proposition, non précédée d'une virgule.

He knows me all right, but he ignores me. *Pour sûr qu'il me connaît, mais il fait semblant de ne pas me connaître.*

I can look after myself all right. *Croyez-moi, je suis assez grand pour m'occuper de mes affaires (ou : pour défendre mes intérêts).*

N.B. On remarque que les adverbes des §§ (a) à (f) sont placés juste avant le verbe (avant le verbe principal s'il est conjugué avec un auxiliaire), sauf quand c'est le verbe **to be. Actually** et **indeed** se placent souvent en tête de phrase.

---

2. — AT ALL

137   Cette expression, synonyme de « *in any way, in the slightest degree* », s'emploie dans des phrases interrogatives, négatives, ou comportant une idée de condition ou de doute (après **if** ou **any**).

(a) *phrases interrogatives* (on ne s'attend pas à une réponse franchement affirmative).

Can they help you at all ? *Peuvent-ils vous aider en quoi que soit ?*
Do you speak Russian at all ? *Parlez-vous au moins un peu le russe ?*
Do you smoke at all ? *Vous arrive-t-il de fumer ?*

(b) *phrases négatives* (**at all** forme des négations emphatiques).

I was not at all (= not in the least) impressed. *Je n'ai été aucunement impressionné.*
Are you nervous ? — Not at all. *Avez-vous le trac ? — Absolument pas.*
Without at all losing his sense of humour... *Sans perdre son humour le moins du monde... (Sans rien perdre de...).*
Nobody at all knew where he was. *Absolument personne ne savait où il était.*
You have no right at all to do that (= no right to do that at all). *Vous n'avez absolument pas le droit de faire cela.* Voir 148 (2).

(c) *après if et any.*

If you hesitate at all... *Pour peu que vous hésitiez...*
If you are at all worried... *Si vous avez les moindres inquiétudes...*
When he comes, if he comes at all... *Quand il viendra, si tant est qu'il vienne...*
If he noticed it at all... *Si toutefois il s'en est aperçu...*
Didn't you understand anything at all ? *Vous n'avez absolument rien compris ?*
If you know anything at all about it you must tell me. *Si vous savez quoi que ce soit à ce sujet il faut me le dire.*
'America is a country where anything, anything at all, can happen' (G. and H. Papashvily). *L'Amérique est un pays où tout, absolument tout, peut arriver.*
We'll come if at all possible. *Nous viendrons s'il y a la moindre possibilité.*
He doesn't work very often, if at all. *Il ne travaille pas très souvent, si tant est que cela lui arrive.*

138 (a) *Le succès de l'action* s'exprime à l'aide de *to succeed in* (+ gérondif), de *to manage* ou, moins couramment, *to contrive* (+ infinitif).

> **They succeeded in reaching the top.** *Ils réussirent à atteindre le sommet.*
> **How did you manage to do it in time ?** *Comment êtes-vous parvenu à le faire à temps ?*
> **At last he contrived to get rid of it.** *Il trouva enfin le moyen de s'en débarrasser.*

To get suivi d'un infinitif exprime que l'action est **enfin réalisée**. *To come* ajoute parfois une idée de hasard.

> **You'll get to like him.** *Vous finirez par le trouver sympathique.*
> **When once you get to know him...** *Une fois que vous le connaîtrez vraiment...*
> **They got to** (plus familier que : **they came to**) **be friends.** *Ils finirent par se lier d'amitié.*
> **How did you come to know that ?** *Comment (par quel hasard) avez-vous réussi à apprendre cela ?* (142).

139 (b) *To fail* peut exprimer **un échec**.

> **They failed to reach the top.** *Ils ne réussirent pas à atteindre le sommet.*

Mais ce verbe s'emploie aussi dans un sens affaibli pour constater simplement (avec une nuance emphatique) qu'une action n'a pas été faite (32 et 149).

> **He failed to answer my letter.** *Il a omis de répondre à ma lettre.*

A la forme négative il exprime une idée de certitude.

> **They wouldn't fail to complain** (= **they would be sure to complain**). *Ils ne manqueraient pas de se plaindre.*
> **Don't fail to go there.** *Ne manquez pas d'y aller* (415).

140 (a) *To seem* et *to appear* introduisent un infinitif, qui peut être à la forme progressive.

> **He seems to agree with us.** *Il semble être d'accord avec nous.*
> **He appeared to be fast asleep.** *Il semblait être profondément endormi.*
> **They seemed to be enjoying themselves.** *Ils semblaient bien s'amuser.*

N.B. Dans la langue familière *to seem* s'emploie à la 1re personne pour exprimer une vague impression (cf. « *sort of* », 131).

> **'I hardly seem to have seen you this time'** (K. Mansfield). *J'ai l'impression de t'avoir à peine vu cette fois-ci.*

(b) *To pretend* introduit un infinitif.

> **He pretended to be asleep.** *Il faisait semblant de dormir.*
> **They pretend to be sorry.** *Ils feignent d'être navrés.*

141 (c) *Les verbes d'impressions (to look, to sound, to feel)* ainsi que *to seem* et *to be* peuvent se construire avec *as if*; dans une langue soignée le verbe qui suit est au preterite modal. Voir 539.

71

It looked as if it was going to rain (plus courant dans la langue parlée que : **as if it were...**; dans une langue peu soignée : **it looked like it was...**). *On aurait dit qu'il allait pleuvoir.*

It looks as if it's going to rain. *On dirait qu'il va pleuvoir.*

You sound as if you haven't forgiven them. *A vous entendre on a l'impression que vous ne leur avez pas pardonné.*

He felt as if he were going to be sick. *Il avait l'impression qu'il allait vomir.*

It seemed as if this were a desert island. *On eût dit que c'était une île déserte.*

It was (= it seemed) as if everyone had expected the event. *On eût dit que tout le monde s'était attendu à l'événement.*

(d) *Like* s'ajoute parfois en fin de phrase (dans une langue très relâchée). Cette expression, à l'origine « scouse », c'est-à-dire de Liverpool, est devenue une forme de « padding » (984, 12°), qui a à peu près totalement perdu son premier sens (« *comme qui dirait* »).

It was an accident like. *Ça a été (comme qui dirait) un accident.*

---

5. — TO HAPPEN. NOTIONS DE HASARD ET DE RISQUE

142 (a) *To happen* est suivi d'un infinitif complet (469). Jouant le rôle d'un auxiliaire de modalité, il exprime une *idée de hasard* dans des contextes présents, passés ou futurs (dans ce dernier cas après *if*). C'est le locuteur qui pense que l'action est due au hasard.

I happen to know him. *Il se trouve que je le connais.*

We happened to be there when you made the promise. *Il s'est trouvé que nous étions présents quand vous avez fait cette promesse.*

There happened to be a doctor on the train. *Le hasard voulut qu'il y eût un docteur dans le train.*

If you happen to meet him, ask him to come and see me. *Si par hasard vous le rencontrez, demandez-lui de venir me voir.*

To chance s'emploie dans les mêmes conditions, surtout au passé (principalement dans le style écrit).

I chanced to be out when they called. *Il s'est trouvé que j'étais sorti quand ils sont venus.*

Ces deux verbes s'emploient aussi dans une *construction impersonnelle.*

It happened (= it so happened) that there was a doctor on the train (= As it happened, there was...).

It chanced that I was out when they called.

Dans des questions commençant par *how* une idée de hasard, de cause mystérieuse, peut être exprimée à l'aide de *to come* (parfois conjugué sans do, voir 28).

How did you come to know that she was divorced ? *Par quel hasard avez-vous appris qu'elle était divorcée ?*

Pour l'expression « *How come... ?* » (= *Comment se fait-il que... ?*), voir 28.

143 (b) Une idée de *hasard* peut aussi s'exprimer à l'aide de « *by chance* ».

By chance we were (= we happened to be) the only French people in the town. *Il s'est trouvé que nous étions les seuls Français dans la ville.*

Should peut exprimer une notion de hasard concernant l'avenir dans une subordonnée commençant par *if* (372).

> **If there should be** (= **If there happens to be**, ou dans une langue soignée : **If there were to be) any difficulty, just let us know immediately.** *Si par hasard il y a la moindre difficulté, vous n'avez qu'à nous prévenir immédiatement* (Dans une langue très soignée on peut commencer la phrase par une inversion : **Should there be any difficulty...** Voir 208).

144 (c) *Might* peut exprimer un *risque* présent ou futur. « *Might have* + *participe passé* » peut exprimer un danger auquel on a échappé par chance (104).

> **Be careful, you might skid.** *Faites attention, vous pourriez déraper.*
> **He might have been killed, it was a narrow escape.** *Il aurait pu se tuer, il l'a échappé belle.*

Pour un *risque permanent* auquel est exposé le sujet, on peut employer la périphrase *be liable to* (115).

> **We are all liable to make mistakes.** *Nous sommes tous exposés à faire des erreurs.*

145 (d) L'adverbe *nearly* (ou : *almost*) s'emploie pour une action qui *a failli se produire*, un danger auquel on a échappé de justesse (Voir 130).

> **We nearly** (= **almost) missed our train.** *Nous avons failli manquer notre train.*
> **He was nearly drowned** (aussi : **He came very near to being drowned,** 858). *Il faillit se noyer.*

---

6. — PHRASES EMPHATIQUES

146 Le style emphatique permet d'insister sur la *réalité de ce qu'on affirme*, souvent *par contraste* avec ce qui vient d'être dit, ce qu'on s'imaginait, ce qu'on pourrait croire d'après les apparences, etc. Il s'emploie très couramment, à tous les temps. Les jeunes enfants notamment parlent une langue comportant une forte proportion de phrases emphatiques (comme pour mieux s'assurer qu'on prendra au sérieux ce qu'ils disent); les femmes également, sans doute parce que ce style est plus affectif, moins neutre, moins intellectuel. Les phrases emphatiques sont aussi très nombreuses dans le courrier amical.

On peut construire une phrase emphatique *phonétiquement* (si elle est à la forme négative ou si le verbe est conjugué avec un auxiliaire) ou *grammaticalement* (si elle est à la forme affirmative, sans auxiliaire). Mais diverses tournures permettent également de donner à une phrase un ton emphatique.

147 (a) *Phrases négatives.*

On accentue l'auxiliaire contracté avec *n't*, ou bien on sépare l'auxiliaire de *not* pour accentuer ce dernier mot. Le mot qui porte un accent exceptionnel dans la phrase est imprimé en italiques; dans un texte manuscrit il est souligné.

> **He isn't** (ou : **He's** *not*) **our friend.** *Il n'est pas du tout notre ami.*
> **You did** *not* **tell me that he would come.** *Vous ne m'avez absolument pas dit qu'il viendrait.*
> **We're** [wiə] *not* **going to apologize to him.** *Nous n'allons certainement pas lui présenter nos excuses.*
> **You said so. — I** *didn't*. *Vous avez dit cela. — Absolument pas* (= *c'est faux*).

148 On peut aussi employer diverses tournures négatives emphatiques :

(1) *Never* s'emploie parfois à la place de *not* pour insister sur une idée négative (il perd alors son sens habituel).

> **We never expected him to visit us.** *Nous ne nous attendions aucunement à sa visite.*
> **I never touched your papers.** *Mais non, je n'ai pas touché à vos papiers.*
> **He never said a word to me about it.** *Il ne m'en a pas soufflé mot.*
> **He never so much as said (= did not even say) good morning to us** (style soigné). *Il ne nous a même pas dit bonjour.*
> **Never mind.** *Peu importe.*

(2) *Not at all* (137).

> **He could not at all remember the name.** *Il lui fut absolument impossible de se rappeler le nom.*

Synonymes : **He could not possibly remember... He could not for the life of him remember...** (cette dernière expression dans une langue soignée).

L'expression *at all* peut être séparée de la négation (**He could not remember the name at all**, construction la plus courante).

> **I didn't like it a bit** (= at all, mais dans une langue plus familière).
> **I didn't like it in the least** (= at all, mais dans une langue plus soignée).

Parfois *« not for a moment »* s'emploie dans le même sens.

> **I do not for a moment wish (= I do not wish for a moment) to imply that I do not trust him.** *Je ne veux en aucune façon dire par là que je ne lui fais pas confiance.*

149 (3) *To fail* (+ infinitif) a parfois le sens d'un véritable auxiliaire de la forme négative avec une nuance emphatique (voir 139). Il est généralement sous-entendu qu'on pourrait s'attendre au contraire.

> **He failed to convince me.** *Il ne m'a absolument pas convaincu.*
> **He failed to notice that everyone was waiting for him.** *Il ne remarqua même pas que tout le monde l'attendait.*

Avec une négation, l'idée est affirmative (nuance emphatique : idée de certitude).

> **They wouldn't fail to say (= they would be sure to say, 113) it was a lie.** *Ils ne manqueraient pas de dire que c'est un mensonge.*

150 (4) *No*, devant un nom attribut, a souvent un sens emphatique (= *not at all a, by no means a*). Voir aussi 658.

> **He is no fool (= he is by no means a fool).** *Il est loin d'être sot.*
> **He is no friend of mine.** *Il n'est pas du tout de mes amis.*

(5) *Nothing like (= by no means)* s'emploie devant un adjectif attribut au comparatif d'égalité ou construit avec *enough*.

> **He is nothing like so clever as he thinks he is (= he is nowhere near as clever as he thinks).** *Il s'en faut de beaucoup qu'il soit aussi intelligent qu'il se l'imagine.*
> **This house is nothing like large enough for our family.** *Cette maison est loin d'être assez grande pour notre famille.*

(6) *Hardly, scarcely* s'emploient parfois dans le sens de « certainly not » (understatement), quand le verbe est conjugué avec *can*.

He can hardly expect me to trust him. *Il ne peut certes pas s'attendre à ce que je lui fasse confiance.*

(7) Dans la langue familière on peut construire des phrases emphatiques à sens négatif commençant par *« I'm damned if... », « I'm blowed if... ».*

> **I'm damned if I'm going to have it.** *Jamais de la vie je n'accepterai cela.*
> **I'm blowed if I know what happened.** *Le diable m'emporte si je sais ce qui s'est passé.*

151   (8) Les phrases négatives emphatiques construites *sans do* (**I know not.** *Je ne sais.* **Fear not.** *Ne craignez point*) sont archaïques, à l'exception de quelques expressions toutes faites (33). Il ne faut pas les confondre avec les phrases elliptiques du type « **I hope not** » *(J'espère que non)*. Voir 179.

152 (b) *Phrases affirmatives comportant un auxiliaire.*

On accentue l'auxiliaire (imprimé en italiques ou souligné).

> **But it *is* true.** *Mais si, c'est vrai.*
> **He *is* a fool.** *C'est vraiment un imbécile.*
> **I must admit that he *has* improved.** *Je dois reconnaître qu'il a effectivement fait des progrès.*
> **You *must* read this book.** *Il faut absolument que vous lisiez ce livre.*
> **They *should* have told me about it.** *Il auraient bien dû m'en parler.*

Remarques : (1) On peut renforcer les idées exprimées par *can* et *must* à l'aide des expressions *can possibly* et *simply must* (ou *have got to; must needs* est littéraire).

> **I'll do all I possibly can.** *Je ferai tout mon possible (possibly* précède *can* quand le verbe principal est sous-entendu).*
> **You simply must meet her** (= **You've got to meet her.** *Got* est fortement accentué). *Il faut absolument que tu fasses sa connaissance.*

(2) On peut placer *always* et *never* avant l'auxiliaire pour donner à la phrase un ton emphatique (219).

(3) *Au futur et au conditionnel emphatiques* il faut choisir avec soin l'auxiliaire approprié pour insister sur la *nécessité (shall, should)* ou sur le *consentement (will, would).* Voir leçons 13 et 14.

> **I won't apologize to him.** *Je refuse de lui présenter des excuses.*

153 (c) *Phrases affirmatives sans auxiliaire.*

On conjugue le verbe ordinaire au présent et au preterite avec *do, does, did,* que l'on accentue fortement (*forme emphatique*, ou *forme d'insistance*). *Do* est alors un auxiliaire de modalité. C'est le locuteur qui insiste sur la réalité de ce qu'il affirme.

> **I do like this cake.** *J'aime beaucoup ce gâteau.*
> **I do know what I'm talking about.** *Je vous assure que je sais de quoi je parle.*
> **She does look like a gipsy.** *Elle ressemble véritablement à une bohémienne* (ou : *Comme elle ressemble... !*).
> **I did say so.** *Je l'avais bien dit.*
> **I did try several times.** *Je vous jure que j'ai essayé plusieurs fois.*
> **You're French, you don't like tea. — Oh, but I do like tea** (ou simplement : **I do**). *Vous êtes français, vous n'aimez pas le thé. — Oh, mais si, j'aime le thé.*

Those things can — and do — happen. *Ces choses-là peuvent se produire, et elle se produisent effectivement.*

I did have a lot of work to do yesterday. *Croyez-moi, j'ai eu beaucoup de travail à faire hier (have est ici un verbe ordinaire; voir leçon 3).*

On conjuguera aisément la forme emphatique avec do, does, did si on la compare avec la forme négative.

We went there. *Nous y sommes allés.*
We didn't go there. *Nous n'y sommes pas allés.*
We did go there. *Mais si, nous y sommes allés.*

Comparer :

He sings out of tune. *Il chante faux.*
He does sing out of tune. *Comme il chante faux !* (ou, selon le contexte : *Mais si, il chante faux*).

Comparer (progression de sens; voir 130 et 135) :

I nearly fell down. *J'ai failli tomber.*
I fell down. *Je suis tombé.*
I actually fell down. *Je suis effectivement tombé.*
I did fall down. *Mais si, je vous assure que je suis tombé.*

154 *Remarques :* (1) *To do* se conjugue comme les autres verbes.

I did do it by myself (*did* porte l'accent). *Je t'assure que je l'ai fait tout seul.*
They do do their work remarkably well (le premier *do* porte l'accent). *Il faut reconnaître qu'ils font leur travail remarquablement bien.*

(2) Dans une seconde proposition, après *and* ou *but*, la forme emphatique avec *do* est parfois *inversée*, dans une langue soignée, pour insister sur un fait remarquable.

They said they would escape from the camp, and escape they did (= they did escape). *Ils ont dit qu'ils s'évaderaient du camp et effectivement ils se sont évadés.*
He told her there was nothing for her to worry about... but worry she did (J. Wyndham). *Il lui dit qu'elle n'avait aucune raison de se faire du mauvais sang... mais elle se fit bel et bien du mauvais sang.*

(3) On a vu que dans la langue familière *« not half »* peut avoir le sens de *very much* (133) et donc servir à former des phrases emphatiques; et que *to fail* à la forme négative peut s'employer pour renforcer une idée affirmative (149).

(4) Dans les *textes anciens*, religieux ou poétiques, on trouve fréquemment **« they did laugh »**, **« we do take »**, **« he doth play »**, etc., sans que l'auxiliaire ait une valeur emphatique (= they laughed, we take, he plays).

(5) Pour la forme emphatique de l'*impératif*, voir leçon 19.

(6) Une phrase peut également prendre un ton emphatique grâce à une *construction exclamative* (leçon 23), ou parfois *interro-négative* (36).

155 ⓓ *Accent exceptionnel mis sur un autre mot que le verbe.*

L'accent d'intensité peut être mis sur n'importe quel mot de la phrase pour en modifier le sens, par exemple un article (581), une préposition (182), un pronom personnel sujet ou complément (705), un adjectif possessif (745), etc.

He is *the* [ðiː] **dentist in this town.** *C'est lui le grand dentiste de la ville.*
He saw it first. *C'est lui qui l'a vu le premier.*
You must listen to *her*, **not to** *him*. *C'est elle que tu dois écouter, et non lui.*

What are *you* going to do ? *Et vous, qu'allez-vous faire ?*
This is *my* suitcase, *not yours. C'est ma valise (à moi), et non la vôtre.*
John helped me. *C'est John qui m'a aidé.*
« Britain IN » (titre de journal) = *La Grande-Bretagne entre dans le Marché Commun.*
Don't drink AND drive (slogan contre l'alcoolisme au volant).

On remarque que plusieurs de ces phrases emphatiques sont traduites à l'aide du gallicisme « *c'est... qui* », « *c'est... que* ».

On peut accentuer de cinq façons différentes la phrase « *John lent me five dollars* » :

— si j'accentue *John*, j'insiste sur le fait que c'est lui et non une autre personne qui m'a prêté la somme;
— si j'accentue le verbe *lent*, j'insiste sur le fait qu'il m'a prêté, et non donné, les 5 dollars;
— si j'accentue le complément *me*, j'insiste sur le fait que c'est à moi, et non à une autre personne, que John a prêté la somme;
— si j'accentue *five*, j'insiste sur le nombre de dollars prêtés (par exemple pour corriger une erreur à ce sujet);
— si j'accentue *dollars*, j'insiste sur le fait que ce sont des dollars (et non par exemple des livres sterling) qui m'ont été prêtés.

156 (e) *Phrases interrogatives.*

(1) On peut *accentuer l'auxiliaire* ou ajouter un *adverbe* (really, actually...).

Did you or *didn't* you know about it ? *Etiez-vous, oui ou non, au courant ?*
Did you *really* think it was a joke ? *Pensiez-vous vraiment que c'était une plaisanterie ?*

(2) Les questions commençant par un terme interrogatif comme *what, who, where, why* (« questions ouvertes », 441) peuvent être renforcées (consternation, exaspération...) à l'aide de *ever* (familièrement : *on earth, the devil*, ou dans une langue plus violente : « *the hell* »).

What ever (= What on earth) did you do that for ? *Pourquoi diable avez-vous fait cela ?*
Who ever told you that ? *Qui a bien pu vous dire cela ?*

On écrit parfois en un seul mot « whatever », « whoever », etc. Cette orthographe est considérée comme une faute. Ne pas confondre avec **whatever, whoever,** etc. (907).

Why was I ever born ? *Mais pourquoi donc suis-je né ?*
Why on earth didn't you tell me ? *Pourquoi diable ne me l'avez-vous pas dit ?*
Who the hell do you think you are talking to ? *Mais, nom de Dieu, à qui croyez-vous parler ? (= pour qui me prenez-vous-?).*

EXERCICES

A (a) Bâtir des phrases sur le modèle :
I fell down → I *nearly fell* down → I *actually fell* down → I *did fall* down.
1. We missed our train. — 2. I saw him steal the jewels. — 3. I told him he was a fool. — 4. He forgot his appointment. — 5. Bob fell asleep during the film. — 6. We saw the Monster last summer. — 7. They called me a liar. — 8. They kissed in public on several occasions. — 9. He caught a huge trout. — 10. He bumped into a lamp-post.

(b) Répondre aux questions affirmativement, puis négativement, suivant le modèle :

Did you actually tell him he was a liar ? (= *Etes-vous allé jusqu'à...*)
{Yes, *I did tell* him he was a liar (« *bel et bien* »)
{No, I didn't, but *I nearly did* (= *J'ai bien failli*)

1. Did you actually think you were going to die ? — 2. Did he actually fall into the lake ? — 3. Did you actually miss your train ? — 4. Did you actually catch him doing it ? — 5. Did you actually have to sell your car ? — 6. Did they actually fight on the pavement ? — 7. Were you actually sick ? — 8. Did he actually swear at her ? — 9. Did she actually tell him she hated him ? — 10. Did you actually fall asleep during the sermon ?

B Construire les verbes en italiques avec **to happen**.

Exemple : I *noticed* she was going to faint → I happened to notice she was going to faint.

1. I know him well, he *is* my first cousin. — 2. I *was looking* out of the window when the accident took place. — 3. Fortunately he *had* enough money to pay the taxi driver. — 4. I *knew* where he was hiding. — 5. There *was* a lot of fog. — 6. I *had met* him before. — 7. We *were* out when they called. — 8. There *was* one vacant seat. — 9. Do you *know* anything about Ruskin's ideas ? — 10. We *were* born in the same village.

[C] Traduire

1. Ils n'ont pas encore réussi à le convaincre. — 2. Nous avons bien failli perdre nos passeports. — 3. C'est tout juste s'il sait leurs noms. — 4. Il est allé jusqu'à dire que nous l'avions insulté. — 5. Je me demande comment il est parvenu à tromper les douaniers. — 6. On dirait qu'il va neiger. — 7. On aurait dit qu'il avait un peu trop apprécié le whisky. — 8. A peine eut-il réussi à ouvrir son parapluie que la pluie s'arrêta. — 9. Ne manquez pas de venir nous voir quand vous serez en France. — 10. J'ai bien failli lui dire ce que je pensais de lui. — 11. Je me suis borné à dire ce que je savais. — 12. Ils avaient bel et bien l'intention de le tuer. — 13. Avez-vous réussi à traduire le texte ? — 14. Elle avait l'impression qu'elle allait mourir. — 15. Le hasard voulut qu'il n'y eût personne pour l'entendre. — 16. Il se trouvait que je les avais remarqués. — 17. J'ai failli me tromper de chapeau. — 18. Il se trouva que nous étions les seuls Français à bord. — 19. Ils se sont bornés à dire qu'ils repasseraient le lendemain. — 20. Sauriez-vous par hasard pourquoi ils ne sont pas venus ?

D Traduire

1. I don't know anybody at all who can explain this. — 2. Aren't you at all nervous when you sit for an exam ? — 3. Has he improved at all ? — 4. If you are at all interested in modern maths you must read this book. — 5. If he coughs at all, she runs upstairs to his room. — 6. They hardly ever drink wine, if at all. — 7. If you feel at all tired you must stop at once. — 8. When he writes to you, if he writes at all, he is sure not to mention it. — 9. Aren't you going to help him at all ? — 10. Hadn't you realized at all that he was in love with her ? — 11. If you have anything at all to complain about, you must come and tell us. — 12. Can nobody help you ? Nobody at all ?

[E] Transformer les phrases suivantes en *phrases emphatiques* :

1. You look like your brother. — 2. He played better than you. — 3. She felt rather worried. — 4. I'll try and help you. — 5. They apologized. — 6. He's a fool. — 7. I didn't receive your letter. — 8. You've changed. — 9. I had a bath last night. — 10. He stammers. — 11. We told them we couldn't come. — 12. We had a nice

time in spite of the weather. — 13. They're hypocrites. — 14. She isn't going to invite them. — 15. He looked sorry. — 16. I've brushed my shoes. — 17. We'll drive you to the station. — 18. He thinks he's clever. — 19. You behaved very rashly. — 20. She makes good cakes. — 21. He isn't our friend. — 22. You must stay with us. — 23. I did a lot of work. — 24. We had to wait. — 25. You can't say that he was unkind. — 26. We thought you were joking. — 27. It looks strange. — 28. We'll write to you every day. — 29. I tried to do my best. — 30. She looks pretty in her new dress.

[F] Transformer les fins de phrases (après **and**) à l'aide de **tournures emphatiques avec inversion.** (§ 154, remarque 2). Les phrases obtenues appartiennent au style écrit, voire recherché.

1. I intend to build the shelf myself, and I'll build it. — 2. He said he would dive into the river on Christmas morning, and he dived. — 3. She said she was going to marry him, and she married him. — 4. I want to buy this house, and I'll buy it. — 5. He said he could easily translate the Latin inscription, and he translated it.

G Transformer les phrases en utilisant les expressions **wouldn't fail to** et **would be sure to.**

Exemple : He would certainly complain → He wouldn't fail to complain; he would be sure to complain.

1. She would certainly invite us. — 2. He would certainly show us his pictures. — 3. They would certainly make blunders. — 4. You would certainly like the place. — 5. They would certainly say that the play was a bit boring. — 6. You would certainly make friends with them. — 7. He would certainly make a fool of himself. — 8. She would certainly declare that she had been slandered. — 9. You would certainly find a solution to their problem. — 10. He would certainly ask for their help.

N.B. Voir aussi leçon 32, exercice C (**no**, article négatif emphatique).

7. — TAGS ET PHRASES ELLIPTIQUES

157   Les 24 « **anomalous finites** » (§ 4) s'emploient couramment dans des **phrases elliptiques**, et notamment dans un certain nombre d'expressions idiomatiques qui se conjuguent (alors que les expressions françaises équivalentes sont invariables).

Le verbe déjà exprimé au début de la phrase ou dans la phrase précédente est rappelé sous une forme minimale : s'il s'agit d'un verbe ordinaire à un temps simple (présent ou preterite) on le rappelle sous la forme de l'auxiliaire **do** (ou **does**, ou **did**, selon la personne et le temps); s'il s'agit d'un verbe conjugué avec un auxiliaire c'est ce dernier que l'on emploie (le premier auxiliaire seulement s'il y en a plusieurs).

> **They are playing** → **are.**
> **She went** → **did.**
> **We have been playing** → **have.**
> **He might have come** → **might.**

Il convient bien sûr de faire accorder l'auxiliaire avec le second sujet s'il est différent du premier (Ex. : **We were..., so was he.** Cf. 163).

En réalité l'auxiliaire remplace tout l'ensemble formé par le verbe et les mots qui l'accompagnent (adverbe, postposition, compléments d'objet, de lieu, etc., attributs après be, look, etc.), tout comme le pronom s'emploie pour remplacer le nom et les mots qui l'accompagnent (articles, adjectifs, propositions relatives). On peut décomposer une phrase en deux éléments : le sujet, que l'on peut rappeler à l'aide d'un pronom; et le prédicat (ce qu'on énonce à propos du sujet), que l'on peut rappeler à l'aide d'un « anomalous finite ».

> **The famous actress // sailed majestically on to the stage → She // did.**
> **My neighbour's brother-in-law, whom you met last summer, // has now been staying in Canada for a couple of months → He // has.**

Les *« tags »* étudiés ci-après sont des expressions idiomatiques elliptiques permettant soit d'*exprimer une réaction* à ce qu'on vient d'entendre (approbation, surprise, doute...), soit d'*ajouter rapidement une idée* à ce qu'on vient de dire soi-même (par exemple pour marquer une opposition, pour prendre à témoin l'interlocuteur).

La *place de l'accent tonique* est très importante. Il porte le plus souvent sur l'auxiliaire, mais dans plusieurs cas, comme on le verra, c'est le sujet qui est accentué.

L'auxiliaire ne peut pas être réduit à sa forme faible ('ve, 's, 'd, 'll), sauf devant la négation *not* quand elle est accentuée (I'm not). La contraction avec *not* (aren't, won't, mustn't, doesn't...) est d'emploi très courant.

---

1. — « TAGS » EXPRIMANT DES RÉACTIONS A CE QU'ON VIENT D'ENTENDRE

158 (a) Après *yes* et *no* (également après *indeed, of course, perhaps, I'm afraid...*) pour éviter une réponse trop sèche. *L'auxiliaire est accentué.*

> **Have you been working all day ? — Yes, I have.**
> **Can John drive ? — No, he can't** (avec ou sans virgule après *yes* et *no*).
> **Is she angry with me ? — Of course she is** (Bien sûr que oui).
> **Must you go now ? — I'm afraid I must** (Oui, malheureusement).

C'est ainsi que l'on traduit notre *« si »* (ou *« mais si »*), qui n'a pas d'équivalent anglais en un seul mot.

> **Aren't they happy ? — Yes, they are.**
> **Don't you like tea ? — Yes, I do.**

Remarquer que la réponse serait la même si la question était : **Do you like tea ?** alors qu'en français il faut *« si »* dans un cas et *« oui »* dans l'autre.

Après un modal exprimant la vraisemblance ou la nécessité, la réponse négative se construit en changeant d'auxiliaire (78 et 95).

> **He may quite well have said that. — No he can't**, ou : *he can't have* (≠ *yes he may*, ou : *he may have*).
> **He might forget to come. — No he couldn't** (≠ *yes he might*).
> **He must go tomorrow. — No he needn't** (≠ *yes he must*).

159 (b) Pour *remplacer yes* ou *no*. La réponse est alors catégorique, synonyme de *yes indeed, not at all. L'auxiliaire est accentué.*

> **Do you intend to answer his letter ? — I don't** (plus sec que : **No I don't**) (Certainement pas).
> **Wilt thou have this woman to be thy lawful wedded wife... ? — I will** (formule rituelle de la cérémonie de mariage).

160 (c) Pour **approuver avec insistance** *(Oui, vraiment;* ou : *oui, en effet)*, ce qui est souvent une simple marque de politesse. **L'auxiliaire est accentué**, l'intonation est descendante. Comparer avec le « question tag », 166.

> She has a very sweet voice. — Yes, hasn't she ? ou : She has, hasn't she ?
>
> Their house is extremely comfortable. — Yes, isn't it ? ou : It is, isn't it ?

161 (d) Pour **constater un fait** *(Oui, c'est bien vrai)*, souvent avec une nuance de **surprise** *(Tiens ! C'est vrai !)*. **L'auxiliaire est accentué**. Comparer avec le « tag » du § 163.

> It's stopped raining. — So it has (ni inversion ni virgule après *so*).
>
> They have at last repaired the lift. — So they have.
>
> You are late, John. — So I am (réponse ironique).

162 (e) Pour exprimer **l'étonnement** *(Vraiment ?)*. **L'auxiliaire est accentué**.

> She's now living in Australia. — Is she ? (Oh, is she ? ou : Is she really ?).
>
> She's cross with you. — Is she now ? *(Par exemple !)*.
>
> He never drinks wine. — Oh, doesn't he ? (Good Lord, doesn't he ?).

Pour exprimer un doute avec une **nuance d'ironie, d'impertinence**, on peut dire :

> I think I'm going to win. — Oh you do, do you ? *(Mais comment donc !)*.
>
> Jenny can drive very well. — Oh she can, can she ? *(Pas possible ! Vous plaisantez !)* Comparer avec le « tag » du § 160.
>
> He never drinks wine. — Oh he doesn't, doesn't he ? *(Vous croyez cela vraiment ?)*.
>
> He won't come. — Oh he won't, won't he ? *(Il refuse ? Ah vraiment !)*.

> **2. — « TAGS » EXPRIMANT DES IDÉES AJOUTÉES A CE QU'ON VIENT DE DIRE**

163 (a) *« moi aussi »*, *« moi non plus »*. Le second sujet se comporte comme le premier. C'est *le sujet*, et non l'auxiliaire, qui est **accentué**.

« moi aussi » :

> I must hurry up, *so must you* (= and so must you).
>
> The Joneses came by train, *so did the Robinsons*.
>
> We'll go to London for Christmas, *so will our neighbours*.
>
> John is very fond of detective stories, *so am I*.

Dans la langue familière on dit souvent *« me too »*. Aux autres personnes (moins courant) on utilise alors le pronom sujet : *we too, you too (= you as well), they too, he as well, she as well.*

Ne pas confondre les deux constructions :

> Il aime la musique, sa femme aussi. He likes music, *so does his wife*.
>
> Il aime la musique, et aussi la poésie. He likes music, *and poetry too*.

« moi non plus » :

> He can't swim, *neither can his sister* (= and neither can his sister).
>
> They aren't hungry, *neither am I*.
>
> We don't eat much bread, *neither do our children* (On peut dire aussi : *Nor do our children*, ou : *Our children don't either*).

Dans une langue très soignée on emploie plus volontiers *nor* que *neither*.

Ne pas confondre les deux constructions :

Il n'aime pas la musique, sa femme non plus. **He doesn't like music, neither does his wife.**

Il n'aime pas la musique, ni la poésie non plus. **He doesn't like music, or poetry either.**

Voir 209 (autre emploi de « *nor* + inversion »).

164 (b) *« moi si », « moi non ».* Le second sujet ne se comporte pas comme le premier. Le sujet et l'auxiliaire sont *tous deux accentués.*

« moi si » :

He doesn't like music, *his wife does* (= but his wife does).
He can't swim, *his sister can.*
If you aren't hungry, *I am.*

« moi non » :

He likes music, *his wife doesn't* (= but his wife doesn't).
John is fond of detective stories, *I'm not* (*not* est accentué).
I must hurry up, *you needn't* (*needn't*, exprimant l'absence d'obligation, est le contraire de *must.* Voir 91).

165 (c) *« et vous ? », « pas vous ? »* (Le sens demande que *le sujet* soit mis en relief ; c'est donc lui, et non l'auxiliaire, qui est *accentué*).

I like Graham Greene. Do you ? *(Et vous ?),* ou : **Don't you ?** *(Pas vous ?* Dans ce dernier cas je m'attends à une réponse affirmative).

We don't work on Saturdays. Does he ? *(Et lui ?).*
We were all very pleased. Weren't you ? *(Pas vous ?).*

166 (d) *Question tag* (ou *colloquial query*). Ce « tag », qui permet discrètement de prendre à témoin un interlocuteur, pour terminer une phrase moins brutalement, est plus courant que notre *« n'est-ce pas ? »,* car il prend des formes très variées et passe inaperçu, alors que la formule française, toujours la même, devient souvent une sorte de tic.

Quand on ne s'attend pas à une réponse, ce qui est le cas le plus fréquent, ce « tag » n'est pas accentué et son intonation est descendante. Mais il est parfois accentué, avec intonation ascendante, quand il appelle une réponse, une confirmation, le locuteur étant moins sûr de ce qu'il dit.

Si la phrase à laquelle il s'ajoute est *affirmative* il comporte une négation ; si elle est *négative* il n'en comporte pas.

Phrases affirmatives	*Phrases négatives*
John *is* very fond of cats, *isn't he ?*	John *isn't* very fond of cats, *is he ?*
It *was* very cold, *wasn't it ?*	It *wasn't* very cold, *was it ?*
You *went* to London, *didn't you ?*	You *didn't* go to London, *did you ?*
She*'ll* bring her children, *won't she ?*	She *won't* bring her children, *will she ?*
We *can* do it ourselves, *can't we ?*	We *can't* do it ourselves, *can we ?*
They *have* been drinking, *haven't they ?*	They *haven't* been drinking, *have they ?*
You *have* lunch at home, *don't you ?* (voir § 57).	You *don't have* lunch at home, *do you ?*

On peut traduire le « question tag » de diverses façons pour éviter de répéter *« n'est-ce pas ? »* à la fin des phrases *(pas vrai ? hein ?).*

All men are liars, aren't they ? *N'est-ce pas que tous les hommes sont des menteurs ?*

You like it, don't you ? *Ça te plaît, non ?*

You didn't think I was going to give up, did you ? *Vous ne pensiez tout de même pas que j'allais abandonner ?*

Quelques exemples pris dans « The Collection », de Harold Pinter (traduction de E. Kahane) :

That's got you, hasn't it ? *Je vous ai eu, là, hein ?*

You're not windy, are you ? *Vous n'avez pas la frousse, par hasard ?*

You're a wag, aren't you ? *Vous êtes un vrai rigolo, vous savez ?*

You know him, don't you ? *Vous le connaissez, bien sûr.*

Voir aussi 250 (citation de H. Pinter).

167   *Remarques :* (1) Si la phrase comporte l'expression **there is**, c'est **there** que l'on répète comme si c'était le sujet.

There was a large crowd, *wasn't there ?*

(2) Les démonstratifs **this** et **that** sont rappelés sous la forme du pronom **it**.

That was very nice, wasn't it ?

(3) *Everybody (= everyone)*, *somebody (= someone)*, *nobody*, quoique singuliers, sont rappelés sous la forme du pronom pluriel **they**. Le pronom **one**, lui, peut s'employer dans le « tag ».

Nobody complained, did they ?

Everybody (ou : **everyone**) **had a nice time, didn't they ?**

One never knows, does one ? (langue soignée).

(4) Si la phrase, dont le verbe est à la forme affirmative, comporte un terme négatif *(nobody, never)* ou semi-négatif (***hardly, scarcely,*** *presque pas*), le « tag » ne comporte pas de négation.

We heard nothing, did we ?

He never spoke to anyone, did he ?

They can hardly complain, can they ?

(5) Après *« have to »* (nécessité) le « tag » peut se construire avec **do** ou avec **have**.

There has to be a first time for everything, doesn't there ? (= **hasn't there ?**).

Voir aussi 835 (dernier exemple).

(6) On emploie peu le « question tag » après une phrase comportant un terme restrictif *(few, little)*, sans doute parce qu'on ne sait s'il faut la considérer comme une phrase affirmative ou négative.

Quand le « tag » est employé (rare), il ne comporte pas de négation.

Few people think so, do they ?

On emploie peu le « question tag » après une phrase affirmative où *may* exprime l'*éventualité* (**He may come tonight**), mais il s'emploie après *must* exprimant une *quasi-certitude* (**He must be tired, mustn't he ?**).

Quand *must* est une simple formule de politesse, sans l'expression du moindre doute, le « tag » peut se former avec **do**.

« John Smith ? You must mean Peter Smith, don't you ? ».

168   (7) On peut exprimer un *doute*, in extremis, en répétant le « tag » après *or*, l'auxiliaire étant accentué la deuxième fois. On demande alors une réponse.

> **You don't really think so, do you, or do you ?** *Vous ne le pensez pas vraiment, n'est-ce pas ? Mais est-ce bien sûr ?*

La première partie du « tag » peut être omise.

> **I don't think there's anything wrong, — or is there ?** *Je crois qu'il n'est rien arrivé... mais au fond je n'en suis pas sûr.*

(8) Dans la langue familière on ajoute parfois *now* au « question tag ».

> **You wouldn't think he could be so mean, would you now ?**

169   (9) Le « question tag » s'emploie souvent après une *phrase elliptique*. Dans ce cas on s'attend généralement à une réponse.

> **Tired, aren't you ?**
> **Funny, isn't it ?**
> **Feeling a bit fed up, aren't you ?**
> **Been working all day, haven't you ?**
> **What a fool, isn't he ?**

(10) On peut aussi prendre à témoin l'interlocuteur à l'aide d'une fin de phrase non conjuguée : « *isn't that so ?* » (langue soignée); « *eh ?* » [ei] (langue familière).

170 (e) « *alors vraiment ?* » (*surprise*, parfois *doute, sarcasme* ou *ton narquois*). On réagit à ce qu'on vient d'entendre ou de constater. Il s'agit plus d'exclamations que de questions. Comparer avec le « question tag » (166).

> **So you've come after all, have you ?** *Tiens, tu es quand même venu ?*
> **So they're challenging us, are they ?** *Ils nous mettent au défi ! Ah, vraiment ?*
> **So you're interested in astronautics, are you ?** *Alors, comme cela, tu t'intéresses à l'astronautique ?*
> **'She... had quite a lot of friends, did she ?'** (H. Pinter). *Alors, comme ça..., elle avait beaucoup d'amis ?*
> **'Have you noticed anything odd about Matthew lately ?'**
> **'Oh, so you have, have you ?'** (J. Wyndham).
> « *Tu n'as rien remarqué de bizarre chez Matthew ces jours-ci ? — Ah tiens, toi aussi ? ».*

Comme pour le « question tag », la construction peut être elliptique. (''**Interested in astronautics, are you ?** »).

---

3. — PHRASES ELLIPTIQUES CONSTRUITES AVEC DES AUXILIAIRES

171   Outre les « tags » qui viennent d'être examinés, un grand nombre de phrases elliptiques peuvent se construire à l'aide des « *anomalous finites* » (qui n'apparaissent pas alors sous leurs formes faibles) pour éviter de répéter un verbe ou tout un membre de phrase (on dit qu'il y a « *effacement* » de ces éléments sous-entendus).

Le verbe que l'on sous-entend ainsi serait tantôt au même temps que celui de la phrases précédente, tantôt à un temps différent.

— *Même temps :*

> **We all play tennis here. Why don't you ?** *(Pourquoi pas vous ?).*

Who's going to help me ? — I am (*Moi.* Le sujet est accentué).
If he can't explain it, nobody can (*he* est accentué).
Do you ever go to England ? I rarely do.
He was very sorry for what he did. — I'll bet he was.
Didn't he invite them to the party ? — He said he would, but he didn't.
It was lucky that you came in when you did. *C'est une chance que vous soyez entré à ce moment-là.*
We want to know whether you are going to see them. Are you or aren't you ? (double question sur un ton insistant).

— *Temps différent :*

I'd love to see a ballet, I never have (seen one).
Did you tell him ? — Yes, but I wish I hadn't (told him).
His father had said, 'don't gamble'; well, he had (gambled), ou : well, he did (gamble).
I saw the new film yesterday. — I haven't yet (seen it)
I ought to have warned him, I'm afraid I didn't (warn him).
Nobody's stopping you from going. Why don't you (go) ?
Have you bought the Observer ? — No, but I'm going to (buy it).
Have you written to him ? — No, I ought to (write to him).

Ces deux dernières phrases elliptiques sont construites avec des *« to anaphoriques »* (176).

Avec le schéma *« modal + have + participe passé »* trois constructions elliptiques sont possibles.

He must have missed his train. — Oh yes he must (= he must have = he must have done).
I haven't written to them. I should (= I should have = I should have done).

Mais si *have* et le participe passé n'apparaissent pas dans la phrase précédente on emploie l'expression complète (en trois mots).

Perhaps he was waiting for us. — Yes, he must have been.

172 *Remarques :* (1) Une proposition elliptique insiste souvent sur la réalité de ce qu'on affirme (« *effectivement* », « *en fait* »). *L'auxiliaire seul est accentué.* Il s'agit souvent de marquer une *opposition* (entre ce qui avait été annoncé et ce qui a été fait, par exemple), ou bien de *confirmer* ce qui était incertain.

— *Opposition :*

I thought it was raining, *but it is't* (*Je me suis trompé*).
He pretended to be a doctor but he wasn't (*Il nous a trompés*).
He married her, though I didn't think he would (*Pourtant je ne l'aurais pas cru*).
You said last year that he wasn't rich enough to marry Jane. Well, he is now.
He said he couldn't accept the money, but he did. (La proposition complète serait : he did accept it. Voir Forme emphatique, 153).

— *Confirmation d'une idée affirmative :*

Nobody knew if they had left the country — well, they had (*eh bien, oui, effectivement*).
He said he would write every week, and he did (*et il l'a fait*). On peut dire aussi : and so he did (*so* ajoute un élément de surprise : *et ma foi, il l'a fait*).

Ne pas confondre les différentes tournures elliptiques construites avec *so* :

John was right. — *So he was !* *(Tiens, oui !)* Voir § 161.
We were tired, *so was he (lui aussi).* Voir § 163.
He said he was a duke, *and so he was (et ma foi, c'était vrai).*

Voir aussi « *I think so* », « *So you think* » (178 à 180).

— *Confirmation d'une idée négative :*

> **I told them I wasn't disappointed. Nor was I really** *(Et vraiment je ne l'étais pas).*
> **'I'll never speak to him again', she said, Nor did she, in spite of our efforts to reconcile them** (Nor did she = And she didn't).
> **They said they would never mention it again. Nor did they** *(Et ils tinrent leur promesse).*

173   (2) On trouve souvent des subordonnées elliptiques après les verbes exprimant la connaissance *(to know, to understand,* l'expression *I'm sure)*, la perception *(to see, to feel)*, une opinion *(to think, to believe, to doubt)*, une déclaration *(to say, to mean)*, une supposition *(to suppose, to expect, to guess, to assume)*, un espoir ou une crainte *(to hope, to fear,* l'expression *I'm afraid)*.

> **Did your wife enjoy the film ? — I think she did.**
> **I don't like operas. — I know you don't.**
> **Are they coming with us ? — I hope they are.**

174   (3) Une proposition elliptique s'emploie couramment après *as* (« *comme moi* », « *comme lui* »...) et après *than* et *as* introduisant un complément de comparatif.

> **Why don't you come by bus, as I do ?** *Pourquoi ne viens-tu pas par l'autobus, comme moi ?* (On peut dire aussi **like me**, mais non « like I do », expression considérée comme incorrecte, *like* étant une préposition et non une conjonction).
> **He drives faster than she does.** *Il conduit plus vite qu'elle.*
> **She was as pleased as we were.** *Elle était aussi contente que nous* (voir 654, omission de l'auxiliaire dans un style très soigné).

Dans toutes ces propositions elliptiques *c'est le sujet qui est accentué*.

> **He finally accepted, as I knew he would** (sujets inaccentués car il n'y a pas d'idée de contraste). *Il finit par accepter, comme je l'avais prévu.*

N.B. Le français du siècle classique employait couramment *faire* comme substitut d'autres verbes, notamment dans des subordonnées exprimant la comparaison :

> « Il l'appelle son frère, et l'aime dans son âme
> Cent fois plus qu'il ne fait mère, fils, fille, et femme » (Tartuffe, I, 2).

175   (4) Une phrase elliptique permet parfois de donner à un récit une *concision dramatique ou discrète*. La mouche de la nouvelle de Katherine Mansfield (« **The Fly** ») a réussi à grand peine à survivre après avoir été bombardée à plusieurs reprises de grosses gouttes d'encre par un persécuteur admiratif et attendri.

> **All the same, there was something timid and weak about its efforts now, and the boss decided that this time should be the last, as he dipped the pen deep into the inkpot.**
> **It was (...) The fly was dead.**

Mieux qu'une phrase complète, les deux mots « **it was** » (= it was the last) expriment la brutalité et l'ironie du destin.

Autre exemple du même auteur, dans « The Garden Party » :

> « I say, you're not crying, are you ? » asked her brother. Laura shook her head. She was.

Ici l'auteur évite de répéter « crying », comme par pudeur.

(5) Pour l'*impératif elliptique (Do ! Don't ! Let's !),* voir 412 et 414.

---

4. — AUTRES TOURNURES ELLIPTIQUES

176 (a) *To anaphorique.*

Pour éviter une répétition, l'infinitif est parfois réduit à sa particule *to* (appelée alors « to anaphorique »), qui peut être précédée de *not.*

Cette tournure elliptique est courante avec les auxiliaires *used to, ought to,* et les périphrases servant d'auxiliaires (*going to, have to, bound to,* etc.), ainsi qu'avec la plupart des *verbes ordinaires suivis directement d'un infinitif complet* (to want, to refuse, to intend, to mean, to decide, to prefer, to promise, to deserve, to forget, to seem, ... Voir leçon 24) *ou d'une proposition infinitive* (to want, to ask, to tell, to expect, to advise, ... Voir leçon 25), parfois *au passif* (supposed to, expected to, allowed to). Elle s'emploie aussi avec certains adjectifs (676).

> I don't want to go. — You'll have to *(Il le faudra).*
> Invite her if you want to. — Of course I'd love to. I hadn't intended to, but I'm going to.
> Don't eat it if you don't want to *(si tu n'en veux pas).*
> He drank more whisky than he had meant to.
> They invited me to join them, but I preferred not to.
> I hope he'll get through his exam, he deserves to.
> He failed his exam last June, and he's bound to again this year if he does't work harder.
> They don't behave as they ought to (= as they ought).
> People don't eat as much bread as they used to. *Les gens mangent moins de pain qu'autrefois.*
> I'll stay with you if you want me to.
> I wanted to go there, but he told (asked, advised, warned) me not to.
> Let me help you, though I'm not supposed to.
> You must sing us a song, you're expected to, you've got to.

Remarque : L'infinitif *to be* ne peut être réduit à la particule *to* quand il est auxiliaire du passif ou de la forme progressive.

> You'll be punished, as you deserve to be (= to be punished).
> You're not working. You ought to be (= to be working).

S'il introduit un attribut il n'est généralement pas réduit à la particule *to* quand il s'agit de la description d'un état.

> I asked him to be my partner, but he refused to be.

Mais : I asked him to be quiet, but he refused to (ici, to be quiet = to stop being noisy). Mais cette distinction n'est pas une règle absolue; ainsi *be* peut être omis après *used to* même quand il y a description d'un état (voir 341).

177 (b) Une *proposition à l'infinitif sans to* peut être sous-entendue après le complément de *to let* ou de *to make* (effacement total du second verbe et de ses compléments). Voir 403 et 404.

If he doesn't want to do it, we'll make him. *S'il ne veut pas le faire, nous l'y contraindrons.*

He would spend the whole day in front of the T.V. if I let him. *Il passerait toute la journée devant la télévision si je le laissais faire.*

178 Ⓒ *So* et *not.*

Après les verbes *to think, to believe, to suppose, to expect, to hope, to fear, to say, to tell*, et l'expression *I'm afraid*, la subordonnée commençant par *that* (conjonction souvent sous-entendue, 496) peut être remplacée par *so* pour éviter une répétition inutile.

(1) *Forme affirmative.*

Are they ready ? — I think so (= I think they are). *Sont-ils prêts ? — Je le crois (je crois que oui).*

Do you think she'll pass her exam ? — I hope so (= I hope she will). *Tu crois qu'elle va réussir à son examen ? — Je l'espère.*

Is he going to die ? — I'm afraid so (= I'm afraid he is. Dans une langue très soignée : **I fear so**). *Va-t-il mourir ? — Je le crains.*

Will he be able to do it by himself ? — He said so (= he said he would). *Pourra-t-il le faire seul ? — Il a dit que oui.*

179 (2) *Forme négative :* deux constructions sont possibles avec *to think, to believe, to suppose* et *to expect.*

I don't think so, I don't suppose so... (langue courante) = **I think not, I suppose not...** (style soigné, négation plus catégorique).

Will she mind if I refuse ? — I don't suppose so (ou : **I suppose not**). *Cela l'ennuiera-t-il si je refuse ? — Je pense que non.*

To say et *to tell* s'emploient surtout avec la première construction.

Was she pleased ? — She didn't say so. *Etait-elle contente ? — Elle ne l'a pas dit.*

To hope, to fear et l'expression *I'm afraid* n'admettent que la seconde construction, avec not (jamais « n't... so »).

Are they coming ? — I hope not (= I hope they aren't). *Viennent-ils ? — J'espère que non.*

Did he understand what I said ? — I'm afraid not. *A-t-il compris ce que j'ai dit ? — Je crains que non.*

180 (3) *Inversion :* dans la construction affirmative, *so* est parfois placé en tête de phrase (tournure soignée, emphatique).

So you think ! *C'est ce que tu penses !*
So I hope. *C'est ce que j'espère.*
So they said. *C'est ce qu'ils ont dit.*

Se construisent également ainsi :

So I've heard, so I understand (beaucoup plus courants que : I've heard so, I understand so). *C'est ce que j'ai entendu dire.*
So I've noticed. *C'est ce que j'ai remarqué.*
So I gather. *C'est ce que je crois comprendre.*

Ces quatre verbes ne se construisent pas négativement.

181 (4) *Not* remplace une proposition après les adverbes *certainly, perhaps, of course...*, après la conjonction *if* et dans quelques expressions terminées par *« or not »* (Voir 903, *« whether or not »*).

You didn't think I was going to fire, did you ? — Of course not (= Of course I didn't). *Tu ne pensais tout de même pas que j'allais tirer ? — Bien sûr que non.*

You must take your car out of the way. If not (= If you don't), **you'll have to pay a fine.** *Vous devez enlever votre voiture d'ici. Sinon vous devrez payer une amende.*

Believe it or not, they were on time. *C'est à peine croyable, mais ils étaient à l'heure.*

EXERCICES

A Faire suivre d'un *« question tag »* :
1. You like their house. — 2. She looked very pretty. — 3. He doesn't smoke. — 4. They are very fond of each other. — 5. George can't speak German. — 6. We mustn't keep them waiting. — 7. I'm very clever. — 8. She's worked too much. — 9. She's pleased with her new job. — 10. He didn't agree with you. — 11. We shan't have to wait. — 12. I play better than Ken. — 13. You're not afraid. — 14. You'd met them before. — 15. You'd like to meet them. — 16. It wouldn't be too late. — 17. They enjoyed their holidays. — 18. He doesn't look too tired. — 19. She's waiting for us to write to her first. — 20. You were born in Corsica. — 21. They won't understand. — 22. You could help them. — 23. We drank too much last night. — 24. They lay on the lawn. — 25. We ought to send her a present. — 26. You've never been to England. — 27. You had a very busy day yesterday (deux possilités : avec *had* ou avec *did*). — 28. They're going to buy a car. — 29. There's nothing we can do. — 30. You hardly know him. — 31. He has his hair cut twice a month. — 32. There was a storm last night. — 33. This is a nuisance. — 34. We shall never see him again. — 35. There will be plenty of time. — 36. That would be rude. — 37. Everybody had a good time (deux possibilités : avec *had* ou avec *did*). — 38. We'd better start at once. — 39. You'd rather go to England. — 40. Nobody has phoned while I was out. — 41. The children have lunch at school. — 42. He'd never seen anything like it. — 43. He should have been working. — 44. Nobody would understand. — 45. You had your watch repaired last week. — 46. You hardly ever watch television. — 47. We have nothing to tell him. — 48. We'd better phone the police. — 49. She'd rather live in a village. — 50. He's got plenty of money. — 51. You'd seen him before. — 52. You'd like to come. — 53. He's been to England. — 54. He's coming with us. — 55. They'd never done that before. — 56. They'd never agree with you. — 57. She's always complaining. — 58. She's always lived here. — 59. She'd let him do it if he asked her. — 60. She'd let him do it several times already.

[B] Construire des *phrases elliptiques* suivies d'un *« question tag »* suivant le modèle :
It's funny → Funny, isn't it ?
1. You're hungry. — 2. You're feeling homesick. — 3. It's rather ugly. — 4. What a beauty she is ! — 5. You've been crying. — 6. He's fishing for compliments as usual. — 7. You're waiting for Sheila. — 8. What a great pity this is ! — 9. He's feeling rather ashamed. — 10. You've been drinking with your friends again.

C Faire suivre les phrases suivantes de réponses elliptiques exprimant (a) une approbation (*« Oui, c'est bien vrai »*) ou une constatation (*« Tiens ! C'est vrai ! »*); (b) un étonnement ou un doute ((*« Ah, vraiment ? Vous croyez ? »*).

Exemple : Girls work harder than boys.
  (a) *So they do.*
  (b) *(Oh) do they (really) ?*

1. He has a very good sense of humour. — 2. She played very well. — 3. They would all complain. — 4. He can speak English fluently. — 5. There was a lot of fog last night. — 6. They were very pleased with their presents. — 7. You're late. — 8. I'm taller than Dad now. — 9. He's been working since 5 this morning. — 10. You've forgotten to invite your mother-in-law. — 11. He's told us a lie. — 12. This Australian wine tastes like real burgundy. — 13. We should get up early tomorrow. — 14. We've seen this film. — 15. I nearly burst out laughing. — 16. Jane is a good cook. — 17. He believes in ghosts. — 18. I'm working hard at the moment. — 19. He could easily beat you. — 20. You've put your jersey on the wrong way round.

D Compléter chaque phrase par un ou plusieurs tags exprimant qu'un second sujet se comporte comme le premier, affirmativement ou négativement.
Exemples : Barbara likes tennis / I / John → Barbara likes tennis, *so do I* (so does John).
Barbara doesn't like tennis / I / John → Barbara doesn't like tennis, *neither do I* (neither does John).

1. We enjoyed the play / she / our friends. — 2. They flew to Canada / we. — 3. My wife is fond of historical plays / I / John / John and Jennie. — 4. She hasn't seen the ghost / her husband / we. — 5. They were disappointed / you / I. — 6. We don't play bridge / our friend. — 7. I know him very well / my wife / my children. — 8. He is not pleased / I / his brother / our friends. — 9. He wasn't tired / I / the others. — 10. You must go to bed now / your brother.

E Compléter chaque phrase par un tag exprimant qu'un second sujet ne se comporte pas comme le premier.
Exemples : She doesn't like tennis / I → She doesn't like tennis, *I do.*
She likes tennis / I → She likes tennis, *I don't.*

1. John plays the piano / I. — 2. He was very pleased / we. — 3. You haven't been working today / she. — 4. She doesn't like coffee / I. — 5. They had tea before they left / we. — 6. I'd like to have a garden / she. — 7. I thought it was a good idea / he. — 8. Peter wasn't amused / John. — 9. You may not be tired / I. — 10. I work on Saturdays / my wife.

[F] Bâtir des phrases elliptiques avec un « *to anaphorique* » (voir 176), suivant les modèles :
I asked him to help me, but he (refuse) → but he refused to.
I'll help you if you (want) → if you want me to.

1. We hope he succeeds, he (deserve). — 2. Are you going to help him ? — Only if he (ask). — 3. Is he coming with us ? — No, he (want). — 4. Shall I have to make a speech ? — Oh yes, they (expect). Répondre aussi au passif : Oh, yes, you... — 5. Do you want to go with them ? — No, I (prefer). — 6. Why did you come home so late ? You (promise). — 7. Why did you use my tape-recorder ? I (tell). — 8. I'm sorry that I hurt your feelings, I (mean). — 9. He had intended to go there by car, but they (advise). Construire aussi au passif : but he... — 10. Do the students smoke in the classrooms ? — No, we (allow). Répondre aussi au passif : No, they...

[G] Répondre avec une phrase elliptique en utilisant *so* ou *not* (une ou deux constructions négatives, voir 178 et 179).

1. Do you think you'll get through your exam ? — I (hope). — 2. Are they likely to get married ? — No, I (think, believe). — 3. Will you have to pay for it ? — We (hope). — 4. Did you know that he was going to settle in Australia ? — Yes, he

90

(tell). — 5. Do you think they'll like it there ? — No, I (suppose). — 6. Has he been to America ? — No, I (think). — 7. Will it rain this afternoon ? — Well, I (be afraid). — 8. It must be very late. — Yes, I (expect). — 9. Can your wife come to our party ? — No, I (be afraid). — 10. Does he work on Saturdays ? — No, I (think). — 11. Is he going to sell his car ? — Yes, he (say). — 12. Can you play bridge ? — No, I (be afraid). — 13. Do you think they'll arrest him ? — I (hope). — 14. Did he say he was going to retire ? — No, he (say). — 15. You don't expect he'll apologize to you ? — No, I (suppose).

[H] Traduire en utilisant des *phrases elliptiques* toutes les fois que c'est possible :

1. Qui a eu peur ? — Moi. Pas vous ? — 2. Vous aimez ce tableau ? Pas moi. — 3. J'ai enfin fini mon travail. — Moi pas encore. — 4. Je me suis trompé, et vous aussi. — 5. Je vais à mon bureau à pied. Pourquoi pas vous ? — 6. La pluie s'est arrêtée. — Tiens, c'est vrai ! — 7. Buvez-le avec un peu de lait, comme nous. — 8. Ils vont souvent au théâtre, nous très rarement. — 9. Vous n'êtes pas d'accord avec moi ? — Bien sûr que si. — 10. Mon père n'aime pas le jazz, ma mère non plus. Moi si. — 11. Alors, comme ça, tu veux être marin ? — 12. Vous n'allez pas les attendre ? Moi si. — 13. Ton frère est très gentil. Pourquoi pas toi ? — 14. Ils sont allés voir le film. Nous pas encore. — 15. Qui a dit que Jack London était anglais ? C'est une erreur. — 16. Elle a dit qu'elle te détestait. — Par exemple ! (surprise). — 17. Elle a dit qu'elle te détestait. — Ah vraiment, elle a dit cela ? (ironie). — 18. Vous aviez oublié le rendez-vous ? Nous tous aussi d'ailleurs. — 19. Nous ne l'avons pas félicité. Nous aurions dû le faire. — 20. Ils ont dû passer la soirée à regarder la télévision. — Oui, certainement (3 constructions elliptiques possibles).

8. — POSTPOSITIONS. PHRASAL VERBS

1. — GÉNÉRALITÉS

182 (a) Les postpositions («*adverbial particles*») sont des adverbes étroitement liés par le sens aux verbes qui les précèdent. Le verbe et la postposition forment un groupe phonétiquement inséparable, un *« phrasal verb »* (verbe composé).

On gardera ici le nom traditionnel de « postposition », bien qu'il soit peu satisfaisant. En effet, si la postposition est effectivement placée *après le verbe* (sauf dans : « Off we go », 183, c), cette appellation semble la mettre en parallèle avec la préposition, terme placé *avant un nom* ou pronom (sauf dans : « What are you looking for ? »), alors que ces deux catégories n'ont rien en commun, sinon le fait que, dans un grand nombre de cas, le même mot (**in, on, about, over, through,** etc.) est tantôt préposition, tantôt postposition.

Dans « **to drive in England** » *(conduire en Angleterre)* **in** est une *préposition* qui introduit un complément; il peut y avoir un silence après le verbe. Mais dans « **to drive in a nail** » *(enfoncer un clou)* **in** est une *postposition* liée au verbe, et l'expression doit se lire : **to-drive-in a-nail.**

La postposition est *toujours accentuée*, alors que la préposition ne l'est que dans des cas exceptionnels, lorsqu'il y a une raison de la mettre en relief.

Did you get through ? (through, postposition accentuée). *Avez-vous été reçu à votre examen ?*

We went through the wood (through, préposition inaccentuée). *Nous avons traversé le bois.*

(On peut accentuer *through* pour marquer un contraste : **through, not round, the wood**).

Une postposition peut aussi être placée *après un nom* (695).

Lorsqu'une postposition est suivie d'une préposition (ce qui est assez rare) c'est la postposition qui est accentuée.

I am looking forward to seeing you again (*forward* accentué). *Je me réjouis d'avance de vous revoir.*
Do we have to put up with the noise ? (*up* accentué). *Faut-il vraiment que nous supportions ce bruit ?*
We're in for it (*in* accentué). *Nous n'y couperons pas* (ici, it = trouble).

183 (b) *Place de la postposition.*

(1) Après le complément d'objet direct si c'est un pronom personnel ou démonstratif.

Show them in. *Faites-les entrer.*
Throw that away. *Jette cela.*

(2) Avant ou après le complément d'objet direct si c'est un nom.

He took off his hat = he took his hat off. *Il retira son chapeau.*

Si le nom complément est long, par exemple accompagné d'une proposition relative, la postposition se place avant.

He gave away all the money he had won. *Il distribua en cadeaux tout l'argent qu'il avait gagné.*

Dans la langue parlée la postposition se place généralement après le complément s'il est court. A l'impératif la postposition en fin de phrase donne plus de vigueur à l'ordre ou à l'invitation.

Take your boots off. *Retire tes chaussures.*

On place plus rarement la postposition après un nom complément quand elle exprime une idée abstraite (et non un déplacement ou un geste).

He gave up the struggle. *Il abandonna la lutte.*

Les deux constructions sont possibles avec : **Make up your mind** *(Décidez-vous)* = **Make your mind up.**

(3) En tête de phrase, exceptionnellement, pour donner plus de vivacité à un récit. Cette tournure ne s'emploie que pour l'expression d'un déplacement. Le sujet se place alors après le verbe si c'est un nom, avant si c'est un pronom.

Off we go. *Nous voilà partis.*
Off went the rocket. *Voilà la fusée partie.*
Out they came. *Les voilà qui sortent* (contexte passé).

Cette règle n'est pas absolue (on trouve « **Up Jack got** » dans *Jack and Jill* et « **Down went he** » dans *Little Robin Redbreast*, mais le style des « nursery rhymes » est assez libre).

184 (c) *Emplois des postpositions.*

(1) Elles peuvent accompagner un *verbe de sens vague* pour former un « phrasal verb » de sens précis.

To get up. *Se lever.*
To get away. *S'enfuir.*

To get on. *Monter* (dans l'autobus...)
To get together. *Se réunir.*

185   (2) Elles peuvent accompagner un ***verbe exprimant une façon de faire*** (par exemple une façon de se déplacer); la postposition exprime alors le ***résultat de l'action***, la direction du déplacement. Voir « Structures résultatives », leçon 28.

I swam across. *J'ai fait la traversée à la nage.*
He rushed out. *Il sortit précipitamment.*

    (3) Certaines postpositions *(over, round, along, across, up, down)* s'ajoutent parfois aux verbes de déplacement lorsqu'il s'agit d'une courte distance; elles n'expriment alors ***rien de précis*** mais donnent à la phrase un ***tour familier.***

Take this letter over to the post office. *Portez cette lettre à la poste.*
Come round (ou : **along**) **and see me this evening.** *Venez me voir ce soir.*

186   (4) Elles peuvent ***modifier légèrement le sens*** d'un verbe.

Drink your beer. *Buvez votre bière.*
Drink up your beer (= **Drink your beer up**). *Videz votre verre de bière.*

La postposition ne modifie pas du tout le sens du verbe (il s'agit de ***pléonasmes***) dans les expressions courantes : **to lift up** *(soulever),* **to fall down** *(tomber),* **to pour out the tea** *(verser le thé).*

    (5) Elles peuvent aussi ***modifier complètement le sens*** d'un verbe.

To put off (= to postpone). *Remettre à plus tard.*
To make out (= to understand). *Comprendre.*
To bring about (= to cause). *Provoquer.*
To keep on (= to continue). *Continuer.*
To give away (= to distribute). *Distribuer.*
To put up with (= to tolerate). *Tolérer.*
To make up for (= to compensate). *Compenser, rattraper (retard).*
To pull oneself together. *Se ressaisir.*
To make up one's mind. *Se décider.*

Ces expressions idiomatiques, qu'il faut apprendre avec soin, sont plus courantes encore dans la langue parlée que dans la prose soignée. L'anglais préfère instinctivement les expressions composées de monosyllabes aux mots plus longs, souvent d'origine latine, dont l'accumulation donne un style un peu guindé.

187   (6) Elles s'emploient après ***to be*** avec des sens précis.

To be in, out, away, back. *Etre chez soi, sorti, absent, de retour.*
School is over. *Les classes sont finies.*
I must be off. *Il faut que je parte.*
He is up but he isn't down yet. *Il est levé mais il n'est pas encore descendu* (les chambres étant généralement au premier étage).
To be down and out. *Etre sur la paille (à bout de ressources).* Cf. le récit autobiographique de G. Orwell, « **Down and Out in Paris and London** », traduit sous le titre « La Vache enragée ».

Elles s'emploient également après *« **to let** + objet »* (533, f).

Let me in. *Laissez-moi entrer.*
I won't let you down. *Vous pouvez compter sur moi.*
Don't let the fire out. *Ne laisse pas le feu s'éteindre.*

188   (7) Elles s'emploient pour ***transformer un verbe d'attitude en verbe de mouvement.***

To lie (= to be lying). *Etre allongé* → **To lie down.** *S'allonger.*

To stand (= to be standing). *Etre debout* → **To stand up.** *Se lever* (d'un siège).

Mais il arrive qu'à la forme progressive la postposition n'exprime pas de déplacement.

They were lying down in the grass. *Ils étaient allongés dans l'herbe.*

189 (8) Elles peuvent s'employer *seules* (**Hands up !** *Haut les mains !* **Out !** *Sortez !*) ou suivies de *with.*

Down with the traitors ! *A bas les traîtres !*
Off with his head ! *Qu'on le décapite !*
Away with you ! *Allez-vous en !*
Out with it ! *Allons, parlez !*

(9) Dans des *expressions traditionnelles* comportant un auxiliaire le verbe est parfois sous-entendu devant la postposition.

The truth will out. *La vérité finit toujours par se découvrir.*
We must away (archaïque). *Il nous faut partir.*

---

2. — SENS DES PRINCIPALES POSTPOSITIONS

Cette liste, qui est loin d'être complète, est destinée à attirer l'attention sur certains sens des postpositions les plus employées. Elle ne peut rendre compte du sens des expressions comme **to put away, to put off, to put about, to put up with**, etc., qu'il faut apprendre par cœur (voir 202).

190 ABOUT.

a. — En tous sens (mouvement) : **He gets about a good deal.** *Il voyage* (ou : *il circule) beaucoup..*

b. — Çà et là (sans mouvement) : **There were books lying about on the carpet.** *Il y avait des livres éparpillés sur le tapis.*

191 AWAY.

a. — Eloignement : **Take all these papers away.** *Emportez tous ces papiers.*

b. — Disparition complète : **The snow has melted away.** *La neige a entièrement fondu.*

c. — Entrain : **She laughed away to her heart's content.** *Elle riait, riait tout son soûl.*

d. — Action faite sans délai ni restriction : **Fire away !** *Allez-y, parlez donc !*

192 BACK.

a. — Mouvement vers l'arrière : **He sat back in his chair, looking happy.** *Il se renversa dans son fauteuil, l'air heureux.*

b. — Retour au point de départ : **Call him back.** *Rappelez-le.*

c. — Réplique, revanche : **Don't answer back.** *Ne réplique pas.*
If anyone hits me, I hit back. *Si on me frappe, je rends la pareille.*

d. — Attitude réservée : **She kept back her tears.** *Elle refoula ses larmes.*

193 DOWN.

a. — Mouvement vers le bas : **It's easier to climb up than down.** *L'ascension est plus facile que la descente.*

94

b. — Mouvement pour se mettre à écrire : **Take this down.** *Notez ceci.*

c. — Eloignement du point central (Londres, l'université) : **We went down to Norfolk for a few days.** *Nous sommes allés passer quelques jours dans le Norfolk* (c'est un Londonien qui parle). Comparer avec *up*.

Shelley was sent down for circulating a pamphlet on 'The Necessity of Atheism'. *Shelley fut expulsé* (de l'Université d'Oxford) *pour avoir fait circuler un opuscule sur « La nécessité de l'athéisme ».*

d. — Diminution : **The fire is burning down.** *Le feu baisse.*
He quickly calmed down. *Il se calma rapidement.*

e. — « **Down under** » = in Australia (or New Zealand).

194   IN.

a. — Mouvement vers l'intérieur : **Get in.** *Montez* (en voiture).

b. — A l'intérieur (sans mouvement) : **The train is in.** *Le train est en gare.*

c. — Visite : **He dropped** (ou : **popped**) **in last night.** *Il est entré nous dire bonjour hier soir.*

d. — Pénétration : **Don't rub it in !** *N'insistez pas lourdement* (sur mon erreur ; j'en suis déjà assez confus). *Ne retournez pas l'arme dans la plaie.*

195   OFF (s'oppose souvent à *on* comme *out* s'oppose à *in*).

a. — Eloignement : **We had to keep him off.** *Nous avons dû l'empêcher d'approcher.*

b. — Départ, séparation nette : **Off we go !** *Nous voilà partis !*
Take your coat off. *Enlevez votre manteau.*
He had his beard shaved off. *Il s'est fait couper la barbe.*
(Voir 521).

c. — Interruption : **Switch off the light.** *Eteignez le lumière.*
It's time to break off. *Il est l'heure de cesser le travail.*

d. — Achèvement total : **They paid off their debts.** *Ils se sont acquittés de leurs dettes.*
I'll finish off this work over the weekend. *Je terminerai ce travail pendant le week-end.*

196   ON.

a. — Contact : **She tried on a dozen hats.** *Elle essaya une douzaine de chapeaux.*
He has put on weight. *Il a engraissé.*

b. — Mouvement : **Come on !** *Allez, avancez !*
Move on ! *Circulez !*

c. — Progression, continuation : **What's going on ?** *Que se passe-t-il ?*
Go on ! (Carry on !) *Continuez !*
They worked on until it was dark. *Ils continuèrent à travailler jusqu'à la tombée de la nuit.*

d. — Mise en marche : **Switch on the light.** *Allumez la lumière* (électrique).

197   OUT (s'oppose à *in*).

a. — Mouvement vers l'extérieur : **Come out for a stroll.** *Venez faire une petite promenade.*

b. — A l'extérieur (sans mouvement) : **We are dining out tonight.** *Nous dînons en ville ce soir.*

c. — Extension : **The map lay spread out on the table.** *La carte était étalée sur la table.*

d. — Distribution : **The money was dealt out to the large families of the village.** *L'argent fut distribué aux familles nombreuses du village.*

e. — Eclaircissement, extériorisation : **I've found out the truth about him.** *J'ai découvert la vérité à son sujet.*

> **He turned out to be a decent chap.** *Il se révéla être un très chic type.*
> **As things turned out he had been mistaken.** *Les événements lui donnèrent tort.*
> **He spoke out against the atrocities.** *Il protesta contre les atrocités.*
> **She has blossomed out into a very handsome woman.** *Sa beauté s'est épanouie, c'est maintenant une très belle femme.*

f. — Disparition, épuisement : **Cheap shoes soon wear out.** *Des chaussures bon marché s'usent vite.*

> **We've run out of petrol.** *Nous sommes en panne d'essence.*
> **The firemen could not put the fire out.** *Les pompiers ne purent pas éteindre l'incendie.*

g. — Accomplissement total : **Hear him out.** *Ecoutez-le jusqu'au bout.*

h. — Soudaineté : **The fire broke out in a baker's shop.** *Le feu se déclara dans une boulangerie.*

198   OVER.

a. — Passage d'un pays à un autre, d'une personne à une autre : **He's gone over to the enemy.** *Il est passé à l'ennemi.*

> **Hand this gun over to me.** *Remettez-moi ce revolver.*

b. — Mouvement pour retourner ou faire basculer : **Don't knock the bottle over.** *Ne renversez pas la bouteille.*

> **Please turn over** (ou : **P.T.O.**). *Tournez (la page) s.v.p.*

c. — Répétition : **I told him over and over again** (= I told him again and again). *Je le lui ai dit je ne sais combien de fois.*

d. — Action faite avec soin : **Think it over.** *Réfléchissez-y bien.*

e. — Court déplacement (sens vague) : **Let's ask him over.** *Invitons-le* (à venir chez nous). Cf. *round*.

199   ROUND (cf. 864, *round* et *around*).

a. — Mouvement circulaire, demi-tour : **Don't look round.** *Ne vous retournez pas.*

b. — Retour cyclique : **We shall be glad when spring comes round.** *Nous serons heureux quand le printemps reviendra.*

c. — Tout autour : **They gathered round.** *Ils firent cercle.*

d. — Passage par une succession d'endroits : **Please hand these pictures round.** *Veuillez faire circuler ces images.*

> **He showed us round.** *Il nous a pilotés.*

e. — Court déplacement (sens vague; cf. *over*) : **They've asked us to go round after dinner.** *Ils nous ont invités à aller les voir après le dîner.*

200 THROUGH.

   a. — Entièrement : **Read this letter through carefully.** *Lisez cette lettre d'un bout à l'autre attentivement.*

   b. — Idée d'épreuve subie jusqu'au bout : **I saw it through.** *J'ai tenu bon, je suis allé jusqu'au bout.*

   I saw her safely through. *Je l'ai assistée jusqu'au bout.*
   I'm through with it (surtout américain). *J'ai terminé.*
   I'm through with you. *C'est fini entre nous.*

   c. — Liaison assurée : **This train goes through to Paris.** *Ce train va jusqu'à Paris* (il n'y a pas à changer).

   I'll put you through to the manager (au téléphone). *Je vous passe le gérant.*

201 UP.

   a. — Mouvement vers le haut : **He jumped up.** *Il se leva d'un bond.*

   b. — Rapprochement du point central (cf. ***down***) :
   He's going up to Oxford next term. *Il va entrer à Oxford le trimestre prochain.*

   Parfois déplacement vers le nord :
   We'll go up to the Lake District for Easter. *Nous irons dans le Pays des Lacs* (au Nord-Ouest de l'Angleterre) *à Pâques.*

   c. — Intensité accrue : **Speak up.** *Parlez plus fort.*

   d. — Achèvement total : **He came up to me.** *Il vint jusqu'à moi.*
   Drink up your beer. *Videz votre verre.*

   e. — Poursuite du chemin (sens vague) : **Go further up.** *Continuez un peu plus loin* (ici, ***up*** = ***along***. On dit aussi, dans le même sens, sans qu'il y ait montée ni descente : **Go further down**).

| 3. — EXEMPLE : TO PUT + POSTPOSITIONS |

202   A titre d'exemples, voici quelques-uns des sens principaux de ***to put*** suivi de diverses postpositions. Le sens est évident dans des phrases comme : **Put the book back on the shelf** (*remettez*); **I'll put you down in front of the post office** (*je vous déposerai*); **he put on his raincoat** (≠ **he took off**), etc.

   1. — **He was very much put about** *(bouleversé)* **when they said they no longer trusted him** (**put about** = upset, terme plus courant dans la langue parlée).

   2. — **Put all these books away** *(rangez).*

   3. — **He has a large sum of money put away** (= **put by**, *mise de côté*) **for his old age.**

   4. — **Everything he said was put down at once** *(noté, consigné par écrit).*

   5. — **The failure of their plans was put down to unexpected difficulties** *(imputé à).*

   6. — **He put forward an interesting theory about the origin of life** *(avança).*

   7. — **I'll put in a good word for you with the boss** *(glisserai un mot en votre faveur).*

   8. — **They put in a claim for damages** *(déposèrent une plainte).*

9. — **I'm afraid all these difficulties will put him off** *(détourner, dégoûter).*
10. — **The decision will have to be put off** *(remise à plus tard).*
11. — **He put on an air of innocence that nearly deceived us** *(simula).*
12. — **He's put on weight** *(engraissé).*
13. — **I put the brakes on** *(freinai)* **but the car skidded.**
14. — **They put on the play in a small theatre off Broadway** *(monter, jouer).*
15. — **Owing to a strong wind they couldn't put out the fire** *(éteindre).*
16. — **The naughty boy put his tongue out at me** *(m'a tiré la langue).*
17. — **Would it put you out too much to drive me to the station ?** *(dérangerait).*
18. — **He is put out by the least difficulty** *(se laisse démonter).*
19. — **Will you put me through to the manager ?** (au téléphone : *je voudrais parler à...*) — **You are through** *(vous avez la communication).*
20. — **I'd rather take it to pieces than put it together again** *(démonter, remonter).*
21. — **We put them up for the night** *(héberger, loger).*
22. — **We had to put up with them** *(les supporter).*
23. — **The shopkeepers have put their prices up** *(augmenté).*
24. — **Put your hands up** *(levez la main).*
25. — **Was it you who put him up to it ?** *(Est-ce vous qui l'y avez incité ?).*

On trouve la même variété de sens quand on examine les verbes **to get, to take, to turn, to come,** etc., suivis de postpositions. C'est une question de vocabulaire qu'il ne faut pas négliger.

EXERCICES

[A] Compléter avec des postpositions les phrases suivantes et les traduire :
1. Does this train go... to Cambridge or do we have to change ? — 2. They dropped... yesterday afternoon on their way home. — 3. I've found... who he is. — 4. Never put... till tomorrow what you can do today. — 5. We shall go... to London to see the play. — 6. Try this coat..., I think it will fit you. — 7. He dictated the letter, which she took... in shorthand. — 8. She washed..., I wiped, and her husband put the cups and saucers... in the cupboard. — 9. You are spending too much, you should cut... your expenses. — 10. I'll have my mail sent... while I'm staying in Italy. — 11. While the teacher was telling him..., he kept his head..., not daring to look... — 12. There's a lot to see in London; if you come during the holidays I'll show you... — 13. Speak..., I can't hear you. — 14. The war broke... in September, 1939. — 15. He flew... to London on business for a week. — 16. People were sitting... on the lawn. — 17. Call him..., he's left his gloves behind. — 18. It was quite an ordeal, but I saw it... — 19. We walked... in spite of the rain. — 20. He has gone... to the enemy. — 21. He looked..., feeling that he was being followed. — 22. The prisoner broke... from his guard. — 23. You ought to put the clock..., it's nearly twenty minutes fast. — 24. The house is quite nice, but the fact that it's so near the main road put us... — 25. Old St Paul's was burnt... in 1666. — 26. The peace conference failed and the war went... — 27. "Thick fog over the Channel. Continent cut..." (headlines). — 28. Come... and see us after lunch, I want to show you our new lawn-mower. — 29. His temperature has gone..., the doctor thinks he'll pull... — 30. The crowd shouted, '... with the tyrant !', but the police held them... — 31. Drink... your tea, it's time to start. — 32. Hurry..., we must be... — 33. London

is very hot in July, we all go... to the country every week-end. — 34. He paid... all his debts and went... to Australia. — 35. He put the brakes... so suddenly that I bumped my head against the windscreen. — 36. (on the phone) Will you put me... to the fire-brigade ? It's urgent. — 37. The advice he's given you is very good, you ought to think it... — 38. Take your coat and gloves..., it's very warm in here. — 39. When can you pay... the money you borrowed from us ? — 40. Christmas will soon be... again. How time flies ! — 41. (on the phone) Could you hold... a minute ? Someone's knocking at the door. — 42. She needs a good rest after all she's gone... — 43. They spent the afternoon sweeping... the dead leaves in the garden. — 44. She never stopped talking, I couldn't get a word... edgeways. — 45. She went to the fancy dress ball dressed... as a witch. — 46. What brought... the decline and fall of the Roman Empire ? — 47. Pull yourself..., you should laugh the matter... — 48. We couldn't make... what he was trying to explain. — 49. The taxi pulled... at the traffic lights. — 50. We were all taken... by that hypocrite.

B Remplacer le complément du verbe par un pronom personnel.
Exemple : You should take off your coat (ou : take your coat off) → You should **take it off**.
1. Drink up your beer. — 2. Throw away those useless newspapers. — 3. Can you sum up what he said ? — 4. Let me try on your new hat. — 5. We shall put up the Joneses for the night. — 6. You ought to give up smoking. — 7. She blew out the candles. — 8. He gave away all the money he had won. — 9. I've just kicked out that swine. — 10. Sweep up the dead leaves. — 11. I did my best to cheer up the poor girl. — 12. Put away your books. — 13. He read out a long list of names. — 14. Switch off the light. — 15. They had to put off the ceremony.

[C] Placer la postposition en tête de phrase (style plus alerte, dans la langue écrite). Veiller à l'ordre des mots.
1. The ship went up and down. — 2. He went out through the window. — 3. She came down upon a heap of dry leaves (Alice in Wonderland). — 4. The astronauts went round and round for several days. — 5. The bird flew away. — 6. Their lunch was soon over and they walked on, ignoring the cold wind.

9. — PLACE DES MOTS ACCOMPAGNANT LE VERBE

203 Dans les langues sans déclinaisons complexes (par exemple le français, l'anglais), la fonction d'un mot est indiquée avant tout par sa place dans la phrase. Cela est vrai en anglais encore plus qu'en français, la place des termes accompagnant le verbe (sujet, compléments, adverbe) y est moins susceptible de variations. Les règles énoncées dans cette leçon ne sont pas toutes absolues, on pourra trouver des exemples qui les contredisent, surtout dans la langue écrite lorsqu'un auteur place un élément de la phrase à un endroit inhabituel pour une raison d'effet stylistique. Toutefois il est sage de ne pas s'en écarter si l'on veut s'exprimer dans une langue à la fois correcte et idiomatique.

204 (a) **Nature du sujet**. Le sujet du verbe peut être :

(1) **un nom ou un pronom**. Le pronom personnel sujet peut être séparé du verbe. Voir 701-702.

> **I, for my part, think that would be a mistake.** *Moi, je crois que ce serait une erreur.*

It et **there** peuvent être sujets d'un participe présent à sens causal, dans une langue un peu guindée.

> **There being a very thick fog, the race had to be cancelled.** *Comme il y avait un brouillard très épais, il fallut annuler la course* (voir 380).

Pour l'accord en nombre des **noms collectifs** (family, crowd...), voir 560.

(2) **un infinitif complet** ou **un gérondif** (nom verbal). Voir 386.

> **Having tea out on the lawn is quite a treat.** *C'est vraiment un grand plaisir que de prendre le thé sur la pelouse.*

(3) **une proposition commençant par that** (dans la langue écrite). Voir 692 (e).

> **That he should turn out to be so mean disappointed her very much.** *Cela la déçut beaucoup de le voir se révéler si mesquin.*

(4) **une proposition infinitive introduite par for**, principalement dans la langue écrite. Voir 397.

> **For him to drive home now after all he has been drinking would be suicide or murder.** *Rentrer chez lui au volant de sa voiture maintenant après tout ce qu'il a bu, ce serait de sa part un suicide ou un meurtre.*

(5) **une proposition commençant par un terme interrogatif ou exclamatif** (how, why, whether...), principalement dans la langue écrite (444).

> **How he managed to get rid of them remains a mystery.** *Comment il a réussi à s'en débarrasser, voilà qui reste un mystère.*
> **Whether the U.S. Congress will ratify the treaty is a different matter.** *Reste à savoir si le Congrès américain ratifiera le traité.*
> **Which of the two candidates I'm going to vote for is no business of yours.** *Cela ne vous regarde pas de savoir pour lequel des deux candidats je vais voter.*

205 (b) **La place normale du sujet** est **avant le verbe**. Ce principe s'est encore affirmé lorsque se sont généralisés l'emploi de **l'auxiliaire do** pour la forme interrogative (alors que, dans la langue du début du XVIIᵉ siècle, Macbeth demande à Banquo : « **Ride you this afternoon ?** » « **Goes Fleance with you ?** ») et, plus récemment, celui de **got** dans la langue familière pour accompagner **to have** exprimant la possession. Dans la plupart des cas, à la forme interrogative, le sujet se trouve donc placé après un auxiliaire et avant le verbe.

> **Does he play tennis ? Have they got a car ?** (ou : **Do they have a car ?**)
> **Can you see the plane ? Is she coming ? Shall we go now ?**

Exception : le présent et le preterite de **to be**.

> **Were John and his wife glad ?**

206 (c) **L'inversion est rare** à la forme affirmative. Ainsi **on ne la fait pas normalement** dans les cas suivants :

(1) **dans les phrases exclamatives** (voir 450).

> **What a pretty garden your neighbours have !** *Quel joli jardin ont vos voisins !*

(2) *dans les interrogatives indirectes* (voir 442).

I wonder where the children are. *Je me demande où sont les enfants.*

(3) *après perhaps, maybe, so* (= consequently).

Perhaps (= **maybe**) **you are right.** *Peut-être avez-vous raison.*
We had a lot of luggage, so we took a taxi. *Nous avions beaucoup de bagages, aussi avons-nous pris un taxi.*

(4) *dans les subordonnées relatives ou introduites par* **where, what, as.**

The cakes my wife makes are always delicious. *Les gâteaux que fait ma femme sont toujours délicieux.*
What Bernard Shaw says about it is rather biased. *Ce que dit Bernard Shaw à ce sujet est assez partial.*
As her husband says, ... *Comme dit son mari, ...*
The place where the trolleybuses stop. *L'endroit où s'arrêtent les trolleybus.*

(5) *après* **to make** *et* **to have** (constructions causatives, 504 et 508) *et les verbes de perception* (536).

He made everybody laugh. *Il a fait rire tout le monde.*
I can hear the children coming. *J'entends venir les enfants.*

(6) *dans les propositions incidentes* dont le sujet est un pronom.

His friends, he said, would be glad to come *(dit-il).*
"No, she answered, I can't accept that" *(répondit-elle).*
The Queen's horse, you would have thought, was bound to win *(auriez-vous pensé).*

Quand le verbe est **to say** l'ordre inverse (**said he**) se rencontre aussi, mais beaucoup moins souvent dans la langue d'aujourd'hui.

Si le sujet est un nom les deux constructions s'emploient, quel que soit le verbe. La construction sans inversion est plus courante.

"We're wasting our time", William said (plutôt que : **said William**).
"I don't agree", John answered (plutôt que : **answered John**).

207 (d) *L'inversion se fait :*

(1) dans l'expression *there is (il y a)*, dont le sujet suit le verbe **to be** (mais **there** n'est-il pas considéré un peu comme le sujet de la phrase lorsqu'on la fait suivre d'un « question tag » : **isn't there ? was there ?** Voir 167).

On peut toutefois mettre le sujet réel en relief en le plaçant en tête de phrase (style littéraire).

Something there was in his behaviour that made us doubt his honesty.
Il y avait quelque chose dans sa conduite qui nous faisait douter de son honnêteté.

Après les expressions *here is (voici)* et *there is (voilà)* l'ordre des mots varie suivant que le sujet est un pronom ou un nom (voir 49).

Here you are at last. *Vous voici enfin.*
Here is my wife. *Voici ma femme.*

De même avec le verbe *to come :*

Here they come. *Ils arrivent* (= *les voici*).
Here comes the bride ! *Voici (voici venir) la mariée !*

(2) dans les « tags » « *so am I* » et « *neither am I* » (163), ainsi que dans le « tag » familier permettant de placer en relief, en fin de phrase, le nom d'une personne (parfois aussi d'un objet, d'un lieu).

She was a very kind old lady, was Mrs Jones. *C'était une vieille dame très aimable que Mrs Jones.*

Mais sans inversion (interversion familière du sujet et du prédicat) :

"Used to make me laugh, advertisements like that did" (A. Christie). *« Ça me faisait rire, les petites annonces comme ça ».*

208 (3) pour exprimer une *supposition*, au subjonctif (style soigné). Voir 358.

Were I to tell you the whole story... (= If I were to...) *Si je vous racontais toute l'histoire...* (127).

Had I known the whole truth... (= If I had known...) *Si j'avais su toute la vérité...*

Should this happen again... (= If this should happen again...). *Si par hasard cela se reproduit...* (372).

209 (4) lorsqu'un *terme négatif (never, nowhere, not only, no sooner, nor) ou restrictif (hardly, only, little, seldom, vainly)* ou *à valeur intensive (well, often)* est *mis en relief exceptionnellement en tête de phrase*, surtout dans le style soigné, voire littéraire. Le verbe est alors construit comme pour l'interrogation.

Never shall we forget how much we are indebted to you. *Jamais nous n'oublierons tout ce que nous vous devons.*

Nowhere was the wretched dog to be found. *Nulle part on ne put retrouver le maudit chien.*

Not only could he speak four languages, but he was also a first-rate pianist. *Non seulement il parlait quatre langues, mais il était aussi excellent pianiste.*

Not once did he make the slightest effort to try and help us. *Pas une seule fois il n'a fait le moindre effort pour essayer de nous aider.*

No sooner had they sat down on the lawn to have tea than it started raining (= Hardly had they sat... when it started raining). *Ils ne furent pas plus tôt assis sur la pelouse pour prendre le thé qu'il se mit à pleuvoir* (remarquer « *no sooner... than...* » et « *hardly... when...* », voir 958).

On no account are you to tell anybody about it. *A aucun prix vous ne devez en parler à qui que ce soit.*

Nor was he the only one to know (en tête de phrase, *nor* = *and... not*, voir 172, derniers exemples). *Et il n'était pas le seul à le savoir.*

He hadn't breathed a word to any of his friends, nor had he even told his wife. *Il n'en avait soufflé mot à aucun de ses amis, et n'en avait même pas parlé à sa femme.*

Only thus can you hope to succeed (style pompeux). *C'est seulement ainsi que vous pouvez espérer réussir.*

Little does he know what's in store for him. *Il ne se doute guère de ce qui l'attend.*

Well do I remember your grandfather. Seldom have I seen such a remarkable man. *Je me rappelle fort bien votre grand-père. J'ai rarement vu un homme aussi remarquable.*

D'autres adverbes (de temps : *then, sometimes...*, de manière : *fortunately, really...*) peuvent se placer eux aussi en tête de phrase, mais sans qu'il y ait inversion. Voir 222.

210 (5) lorsqu'un *complément de lieu* est *placé en tête de phrase* et que le verbe est *to be* (ou un synonyme : *to stand, to lie*).

Between the two windows was (ou : stood) a large Tudor wardrobe. *Entre les deux fenêtres se trouvait (se dressait) une grande armoire du XVIᵉ siècle.*

(6) lorsqu'un *adjectif attribut* est *placé exceptionnellement en tête de phrase.*

Great was the dismay when the enemy reached the walls of the city (style écrit très soigné). *Grande fut l'épouvante quand l'ennemi parvint jusqu'aux murs de la ville.*

Such were his words. *Telles furent ses paroles.*

Mais, sans inversion :

Right you are ! *Entendu, d'accord !*

(7) lorsque *la phrase commence par une postposition* et que *le sujet est un nom.*

Round and round went the stream of cars. *La file de voitures tournait interminablement* (dans un autodrome).

Remarquer que le verbe est construit sans auxiliaire (**went the cars**, et non « **did the cars go** »); comparer avec les exemples du § 209.

211   (8) après *as* et *than* lorsque *le verbe se réduit à un simple auxiliaire* et que le sujet est long.

All true-born Englishmen would have behaved as did the hero of this story. *Tout Anglais de bonne race se serait conduit comme le héros de cette histoire.* (Mais avec un sujet court : **as we did**, sans inversion).

He worked harder than did most of his school-fellows. *Il travaillait plus que la plupart de ses camarades de classe* (*did* peut ici être supprimé).

Dans un article du Christian Science Monitor (1982) : **The partners of the United States need that partnership, just as does the United States** (ici *does* pourrait également être placé en fin de phrase).

(9) après *so,* suivi d'un adjectif, *exprimant la cause* (style très soigné).

I rang him up every twenty minutes, so anxious was I to hear the news (plus simplement : **as I was so anxious**...). *Je l'appelais au téléphone toutes les vingt minutes, tant j'étais impatient d'apprendre la nouvelle.*

So excited was I that I could hardly speak (plus simplement : **I was so excited that**...). *J'étais si ému que je pouvais à peine parler.*

---

2. — LES COMPLÉMENTS

212 (a) *La nature et la construction des compléments* (régime du verbe) seront étudiées méthodiquement dans les leçons 24 à 29.

(b) *Place des compléments.*

(1) L'anglais *ne place pas le complément d'objet entre le sujet et le verbe.*

Je la vois. **I can see her.**

J'y pense. **I'm thinking of it.**

Le complément d'objet *ne se place pas non plus entre l'auxiliaire et le verbe.*

J'ai tout vu. **I've seen everything.**

Il ne put rien faire. **He could do nothing.**

213   (2) Quand le complément d'objet est placé en relief *en tête de phrase,* ce qui est assez rare, *il n'est pas répété* sous la forme d'un pronom.

Mrs Williams I have known for years, but I made her husband's acquaintance only yesterday. *Mrs Williams, il y a des années que je la connais, mais c'est seulement hier que j'ai fait la connaissance de son mari.*

He begged us to leave him there in the snow, but that, of course, we could not do. *Il nous supplia de le laisser là dans la neige, mais cela, évidemment, nous ne pouvions pas le faire.*

Whatever he was interested in he wrote books about. *Toutes les choses qui l'intéressaient, il écrivait des livres à leur sujet.*

A fat lot of work you've done ! (ironique). *Tu ne t'es pas fatigué !*

A fine mess you've got yourself into ! *Tu t'es mis dans de beaux draps !*

De même on place parfois en tête de phrase un nom attribut (sorte de clin d'œil au lecteur).

'It's whisky, ain't it ?' he piped, feebly.

The boss turned the bottle and lovingly showed him the label. Whisky it was (Katherine Mansfield).

« C'est du whisky, hein ? » murmura-t-il de sa petite voix aiguë.

Le directeur tourna la bouteille et lui montra l'étiquette avec attendrissement. C'était bien du whisky.

214 (3) En principe *le complément direct d'objet ne doit pas être séparé du verbe.*

J'aime beaucoup le thé. I like tea very much.

Dites-lui bonjour. Say good-morning to him.

Il parle très bien l'anglais. He speaks English very well.

Expliquez-moi ce poème. Explain this poem to me.

Traduisez-moi cette lettre. Translate this letter for me (« explain me », « translate me »... sont des constructions impossibles; voir 493).

S'il y a deux compléments directs, l'un objet et l'autre d'attribution, le complément d'attribution se place le premier : **Give me my hat. He sent us a long letter. They have offered my son a very good job.**

Toutefois on peut dire **« Give me it »** ou **« Give it me »** (cette dernière construction est plus familière). Voir 492.

215 (4) *Les autres compléments* se placent normalement *après le complément direct.*

We must take his difficulties into account. *Nous devons tenir compte de ses difficultés.*

We borrowed the money from him. *Nous lui avons emprunté l'argent.*

He explained his reasons to us. *Il nous a expliqué ses raisons.*

De même on ne sépare pas normalement le verbe de l'attribut par un complément indirect.

They looked very silly to us. *Ils nous paraissaient bien stupides.*

Toutefois quand le complément direct est long et que les autres termes de la phrase (compléments indirects, adverbes...) sont courts, il arrive que l'on inverse l'ordre normal pour éviter une construction gauche ou ambiguë.

Let me introduce to you my old friend Harry Watkins and his wife. *Permettez-moi de vous présenter mon vieil ami Harry Watkins et sa femme.*

Can you explain to them what happened ? *Pouvez-vous leur expliquer ce qui s'est passé ?* (pour éviter l'ambiguïté de « what happened to them »).

He explained to us his reasons for refusing the offer. *Il nous a expliqué les raisons pour lesquelles il a refusé cette offre.*

We borrowed from him all the money we needed to buy the house. *Nous lui avons emprunté tout l'argent dont nous avions besoin pour acheter la maison.*

216   (5) *Les compléments circonstanciels* se placent après les compléments d'objet et d'attribution, directs et indirects.

> **I gave it to John's father last week.** *Je l'ai donné la semaine dernière au père de John.*
> **I wrote a very long letter to Jane this morning.** *J'ai écrit ce matin à Jane une très longue lettre.*

Quand il y a à la fois un complément de lieu et un complément de temps, on place en dernier celui que l'on veut mettre en relief.

> **I met him outside the station last night.** *Je l'ai rencontré hier soir devant la gare.* On peut dire aussi : **I met him last night outside the station.**

---

3. — L'ADVERBE

217   La place de *not* a été étudiée à la leçon 2, notamment à la forme interro-négative (34, 35), et celle des *postpositions* à la leçon 8 (183).

Le principe essentiel à retenir est que *l'adverbe ne sépare pas normalement le verbe de son complément direct,* surtout si ce dernier est court (voir plus haut, 214). A part cela, dans la langue écrite, la place de l'adverbe est souvent fonction du style choisi par l'auteur. Les règles énoncées ci-dessous ne sont donc que des indications permettant de mettre un peu d'ordre dans un domaine assez confus.

218 (a) *Adverbes de fréquence et de temps imprécis (always, often, frequently, seldom, rarely, sometimes, hardly ever, never; already, no longer, soon, still, usually, ever,* etc.).* Ils se placent juste avant le verbe (avant le verbe principal s'il est accompagné d'un auxiliaire).

> **He never smokes.** *Il ne fume jamais.*
> **We usually spend our holidays in Spain.** *Nous passons généralement nos vacances en Espagne.*
> **We soon realized why he hadn't come.** *Nous avons vite compris pourquoi il n'était pas venu.*
> **I have never been to England.** *Je ne suis jamais allé en Angleterre.*
> **We are still waiting for him.** *Nous l'attendons toujours.*
> **We shall always remember that evening.** *Nous nous souviendrons toujours de ce soir-là.*
> **You can always phone me.** *Vous pouvez toujours me téléphoner.*

S'il y a plusieurs auxiliaires, l'adverbe de temps imprécis se place le plus souvent après le premier.

> **He would never have passed that exam without your encouragement.** *Il n'aurait jamais passé cet examen sans vos encouragements.*
> **The plans that have already been suggested** (mieux que : **the plans that have been already suggested).** *Les projets qui ont déjà été proposés.*

219   *Exceptions :* (1) Ces adverbes se placent *après le verbe to be* à un temps simple, sauf si ce verbe est le dernier mot de la phrase ou s'il est à l'impératif.

> **He is often late. — Yes, he often is.** *Il est souvent en retard. — Oui, il l'est souvent.*
> **Never be late.** *Ne sois jamais en retard.*

(2) Nous avons vu que *never,* et aussi parfois *seldom* et *often,* peuvent se placer exceptionnellement *en tête de phrase,* suivis d'une inversion (209).

(3) **Never** et **always** se placent souvent **avant les auxiliaires** pour donner plus de vigueur à la phrase (style emphatique).

> **I never could understand why he had settled in such a dirty town.** *Je n'ai jamais pu comprendre pourquoi il s'était fixé dans une ville aussi sale.*
> **You never can tell.** *On ne sait jamais* (expression proverbiale).
> **I never have liked the man** (*have* est accentué). *Jamais je n'ai eu de sympathie pour cet homme.*
> **"Britons never shall be slaves".** *Jamais les Anglais ne seront esclaves.*
> **You always were a coward.** *Vous avez toujours été un lâche* (preterite, voir 264).
> **There always have been rich and poor in the world and there always will be** (W.Somerset-Maugham). *Il y a toujours eu des riches et des pauvres dans ce monde et il en sera toujours ainsi.*

(4) **Si la phrase est elliptique,** l'adverbe précède toujours l'auxiliaire.

> **I have often had to go to bed on an empty stomach, believe me, I often have.** *Il a souvent fallu que j'aille me coucher le ventre vide, croyez-moi, cela m'est arrivé souvent.*

(5) En **américain**, les adverbes de fréquence et de temps imprécis sont souvent placés **avant les auxiliaires (be, have, can...).**

> **It now is impossible to save them** (British English : **It is now impossible...**).
> **The President long has favored the plan** (British English : **has long favoured**).

220 ⓑ *Adverbes de temps précis (yesterday, today, tomorrow, early, late...) et de lieu (outside, downstairs...)* : ils se placent généralement à la fin de la proposition.

> *J'ai vu hier un accident dans la rue.* **I saw an accident in the street yesterday.**
> *Il y a en bas une dame qui vous attend.* **There's a lady waiting for you downstairs.**

Mais on peut les mettre en relief en tête de phrase (style soigné).

> **Yesterday I saw an accident in the street.**

221 ⓒ *Les adverbes de modalité (hardly, scarcely, barely, nearly, almost, all but, "sort of", "kind of", just, only, merely, half, quite, rather, even, really,* se placent en général devant le mot (souvent le verbe) dont ils modifient le sens. Il s'agit surtout d'être clair.

> **He hardly understands what is going on.** *Il comprend à peine ce qui se passe.*
> **She nearly fainted.** *Elle faillit s'évanouir.*
> **I rather like this picture.** *J'aime assez ce tableau.*

Comparer :

> { **He even apologized** (*even* accentué). *Il est allé jusqu'à s'excuser.*
> { **Even he apologized** (*he* accentué). *Même lui s'est excusé.*

> { **Only I can help you.** *Moi seul, je peux vous aider.*
> { **I can only try and help you.** *Tout ce que je peux faire, c'est essayer de vous aider.*

On a toutefois tendance à placer *only* vers le début de la phrase, même quand le sens semble s'y opposer.

106

He only died a week ago. *Il y a seulement une semaine qu'il est mort* (la place logique de *only* serait devant *a week*). Voir leçon 50, exercice B.

222 ⓓ *Autres adverbes* (notamment de *manière*) : ils peuvent se placer à divers endroits de la phrase, avant le verbe ou après les compléments selon le style de la phrase, selon son rythme; ils peuvent aussi être en tête de phrase.

> **He readily helped all those who needed his help.** *Il aidait volontiers tous ceux qui avaient besoin de son aide.*
> **I'll help your friends willingly.** *J'aiderai volontiers vos amis.*

Dans ces deux phrases il serait impossible de placer l'adverbe entre le verbe et le complément direct d'objet.

> **Unfortunately, we couldn't manage to be free.** *Nous n'avons malheureusement pas pu nous arranger pour être libres.*

Ici l'adverbe s'applique à l'ensemble de la phrase et non au verbe seul, d'où sa place.

> **Read carefully all the books I've lent you.** *Lisez avec soin tous les livres que je vous ai prêtés* (le complément d'objet étant long, l'adverbe est placé avant pour éviter l'ambiguïté de : « lent you carefully »).

Si le verbe est intransitif l'adverbe de manière se place après lui.

> **He ate greedily and laughed noisily.** *Il mangeait voracement et riait bruyamment.*

A la voix passive l'adverbe de manière peut se placer avant ou après le participe passé.

> **They were severely punished** (= **punished severely,** tournure qui insiste plus sur la sévérité). *Ils ont été punis sévèrement.*

223 ⓔ *Cas particuliers.*

(1) *Enough* et *too much* modifiant un verbe se placent après ce verbe (pour leurs autres emplois, voir 652 et 797).

> **You've drunk enough.** *Vous avez assez bu.*
> **He's drunk too much.** *Il a trop bu.*

(2) *Very much, (very) well, badly* se placent en fin de proposition, sauf si les compléments sont très longs.

> **We enjoyed meeting our friends very much.** *Nous avons été très heureux de rencontrer nos amis.*

Mais :

> **We very much enjoyed** (et parfois : **we enjoyed very much**) **seeing our friends who had been in America for two years.** *Nous avons été très heureux de voir nos amis qui étaient en Amérique depuis deux ans.*

224 (3) *Also* se place avant le verbe (entre l'auxiliaire et le verbe s'il est à un temps composé), *too* se place après le terme qu'il modifie, dont il est souvent séparé par une virgule.

> **She plays the piano and also sings** = **she plays the piano, and sings, too.** *Elle joue du piano et elle chante aussi.*
> **He can drive and also pilot a plane** = **he can drive, and pilot a plane, too** (= **and pilot a plane as well).** *Il sait conduire et aussi piloter un avion.*
> **I, too, have been to Australia.** *Moi aussi, je suis allé en Australie.*
> **I have been to Australia, too.** *Je suis allé également en Australie* (mais cette phrase peut aussi être synonyme de la précédente).

225 (f) *Split infinitive.* Principalement dans le style écrit, surtout en américain, on place parfois l'adverbe entre la particule *to* et l'infinitif. C'est ce qu'on appelle le « split infinitive », construction critiquée par certains puristes. Il est presque toujours possible de l'éviter sans être ambigu.

> **It is difficult to perfectly understand this question.** Un Anglais préfère dire ou écrire : **It is difficult to understand this question perfectly.**

Il se rencontre en Angleterre surtout avec des adverbes courts, notamment : *just, better, fully, always, never, "sort of"* (131).

> **I told him to just wait.** *Je lui ai dit qu'il n'avait qu'à attendre.*
> **Is it wise to always humour a child ?** *Est-il sage de toujours céder aux caprices d'un enfant ?*
> **I teach them to always tell the truth/ to never tell lies.** *Je leur apprends à toujours dire la vérité/ à ne jamais mentir* (On peut éviter le split infinitive en disant : **I teach them always to tell the truth/ never to tell lies).**
> **In order to better realize the importance of the problem...** (= In order the better to realize...). *Afin de mieux comprendre l'importance du problème...*
> **I was beginning to sort of hate him** (J.D. Salinger, romancier américain). *Je commençais vaguement à le haïr.*
> **I wasn't at all hungry, but I figured I ought to at least eat something** (J.D. Salinger). *Je n'avais pas du tout faim, mais je me suis dit que je devrais au moins manger quelque chose.*
> **Please ask Mrs Vizzard to on no account let the room which I shall be requiring** (Norman Collins). *Veuillez demander à Mme Vizzard de ne louer sous aucun prétexte la chambre, dont j'aurai besoin.*

---

4. — LA PRÉPOSITION

Voir 182 (préposition et postposition) et leçon 42 (liste alphabétique).

226 (a) Dans une proposition introduite par un pronom relatif *(who, whom, which)* ou un pronom (ou adjectif) interrogatif *(what, who, whose, which)* construit avec une préposition, celle-ci est couramment *rejetée après le verbe et ses compléments.*

> **What are you waiting for ?** *Qu'attendez-vous ?*
> **What are you complaining about ?** *De quoi vous plaignez-vous ?*
> **Who are you writing to ?** *A qui écrivez-vous ?* (*who* plutôt que *whom*, 784).
> **Who did you play with ?** *Avec qui avez-vous joué ?*
> **The man I was talking to** (plutôt que : **The man to whom I was talking**) **is my doctor.** *L'homme avec qui je parlais est mon médecin.*

Voir 773 (rejet de la préposition quand le relatif est *that*).

Le rejet de la préposition, qui permet de ne pas exprimer le pronom relatif (c'est le « relatif zéro », ou ∅), s'emploie plus encore dans la langue parlée que dans la langue écrite.

Il peut se faire aussi quand le verbe est à *l'infinitif.*

> **He has no friends to play bridge with** (dans un style très soigné : no friends with whom to play bidge). *Il n'a pas d'amis avec qui jouer au bridge.*
> **They had no beds to sleep in** (= in which to sleep). *Ils n'avaient pas de lits où dormir.*

108

On place de même *to* et *from* à la fin d'une proposition introduite par l'adverbe *where*.

> **Where did you get it from ?** *Où t'es-tu procuré cela ?*
> **Where did you go to ?** *Où êtes-vous allés ?*

227 (b) La préposition est couramment rejetée après le terme interrogatif dans les *questions elliptiques* (intonation descendante).

> **I've been playing tennis. — Who with ?** *Je viens de jouer au tennis. — Avec qui ?*
> **I'm going to buy a microscope. — What for ?** (886). *Je vais acheter un microscope. — Pour quoi faire ?*
> **He's giving a lecture tonight. — What about ?** *Il donne une conférence ce soir. — Sur quoi ?*

N.B. On ne rejette pas la préposition quand il ne s'agit pas vraiment d'une question (demande de précision supplémentaire) mais plutôt de l'expression d'une *surprise* (*incrédulité ou indignation* : on veut faire répéter la phrase pour s'assurer qu'on a bien entendu).

> **He's giving a lecture tonight about Welsh music in the 17th century. — About what ?** (*What* fortement accentué; intonation ascendante). *Il donne une conférence ce soir sur la musique galloise au XVIIe siècle. — Sur quoi ?*
> **I had lunch with your girl-friend yesterday. — With who ?** (beaucoup plus courant que "with whom ?"). *J'ai déjeuné hier avec ta petite amie. — Comment ? Avec qui ?*

EXERCICES

[A] Modifier les phrases en les commençant par une *inversion* (a) phrases 1 à 13, pour mettre en relief un terme négatif ou restrictif; (b) phrases 14 à 16, pour insister sur une cause (avec so); (c) phrases 17 à 20, pour exprimer une supposition. Les phrases ainsi construites sont de style plus soigné, voire littéraire.

1. I have never seen such a lazy fellow. — 2. The jewels were nowhere to be found. — 3. He did not smile once. — 4. You must not open this drawer on any account. — 5. And they were not the only ones to complain. — 6. You will be able to persuade him to come only by flattering him. — 7. I had seldom seen a funnier show. — 8. They did not stop once for a rest. — 9. We had no sooner opened the door than they all rushed out. — 10. And he did not expect them to agree with him. — 11. I had never read a more pathetic story. — 12. You can see old peasants playing the harp only in Welsh villages. — 13. We shall never see them again. — 14. She was so weak that she could hardly stand. — 15. He felt so ashamed that he avoided meeting us for a few weeks. — 16. We were so happy that we should have liked to stay there for ever. — 17. If you should need our help, you know that you can always depend on us. — 18. If he had been there, he would have told you what to do. — 19. If I had been told in time, I could have come. — 20. If we should ever meet him, let's ignore him.

[B] Traduire, avec une *inversion* toutes les fois que c'est possible :

1. Ils n'ont pas beaucoup travaillé, aussi ont-ils échoué. — 2. Vous ne vous doutez guère de ce qu'il va dire. — 3. Peut-être trouverez-vous que je suis un peu indiscret. — 4. Savez-vous ce que signifie ce mot ? — 5. Il n'eut pas plus tôt fini de boire sa tasse de thé qu'il se remit au travail. — 6. Je ne sais pas où est la prise de

courant. — La voici. — 7. Quelle grande maison ont vos voisins ! — 8. Victoria Station est la gare d'où partent les trains pour Douvres. — 9. Nous le croyions en Amérique, aussi avons-nous été fort surpris de le rencontrer à Oxford. — 10. Vous ne savez pas encore ce qu'est la nourriture anglaise. — 11. Jamais il ne saura la vérité à leur sujet. — 12. Je me demande qui sont ces nouveaux voisins. — 13. Il ne se doute guère que ce qu'il dit est vrai. — 14. Peut-être suis-je dans l'erreur. — 15. Si nous avions su qu'ils étaient à Londres, nous aurions essayé de les rencontrer. — 16. Je vis venir vers moi un vieillard et un petit enfant. — 17. A peine fut-il rentré du Brésil que le rédacteur en chef l'envoya faire un reportage sur la guerre au Vietnam. — 18. Peut-être viendront-ils par le train. — 19. Savez-vous ce qu'en pensent vos parents ? — 20. Non seulement il a refusé leur offre, mais il les a aussi insultés.

[C] Placer l'adverbe dans la phrase :

1. (very much) I like this wine. — 2. (only) We know the truth, let's keep it a secret. — 3. (well) Did they play the symphony ? — 4. (even) He had deceived me; I felt I had no friends left. — 5. (hardly) He knew what he was saying. — 6. (often) He is ill, but (never) he looks ill. — 7. (very well) She plays the piano. — 8. (rather) I liked the young actress. — 9. (very much) I enjoyed spending that day in New York. — 10. (slowly) She read the long letter that her son had sent her. — 11. (half) I understood what he meant. — 12. (yesterday) I bought a new book about Lewis Carroll. — 13. (even) He could understand that, though he is only seven. — 14. (often) I have told you what I think. — (often) Yes, you have. — 15. (nearly) I lost my temper. — 16. (only) I understand you, nobody else does. — 17. He's been to Australia. (too) And to New-Zealand. (also) And to Borneo. (as well) And to Ceylon. — 18. (often) He is bad-tempered. — (often) Yes, he is. — 19. (soon) He recovered his self-control. — 20. (usually) We go to the pictures on Saturday afternoons.

D Rejeter la préposition pour obtenir des phrases plus élégantes et plus idiomatiques (telles qu'elles sont données ci-dessous, certaines de ces phrases sont guindées, impossibles dans la langue parlée).

1. With whom were you speaking ? — 2. Against how many countries was Britain fighting ? — 3. For whom did you buy this present ? — 4. On which wall will you hang it ? — 5. To whom shall we send this lovely Christmas card ? — 6. He has not even a chair on which to sit. — 7. From whom could we borrow a lawn-mower ? — 8. On what shall I sleep ? — 9. Of what is she afraid ? — 10. In which suitcase shall I carry it ?

E Poser des *questions elliptiques* utilisant les prépositions proposées, (a) pour demander un précision, ou (b) pour manifester de l'incrédulité (227).

1. I'm going to write a long letter. — (to). — 2. I'm writing a letter to the Pope. — (to). — 3. They are complaining about the noise you made last night. — (about). — 4. They are complaining. — (about). — 5. I've bought a lovely diamond ring. — (for). — 6. I've bought a lovely diamond ring for my mother-in-law — (for). — 7. I received four presents for my birthday this morning. — (from). — 8. I went to a concert last night. — (with). — 9. I went to Venice with his wife last summer. — (with). — 10. Be careful, I warn you. — (of).

10. — PRÉSENT PROGRESSIF ET PRÉSENT SIMPLE

1. — NOTION D'ASPECT

228 (a) Alors que le temps indique dans quelle période se situe l'action exprimée par le verbe (passé, présent, avenir), l'aspect envisage l'action sous l'angle de son *déroulement* (*durée, achèvement, répétition,* etc.). Le français, riche en temps, ne marque pas toujours nettement l'aspect, sauf au passé. Jadis notre passé composé exprimait principalement l'achèvement de l'action (aspect perfectif : « *J'ai lu ce livre* »; dans cette phrase on ne raconte pas l'action, on déclare l'avoir faite, sans plus). Mais il est souvent réduit maintenant au rôle de synonyme du passé simple, temps de la narration (« *J'ai lu ce livre pendant les vacances de Noël* »). Seul aujourd'hui notre imparfait exprime clairement des nuances d'aspect. Il peut s'employer par contraste avec le passé simple (ou le passé composé) pour marquer le caractère inachevé d'une action à un moment donné du passé (*Ils jouaient au tennis quand il s'est mis à pleuvoir*) ou la répétition de l'action (*Le samedi après-midi ils jouaient au tennis*). Ce qui distingue « *ils jouaient au tennis* », dans ces deux phrases, de « *ils ont joué au tennis (hier après-midi)* » n'est pas une différence de temps (il s'agit du passé dans les trois cas) mais d'aspect. L'anglais marque nettement cette différence :

> **They played tennis yesterday afternoon** (*aspect ponctuel :* l'action est envisagée comme un point que l'on regarde rétrospectivement).
>
> **They were playing tennis** (*aspect progressif*, ou *imperfectif :* l'action est présentée comme inachevée, en plein déroulement) **when it started raining.**
>
> **On Saturday afternoons they would play** (ou : **used to play**) **tennis** (*aspect fréquentatif*, ou *itératif :* le verbe exprime une action répétée).

229 (b) Au présent le français n'a qu'une forme (« *ils jouent* »), alors qu'en anglais il y a une opposition fondamentale entre le présent simple (« **they play** ») et le présent progressif (« **they are playing** ») :

> **They play tennis very well** (*aspect atemporel :* l'action n'est pas située dans le temps).
>
> **They play tennis on Saturday afternoons** (*aspect fréquentatif*).
>
> **What are they doing now ?** — **They are playing tennis** (*aspect progressif*, ou *imperfectif*).

L'aspect progressif (ou : *forme progressive*) s'emploie pour exprimer une action qui est *en cours*, « *en progrès* », qui est *inachevée*. On sait qu'elle est commencée et qu'elle n'est pas encore terminée. Ce que l'on décrit se situe donc entre son commencement et son achèvement, que l'on n'envisage ni l'un ni l'autre. *Le présent progressif est donc le présent par excellence.*

Aux autres temps que le présent, l'opposition fondamentale entre les deux formes (ex. : **they played/they were playing**) obéit aux mêmes principes et sert à marquer des différences d'aspect.

230 (c) Il existe une autre opposition fondamentale, entre les *actions inachevées* (aspect progressif, ou *imperfectif :* **I'm doing my work**) et les *actions achevées*, accomplies (aspect *perfectif :* **I've done my work**).

Quand j'emploie un **present perfect** (aspect perfectif du présent) je ne raconte pas l'action, je déclare seulement qu'elle a été accomplie. Dans la phrase : « **they have played tennis at Wimbledon** », il ne s'agit pas vraiment d'un fait passé (il n'y a pas de regard tourné vers le passé pour y retrouver l'action, la situer, la raconter), mais d'un **aspect du présent** : au moment où je prononce cette phrase je peux affirmer que l'action a été accomplie antérieurement au présent, que « **c'est chose faite** ». L'opposition entre l'imperfectif et le perfectif (**I'm doing/I've done**) est illustrée sous une forme elliptique par le « **Going, going, gone** » (*une fois, deux fois, adjugé*) des commissaires-priseurs (voir 260).

Si je parle d'actions antérieurement achevées, mais dans des contextes passés ou futurs, je me sers du **past perfect** ou du **future perfect**.

On a donc pour chaque verbe trois séries de formes, par exemple :

— le verbe **to write** : He writes a new book every year (action répétée).
— le verbe **to be writing** : He is writing a new book (action inachevée).
— le verbe **to have written** : He has written a new book (action achevée).

Il s'agit de trois aspects du même verbe.

231 (d) Le present perfect remplit d'autres fonctions, celles d'un *temps* plus que d'un aspect, quand il situe une action *à la fois dans le passé et le présent*, par exemple dans : « **we have known him for years** » ou : « **they have been playing tennis since breakfast** » : ces actions ne sont pas achevées, comme le montrent les compléments de temps et, dans la seconde phrase, la forme progressive, c'est-à-dire l'aspect imperfectif. Ce **glissement de l'aspect vers le temps**, perceptible dans les fonctions du present perfect (ainsi que du past perfect, etc.) explique pourquoi son emploi est parfois délicat pour les étrangers (comparer avec les fonctions de **will** et **be going to**, où l'on remarque un glissement de la modalité vers le temps, 297).

---

2. — LE PRÉSENT PROGRESSIF

232 (a) On a vu que le présent progressif (présent de **be + participe présent**) est le **vrai présent anglais** (« **present continuous** », parfois appelé « **real present** »), celui que l'on emploie pour les actions qui sont faites en ce moment, qui sont commencées mais non terminées (**aspect imperfectif**). Il insiste sur le fait que ce que l'on dit s'applique uniquement au moment présent (en prenant cette dernière expression dans un sens large, comme deux exemples le montreront).

La forme progressive peut se combiner avec les auxiliaires de modalité (**she must be waiting, they should be working...**).

Look ! He's sleeping. *Regardez ! Il dort (il est en train de dormir).*
Somebody's waiting for you. *Quelqu'un vous attend.*
What are you looking at ? *Que regardez-vous ?*
What's she doing ? — She must be working in the garden. *Que fait-elle ? — Elle doit être en train de travailler dans le jardin.*
It isn't raining, is it ? — It is. *Il ne pleut pas, j'espère ? — Mais si.*
Who's speaking ? *Qui est à l'appareil ?* (au téléphone).
He's writing a new novel. *Il écrit un nouveau roman* (Ici le « moment présent » où est située l'action doit être entendu dans un sens large : il a commencé à l'écrire, il ne l'a pas terminé, mais il n'est pas nécessairement en train d'y travailler en ce moment).

Aren't you smoking too much at the moment ? *Vous ne fumez pas trop en ce moment ?* (= ces temps-ci, et non au moment où la question est posée, par exemple par un médecin).

Le sujet *you* et l'auxiliaire sont parfois sous-entendus dans des questions familières (de même que les sujets *I* et *we* et l'auxiliaire dans des phrases affirmatives).

Coming ? (= Are you coming ?) *Vous venez ?*
Coming ! (= I'm coming) *J'arrive !*
Enjoying yourselves, children ? *Alors, les enfants, on s'amuse bien ?*
Enjoying ourselves. *Nous nous amusons bien* (style des cartes postales de vacances).

233 (b) Le présent progressif s'emploie dans les **descriptions** pour tout ce qui s'applique au moment présent (par exemple dans la description d'une personne, sa position, son attitude, les vêtements qu'elle porte en ce moment).

The children are sitting on the grass. *Les enfants sont assis sur l'herbe.*
Why are you standing ? *Pourquoi restez-vous debout ?*
She is wearing a new hat. *Elle porte un nouveau chapeau.*

Aux expressions françaises *être assis, être couché, être penché, être agenouillé, être appuyé,* etc. (*être + participe passé*) correspondent des formes progressives (*to be + participe présent*) : **to be sitting, lying, bending, kneeling, leaning...**

(c) On verra (246 à 250) que certains verbes *ne s'emploient pas à la forme progressive (to know, to believe...),* d'autres dans certains de leurs sens seulement *(to have, to think...).*

234 (d) *To keep* a souvent la valeur d'un auxiliaire de la forme progressive, mais il insiste sur l'absence d'interruption (**aspect duratif**) plus que sur le caractère inachevé de l'action (aspect imperfectif), surtout au passé et à l'impératif.

She kept crying the whole night. *Elle pleura toute la nuit sans s'arrêter.*
Keep waiting. *Continuez à attendre.*
Keep smiling. *Gardez le sourire.*
Keep working. *Ne vous interrompez pas.*

Au présent cette construction exprime généralement une répétition obstinée (351).

235 (e) *Valeurs modales de « be + participe présent ».*

Cette périphrase peut exprimer une **intention**, un **projet**, donc un **futur** (**We are leaving tomorrow. She is not coming with us**, 321) ou une **répétition obstinée** (elle est alors accompagnée d'un adverbe de fréquence; **be** peut aussi être remplacé par **keep**, 351).

I'm going to a concert tonight. *Je vais au concert ce soir.*
I'm not seeing anybody today. *Je ne verrai* (ou : *je ne veux voir*) *personne aujourd'hui* (246).
He is always asking (= he keeps asking) **silly questions.** *Il passe son temps à poser des questions stupides.*

Le présent progressif donne parfois à la phrase un **ton moins solennel** que le présent simple : on ne proclame pas une vérité, on dit simplement ce que l'on constate au moment où l'on parle; la phrase est plus familière (style de la conversation et du courrier amical).

We are looking forward to your visit. *Nous nous réjouissons d'avance de votre visite.*

We must be going now. *Il faut que nous partions maintenant.*
We are hoping to go to Spain next year. *Nous espérons aller en Espagne l'année prochaine.*
How are you feeling ? *Comment vous sentez-vous ?*

Au présent simple (**We look forward... We must go... We hope... How do you feel ?**) ces quatre phrases seraient plus sèches.

---

3. — LE PRÉSENT SIMPLE

236   Ce n'est pas à proprement parler un présent, les actions qu'il exprime pouvant dans certains cas se situer dans le passé ou l'avenir aussi bien que dans le moment présent (on dit qu'il a une *valeur atemporelle*).

(a) Il s'emploie pour énoncer des *vérités permanentes*, toujours valables.

The English drink tea. They don't eat frogs. *Les Anglais boivent du thé. Ils ne mangent pas de grenouilles.*
Spring begins on March 21st. *Le printemps commence le 21 mars.*
The earth revolves round the sun. *La terre tourne autour du soleil.*
He plays the piano and also the clarinet. *Il joue du piano et aussi de la clarinette.*
Do you speak German ? *Parlez-vous l'allemand ?*
Do cats eat bats ? *Les chats mangent-ils des chauves-souris ?*
Birds of a feather flock together. *Qui se ressemble s'assemble.*
Charity begins at home. *Charité bien ordonnée commence par soi-même* (De nombreux *proverbes* sont au présent simple, aucun évidemment au présent progressif; quelques-uns sont construits avec *will* exprimant l'aspect fréquentatif, 349).

Le présent simple ne décrivant pas une action précise mais un caractère permanent, il correspond parfois à un nom français.

What does she do (for a living) ? *Quel est son métier ?*
She teaches French. *Elle est professeur de français.*

237   (b) Il a souvent une *valeur fréquentative (« présent d'habitude »)*. « **They play tennis** » peut exprimer, selon la phrase, une vérité permanente (**They play tennis very well**) ou une action habituelle (**They play tennis on Saturday afternoons**).

We have tea at 4. *Nous prenons le thé à 4 heures.*
She goes to London twice a month. *Elle va à Londres deux fois par mois.*
What do they do on Sundays ? *Que font-ils le dimanche ?*
What time do you get up ? *A quelle heure vous levez-vous ?*
How often do they see each other ? *Tous les combien se voient-ils ?*

238   (c) Comparer les phrases suivantes, où sont employés les deux présents :

He wears glasses because he is short-sighted. Why isn't he wearing them today ? *Il porte des lunettes parce qu'il est myope. Pourquoi ne les porte-t-il pas aujourd'hui ?*
He's learning his lessons. He always learns them at the last minute. *Il est en train d'apprendre ses leçons. Il les apprend toujours à la dernière minute.*
The actors are rehearsing; they rehearse every morning. *Les acteurs sont en train de répéter; ils répètent tous les matins.*

114

It's raining again. Does it often rain in your country ? *Il s'est remis à pleuvoir. Est-ce qu'il pleut souvent dans votre pays ?*

239 (d) Dans les exemples précédents le présent simple ne décrit pas des actions qui se déroulent dans le moment présent, sous les yeux du locuteur. En dehors des cas particuliers étudiés aux §§ 246 à 249 il ne peut *décrire des actions présentes* que :

(1) dans les *indications scéniques* et les *résumés d'œuvres littéraires.*

Christy goes sheepishly to the door. Mrs Dudgeon buries her face in her hands. Christy opens the door, and admits the minister... (G.B. Shaw, The Devil's Disciple).

At the appointed time, demons appear to summon him. He denies their power over him; they disappear, and Manfred expires (The Oxford Companion to English Literature).

Mais il s'agit moins ici de descriptions (ce que l'auteur voit sur scène ou dans son imagination en lisant le drame de Byron) que de ce qui est devenu des vérités situées en dehors du temps : « c'est ainsi que les choses se passent dans cette œuvre ».

240 (2) dans les *reportages à la radio ou à la télévision*, en particulier quand il y a une *succession rapide d'actions* (au cours d'un match par exemple) qui interdit au commentateur de décrire chacune d'elles comme si c'était un tableau devant ses yeux. La valeur imperfective du présent progressif ne permet pas de l'employer pour une série d'actions trop rapides pour que l'on puisse considérer chacune d'elles comme déjà commencée mais pas encore terminée au moment où elle est décrite. Le présent simple exprime alors l'*aspect ponctuel*, la série d'actions étant vue comme une succession de points. Mais ce genre de narration dans le présent est assez rare : on ne raconte au présent que ce que l'auditeur ne peut pas voir (radio) ou ne peut pas bien comprendre sans explications sommaires (télévision). Il est normal que les narrations soient beaucoup plus courantes au passé.

241 (3) dans les *titres des journaux*, où l'événement (présent ou récent) est annoncé dans un style dramatique et concis, sur un ton définitif, comme s'il était déjà figé dans l'histoire (voir aussi 988).

Britain declares war on Germany.
57 die in air crash.
Jordan blazes on all fronts.
Co-ed pupils tell Head : 'Don't give up caning'.

Cet emploi du présent simple a été également adopté pour le résumé (c'est-à-dire les titres) des informations à la radio et à la télévision.

242 (e) Le *présent de narration*, souvent employé en français pour raconter dans un style alerte une suite d'actions passées, est rare en anglais (l'emploi du preterite, temps normal de la narration, ne rallonge pas les phrases, contrairement à ce qui se passe en français au passé composé, temps qui ralentit le récit).

Elle met son manteau et son chapeau, se regarde dans la glace, prend son sac à main et dit : « je suis prête ». **She put on her coat and hat, looked at herself in the mirror, took her hand-bag, and said : 'I'm ready'** (plus couramment que : She puts... looks... takes... says...).

On trouve surtout le présent de narration avec le verbe *to say* intercalé dans une citation (style oral).

'You know', he says, 'I think you are right', *« Vous savez »*, dit-il, *« je crois que vous avez raison »*.

Dans la langue relâchée on entend fréquemment dans ce cas « **I says** » : « **Now, I says to him** (ou : **says I**), **who's gonna** (= going to) **pay for it ?** » (« *Alors, que je lui ai dit, qui c'est qui va payer ?* »).

243 (f) Le présent simple a parfois le sens d'un *futur*, dans un style officiel, précis, un peu sec. La date de l'action est alors précisée (322).

> **The President leaves for Geneva at 10 tomorrow.** *Le Président part pour Genève demain à 10 heures.*

Mais dans la langue familière c'est le présent progressif qui s'emploie (**We are leaving tomorrow**, 321).

Après le verbe *to hope* le présent simple a souvent le sens d'un futur.

> **We're going to the seaside tomorrow. Let's hope it doesn't rain.** *Nous allons au bord de la mer demain. Espérons qu'il ne pleuvra pas.*

244 (g) Le présent s'emploie pour exprimer *le potentiel* (on envisage une action encore réalisable dans l'avenir), notamment après *if* et après *when* (remarquer que le français n'emploie pas le même temps après *si* et après *quand*). Voir 325

> **If they come we'll go for a walk.** *S'ils viennent nous irons nous promener.*
> **When they come we'll go for a walk.** *Quand ils viendront nous irons nous promener.*

245 (h) *I forget* s'emploie couramment pour *I've forgetten* (= *I can't remember*); *I hear* pour *I've heard*; *I am told* (= *I understand*) pour *I've been told*.

> **I forget his name.** *J'ai oublié son nom.*
> **I hear** (= **I'm told** = **I understand**) **that you are going away.** *J'ai entendu dire que vous partez.*

---

4. — LES VERBES SANS FORME PROGRESSIVE

246 (a) *Les verbes de perception involontaire* (*to see, to hear*..., voir 534) ne s'emploient pas normalement à la forme progressive, alors que les verbes de sens voisin exprimant des actions volontaires (*to look, to listen*...) ont une forme progressive très courante.

> **Can you see that bird in the tree ? — Yes, I'm looking at it.** *Voyez-vous cet oiseau dans l'arbre ? — Oui, je suis en train de le regarder.*

To feel, to smell et *to taste* peuvent exprimer l'une ou l'autre de ces deux notions (**I can smell gas**, perception involontaire. **Come and smell this rose**, action volontaire).

Dans les phrases suivantes, à la forme progressive, il ne s'agit pas de perception involontaire :

> **She is tasting the soup.** *Elle goûte la soupe.*
> **How are you feeling today ?** *Comment vous sentez-vous aujourd'hui ?* (forme physique et non perception sensorielle). Cette question est plus familière que « **How do you feel ?** » (235).
> **The doctor was feeling his pulse.** *Le docteur lui tâtait le pouls.*
> **We shall be seeing them tomorrow.** *Nous les verrons demain* (ici, **to see = to meet**).
> **Have you been seeing any more of him ?** *L'avez-vous revu ?*
> **I'm not seeing anybody today.** *Je ne verrai* (ou : *je ne veux voir*) *personne aujourd'hui* (235).

Versailles, which my aunt oddly enough *was seeing* for the first time...
(Gr. Greene). *Versailles que, chose bizarre, ma tante visitait pour la première fois...*

Dans le style écrit *to see* et *to hear* exprimant la perception sensorielle sont parfois employés à la forme progressive quand l'auteur veut insister sur le fait que ce qu'il dit s'applique uniquement à l'instant où l'action est située. Mais cet emploi de la forme progressive reste exceptionnel.

They looked at each other. Mor *saw* a very short youthful-looking girl with boyishly cut dark hair and darkly rosy cheeks (...); and he became for an instant acutely aware of what the girl *was seeing* : a tall middle-aged schoolmaster, with a twisted face and the grey coming in his hair (Iris Murdoch).

I looked at everyone as though, in a sort of way, *I were seeing* them for the first time — and for the last time (Agatha Christie).

I had come out of curiosity and I was prepared to be bored, but in ten minutes those Welsh children fascinated me. Everyone knows that the Welsh genius is the gift of song, and I *was hearing* it from the throats of small children (H.V. Morton).

Couramment : ***I'm seeing* double.** *Je vois double* (après avoir bu).

247 (b) Certains verbes expriment des notions n'admettant pas de développement dans le temps (*croyances, préférences, sentiments, apparences*...). On ne saurait les faire suivre de compléments indiquant que l'on considère seulement le moment présent. En réalité il y a quelque chose d'*atemporel* dans le sens de ces verbes. C'est pourquoi *ils ne s'emploient pas normalement à la forme progressive*.

They believe in ghosts. *Ils croient aux fantômes.*
They love each other. *Ils s'aiment.*
I prefer music to painting. *Je préfère la musique à la peinture.*
I like tea. *J'aime le thé* (mais : **I'm enjoying my tea.** *Je me régale avec ce thé*). Voir remarque 2.
I don't understand what he means. *Je ne comprends pas ce qu'il veut dire.*
This house belongs to us. *Cette maison nous appartient.*
He wants to be a sailor. *Il veut être marin.* Voir remarque 3.
Do you mind my cigar ? *Est-ce que mon cigare vous dérange ?*
She looks like her father. *Elle ressemble à son père.*
This tune sounds like an Irish folk-song. *Cet air ressemble à une chanson populaire irlandaise.*
We don't agree with him. *Nous ne sommes pas d'accord avec lui.*
I know him very well. *Je le connais très bien.*
Do you remember that Christmas ? *Vous souvenez-vous de ce Noël ?*

248 *Remarques :*

(1) *To think* admet les deux constructions selon le sens de la phrase.

What are you thinking of ? *A quoi pensez-vous ?* (to think = *réfléchir*).
What do you think of it ? *Qu'en pensez-vous ?* (to think = *avoir une opinion*).
I think (= I believe) he is wrong. *Je pense qu'il a tort* (939).

Dans les deux derniers exemples la forme progressive serait impossible.

(2) Dans la langue familière on emploie parfois « **How are you liking... ?** » dans le sens de « **Are you enjoying... ?** ».

How are you liking it here ? *Vous plaisez-vous ici ?*

(3) Au present perfect *to want* s'emploie assez couramment à la forme progressive.

> **I've been wanting to tell him for months.** *Cela fait des mois que je veux lui en parler.*

Au présent on le trouve exceptionnellement à la forme progressive pour marquer le caractère passager d'une intention.

> **He is wanting to join the army.** (En ce moment) *il veut s'engager dans l'armée* (sous-entendu : sans doute changera-t-il d'avis).

(4) Après *shall* et *will* la forme progressive perd souvent son sens habituel (voir 304) d'où, par exemple, « **I'll be loving you always** » (titre d'une chanson d'Irving Berlin).

249 ⓒ *To have* (51 à 58) peut se mettre à la forme progressive dans son *sens causatif* (1) et dans les expressions du type « *to have a cup of tea* » (2), mais non pour l'expression de la *possession* ou d'un *lien de parenté* (3) ou de la *nécessité* (4).

> (1) **We are having our living room repainted.** *Nous faisons repeindre notre salle de séjour.*
> (2) **They are having lunch.** *Ils sont en train de déjeuner.*
> (3) **They have three children.** *Ils ont trois enfants* (mais : **She's having a child** = she's expecting a child, she is pregnant).
> **You have** (fam. : **You've got**) **a very nice garden.** *Vous avez un très joli jardin.*
> (4) **We have** (fam. : **we've got**) **to be careful.** *Il faut que nous fassions attention.*

Exceptionnellement, pour marquer le caractère éphémère d'une nécessité, on peut dire « **He is having to take tablets (to do some work after dinner,** etc.**) at the moment** ».

250 ⓓ *To be*, auxiliaire de la *voix passive*, peut se mettre à la forme progressive.

> **Our living room is being repainted.** *On est en train de repeindre notre salle de séjour.*

To be suivi d'un *attribut* se met parfois à la forme progressive, pour bien insister sur le fait que ce que l'on dit d'une personne s'applique uniquement au moment présent, ne prétend pas décrire son comportement habituel.

> **You may be very intelligent, but now you are being a fool.** *Vous êtes peut-être très intelligent, mais en ce moment vous vous conduisez comme un imbécile.*
> **They are being unreasonable.** *Ce qu'ils font là n'est pas raisonnable.*
> **He is being funny.** *Il cherche à faire de l'esprit.*
> « **You're being a little erratic this morning, aren't you ? — Am I ? — I would say you were** » (H. Pinter). « *Tu n'es pas un peu capricieux ce matin ? — Moi ? — Il semblerait* » (trad. Eric Kahane).

Comparer :

> **He is a dreadful bore.** *C'est un affreux raseur.*
> **Am I being a bore ?** *Est-ce que je vous ennuie ?* (= **Am I boring you ?**), ou : *Est-ce que je vous dérange ?* (= **Am I being a nuisance ?**).

Dans le cours d'un long récit consacré à une journée de Noël telle qu'elle est vécue par les différents habitants d'une maison londonienne, Norman Collins dit : « **It was being a good Christmas** » (London belongs to me). Mais c'est un effet de style exceptionnel; et une phrase comme « **I've been being jealous of Barbara for nearly twenty years** » (Nigel Balchin) est d'un style recherché et rare.

118

251 Nous avons vu (230) que dans de nombreux cas il convient de considérer le present perfect non comme un temps mais comme *l'aspect perfectif du présent*. « **Someone's taken my umbrella** » renseigne sur le moment présent mais ne raconte pas le passé. Cette phrase indique seulement qu'une certaine action a été accomplie antérieurement au présent et que le présent est différent de ce qu'il serait si elle n'avait pas été accomplie.

Nous avons vu aussi que dans d'autres cas il ne saurait être question seulement d'aspect perfectif à propos du present perfect. « **He's been ill for a week** » situe *à la fois dans le passé et le présent* une action qui n'est pas achevée.

Les différents emplois du present perfect seront étudiés aux §§ 260 à 266.

EXERCICE

[A] Mettre les verbes au présent simple ou au présent progressif (lorsque les deux formes sont possibles, préciser la différence de ton).

1. Usually John (to cut) the grass on Saturday afternoons. I (to do) it today because he (to go) to London on the 2.55 train. — 2. (You + to read, interrog.) this book ?, — No, you (to want, interrog.) to borrow it ? — 3. Which paper (you + to read) on Sundays ? — We (to read) the Observer, we (to prefer) it to the Sunday Times. — 4. (You + to think, interro-nég.) that Tom (to make) progress ? He (to know) his lessons better, and his spelling (to improve) gradually. — 5. We (to look) forward to your visit. We (to see, nég.) you very often. — 6. What (you + to think) of ? — I (to think) of your plans for the summer. — What (you + to think) about them ? — 7. Don't disturb him, he (to have) a rest. He (to sleep, nég.) well at the moment. — 8. We must (to go) now. They must (to wonder) where we are. I (to hope) they (to look, nég.) for us. — 9. We (to go) to the pictures tonight. — How often (you + to go) to the pictures ? — 10. We (to have) our meals in the kitchen at the moment because we (to have) the dining-room repainted. — 11. He (to play) at the Albert Hall tonight. (You + to go, interrog.) ? — I (to feel, nég.) like it. I (to know) he (to play) well, but I (to like, nég.) the concerto he (to play). — 12. (You + to like, interrog.) this country ? — I (to love) it. I (to enjoy) my stay here very much. I even (to prefer) England to my own country. — 13. Why (you + to giggle) ? — Because the new French mistress (to look) like an ostrich, (you + to think, interro-nég.) ? — I (to think) you (to be) silly. — 14. They (to have) a very old house, I (to like, nég.) it. — I (to hear) they (to have) a new one built. — 15. We (to see) them tomorrow. They (to come) by car and (to have) lunch with us. — 16. This man (to look) like our doctor. He even (to wear) the same clothes. — I (to forget) his name, though I (to know) him well. — 17. (You + to want) to have a drink ? — Yes, please; I (to die) for a cup of tea. — 18. A new civilisation (to be) born. I (to believe) the old one (to die). (You + to agree, interrog.) with me ? — 19. We (to have) dinner at 8 on week days. We (have) it earlier today because we (to go) to the theatre. — 20. (You + to mind, interrog.) if I (to open) the window ?

252   Le seul vrai temps du passé est le *preterite* (ou : *past tense*), qui existe, comme le présent, sous deux formes : simple et progressive. Il correspond, suivant les cas, à notre passé simple, à notre passé composé, à notre imparfait ou même à notre plus-que-parfait.

Le *present perfect,* qui exprime les actions achevées antérieurement au moment présent (*aspect perfectif du présent*), n'est pas à proprement parler un passé. Il se traduit d'ailleurs en français tantôt par un passé composé, tantôt par un présent.

De la même façon le *past perfect* exprime les actions achevées antérieurement à un moment donné du passé et correspond tantôt à notre plus-que-parfait, tantôt à notre imparfait; et le *future perfect* (qui sera étudié avec le futur, 316) exprime les actions achevées antérieurement à un moment donné de l'avenir.

En réalité les emplois de ces formes composées sont assez complexes, et l'on observe parfois à leur sujet un glissement de la notion d'aspect vers la notion de temps, en particulier quand ces perfects sont à la forme progressive.

1. — LE PRETERITE

253   Rappelons qu'il faut :

(1) prononcer correctement la désinence *-ed* des verbes réguliers (10).

(2) savoir par cœur les *formes irrégulières* (p. 587) et les prononcer correctement (ex. : to read [iː], preterite read [e]; to hear [iə], preterite heard [əː]; to say [ei], preterite said [e]).

(3) reconnaître grâce au contexte à quel temps sont **we cut, they spread, I shut**, etc.; pour ces verbes, dont le preterite est semblable au présent, seule la 3ᵉ personne du singulier est différente (**he cut** est un preterite, **he cuts** un présent).

(4) se rappeler que to be a deux formes différentes au preterite :

was [wɔz, wəz] au singulier,

were [wəː, wə] au pluriel (pour le subjonctif « I were », « he were », voir 357; pour les formes relâchées « we was », « you was », ..., voir 987).

254 ⓐ *Le preterite (past tense)* exprime une *action terminée, précise, que l'on relate* en se reportant en arrière par la pensée. C'est le temps de la *narration*. Il sous-entend une coupure très nette entre l'action qu'il exprime et le moment présent. Il s'emploie pour une action précise ou une série d'actions (aspect ponctuel; chaque action est vue rétrospectivement comme un point).

passé   moment présent   avenir

> **She put on her coat and hat, looked at herself in the mirror, took her handbag and said : « I'm ready ».** *Elle mit... se regarda... prit... et dit...* (Le présent de narration : *elle met, se regarde*, etc. est rare en anglais. Voir 242).

> She went to London by bus, did some shopping in Oxford Street, had lunch in a restaurant and came back home about 3. *Elle alla à Londres par l'autobus, fit des achats dans Oxford Street, déjeuna dans un restaurant et rentra chez elle vers 3 heures.*
> I saw them on Tuesday. *Je les ai vus mardi.*
> We got up at 6 this morning. *Nous nous sommes levés à 6 heures ce matin.*
> Queen Victoria died in 1901. *La reine Victoria est morte en 1901.*
> I bought this book at Smith's. *J'ai acheté ce livre chez Smith.*
> They learnt Spanish at school. *Il ont appris l'espagnol au collège.*
> She waited for us for ten minutes. *Elle nous a attendus dix minutes* (281).
> I didn't like the film. *Le film ne m'a pas plu.*

Remarquer que la plupart de ces phrases sont traduites en français, dans le style familier, au passé composé. Certaines de ces actions sont datées; dans les autres cas il est évident qu'il s'agit de l'*évocation* d'actions nettement *séparées du présent*.

Les verbes au preterite sont souvent accompagnés d'un complément construit avec *ago* (273).

> We met him ten minutes ago. *Nous l'avons rencontré il y a dix minutes.*

Les actions exprimées au *preterite simple* peuvent avoir une certaine durée, précisée ou non, mais elles sont *envisagées dans leur totalité*, de leur commencement à leur achèvement inclusivement (contrairement aux actions exprimées au preterite progressif, 257); et elles sont racontées pour elles-mêmes, grâce à une sorte d'exploration du passé, que l'on revit en le relatant (contrairement aux actions exprimées au present perfect). Comparer :

> They *played* tennis on Saturday afternoon. } *narration*
> They *played* tennis for two hours this morning. }
> They *were playing* tennis (action non achevée à ce moment-là; *aspect imperfectif du passé*) when it started raining.
> They *have played* tennis at Wimbledon (action achevée antérieurement au moment présent, mais que je ne raconte pas; *aspect perfectif du présent*).

255 (b) Le preterite s'emploie évidemment pour poser toute *question relative à une action précise*, demandant une réponse au preterite.

> When did you see them ? *Quand les avez-vous vus ?*
> What happened in 1901 ? *Que s'est-il passé en 1901 ?*
> Where did you buy this book ? *Où avez-vous acheté ce livre ?*
> Did you like the film ? — Yes, I did. *Le film vous a plu ? — Oui.*
> Why didn't you wait for me ? (question à la forme interro-négative). *Pourquoi ne m'avez-vous pas attendu ?*

256 (c) On l'emploie pour marquer une *opposition nette avec le présent*.

La phrase : « he lived in this town for ten years » sous-entend qu'il habite maintenant ailleurs, ou bien qu'il est mort.

> We thought you wouldn't come. *Nous pensions que vous ne viendriez pas* (sous-entendu : nous voyons maintenant que c'était une erreur).
> For a long time he wanted to become an actor. *Pendant longtemps il a voulu être acteur* (mais il a changé d'avis).
> Did you go and see 'Volpone' ? *Etes-vous allé voir « Volpone » ?* (il est sous-entendu qu'on ne joue plus cette pièce, ou que l'interlocuteur n'est plus dans la ville où on la joue).
> I was very fond of cricket when I was a boy. *J'aimais beaucoup le cricket*

quand j'étais enfant. On peut insister sur l'opposition avec le présent en employant la tournure « **I used to be fond of cricket** » (341).

257 (d) Comme au présent (233) la *__forme progressive__* s'emploie pour les descriptions.

He was wearing a grey suit. *Il portait un complet gris.*

Le preterite progressif s'emploie en particulier par contraste avec le preterite simple pour décrire une ***action non achevée à un moment donné du passé.*** L'action au preterite simple vient souvent interrompre l'action au preterite progressif, mais il n'en est pas toujours ainsi.

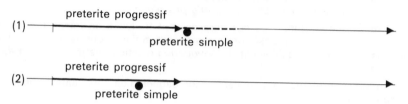

(1) **I was listening to a concert on the radio when someone knocked at my door.** *J'écoutais un concert à la radio quand on a frappé à ma porte.* **What was she doing when you met her?** *Que faisait-elle quand vous l'avez rencontrée?*

(2) **While you were sleeping I rang up the Webbs.** *Pendant que tu dormais j'ai téléphoné aux Webb.*

258 Comme au présent « be + participe présent » peut exprimer un futur (ici *__futur dans le passé__*) ou une *__répétition obstinée__* (cf. 235).

He told me that he was taking an exam in June. *Il m'a dit qu'il passait (qu'il passerait) un examen en juin.*
He was always complaining. *Il ne faisait que se plaindre.*

Kept peut s'employer comme auxiliaire de l'***aspect duratif*** (absence d'interruption) ou exprimer une répétition obstinée (348).

They kept (on) working for five hours. *Ils ont travaillé sans interruption pendant cinq heures.*
He kept saying that his son was a fool. *Il répétait sans cesse que son fils était un imbécile.*

259 (e) Pour les emplois du *__preterite subjonctif__* (ou : *__preterite modal__*), qui n'exprime pas un passé mais diverses nuances d'*__irréel : supposition__* (**If I had a piano...**), *__regret__* (**I wish I had a piano**), *__souhait ou préférence__* (**I'd rather you came tomorrow**), voir 357 à 363. Remarquer que notre imparfait s'emploie, lui aussi, pour exprimer tantôt un passé (*J'étais à Londres le mois dernier*), tantôt une supposition (*Si j'étais à votre place...*). Ces deux notions sont d'ailleurs liées : l'irréel comme le passé sont « *__différents du présent__* ». Le preterite est toujours la marque d'un « décrochage » entre ce qu'exprime le verbe et le moment où la phrase est prononcée ou écrite.

2. — LE PRESENT PERFECT

260 Rappelons qu'il se conjugue avec le présent de *__have__* suivi d'un participe passé (terminé par *-ed* sauf pour les verbes irréguliers). Pour les tournures construites avec le présent de *__be__* (« **they are gone** », « **I am finished** »), voir 41.

Dans la langue parlée l'auxiliaire est normalement inaccentué (**I've seen, they've bought, she's made**...).

Pour éviter une répétition on peut faire l'*ellipse du participe passé*, même si le verbe sous-entendu figure dans la phrase précédente à un autre temps. Dans ce cas l'auxiliaire est employé dans sa forme pleine. Voir 171.

> **I'd love to see a ballet. I never have** (seen one). *J'aimerais beaucoup voir un ballet. Je n'en ai jamais vu (**have**, et non : **'ve**).*

Has been/have been sert souvent de present perfect au verbe ***to go*** (532). Comparer :

> **He has been to America.** *Il est allé en Amérique* (et en est revenu).
> **He has gone to America.** *Il est parti en Amérique* (et y est encore).

Revoir ce qui a été dit (228 à 231) sur la notion d'aspect. Le ***present perfect*** est essentiellement l'*aspect perfectif du présent :* l'action a été accomplie antérieurement au moment présent, qui serait différent de ce qu'il est si elle n'avait pas été accomplie. Il renseigne donc plus sur le présent que sur le passé. Il s'oppose souvent à la forme progressive du présent. Comparer : « **I'm doing my work** » (action inachevée, aspect imperfectif) et « **I've done my work** » (action achevée, aspect perfectif). Notre passé composé n'exprime cette notion que dans certains cas (par exemple, dans un bureau de vote, la formule *« a voté »* signifie que « c'est chose faite » mais ne décrit pas l'action pour elle-même), alors que généralement il est le temps de la narration dans la langue parlée (ex. : *« aux dernières élections il a voté pour le candidat libéral »*; ici l'action est décrite, on donne des précisions à son sujet qui montrent qu'on se reporte mentalement à un moment précis du passé, cas où l'anglais emploie le preterite, jamais le present perfect). La ressemblance entre le present perfect et notre passé composé peut donc être une source d'erreurs.

On distinguera cinq emplois du present perfect. On remarquera dans chacun de ces cas *un lien entre l'action et le moment présent.*

261 (a) L'action est terminée, mais je ne la raconte pas, je ne m'y intéresse pas pour elle-même, mais seulement pour *ce qui en reste dans le présent*, pour son *résultat* qui affecte le présent. C'est une *constatation*.

> **Look ! The neighbours have bought a new car.** *Regarde ! Les voisins ont acheté une nouvelle voiture.* Dans cette phrase, je ne décris pas l'action, l'achat de la voiture, mais j'en constate le résultat : maintenant ils ont une nouvelle voiture. Si je précisais une circonstance de l'action (date, lieu, prix de la voiture...) la phrase serait au preterite, temps de la narration (ex. : **They bought it last week**).
> **Oh, damn ! I've forgotten my key.** *Zut ! J'ai oublié ma clef* (je m'aperçois que je ne l'ai pas).
> **Have you polished your shoes ? — Yes I have, look.** *As-tu ciré tes chaussures ? — Oui, regarde* (on peut le constater).
> **What have you done now ? — I'm afraid I've broken the tea-pot.** *Qu'as-tu encore fait ? — C'est affreux, j'ai cassé la théière* (j'en montre les débris).
> **I've come to help you.** *Je viens vous aider* (l'action de venir est achevée, on en voit le résultat : je suis ici).
> **Oh dear, what's happened ?** ('s = has). *Mon Dieu, qu'est-il arrivé ?* (je constate quelque chose d'anormal). Ne pas confondre cette phrase avec : **And then what happened ?** *Et ensuite que s'est-il passé ?* (je demande que l'on poursuive un récit, d'où le preterite).

262 (b) Je m'intéresse au fait qu'une action a été accomplie et j'insiste sur ce seul fait : *la possibilité actuelle d'affirmer que l'action a été effectivement accomplie*. Il s'agit souvent d'une action située dans un passé imprécis.

> **"I have been here before"**, titre d'une pièce de J.B. Priestley.
>
> **I've seen this man somewhere.** *J'ai vu cet homme quelque part.*
>
> **They have played at Wimbledon.** *Ils ont joué (ou : il leur est arrivé de jouer) à Wimbledon.*
>
> **I've met a number of swindlers of your kind.** *Il m'est arrivé de rencontrer un certain nombre d'escrocs de votre espèce.*
>
> **Has anyone read this week's Observer ? — I have** (le sujet *I* est fortement accentué). *Quelqu'un a-t-il lu l'Observer de cette semaine ? — Oui, moi.*
>
> **We've met, haven't we ?** *Nous nous sommes déjà vus (nous nous connaissons), n'est-ce pas ?*
>
> **The penny has dropped.** *Il a (ou : Vous avez, ou : J'ai, etc.) enfin compris.*
>
> **Have you seen this film ? — Yes, I've seen it** (ou simplement : **Yes, I have**). *As-tu vu ce film ? — Oui (je l'ai vu).*

Dans la question, on ne demande pas de raconter l'action, de dire quand, où, etc., le film a été vu. On veut seulement savoir si, *oui ou non*, le film a été vu. La réponse affirmative peut être complétée : **I've already seen it**; la réponse négative peut être : **I have not yet seen it** (= **I haven't seen it yet**). Mais si dans la réponse affirmative j'ajoute une précision sur les circonstances de l'action, il faut le preterite (ex. : **I saw it in London, I saw it last year**).

Les questions appelant des réponses par *yes* ou *no* s'expriment au preterite quand elles concernent des actions qu'il n'est plus possible de faire; les réponses négatives prennent alors un caractère définitif (il est trop tard). La question : « **Have you seen this film ?** » sous-entend qu'il est *encore possible* de voir ce film, alors que : « **Did you go and see 'Volpone' ?** » (256) indique clairement qu'il est trop tard pour voir cette pièce, par exemple parce qu'on ne la joue plus.

Comparer les deux questions :

> **Have you seen this film ? — Yes, I have. — Did you like it ? — No, it bored me stiff.** (*Il m'a mortellement ennuyé*). Dans la seconde question, maintenant que l'on sait que l'action a été accomplie, on demande une précision, un retour en arrière par la pensée, d'où le preterite.

263 (c) L'action est située par un complément de temps dans une *période qui n'est pas entièrement écoulée* (*this year, today*...), ou bien un complément de temps (ou un adverbe) précise que ce que je dis s'applique à une période qui va jusqu'au présent (*so far, jusqu'ici; already; all my life; in the last three years*). Il s'agit donc d'un *bilan provisoire*.

A la forme négative il est alors sous-entendu que l'action a encore des chances d'être faite, qu'il n'est pas trop tard.

> **We've seen them twice this year.** *Nous les avons vus deux fois cette année* (Mais on dirait : **We saw them twice last year.** De même : **We saw them ten minutes ago,** car le complément avec *ago* rejette l'action, même récente, dans le passé, 273).
>
> **We haven't seen them lately.** *Nous ne les avons pas vus ces temps-ci.*
>
> **Everything has been all right so far.** *Tout a bien marché jusqu'ici.*
>
> **He hasn't finished his work yet.** *Il n'a pas encore fini son travail.*
>
> **This is only the second time that I've travelled by plane.** *C'est seulement la seconde fois que je voyage en avion.* Avec l'expression **« This is the first (second...) time that... »**, on considère le nombre de fois que

l'action a été faite jusqu'au moment présent; il s'agit bien d'un bilan provisoire, d'où l'emploi du present perfect, et non du présent.

So far est sous-entendu dans des questions comme :

How many times have you been to England ? (*been*, et non « gone », 532). *Combien de fois êtes-vous allé en Angleterre ?*

264   *Remarques :* (1) Quand on dit : « **What did you do today ?** », « **I saw John twice this week** », il est alors sous-entendu que la journée (la semaine) est considérée comme terminée, qu'il est trop tard pour faire encore quelques chose (pour voir John encore une fois). On dit de même, au preterite : « **Mr Jones, who turned seventy this month...** », car il s'agit d'un événement révolu qui ne se reproduira pas (**this month** signifie ici : **one day of this month**).

On dit « **I didn't have any breakfast this morning** », soit dans l'après-midi ou la soirée, soit en fin de matinée, quand il est trop tard pour le faire. Alors que l'on dit « **I haven't had any breakfast this morning** » quand il n'est pas encore trop tard pour le prendre.

(2) Avec *never, ever* et *always* on emploie tantôt le present perfect, tantôt le preterite. Comparer :

I've never seen a pantomime (mais peut-être en verrai-je une à l'avenir; on peut ajouter *yet* en fin de phrase).
I never saw such a fool (il me paraît peu vraisemblable que j'en voie un autre à l'avenir; « **I've never seen...** » est possible, mais le preterite est plus catégorique).

Have you ever heard them sing ? (question posée sans sous-entendu).
Did you ever hear such nonsense ? (sous-entendu : cela me surprendrait; il ne s'agit pas vraiment d'une question appelant une réponse).

I've always known the Smiths (action qui se prolonge dans le présent).
I always knew that you were a liar (je l'affirme en prenant du recul, comme s'il s'agissait d'une action figée dans le passé, donc irrémédiable).

Ces exemples montrent qu'avec *never, ever* et *always* le preterite prend une valeur emphatique (style des jugements définitifs). Mais il s'agit ici de nuances et non d'une opposition nette entre preterite et present perfect.

He's a pompous ass if ever there was one. *C'est un imbécile prétentieux s'il en fut.*

Noter l'expression « **Well, I never did** (see such a thing) ! » (ou, plus couramment : « **Well, I never !** ») *Ça, alors ! Par exemple !*

265   (d) *L'action n'est pas terminée*, et je fais le *bilan* de ce qui a été réalisé jusqu'au moment présent en indiquant *la durée* de cette action (avec *for* + complément de durée) ou en précisant *à quel moment elle a commencé* (avec *since* + complément de date ou d'heure). Les questions correspondantes se posent avec les expressions *« how long... ? »* et *« since when... ? »* Le français emploie alors le présent.

He has been ill for a week. *Il est malade depuis une semaine.*
He has been ill since Tuesday. *Il est malade depuis mardi.*
How long has he been ill ? *Depuis combien de temps est-il malade ?*

Les emplois de *for, since, how long* et *since when* seront étudiés aux §§ 284 à 295.

I've had this car for two years. *J'ai cette voiture depuis deux ans* (**I've had**, et non **I've got**, qui est un présent, 54).

125

Le present perfect est alors souvent à la *forme progressive* (si le verbe en a une, 246 à 248), ce qui permet de combiner l'aspect perfectif (je dis ce qui a été réalisé antérieurement au moment présent, *« by now »*) et l'aspect imperfectif (puisque l'action dure encore, est en progrès). En fait, dans ce cas, la notion de temps (passé + présent) semble l'emporter sur la notion, alors très subtile, d'aspect : l'action est située, décrite, c'est sur elle que la phrase renseigne plus que sur le présent.

I've been learning English for six years. *J'apprends l'anglais depuis six ans* (ou : *cela fait six ans que j'apprends l'anglais*).

How long have you been learning English ? *Depuis combien de temps apprenez-vous l'anglais ?*

He has been working in this bank for five years. *Il travaille dans cette banque depuis cinq ans* (comparer avec : **He worked in this bank for five years.** *Il a travaillé dans cette banque pendant cinq ans*, action terminée).

Quand une action est en progrès mais qu'on ne précise pas depuis combien de temps (ou depuis quel moment), on emploie le présent progressif. Comparer :

They are playing tennis. *Ils jouent au tennis.*

They have been playing tennis for half an hour (since tea-time). *Ils jouent au tennis depuis une demi-heure (depuis l'heure du thé).*

Remarquer que le français emploie le même temps (le présent) dans ces deux phrases.

Si l'action est négative l'anglais se sert logiquement de la même forme, à la différence du français. Comparer :

I have been ill for two months. *Je suis malade* (présent) *depuis deux mois.*

I haven't been ill for years. *Je n'ai pas été malade* (passé composé) *depuis des années.* Dans les deux cas ce qu'exprime le verbe (être malade, n'être pas malade) dure jusqu'au moment présent.

On fait comme si l'action n'était pas tout à fait terminée (et on emploie le present perfect) quand elle vient de s'achever au moment où on en parle.

I've been waiting for you for an hour. *Il y a une heure que je vous attends.*

I haven't seen you for ages. *Il y a une éternité que je ne vous ai pas vu* (l'action de « ne pas vous voir » dure pratiquement jusqu'au moment où je prononce cette phrase).

266 (e) *L'action est récente*, située entre le passé et le présent, et j'insiste sur ce fait en employant l'adverbe *just*. Cette tournure *(le passé récent)* se traduit par *« venir de »*.

I've just written a few letters. *Je viens d'écrire quelques lettres.*

She's (= she has) just arrived. *Elle vient d'arriver.*

Mais quand une action récente est située grâce à un complément avec *ago*, il faut le preterite (273).

She arrived two minutes ago. *Elle est arrivée il y a deux minutes.*

Dans la langue familière on peut exprimer une action récente en employant le *present perfect progressif*.

We've been drinking coffee. *Nous venons de boire du café* (cette tournure ne s'emploie que si l'action a une durée; elle insiste moins nettement que la construction avec *just* sur le caractère récent de l'action.

A la radio : **You've been listening to Beethoven's Moonlight Sonata. The soloist was Arthur Rubinstein.** *Vous venez d'entendre la Sonate au clair* *de lune de Beethoven. L'interprète était Arthur Rubinstein* (le second verbe est au preterite, car on ajoute une précision au sujet de l'action passée).

Comparer les deux questions :

What have you been doing ? *Que faisais-tu ?* (à l'instant). Cette question peut être posée à quelqu'un qui vient de rentrer plus tard que d'habitude.

What have you done now ? *Qu'as-tu encore fait ?* Cette question est posée en constatant que quelque chose a été fait, par exemple quelque bêtise.

On peut également situer une action dans le passé récent en employant l'expression ***just now***, mais le verbe est alors au ***preterite***.

I met him just now (= a few minutes ago), ou : **I've just met him.** *Je viens de le rencontrer.*

N.B. En américain le preterite est couramment employé avec ***just*** comme avec ***just now*** (**I just met him**).

---

3. — LE PAST PERFECT

267   Le *past perfect* (ou : *pluperfect*) se conjugue avec le preterite de *to have (had)* suivi d'un participe passé. Comme pour le present perfect, tous les verbes se conjuguent avec *have (he had fallen, they had come...)*. Pour *« they were gone »*, voir 41.

Certains de ses emplois sont parallèles à ceux du present perfect (a, b, c, e), d'autres parallèles à ceux du preterite (d, e).

(a) Il exprime *l'aspect perfectif du passé* (action accomplie antérieurement à un moment donné du passé, par exemple à une autre action qui est au preterite). Il se traduit par notre plus-que-parfait ou notre passé antérieur selon la construction de la phrase.

When they got home they found that someone had opened their garden gate. *Quand il arrivèrent chez eux il s'aperçurent que quelqu'un avait ouvert la porte de leur jardin.*

When (= after) he had finished his work, he went for a walk. *Quand il eut fini son travail, il alla se promener.*

Remarques : (1) Quand le sens de la phrase reste clair il arrive qu'un second past perfect, dans une subordonnée, soit remplacé par un simple preterite.

They had had to cancel their trip because one of their children was (= had been) **taken ill.** *Ils avaient dû annuler leur voyage parce qu'un de leurs enfants était tombé malade.* Voir aussi 435, remarque 2.

(2) On rencontre souvent la tournure : *"We intended to have invited them"* (= we had intended to invite them). *Nous avions eu l'intention de les inviter.*

"I meant to have warned you" (= I had meant to warn you). *J'avais voulu vous prévenir.* Dans la langue familière on entend parfois la construction incorrecte : « **I had meant to have warned you** ».

268   (b) Il s'emploie pour *une action qui n'était pas terminée* (était encore « en progrès ») au moment du passé que l'on considère, et dont on indique (ou demande) la durée. Le past perfect se met généralement à la *forme progressive*, si le verbe en a une (246 à 248). Comparer avec l'emploi du present perfect pour une action qui n'est pas terminée dans le présent (265). L'emploi d'un perfect exprime dans les deux cas une notion de *bilan.*

> **When the war broke out he had been living in Germany for six years.**
> *Quand la guerre s'est déclarée il vivait en Allemagne depuis six ans* (Remarquer la traduction en français par un imparfait).
> **How long had they been married when you first met them ?** *Depuis combien de temps étaient-ils mariés quand vous avez fait leur connaissance ?*

Le past perfect s'emploie après l'expression *« that was the first (second...) time »* (263).

> **That was the first time I had travelled** (et non : « I travelled ») **by plane.**
> *C'était la première fois que je voyageais en avion.*
> **It was the first time I had seen Miss Greer in the flesh** (A. Christie). *C'était la première fois que je voyais Miss Greer en chair et en os.*

Cependant on trouve dans un roman d'Iris Murdoch : **It was the first time that she was** (et non : had been) **in this house.**

269 (c) Comme le present perfect, le past perfect peut être accompagné de *just.* Sa forme progressive peut exprimer, elle aussi, une *action récente* (par rapport à un moment donné du passé, cf. 266).

> **They had just gone out.** *Ils venaient de sortir.*
> **The clock had just struck twelve.** *Minuit venait de sonner à l'horloge.*
> **We could see that they had been drinking.** *On voyait qu'ils avaient bu.*

270 (d) Le *past perfect modal* (subjonctif, semblable à l'indicatif) s'emploie dans des subordonnées exprimant une *supposition* (après *if*) ou un *regret* (après *I wish*). Cet emploi est parallèle à celui du preterite modal (357 à 361).

> **I wish I had known that before.** *Je regrette de ne pas l'avoir su plus tôt.*

(e) L'emploi du past perfect est souvent commandé, comme celui de notre plus-que-parfait, par les règles de la *concordance des temps* (429). Au *style indirect* il permet de rapporter des paroles prononcées soit au preterite, soit au present perfect.

> **He said he had lost it** (= He said, *'I've lost* it').
> **He said he had lost it while waiting for the bus** (= He said, *'I lost* it while waiting for the bus').

---

4. — « MODAL + HAVE + PARTICIPE PASSÉ »

271 Ce schéma **(I should have been, you might have done, he must have thought...)** est un perfect, comme sa construction le montre. Il exprime des actions qui auraient dû (auraient pu, ont dû...) être accomplies antérieurement (100 à 110). Mais les différences de sens entre le preterite, le present perfect et le past perfect n'apparaissent pas clairement (voir 109 : on est renseigné par le contexte, un complément de temps, etc.).

EXERCICES

[A] Traduire :

1. Il vient de sortir. — Pourquoi ne nous a-t-il pas attendus ? — 2. Nous nous étions levés très tôt, nous étions fatigués, nous sommes allés nous coucher de bonne heure. — 3. C'est la première fois que je vois une éclipse. — 4. J'ai déjà entendu cette histoire-là. Pas vous ? — 5. Pourquoi cries-tu après lui ? Qu'a-t-il fait ? — Regarde, il a renversé sa soupe sur la nappe. — 6. Je ne suis jamais allé en Irlande. — Moi si, j'y suis allé il y a deux ans. — 7. Avez-vous lu ce roman ? — Oui. — Vous a-t-il plu ? — Oui, je l'ai lu avec beaucoup de plaisir. — 8. Il était né en Afrique, c'était la première fois qu'il venait en Europe. Il n'avait encore jamais vu de neige. — 9. Quand Milton est-il né ? Il est né en 1608. Quand est-il mort ? Il est mort en 1674. — 10. Je viens d'acheter un magnétophone. Où avez-vous acheté le vôtre ? — Je l'ai acheté en Allemagne. — 11. Je connais les Webb depuis plus de vingt ans, en fait depuis toujours. — 12. Pourquoi êtes-vous si en retard ? Nous vous attendons depuis près d'une heure. Que faisiez-vous donc ? — 13. Je me suis toujours douté (to know) qu'on ne pouvait pas lui faire confiance. — 14. Je n'ai jamais vu ce film. — Moi si, je l'ai vu à Londres. — 15. John a-t-il écrit à son grand-père ? — Oui, il lui a envoyé une carte postale avant le déjeuner. — 16. Nous venions de nous coucher quand nous entendîmes quelqu'un crier « au feu ! ». — 17. Jamais je n'ai vu un homme aussi mesquin. Avez-vous jamais vu un homme aussi mesquin ? — 18. Pourquoi m'avez-vous dit que vous ne le connaissiez pas, alors que vous le connaissez depuis des années ? — 19. Tenez, je vous apporte un cadeau. — C'est la première fois que vous me faites un cadeau. — 20. Avez-vous lu Alice au Pays des Merveilles ? — Oui, je l'ai lu plusieurs fois. — Moi, j'avais huit ans que je l'ai lu, et je ne l'ai jamais relu depuis. — 21. Pendant que l'avion décollait, il se dit que c'était la première fois qu'il allait à Londres en avion. — 22. J'ai entendu dire qu'il écrivait une nouvelle pièce. Jusqu'ici il en a écrit trois. Je n'ai pas beaucoup aimé les deux premières, je n'ai pas encore vu la troisième. — 23. Avez-vous lu le Times d'aujourd'hui ? Ils ont publié la lettre que je leur ai envoyée la semaine dernière. — 24. J'ai enfin réussi à le persuader de venir avec nous. — Comment vous y êtes-vous pris ? — 25. Est-ce que le dîner est prêt ? Je meurs de faim, je n'ai pas déjeuné aujourd'hui. — 26. Je ne l'ai pas encore rencontré, bien qu'il habite dans ma rue depuis plusieurs mois. — 27. Je viens de le rencontrer. Il partait se promener avec sa femme et ses enfants. Cela faisait longtemps que je ne l'avais pas vu. — 28. Avez-vous déjà vu la Reine ? — Non, je n'en ai pas encore eu l'occasion. Mais j'ai vu le roi George VI, qui est venu dans ma rue pendant les bombardements en 1943. — 29. Je suis allé à Londres deux fois cette année, et mes amis m'ont encore invité pour Noël. J'ai reçu leur invitation ce matin, je n'ai pas encore répondu. — 30. John a-t-il enfin téléphoné ? — Oui, il nous a appelés pendant que nous prenions le thé. — Vous a-t-il dit quand il rentrait ? — Il ne s'est pas encore décidé.

[B] Répondre aux questions par des phrases complètes utilisant les éléments proposés entre parenthèses, suivant le modèle :
Have you ever heard Benjamin Britten's "Simple Symphony"? (several times) → Yes, I've heard it several times.
(at the Albert Hall last month) → Yes, I have. I heard it at the Albert Hall last month.

1. Have you ever seen "Hamlet"? (at Stratford three years ago) (twice). — 2. Has he ever told you about his difficulties? (not yet) (yesterday). — 3. Have you ever read any novels by John Wyndham? (two or three) (The Day of the Triffids). — 4. Have you ever been introduced to him? (at his son's wedding) (long ago). — 5. Have you ever eaten any frogs? (when I was in France) (all my life). — 6. Have

you ever been to New York ? (several times) (in 1968). — 7. Have you ever listened to the news bulletins on the B.B.C. ? (every day when I was in England) (only once or twice though). — 8. Have you ever climbed that mountain ? (twice, and I'm going to climb it again next summer) (twice when I was a young man). — 9. Have the children ever been to the zoo ? (last week) (every week since they came to live in London). — 10. Has anyone ever told him that he's a fool ? (quite a few people... on several occasions) (I... only yesterday).

12. — COMMENT SITUER UNE ACTION DANS LE TEMPS : DATE, FRÉQUENCE, DURÉE

On situe une action dans le temps en précisant sa **date**, sa **fréquence**, sa **durée**. Les questions relatives à ces trois notions commencent respectivement par **when** (quand), **how often** (tous les combien), **how long** (pendant combien de temps, depuis combien de temps). On peut aussi situer une action par rapport à une autre action; les deux actions peuvent être **simultanées** ou **successives** (leçon 50).

1. — WHEN... ? (comment dater une action)

272 (a) On peut indiquer **la date** (ou l'heure...) de l'action. Remarquer les prépositions employées dans les exemples suivants.

> **They got up at 5 in the morning.** Ils se levèrent à 5 heures du matin.
> **We are leaving for Australia on July 12th** (lire : the twelfth, ou : twelfth). Nous partons pour l'Australie le 12 juillet.
> **He plays football on Saturday afternoons.** Il joue au football le samedi après-midi. **On** est souvent omis en américain (991, 8°). Voir aussi 278.
> **Shakespeare died in 1616.** Shakespeare est mort en 1616.
> **She came home about 12.** Elle rentra chez elle vers midi.

273 (b) On peut préciser **combien de temps s'est écoulé depuis que l'action a été faite** (avec **ago** et verbe au preterite), ou au contraire combien de temps s'écoulera jusqu'à ce qu'elle soit faite (avec **in** et verbe au futur).

> **They arrived three weeks ago and will leave in a fortnight.** Ils sont arrivés il y a trois semaines et repartiront dans une quinzaine de jours.
> **He bought his car four years ago.** Il a acheté sa voiture il y a quatre ans (La question correspondante peut être : **When did he buy his car ?** ou : **How long ago did he buy his car ?**).

Ago insiste sur **ce qui sépare l'action passée du moment présent**. On ne peut donc l'employer qu'**avec un preterite**, jamais avec un present perfect (Voir 285).

Ago est parfois remplacé par **back**.

> **It happened a long while back.** C'est arrivé il y a longtemps.

« Dans dix ans » peut se dire : **in ten years, in ten years'time** (743), **ten years from now**. L'expression « **ten years hence** », qui a le même sens (contraire de « **ten years ago** »), est peu employée dans la langue parlée.

274 (c) La préposition *by* s'emploie devant une **date limite,** l'action se situant ou devant se situer avant cette date, *au plus tard* à cette date.

> **Could you do it by Tuesday ?** *Pourriez-vous le faire d'ici mardi ?*
> **They must have left by now.** *Ils doivent être partis à l'heure qu'il est.*
> **By 6 o'clock he had washed and dressed and was ready to start.** *Dès 6 heures il était lavé, habillé et prêt à partir.*

Voir 960 *(« by the time... »)* et 316 (*by* avec un future perfect).

Cf. **As far back as the late 12th century...** *Dès la fin du XIIᵉ siècle...*

275 (d) *Not until* (ou *not... until*) s'emploie pour exprimer que l'action ne se situe *pas avant* la date indiquée.

> **They won't know the results of their exams until** (plus couramment que **till) July 10th.** *Ils ne connaîtront pas les résultats de leurs examens avant le 10 juillet.*
> **It was not until dinner that he spoke to them.** *Ce ne fut qu'au dîner qu'il leur parla.*

Voir 959 (*not until* + proposition).

276 (e) *Within (... of)* s'emploie pour exprimer la période à l'expiration de laquelle l'action a été (aura été) accomplie.

> **He died within a month of his wife's death.** *Il mourut dans le mois qui suivit la mort de sa femme.*
> **It will be over within** (ou : **within less than) three weeks.** *Ce sera fini en moins de trois semaines* (ici, **within three weeks = in less than three weeks).**

Voir 871 (*within... of* + verbe au gérondif).

277 (f) Avec *it is... before* on exprime au contraire la période minimale qui sépare le présent (ou un moment donné) de l'action à accomplir.

> **It will be at least ten years before tourists can be taken to the moon.** *Ce n'est que dans dix ans au moins que l'on pourra emmener des touristes sur la lune.*
> **It was two days before we saw him again.** *Ce n'est qu'au bout de deux jours que nous l'avons revu.*

---

2. — HOW OFTEN... ? *(notion de fréquence)*

278 (a) Le complément peut être construit avec *every.*

> **He wrote to us every month.** *Il nous écrivait tous les mois* (on peut insister sur la répétition habituelle en disant : **He would write to us every month.** Voir leçon 15, aspect fréquentatif).

Le complément de fréquence peut comporter un nombre; *c'est le seul cas où l'on trouve un pluriel après every.*

> **We go to the theatre every three weeks.** *Nous allons au théâtre toutes les trois semaines* (mais : **every week,** *chaque semaine, toutes les semaines).*
> **Every few months** = *à intervalles de quelques mois.*
> **(Every) now and then, (every) now and again** = *de temps en temps.*

On dit parfois « **every third (fourth...) day** » au lieu de « **every three (four) days** » (langue écrite).

Every other day = *tous les deux jours, un jour sur deux.*

On + jour de la semaine au pluriel (parfois au singulier) = **every** + singulier. **On** est alors souvent omis en américain (991, 8°).

> **They work in their garden on Saturdays** (plus couramment que : **on Saturday**). *Ils travaillent dans leur jardin le samedi.*

279 ⓑ On peut préciser le *nombre de fois* que l'action est faite par jour (par mois, par an...).

> **She phones her parents once a week.** *Elle téléphone à ses parents une fois par semaine.* Remarquer l'article indéfini : *a* week.
>
> **They come to see us once or twice a year.** *Ils viennent nous voir une ou deux fois par an.*
>
> **The children go to the swimming pool two or three times a month.** *Les enfants vont à la piscine deux ou trois fois par mois.*
>
> **How many times... ? Once, twice, three times, four times...** *Combien de fois... ? Une fois, deux fois, trois fois, quatre fois...*

280 ⓒ On peut interroger sur la fréquence d'une action en commençant la question par : **How often... ?**

> **How often do you go to the theatre ?** *Tous les combien allez-vous au théâtre ?*
>
> **How often do the buses run ?** *A quelle fréquence passent les autobus ?*
>
> **How often have I told you !** *Combien de fois ne vous l'ai-je pas dit !* (ce n'est pas vraiment une question qui appelle une réponse, mais plutôt une remarque sarcastique).

---

3. — HOW LONG... ? *(notion de durée)*

281 ⓐ Aux questions commençant par « *how long* » correspondent des réponses comportant l'expression d'une durée introduite par *for*, cela à tous les temps.

For est parfois sous-entendu. *During* ne s'emploie jamais dans ce sens (852).

> **How long did you stay in Cambridge last year ? — I stayed there (for) a week.** *Combien de temps êtes-vous resté à Cambridge l'année dernière ? — J'y suis resté une semaine.*
>
> **How long has he been learning English ? — He's been learning English for three years.** *Depuis combien de temps apprend-il l'anglais ? — Il apprend l'anglais depuis trois ans.*
>
> **How long do you watch television every day ? — I daresay a couple of hours.** *Combien de temps regardez-vous la télévision chaque jour ? — Environ deux heures, j'imagine.*
>
> **How long is he going to speak ? — He's going to speak for an hour.** *Pendant combien de temps va-t-il parler ? — Il va parler pendant une heure.*

Les réponses peuvent être elliptiques, comme en français, surtout dans la langue parlée (« a week », « three years »...).

> **How long are you here for ?** (ici *for* ne peut pas être sous-entendu) *Pour combien de temps êtes-vous ici ?*

282 ⓑ On peut aussi répondre indirectement, si l'action est en progrès, en disant *quand elle a commencé* (avec *since*, le verbe étant au present perfect), ou *quand elle se terminera* (avec *until*, le verbe étant au futur). On fait comme si la question avait commencé par *since when* ou *until when*, tournures moins employées que *how long*.

> **They have been living in Bath since 1985.** *Ils habitent Bath depuis 1985.*
> **I'm going to wait for them until** (ou : *till*) **4.** *Je vais les attendre jusqu'à 4 heures.*

283 ⓒ On peut aussi indiquer la durée d'une action en se servant de l'expression « *it takes me (you, him,* etc.)... »*, à tous les temps.

> **It takes me ten minutes to drive to my office.** *Je mets* (ou : *il me faut*) *dix minutes pour me rendre en voiture à mon bureau.*
> **How long did it take you to build this garage ? — It took me a week.** *Combien de temps avez-vous mis pour construire ce garage ? — J'ai mis une semaine.*
> **It will take Betty hours to pack her luggage.** *Betty mettra des heures à faire ses bagages.*

ⓓ La durée d'une action peut aussi être exprimée à l'aide du verbe *to spend* construit avec un participe présent.

> **I spent two hours reading last night.** *J'ai passé deux heures à lire hier soir.*

---

4. — TRADUCTIONS DE « DEPUIS » ET « IL Y A » INTRODUISANT UN COMPLÉMENT DE TEMPS

284   Il faut avant tout choisir correctement le temps du verbe (voir leçon 11) : éviter de traduire mot à mot (par exemple : « **since** = *depuis* ») et bien se rendre compte que le français exprime parfois une idée de durée de diverses façons *(nous habitons ici depuis trois ans = il y a trois ans que nous habitons ici = cela fait trois ans que nous habitons ici).* Inversement une même préposition française peut avoir plusieurs sens *(depuis un mois :* **durée** de l'action; *depuis Noël :* **date du début** de l'action).

Il convient donc, jusqu'à ce que cette question délicate soit maîtrisée, d'analyser pour chaque phrase *ce qu'expriment le temps du verbe* (l'action est-elle ou non terminée ?) *et le complément de temps* (date ? durée ? temps écoulé depuis que l'action a été faite ?).

Il y a lieu de distinguer entre les verbes exprimant des *événements* (représentés graphiquement par un point) et ceux qui expriment des *états* ayant une durée (représentés graphiquement par une ligne). Par exemple **to die** exprime un événement, **to be dead** un état. L'événement **(to die, to get up, to start working)** peut être le début d'un état **(to be dead, to be up, to be working).**

Certaines actions sont situées par rapport au présent *(« Il y a 10 minutes que je l'attends »),* d'autres par rapport à un moment donné du passé *(« il y avait 10 minutes que je l'attendais lorsque le téléphone a sonné »).*

285 ⓐ *Actions situées par rapport au présent.* On distinguera quatre cas, que l'on peut représenter graphiquement.

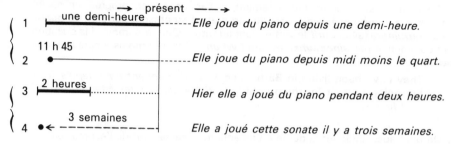

- Dans les deux premiers cas *l'action n'est pas terminée* (le français emploie le présent). On emploiera le **present perfect** (à la forme progressive si le verbe en a une, 246 à 249). *For* en exprimera la durée (une demi-heure, cas n° 1), et **since** le moment où elle a commencé (midi moins le quart, cas n° 2).

- Dans les deux derniers cas *l'action est terminée* (le français emploie le passé composé ou le passé simple). On emploiera le **preterite** (254). On en exprimera la durée avec la préposition *for* (pendant deux heures, cas n° 3); si l'on considère non sa durée mais le temps écoulé depuis que l'action a été faite on se sert de **ago** (graphiquement, la flèche tournée vers la gauche représente un retour en arrière par la pensée pour retrouver le moment du passé où l'action a été faite).

Nous pouvons maintenant traduire.

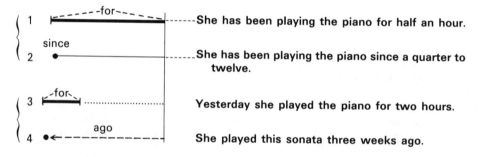

286

Autres exemples (et formes interrogatives).

Cas n° 1 :

It has been raining for three days. *Voilà trois jours qu'il pleut.*
How long have you been living here ? *Depuis combien de temps habitez-vous ici ?*
How long have you known him ? — I've known him for a long time. *Depuis combien de temps le connaissez-vous ? — Je le connais depuis longtemps (**to know** n'a pas de forme progressive, 247).*

Comparer : **They are playing tennis** (on n'envisage que *le moment présent*) et : **They've been playing tennis for an hour** (on envisage à la fois *le passé et le présent*). Le français emploie le même temps dans les deux cas (*ils jouent*).

Avec idée de **répétition** (l'action s'est répétée régulièrement jusqu'au moment présent) : **We've been going to the seaside for ten years.** *Cela fait dix ans que nous allons au bord de la mer.*

Avec idée d'**obstination** : **He has kept asking me the same question for a fortnight.** *Il ne cesse de me poser la même question depuis quinze jours (351).*

Cas n° 2 :

It's been raining since Tuesday. *Il pleut depuis mardi.*
Since when has Southern Ireland been a republic ? — Since 1922. *Depuis quand l'Irlande du Sud est-elle une république ? — Depuis 1922.*

Cas n° 3 :

We stayed in Oxford for two weeks (during the holidays). *Nous avons séjourné à Oxford pendant quinze jours (pendant les vacances).*

For introduit une durée (nombre de jours, d'années...), **during** introduit la période au cours de laquelle l'action a été faite (les vacances, la soirée, notre séjour à Londres...).

How long did you study German at school ? *Pendant combien de temps avez-vous étudié l'allemand au collège ?*

Cas n° 4 :

I met John in the street a few minutes ago. *J'ai rencontré John dans la rue il y a quelques minutes.*
How long ago did you leave school ? — Five years ago. *Combien de temps cela fait-il que tu as quitté l'école ? — Cela fait cinq ans.*

287   **Remarques :** On verra que les schémas donnés ci-dessus admettent de nombreuses variantes.

(1) Les **phrases négatives** suivent les mêmes règles.

Il n'a pas plu depuis trois semaines (l'action de « *ne pas pleuvoir* » dure encore, c'est donc une phrase de type n° 1). **It hasn't rained** (ou : **it hasn't been raining) for three weeks.** L'emploi de la forme progressive est moins fréquent dans les phrases négatives.

Pour l'américanisme « we haven't seen him *in* years » (= for years), voir 991 (7). **In** s'emploie (après une négation) de plus en plus en Angleterre.

(2) Dans les phrases de type n° 1 ou 3 **for** est souvent **sous-entendu.**

I've been waiting more than an hour. *Cela fait plus d'une heure que j'attends.*
He stayed there a fortnight. *Il y a séjourné (pendant) quinze jours.*

(3) Dans les phrases de type n° 1 le complément de durée est parfois introduit par **for the past, for the last; this past, this last** (+-singulier; ou dans la langue familière pluriel); et dans une langue plus soignée **these past, these last** (+ pluriel).

I've been watching you for the past (= for the last) ten minutes. *Voilà dix minutes que je vous observe.*
I haven't seen him this last year or two (this last five months). *Cela fait un ou deux ans (cinq mois) que je ne l'ai pas vu.*
These last few years we have seen a great many changes (style écrit). *Depuis quelques années* (ou : *ces dernières années) nous avons vu un grand nombre de changements.*

(4) Dans les phrases de type n° 4 **since** (ou **back**) peut parfois remplacer **ago** (qui est beaucoup plus courant). Avec **long since** (plus rarement avec **long ago**) le verbe peut être au present perfect.

He left the country many years since (many years back). *Il a quitté le pays il y a de nombreuses années (il y a longtemps).*
He (ou : **he's) long since left his country.** *Cela fait longtemps qu'il a quitté son pays* (cf. 291, 10°).

"I've parted with my illusions long ago" (A. Christie). *Je me suis débarrassé de mes illusions il y a longtemps.*

288   (5) Les phrases de types n° 1 et n° 4 peuvent se rendre aussi par la tournure « *it is... since...* », qui permet de mettre en relief en tête de phrase le complément de temps. Le verbe est au preterite si la construction est synonyme d'une phrase de type n° 4 (preterite + **ago**), au present perfect si elle est synonyme d'une phrase affirmative de type n° 1 (present perfect + *for*); il est au preterite accompagné de *last*, ou au present perfect sans *last* si la construction est synonyme d'une phrase négative de type n° 1.

> **It's** (parfois : **it's been**) **four years since he bought his house.** *Cela fait quatre ans qu'il a acheté sa maison* (**He bought his house four years ago**).
> **It's five years now since he's been learning Russian** (moins courant que : **since he started learning Russian**). *Cela fait déjà cinq ans qu'il apprend le russe* (**He's been learning Russian for five years**).
> **It's ages since we last met.** *Cela fait une éternité que nous ne nous sommes pas rencontrés* (**We haven't met for ages, we last met ages ago**).
> **It's two months since I last read** [red] **an English paper** (ou : **It's two months since I've read an English paper**). *Il y a deux mois que je n'ai pas lu un journal anglais* (**I haven't read an English paper for two months**).
> **'What an age it is since I've seen you, Mr Wilcox !'** (E.M. Forster). *Comme cela fait longtemps que je ne vous ai pas vu, Mr Wilcox !* (since I've seen you = since I last saw you).

Comparer les emplois de *for, ago* et *since* dans les phrases synonymes :

> { **I haven't seen her for six months.**
> { **I last saw her six months ago.**
> { **It's six months since I last saw her** (ou : **since I've seen her**).
> Question : ***How long* is it since you last saw her ?**

> { **He's been collecting stamps for ten years.**
> { **He started collecting stamps ten years ago.**
> { **It's ten years since he started collecting stamps.**
> Question : ***How long* has he been collecting stamps ?**

289   (6) « *Depuis que* » (conjonction) = *since*. Le temps du verbe qui suit *since* indique en principe si l'action est terminée ou non.

> **I haven't seen him since I've been here.** *Je ne l'ai pas vu depuis que je suis ici* (« **to be here** » dure encore, d'où le present perfect).
> **I haven't seen him since I arrived.** *Je ne l'ai pas vu depuis que je suis arrivé* (« **to arrive** » est terminé, d'où le preterite).

En fait, dans la conversation, on emploie parfois après *since* le present perfect pour une action terminée quand le sens de la phrase reste clair, en particulier quand il s'agit d'une action récente. Ainsi on dit parfois « **I haven't seen him since I've arrived** » s'il s'agit d'une arrivée récente.

Since peut aussi être suivi d'un gérondif.

> **He has been living in Italy since leaving his country** (= since he left his country). *Il vit en Italie depuis qu'il a quitté son pays.*

290   (7) Le présent s'emploie parfois, exceptionnellement, dans des phrases de type n° 2 (avec *since*), au lieu du present perfect (mais non dans des phrases de type

136

n° 1, avec *for*), afin d'affirmer un fait (par exemple une décision) plus catégoriquement.

> **He let me down badly. Since then I refuse to have anything to do with him.** *Il m'a bel et bien laissé tomber. Depuis je refuse totalement d'avoir affaire à lui.*
> **Since then I bank no more** (S. Leacock). *Depuis lors je ne place plus mon argent à la banque.*
> **We sell this article since 1905** (Style des annonces publicitaires). *Nous vendons cet article depuis 1905.*

(8) Il arrive, exceptionnellement, que des phrases de type n° 3 (action terminée dont on précise la durée) soient exprimées du 'present perfect', quand il s'agit moins d'une narration que de l'affirmation d'un fait qui a été accompli antérieurement au présent (262); dans ce cas on ne se reporte pas en arrière par la pensée, l'action ayant eu lieu dans une période du passé qui reste imprécise ou que l'on choisit de ne pas préciser.

> **When you see him now you wouldn't guess that he's spent ten years in Australia; but that was long ago.** *Quand on le voit maintenant on ne devinerait jamais qu'il a passé dix ans en Australie; mais il a longtemps de cela.*

291 (9) « *Il y a dix ans que leur père est mort* » peut se traduire :

> **Their father has been dead for ten years** (*dead* est un adjectif, comparable à *ill*; ce qu'exprime *to be dead* est un état appartenant à la fois au présent et au passé; c'est donc une phrase de type n° 1).
> **Their father died ten years ago** (le verbe *to die* exprime un événement situé dans le passé; il s'est écoulé dix ans depuis cet événement; c'est une phrases de type n° 4).
> **It's ten years since their father died** (variante de la phrase précédente, voir 288).

(10) Avec l'expression *long since* (287, 4°) le présent s'emploie parfois (régionalisme) quand le verbe est *to be* et que l'idée peut s'exprimer à l'aide de phrases de types n° 1 et n° 4.

> **He's dead long since** (aussi : **he's been dead long since**). *Il est mort depuis longtemps* (**he's been dead for a long time, he died long ago**).
> **He's retired long since.** *Il est à la retraite depuis longtemps* (**he's been retired for a long time, he retired long ago**).

292 (11) La différence de temps n'apparaît pas entre les phrases de types n° 1 et n° 4 quand le verbe est construit avec un modal (on a vu que le schéma « *modal + have + participe passé* » équivaut aussi bien à un preterite qu'à un present perfect, 109).

> **He must have known her for years** (= I'm sure **he has known** her for years). *Il doit la connaître depuis des années.* Voir aussi 295, 4°.
> **He must have left at least an hour ago** (= I'm sure **he left** at least an hour ago). *Il a dû partir il y a au moins une heure.*
> **Hurry up ! They must have been waiting for over an hour** (= I'm sure **they've been waiting**...). *Dépêchez-vous ! Ils doivent attendre depuis plus d'une heure.*

293 (b) *Actions situées par rapport à un moment donné du passé.* On retrouve les mêmes cas fondamentaux.

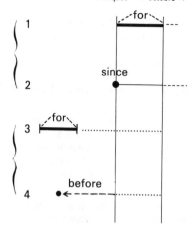

→ Pâques → octobre → présent ——→

1 When I arrived in London last October, they had been living there for six months *(Ils y habitaient depuis six mois).*

2 They had been living there since Easter *(Ils y habitaient depuis Pâques).*

3 They had already stayed in London for a month. *(Ils avaient déjà séjourné à Londres pendant un mois).*

4 They had stayed in London a few years before *(Ils avaient séjourné à Londres quelques années auparavant).*

Dans les deux premiers cas l'action durait encore en octobre dernier : le verbe est au past perfect progressif (en français : l'imparfait).

Dans les cas n° 3 et n° 4 il s'agit d'une action antérieure à octobre dernier et terminée avant cette date : le verbe est au past perfect non progressif (en français : le plus-que-parfait).

294

Autres exemples.

Cas n° 1 :

How long had he been learning English ? — He had been learning English for two years. *Depuis combien de temps apprenait-il l'anglais ? — Il apprenait l'anglais depuis deux ans.*
He hadn't been feeling happy for years. *Il y avait des années qu'il ne s'était pas senti heureux.*

Cas n° 2 :

Had you been waiting for me since lunch-time ? *M'attendiez-vous depuis midi ?*

Cas n° 3 :

I had spoken with him for a few minutes the day before. *J'avais parlé avec lui la veille pendant quelques minutes.*

Cas n° 4 :

He was no stranger to me. We had been introduced to each other a few days before. *Il ne m'était pas inconnu. On nous avait présentés l'un à l'autre quelques jours auparavant.*

295 *Remarques :*

(1) Pour mettre en relief en tête de phrase le complément de temps on peut dire :

It was two years since he had married her (he had married her two years before, cas n° 4). *Il y avait deux ans qu'il l'avait épousée.*
It was two years since he had last been to a concert with her (he had

138

not been to a concert with her for two years, cas n° 1). *Cela faisait deux ans qu'il n'était pas allé au concert avec elle.*

(2) **Ago** peut s'employer à la place de **before** dans la langue familière.

> **When I met him I realised that I had already seen him a few years ago (= a few years before).** *Quand je l'ai rencontré je me suis aperçu que je l'avais déjà vu quelques années auparavant.*
>
> **The hall was large and cold... It might have been built about thirty years ago** (Chr. Isherwood). *La salle était vaste est froide. Cela pouvait faire une trentaine d'années qu'elle avait été bâtie.*

(3) Après la conjonction **since** (depuis que) le **past perfect** est parfois remplacé par un **preterite** pour alléger la phrase, quand cela ne nuit pas à la clarté (cf. 267, remarque 1).

> **They had been living in America since their father died** (ou : **had died**). *Ils vivaient en Amérique depuis la mort de leur père.*
>
> **He had not driven a car since he had** (ou : **had had**) **that accident.** *Il n'avait pas conduit une voiture depuis qu'il avait eu cet accident.*

(4) Quand le verbe est construit avec un modal, seul le contexte renseigne (plus ou moins clairement) sur la valeur du schéma « **modal + have + participe passé** » (109).

> **He must have known her for several years when he married her** (= I'm sure **he had known her**...). *Il devait la connaître depuis plusieurs années quand il l'a épousée* (voir 292).
>
> **He must have been waiting for over an hour when you arrived** (= I'm sure **he had been waiting**...). *Il devait attendre depuis plus d'une heure quand vous êtes arrivés.*

EXERCICES

A Poser des questions commençant par « **How long** », dont les réponses sont les phrases suivantes. Traduire les questions et les réponses.
Exemple : He has been ill for a month → How long has he been ill ?
Il est malade depuis un mois. Depuis combien de temps est-il malade ?

1. I have been waiting for him for twenty minutes. — 2. We stayed in Scotland for six weeks. — 3. They had been walking for four hours. — 4. She will be away for a week. — 5. It takes him twenty minutes to wash and shave. — 6. I had to stay in bed for five days. — 7. He has been sleeping for half an hour. — 8. He had been dead for over an hour. — 9. We shall have to wait for an hour. — 10. The war lasted nearly six years. — 11. It rained for a few minutes. — 12. He has been working in this factory for twenty years. — 13. He worked in this factory for twenty years. — 14. He had been working in this factory for twenty years. — 15. The film lasts two hours. — 16. We've been living in this house for five years. — 17. It takes me an hour to go to my office. — 18. We've known them for years. — 19. We've been learning English for seven years. — 20. It will take me hours to get there.

B Transformer les phrases en remplaçant **ago** (ou **before**) par **it is... since** (ou : **it was... since**) puis les traduire (288 et 295).
Exemples : He went to America ten years ago → It is ten years since he went to America. Il y a dix ans qu'il est parti en Amérique (ou : cela fait dix ans...).
He had bought his house three years before → It was three years since he had bought his house. Il y avait trois ans qu'il avait acheté sa maison.

1. He wrote his first novel forty years ago. — 2. He learnt to drive only six months ago. — 3. She sent the letter five days ago. — 4. I last read a French paper six months ago. — 5. He had left ten minutes before. — 6. They had lived in Bedford many years before. — 7. We were last in London three years ago. — 8. We had last seen him three days before. — 9. We bought our television set five years ago. — 10. I last had a cup of tea more than three weeks ago. — 11. He had been born in that house years before. — 12. He last came to see us a long time ago. — 13. They had left a few minutes before. — 14. He died nearly half a century ago. — 15. He first met her ages ago.

C Transformer les phrases suivant les modèles (288) :
(a) It's three years since I last saw him → *I haven't* seen him *for* three years.
(b) I haven't read an English paper for six months → *It's* six months *since I last* read an English paper.

(a) 1. It's two years since we last went to London. — 2. It's five years since I last drove a car. — 3. It's nine centuries since England was last invaded. — 4. It's four months since he last wrote to us. — 5. It's nearly a year since I last had a nice English cup of tea. — 6. It's years since you last gave me a present. — 7. It's three weeks since I last smoked a cigarette. — 8. It's two years since he last played chess. — 9. It's five months since I last read an English paper. — 10. It's ten years since we last met. — 11. It's many years since I was last ill. — 12. It's three weeks since they last wrote to each other. — 13. It's nearly a year since we last went to a concert. — 14. It's years since I last went to see a dentist. — 15. It's twenty years since I last sat for an exam.

(b) 1. She hasn't seen her children for a fortnight. — 2. I haven't spoken German for several years. — 3. We haven't had such a pleasant holiday for twenty years. — 4. I haven't played chess with him for two years. — 5. He hasn't had anything to eat for nearly a week. — 6. She hasn't been to England for a few years.

D Transformer les phrases en employant *since*, suivant les modèles :
He wrote this novel ten years *ago* → It's ten years *since he wrote* this novel.
He's been learning German *for* ten years (phrase affirmative avec *for*) → It's ten years *since he started learning* German.
I haven't spoken German *for* ten years (phrase négative avec *for*) → It's ten years *since I last spoke* German.

1. They bought their flat three years ago. — 2. They have been building this house for more than two years. — 3. I haven't been to England for five years. — 4. He hasn't written a novel for the past ten years. — 5. He died fifty years ago. — 6. We've been trying to solve this problem for two hours. — 7. England hasn't been invaded for nine hundred years. — 8. He's been collecting stamps for the past twenty years. — 9. They got married three years ago. — 10. I haven't played tennis for a long time. — 11. I've been reading 'War and Peace' for the past two months. — 12. He hasn't voted for years. — 13. John Kennedy was assassinated more than twenty-five years ago. — 14. We haven't heard from him for six months. — 15. They have been looking for him for three hours.

E Répondre aux questions de deux façons différentes, suivant le modèle :
How long is it since you last saw him ? (over a year) →
It's over a year *since I last* saw him.
I haven't seen him *for* over a year.

1. How long is it since they last spoke to each other ? (ten years). — 2. How long is it since you last smoked a cigarette ? (six months). — 3. How long is it since the Queen last visited Canada ? (three years). — 4. How long is it since it last rained ? (six weeks). — 5. How long is it since we last invited the Joneses ? (two

140

months). — 6. How long is it since you last went to London ? (two years). — 7. How long is it since we last went to the pictures ? (a month). — 8. How long is it since he last had his hair cut ? (a couple of months). — 9. How long is it since you last visited the Morgans ? (three years). — 10. How long is it since you last played the piano ? (nearly ten years).

F Bâtir des phrases au *present perfect* (on supposera que les actions ne sont pas achevées), suivant les modèles :
It started raining an hour ago (sous-entendu : and it's still raining) → It's been raining *for* an hour.
It started raining at four o'clock → It's been raining *since* four o'clock.
1. We started learning English seven years ago. — 2. I started collecting stamps when I was ten. — 3. I started being hungry three hours ago. — 4. We started looking for a comfortable flat six months ago. — 5. Men started travelling in aeroplanes at the beginning of the 20th century. — 6. He started trying to repair his alarm-clock a week ago. — 7. They started making plans for their summer holidays in January. — 8. He started being a pilot when he was eighteen. — 9. They started quarrelling two hours ago. — 10. She started writing her essay at six in the morning.

[G] Bâtir des phrases utilisant le schéma *« may/must + have + participe passé »* (ou : *« may/must + have been + participe présent »*) suivant les modèles (292 et 295, 4°) :
Perhaps he has been waiting for a long time → *He may have been waiting* for a long time.
I'm sure he has known them for years → *He must have known* them for years.
1. I'm sure he's had nothing to eat for a few days. — 2. I'm sure he was their secretary for at least twenty years. — 3. Perhaps they have been trying to ring us up since this morning. — 4. I'm sure he had been there for over an hour when we arrived. — 5. Perhaps he has been working at it for weeks. — 6. I'm sure they have been living in that house since he retired. — 7. I'm sure he's been lying there for hours. — 8. Perhaps they spent the whole morning swimming in the pool. — 9. Perhaps he had been dead for a few days when they found his body. — 10. I'm sure he's been watching us ever since we came here.

[H] Traduire :
(Les emplois des temps et des compléments construits avec *for, since* et *ago* obéissent à une logique rigoureuse. Pour maîtriser cette question réputée délicate, qui sert de critère dans de nombreux thèmes d'examens, on fera bien d'analyser avec soin le sens des phrases françaises à traduire et de toujours les ramener aux cas étudiés aux §§ 285 et 293. On commencera par bien choisir le temps du verbe en se demandant si l'action est, ou était, terminée; ensuite seulement on traduira le complément de temps. Il est conseillé de toujours garder présentes à l'esprit les deux séries de phrases types).

1. Nous sommes allés les voir il y a quinze jours. — 2. Ils sont en Ecosse depuis le 1er janvier. — 3. Voilà bientôt deux heures qu'il parle. — 4. Notre grand-père n'est allé à l'école que pendant quatre ans. — 5. Je travaille depuis six heures du matin. — 6. Il est sorti il y a dix minutes. — 7. Il est malade depuis plusieurs années. — 8. Il n'a pas été malade depuis plusieurs années. — 9. Il a été malade il y a deux mois. — 10. L'été dernier il a été malade pendant six semaines. — 11. Il est malade depuis dimanche. — 12. Il est malade depuis qu'il est rentré d'Angleterre. — 13. Depuis combien de temps est-il malade ? — 14. Pendant combien de temps a-t-il dû garder le lit ? — 15. Combien de temps les avez-vous attendus ? — 16. Depuis combien de temps savez-vous nager ? — 17. Il y a trois heures que nous

travaillons. — 18. J'ai travaillé pendant trois heures hier soir. — 19. Ils ne sont pas venus nous rendre visite depuis que nous habitons ici. — 20. Le dîner est prêt depuis longtemps. — 21. Combien de temps la guerre de Sécession a-t-elle duré ? — 22. Les chauffeurs de taxi sont en grève depuis une semaine. — 23. Depuis combien de temps l'Irlande est-elle une république ? — 24. Cela fait des années que je n'ai pas joué au tennis. — 25. Il y a quinze jours que je n'ai pas lu un journal. — 26. Depuis combien de temps ses parents sont-ils morts ? — 27. Il y a très longtemps qu'ils sont morts, il avait dix ans quand ils sont morts. — 28. Depuis combien de temps le connaissez-vous ? — 29. Je le connais depuis avant la guerre. — 30. J'habite Paris depuis l'âge de cinq ans.

[I] Traduire :

1. Il parlait depuis plus de deux heures. — 2. Depuis combien de temps étaient-ils mariés ? — 3. Ils habitaient cette maison depuis que leur père avait pris sa retraite. — 4. J'avais déjà vu la pièce quelques années auparavant. — 5. Depuis combien de temps travaillait-il dans cette banque quand on l'a renvoyé ? — 6. Il y travaillait depuis quatre ans, depuis qu'il avait quitté l'école. — 7. Il y avait vingt ans que je ne l'avais pas vu. — 8. Il était mort depuis un mois quand son fils revint de la guerre. — 9. Il avait déjà étudié l'allemand pendant trois ans quand il était à l'école. — 10. Il neigeait depuis huit heures du matin. — 11. Elle était veuve depuis l'âge de vingt-cinq ans. — 12. Cela faisait vingt-cinq ans qu'elle était veuve. — 13. Depuis combien de temps George VI était-il roi quand la guerre a éclaté ? — 14. Il était roi depuis trois ans, depuis 1936, depuis que son frère avait abdiqué. — 15. Il nous cherchait depuis une heure. — 16. Il n'était pas allé à Londres depuis dix ans. — 17. Cela doit faire vingt ans qu'il est en Amérique. — 18. Depuis combien de temps avez-vous votre permis de conduire ? — 19. Je l'ai depuis trois ans. — 20. Peut-être avez-vous votre permis depuis trois ans, mais vous ne savez pas conduire. — 21. Nous avons notre poste de télévision depuis Noël. — 22. Ils doivent avoir le leur depuis octobre. — 23. Cela faisait une semaine qu'il ne s'était pas rasé. — 24. Combien de temps cela fait-il que tu ne t'es pas rasé ? — 25. Combien de temps cela faisait-il que vous n'aviez pas reçu de ses nouvelles ? — 26. Depuis combien de temps saviez-vous la vérité ? — 27. Depuis combien de temps est-elle divorcée ? — 28. Il se demandait depuis combien de temps elle était divorcée. — 29. Nous sommes levés depuis six heures du matin. — 30. Cela fait plus de six heures que nous sommes levés, alors que lui vient de se lever.

J Transformer les phrases suivant le modèle :

I will let you go only when you've told me the truth (style écrit soigné) → I **won't** let you go *until* you've told me the truth (langue parlée courante).

1. You will go to the swimming-pool only when you've finished your homework. — 2. I can give you my opinion only when I've read it all. — 3. They left only when they had emptied all the bottles. — 4. We shall feel relieved only when he has left the hospital. — 5. He will start work again only when the doctors allow him to. — 6. They stopped their game only when it was quite dark. — 7. You must lock the door only when they've come home. — 8. I'll stop banging on the wall only when they stop making that noise. — 9. I will go only when I'm told to. — 10. They stopped pestering him only when he had promised to help them.

[K] Traduire :

1. Tous les combien les enfants vont-ils à la piscine ? — Ils y vont deux ou trois fois par mois. — 2. Je vais chez le dentiste régulièrement tous les six mois. — 3. Il vient m'emprunter mon dictionnaire tous les deux jours. — 4. A intervalles de quelques années il allait passer un mois dans son pays natal. — 5. Ce n'est que dans deux mois que je connaîtrai le résultat de mon examen. — 6. Moins de trois

jours après être revenu du Japon il projetait un autre grand voyage. — 7. En moins d'un mois il eut dépensé tout son argent. — 8. Ils débarquèrent en Normandie le 6 juin 1944. — 9. Tous les ans nous écoutions le message de la reine le jour de Noël à 3 heures de l'après-midi. — 10. Ils se couchèrent à 9 heures, et dès la demie toutes les lumières étaient éteintes. — 11. Pouvez-vous me donner une réponse d'ici la fin de la semaine ? — 12. Dès l'âge de quatorze ans il savait parler couramment trois langues. — 13. Je me demande si dans cent ans la vie vaudra la peine d'être vécue. — 14. Il travaille le samedi matin une semaine sur deux. — 15. Nous ne partirons pas avant que la pluie ne s'arrête. — 16. Il y a une élection présidentielle aux Etats-Unis tous les quatre ans. — 17. Il pleut toujours le dimanche. — 18. Tu n'auras pas ton pudding avant d'avoir mangé tous tes légumes. — 19. Tous les combien allez-vous en Angleterre ? — Une ou deux fois par an. — 20. Ce n'est qu'au bout de six mois que nous avons reçu sa première lettre.

13. — SHALL - WILL - BE GOING TO. EXPRESSION DU FUTUR

296 Le futur, inexistant en vieil anglais (on employait le présent), s'exprime en anglais moderne de plusieurs façons :

> — avec les auxiliaires de modalité *shall* et *will* (mais aussi parfois *can, may, must,* et les preterites *should, would, could, might,* voir leçon 4);
> — avec diverses périphrases construites avec *be*, notamment *be going to*;
> — avec un *présent progressif* (plus rarement un présent simple).

Ce qu'on appelle couramment *future tense* n'est donc que l'une des péri-phrases *(shall/will + infinitif sans to)* qui permettent de situer une action dans l'avenir. Dans l'étude des emplois de *shall* et de *will* on distinguera, selon le degré de modalité qu'ils expriment, le *« plain future »* du *« coloured future »*.

| 1. — SHALL ET WILL. LE "PLAIN FUTURE" |

297 (a) *Généralités.*

Les emplois des deux auxiliaires *shall* et *will* illustrent le *passage de la notion de modalité à la notion de temps*. A l'origine auxiliaires de modalité exprimant des notions précises (*I shall* = I must, I am to; *I will* = I want to, I wish to), ils sont devenus dans de nombreux cas (mais non toujours, comme on le verra) des auxiliaires du futur.

Quand on examine la série : **we can go, we may go, we shall go, we will go, we should go,** etc., on voit que les formes qui expriment le plus couramment l'idée de futur *(we shall go, we will go)* ne sont que des cas particuliers de ces tournures périphrastiques construites avec des auxiliaires de modalité (les autres formes citées dans cette série peuvent d'ailleurs servir, elles aussi, à exprimer une idée de futur : **we may go to London tomorrow, we can go as soon as you are ready, we should go by the 11.50 train**). Voir 323.

Des phrases telles que **« Shall I help you ? »** *(Faut-il que je vous aide ?)* et **« Will you help me ? »** *(Voulez-vous m'aider ?)* permettent de comprendre comment, au cours des siècles, *shall* et *will* ont pu devenir des auxiliaires du futur. Le sens n'est pas exactement : *vous aiderai-je ? m'aiderez-vous ?* mais il comporte incontestablement une idée de futur.

Le français a « oublié » l'origine de son futur *(je travaillerai = « je travailler ai »,* c'est-à-dire : *j'ai à travailler).* Il n'en est pas de même en anglais : *shall* et *will* ne perdent jamais entièrement leur valeur modale, et le *« plain future »* (ou *« colourless future »,* futur sans nuances spéciales) n'est que rarement tout à fait neutre. Mais l'idée de futur l'emporte souvent nettement sur l'idée de *volonté (will)* ou de *nécessité (shall).* Par exemple dans « **I shall be 25 next week** », *shall* est moins un modal exprimant le caractère inéluctable de l'action qu'un auxiliaire du futur; il est évident que dans « **She will be 25 next week** » *will* n'exprime en rien une notion de volonté. Et toute trace de différence modale entre *shall* et *will* disparaît lorsque, dans la langue parlée, on dit « **I'll be 25 next week** ».

> *Remarque :* Afin de mieux mettre en relief les différences entre le « plain future » (temps) et le « coloured future » (modalité), on n'a pas cru devoir adopter ici une définition de la modalité qui inclut toutes les phrases au futur en tant qu'exprimant des faits éventuels, pas encore réels (par opposition avec les faits passés ou présents qui, eux, ont été, ou sont, effectivement expérimentés).

298   C'est en employant *shall* à la première personne et *will* aux deux autres que ces auxiliaires perdent le plus leur sens d'auxiliaires de modalité pour n'être principalement que des auxiliaires du futur. Toutefois le schéma traditionnel « shall-will-will » ne peut pas s'appliquer à tous les cas, la réalité étant plus nuancée, cela pour deux raisons :

1° les *colorations modales* que gardent souvent les deux auxiliaires, à des degrés divers selon le contexte, la nature du sujet, etc., et dont il faut tenir compte même pour le « plain future ». Par exemple « **I shall help you** » serait impoli (= je ne peux pas faire autrement), et « **I hope we won't wait too long** » sonne faux (du moins en Angleterre, voir ci-dessous), car cette phrase n'exprime pas un choix.

2° la *tendance à remplacer à la première personne shall par will* sans que ce dernier auxiliaire exprime la moindre nuance de volonté ou de choix, ce qui est l'usage en Ecosse, en Irlande et aux Etats-Unis.

299 (b) *Formes.*

Shall et *will* sont inaccentués quand ils servent à conjuguer le « plain future ».

> **We shall be tired** [wiʃl'bi]. *Nous serons fatigués.*
> **I hope you will succeed.** *J'espère que vous réussirez.*

Dans la langue parlée, à la forme affirmative, les deux auxiliaires se réduisent le plus souvent à *'ll* (qui est à l'origine la forme faible de *will* mais s'emploie souvent aussi pour remplacer *shall*) : **we'll be** [wil'bi], **you'll succeed** [julsək'siːd].

Quand le sujet n'est pas un pronom personnel on écrit généralement *will,* mais on prononce souvent comme si on écrivait *'ll* (**That will do. John will do it**).

Forme interrogative : on conjugue comme les autres auxiliaires (must, can, etc.).

> **Shall we be there before tea-time ?** *Y serons-nous avant l'heure du thé ?*
> **What will they do if nobody helps them ?** *Que feront-ils si personne ne les aide ?*

Forme négative : dans la langue parlée **shall not** se contracte en **shan't** [ʃɑːnt] et **will not** en **won't** [wount].

> **I hope we shan't wait too long.** *J'espère que nous n'attendrons pas trop longtemps.*

144

I'm afraid she won't like it. *Je crains que cela ne lui déplaise.*

On peut aussi employer *not* après *'ll.*

I'll not be a minute (= I shan't be a minute). *J'en ai pour une seconde.*
I'll not be working tomorrow. *Je ne travaillerai pas demain* (304).

300 (c) **« Plain future », 1ʳᵉ personne.**

Aux Etats-Unis, en Irlande et en Ecosse la plupart des gens n'emploient que l'auxiliaire *will* (qui perd alors toute valeur de modalité). En Angleterre *shall* s'emploie dans une langue soignée dans les cas suivants :

(1) quand il n'y a **aucune idée de choix, de volonté, de consentement,** quand la liberté du sujet est limitée ou inexistante, notamment :

— avec les expressions *have to* et *be able to.*

We shall have to walk. *Nous devrons aller à pied.*
We shan't be able to help you. *Nous ne pourrons pas vous aider.*

— pour les **actions inexorables.**

I shall be thirty next week. *J'aurai trente ans la semaine prochaine.*

— pour les **opérations intellectuelles involontaires (to know, to understand, to remember, to forget...).**

If there are no subtitles I shan't understand. *S'il n'y a pas de sous-titres je ne comprendrai pas.*
I shall remember your promise. *Je me rappellerai votre promesse.*

— pour les **sensations** et les **sentiments** (on ne les choisit pas, on les éprouve) : *to be cold, to be tired, to be glad, to be disappointed; to like, to enjoy, to hate,* etc.

We shall be glad to meet your friend (= we shall enjoy meeting your friend). *Nous serons heureux de faire la connaissance de votre ami.*
We shall miss you when you have gone. *Vous nous manquerez quand vous serez parti.*
We shall all be very tired. *Nous serons tous très fatigués.*

Comparer les emplois de *shall* et de *will* dans les phrases suivantes (langue parlée soignée) :

I shan't be able to do it by myself. — I will help you. — I shall be very grateful if you do. *Je ne pourrai pas le faire tout seul. — Je vais vous aider. — Je vous en serai très reconnaissant.*

Dans tous ces cas *will* s'emploie couramment dans la langue familière **(I will have to..., I will be glad...).** Mais la frontière est vague entre « langue soignée » et « langue familière », cette question étant en pleine évolution. *Will* a de plus en plus tendance à **remplacer shall** en anglais britannique.

301 (2) à la **forme interrogative, « will I »** ne s'emploie pas normalement en tête de phrase.

Shall we get there before dinner ? *Y arriverons-nous avant le dîner ?*
When shall I be told the truth ? *Quand me dira-t-on la vérité ?*

Pour : « Will I lend you my car ? Of course I will », voir 305.

Au pluriel, **« will we »** s'emploie parfois, dans les cas où l'on consulte indirectement les autres personnes que le locuteur incluses dans le pluriel we.

What shall (ou : will) we have for lunch ? *Qu'allons-nous manger à midi ?*

Dans les autres cas (c'est-à-dire presque toujours) on préfère *shall* dans la langue soignée en Angleterre.

How long shall we wait ? *Combien de temps attendrons-nous ?*

En dehors des cas examinés ci-dessus (1) et (2), on emploie généralement *will* (à la forme affirmative, dans la langue parlée : *'ll*), *won't*.

La différence de modalité traditionnelle entre *I shall (nécessité)* et *I will (volonté)* est donc de moins en moins marquée.

302 (d) *« Plain future », 2ᵉ et 3ᵉ personnes.*

L'auxiliaire est *will* (dans la langue parlée : *'ll*).

If you don't start at once you'll be late. *Si vous ne partez pas tout de suite vous serez en retard.*

What will they do if they miss their train ? *Que feront-ils s'ils manquent leur train ?*

There won't be anything left for us. *Il ne restera rien pour nous.*

Mais il est souvent souhaitable d'éviter que l'on puisse interpréter *will* dans son sens fort (surtout quand le sujet est une personne et que la réalisation de l'action peut être interprétée comme dépendant de sa volonté). On se sert alors de *will suivi d'une forme progressive*, qui n'exprime dans ce cas aucune nuance d'aspect (voir 304). Cette tournure, principalement aux formes négative et interrogative, est alors le véritable *« plain future ».*

Comparer :

> **She won't sing because you've offended her** *(won't accentué). Elle refuse de chanter parce que vous l'avez vexée.*
> **She won't be singing in the choir, she has a sore throat** *(won't inaccentué). Elle ne chantera pas dans la chorale, elle a mal à la gorge.*

> **Will you come with us ?** *Voulez-vous venir avec nous ?* (invitation).
> **Will you be coming with us ?** *Viendrez-vous avec nous ?* (simple question, ton neutre).

> **Will you lend him you car** (please) ? *Voudriez-vous lui prêter votre voiture ?* (je formule une requête).
> **Will you be lending him your car ?** *Allez-vous lui prêter votre voiture ?* (je me renseigne sur ce que fera l'interlocuteur).

Quand le sujet est neutre ou que le verbe ne peut comporter *aucune idée de volonté, de choix* (*to like, to know, to forget*, etc.; voir 300), la construction avec *will* ne risque pas d'être ambiguë et on n'emploie pas la forme progressive. On ne l'emploie pas non plus si le reste de la phrase (par exemple une subordonnée introduite par *if*) précise que la réalisation de l'action dépend de circonstances extérieures et non de la volonté du sujet.

It will rain tomorrow. *Il pleuvra demain.*

I'm sure they'll enjoy the play. *Je suis sûr que la pièce leur plaira.*

He'll lend you his car if you ask him. *Il vous prêtera sa voiture si vous le lui demandez* (il n'est pas question ici de son consentement, que je ne mets pas en doute; la réalisation de l'action dépend donc seulement d'une circonstance extérieure à lui : le fait que vous lui demanderez ce service).

Comparer les deux constructions interrogatives dans le dialogue suivant (au début d'une alerte pendant la guerre, les questions sont posées par un domestique) :

'Will you be coming downstairs ?' (= *dans l'abri souterrain*).
'No, not yet, at any rate.'
'Will you require your respirator *(masque à gaz), my lady ?'*
'I don't suppose so, (...) the danger of gas is very slight' (Evelyn Waugh).

Ne pas confondre cet emploi du futur progressif avec les cas où il exprime une action en progrès. Voir 304.

303   *Remarque :* A la forme interrogative de la 2ᵉ personne, dans un style très soigné, on emploie encore parfois l'expression désuète : *« shall you... ? »* pour le « plain future », notamment quand on s'attend à une réponse construite avec le même auxiliaire. Comparer :

Will you stay with us for the week-end ? — Yes, I will *(Oui, volontiers).*
Shall you stay at home for the week-end ? — Yes, I'm afraid I shall
(Hélas, oui).

Dans ce dernier cas, on dit beaucoup plus couramment : **Will you be staying... ?**

304 (e) Le *futur progressif* s'oppose au futur comme le preterite progressif au preterite simple (257).

It will be raining when we reach England. *Il pleuvra quand nous arriverons en Angleterre.* (Cf. au passé : **It was raining when we reached England).**

Il peut aussi s'employer, sans aucune idée d'action « en progrès », non achevée, pour exprimer un « plain future », en particulier pour éviter que l'on interprète *will* dans son sens fort (302).

She won't be coming with us. *Elle ne viendra pas avec nous.*
She won't come with us. *Elle ne veut pas venir avec nous* (mais cette phrase peut être ambiguë).

Avec *shall* comme avec *will* la forme progressive permet de mentionner une action future (certaine ou simplement probable) sans que ce soit une affirmation sèche, brutale. C'est pourquoi elle s'emploie couramment dans la langue familière.

I'll be seeing you. *Je vous reverrai* (sous-entendu : je ne précise pas quand mais cela se produira prochainement. On peut traduire : *« A bientôt »*, *« à un de ces jours »*).
Let's hurry up, they'll be wondering where we are. *Dépêchons-nous, ils vont se demander où nous sommes.*

La forme progressive permet de poser des questions plus impersonnelles, moins indiscrètes, donc plus polies. Avec **« will you... ? »** on sollicite un consentement; avec **« are you going to... ? »** on interroge l'interlocuteur sur ses intentions; avec **« will you be... -ing... ? »** on s'informe simplement de ce que sera l'avenir.

Will you be staying here long ? *Séjournerez-vous longtemps ici ?* (voir aussi 302, citation d'Evelyn Waugh).

---

2. — EMPLOIS DE WILL, AUXILIAIRE DE MODALITÉ

Nous avons vu que dans les phrases au « plain future » le sens de *will* et de *shall* est principalement celui d'un auxiliaire du futur qui garde une plus ou moins nette coloration de modalité; mais dans plusieurs de leurs emplois ce sont essentiellement des auxiliaires de modalité à sens précis comportant une plus ou moins nette idée de futur. Quand la notion de modalité l'emporte sur la notion de temps on a le *« coloured future »*, aussi appelé *« emphatic future » (futur nuancé, futur d'insistance* ou *futur emphatique).*

305 (a) Le modal *will* exprime nettement une *idée de volonté, de choix, de consentement* dans les cas suivants :

(1) Dans les *questions à la 2ᵉ personne* et les *affirmations à la 1ʳᵉ personne.*

Will you help me ? — Yes, I will. *Voulez-vous m'aider ? — Oui, bien sûr.*

La réponse « I shall » serait fort peu polie (= oui, puisque je ne peux pas faire autrement, ou : quand cela ne me dérangera pas).

Will you have a glass of beer ? (offre, invitation) **— Thanks, I will.** *Voulez-vous un verre de bière ? — Oui, volontiers.*

We will do our best to make him feel at home. *Nous ferons tout notre possible pour qu'il se sente chez lui* (c'est une promesse).

Wilt thou have this woman to be thy lawful wedded wife... ? — I will (formule prononcée aux cérémonies de mariage).

I will do as I please. *Je ferai ce qui me plaît.*

Il arrive qu'à la 1ʳᵉ personne le « plain future » **(I shall)** ait plus de force que le futur emphatique **(I will).** Dans « I shall do as I please » je déclare tranquillement ce qui se produira inéluctablement. J'en suis si assuré que je n'éprouve pas le besoin d'affirmer que je le veux, comme s'il était superflu de faire acte d'autorité.

« We shall defend our island, whatever the cost may be » (Churchill, en juin 1940). *Nous défendrons notre île, quoi que cela nous coûte.*

I will exprime parfois un *futur proche avec une vague nuance d'intention* (mais moins nettement marquée qu'avec « **I'm going to** », voir 317-318).

I will tell you a story. *Je vais vous raconter une histoire.*

I will be frank with you. *Je vais vous parler franchement.*

La réponse (par *yes* ou *no*) à la question commençant par *« Will you... ? »* est parfois précédée d'un rappel des termes de cette question, généralement sur un ton ironique, en commençant la phrase par *« Will I... ? »* (style indirect elliptique).

Will you lend me your car ? — Will I lend you my car ? Of course I will. *Voulez-vous me prêter votre voiture ? — Vous prêtez ma voiture ? Oui, bien sûr.*

Will you s'ajoute à des impératifs pour adoucir l'ordre donné (intonation ascendante).

Open the door for me, will you (?) (= please). *Ouvrez-moi la porte, voulez-vous ?*

Don't forget to post the letter, will you (?) *N'oublie pas, s'il te plaît, de mettre la lettre à la poste.*

Prononcé sur un ton autoritaire, voire excédé, *will you* renforce un ordre sévère (intonation descendante).

Stop making all this fuss, will you. *Cesse de faire toutes ces histoires, je t'en prie.*

306 (2) *La forme négative*, fortement accentuée, s'emploie souvent pour exprimer (à toutes les personnes) *un refus ou une promesse négative.*

I give him good advice, but he won't listen to me. *Je lui donne de bons conseils, mais il ne veut pas m'écouter.*

I won't obey such stupid orders. *Je refuse d'obéir à des ordres aussi stupides.*

148

He would like to go to Canada, but his parents won't let him. *Il voudrait aller au Canada, mais ses parents ne le lui permettent pas.*

What's wrong with your car ? — It won't start. *Qu'est-ce qu'elle a, votre voiture ? — Elle ne veut pas démarrer.*

I won't do it again. *Je promets de ne pas recommencer.*

There are none so deaf as those that will not hear (proverbe). *Il n'y a pire sourd que celui qui ne veut pas entendre.*

I don't want it, I won't have it. *Je n'en veux pas, je le refuse.*

« I will not be interrupted » (J. Mortimer). *Je ne veux pas qu'on m'interrompe.*

Le refus peut bien sûr être exprimé à l'aide de *to refuse*, mais le ton n'est pas le même. Quand je dis : « **He won't come with us** », je rapporte en fait les paroles qu'il a prononcées. C'est une phrase au style indirect elliptique (= **He says, 'I won't go with you'.** Voir 63). Alors que si je dis : « **He refuses to come** », je constate son refus sans citer les paroles par lesquelles il l'a exprimé. La seconde phrase est plus impersonnelle, sans contenu modal.

Dans les phrases qui risqueraient d'être ambiguës on peut selon le cas employer *to refuse* ou, pour une simple idée de futur, la *forme progressive* (qui n'exprime alors aucune nuance d'aspect, voir 304).

She won't come until Friday peut signifier : *Elle ne veut pas venir avant vendredi,* ou : *Elle ne viendra pas avant vendredi* (mais dans ce cas « **She won't be coming...** » est plus clair).

307 (3) *Will* s'emploie, mais moins couramment, *à la forme affirmative de la 2ᵉ et de la 3ᵉ personnes* pour exprimer un *consentement* (notamment après *if*) ou une *volonté* (surtout quand il est suivi de *have* construit avec une structure causative, 505).

If you will wait outside I'll be with you in a minute. *Si vous voulez bien attendre dehors je vous rejoins dans une minute.*

He will have me say that I agree with him, but I won't (style soigné). *Il veut me faire dire que je suis d'accord avec lui, mais je ne le dirai pas.*

Fortement accentué, *will* exprime une ferme *détermination*, une *obstination*.

I think it's unwise, but if you 'will go I can't keep you from going. *Je crois que cela n'est pas raisonnable, mais si tu tiens absolument à y aller je ne peux pas t'en empêcher.*

He 'will have it that Christopher Columbus was a Corsican. *Il prétend que Christophe Colomb était corse* (il ne veut pas en démordre).

308 (b) *Will* peut avoir une *valeur fréquentative* (aspect) à laquelle s'ajoute une *nuance d'obstination* (modalité). Voir 349.

He 'will have his little joke. *Il faut toujours qu'il plaisante.*

Accidents will happen. *Il arrive toujours des accidents* (obstination de la fatalité).

309 (c) *Will* exprime parfois une *forte probabilité*, une quasi-certitude dans le présent (sens voisin de *must, be sure to*).

Somebody's knocking at the door, that will be Mrs Jones. *On frappe, cela doit être Mrs Jones* (action attendue, normale)

I can't tell you myself, but 'he will know. *Je ne peux pas vous le dire moi-même, mais lui doit le savoir.*

You will understand what an awkward position I am in. *Vous devez comprendre dans quelle situation délicate je me trouve.*

You will appreciate my reasons for not coming. *Vous comprenez, j'en suis sûr, pourquoi je ne viens pas.*

Dans les deux derniers exemples l'emploi de l'auxiliaire de modalité **will** (quasi-certitude et non affirmation brutale) donne un ton moins sec, donc plus poli.

(d) **Will** s'emploie dans des **propositions concessives** du type : « **Say what you will...** » *(Vous avez beau dire...).* Voir 909.

(e) Pour « **will have + participe passé** » (future perfect), voir 316.

310 (f) Ne pas confondre l'auxiliaire **I will** avec le verbe régulier (rarement employé, uniquement dans la langue écrite) **to will** (= *vouloir très fortement*) qui s'emploie quand le sujet impose (ou aimerait imposer) sa volonté toute puissante, par exemple à une créature sans défense.

> **I tried to will her to say yes.** *Je priai pour qu'elle acceptât.*
> **I willed myself not to shiver.** *Par un effort de volonté je m'imposai de ne pas trembler.*
> **He tried to will himself into feeling all right** (Kingsley Amis). *Il tenta par un effort de volonté de se sentir en forme* (voir 518).
> **God willed it.** *Dieu l'a voulu.*
> **Fate willed that he should die.** *Le sort voulut qu'il mourût.*

L'athéisme de C.M. Joad s'exprime dans cette phrase : « **Nobody planned this world, nobody willed it, nobody guides it** ».

---

3. — EMPLOIS DE SHALL, AUXILIAIRE DE MODALITÉ

311 **Shall** s'emploie beaucoup moins que **will** comme auxiliaire du « plain future » (voir 300, 301). En Amérique, en Irlande et en Ecosse plus encore qu'en Angleterre, il s'emploie essentiellement comme **auxiliaire de modalité.** Il implique que *la volonté du sujet est limitée ou inexistante :* ce n'est pas lui qui décide d'accomplir l'action. Il s'oppose donc nettement à **will.**

(a) **Shall I ? Shall we ?** s'emploient pour **demander un avis** sur ce qu'il convient de faire, ou pour **proposer ses services** *(Pensez-vous que je doive... ? Voulez-vous que je... ?).*

> **Shall we help you ?** *Voulez-vous que nous vous aidions ?*
> **Shall I make the tea ?** *Faut-il* (ou : *voulez-vous*) *que je fasse le thé ?*
> **Shall we go to the pictures ?** *Si nous allions au cinéma ?*
> « **What shall we do with the drunken sailor ?** » (chanson de marins). *Qu'allons-nous faire (que faut-il faire) du marin ivre ?*

On peut ajouter **shall I ? (shall we ?)** à un impératif ou à un futur de la 1re personne (proposition polie). Comparer avec l'emploi identique de « **will you (?)** » (305).

> **Let's have a cup of tea, shall we ?** *Que diriez-vous d'une tasse de thé ?* (ou : *Et si nous prenions une tasse de thé ?*)
> **Let's forget about that, shall we ?** *Oublions cela, voulez-vous ?* (ton convaincant).
> **We'll go for a walk after lunch, shall we ?** *Nous irons nous promener après le déjeuner, voulez-vous ?*
> « **I'll give you a ring in London, shall I, and we can fix a day** » (Iris Murdoch). *Je vous donnerai un coup de fil à Londres, voulez-vous, et nous pourrons fixer une date.*

Cet emploi de *shall* est beaucoup plus rare à la 3e personne, mais son preterite *should* s'emploie dans ce cas.

> **Should he bring his camera ?** *Faut-il qu'il apporte son appareil photo ?*

Pour les questions commençant par « *Shall you... ?* », voir 303.

312 (b) A la forme affirmative *shall* s'emploie *exceptionnellement à la 2e et à la 3e personnes* pour les *promesses formelles* faites par le locuteur, les *commandements*, les *contraintes* ou les *menaces* prononcés par le locuteur (**you shall do it** = I want you to do it). Le style est *solennel*, voire archaïsant.

> **You shall have your fur-coat for Christmas, darling.** *Tu auras ton manteau de fourrure pour Noël, ma chérie* (je te le promets).
> **Your orders shall be obeyed.** *On obéira à vos ordres* (j'y veillerai).
> **It shall be as you say** (langue plus simple : **I shall do as you say**). *Ce sera* (ou : *je ferai*) *comme tu veux.*
> **A famous novelist, who shall be nameless, was involved in the scandal.** *Un romancier célèbre, dont je tairai le nom* (décision irrévocable), *a été compromis dans ce scandale.*

Si je dis : « **You will leave the room at once** » *(Vous allez quitter cette pièce immédiatement)*, l'emploi de *will* (« plain future ») implique que je me refuse à envisager l'éventualité de la désobéissance. J'affirme simplement ce qui ne peut pas ne pas se produire. Mais si je dis : « **You shall leave the room at once** » *(Je vous ordonne de quitter cette pièce immédiatement)*, j'affirme que je veillerai à ce qu'on obéisse à mon ordre, en expulsant l'interlocuteur *manu militari* si c'est nécessaire.

Shall s'emploie dans le style des *règlements officiels* (**The boys shall wear their uniforms every day**), alors que pour les *menaces officielles* on emploie plus couramment *will* (**Trespassers will be prosecuted.** *Défense d'entrer; les contrevenants seront poursuivis*).

Dans l'introduction à sa pièce 'The Kitchen', Arnold Wesker dit à l'intention des metteurs en scène : « **While the main action of the play is continuing they** (= the cooks) **shall always have something to do** ». Ici *shall* exprime une décision de l'auteur.

Shall s'emploie normalement pour les *prophéties* (actions inéluctables).

> **And the dead shall rise.** *Et les morts ressusciteront.*
> **If you don't change your behaviour you shall rue it.** *Si tu ne changes pas de comportement tu t'en repentiras.*

313 (c) A la forme négative *shall not (shan't)* s'emploie aux 2e et 3e personnes pour les *interdictions*. Le style est *solennel*, voire archaïsant.

> **Thou shalt not kill.** *Tu ne tueras point.*
> **You shan't open that door.** *Je vous interdis d'ouvrir cette porte* (sous-entendu : je saurai vous en empêcher s'il le faut; alors que « **You won't open that door** » est une simple description de l'avenir tel que le voit le locuteur. La différence est la même qu'entre « **you will leave** » et « **you shall leave** », 312). On dit plus couramment : **You're not to open...** (125).

314 (d) *Shall* s'emploie aussi, mais rarement, avec valeur d'*auxiliaire du subjonctif* (367, 369 et 373).

> **The Headmaster expects that the boys shall wear their school uniforms.** *Le directeur entend que les élèves portent leur uniforme scolaire* (style officiel).

Dans le style des engagements solennels, des accords rédigés avec soin, *shall* s'emploie parfois dans des subordonnées dépendant de principales construites avec *shall*.

> **Whatever sum shall be received from him shall be shared amongst us.** *Toute somme à recevoir de lui sera partagée entre nous.*
>
> **If the heirs to the fortune shall not declare themselves within six months, the estate shall revert to the Crown.** *Si les héritiers de cette fortune ne se déclarent pas dans les six mois, les biens reviendront à la Couronne.*

(e) *Shall* s'emploie parfois dans des *interrogations purement oratoires.*

> **Who shall describe the heroism of the R.A.F. in 1940 ?** *Comment décrire* (ou : *Qui décrira jamais) l'héroïsme de la R.A.F. en 1940 ?*

(f) pour *« shall have + participe passé »* (future perfect), voir 316.

315 (g) *« Coloured future ».* En résumé, quand ils sont accentués et expriment moins une idée de futur que diverses nuances de modalité, *shall* et *will* obéissent aux mêmes principes que les autres auxiliaires de modalité (63) : aux formes affirmative et négative c'est de la volonté du locuteur qu'il s'agit :

> **I will help you.**
> **He shall obey me.** } En prononçant ces phrases, c'est ma volonté que
> **You shan't go out.** } j'exprime.

Il faut voir dans les phrases du type **« She won't listen to me »** des phrases au style indirect elliptique **(She says : « I won't listen to you »)**. Je cite les paroles (réelles ou imaginaires) d'un second locuteur, et c'est la volonté de celui-ci qu'exprime *won't*.

A la forme interrogative l'interlocuteur est consulté, on demande son avis, son consentement :

> **Shall I switch off the lights ?**
> **Will you come with us ?**

Comparer les phrases suivantes :

> **You will go to the pictures and we shall stay here to finish our work** (ou : **You'll go... we'll stay...**; simple constatation).
> **We will go to the pictures** (volonté) **and you shall stay here to finish your work** (ordre sévère).
> **He says he won't do it** (refus). — **He shall** (ordre).
> **He says he 'will do it** (volonté). — **He shan't** (interdiction).
> **She shan't go to Scotland with them** (c'est moi qui m'y oppose).
> **She won't go to Scotland with them** (c'est elle qui refuse).
> **She won't be going to Scotland with them** (le motif n'est pas indiqué); la phrase précédente peut aussi s'employer dans ce sens plus vague si *« won't »* n'est pas accentué, mais elle risque d'être ambiguë).

---

4. — FUTURE PERFECT

316 Le *future perfect* est au futur ce que le present perfect est au présent.

> *Futur :* **they will see, we shall spend...**
> *Future perfect :* **they will have seen, we shall have spent...**

Comparer :

We've already spent £50 on medicines. *Nous avons déjà dépensé 50 livres pour des médicaments* (bilan jusqu'au moment présent : present perfect).

Before (= by) the end of the year we shall have spent over £100 on medicines. *Avant la fin de l'année nous aurons dépensé plus de 100 livres pour des médicaments* (bilan jusqu'à un moment de l'avenir : future perfect).

Le *future perfect* est souvent associé à un complément introduit par *by*.

He'll have [hiləv] done it by Saturday. *Il l'aura fini d'ici samedi.*
By the time you come (présent et non futur, 325) **I'll have finished my dinner.** *Quand vous arriverez j'aurai fini de dîner.*

Après une *conjonction de temps* (when, once, as soon as...) la marque du futur est omise (325).

Let us know when you have finished (present perfect et non future perfect). *Prévenez-nous quand vous aurez fini.*

Le future perfect (avec *will*, non avec shall) exprime parfois (mais plus rarement que notre futur antérieur) une *probabilité* concernant un fait passé (voir 309, *will* exprimant une probabilité).

Why hasn't he come ? — He will have forgotten (ou : **He must have forgotten**). *Pourquoi n'est-il pas venu ? — Il aura oublié.*

---

5. — BE GOING TO

317   Cette périphrase, dans laquelle la forme progressive de *go* joue le rôle d'un auxiliaire suivi d'un infinitif complet, s'emploie pour exprimer soit une *intention*, soit une *conviction*. Les phrases « I'm going to write to him » (intention présente du locuteur) et « it's going to rain » (conviction présente du locuteur) sont en réalité des présents, mais comportent indirectement une idée de futur (ici de futur proche).

(a) *Intention.*

Il est sous-entendu que l'on a réfléchi avant de prendre une décision.

I'm going to buy a new car. *Je vais acheter une nouvelle voiture.*
They're going to get married. *Ils vont se marier.*
My wife is going to learn German. *Ma femme va apprendre l'allemand.*
I'm not going to apologize. *Je n'ai pas l'intention de présenter des excuses.*

Dans ces phrases, qui ne comportent pas de complément de temps, il est sous-entendu que l'action est située dans un *avenir proche*. Mais un complément peut préciser qu'il s'agit d'un futur plus ou moins lointain.

I'm going to buy a car before the holidays. *Je vais acheter une voiture avant les vacances.*
What is John going to do after his exams ? *Que fera John après ses examens ?*

Toutes les phrases ci-dessus expriment les intentions du sujet de la phrase (dans les phrases à la 2e ou à la 3e personne, on peut considérer qu'il s'agit d'un style indirect elliptique : **They're going to get married = They say : "We are going to get married"**). Mais à la 2e et à la 3e personnes cette périphrase peut parfois exprimer les intentions, voire la ferme volonté, du locuteur. Le ton est alors autoritaire.

> **And now you're going to listen to me.** *Et maintenant vous allez m'écouter.*
> **Believe me, he's going to do as he is told.** *Croyez-moi, il va faire ce qu'on lui dit* (j'en réponds).

Si bien qu'une phrase comme « Martin's going to help you » peut être ambiguë, exprimant soit ce que Martin à l'intention de faire, soit ce que je veux qu'il fasse, que cela lui plaise ou non. Le contexte et le ton de la voix renseignent sur ce qu'il faut comprendre.

318 On a vu (305) que *will* peut parfois s'employer pour une vague idée d'intention et de futur proche, mais ces notions sont exprimées plus nettement par *be going to*. Ces deux constructions ne s'emploient pas indifféremment : il faut éviter d'employer *be going to* quand on n'insiste pas sur une notion d'intention. En particulier :

(1) On emploie *will/shall* plutôt que *be going to* avec les verbes exprimant des opérations intellectuelles peu conciliables avec une idée d'intention : **to know, to understand, to forget, to remember...**

> **It's too difficult for him, he won't understand** (et non : « he isn't going to... »). *C'est trop difficile pour lui, il ne va pas comprendre.*

(2) On emploie *be going to* quand l'action est **préméditée, will** quand elle est **spontanée** (ce qui n'est pas alors à proprement parler une intention).

> **John is a big boy now, I'm going to buy him a moped.** *John est un grand garçon maintenant, je vais lui acheter un vélomoteur* (décision prise après réflexion : *be going to*).
> **You look tired, sit down and I'll make you a cup of tea.** *Vous avez l'air fatigué, asseyez-vous, je vais vous faire une tasse de thé* (ce n'est pas une décision prise après avoir pesé le pour et le contre : *will*).

(3) On emploie *will* plutôt que *be going to* quand une subordonnée (introduite par *if, when*, etc.) précise que la réalisation de l'action dépend de circonstances extérieures et non de l'intention du sujet, alors que *be going to* se rencontre fréquemment quand il n'y a pas de subordonnée. Comparer :

> **I'm going to lend him my car.** *Je vais lui prêter ma voiture* (j'exprime mon intention de le faire).
> **I'll lend him my car if he needs it.** *Je vais lui prêter ma voiture s'il en a besoin* (je dis dans quel cas je le ferai, il paraît superflu de préciser ici que j'ai l'intention de le faire).

(4) On emploie *« are you going to... ? »* pour s'informer des intentions de l'interlocuteur et *« will you... ? »* pour présenter une offre, une invitation, une demande.

Comparer :

> **Are you going to stay in London till the end of the week ?** (quelles sont vos intentions ?). On dit parfois : **Are you going to be staying... ?**
> **Will you stay with us for the week-end ?** (c'est une invitation).
> **Will you be staying in London till the end of the week ?** (je m'informe de ce qui doit normalement se produire; c'est un « plain future », 302.

(5) Dans l'introduction à son excellent chapitre consacré au futur (Living English Structure, pp. 116 sqq.), W. Stannard Allen propose deux « golden rules » :

1. **Beware of the innocent-looking « going to » form.**
2. **When in doubt use « will ».**

319 (b) *Conviction.*

Le locuteur est convaincu que l'action est à peu près inévitable, et il est généralement sous-entendu qu'elle se produira sans tarder *(« futur proche »).*

> **It's going to rain.** *Il va pleuvoir.*
> **There's going to be a gale.** *Il va y avoir une tempête.*
> **I'm going to faint.** *Je vais m'évanouir* (aucune idée d'intention, évidemment).
> **It's going to be a very pleasant afternoon.** *Cela va être un après-midi très agréable.*

Il arrive que la phrase exprimant une conviction ne comporte pas de notion de futur proche.

> **He is going to fail.** *Il va échouer* (pas nécessairement dans un avenir proche).
> **The task is going to be more difficult than I expected.** *La tâche va être plus difficile que je ne m'y attendais* (cette phrase peut s'appliquer à un futur proche ou lointain).

Comparer :

> **I'm afraid *there's going to be* a storm tonight** (conviction du locuteur, modalité).
> ***There will be* a storm tonight in the Irish Sea** (style neutre d'un bulletin météorologique, pas de modalité).

320 (c) *Futur très proche.*

Pour une *action imminente (« être sur le point de »)* on peut employer la périphrase *be going to* accompagnée de l'adverbe *just*, ou (moins couramment dans la langue parlée) *be about to.*

> **Hurry up ! The train's just going to leave** (plus couramment que : **is about to leave**). *Dépêchez-vous ! Le train va partir.*
> **Prayer for those about to die** (= those who are about to die). *Prière pour ceux qui sont à l'agonie.*

Autres expressions de même sens mais plus rares, toutes suivies d'un gérondif : *to be on the verge of, to be on the point of, to be near to* (858).

> **He is on the verge of retiring.** *Il est sur le point de prendre sa retraite.*

N.B. Pour les phrases au passé *(« j'allais lui écrire »...),* voir 324 (futur dans le passé).

| 6. — AUTRES FAÇONS D'EXPRIMER LE FUTUR |

321 (a) Le *« présent progressif »* (ou plus exactement la *périphrase « be + participe présent »*) exprime souvent un *futur*. La date est normalement précisée. Cette construction est très courante dans la langue parlée. Elle s'emploie notamment avec des verbes comme *to go, to come, to leave, to start.*

> **I'm going to a concert tonight.** *Je vais au concert ce soir.*
> **They are leaving tomorrow.** *Ils partent demain* (ou : *ils doivent partir demain*).
> **I met Fred at the station. He's not coming tonight.** *J'ai rencontré Fred à la gare. Il ne vient pas ce soir* (je rapporte ce qu'il m'a dit).
> **Are you working tomorrow ?** *Travaillez-vous demain ?*

155

We are having a party on Saturday. *Nous recevons des amis samedi.*
What are you doing for Christmas ? *Que faites-vous à Noël ?*
I'm seeing him tomorrow. *Je le vois demain* (ou : *je dois le voir demain*).
Arriving Friday. *Arrivons vendredi* (style elliptique des télégrammes).

Ces exemples (tous traduits par des présents en français) montrent qu'il s'agit d'*actions projetées*, attendues, qui doivent se produire *sauf imprévu.*

A cette notion d'action projetée s'ajoute parfois une nuance de *volonté très ferme*, celle du locuteur. A la forme négative *not* est alors accentué (le sens est : « *il n'est pas question de...* »).

I'm not seeing anybody today. *Je ne verrai* (ou : *je ne veux voir*) *personne aujourd'hui.*
You're not staying with them, you're coming with us. *Tu ne restes pas avec eux, tu viens avec nous* (c'est un ordre).

La phrase « **she's not coming with us** » peut avoir deux sens : j'informe qu'elle ne viendra pas, sauf imprévu; ou bien : je lui interdis de venir (dans le second cas le ton est très sec et *not* est accentué).

322 ⓑ Le *présent simple* s'emploie aussi parfois pour exprimer un futur : (1) après *to hope*; (2) dans un style impersonnel ou officiel (en particulier quand il s'agit d'une série d'actions projetées, d'un programme de voyage organisé, etc.).

Let's hope it doesn't rain. *Espérons qu'il ne pleuvra pas.*
I hope he doesn't miss his train. *J'espère qu'il ne va pas rater son train.*
The ship leaves at 6 tomorrow morning. *Le navire part à 6 heures demain matin.*
Tomorrow I go to London by the 8.45 train. *Demain je vais à Londres par le train de 8 h 45* (affirmation plus sèche que « I'm going to London tomorrow », tournure plus courante).
Today the Prime Minister goes to Scotland to address party workers, tomorrow he (ou : **she**) **flies back to London and on Saturday he** (ou : **she**) **goes to Chequers for the week-end.** *Aujourd'hui le Premier Ministre se rend en Ecosse pour parler à des militants du parti, demain il rentre à Londres en avion et samedi il va à Chequers* (résidence des Premiers Ministres) *pour le week-end.*

Voir aussi 244, 325 (*when* + présent à sens de futur) et 430 (*if* + présent à sens de futur).

323 ⓒ *Le présent des auxiliaires de modalité* autres que shall et will s'emploie couramment avec le sens d'un futur; les *preterites could et might* également. Voir 77 (e) et 84.

Can you come tomorrow ? (plutôt que : Will you be able to come ?). *Pourras-tu venir demain ?*
We may (ou : **might**) **go to Paris next month.** *Il se peut que nous allions à Paris le mois prochain.*
You must come with us tomorrow. *Il faut que tu viennes avec nous demain.*

Exception : *must* exprimant une quasi-certitude ne s'emploie pas avec le sens d'un futur (89).

ⓓ Ont aussi le sens d'un futur diverses périphrases construites avec le présent de *to be* : celles qui expriment des degrés de vraisemblance *(to be likely to, to be sure to, to be bound to, to be liable to)* ainsi que le *présent de to be suivi*

156

d'un infinitif complet (et *to be due to, to be scheduled to*). Voir 112 à 115, 122, 124, 128.

> **It's sure to be cold tomorrow.** *Il fera certainement froid demain.*
> **We are (due) to spend our holidays in Malta.** *Nous devons passer nos vacances à Malte.*

Pour la périphrase *to be about to*, voir 320.

---

7. — CONCORDANCE DES TEMPS AU FUTUR

324 (a) *Le futur dans le passé* s'exprime à l'aide des preterites *should/would* et *was going to/were going to.*

> **He said he would come later.** *Il a dit qu'il viendrait plus tard* (idée d'intention : He said, « I will... »).
> **We said we should be disappointed if she didn't come.** *Nous avons dit que nous serions déçus si elle ne venait pas* (We said, « We shall be disappointed... »).
> **I knew what he would say if I refused.** *Je savais ce qu'il dirait si je refusais.*
> **He had failed, he would try again.** *Il avait échoué, il essaierait de nouveau* (style indirect elliptique, 439).
> **I knew what he was going to say.** *Je savais ce qu'il allait dire.*
> **He told me he was going to get married.** *Il m'a dit qu'il allait se marier.*
> **I was going to write to them when they phoned me.** *J'allais leur écrire quand ils m'ont téléphoné.*

Le preterite *was going to/were going to* s'emploie aussi après *if* pour exprimer une intention, quand la principale est au conditionnel.

> **'They'll arrest me, William'.**
> **'Oh no, they won't. They'd have done it before this, if they were going to'.** (Christopher Isherwood).
> *Ils vont m'arrêter, William. — Mais non. Ils l'auraient déjà fait s'ils en avaient l'intention.*

Autres futurs dans le passé :

> **I met him on Saturday afternoon, *he was leaving* for Glasgow by the night train.** *Je l'ai rencontré samedi après-midi, il partait pour Glasgow par le train de nuit.* (Cf. 321).
> **The Morgans wrote to say *they were not coming*.** *Les Morgan ont écrit pour dire qu'ils ne venaient pas.*
> **He *was about to slip* into the river when I caught hold of him.** *Il était sur le point de glisser dans la rivière quand je l'ai empoigné.* (Cf. 320).
> **As I *was about to* say when you came in...** *Comme j'allais le dire quand vous êtes entré...*
> **He had been on the verge of telling me something all evening.** *Toute la soirée il avait été sur le point de me dire quelque chose.*
> **He *was to* die at the age of thirty.** *Il devait mourir à l'âge de trente ans* (123).
> **He was sure to complain.** *Il allait sûrement se plaindre.*

325 (b) Dans une *subordonnée commençant par une conjonction de temps* (*when, while, once, as soon as, as long as, whenever, by the time, the moment*, etc.)

l'idée de futur est exprimée par un *présent*. Une telle subordonnée peut dépendre d'une principale au futur ou à l'impératif.

> **It will be dark when we get home.** *Il fera nuit quand nous arriverons à la maison.*
>
> **We'll go for a walk as soon as it stops raining.** *Nous irons nous promener dès que la pluie s'arrêtera.*
>
> **I'll remember it as long as I live.** *Je m'en souviendrai tant que je vivrai.*
>
> **Come and see us whenever you like.** *Venez nous voir aussi souvent que vous voudrez.*
>
> **By the time they are ready it will be too late.** *Quand enfin ils seront prêts il sera trop tard* (960).

De même : **Let us know when you have finished** (present perfect et non future perfect). *Prévenez-nous quand vous aurez fini.*

Remarquer que le français applique une règle semblable après *si* (*Nous jouerons au tennis **quand la pluie s'arrêtera**, mais : nous jouerons au tennis **si la pluie s'arrête***). En anglais on a le même temps (le présent) après *if* et après **when** (**We'll play tennis if/when it stops raining**).

On applique parfois la même règle dans des subordonnées ne commençant pas par une conjonction de temps.

> **Who will give them the advice they need ?** *Qui leur donnera les conseils dont ils auront besoin ?*

Dans les phrases au « futur dans le passé » la subordonnée après une conjonction de temps est au preterite (en français : le conditionnel).

> **He said he would ring us as soon as he got home.** *Il a dit qu'il nous téléphonerait dès qu'il arriverait chez lui.*

De même : **He said he would come as soon as he had finished his work** (past perfect et non conditional perfect). *Il a dit qu'il viendrait dès qu'il aurait fini son travail.*

326 N.B. — Cette règle ne s'applique pas (et on peut donc employer *le futur*) dans les cas où **when** est :

(1) *un adverbe interrogatif* (dans les questions directes ou les interrogatives indirectes); il est alors **accentué**.

> **When will they arrive ?** *Quand arriveront-ils ?*
> **Do you know when they will arrive ?** *Savez-vous quand ils arriveront ?*
> **I wonder when they will arrive.** *Je me demande quand ils arriveront.*
> **We wondered when the first men would reach the moon.** *Nous nous demandions quand les premiers hommes atteindraient la lune.*

Ne pas confondre les deux phrases :

> **Tell me when you are ready.** *Prévenez-moi quand vous serez prêt* (when = *lorsque, au moment où*; le futur est donc impossible).
> **Tell me when you will be ready.** *Dites-moi* (maintenant, si vous le savez) *quand vous serez prêt* (when = *à quel moment*, sens interrogatif; on emploie donc le futur).

(2) *une conjonction de coordination* (= and then), emploi peu fréquent.

> **We shall stay here until August 15th, when we shall leave for Dublin.** *Nous resterons ici jusqu'au 15 août, date à laquelle nous partirons pour Dublin.*

(3) *un pronom relatif* dans des expressions comme : *« the day when », « the day will come when »*.

We look forward to the day when we shall be free. *Nous attendons avec impatience le jour où nous serons libres.*

The day will come when you will be sorry for it. *Le jour viendra où vous le regretterez.*

(4) Pour la construction « **when**, conjonction + **shall**, auxiliaire à valeur de subjonctif » (langue littéraire), voir 373.

(c) Pour l'emploi du futur dans les phrases construites avec **if** et avec **whether**, voir 431 et 436.

EXERCICES

A Transformer les phrases suivant le modèle :

Please lend him your car → **Will you** lend him your car ? (invitation ou requête plutôt que question) → **You will** lend him your car, **won't you ?** (cela me ferait plaisir).

1. Please have lunch with us. — 2. Please wait for me. — 3. Please help him with his homework. — 4. Please do me a favour. — 5. Please come with us. — 6. Please give me a glass of water. — 7. Please let me have a look at your garden. — 8. Please let us know when you are ready. — 9. Please tell me the truth. — 10. Please translate her letter for me. — 11. Please show me how to use this tape-recorder. — 12. Please tell us about your adventures in New Guinea. — 13. Please marry me. — 14. Please give me this picture of you. — 15. Please introduce me to your sister. — 16. Please sing us a song. — 17. Please give up smoking. — 18. Please post this letter for me. — 19. Please write to us every week. — 20. Please apologize to him.

B Transformer les phrases suivant le modèle :

Do you intend to lend him your car ? → **Are you going to** lend him your car ? (même sens, ton plus familier) → **You are not going to** lend him your car, **are you** ? (cela serait absurde ou désastreux).

1. Do you intend to have lunch in the canteen ? — 2. Do you intend to wait for them ? — 3. Do you intend to help him with his homework ? — 4. Do you intend to buy a new car ? — 5. Do you intend to attend the lecture ? — 6. Do you intend to repaint the living-room yourself ? — 7. Do you intend to have a garage built in the garden ? — 8. Do you intend to spend the whole month in the Isle of Wight ? — 9. Do you intend to tell him the truth ? — 10. Do you intend to read all these books ? — 11. Do you intend to apply for that job ? — 12. Do you intend to eat this enormous cake ? — 13. Do you intend to marry her ? — 14. Do you intend to give him £10 a week for his pocket money ? — 15. Do you intend to invite your brother for Christmas ? — 16. Do you intend to make a speech ? — 17. Do you intend to grow a beard ? — 18. Do you intend to answer his letter ? — 19. Do you intend to sack your secretary ? — 20. Do you intend to wear that yellow hat ?

C Transformer les phrases suivant le modèle :

Are you staying at home tomorrow ? (nuance d'intention moins nettement marquée qu'avec « Are you going to... ? », date généralement proche) → **Will you be staying** at home tomorrow ? (simple idée de futur, « plain future », question plus discrète).

1. Are you working next Saturday ? — 2. Are you attending his lecture ? — 3. Are you going to their party ? — 4. Are you leaving tomorrow or on Tuesday ? — 5. Are you making a speech ? — 6. Are you seeing them tomorrow ? — 7. Are you flying to London ? — 8. Are you having lunch in town ? — 9. Are you staying with them till Monday ? — 10. Are you coming again next week ? — 11. Are you going away for a long time ? — 12. Are you walking to your office today ? — 13. Are you visiting your cousins at Christmas ? — 14. Are you taking your children to the pantomime

on Saturday ? — 15. Are you seeing them off at the airport ? — 16. Are you getting up early tomorrow morning ? — 17. Are you giving a party for Sheila's birthday ? — 18. Are you playing in the match on Saturday ? — 19. Are you taking an exam next June ? — 20. Are you coming home late tonight ?

D Transformer les phrases suivant les modèles :

(a) Do you want me to help you ? → **Shall I** help you ? (je consulte l'interlocuteur ou je propose mes services).
1. Do you want me to make the tea ? — 2. Do you want me to tell you what I think ? — 3. Do you want me to ring him up now ? — 4. Do you want me to call a doctor ? — 5. Do you want me to take the dog for a walk ? — 6. Do you want me to give you a lift to the market place ? — 7. Do you want me to bring my record-player ? — 8. Do you want me to buy you an ice-cream ? — 9. Do you want me to come earlier than usual ? — 10. Do you want me to send them a Christmas card ?

(b) I want you to tell me the truth → **You shall** tell me the truth (j'y veillerai; ordre sévère ou interdiction formelle; promesse).
1. I want them to have all the money they need. — 2. I want him to apologize to you. — 3. I don't want him to deceive me again. — 4. I want you to invite as many friends as you like. — 5. I don't want you to say that again. — 6. I want each of them to have a present. — 7. I don't want you to marry that lazy man. — 8. I want you to do your homework before you go out. — 9. I don't want you to be kept waiting. — 10. I don't want them to come to my house again.

E Transformer les phrases suivant les modèles :

(a) I'm not going to apologize to him (intention négative) → **I won't** apologize to him (won't est accentué, refus, promesse négative).
1. I'm not going to invite them again. — 2. I'm not going to keep my mouth shut. — 3. I'm not going to do anything to harm them. — 4. I'm not going to tell you what I know. — 5. I'm not going to let them slander you. — 6. I'm not going to wear that ridiculous hat. — 7. I'm not going to speak to him again. — 8. I'm not going to be late again. — 9. I'm not going to waste my time waiting for them. — 10. I'm not going to give them a wedding present.

(b) They refuse to listen to me → They **won't** listen to me (plus courant dans la langue parlée).
1. He refuses to pay his wife's debts. — 2. They refuse to tell the police where he is. — 3. He refuses to go to his sister's wedding. — 4. She refuses to go home. — 5. They refuse to work after 6. — 6. He refuses to lend us his car. — 7. She refuses to marry the vicar's son. — 8. They refuse to pay their income tax. — 9. He refuses to sign the document. — 10. They refuse to speak to each other.

[F] Compléter les phrases avec **shall/will** (+ forme progressive si c'est né-cessaire) ou avec **be going to**, conjuguant le verbe donné entre parenthèses :
1. I (buy) a new house. — We (buy) one when we can afford it. — 2. Can't you understand his letter ? I (translate) it for you if you like. — 3. He (come) to our party tonight because he has a bad cold. — 4. He (come) to our party tonight because we have invited Fred too and he can't stand him. — 5. I (see) this film. You (come, interr.) with me ? — 6. They (have) a rest when you get home, mind you don't make too much noise. — 7. She (remember + always) how kind you have been to her. — 8. We (stay) in Oxford for a few days. John (come and see) us if he is not too busy. — 9. Are you going to town ? Hurry up, I (give) you a lift. — 10. Look at those clouds, it (rain). It (rain) when we arrive at Victoria. — 11. I expect we (see) him when we go to England in July. — 12. He (know) the result of his exam tomorrow. — 13. We (spend) our holidays in Sicily. Tom (join) us there if he passes his exam. If he fails he (have) to stay at home and work hard. — 14. We hope you (visit) us

160

whenever you come to Paris. — 15. Bob (come, nég.) to the concert, he says he doesn't like the programme. — 16. Bob (come) to the concert, he's too tired. — 17. Hurry up ! You (miss) your train. — 18. You (miss) your train if you don't hurry. — 19. Look at the clock : I (miss) it even if I hurry. — 20. We (get) married. We (get) married as soon as her parents are back from Sweden.

[G] Traduire :

1. Je ne jouerai plus au bridge avec lui, il triche toujours. — 2. Je ne jouerai pas au bridge demain, il faudra que je reste à mon bureau jusqu'à 7 heures. — 3. Nous serons tous très déçus si vous ne venez pas. — 4. Nous ne l'inviterons plus, il boit trop. — 5. Elle ne viendra pas au bord de la mer avec nous parce que son fils est malade. — 6. Elle ne viendra pas parce qu'elle n'aime pas la mer. — 7. J'ai vu la pièce, maintenant je vais lire le livre. — 8. Il ne va pas savoir quoi faire. — 9. Je ne lui présenterai pas d'excuses, même si c'est vous qui me le demandez. — 10. Elle ne veut pas se marier avec moi. Que faut-il que je fasse ? — 11. Si mon fils ne réussit pas à son examen je serai furieux. — 12. Qu'allez-vous faire de tout cet argent ? — 13. Si tu ne me prêtes pas ta voiture, je saurai que tu n'es plus mon ami. — 14. Il faudra que nous attendions. — Moi, je n'attendrai pas plus de dix minutes, j'ai horreur d'attendre. — 15. J'espère qu'ils vont comprendre ce que vous voulez dire. — 16. Après une si longue marche nous serons fatigués, n'est-ce pas ? — 17. Cela nous fera plaisir de revoir notre ancienne école. — 18. Je vais vous dire ce que je sais à ce sujet. — 19. Je vais vous dire ce que je sais si vous me promettez de garder le secret. — 20. Elle ne partira pas avant la semaine prochaine. — 21. Où passerez-vous vos vacances l'été prochain ? — 22. Je vais à Londres demain. Voulez-vous venir avec moi ? Je dois déjeuner avec Ken dans un restaurant chinois. — 23. Nous vous serons très reconnaissants si vous voulez bien lui donner quelques leçons de français. — 24. Il va y avoir une tempête. Je vais être malade. — 25. Savez-vous où est la station de métro la plus proche ? — Je ne sais pas, je vais demander à un agent. — 26. Je vais vous poser une question difficile. — 27. Je vais vous prêter mon livre si vous avez oublié le vôtre. — 28. Qu'allons-nous faire si l'avion ne peut pas décoller ? — 29. Vous n'allez tout de même pas passer toute la journée à regarder la télévision ? — 30. Cette valise est très lourde. — Je vais appeler mon mari, il va vous la porter jusqu'au taxi.

[H] Traduire :

1. Fermez la porte à clef quand vous sortirez. — 2. Je me demande quand il recevra ma lettre. — 3. Il a dit que quand il rentrerait il irait se coucher immédiatement. — 4. Quand sera-t-elle de retour ? Téléphonez-nous dès qu'elle sera de retour. — 5. Il se peut que je sois absent quand ils arriveront. — 6. Je vais écrire aux Morgan pendant que tu feras le thé. — 7. Il sera certainement furieux quand il apprendra cela. — 8. Je devinai ce qu'il allait répondre. — 9. Vous n'aurez rien à craindre tant que nous serons ici. — 10. Une fois que vous les connaîtrez mieux, je suis sûr que vous vous entendrez bien avec eux. — 11. Il m'a dit qu'il me prêterait le livre quand il aurait fini de le lire. — 12. Ne manquez pas d'aller à Chester quand vous serez en Angleterre. — 13. Je voudrais savoir quand finira cette guerre. — 14. Qu'allez-vous faire quand il sera mort ? — 15. Auriez-vous l'amabilité de me prêter ce livre quand vous l'aurez lu ? — 16. Je vais acheter un magnétophone, mais je ne le prêterai à personne. — 17. Voudrais-tu ce train électrique ? Eh bien tu l'auras (je te le promets). — 18. Il ne viendra pas, il ne veut pas rencontrer Bill. — 19. Il ne viendra pas, il est de service ce soir. — 20. Je ne resterai pas à Londres plus de deux jours, je ne peux pas supporter le bruit et la circulation. — 21. Nous étions sur le point de partir quand ils sont arrivés. — 22. Il doit y avoir un concert en plein air ce soir. — 23. Il devait y avoir un concert en plein air hier soir, mais il a plu à verse toute la soirée. — 24. Regardez cet avion, il va décoller. — 25. A quelle heure leur avion doit-il arriver ?

14. — SHOULD - WOULD. LE CONDITIONNEL

327 Dans la plupart de ses emplois **should** [ʃud], comme **shall** dont il est le preterite, implique que le sujet est soumis à une certaine **contrainte extérieure**, ou tout au moins qu'il ne prend pas l'initiative de l'action, ne la choisit pas, que **sa liberté d'action est limitée ou dépend d'une condition** (exprimée dans une subordonnée ou sous-entendue). **Should** (contrainte) s'oppose à **would** (choix) comme **shall** s'oppose à **will** (voir leçon 13).

328 ⓐ **Preterite modal** de **shall**, il s'emploie à toutes les personnes pour donner des **conseils amicaux ou moraux** dans un contexte présent ou futur. **Should** est alors accentué. Il a une valeur de conditionnel de politesse, moins brutal que **shall**. Comparer :

> { **You shall stay here.** *Vous resterez ici* (c'est un ordre sévère).
> { **You should stay here.** *Vous devriez rester ici* (c'est un conseil).
> **He should drive more carefully.** *Il devrait conduire plus prudemment.*
> **You shouldn't be so selfish.** *Vous ne devriez pas être si égoïste.*
> **You should come with us on Sunday.** *Vous devriez venir avec nous dimanche.*
> **I know I shouldn't smoke so much.** *Je sais que je ne devrais pas tant fumer.*
> **Shouldn't we invite them ?** *Ne devrions-nous pas les inviter ?*
> **Should he bring his camera ?** *Faut-il qu'il apporte son appareil photo ?*
> (= pensez-vous qu'il devrait apporter... ?).

Dans toutes ces phrases le locuteur donne son opinion ou (à la forme interrogative) sollicite celle de l'interlocuteur (66). Avec **ought to** (« **You ought to be ashamed** ») on rappelle en principe une contrainte extérieure, en particulier d'ordre moral, sans l'expression d'un point de vue personnel. En réalité les deux auxiliaires sont souvent interchangeables, la différence de point de vue n'étant pas toujours perçue nettement. Voir 97.

Quand il s'agit d'une action passée, il est trop tard pour donner un conseil, aussi le schéma **« should have + participe passé »** exprime-t-il un **regret**, un **reproche** (107).

> **I should have written to him.** *J'aurais dû lui écrire.*
> **You shouldn't have been so selfish.** *Vous n'auriez pas dû être si égoïste.*
> **They should have waited for us.** *Ils auraient dû nous attendre.*

329 ⓑ Il sert à former des **périphrases à valeur de subjonctif** dans des subordonnées exprimant notamment (367 à 373) :

(1) **un but, avec idée de contrainte** (il s'oppose alors à **may**, qui implique que l'action est facilitée).

> **They locked him in so that he shouldn't** (ou, dans une langue très soignée : **lest he should**) **escape.** *Ils l'enfermèrent à clef pour qu'il ne s'échappât pas.*

(2) *un ordre, une suggestion.*

They insisted that she should come. *Ils insistèrent pour qu'elle vînt.*

(3) *une nécessité.*

It is important that the truth should be known. *Il est important que l'on sache la vérité.*

(4) *un jugement porté sur l'action* (ce qui limite, en quelque sorte, la liberté du sujet, du moins dans l'opinion du locuteur).

I'm surprised that you should think so. *Je m'étonne que vous pensiez ainsi (cf.* **You shouldn't think so.** *Vous ne devriez pas penser ainsi).*

Dans certains de ces emplois (étudiés dans la leçon 16) *should* appartient principalement à la langue écrite. Il arrive que son sens soit affaibli au point qu'on peut le sous-entendre, par exemple, (2) et (3) ci-dessus :

They insisted that she come.
It is important that the truth be known.

Ces constructions *sans should* sont des américanismes que l'on emploie de plus en plus en Angleterre.

330 (c) Il sert à former à la 1ʳᵉ personne des *périphrases à valeur de conditionnel* ou de *futur dans le passé*. Il s'oppose à would, qui tend à le remplacer (338).

I should (ou : **I'd**) **be sorry if they couldn't come.** *Je serais navré s'ils ne pouvaient pas venir.*
I told them I should (ou : **I'd**) **feel very lonely when they had left.** *Je leur ai dit que je me sentirais très seul quand ils seraient partis* (au style direct : « **I shall feel very lonely when you have left** »).

331 (d) Il exprime la *probabilité* (comme *ought to*, 98), ce qui doit normalement se produire, selon l'opinion du locuteur. Il s'agit généralement d'événements souhaitables. Ce point de vue du locuteur est en quelque sorte une façon de limiter la « liberté d'action » du sujet, même quand c'est un neutre.

You should be home (= you will probably be home) **by ten.** *Vous devriez être* (ou : *vous serez probablement*) *de retour pour dix heures* (la phrase peut aussi signifier : *Je vous conseille d'être de retour pour dix heures,* 328).
This date should (= is likely to) **suit him.** *Cette date devrait lui convenir.*
« Kandahar Curry with Patna Rice », that should be very nice ! *« Curry de Kandahar et Riz de Patna », cela doit être très bon !*

Il s'ajoute parfois une nuance d'ironie.

He should know what under-development means, he spent three years in Ethiopia. *Il est bien placé pour savoir ce que c'est que le sous-développement, il a passé trois ans en Ethiopie.*

332 (e) Il s'emploie dans des *exclamations* et des *questions oratoires* (avec une nuance de surprise, d'invraisemblance, de refus, d'indignation en présence de la fatalité).

Don't ask me what he thinks about it. How should I know ? (= you can't expect me to know). *Ne me demande pas ce qu'il en pense. Comment le saurais-je ?*
Why should I trust him ? (= I don't see why I should trust him, 371). *Pourquoi lui ferais-je confiance ?*
That it should come to this ! *Dire que les choses en sont venues là !* (consternation, style littéraire).

163

As I was leaving my office yesterday, who (plus couramment que
« whom », 784) should I meet but old Scrooge ! *En sortant de mon
bureau hier, devinez qui j'ai rencontré : le vieux Scrooge !*
Just as he was telling us about his "old battle-axe of a mother-in-law",
who should come in but his wife, saying that he was wanted on the
phone ! *Au moment précis où il nous disait que sa belle-mère était « un
vrai gendarme », ne fallut-il pas que sa femme entrât, pour dire qu'on
l'appelait au téléphone !*

2. — WOULD

333   On retrouve avec *would*, preterite de *will*, les deux emplois fondamentaux de
cet auxiliaire de modalité : *volonté* et *probabilité*. Ces deux sens sont parfois
intimement mêlés (par exemple : « **As luck would have it...** », v. infra., et : « **It
would start raining...** », 336).

(a) *Would* exprime une *volonté, un choix, un consentement* (à la forme négative
un *refus*) dans un contexte passé. Voir 305 à 307. *Would* est alors *accentué.*

I wanted to help him, but he would do it by himself. *Je voulais l'aider,
mais il a voulu le faire seul.*
I tried to show him that he was wrong, but he wouldn't listen to me.
J'ai essayé de lui montrer qu'il avait tort, mais il n'a pas voulu m'écouter.
She wouldn't hear of it. *Elle ne voulut pas en entendre parler.*
The donkey wouldn't go any further. *L'âne refusa d'aller plus loin.*
As luck would have it, we heard them shout for help. *Par bonheur, nous
les avons entendus crier au secours* (expression d'une décision du
destin).
He would have it that it was I who was in the wrong. *Il soutenait avec
obstination que c'était moi qui avais tort.*

Would peut aussi avoir le sens d'un *conditionnel présent de will* (légèrement
archaïque et littéraire sauf dans les questions commençant par « *Would you... ?* »).

Do unto others as you would have them do unto you (Bible). *Agissez
envers les autres comme vous aimeriez qu'ils agissent envers vous* (505).
Would you kindly help me down with my luggage ? *Auriez-vous l'obli-
geance de m'aider à descendre mes bagages ?*

La construction « *(I) would (to God) (that) + preterite modal* » est archaïque
et littéraire (363).

Would to God (that) it were not true ! *Plût à Dieu que cela ne fût pas vrai !*

(b) Le preterite modal *would* s'emploie après *to wish* pour l'expression du
potentiel (vœu, parfois exaspération, 359, 3°), avec une nuance de volonté.

I wish he would come tomorrow. *J'aimerais qu'il vienne demain.*
I wish he would stop shouting. *J'aimerais qu'il cesse de hurler.*

334 (c) Il sert à former à la 2e et à la 3e personnes des périphrases à valeur de
conditionnel ou de *futur dans le passé*. Il tend à remplacer *should* à la 1re
personne (338).

They would (ou : they'd) be sorry if you couldn't come. *Ils seraient navrés
si vous ne pouviez pas venir.*
I told him that he would be late. *Je lui ai dit qu'il serait en retard* (au style
direct : « You will be late »).

164

He knew it would (ou : **it'd**) be difficult. *Il savait que ce serait difficile.*

335 (d) Il exprime la ***répétition fréquente d'une action dans le passé*** (aspect fréquentatif). A l'idée de répétition s'ajoute parfois une ***nuance d'obstination*** (346).

> **After lunch he would smoke a cigar.** *Après le déjeuner il fumait habituellement un cigare.*
> **She would forget to switch off the lights.** *Il fallait toujours qu'elle oubliât d'éteindre les lumières.*

336 (e) ***Would*** peut exprimer une ***probabilité*** (sens voisin de ***must***), ou un événement (généralement désagréable) attendu, ***prévisible parce que typique.***

> **She would be about seventy** (plus courant : **she must have been about seventy**) **when she died.** *Elle devait avoir environ soixante-dix ans quand elle est morte.*
> **Somebody's knocking at the door, that would be** (moins courant que : **that must be**, ou : **that will be**) **the postman.** *On frappe à la porte, cela doit être le facteur* (88, 309).
> **It 'would start raining just as they came out of the church.** *Il fallait qu'il se mît à pleuvoir au moment précis où ils sortaient de l'église* (mauvaise volonté du destin, « qui n'en fait jamais d'autres »).
> **He said he couldn't afford it. — He would !** (on peut ajouter : **wouldn't he**). *Il a dit que c'était trop cher pour lui. — C'était à prévoir* (ou : *C'est bien de lui !*).

Dans les deux derniers exemples le ton est ***sarcastique***, et ***would*** est ***fortement accentué.***

A la forme interrogative on peut employer ***would*** pour s'informer sur ce qui est probable, ce qui a des chances de se produire.

> **"What sort of man would she have married ?... What kind of man would he be ? »** (H. Pinter). *Quel genre d'homme doit-elle avoir épousé ? Quel genre d'homme doit-il être ?*

(f) Pour les expressions ***would rather, would sooner*** et ***would (just) as soon***, voir 118 à 121.

---

3. — LE CONDITIONNEL

337 (a) De même qu'en français le conditionnel (formé avec les terminaisons de l'imparfait) ressemble au futur (formé avec celles du présent du verbe *avoir*), les preterites ***should*** et ***would*** servent à former des périphrases à valeur de conditionnel parallèlement aux périphrases à valeur de futur formées avec les présents ***shall*** et ***will***.

Should et ***would*** sont alors inaccentués, prononcés [ʃd] et [wəd]. ***Would***, plus souvent que ***should***, se réduit à [d] (orthographié **'d**) à la forme affirmative dans la langue parlée.

338 (1) ***A la première personne, would*** est l'auxiliaire unique en Amérique, en Irlande et en Ecosse. En Angleterre il est préférable de l'employer s'il y a une idée de volonté, de consentement.

> **I would help you if I could.** *Je vous aiderais (volontiers) si je le pouvais.*

Dans une langue soignée, on préfère souvent ***should*** dans des expressions comme : « **I should like...** », « **I should be glad** (**disappointed**, etc.) **if...** », car on ne « consent » pas à désirer, à être content ou déçu. Mais dans la langue parlée *would* s'emploie de plus en plus à la place de *should*, et on entend couramment « I would like », « I would be glad if » (emplois condamnés par les puristes).

> **We should be sorry if she failed** (langue moins soignée : **we would be sorry**). *Nous serions navrés si elle échouait.*

Should s'emploie dans l'expression « I should think » (pour adoucir une affirmation) et avec « if I were you » (subordonnée parfois sous-entendue).

> **Do you think he's going to win ? — I should think so.** *Vous croyez qu'il va gagner ? — Oui, je crois bien.*
> **I'm going to apologize to them. — I should think so (too)** ! (ton ironique). *Je vais leur présenter des excuses. — Il me semble que ça s'impose !*
> **I shouldn't wait any longer (if I were you).** *A votre place je n'attendrais pas plus longtemps.*

(2) *A la 2ᵉ et à la 3ᵉ personnes* l'auxiliaire est *would.*

(3) La forme progressive peut s'employer, comme au futur (302), pour éviter que l'on interprète l'auxiliaire dans son sens fort (dans ce cas, « *be* + participe présent » n'exprime pas l'aspect progressif). Comparer :

> **The money I should lend him.** *L'argent que je devrais lui prêter.*
> **The money I should be lending him.** *L'argent que je lui prêterais* (la première expression peut aussi avoir ce sens, mais il y a un risque d'ambiguïté, du moins par écrit, *should* étant inaccentué quand il est un simple auxiliaire du conditionnel).

(4) Les preterites *could* et *might*, ainsi que *ought to*, s'emploient fréquemment avec un sens de conditionnel (61, 77, 85).

> **You could pass your exam if you worked harder.** *Tu pourrais réussir à ton examen si tu travaillais plus* (plus courant que : « you would be able to pass... »).

339 (b) *Emplois du conditionnel.*

(1) Dans une principale dont la subordonnée exprime une *supposition* ou une *condition.* Voir 429, 430 (concordance des temps). La subordonnée peut être sous-entendue.

> **Your results would be better if you worked harder.** *Tes résultats seraient meilleurs si tu travaillais plus.*
> **If we missed our bus we 'd** (= should ou would) **have to walk.** *Si nous manquions notre autobus il nous faudrait aller à pied.*
> **If they had enough money they'd** (= would) **buy a house.** *S'ils avaient assez d'argent ils achèteraient une maison.*
> **What would you do if it rained ?** *Que feriez-vous s'il pleuvait ?*
> **I'm sure they wouldn't like that.** *Je suis sûr que cela leur déplairait.*
> **She would stay longer if she could.** *Elle resterait plus longtemps si elle le pouvait.*

(2) *Par politesse*, pour faire une offre, pour adoucir une demande ou une affirmation.

> **Would you like a cup of tea ?** *Voudriez-vous une tasse de thé ?*
> **I'd like a drink** (ici 'd = should ou would, 338). *Je voudrais boire quelque chose. Should like, would like* s'emploient pour tenir lieu de conditionnel de politesse au verbe *to want.* On ne dit pas « I'd want », « would you want... ? »
> **I should think you were** (langue moins soignée : **you are**) **right.** *Il me semble que vous avez raison* (voir 434).

(3) Pour exprimer le *futur dans le passé* (324).

She said she would help me (style direct : She said, « I will help you »). *Elle a dit qu'elle m'aiderait.*

He said he would come as soon as he was ready. *Il a dit qu'il viendrait dès qu'il serait prêt* (325).

(4) Notre conditionnel s'emploie pour annoncer des nouvelles non confirmées. Le traduire par les passifs **be said, be reported.**

Il serait le fils d'une actrice célèbre. **He is said to be a famous actress's son.**

Le Premier Ministre aurait l'intention de se rendre à Bruxelles le mois prochain. **The Prime Minister is reported as intending to go to Brussels next month.**

| 4. — CONDITIONAL PERFECT |

340 Il est construit avec ***should/would + have + participe passé.*** Il s'emploie généralement dans les mêmes cas que notre conditionnel passé, obéissant aux mêmes règles de la concordance des temps (voir 430).

If he had met you, he would have invited you. *S'il vous avait rencontré, il vous aurait invité.*

They would have loved it. *Ils auraient adoré cela.*

We'd have [widəv] **done the same.** *Nous aurions fait la même chose.*

I should have thought they would have agreed with us. *J'aurais cru qu'ils auraient été d'accord avec nous.*

What would you have done ? *Qu'auriez-vous fait ?*

You wouldn't have done that, would you ? *Vous n'auriez pas fait cela, n'est-ce pas ?*

Ne pas confondre le conditionnel perfect de la 1re personne (**I should have thought**, où ***should est inaccentué***) avec la tournure exprimant un regret (**I should have written to him**, où ***should est accentué***. Cf. 328).

N.B. On remplace couramment « **They would have liked to see him** » par « ***They would like to have seen him*** », et parfois par : « ***They would have liked to have seen him*** » (langue familière). Cf. 267, remarque 2.

Après les ***conjonctions de temps (when, as soon as...)*** on emploie le past perfect et non le conditional perfect (cf. 325).

She promised to come as soon as she had finished her work. *Elle promit de venir dès qu'elle aurait fini son travail.*

Notre conditionnel passé s'emploie pour annoncer des nouvelles non confirmées (faits passé). Le traduire par les passifs **be said, be reported** (voir 339, 4°) ou l'adverbe ***reportedly*** (surtout américain).

Le complot aurait échoué. **The plot is reported to have failed** (= The plot reportedly failed, amér.).

EXERCICES

[A] Traduire :

1. Nous serions tous désolés si tu ne pouvais pas venir. — 2. Si vous aviez besoin d'une machine à écrire, je vous prêterais la mienne. — 3. Nous voudrions savoir

pourquoi tu es en retard. — 4. Croyez-vous qu'ils quitteraient leur pays ? — 5. Je serais navré de ne pas assister à leur mariage. — 6. De cette fenêtre nous pourrions voir la mer s'il n'y avait pas tant de brume. — 7. Tu devrais t'excuser. A ta place, je m'excuserais. — 8. Nous serions très heureux de faire la connaissance de votre femme. — 9. Quels conseils lui auriez-vous donnés ? — 10. Je ne serais pas venu si j'avais su qu'il n'y aurait personne. — 11. Vous n'auriez jamais deviné qui il était, n'est-ce pas ? — 12. Nous aurions été déçus s'il avait échoué. — 13. Tu ne devrais pas le traiter comme un enfant. — 14. Tu n'aurais pas dû le traiter comme un enfant. — 15. Vous ne devriez pas vous inquiéter. A votre place je ne m'inquiéterais pas. — 16. Nous savions qu'il abandonnerait. — 17. Ne devrais-tu pas travailler plus ? — 18. Un Boeing s'est écrasé dans les Alpes ce matin, il y aurait soixante-dix victimes. — 19. Serait-il venu si nous l'avions invité ? — 20. Ils se seraient tous réjouis s'il avait gagné. — 21. L'auriez-vous aidé s'il vous l'avait demandé ? — 22. J'aimerais ajouter quelques mots. — 23. Je n'aurais jamais cru qu'il l'aurait épousée. — 24. Vous aurait-il cru, ou aurait-il fallu que vous lui montriez ma lettre ? — 25. Tu n'aurais pas dû les laisser jouer sur la rive, ils auraient pu se noyer. — 26. Il aurait fallu les prévenir immédiatement. — 27. Vous auriez pu l'acheter chez Smith, vous l'auriez payé moins cher. — 28. Je préférerais ne pas donner mon opinion. — 29. Vous feriez mieux de ne pas les vexer. — 30. Quand pourrait-il me rendre les livres que je lui prêterais ?

B Traduire *(would)* :

1. He came home very late last night, and of course he would bang the door and wake up the whole family. — 2. In summer we would play in the garden until ten, when Father would come out and say it was time to go to bed. — 3. I hope they won't be coming, that would be most inconvenient. — 4. The donkey would go no further. — 5. He said he would retire when he was sixty, but nobody believed that he would. — 6. Pussy would spend hours watching the birds in the trees of the orchard. — 7. He said it was his duty to enforce the law. — He would (say that) ! — 8. I do wish they would try and be a little less noisy. — 9. Her son would come home for a few days every Christmas, and whenever he arrived she would be looking anxiously out of the front window. — 10. This is the kind of joke that he would make. — 11. I told her the truth, but she wouldn't believe me. — 12. I wish you would stop sniggering. — 13. Would you kindly ask John to come and see me ? — 14. I would rather they did not tell their parents about it. — 15. Of course it would rain on the day we chose for a picnic. — 16. There wouldn't have been anything left for them. — 17. They would have it that their whisky was the best in the world. — 18. Wouldn't you rather be liked than feared ? — 19. He would always come ten minutes late. — 20. I told him how easy it was, but he wouldn't try.

15. — USED TO. L'ASPECT FRÉQUENTATIF

1. — USED TO

341 L'auxiliaire *used to* n'existe que sous cette forme de passé. Il est normalement inaccentué quand il est suivi d'un infinitif; il se prononce ['ju:stə] (devant une voyelle : ['juːstu]). Il est accentué quand il est employé seul dans une phrase elliptique.

Il sert à marquer (a) le caractère révolu d'une action ou d'un état; (b) la répétition d'une action dans le passé.

(a) **Used to** marque avec insistance une **opposition nette entre le passé et le présent** : l'action ou l'état décrit dans la phrase **n'appartient qu'au passé**, est **tout à fait révolu.**

He used to be very shy. *Autrefois il était très timide* (il ne l'est plus).
We used to trust him, we no longer do. *Autrefois nous lui faisions confiance, plus maintenant.*
Pineapples used to be a real luxury. *Il fut un temps où les ananas étaient un vrai luxe.*
There used to be a theatre in our little town. *Il y avait autrefois un théâtre dans notre petite ville.*
I'm not so young as I used to be. *Je ne suis plus très jeune.*
He doesn't play as well as he used to (plus familier : **as he used to do).** *Il ne joue plus aussi bien qu'autrefois.*
You used to be his friend. — Yes, I used to (be). *Vous étiez son ami. — Oui, je l'étais* (mais je ne le suis plus). On peut avoir ici un **to** **anaphorique** (176).
This is where I used to live before the war. *C'est ici que j'habitais avant la guerre.*

On n'emploie pas **used to** si l'on précise la durée de l'action révolue, car on ne met pas alors l'accent sur le contraste avec le présent.

I lived (et non « I used to live ») **in London for two years before the war.** *J'ai habité Londres pendant deux ans avant la guerre.*

342 (b) **Used to** insiste sur la **répétition habituelle d'une action dans le passé** (mais il reste sous-entendu que cette action n'appartient qu'au passé, comme dans les exemples ci-dessus, qui n'expriment aucune idée de répétition).

They used to play bridge on Saturday evenings. *Ils jouaient au bridge le dimanche soir* (1° ils ne jouent plus au bridge le dimanche soir; 2° il fut un temps où il y jouaient régulièrement ce soir-là).
We used to spend our holidays in Ireland. *Nous passions (habituellement) nos vacances en Irlande* (maintenant nous les passons ailleurs).
I used to drive to my office. *Je me rendais (habituellement) à mon bureau en voiture.*
He used to smoke a cigar after lunch. *Il fumait (généralement) un cigare après le déjeuner.*

343 (c) Aux **formes interrogative et négative** (qui s'emploient peu) **used to** peut se conjuguer comme un auxiliaire ou comme un verbe ordinaire (c'est-à-dire avec **did**).

Cette dernière construction est la seule employée dans la langue parlée. On peut aussi exprimer la négation à l'aide de l'adverbe **never.**

Did he use to go with you ? (« Used he to go... ? » ne s'emploie plus dans la langue courante). *Vous accompagnait-il ?*
He used to go with you, didn't he ? (« usedn't [juːsnt] he ? » ne s'emploie plus dans la langue courante). *Il vous accompagnait, n'est-ce pas ?*
He didn't use to say (= **he used not to say, he never used to say) such things.** *Il ne disait pas des choses comme cela autrefois.*

Remarque : Une forme de past perfect (**had used to**) se rencontre parfois.

She had never used to buy so much as a handkerchief without consulting me (Iris Murdoch). *Elle n'avait jamais acheté ne fût-ce qu'un mouchoir sans me consulter.*

344 (d) Ne pas confondre les emplois ci-dessus de **used to** avec :

(1) *l'expression I am used to* (= *je suis habitué à*), qui se conjugue à tous les temps, suivie d'un nom ou d'un gérondif.

I'm not used to ['juːstə] **this wet climate. — You'll get used to it.** *Je ne suis pas habitué à ce climat humide. — Vous vous y habituerez.*

I'm not used to drinking so much tea. *Je ne suis pas habitué à boire autant de thé* (l'accent n'est pas mis sur la répétition de l'action mais sur le fait que l'on est, ou n'est pas, accoutumé à cette chose).

Comparer les deux emplois de **used to** dans :

"**I'm not used to working in places like this, I used to be at the Carlton**" (A. Wesker). *Je n'ai pas l'habitude de travailler dans des endroits comme celui-ci, j'étais auparavant au Carlton.*

He is not used to being refused anything. *Il n'est pas habitué à ce qu'on lui refuse quoi que se soit.*

To be accustomed to a le même sens, mais peut être suivi d'un infinitif.

He was accustomed to living (ou : **to live**) **with all kinds of people** (mais : He was used to living, et non : « to live »). *Il était habitué à vivre avec toutes sortes de gens.*

On trouve exceptionnellement *be used to* suivi d'un infinitif (exemple, de G. Orwell : **The old, discredited leaders of the Party had been used to gather there**).

(2) *le preterite et le participe passé du verbe to use* (= *utiliser, se servir de*) suivis d'un infinitif exprimant le but.

A wheelbarrow is used [juːzd] **to carry** (= **used for carrying**) **gardening-tools.** *Une brouette sert à transporter des outils de jardinage.*

The tools I used [juːzd] **to repair the engine of my car...** *Les outils dont je me suis servi pour réparer le moteur de ma voiture...*

---

2. — L'ASPECT FRÉQUENTATIF AU PASSÉ

345   Revoir ce qui a été dit sur la notion d'aspect (228 à 231). *L'aspect fréquentatif* (ou *itératif*) est beaucoup moins important que l'aspect progressif : s'il n'est pas possible de dire « **I worked** » au lieu de « **I was working** », il est souvent possible de remplacer « **I used to work** » ou « **I would work** » par *le simple preterite* « **I worked** » (accompagné ou non d'un adverbe comme *often, usually, generally*).

On ne peut pas dire qu'il y ait à proprement parler « une » forme fréquentative, l'aspect fréquentatif s'exprimant de diverses façons.

C'est surtout au passé que l'on construit les verbes avec des auxiliaires ou périphrases exprimant l'aspect fréquentatif.

(a) On a vu que la répétition habituelle d'une action dans le passé peut s'exprimer avec l'auxiliaire *used to*, qui implique également qu'il s'agit d'un passé révolu (342). *Used to renseigne* donc à la fois *sur le passé et sur le présent.*

We used to have a cup of tea at 11. *Nous prenions une tasse de thé à 11 heures* (= 1° nous le faisions habituellement; 2° nous ne le faisons plus. Ces deux idées sont impliquées en même temps).

On n'emploie pas **used to**, mais un simple preterite, lorsqu'on précise la longueur de la période au cours de laquelle l'action s'est répétée, car dans ce cas l'accent n'est pas mis sur l'opposition avec le présent. Comparer :

We used to spend our holidays in Ireland. *Nous passions (autrefois) nos vacances en Irlande.*

For ten years we spent (et non « used to spend ») **all our holidays in Ireland.** *Pendant dix ans nous avons passé toutes nos vacances en Irlande.*

346 (b) **Would** (à toutes les personnes, inaccentué) peut exprimer la répétition fréquente d'une action dans le passé, mais n'insiste pas sur le caractère révolu de ce passé. On se reporte simplement par la pensée dans la période où l'action est située et on se contente de décrire ce qui se produisait fréquemment sans songer à un contraste avec le présent. Avec **would** il s'agit généralement d'actions prévisibles, ou tout au moins peu surprenantes si l'on connaît le comportement typique du sujet (cf. 305, 333, idée de choix exprimée par **will/would**). Dans les cas où **used to** et **would** peuvent s'employer l'un et l'autre, **used to** s'entend plus fréquemment dans la langue parlée.

We would go for a swim in the morning. *Nous allions (habituellement) nous baigner le matin* (Il n'est pas toujours nécessaire d'employer un adverbe comme « généralement », « habituellement », etc. dans la traduction, notre imparfait pouvant suffire pour exprimer l'aspect fréquentatif).

Grannie would tell us stories before we went to bed. *Grand-mère nous racontait des histoires avant que nous n'allions nous coucher.*

Remarques : (1) Cet emploi de **would** peut se combiner avec la **forme progressive.**

On Saturday evenings, when we went to see him, he would be playing the piano while waiting for us. *Le samedi soir, quand nous allions le voir, il jouait habituellement du piano en nous attendant.*

(2) On peut accentuer **would** pour insister sur une **idée d'obstination** (cf. 335).

She would forget to switch off the lights. *Il fallait toujours qu'elle oubliât d'éteindre les lumières.*

Whenever I passed that door the wretched dog would bark. *Toutes les fois que je passais devant cette porte le maudit chien aboyait.*

(3) Il arrive que dans un récit l'aspect fréquentatif soit marqué une première fois à l'aide de **used to**, qui précise une fois pour toutes le caractère révolu des actions que l'on va raconter, et ensuite, plus discrètement, à l'aide de **would** (ou simplement **'d**).

It used to make Ellie laugh the way I talked about Greta. She'd say, "You're so silly to be jealous of her" (A. Christie). *Cela faisait toujours rire Ellie, la façon dont je parlais de Greta. Elle disait : « Tu es vraiment bête d'être jaloux d'elle ».*

347 (c) La répétition habituelle peut aussi s'exprimer, dans la langue écrite, avec les périphrases **to be wont to** (archaïsant) et **to be accustomed to**, suivies de l'infinitif (Cette dernière expression peut aussi exprimer l'accoutumance, sans idée de répétition; elle est alors suivie d'un infinitif ou d'un gérondif, ou bien d'un nom, voir 344).

> **He was accustomed to say** (dans un style affecté : **He was wont to say**) **that all boys are lazy.** *Il avait l'habitude de dire que tous les garçons sont paresseux.*

348 (d) La périphrase « **be + participe présent** », qui exprime normalement l'aspect progressif, peut prendre une valeur fréquentative (souvent avec une nuance d'obstination) quand elle est accompagnée d'un adverbe comme **always, for ever, perpetually** (258). **Kept** (ou : **kept on) + participe présent** a le même sens.

> **He was always asking (= he kept asking) the same silly questions.** *Il posait toujours les mêmes questions stupides.*
> **He kept saying that he was not guilty.** *Il répétait sans cesse qu'il était innocent.*

(e) Un **simple preterite** exprime parfois une action fréquente, surtout quand il est accompagné d'un adverbe (**often, usually**, etc.) ou d'un complément de temps (**every week, twice a year,** etc).

> **He went to the pictures twice a week.** *Il allait au cinéma deux fois par semaine.*

3. — L'ASPECT FRÉQUENTATIF AU PRÉSENT

349 Ne pas oublier que l'expression « **I used to** » n'existe qu'au passé. Pour la tournure « **I am used to** », voir 344.

(a) **Will** peut s'employer pour exprimer la répétition, l'habitude, le comportement habituel, ou ce qui se produit inévitablement; plusieurs proverbes sont construits ainsi.

> **He will sit on this bench for hours, his mind a perfect blank.** *Il lui arrive de rester assis sur ce banc pendant des heures, l'esprit vide de toute pensée.*
> **He shook hands with me, as Frenchmen will.** *Il me donna une poignée de main, comme le font les Français.*
> **Accidents will happen.** *Il arrive toujours des accidents.*
> **When the cat is away the mice will play.** *Quand le chat n'est pas là les souris dansent.*
> **The truth will out.** *La vérité finit toujours par se découvrir* (189).
> **Boys will be boys** (ou : **Youth will have its fling**). *Il faut que jeunesse se passe.*

Quand il s'y ajoute une **idée d'obstination will** est accentué (cf. 346, **would** au passé).

> **He will come into my study without knocking.** *Il faut toujours qu'il entre dans mon bureau sans frapper.*
> **He will have his little joke.** *Il faut toujours qu'il plaisante.*

350 (b) L'emploi de **will** pour exprimer l'aspect fréquentatif reste exceptionnel. La répétition dans le présent est couramment exprimée par l'emploi du **présent simple (présent d'habitude)** par opposition avec le présent progressif (237).

> **I get up at 7.** *Je me lève à 7 heures.*
> **She does her shopping on Saturdays.** *Elle fait ses emplettes le samedi.*

172

Comparer les deux phrases à l'aspect fréquentatif :

> **We used to read The Times** (passé), **now we read The Guardian** (présent;
> répétons-le : « we use to » est une tournure impossible).

351 (c) Comme au passé, on peut exprimer la répétition (avec souvent une nuance
d'obstination) à l'aide des périphrases « **be + participe présent** » (accompagnée
d'un adverbe comme **always, perpetually, for ever**) et « **keep** (ou : **keep
on**) + participe présent** ». Cette dernière expression permet de conjuguer des
impératifs à sens itératif.

> **I'm always forgetting (= I keep forgetting) to lock the door.** *J'oublie
> régulièrement de fermer la porte à clef.*
> **"Peter has a cold again, poor lamb, he's always having colds"**
> (J.B. Priestley). *Peter est encore enrhumé, le pauvre chéri, il attrape tout
> le temps des rhumes.*
> **He keeps changing his mind.** *Il passe son temps à changer d'avis.*
> **That's what I keep telling him.** *C'est ce que je ne cesse de lui répéter.*
> **Keep trying** (= Try again and again). *Essayez encore plusieurs fois.*
> **Don't keep saying 'I don't know'.** *Ne dis pas toujours « je ne sais pas ».*

---

4. — TRADUCTIONS DE NOTRE IMPARFAIT

352 (a) Il correspond à un **preterite simple** lorsqu'il exprime des faits ou des états
passés sans notion d'opposition avec le présent ni d'inachèvement.

> **My grandfather spoke four languages.** *Mon grand-père parlait quatre
> langues.*
> **Milton was blind.** *Milton était aveugle.*

(b) On emploie **used to** pour insister sur l'opposition avec le présent.

> **You used to have a dog, didn't you ? — He died last month.** *Vous aviez
> bien un chien ? — Il est mort le mois dernier.*

(c) On emploie le **preterite progressif** pour les actions inachevées à un moment
donné du passé.

> **When we arrived they were having tea.** *Quand nous sommes arrivés ils
> prenaient le thé.*

(d) On emploie une **tournure fréquentative**, ou bien un simple preterite, pour une
action habituelle (345, 346).

> **We used to play** (ou : **we would play**, ou : **we played**) **tennis on Saturday
> afternoons.** *Nous jouions au tennis le samedi après-midi.*

(e) Après *si* (condition, supposition) l'imparfait se traduit par un preterite.

> **If I knew where they live I would go and see them.** *Si je savais où ils
> habitent j'irais les voir.*

(f) L'imparfait se traduit par un **past perfect** accompagné de **how long, for** ou
since dans les cas étudiés aux §§ 293 et 294.

> **She had been waiting for him for half an hour.** *Elle l'attendait depuis une
> demi-heure.*

EXERCICES

A Transformer les phrases suivant les modèles :

I was very strong in those days (ou : at that time) → I'm **not so** strong **as I used to be.**

He had a great many friends in those days → He **hasn't as many** friends **as he used to have.**

1. We were young in those days. — 2. He played very well in those days. — 3. There were a lot of trees in this park in those days. — 4. I smoked quite a lot in those days. — 5. We went to Paris very often in those days. — 6. She was very pretty in those days. — 7. People ate a lot of bread in those days. — 8. I was very fond of jazz in those days. — 9. I read a lot of poems in those days. — 10. He was terribly touchy in those days. — 11. They often quarrelled in those days. — 12. He often got drunk in those days. — 13. I was very keen on philosophy in those days. — 14. There was a lot of smuggling on this frontier in those days. — 15. We often wrote to each other in those days.

[B] Répondre aux questions suivant le modèle :

Does he play cricket ? → He **used to** play cricket, he **no longer does** (ou : he **doesn't any longer**).

1. Do they read the Times ? — 2. Is she a good pianist ? — 3. Do you play chess ? — 4. Is he your friend ? — 5. Do you believe in God ? — 6. Does he collect stamps ? — 7. Have they got a dog ? — 8. Are you in love with her ? — 9. Do you trust him ? — 10. Are they on friendly terms ? — 11. Is there an orchestra in your school ? — 12. Is South Africa a member of the Commonwealth ? — 13. Don't you smoke cigars ? — 14. Isn't Texas the largest state ? — 15. Doesn't she teach in a technical school ?

C Transformer les phrases suivant le modèle :

He usually took a walk before going to bed → He **would** take a walk before going to bed (surtout dans la langue écrite).

1. They always laughed at him whenever he made a speech. — 2. He often said that life wasn't worth living. — 3. She often forgot to lock the door. — 4. We usually went for a swim before breakfast. — 5. They always played tricks on the poor fellow when they met him. — 6. He always shouted himself hoarse when he was angry. — 7. The next morning he always apologized to us. — 8. They usually took us to a pantomime on Boxing Day. — 9. In summer he usually got up very early. — 10. We often walked to school when the weather was fine. — 11. She often paid up to £ 40 for a ridiculous hat that I knew she would never wear. — 12. When he was a child, we often teased him about his fear of thunder. — 13. Whenever he had to write an essay, it usually took him hours. — 14. He often told them that he hated them. — 15. She often spent long hours talking to her cat.

D Transformer les phrases suivant le modèle :

They complain (they complained) again and again → They **keep** (they kept) **complaining.**

1. He asked the same silly questions again and again. — 2. He very often borrows my tools. — 3. She said again and again that she was sorry. — 4. I very often lose my umbrellas. — 5. She very often changes her mind. — 6. We invited him again and again but he never came. — 7. He told them again and again that it was a mistake. — 8. He played the same piece again and again. — 9. When I have a cold I very often sneeze and blow my nose. — 10. I applied again and again in the hope of getting a ticket. — 11. Play it again and again until you know it by heart. —

174

12. We often quarrel about politics. — 13. He asked her again and again to marry him. — 14. They mention their rich cousins again and again. — 15. He made the same mistakes again and again to the despair of his teacher.

E Traduire *(used to)* :

1. There is a transporter bridge in Marseilles, or rather there used to be one. — 2. We aren't used to getting up so early. — 3. Do you smoke ? — I used to. — 4. He doesn't come to see us as often as he used to. — 5. Police dogs were used to hunt the escaped prisoners. — 6. He used to say that "business is business". — 7. Life isn't so easy for young people as it used to be. — 8. He was not used to making his own bed. — 9. There used to be vineyards on those hills. — 10. He didn't use to stammer so badly. — 11. They were not used to being given presents. — 12. The police dogs were used to hunting escaped prisoners. — 13. They never used to play so well. — 14. He used to have a beard, didn't he ? — 15. He was not used to wearing such heavy boots, was he ?

[F] Traduire en se servant de tournures exprimant l'aspect fréquentatif ou le passé révolu toutes les fois que c'est possible :

1. C'est ici que j'habitais quand j'étais enfant. — 2. Ils vont au cinéma tous les samedis. — 3. Toutes les fois que je l'appelais il faisait semblant de ne pas m'entendre. — 4. Je croyais autrefois qu'il était vaniteux. — 5. Il fallait toujours qu'il arrivât avec vingt minutes de retard. — 6. Il ne se met plus en colère aussi souvent qu'autrefois. — 7. Il ne parle plus l'anglais aussi couramment qu'autrefois. — 8. Il passait des heures à jouer avec ses soldats de plomb. — 9. Il faut toujours qu'il oublie de signer ses chèques. — 10. Il faisait toujours les mêmes fautes. — 11. Il faut toujours que le téléphone sonne pendant que je prends mon bain. — 12. L'Empire State Building était naguère le plus haut gratte-ciel du monde. — 13. Elle disait fréquemment que tous les hommes sont des lâches. — 14. Tous les ans nous écoutions le message de Noël de la reine. — 15. Tous les dimanches nous achetons l'Observer.

16. — LE SUBJONCTIF

353   Il ne reste en anglais que des traces du subjonctif, mode bien vivant en français, du moins dans sa forme de présent.

Les deux formes du subjonctif (« présent » et « preterite ») sont tout à fait *indépendantes de la notion de temps*. Ainsi dans « **I wish I were in England** » le regret concernant un fait présent est exprimé à l'aide du « preterite » *were*, alors que dans la phrase (surtout américaine) « **they insisted that she come with them** » on a le subjonctif « présent » *come* malgré le contexte passé.

Les auxiliaires de modalité *may/might* et *shall/should* (parfois aussi *can/could*) servent à conjuguer des tournures à valeur de subjonctif (exprimant diverses nuances de modalité dans des subordonnées), parfois parallèlement à des constructions à l'indicatif ou au subjonctif sans auxiliaire.

354   Il est semblable à l'infinitif sans **to** pour tous les verbes (y compris **be** et **have**), à toutes les personnes. Sauf pour **be**, il n'est donc différent de l'indicatif qu'à la 3ᵉ personne du singulier, non terminée par un **s**.

> Indicatif : **he comes, he has, he is.**   **I am, you are, they are...**
> Subjonctif : **he come, he have, he be.**   **I be, you be, they be...**

(a) Il a une valeur d'**optatif** (il exprime un souhait) dans des propositions indépendantes ou principales (expressions figées, formules traditionnelles).

> **God save the Queen ! Long live the Queen !** *Que Dieu protège la Reine !*
> *Vive la Reine !*
> **God bless you !** *Dieu vous bénisse !*
> **Hallowed be Thy name, Thy kingdom come, Thy will be done...** *Que ton*
> *nom soit sanctifié, que ton règne vienne, que ta volonté soit faite...*
> **Heaven forbid that I should do such a thing !** *Le Ciel me préserve de faire*
> *une chose pareille !*
> **Far be it from me to lay the blame on you !** *Loin de moi l'idée de vous*
> *en rendre responsable !*
> **Perish the thought !** *Loin de moi cette pensée !*
> **Suffice it to say that...** *Qu'il suffise de dire que...* (style très soigné).
> Voir aussi 484 ('**Enter Lady Macbeth**').

355   (b) Dans des subordonnées (style très soigné, voire archaïque), il peut exprimer une **supposition** (après **if**), un **doute**, une **concession** (909, g), un **ordre** (principalement dans la langue juridique).

> **If this be true...** *Si cela est vrai...*
> **If this be so...** *S'il en est ainsi...*
> **Whether it be worth anything I know not.** *J'ignore si cela a de la valeur.*
> **Be they ever so rich...** *Si riches qu'ils soient...*
> **Be that as it may...** *Quoi qu'il en soit...*

Sentence capitale prononcée au procès de William Joyce, jugé en 1945 pour haute trahison : « **William Joyce, the sentence of the Court upon you is, that you be taken from this place to a lawful prison and thence to a place of execution, and that you be hanged by the neck until you be dead** ».

Noter également l'expression, souvent ironique : « **the powers that be** » (*les autorités constituées*) et la formule rituelle de la cérémonie de mariage : « **till death us do part** » (*jusqu'à ce que la mort nous sépare*).

356   (c) Il s'emploie dans une langue soignée parallèlement à une construction avec **should** (368, 369) pour exprimer un **ordre** (après **to order, to command**...), une **suggestion** (après **to suggest, to insist, to ask**...), une **nécessité** (**it is necessary that, it is imperative that**...), et parfois après **on condition (that)**. Cet emploi du subjonctif « présent » (quel que soit le temps de la principale) est plus **américain** que britannique, mais il est de plus en plus courant en Angleterre dans la langue écrite, en particulier dans la presse.

> **They suggested that she come with them.** *Ils suggérèrent qu'elle vînt*
> *avec eux.*
> **It was imperative that he attend the meeting.** *Il était indispensable qu'il*
> *assistât à la réunion.*
> **He had suggested in his letter to Nan that nothing be said to Donald or**
> **Felicity until after Donald's exam** (Iris Murdoch). *Il avait suggéré dans*

sa lettre à Nan qu'on ne dise rien à Donald ou à Felicity avant que Dan ait terminé son examen.

He insisted that Boo not be charged with anything : he was not a criminal (Harper Lee). *Il insista pour que Boo ne fût pas inculpé : ce n'était pas un criminel* (Remarquer la place de la négation dans cette phrase américaine).

Quelques exemples trouvés dans l'International Herald Tribune : « **The President urged that the death penalty** *be* **applied to some crimes** ». « **He gave his name but he asked that it** *not be* **used** » (*qu'il ne fût pas mentionné*). « **They spoke on the condition they** *not be* **identified** » (*à condition de rester dans l'anonymat*). « **It is absurd to think President Pompidou could have wished that Mr Nixon** *include* **Paris in his itinerary** ».

---

2. — SUBJONCTIF PRETERITE (PRETERITE MODAL)

357   Le preterite du subjonctif ne se distingue de celui de l'indicatif que pour le verbe *to be : were* à toutes les personnes (**I were, you were, he were**...). Cependant, dans la langue familière, mais non vulgaire, on emploie couramment *was* au singulier (**I was, he was**), comme à l'indicatif, la notion même de subjonctif n'étant pas toujours perçue.

Ce preterite n'*exprime pas un passé* mais diverses notions telles que la supposition, le souhait, le regret, *nuances de modalité* qui ont en commun le fait de marquer un *contraste avec la réalité*. C'est ce qu'on appelle *l'irréel*. Le subjonctif preterite est souvent appelé *preterite modal.*

Le *preterite modal* exprime principalement, dans des subordonnées, *l'irréel du présent*, c'est-à-dire ce que l'on suppose ou ce que l'on souhaite mais qui n'est pas réalisé dans le présent.

De la même façon, le *past perfect modal* (semblable au past perfect de l'indicatif) s'emploie pour *l'irréel du passé* (ce qui n'a pas été réalisé dans le passé).

A ces deux irréels s'oppose le *potentiel*, qui exprime ce qui est encore plus ou moins réalisable. Nous verrons que dans ce cas on emploie l'indicatif (après *if*) ou le preterite modal (après *to wish* et *I'd rather*).

358 (a) *Après if* (ou : *suppose, imagine...*), *as if* (= *as though*), *even if* (= *even though*), *if only* et les expressions de même sens (supposition, apparences, souhait), parfois aussi après *unless* (902) :

(1) *irréel du présent : le preterite modal.*

If I had enough money I'd buy this house. *Si j'avais assez d'argent j'achèterais cette maison.*

He behaves as if he were (fam. : **as if he was**) **the boss.** *Il se conduit comme s'il était le patron.*

Remarquer que les imparfaits « *j'avais* » et « *il était* », tout comme le preterite modal, n'ont pas la valeur d'un temps : ils n'impliquent nullement une idée de passé. Ils expriment un contraste avec la réalité présente.

Imagine (ou : **Suppose**) **you had a car.** *Imaginez (supposez) que vous ayez une voiture.*

If I were you I'd refuse. *A votre place je refuserais.*

If only I were in England ! *Si seulement j'étais en Angleterre !* (Voir 360, 4°).

It would seem that this were a desert island. *On dirait que cette île est*

177

déserte (dans ce cas on dit aussi, dans la langue parlée : **it would seem that this is a desert island**). Cf. 339 (2), dernier exemple, et 434, dernier exemple.

(2) *irréel du passé : le past perfect modal.*

If he had been there, he would have told you what to do. *S'il avait été là, il vous aurait dit ce qu'il fallait faire.*

On peut exprimer la même idée sans *if*, en commençant la phrase par une *inversion* (style écrit, voire littéraire) : **Had he been there...** Cette inversion est plus rare au preterite qu'au past perfect (**Were it not for my rheumatism I would go with you.** *Si ce n'était mon rhumatisme je vous accompagnerais*). Voir 208.

(3) *potentiel :* après *if* l'idée de futur (le potentiel) s'exprime normalement, comme en français, avec *un présent*; on peut aussi préciser que l'action paraît peu probable en se servant des tournures « *if I (he, you...) were to* », « *if I (he, you...) should* ».

If he comes we'll play tennis. *S'il vient nous jouerons au tennis.*
If he were to come (= if he should come) we might play... *Si d'aventure il venait nous pourrions jouer...* (127). Voir aussi 208 (inversion).

Comparer les trois suppositions concernant trois périodes de temps différentes :

If he had come yesterday... (irréel du passé).
If he were here now... (irréel du présent).
If he comes tomorrow... (potentiel).

N.B. Après *whether* (doute et non supposition) et après *if* employé dans le sens de *whether* on emploie généralement un indicatif, mais le subjonctif n'est pas impossible (**He asked me if I was tired**, ou : **whether I was tired**, rarement : « **if I were** », ou « **whether I were** ». *Il m'a demandé si j'étais fatigué*).

Dans la langue parlée on emploie couramment le présent de l'indicatif ou une expression à sens de futur après « *it looks as if* » exprimant une impression (**It looks as if it's going to rain.** *On dirait qu'il va pleuvoir.* Voir 539). Mais c'est le preterite que l'on emploie pour insister sur une notion d'apparence trompeuse, qui est un irréel (**The picture looks as if it were genuine, but it's only a good copy.** *Le tableau donne l'impression d'être authentique, mais ce n'est qu'une bonne copie*).

359 (b) *Après le verbe to wish*, l'irréel exprime un *regret*, le potentiel un *souhait*.

(1) *irréel du présent : preterite modal.*

I wish he were here with us. *Je souhaiterais qu'il fût ici avec nous* (ou : *je regrette qu'il ne soit pas ici avec nous*).
She wishes he weren't so shy. *Elle regrette qu'il soit si timide.*
I wish you could see yourself ! *Je regrette que vous ne puissiez pas vous voir !*

(2) *irréel du passé : past perfect modal.*

I wish he had brought his camera. *Je regrette qu'il n'ait pas apporté son appareil photo.*
He wishes she hadn't told him about it. *Il regrette qu'elle lui en ait parlé.*
I wish you could have seen him. *Si seulement vous aviez pu le voir !* (102).

(3) *potentiel :* les souhaits encore réalisables s'expriment de deux façons :

I wish he would (ou : **he'd**) **answer my letter at once.** *J'aimerais qu'il réponde à ma lettre immédiatement* (cela dépend de lui : **would**).
I wish he could understand my reasons for refusing. *J'aimerais qu'il*

comprenne pourquoi je refuse (cela ne dépend pas de sa volonté : *could*).

Après « *I wish* », *would* marque parfois l'impatience (on se heurte à une manifestation de mauvaise volonté); mais parfois il sert à faire une demande polie (le ton est évidemment très différent). Le sujet du second verbe peut être un neutre (912).

I wish you would (ou : **you'd**) **stop whistling.** *J'aimerais bien que tu cesses de siffler* (je m'attends à être obéi).

I do wish he would stop shouting. *Mais qu'il cesse donc de hurler !* (exaspération, je ne crois pas que ce souhait sera réalisé).

I wish you would (ou : **you'd**) **speak to him about it.** *Voudriez-vous lui en parler ?*

I wish you would ask him to come. *Voudriez-vous lui demander de venir ?*

I wish you'd let me help you. *Permettez-moi donc de vous aider.*

On emploie parfois un preterite sans auxiliaire *would* quand ce que l'on dit de l'action future paraît inexorable.

I wish they were coming (plus couramment que : **came**) **next week, not tomorrow.** *J'aimerais qu'ils viennent la semaine prochaine, et non demain* (mais il n'est pas possible de changer la date de leur visite; c'est donc un irréel).

360   *Remarques :* 1° Le deuxième sujet peut être semblable au premier dans les constructions à l'irréel.

She wishes she could drive. *Elle aimerait savoir conduire.*

I wish I were in England. *J'aimerais être en Angleterre (je regrette de ne pas être en Angleterre).*

I wish I weren't so shy. *Je voudrais être moins timide.*

I wish I had a car. *J'aimerais avoir une voiture.*

He wishes he hadn't sold his car. *Il regrette d'avoir vendu sa voiture.*

I wish I didn't have to get up so early (55). *Je regrette d'avoir à me lever si tôt.*

Comparer la construction de toutes ces phrases dans les deux langues.

2° Dans tous les exemples ci-dessus *to wish* est au présent (c'est dans le présent que j'exprime le regret ou le souhait). Mais il peut être au *preterite* (regret exprimé dans le passé); le deuxième verbe est alors au past perfect.

I wished she had been with us. *Je regrettais qu'elle ne fût pas avec nous.*

3° Le preterite modal après *to wish* ne s'emploie couramment que pour les auxiliaires (*had, were, did, could*). On trouve aussi cette construction avec *knew* et, plus rarement, avec les preterites de certains verbes qui pourraient se conjuguer avec *could* (to speak, to drive, to see, to play...).

I wish I knew where he is. *J'aimerais savoir où il est.*

He wishes he spoke (= could speak) **Italian fluently.** *Il regrette de ne pas parler couramment l'italien.*

I wish I saw him more often. *Je regrette de ne pas le voir plus souvent.*

4° Il sera plus facile de choisir le temps du verbe qui suit *to wish* et de décider s'il faut ou non une négation en comparant les deux séries synonymes :

If only *I were* in England ! (358).	I wish *I were* in England.
If only *you weren't* so lazy !	I wish *you weren't* so lazy.
If only *you had come* earlier !	I wish *you had come* earlier.
If only *I hadn't told* him !	I wish *I hadn't told* him.
If only *they would come* tomorrow !	I wish *they would come* tomorrow.

5° La proposition au subjonctif après **to wish** peut être **elliptique.**

Did you tell him about it ? { — **Yes, but I wish I hadn't** (told him).
{ — **No, but I wish I had** (told him).

Lui en avez-vous parlé ?   — *Oui (non), mais je le regrette.*

361 ⓒ **Après l'expression I would rather** (couramment : **I'd rather**), *je préfère, je préférerais* (qui se construit aussi avec un infinitif sans **to**, 118 à 120), l'irréel du présent et le potentiel s'expriment l'un et l'autre à l'aide du preterite modal.

(1) *irréel du présent et potentiel : preterite modal.*

I'd rather people didn't know about it. *Je préférerais que les gens n'en sachent rien.*

We'd rather you came next week. *Nous préférerions que vous veniez la semaine prochaine* (comparer avec : **We wish you** *would come* next week, 359, 3°).

(2) *irréel du passé : past perfect modal.*

I'd rather he hadn't come. *J'aurais préféré qu'il ne vînt pas.*

Remarque : Comparer les phrases :

{ **If he were here...** *S'il était ici...*
{ **I wish he were here.** *Je regrette qu'il ne soit pas ici.*
{ **I'd rather he were here.** *Je préférerais qu'il soit ici.*

{ **If he had come...** *S'il était venu...*
{ **I wish he had come.** *Je regrette qu'il ne soit pas venu.*
{ **I'd rather he had come.** *J'aurais préféré qu'il vînt.*

Contrairement au verbe **to wish**, l'expression **I'd rather** ne peut se construire avec un second sujet semblable au premier. Comparer :

I wish I were in England. *J'aimerais être en Angleterre.*

et : **I'd rather be in England.** *Je préférerais être en Angleterre* (118).

362 ⓓ Après **it's time (it's high time**, familièrement : **it's about time**) le preterite modal exprime une action à réaliser dans un avenir très proche.

It's (high) time we went home. *Il est (grand) temps que nous rentrions à la maison.*

It's about time you made up your mind. *Il serait temps que tu te décides.*

On construit aussi **it's time** avec un **infinitif** (**It's time to go to bed**) ou une **proposition infinitive** (**It's time for you to go to bed**). Voir 397 (derniers exemples).

363 ⓔ On trouve aussi des preterites modaux après l'expression (littéraire) **would (to God**, ou : **to Heaven) that**... Voir 333.

Would to God it were not true ! *Plût à Dieu que cela ne fût pas vrai !*

I would to Heaven I had never met you (past perfect modal). *Plût au Ciel que je ne vous eusse jamais rencontré.*

ⓕ Noter aussi le preterite modal de l'expression **as it were**, *pour ainsi dire* (= so to speak).

Ne pas confondre **as it were** avec **as it was**, preterite de **as it is** (= *les choses étant ainsi*).

We didn't travel first class, the journey was expensive enough as it was (... *était bien assez cher comme cela*).

ⓖ Enfin, dans un grand nombre de leurs emplois, *les preterites des auxiliaires de modalité* sont des preterites modaux qui n'expriment pas des passés, comme on l'a vu à la leçon 4.

He could help you. *Il pourrait t'aider.*
It might rain tonight. *Il se pourrait qu'il pleuve ce soir.*
You ought to stop drinking. *Tu devrais t'arrêter de boire.*

3. — PÉRIPHRASES À VALEUR DE SUBJONCTIF

364   L'opposition entre les faits décrits objectivement et les mêmes faits tels qu'ils sont ressentis par le locuteur (notions subjectives de crainte, de souhait, de regret, d'intention, de volonté, de but, de contrainte, de doute, de surprise, etc.) est marquée en français grâce aux deux modes *indicatif (mode de l'objectivité)* et *subjonctif (mode de la subjectivité).* Si le subjonctif anglais sert encore à exprimer des notions telles que les regrets et les souhaits (359), ses emplois sont vraiment limités, et nous avons vu que les sentiments et les opinions du locuteur sont le plus souvent exprimés à l'aide d'auxiliaires de modalité (leçon 4). Quand ces auxiliaires sont employés dans des subordonnées dépendant de verbes ou d'expressions qui marquent un point de vue subjectif, *les périphrases « modal + infinitif »* ont une valeur de subjonctif, et sont d'ailleurs parfois construites parallèlement à des subjonctifs proprement dits. Comparer :

"**He should come**", they insisted (*should :* modal exprimant un conseil).
They insisted that he should come (*should :* auxiliaire à valeur de subjonctif).
They insisted that he come (*come :* subjonctif « présent »; même sens).

Les auxiliaires de modalité ainsi employés dans des périphrases à valeur de subjonctif sont *may/might* (parfois remplacé par *can/could*) et *shall/should* (shall beaucoup plus rarement que should, qui s'emploie au présent comme au preterite; parfois : *will/would*). Tout comme *shall* et *will* au futur, ils gardent quand ils servent d'auxiliaires du subjonctif une partie de leurs sens premiers, ou tout au moins une certaine coloration modale, même lorsque leur emploi est facultatif, comme dans l'exemple ci-dessus.

May au présent, *might* au passé, s'emploient comme auxiliaires du subjonctif pour exprimer principalement une idée d'*éventualité* (comparer : **It may be very expensive,** *il se peut que cela soit très cher,* et : **Whatever the price may be,** *quel qu'en soit le prix*) ou de *possibilité matérielle* (**I'll leave the book on the desk so that you may read it**). Dans ce dernier cas may a conservé son premier sens : à l'origine *I may = I can, I am strong enough to.* (On peut d'ailleurs dire sans changer le sens de la phrase : **so that you can read it**).

Should au passé comme au présent (mais parfois aussi *shall* au présent) s'emploie comme auxiliaire du subjonctif pour exprimer principalement une idée de *contrainte*, ou tout au moins de *limitation de la liberté d'action du sujet* (voir ce qui a été dit sur *shall*) : ce n'est pas lui qui prend l'initiative de l'action, laquelle lui est suggérée ou imposée, ou bien l'action qu'il accomplirait éventuellement est redoutée, voire empêchée; dans d'autres cas cette action est présentée comme peu vraisemblable ou considérée d'un œil critique; bref, le point de vue du locuteur ou du sujet de la principale compte plus que celui du sujet de la subordonnée.

365 (a) *May/might* dans les *concessives :* à l'idée de concession l'emploi de cet auxiliaire ajoute une nuance d'*éventualité*, d'*incertitude*, de *doute*. La phrase peut être construite avec un composé de *-ever* (notamment dans le schéma

« however + adjectif ou adverbe + sujet + may + infinitif sans to ») ou avec une *inversion*.

— **Composés de -ever** (construits avec *may* surtout dans une langue très soignée, sauf *whatever* qui s'emploie aussi dans la langue parlée).

> **Whatever you may think, it was a mistake to trust him.** *Quoi que vous en pensiez, cela a été une erreur de lui faire confiance.*
> **'We shall defend our island, whatever the cost may be'** (Churchill). *Nous défendrons notre île, quoi que cela nous coûte.*
> **Wherever you may go, you will have to work and fight.** *Où que vous alliez, il vous faudra travailler et lutter.*
> **Whoever may have told you that, it's a lie.** *Quelle que soit la personne qui vous a dit cela, c'est un mensonge.*
> **However learned he may be, he does not know everything.** *Si érudit qu'il soit, il ne sait pas tout.*
> **However dejected you may feel, you must not give up the fight.** *Si déprimé que vous soyez, vous ne devez pas abandonner la lutte.*
> **However cold it might be, he would have a cold shower every morning.** *Même par les plus grands froids, il prenait une douche froide tous les matins.*
> **However much they may differ among themselves, they have this much at least in common** (C.M. Joad). *Si différents qu'ils soient les uns des autres, ils ont au moins ceci en commun.*
> **However much in earnest he might be, he had nothing of the single-mindedness that belongs to a fanatic** (G. Orwell). *Quelle que fût sa sincérité, il n'avait rien de l'obstination exclusive qui caractérise un fanatique.*

366   — *Avec inversion :* diverses constructions dans lesquelles l'adjectif ou le verbe est suivi de *as* (= *though*) ou *what*, dans une langue très soignée.

> **Strange as it may seem...** *Si bizarre que cela paraisse...*
> **Learned as** (plus littéraire : **learned though**) **he may be...** *Si érudit qu'il soit...*
> **Try as I might, I couldn't understand what he meant.** *J'eus beau essayer, je n'arrivais pas à comprendre ce qu'il voulait dire.*
> **Do what I might, she would not give up her silly plans.** *J'eus beau faire, elle ne voulut pas abandonner ses projets stupides.*
> **Come what may** (= **Whatever may happen**), **we must remain cheerful.** *Quoi qu'il arrive, nous devons garder notre gaîté.*

Dans la langue courante on emploie plus souvent l'indicatif après les composés de *-ever* et après un adjectif suivi de *as :* **Whatever you think..., Wherever you go..., However learned he is..., Learned as he is...**

L'emploi du subjonctif permet cependant d'exprimer plus clairement le doute. Comparer :

> **However rich he may be** (= **rich though he may be, rich as he may be), he can't afford to lead an idle life.** *Si riche qu'il soit, il ne peut se permettre de mener une vie oisive* (j'ignore l'importance de sa fortune).
> **However rich he is** (= **rich as he is)...** *Malgré sa richesse...* ou : *il a beau être très riche...* (je sais qu'il l'est).

On peut aussi construire avec *may* (ou dans une langue moins soignée avec un indicatif) des phrases commençant par « *no matter* » (même sens qu'avec les composés de *-ever*) : **No matter what you (may) think..., No matter where you** (may) go..., **No matter how learned he may be (ou : he is)..., No matter how rich he may be (ou : he is)...**

367 (b) *May/might* et *should* pour l'expression du *but*.

Les deux auxiliaires s'emploient *pour exprimer le but* après *so that* (= *in order that*), en américain : *so*. Quand à l'idée de but s'ajoute une idée de *possibilité* (on cherche à faciliter l'action) on emploie *may/might*; quand il s'y ajoute une idée de *contrainte* (on impose l'action ou on l'empêche, ce qui est un but négatif, donc on limite la liberté d'action du sujet de la subordonnée) on emploie *should*.

Dans la langue courante on remplace généralement *may/might* par *can/could*, et parfois *should* par *would* (l'idée de contrainte est alors moins nettement exprimée).

— *May/might.*

    I'll leave the book on the desk so that you may read it (langue plus courante : **so that you can read it**). *Je laisserai le livre sur le bureau pour que vous le lisiez.*

    The policeman stopped the traffic so that the dog might (langue plus courante : **could**) **cross the street safely.** *L'agent arrêta la circulation pour que le chien traversât la rue sans risquer de se faire écraser.*

That + subjonctif avec *may* ne s'emploie que dans la langue littéraire, alors que *so that* appartient aussi à la langue parlée.

    He died that his son might live in a free country. *Il mourût pour que son fils vécût dans un pays libre.*

— *Should.*

    We muzzled the dog so that he shouldn't (langue moins soignée : **wouldn't) bite the visitors.** *Nous avons mis une muselière au chien pour qu'il ne morde pas les visiteurs.*

    They locked him in so that he shouldn't escape. *Ils l'enfermèrent à clef pour qu'il ne s'échappât pas.*

    We must send him the book at once so that he shouldn't think that we've forgotten our promise (dans cette phrase au présent on peut dire aussi : **so that he shan't think**...). *Il faut que nous lui envoyions le livre immédiatement pour qu'il ne croie pas que nous avons oublié notre promesse.*

Remarques : (1) *May/might* et *shall/should* s'emploient souvent indifféremment, lorsqu'il n'y a pas nettement une idée de possibilité ou de contrainte.

    Go and see him now and again, so that he may not (ou : **so that he shan't**, ou plus couramment : **so that he won't) feel too lonely.** *Allez le voir de temps en temps pour qu'il ne se sente pas trop seul* (après un impératif on emploie *shall* plutôt que *should*).

(2) Le but s'exprime aussi couramment, surtout quand il n'est pas négatif, avec une *proposition infinitive* introduite par *for* (397).

    I'll leave the letter on the desk for you to read it (ou : **for you to read**). *Je laisserai la lettre sur le bureau pour que vous la lisiez.*

(3) Pour *so that* + indicatif (exprimant le *résultat* et non le but), voir 896.

368 (c) *May/might* et *should :* expression de l'*espoir* et de la *crainte*.

May/might s'emploie pour exprimer un espoir (après *to hope*, mais non après *to wish*, 359) ou une crainte (après *to fear, to be afraid*), sentiments mêlés d'incertitude, de doute. Voir aussi 914.

I hope you may be right. *Je souhaite que vous ayez raison.* (Cet emploi de *may* permet d'ajouter une nuance emphatique; sinon on emploie l'indicatif : **I hope they'll come.** *J'espère qu'ils viendront*).

We were afraid he might be too late. *Nous craignions qu'il n'arrivât trop tard.* (Mais quand « *I'm afraid* » n'exprime pas une crainte, on emploie l'indicatif : **I'm afraid you're wrong.** *Je regrette de vous dire que vous vous trompez).*

Should s'emploie pour exprimer une crainte après *in case* et *for fear.* L'idée est voisine de celle que l'on a dans les phrases exprimant un *but négatif :* for fear **(that) he should** est à peu près synonyme de **so that he should not** (367).

I'll ring him again in case he should forget his appointment. *Je lui téléphonerai de nouveau de peur qu'il n'oublie son rendez-vous.*

I'll take my umbrella in case it should rain. *Je vais prendre mon parapluie pour le cas où il pleuvrait.*

Après *for fear* et *in case* (ce dernier plus courant dans la langue familière) on emploie souvent l'indicatif (**in case he forgets, in case it rains**).

A Tyrone woman will never buy a rabbit without a head for fear it's a cat, proverbe irlandais[1].

Lest (de peur que) s'emploie, uniquement dans la langue écrite littéraire, soit seul, soit après *to fear, to be afraid, to be worried...* Il est généralement suivi de *should*, mais parfois de *may/might* ou, dans le style élevé, d'un subjonctif « présent » (par exemple, dans « Recessional », poème de Kipling : « **lest we forget** »).

He was given the task of tasting all the food lest it should be poisoned. *On lui confia la tâche de goûter tous les aliments de peur qu'ils ne fussent empoisonnés.*

He ran away lest he should be seen. *Il s'enfuit de peur d'être vu* (dans une langue plus simple : **so as not to be seen, to avoid being seen**).

We feared lest he should fail. *Nous craignions qu'il n'échouât* (dans une langue plus simple : **We were afraid he might fail**).

He was in an agony lest she should not come (Iris Murdoch). *Il était torturé par la crainte qu'elle ne vînt pas.*

He turned his back to the light lest she might see the shame that burnt upon his forehead (J. Joyce). *Il tourna le dos à la lumière de peur qu'elle ne le vît rougir de honte.*

369 (d) **Emplois divers de should.** Comme on le verra, un certain nombre de ces emplois appartiennent principalement à la langue écrite. Dans certains cas l'emploi de *should* est plus britannique qu'américain.

(1) **Should** s'emploie dans une langue soignée après des verbes ou expressions comportant une idée de **suggestion**, de **commandement**, de **nécessité** (**to suggest, to propose, to insist, to determine, to order, to command, to be anxious that, it is necessary that, it is imperative that, it is important that**...), parfois aussi après **to expect** et **to prefer** et après l'expression **on condition that** (qui se construit beaucoup plus couramment avec un indicatif).

En américain on emploie plus souvent un subjonctif « présent », sans auxiliaire (356), quel que soit le temps de la phrase. Ce subjonctif « présent » s'emploie aussi, de plus en plus, en Angleterre dans une langue soignée.

---

(1) Irish Proverbs (Appletree Press).

We had insisted that she should come (Am. E. : **that she come**). *Nous avions insisté pour qu'elle vînt.*

I suggest we (should) leave now. *Je propose que nous partions tout de suite.*

He ordered that the prisoners (should) be shot. *Il fit fusiller les prisonniers* (= He ordered the prisoners to be shot, 474, 478, 506).

I'm anxious that they should come (dans cette phrase on ne peut omettre should). *Je tiens beaucoup à ce qu'ils viennent.*

She was very anxious that Bill should not know that she had been drinking whiskey (Iris Murdoch). *Elle tenait beaucoup à ce que Bill ignorât qu'elle venait de boire du whiskey.*

He is determined that nothing shall prevent him from going. *Il a décidé que rien ne l'empêchera d'y aller.*

Remarquer l'emploi de **shall** dans cette dernière phrase dont la principale est au présent. **Shall** s'emploie surtout dans le style officiel (règlements) : « **This book is sold subject to the condition that it shall not be re-sold or otherwise circulated without the publisher's prior consent in any form of binding or cover other than that in which it is published** ».

It was necessary that he should attend (Am. E. : **that he attend**) the meeting. *Il était nécessaire qu'il assistât à la réunion* (style plus familier : it was necessary for him to attend the meeting).

It is important that the truth (should) be known. *Il est important que l'on sache la vérité.*

It is imperative that each of you should do his duty (Am. E. et style officiel britannique : **that each of you do his duty**; style peu soigné en Angleterre : **that each of you does his duty**). *Il est indispensable que chacun d'entre vous fasse son devoir.*

370 *Remarques :* 1° On emploie couramment une **proposition infinitive** après les expressions impersonnelles (trois derniers exemples ci-dessus) et les verbes **to order, to command, to expect, to prefer.**

It is important for the truth to be known. *Il est important que l'on sache la vérité.*

He preferred the incident not to be mentioned (= He preferred that the incident should not be mentioned). *Il préférait que l'on ne parlât pas de cet incident.*

2° On peut employer un **preterite** (qui est alors un preterite modal) quand la phrase est au passé après **to suggest, to insist, to order, to prefer.**

"It was she who suggested you went down there" (A. Christie). *C'est elle qui a suggéré que vous y alliez.*

He preferred that the matter were (ou : should be) dropped. *Il préférait que l'on renonçât à cette question.*

Après **to insist** l'emploi du preterite risque d'être ambigu.

"They insisted that he came" peut signifier :
— *Ils insistèrent pour qu'il vînt* (dans ce cas « that he should come », ou « that he come », est plus clair).
— *Ils affirmèrent avec insistance qu'il était venu* (dans ce cas « that he came » = that he had come).

N.B. Après **to see** (veiller à ce que), **to make sure, to ensure** (s'assurer que) on emploie l'**indicatif**.

I'll see (to it) that he takes his medicine every evening. *Je veillerai à ce qu'il prenne son médicament chaque soir.*

371　(2) *Should* s'emploie après diverses expressions (pour la plupart impersonnelles) exprimant un *jugement critique* ou une *réaction* du locuteur : *surprise ou
incrédulité* (it is unlikely, it is extraordinary, it is incredible, it is not to be
expected, to be surprised, there's no reason why, I don't see why...), *émotion
vive* (to be upset...), ce qui paraît *normal ou anormal, souhaitable ou regrettable*
(it is natural, it is right, it is advisable, it is wrong, it is a pity...); aussi après un
comparatif + than that. Voir aussi 332 (*that + should*).

> It's incredible that he should have forgotten the appointment. *Il est
> incroyable qu'il ait oublié le rendez-vous.*
> I'm surprised that you should think so. *Je m'étonne que vous pensiez
> ainsi.*
> It was not to be expected that he should come and shake hands with
> us. *Il ne fallait pas s'attendre à ce qu'il vînt nous serrer la main.*
> Heaven forbid that I should do such a thing ! *Le Ciel me préserve de faire
> une chose pareille !*
> I don't see why I should trust him. *Je ne vois pas pourquoi je lui ferais
> confiance* (= Why should I trust him ? Voir 332).
> My brother has a motor-bike. I don't see why I shouldn't (= Why
> shouldn't I ?). *Mon frère a une moto. Pourquoi pas moi ?*
> He seemed quite upset that I should ask the question (A. Christie). *Il
> semblait vraiment contrarié de m'entendre poser cette question.*
> It's natural that she should feel proud. *Il est naturel qu'elle éprouve de
> la fierté.*
> It's a pity that he should be so absent-minded. *Il est dommage qu'il soit
> si distrait* (dans une langue plus simple : it's a pity that he is...).
> She would do anything rather than that he should suffer (langue écrite).
> *Elle ferait n'importe quoi plutôt que de le laisser souffrir.*

Dans la langue parlée les expressions commençant par *it is* sont couramment
construites avec une *proposition infinitive* introduite par *for* (397).

> It's natural for her to feel proud.
> It's incredible for him to have forgotten the appointment.

372　(3) *Should* peut exprimer une *hypothèse peu vraisemblable* après *if* (ou
suppose...) ou après une *inversion* en tête de phrase (208, style très soigné).

> If we should ever meet him, let's ignore him (= If we happen to meet
> him, if we were to meet him). *Si d'aventure nous le rencontrons,
> faisons semblant de ne pas l'avoir vu* (voir 127).
> If anyone should call (= Should anyone call), please let me know. *Si par
> hasard quelqu'un appelle (au téléphone), veuillez me prévenir.*
> Should this happen again... *Si cela se reproduit...*
> Should there be any difficulty... *Si par hasard il y a la moindre difficulté...*
> Should the occasion arise... *Le cas échéant...*
> "If I should die, think only this of me". (Sonnet de Rupert Brooke).

373　(4) *Should* s'emploie parfois *dans des subordonnées de temps après when,
before et until* (style littéraire, voire archaïque). Dans ce cas on respecte la
concordance des temps : *shall* pour le futur, *should* pour le futur dans le passé.

> We must be ready to do our duty when the time shall come. *Nous devons
> être prêts à faire notre devoir, le moment venu.*
> I waited until he should have finished. *J'attendis qu'il eût fini.*
> "In future years, when time and mortality shall have taken from us the
> great original, we shall be privileged to possess this painting..."
> (Iris Murdoch). *Dans les années à venir, lorsque le temps et la mort nous*

*auront privés de l'illustre modèle, nous aurons le privilège de posséder
ce portrait...*

EXERCICES

A Transformer les phrases suivant les modèles :

If only I were in England ! (irréel du présent) → *I wish I were* in England.
If only he had told me about his problem ! (irréel du passé) → *I wish he had told*
me about his problem.
If only he would come tomorrow ! (potentiel) → *I wish he would* come tomorrow.

1. If only I had known that he was in Paris ! — 2. If only I weren't so busy today !
— 3. If only they would tell us the truth ! — 4. If only he could have come ! — 5. If
only I hadn't made that mistake ! — 6. If only I could play the clarinet ! — 7. If only
he would stop smoking ! — 8. If only I hadn't spent all my money ! — 9. If only
you could have spoken to her ! — 10. If only it weren't so late ! — 11. If only we
had a larger house ! — 12. If only records weren't so expensive ! — 13. If only we
had a telescope ! — 14. If only he would keep his promise ! — 15 If only I had never
met you ! — 16. If only I could speak Italian ! — 17. If only I hadn't such bad teeth !
— 18. If only we knew why they haven't come ! — 19. If only I hadn't lost my
umbrella ! — 20. If only they would help us !
N.B. Voir aussi leçon 46, exercices A, B et D.

[B] Transformer les phrases suivant les modèles :

(a) It's a pity that he is so extravagant → *I wish he weren't* so extravagant.
(b) It's a pity that they didn't wait for us → *I wish they had waited* for us.
    It's a pity that you've told him → *I wish you hadn't told him*.
Veiller à l'emploi ou à l'omission de la négation.

(a) 1. It's a pity that it's so cold. — 2. It's a pity that I don't know where they are.
— 3. It's a pity that your friends aren't here with us. — 4. It's pity that the holidays
are so short. — 5. It's a pity that I can't speak Russian. — 6. It's a pity that I'm
so shy. — 7. It's a pity that it isn't possible. — 8. It's a pity that she can't hear
you. — 9. It's a pity that I'm so busy this afternoon. — 10. It's a pity that we can't
trust you.

(b) 1. It's a pity that I've sold my car. — 2. It's a pity that he made that silly remark.
— 3. It's a pity that we forgot to invite him. — 4. It's a pity that she wasn't able
to stay with us. — 5. It's a pity that you haven't brought your camera. — 6. It's
a pity that there were so few people. — 7. It's a pity that they didn't tell us about
their plans. — 8. It's a pity that he interfered. — 9. It's a pity that the exam was
so difficult. — 10. It's a pity that we didn't know about it.

[C] Répondre aux questions par des phrases elliptiques exprimant un regret,
suivant les modèles :

Did you invite him ? (Yes) → *Yes, but I wish I hadn't* (invited him).
Is she your music mistress ? (No) → *No, but I wish she were* (my music mistress).

1. Can you pilot a plane ? (No). — 2. Did they introduce you to her ? (No). — 3. Is
he coming to the party ? (Yes). — 4. Do you know the truth about her ? (Yes). —
5. Are you married ? (Yes). — 6. Have you followed his advice ? (No). — 7. Have
you sold your car ? (Yes). — 8. Will they be coming with us ? (No). — 9. Have you
got an English pen-friend ? (No). — 10. Did they try and help you ? (Yes).

[D] Transformer les phrases suivant les modèles :

I'd prefer you to stay where you are (style soigné) → *I'd rather you stayed* where
you are (langue parlée).

187

I'd prefer him not to have given it up → *I'd rather he hadn't given* it up.

1. They'd prefer us not to come. — 2. We'd prefer them to have kept their mouths shut. — 3. I'd prefer you not to wait for me. — 4. She'd prefer him not to call her Gladys. — 5. I'd prefer you not to have mentioned the incident. — 6. He'd prefer us to leave very early. — 7. Wouldn't you prefer us not to wake you up ? — 8. Wouldn't they prefer me to come by car ? — 9. I'd prefer you to stop treating me like a child. — 10. We'd prefer you not to have brought him a present.

[E] Traduire en employant *to wish* ou *would rather :*

1. J'aimerais que ce soit fini. — 2. Nous regrettons que vous ne soyez pas venus hier. — 3. Je voudrais que vous me disiez la vérité. — 4. Je regrettais qu'elle eût mal compris ma lettre. — 5. Nous préférerions que vous veniez en juillet. — 6. Il regrette de n'avoir pas pu venir avec nous. — 7. Je vais leur dire que vous savez jouer du piano. — Je préférerais que vous vous absteniez. — 8. Je regrette de n'avoir pas apporté mes lunettes de soleil. — 9. Je regrette qu'ils ne puissent pas vous entendre. — 10. J'aimerais croire ce qu'il dit, mais c'est évidemment un mensonge. — 11. Je préférerais que tu fasses ton travail d'abord. — 12. Je regrette d'avoir brûlé ces papiers. — 13. Il regrette de vous avoir fait confiance. — 14. Nous préférerions qu'ils n'amènent pas leurs enfants. — 15. Nous regrettions d'avoir promis d'assister à sa conférence. — 16. Il regrette de ne pas savoir jouer aux échecs. — 17. Nous regrettions qu'il ait oublié de nous prévenir. — 18. J'aimerais qu'il m'apprenne l'allemand. — 19. Nous regrettions tous qu'il n'ait pas gagné. — 20. Il regrette de ne pas avoir de fils.

[F] Transformer les phrases suivant le modèle :

No matter what he says, we shan't give up → *Whatever he may say*, we shan't give up (style soigné).

1. No matter what they think, it was a great mistake to ignore his advice. — 2. No matter who he is, I think he is a fool. — 3. No matter how hard he tries, he hardly ever succeeds. — 4. No matter how clever he is, he hasn't been able to solve this problem. — 5. No matter how much he trusts you, he will never tell you the whole truth. — 6. No matter where he goes, I'm sure he will always make friends. — 7. No matter how tired you are, you mustn't stop yet. — 8. No matter what you read about him, don't believe a word of it. — 9. No matter how dejected she was, she never showed her feelings. — 10. No matter what we gave them, they were never pleased.

[G] Exprimer la même idée en employant le verbe ou l'expression donné entre parenthèses, construit avec *should* (ou avec un subjonctif « présent » quand c'est possible).

1. He wanted me to be his best man (to insist). — 2. I'm not going to wait for them all day (I don't see why). — 3. They were bound to get arrested (it was inevitable). — 4. He can't possibly have been such a fool (it's incredible). — 5. You must all come on time (it's important). — 6. He wore a false beard to avoid being recognized (so that). — 7. We advised her to buy a new car (to suggest). — 8. They wanted him to run the club (to insist). — 9. I can't explain why there was a misunderstanding (it's extraordinary). — 10. He must give them an answer today (it's imperative).

[H] Traduire :

1. Il faut envoyer le colis aujourd'hui pour qu'ils le reçoivent avant Noël. — 2. Ils se sont mis à chuchoter pour que je n'entende pas ce qu'ils disaient. — 3. Je suggérai qu'il les aidât. — 4. Il est incroyable qu'il ait été si impoli. — 5. Si instruit que vous soyez, vous ne pouvez pas tout savoir. — 6. Il insista pour que l'on

attendît encore un peu avant de prendre une décision. — 7. Nous vous donnerons une clef pour que vous rentriez à l'heure qui vous conviendra. — 8. Quoi que vous fassiez, vous trouverez toujours des gens qui vous critiqueront. — 9. Il proposa que chacun d'entre nous donnât deux dollars. — 10. J'insiste pour que vous lui présentiez des excuses. — 11. Il est extraordinaire qu'Oxford ait gagné la course. — 12. Quoi qu'il arrive, il n'admettra jamais qu'il s'est trompé. — 13. Nous devrions leur écrire, de peur qu'ils ne pensent que nous les avons oubliés. — 14. Il ne fallait pas s'attendre à ce qu'il nous parlât poliment. — 15. Je ne vois pas pourquoi vous vous considérez ici comme le patron. — 16. Il est grand temps que nous partions. — 17. Vous avez beau être très fort, nous n'avons pas peur de vous. — 18. Je tiens beaucoup à ce que vous fassiez leur connaissance. — 19. Ils insistèrent pour qu'elle restât encore une semaine. — 20. Je suis surpris que vous ayez mal compris mes paroles. — 21. Il est indispensable que chacun d'entre vous y arrive à l'heure. — 22. Si d'aventure quelqu'un vous demande où je suis, dites que vous ne savez pas. — 23. Il n'y a aucune raison pour qu'elle ne soit pas heureuse ici. — 24. Je l'ai prévenu, pour qu'il ne soit pas déçu. — 25. Si d'aventure il pleut, le concert sera remis à plus tard. — 26. Ne lui dites pas que je suis malade, de peur qu'elle ne s'inquiète. — 27. Où que vous vous cachiez, la police va sûrement vous retrouver. — 28. Il serait temps que vous cessiez de vous conduire comme un enfant. — 29. Je veillerai à ce qu'il ne vous dérange plus. — 30. Il est normal que vous vous sentiez fatigué.

17. — LES FORMES VERBALES EN -ING

374   Les formes verbales en *-ing*, qui jouent un rôle si important dans la phrase anglaise, peuvent remplir des fonctions très variées :

(a) *Le participe présent est un verbe* (traduit souvent en français par un temps personnel).

    There's someone waiting for you. *Il a quelqu'un qui vous attend.*

Après to be et quelques autres verbes (to keep, ...) sa construction rappelle celle d'un adjectif. Comparer :

I'm working	**I'm busy**
Keep smiling	**Keep fit**

(b) *Le gérondif est un nom verbal* (traduit souvent en français par un nom ou un infinitif).

    I'm fond of swimming. *J'aime la natation.*
    Waiting is very unpleasant. *Il est très désagréable d'attendre.*

Il est plus ou moins nom, plus ou moins verbe, selon les phrases. Après un verbe sa construction est souvent parallèle à celle d'un nom. Comparer :

Do you mind my smoking ?	**Do you mind my cigar ?**
I enjoyed seeing them	**I enjoyed their visit**

(c) Des mots terminés en *-ing* ont parfois perdu tout caractère verbal pour n'être que des *noms* (**a painting, a building, a zebra crossing**).

(d) Le participe présent et le gérondif peuvent s'employer l'un et l'autre comme *adjectifs* (391).

375   Toutefois cette classification est quelque peu artificielle : en réalité la distinction entre les participes présents et les gérondifs n'est pas toujours très nette, en particulier après un verbe. Dans la série de phrases : « **he was working, he kept working, he started** (≠ **he stopped) working, he gave up working, he avoided working, he resented working, he hated working** », le premier *« working »* est indiscutablement un participe présent (il conjugue la forme progressive) et le dernier un gérondif, c'est-à-dire un nom (cf. « **he hated his work** »). Mais où situer la frontière entre les deux groupes ? Il semble que **kept** joue ici le rôle d'un auxiliaire de l'aspect duratif, ce qui amènerait à considérer le second *« working »* comme un participe présent. Mais alors pourquoi pas également les deux suivants qui expriment eux aussi des aspects (déroulement de l'action dans le temps : son début et sa fin) ? Et *« working »*, dans **he stopped working** semble remplir la même fonction que dans **he gave up working**, lequel est bien proche de **he avoided working**, etc.

Mais pourquoi cette analyse et ces essais peu concluants de classification puisque la construction est la même, que la forme en *-ing* soit baptisée participe présent ou gérondif ? Ne s'agit-il pas d'un exercice superflu ? C'est sans doute vrai en ce qui concerne les phrases ci-dessus, mais la distinction apparaîtra indispensable pour la compréhension du sens de nombreuses phrases (ex. : **They are considering buying a house**, où *considering* est un participe présent et *buying* un gérondif), ainsi que pour l'étude de certaines structures verbales, en particulier quand la forme en *-ing* qui suit le verbe en est séparée par un élément qui est tantôt un pronom complément, tantôt un adjectif possessif :

— *avec un gérondif :* **Do you mind** *his* **smoking cigars ?** (*him* est aussi possible et d'ailleurs beaucoup plus courant),
— *avec un participe présent :* **Did you see** *him* **smoking cigars ?** (*his* n'est pas possible).

Nous verrons aussi qu'il est important de reconnaître la nature d'un mot en *-ing* pour accentuer un nom composé dont il est le premier élément (391). Mais il n'en reste pas moins que dans l'étude des structures où le verbe est suivi directement d'un forme verbale en *-ing* la distinction entre gérondifs et participes présents pourra sembler parfois un peu arbitraire.

Pour l'orthographe des formes en *-ing* (hoping/stopping, dying/dyeing, etc.), voir 19 et 20.

---

1. — LE PARTICIPE PRÉSENT

376 (a) Son rôle principal est de conjuguer la *forme progressive* avec l'auxiliaire *be* (*aspect imperfectif*, ou *inachevé*). Cette construction peut avoir une valeur de futur (321) ou une valeur fréquentative (351).

They are playing cards. *Ils jouent (= ils sont en train de jouer) aux cartes.*
What's she doing ? — She's reading. *Que fait-elle ? — Elle lit.*
We are leaving tomorrow. *Nous partons demain.*

Il peut être précédé de *keep* pour former des périphrases à valeur *durative* ou *fréquentative*.

She kept (ou : **kept on) crying for an hour.** *Elle pleura sans s'arrêter pendant une heure.*
He kept saying he was not guilty. *Il répétait sans cesse qu'il n'était pas coupable.*

Il s'emploie parfois dans la langue familière après **get**, qui exprime alors le *début d'une action* (sens voisin de **start** ou **begin**).

> **We got talking about our plans.** *Nous nous mîmes à parler de nos projets.*
> **When he gets going he never stops.** *Quand il est lancé il ne s'arrête plus.*
> **Get cracking !** *Allons ! Au travail !*

On remarque la même opposition entre **to be talking** (*être en train de parler*) et **to get talking** (*se mettre à parler*) qu'entre **to be excited** (*être énervé*) et **to get excited** (*s'énerver*), **to get** exprimant une progression, un commencement (c'est le *sens inchoatif de to get*).

Après **to start, to begin, to stop, to continue**... (466, 467), la forme en -**ing** est considérée tantôt comme un gérondif, tantôt comme un participe présent.

377 (b) Il exprime une *action en progrès* quand il est précédé d'un *verbe de position* (**to stand, to sit, to lie**), de **to come** ou des expressions **to be busy, to spend** + *durée*.

> **She sat staring at the street for hours.** *Elle restait assise pendant des heures, les yeux fixés sur la rue.*
> **He stood watching the traffic.** *Il restait immobile à regarder la circulation.*
> **He stood looking over my shoulder.** *Il regardait par-dessus mon épaule.*
> **He was busy tidying his books on the shelves.** *Il était occupé à ranger ses livres sur les rayons.*
> **I spent two hours reading last might.** *J'ai passé deux heures à lire hier soir.*
>
> **They came running.** *Ils accoururent.*

N.B. Ne pas conforndre la construction de cette dernière phrase avec celle que l'on a dans « **they went hunting (shopping**...) ». Voir 531.

378 (c) Lorsqu'il est employé *seul* (non précédé d'un verbe) il garde souvent un peu de son *sens progressif* (de même que le participe passé garde son sens passif), notamment :

— *après un nom.*

> **The police are looking for a thin young man wearing a grey raincoat.** *La police recherche un jeune homme mince vêtu d'un imperméable gris.*

— *devant un nom*, comme *épithète* (voir 391).

> **A drowning man will grab at a straw** (prov.). *Un homme qui se noie s'accroche à un brin de paille.*

— *en tête de phrase.*

> **Standing in a corner of the room was a shy-looking old lady whom few people had noticed.** *Debout dans un angle de la salle il y avait une vieille dame à l'air timide que peu de gens avaient remarquée.*

— *après when, while* (953, 954).

> **When going to school he was knocked down by a motor-cycle.** *En allant à l'école il a été renversé par une motocyclette* (cf. 876, « en + participe présent »).
> **While staying in London, I went to the National Gallery three times.** *Pendant mon séjour à Londres, je suis allé trois fois à la National Gallery.*

Dans tous ces exemples l'idée exprimée par le participe présent est celle d'une *forme progressive* (the young man is wearing a grey raincoat, the old lady was standing in a corner of the room...); et dans le dernier cas il s'agit véritablement d'une forme progressive elliptique (While I was staying in London...).

Quelques titres de tableaux de Turner dans lesquels un participe présent exprime une action en progrès : « **Sun setting over a lake** », « **Yacht approaching the coast** », « **Pilate washing his hands** », « **Hannibal and his army crossing the Alps** », « **Ulysses deriding Polyphemus** ».

Le participe présent peut s'employer quand il y a des actions simultanées (952).

> **She rushed out, shouting "Help ! help !".** *Elle sortit précipitamment, en criant « Au secours ! Au secours ! ».*

379 (d) Il s'emploie, avec la même valeur progressive, *après les compléments de certains verbes :*

(1) *les verbes de perception involontaire (to see, to hear, to feel, to smell)* ainsi que les verbes *to watch* et *to notice.*

> **I saw him mowing the lawn the whole afternoon.** *Je l'ai vu tondre la pelouse tout l'après-midi.*
> **I heard the children coming.** *J'entendis venir les enfants.*
> **We could hear them quarrelling all day long.** *Nous les entendions se quereller à longueur de journée.*
> **I can feel winter coming.** *Je sens l'hiver qui approche.*
> **Can't you smell something burning ?** *Vous ne sentez pas quelque chose qui brûle ?*
> **Did you notice anyone standing near the door ?** *Avez-vous remarqué quelqu'un qui se tenait près de la porte ?*

Avec ces verbes (à l'exception de *to smell*) on peut aussi employer un infinitif sans *to* (402), mais ces deux constructions ne sont pas toujours synonymes. Comparer : **I saw him run away** (j'ai été témoin de cette action) et : **I saw him running away** (il était déjà en train de fuir quand je l'ai vu; l'action était déjà en progrès).

To see et *to hear* peuvent être au passif (**They could be heard quarrelling. He was seen running away**).

(2) *to keep, to leave, to catch* et *to find*, dans les expressions suivantes :

> **They kept me waiting for an hour.** *Ils m'ont fait attendre une heure.*
> **They left us standing at the door.** *Ils nous ont laissés debout à la porte.*
> **Don't let me catch you doing that again.** *Que je ne t'y reprenne pas.*
> **We found him lying on the ground.** *Nous l'avons trouvé étendu par terre.*

Ces constructions peuvent se mettre au passif (**I was kept waiting. Don't be caught doing that again...**).

(3) les expressions *I can't have* et *I won't have* (refus d'admettre un comportement) et diverses expressions avec *to start, to set, to get* (507).

> **I can't have you wasting your time while everybody is working.** *Je ne peux pas supporter que tu perdes ton temps pendant que tout le monde travaille.*
> **I won't have them meddling with (ou : in) this matter.** *Je ne permets pas qu'ils se mêlent de cette affaire.*

380 (e) Il peut exprimer *la cause*, comme le participe présent français. Cet emploi appartient principalement à la langue écrite (894).

> **Realizing his mistake, he apologized at once.** *Se rendant compte de son erreur, il s'excusa immédiatement.*

Il peut alors avoir un sujet, qui peut être le pronom *it*, ou être construit avec *there* (construction assez gauche, dans la langue écrite uniquement).

There being no room inside (= As there was no room inside), **we had to go on top.** *Comme il n'y avait pas de place en bas, nous avons dû monter à l'impériale.*

It being late (= As it was late), **we made up our minds to leave at once.** *Comme il était tard, nous décidâmes de partir tout de suite.*

(f) Le participe présent a un **sens actif**. Seule exception : l'emploi comme adjectif à sens **passif** du participe présent **owing**.

The money owing (= owed) **to me.** *L'argent qui m'est dû.* (Mais avec un complément d'agent on dit : **The money owed to me by my brother-in-law**).

---

2. — LE GÉRONDIF

381 (a) Le gérondif (« **gerund** ») est un **nom verbal, mot hybride** qui possède à la fois les caractéristiques d'un nom et celles d'un verbe. Cette double nature du gérondif explique la variété de ses traductions en français.

Reading. *Le fait de lire, l'action de lire, la lecture, la façon de lire*, etc.

Il faut se méfier des gérondifs adoptés en « franglais ». Certains ont en anglais un sens abstrait et ne peuvent s'employer avec un article indéfini ni se mettre au pluriel; ce sont des noms indénombrables (565). Ne pas confondre :

parking (*le stationnement*) et **a car park**;
dancing (*la danse*) et **a dance-hall**;
skiing (*le ski*) et **a pair of skis**;
cycling (*la bicyclette, le cyclisme*) et **a bicycle**, etc.

382 (1) **En tant que verbe**, le gérondif peut se conjuguer à la voix passive, être accompagné d'une négation, de divers adverbes, d'un sujet, de compléments. A côté du gérondif « présent » (**working**) il y a un **gérondif « passé »** (**having worked**), qui est plus exactement un **perfect** (230). Mais la forme simple (le « présent ») s'emploie couramment avec le sens d'un passé quand cela ne nuit pas à la clarté de la phrase (par exemple après **for** et **after**, 388).

Watching television was his only pastime on Sundays. *Regarder la télévision était son unique passe-temps le dimanche.*

Driving very fast on a wet road may be dangerous. *Conduire très vite sur une route mouillée peut être dangereux.*

He resents people meddling with (ou : **in**) **his business.** *Il n'aime pas que les gens se mêlent de ses affaires.*

He likes being looked after. *Il aime qu'on s'occupe de lui.*

He is proud of having been able to swim across the river (**having been able to** remplace le gérondif inexistant de **can**). *Il est fier d'avoir pu traverser la rivière à la nage.*

I remember John coming to the theatre with us that evening. *Je me rappelle que John nous a accompagnés au théâtre ce soir-là.*

Not being alone was a great help to her. *Le fait de ne pas être seule l'a beaucoup aidée.*

383 (2) **En tant que nom**, il peut avoir un **sens général** (**nom indénombrable**)...

Hunting, *la chasse à courre;* **travelling**, *les voyages;* **teaching**, *l'enseignement;* **gossiping**, *les commérages;* **skidding**, *le dérapage;* **cheating**, *la tricherie;* **acting**, *le métier d'acteur;* **eavesdropping**, *le fait d'écouter aux portes;*

... ou particulier. Il peut alors se mettre au pluriel, être accompagné d'un article, d'un nombre, d'un adjectif qualificatif, démonstratif ou indéfini.

A first-rate recording of the Magic Flute. *Un enregistrement excellent de la Flûte enchantée.*

There were twenty hangings in the town during the Civil War. *Il y a eu vingt pendaisons dans la ville pendant la Guerre Civile.*

What's all this shouting about ? *Pourquoi tous ces grands cris ?*

The storming of the Bastille. *La prise de la Bastille.*

'The Taming of the Shrew'. *La Mégère apprivoisée.*

Whenever we did the washing up she did the washing and I the wiping. *Toutes les fois que nous faisions la vaisselle elle lavait et moi, j'essuyais.*

The proof of the pudding's (= is) in the eating (prov.). *C'est à l'œuvre qu'on connaît l'artisan.*

It takes some doing. *Ce n'est pas facile à faire* (ou : « *Faut le faire !* »).

Il peut être *composé*, le premier élément restant invariable comme pour les autres noms composés (voir leçon 30).

She always did her Christmas shopping in early December. *Elle faisait toujours ses achats de Noël au début de décembre.*

Stamp-collecting, *la philatélie;* **fox-hunting,** *la chasse au renard;* **haymaking,** *la fenaison.*

On peut dire aussi **collecting stamps, hunting the fox,** etc. mais les noms composés s'emploient plus couramment.

384 Le gérondif peut être accompagné d'un *adjectif possessif*, d'un *nom au cas possessif*, d'un *complément introduit par of.*

I like his singing. *J'aime sa façon de chanter.*

Her meaning was perfectly plain. *Ce qu'elle voulait dire était parfaitement clair.*

Trees of my own planting. *Des arbres que j'ai plantés moi-même.*

It's none of my choosing. *Ce n'est pas moi qui ai choisi.*

All this is your doing ! (= **It's all your doing !**). *Tout cela est de votre faute !*

Ken's driving is a little erratic. *Ken conduit d'une façon un peu excentrique.*

The frequent reading of detective stories makes him believe that he is a Sherlock Holmes. *La lecture fréquente des romans policiers lui fait croire qu'il est un Sherlock Holmes.*

Friends of many years' standing. *Des amis de longue date.*

Si le sens est « *le fait de*... » (et non « *la façon de*... ») on omet très souvent la marque du cas possessif; dans ce cas le gérondif est considéré moins comme un nom que comme un verbe prédécé de son sujet.

Dans « **Ken's driving is a little erratic** » il faut *'s* (*la façon de*...).

Mais on peut le supprimer dans : **I hope you don't mind Ken ('s) coming with us.** *J'espère que cela ne vous ennuie pas que Ken vienne avec nous (le fait de*...).

Cette omission de l'*s* est de plus en plus courante même en prose soignée.

Toutefois si le gérondif précédé d'un nom est en tête de phrase on garde généralement l'*s*, même quand le sens est « *le fait de*... ».

Ken's coming with us disturbed our plans. *Le fait que Ken soit venu avec nous a dérangé nos projets.*

De la même façon l'*adjectif possessif* est couramment remplacé par un *pronom complément* (style de la conversation familière).

194

I hope you don't mind me (= my) coming with you. *J'espère que cela ne vous ennuie pas que je vienne avec vous.*

Par écrit, dans une langue soignée, on préfère l'adjectif possessif.

I can't understand their (plutôt que **them** dans la langue écrite) **behaving like that.** *Je ne comprends pas qu'ils se conduisent ainsi.*

C'est l'adjectif possessif que l'on emploie quand le gérondif est placé en tête de phrase.

His coming with us disturbed our plans (*his* et non *him*). *Le fait qu'il soit venu avec nous a dérangé nos projets.*

Le gérondif peut être précédé de l'indéfini négatif *no*.

Nylon shirts need no ironing. *Les chemises en nylon n'ont pas besoin de repassage.*
No smoking (sous-entendu : **is allowed**). *Défense de fumer.*
No bill sticking. *Défense d'afficher.*

385   (3) Exemples de *gérondifs à doubles fonctions (à la fois verbes et noms).*

He does't approve of our playing football on Sundays. («**us playing**» dans la langue parlée). *Il n'approuve pas que nous jouions au football le dimanche.*
What's the use of my trying to help him if he refuses to be helped ? *A quoi cela sert-il que j'essaie de l'aider s'il refuse qu'on l'aide ?*
John's speaking Russian was a surprise to everyone. *Que John parle le russe, voilà qui a surpris tout le monde.*
I hope my having breakfast very early won't disturb anybody. *J'espère que cela ne dérangera personne que je prenne mon petit déjeuner très tôt.*
They objected to our speaking to their children so severely. *Cela ne leur a pas plu que nous parlions à leurs enfants avec tant de sévérité.*
His apologizing so politely made us forgive him at once. *Le fait qu'il se soit excusé si poliment nous amena à lui pardonner immédiatement.*
There was no question of his leaving his wife. *Il n'était pas question qu'il quittât sa femme.*
It takes a lot of getting used to. *On ne s'y habitue pas facilement.*
There wasn't much doubt as to Mrs Crale's being guilty (A. Christie). *Il n'y avait guère de doute quant à la culpabilité de Mrs Crale.*
His father's refusing to lend him that sum disappointed him very much. *Le refus de son père de lui prêter cette somme l'a beaucoup déçu.*

N.B. Dans la langue parlée on évite souvent d'employer le gérondif s'il est possible de construire la phrase à l'aide d'une expression synonyme, en particulier lorsqu'il est sujet d'un verbe en tête de phrase.

He was terribly disappointed when his father refused to lend him that sum.

386 ⓑ *Emplois du gérondif.*

Il peut être *sujet* ou *complément.*

(1) Comme sujet on peut souvent employer indifféremment *le gérondif* ou *l'infinitif complet.* Le gérondif est plus courant sauf s'il s'agit d'actions précises, bien définies. Voir 399.

Working during the holidays is very unpleasant. *Travailler pendant les vacances est très désagréable.*

195

Regarding any pleasure as a sin was the Puritans' chief rule in life. *Considérer tout plaisir comme un péché était la règle de vie principale des Puritains.*

He loves the countryside, but for him to come with us (ou : but coming with us) would interrupt his work. *Il adore la campagne, mais venir avec nous interromprait son travail.*

Dans les phrases commençant par *it is* le gérondif s'emploie *familièrement* pour donner une opinion personnelle, alors qu'avec l'infinitif il s'agit de vérités générales.

It's been so nice meeting you all again. *Ça a été si agréable de vous revoir tous* (style plus soigné : **It's been so nice to meet...**).

It's always pleasant to receive letters from one's friends. *Il est toujours agréable de recevoir des lettres de ses amis.*

387   (2) Le gérondif s'emploie, *à l'exclusion de l'infinitif*, comme complément de certains verbes, étudiés à la leçon 24. Toutefois, après quelques verbes, on peut employer indifféremment le gérondif ou l'infinitif.

We enjoyed seeing them. *Cela nous a fait plaisir de les voir.*

Avoid mentioning it. *Evitez d'en parlez.*

I've given up reading The Times every day. *J'ai renoncé à lire le Times tous les jours.*

It started raining (= to rain). *Il se mit à pleuvoir.*

388   (3) Il s'emploie, à l'exclusion de l'infinitif, après toutes les **prépositions**, sauf *except* et *but* (voir 406).

She is fond of listening to detective plays on the radio. *Elle aime écouter les pièces policières à la radio.*

We don't believe in (= we are against) spoiling children. *Nous ne pensons pas qu'il faille gâter les enfants.*

It was difficult to keep oneself from interfering. *Il était difficile de s'empêcher d'intervenir.*

After thanking us he said "goodbye" and went out. *Après nous avoir remerciés il dit « au revoir » et sortit.* (Remarquer que le français emploie ici un infinitif passé; l'anglais préfère la forme simple *thanking* au gérondif perfect *having thanked*, le sens étant clair après la préposition *after*).

She doesn't agree with children smoking. *Elle n'approuve pas que les enfants fument.*

He went out without my (ou : me) knowing (without his father knowing) about it. *Il est sorti sans que je (sans que son père) le sache.*

I see no point in waiting any longer. *Je ne vois pas l'intérêt d'attendre plus longtemps.*

They succeeded in reaching the top. *Ils réussirent à atteindre le sommet.*

He prides himself on being able to speak five languages. *Il se vante de savoir parler cinq langues.*

Are you keen on going ? *Tenez-vous beaucoup à y aller ?*

They insisted on his going with them. *Ils insistèrent pour qu'il les accompagnât.*

He is past caring. *Plus rien ne l'affecte (Il est résigné au pire).*

The pain is almost past bearing. *La douleur est a peine supportable.*

By suivi d'un gérondif s'emploie pour exprimer **un moyen**.

She improved her English by listening to the BBC. *Elle fit des progrès en anglais en écoutant la BBC.*

196

For suivi d'un gérondif s'emploie pour indiquer *une cause, un motif* (voir 893).

Excuse me for being late. *Excusez-moi d'être en retard.*

We shall never forgive him for informing against us. *Nous ne lui pardonnerons jamais de nous avoir dénoncés* (en français, infinitif passé).

Thank you very much for having us to tea. *Merci beaucoup de nous avoir invités à prendre le thé.*

He was a great man. The country is the poorer for his passing (= death). *C'était un grand homme. Le pays a beaucoup perdu quand il nous a quittés* (667).

I envied those people for having something to do (J. Buchan). *J'enviais ces gens-là d'avoir quelque chose à faire.*

389   *Reste le cas de « to » :* devant un verbe c'est beaucoup plus souvent une particule marquant l'infinitif qu'une vraie préposition. Mais quand *to* est une *préposition* il faut *le gérondif et non l'infinitif.* Cela se produit dans un certain nombre de cas, dont voici les principaux :

We are looking forward to making his acquaintance. *Nous nous réjouissons d'avance de faire sa connaissance.*

I'm not used to drinking so much tea. *Je ne suis pas habitué à boire tant de thé* (De même après *to get used to,* s'habituer à; mais après *to be accustomed to* on emploie l'infinitif ou le gérondif). Voir § 344.

He is not used to being refused anything. *Il n'est pas habitué à ce qu'on lui refuse quoi que ce soit.*

He got no nearer to finding out the truth. *Il ne fit aucun progrès dans la découverte de la vérité* (voir *near to,* 858).

They finally admitted to stealing the money. *Ils finirent pas avouer avoir volé l'argent* (on dit couramment : **admitted stealing**, et parfois : **admitted having stolen**). De même : **They confessed to stealing the money** (ici on ne peut omettre *to*).

You don't object to me smoking (plus courant que : **to my smoking**), **do you ?** *Cela ne vous fait rien que je fume, n'est-ce pas ?*

He is rather given to boasting. *Il est plutôt enclin à se vanter.*

They fell to swearing and fighting (langue écrite seulement). *Ils se mirent à jurer et à se battre.*

After his wife died he took to drinking (ou : **drink**, qui est ici un nom). *Après la mort de sa femme il s'adonna à la boisson.*

He stopped writing and turned to filling his pipe. *Il s'arrêta d'écrire et se mit à bourrer sa pipe.*

I had to submit to having my face licked by the dog. *Je dus accepter que le chien me lèchât la figure.*

She devoted most of her time to knitting scarves for the poor. *Elle consacrait presque tout son temps à tricoter des cache-col pour les pauvres.*

Even "The People" confines itself to reporting. *Même le « People » se contente de rapporter les faits.*

I prefer waiting for people to being waited for. *Je préfère attendre les gens plutôt que de les faire attendre.*

He preferred her death to her belonging to another man (A. Christie). *Il préférait qu'elle mourût plutôt qu'elle appartînt à un autre homme.*

It amounted to (= **It was tantamount to**) **admitting that he had lied to us.** *Cela revenait à admettre qu'il nous avait menti.*

She did not feel equal to receiving visitors. *Elle ne se sentait pas la force de recevoir des visiteurs.*

He was reduced to beggging. *Il était réduit à mendier.*

She invited them both with a view to reconciling them. *Elle les invita tous les deux dans le dessein de les réconcilier.*

N.B. Après *to agree to* on emploie le gérondif ou l'infinitif (459).

390 (4) Il s'emploie après les expressions *there is no, it's no use* (= *it's no good*) et *to be worth.*

There is no knowing what he thinks about it. *Il n'y a pas moyen de savoir ce qu'il en pense.*

I wonder what's going to happen next. — There's no telling. *Je me demande ce qui va se passer maintenant — C'est imprévisible.*

There's no accounting for tastes. *Des goûts et des couleurs on ne discute pas* (ou : *Tous les goûts sont dans la nature*).

It's no use trying to persuade her. *Il est inutile d'essayer de la persuader.*

It's no good our waiting here (avec un possessif : langue très soignée). *Cela ne sert à rien que nous attendions ici.*

The advice he gives is worth listening to. *Les conseils qu'il donne valent la peine d'être écoutés.* (Pour les autres constructions de l'expression *to be worth*, voir 696).

Dans le dernier exemple, le gérondif après *worth* a un *sens passif* (comme après le verbes *to want, to require, to need, to deserve* et l'expression *won't bear*, 468).

---

3. — L'ADJECTIF VERBAL

391 Le *participe présent* s'emploie souvent comme adjectif (c'est alors un *adjectif verbal*). Il est *accentué, ainsi que le nom qu'il accompagne.*

Il peut être épithète (**This is an amusing story**) ou attribut (**This story is amusing**). Il peut être composé (**A hard-working child,** *un enfant travailleur.* **A sweet-smelling flower,** *une fleur parfumée*).

Le *gérondif* lui aussi peut, comme tout autre nom, avoir la fonction d'un adjectif quand il est le premier élément d'un nom composé. Dans ce cas *lui seul est accentué.*

Comparer : **The Sleeping Beauty,** *la Belle au bois dormant* (*Sleeping* et *Beauty* sont tous deux accentués, *sleeping* étant un participe présent employé comme adjectif) et **a sleeping bag,** *un sac de couchage* (seul *sleeping* est accentué; c'est un gérondif servant de premier élément à un nom composé).

De même les deux mots sont accentués dans : **a drowning man,** *un homme qui se noie;* **a tiring journey,** *un voyage fatigant;* **the standing passengers,** *les voyageurs debout...*

... alors que seul le premier élément est accentué dans : **a diving suit,** *un scaphandre;* **a living room,** *une salle de séjour;* **a driving licence,** *un permis de conduire.*

The winning horse *(le cheval gagnant)* a deux accents, alors que **the winning post** *(le poteau d'arrivée)* n'en a qu'un.

Comparer : **the wailing sirens,** *les sirènes mugissantes* (deux accents) et : **the Wailing Wall,** *le Mur des Lamentations* (un seul accent, sur « Wailing »).

Quand le premier élément est un gérondif on peut aussi orthographier avec un trait d'union (**sleeping-bag, diving-suit, living-room...**), parfois en un seul mot (**livingroom**).

EXERCICES

A Transformer les phrases suivant le modèle :

He worked for three hours (He kept working for three hours) → He **spent** three hours **working**.

1. He listened to the B.B.C. for an hour every evening. — 2. I tried for a long time to find your address. — 3. He works in a harvest camp for a month during the holidays. — 4. For the next two years they travelled round the world. — 5. He's been learning Spanish for six months. — 6. All his life he fought for his opinions. — 7. During his spare time he watches birds. — 8. He kept looking at Henry Moore's Family Group for twenty minutes. — 9. He would mow the lawn for an hour every Sunday morning. — 10. They kept quarrelling for hours and hours.

B Transformer les phrases suivant le modèle :

As I was going to my office, I met Nelly Smith → **While going** to my office, I met Nelly Smith.

1. As I was waiting for the bus, I suddenly realised that I'd forgotten to take the letter. — 2. As he was listening to a concert on the radio, he fell asleep. — 3. As you are staying in London, you'll have plenty of opportunities to hear some good music. — 4. As we were watching television, we heard a loud bang on our door. — 5. As the children were playing hide and seek in the wood, they found a dead body lying in a bush. — 6. As I was running to catch my bus, I slipped on a banana skin and sprained my ankle. — 7. As the Joneses were having tea, they started quarrelling again. — 8. As they were camping together in Spain, they decided to be married. — 9. As I was looking for his letter, I found the paper I'd lost several months ago. — 10. As I was trying to write my essay, I was interrupted three times by telephone calls.

[C] Mettre les verbes entre parenthèses au temps qui convient :

1. I shall be glad to (see) them again. — 2. I am looking forward to (see) them again. — 3. I am not used to (have) my lunch so late. — 4. When I was in Spain I used to (have) my lunch at three. — 5. They broke into the house to (steal) the jewels. — 6. They confessed to (steal) the jewels. — 7. I object to him (say) that I've been unfair to him. — 8. I don't want him to (say) that I've been unfair to him. — 9. He used to (be) laughed at by the children. — 10. He was used to (be) laughed at by the children. — 11. He is rather given to (lie). — 12. He confined himself to (give) a bare outline of the subject. — 13. She would prefer us to (travel) by train. — 14. We prefer driving to (travel) by train. — 15. He devotes half an hour every evening to (learn) Esperanto.

[D] Traduire :

1. Il a été puni pour avoir menti à son père. — 2. Ils sortirent sans fermer la porte à clef. — 3. Je ne suis pas habitué à me lever si tôt. — 4. Il est inutile de vous plaindre quand il n'est pas là pour vous entendre. — 5. Après avoir fermé la porte il s'aperçut qu'il avait laissé la clef à l'intérieur. — 6. Il aime beaucoup observer les mœurs des oiseaux. — 7. Ce livre vaut la peine d'être lu plusieurs fois. — 8. Elle remercia le docteur d'être venu si vite. — 9. Il prit un chapeau sans s'apercevoir que ce n'était pas le sien. — 10. Nous nous réjouissons d'avance de votre séjour chez nous. — 11. Il est inutile que nous insistions, il ne viendra pas. — 12. Cette proposition vaut la peine qu'on y réfléchisse. — 13. Loin d'être votre ennemi, je serais heureux de vous aider. — 14. Ils étaient réduits à manger toutes sortes de racines. — 15. Il n'y avait pas moyen de savoir ce qu'il avait fait de l'argent. — 16. Après avoir voyagé pendant vingt ans, il voulait mener une vie bien tranquille.

— 17. Il est plutôt enclin à considérer tous ceux qui l'entourent comme ses domestiques. — 18. Il consacra toute sa vie à lutter pour le bonheur de ses semblables. — 19. Elle n'était pas habituée à voir tant de monde dans les rues. — 20. Cela ne sert à rien que vous lui donniez de bons conseils.

[E] Traduire :

1. J'espère que cela ne les ennuiera pas que nous partions juste après le déjeuner. — 2. Cela a surpris tout le monde qu'elle ait échoué à son examen. — 3. Que penses-tu de leur façon d'appeler leur père Bill et leur mère Betty ? — 4. Il n'approuve pas que son fils fume la pipe. — 5. Cela ne t'ennuie pas que George joue avec ton train électrique, n'est-ce pas ? — 6. Le fait qu'il a été élevé par sa grand-mère autrichienne explique pourquoi il parle l'allemand couramment. — 7. Leur façon de donner des poignées de mains à tout le monde montrait qu'ils n'étaient pas anglais. — 8. Je n'ai pas aimé la façon dont il a insinué que j'avais menti. — 9. Cela nous a stupéfiés qu'il sache piloter un avion. — 10. Qu'il eût fait le tour du monde plusieurs fois, personne n'y croyait. — 11. Ils ne comprennent pas que nous dépensions tant d'argent pour la nourriture. — 12. Que pensez-vous du fait qu'il se couche à minuit tous les soirs ? — 13. J'espère que cela ne dérangera pas les voisins que je passe un disque, bien qu'il soit assez tard. — 14. Le fait qu'elle ne sache pas taper à la machine est pour elle un handicap. — 15. Avez-vous aimé leur façon de jouer le concerto de Bach comme si c'était de la musique de jazz ? — 16. Le fait que je suis gaucher ne me gêne en rien. — 17. Il s'excusa parce que son chien avait creusé un trou près de nos rosiers. — 18. Le fait qu'ils ont gagné la course peut s'expliquer par leur entraînement régulier depuis trois mois. — 19. Le fait que tu sois pressé n'est pas une excuse pour filer à l'anglaise. — 20. Comment peut-on expliquer qu'elle ait épousé un pareil imbécile ?
N.B. Voir aussi leçon 47, exercice A.

F Lire les expressions suivantes en veillant au nombre d'accents toniques :

1. The waiting crowd. — 2. The waiting room. — 3. The sleeping car. — 4. The sleeping child. — 5. The playing children. — 6. The playing fields. — 7. The singing birds. — 8. The singing teacher. — 9. The shooting season. — 10. A shooting star. — 11. The laughing audience. — 12. A laughing stock. — 13. A reading lamp. — 14. The reading public. — 15. The nursing staff. — 16. A nursing home. — 17. The camping scouts. — 18. A camping site. — 19. To pass one's driving test. — 20. To walk in driving rain.

18. — L'INFINITIF

392   Le radical du verbe (ou : « *base verbale* ») s'emploie sans désinence comme infinitif, avec ou sans *la particule to.*

L'infinitif peut se mettre :

- à la *forme négative* (**To be or not to be,** *être ou ne pas être;* **he promised not to forget,** *il promit de ne pas oublier*)
- à la *voix passive* (**To be rescued,** *être secouru;* **to be taken ill,** *tomber malade;* **to be born,** *naître*)
- à la *forme progressive* (**to be sleeping,** *être en train de dormir;* **to be sitting,** *être assis*)

— au ***passé***, qui est plus exactement un ***perfect*** exprimant une action achevée (**to have drunk**, *avoir bu;* **to have come**, *être venu*).

L'infinitif s'emploie avec ou sans sa particule **to** dans des cas bien déterminés.

---

1. — EMPLOIS DE L'INFINITIF COMPLET

393   La particule ***to***, inaccentuée, se prononce [tu] devant une voyelle (**to open, to arrive**), [tə] devant une consonne (**to come, to go**).

Pour éviter une répétition l'infinitif est parfois réduit à sa particule ***to*** (voir 176, « ***to anaphorique*** »).

L'infinitif est parfois séparé de sa particule par un adverbe. C'est ce qu'on appelle le « ***split infinitive*** » (225).

L'emploi de l'infinitif complet est souvent lié à une ***idée de futur*** : on se tourne vers une action à accomplir (notions de ***but***, de ***destination***, de ***volonté d'agir***, etc.).

(a) Il s'emploie pour exprimer ***le but*** *(pour, afin de)*, soit seul, soit dans les expressions ***in order to*** et ***so as to*** (négations : ***in order not to, so as not to***).

> **We are getting up early tomorrow to go fishing.** *Nous nous levons de bonne heure demain pour aller à la pêche.*
> **They did what they could to help us.** *Ils ont fait ce qu'ils ont pu pour nous aider.*
> **They booked very early in order to** (= **so as to**) **get good seats.** *Ils ont loué très tôt de façon à avoir de bonnes places.*
> **I'll hurry so as not to keep you waiting.** *Je vais me dépêcher pour ne pas vous faire attendre.*

C'est avec un infinitif qu'on répond aux questions construites avec « ***What...*** *for ?* » (886).

> **What did you say that for ? — (I said it) to frighten him.** *Pourquoi avez-vous dit cela ? — (Je l'ai dit) pour l'effrayer.*

Le français *pour* exprime le but ou la cause, mais dans ce dernier cas il est suivi d'un infinitif passé. Le traduire alors par ***for*** + ***gérondif*** (388). Comparer :

> **They broke into my garden to steal apples** (but). *Ils sont entrés par effraction dans mon jardin pour voler des pommes.*
> **They were punished for stealing apples** (cause, motif). *Ils ont été punis pour avoir volé des pommes.*

L'infinitif exprimant le but peut être précédé de ***if only*** *(ne serait-ce que pour)* et ***as if*** *(comme pour)*.

> **We must write to them, if only to acknowledge receipt of their letter.** *Il faut que nous leur écrivions, ne serait-ce que pour accuser réception de leur lettre.*
> **He put his hand in his pocket as if to take out his handkerchief.** *Il mit sa main dans sa poche comme pour sortir son mouchoir.*

394 (b) Il peut exprimer la ***destination d'un objet***. Il est alors souvent suivi de la préposition exigée par le sens s'il se construit avec un complément indirect.

> **Give me something to eat.** *Donnez-moi (quelque chose) à manger.*
> **Give me a chair to sit on** (plus courant que : **on which to sit**). *Donnez-moi une chaise pour m'asseoir.*

Give me a pen to sign the cheque with. *Donnez-moi un stylo pour signer le chèque.*

A house to let. *Une maison à louer* (Elliptiquement : 'To let'. *A louer*).

To be served chilled (elliptique). *Servir très frais* (voir aussi 44).

Les questions relatives à la destination d'un objet peuvent se construire avec **« What... for ? »** (comparer avec « What... for ? », 886). La réponse peut se faire à l'aide d'un infinitif ou d'un gérondif précédé de **for.**

What are these shelves for ? — (They are) to put my new encyclopaedia on (ou : **for putting my new encyclopaedia on**). *A quoi vont servir ces étagères ? — A ranger ma nouvelle encyclopédie.*

L'infinitif accompagne des noms et des pronoms, avec un sens plus vague, dans des expressions comme : **nothing to fear** *(rien à craindre);* **the difficulties to come, to be faced** *(les difficultés à venir, à affronter);* **no friends to discuss the matter with** *(pas d'amis avec qui discuter de cette question);* **no place** (= nowhere) **to spend the night** *(aucun endroit où passer la nuit)...*

395 (c) Il s'emploie après des adjectifs ou adverbes accompagnés de *too* ou de *enough*, après des expressions comportant un nom accompagné de *too much* ou de *enough*, et dans l'expression *« be so + adjectif + as to ».*

He is too young (≠ **old enough**) **to understand.** *Il est trop jeune (≠ assez grand) pour comprendre.*

It's too late to go out. *Il est trop tard pour sortir.*

He was too much in love with her not to (≠ **he was not enough in love with her to**) **forgive her for what she had done to him.** *Il l'aimait trop pour ne pas (≠ il ne l'aimait pas assez pour) lui pardonner ce qu'elle lui avait fait.*

Will you be so kind as to help me with my luggage ? (style très poli). *Auriez-vous l'amabilité de m'aider à porter mes bagages ?*

396 (d) Il s'emploie *après de nombreux verbes* (leçon 24), et après certains *noms* et *adjectifs* (leçon 35).

I want to read this book. *Je veux lire ce livre.*

They attempted to escape. *Ils tentèrent de s'évader.*

He can't afford to waste his time. *Il ne peut se permettre de perdre son temps.*

She was eager to help him. *Elle était très désireuse de l'aider.*

Après un adjectif il peut avoir un sens *actif* (**he is eager to please,** *il est désireux de plaire*) ou *passif* (**he is easy to please,** *il est facile à satisfaire*).

397 (e) Il s'emploie couramment dans des *propositions infinitives.*

(1) Certaines dépendent de verbes (elles seront étudiées à la leçon 25).

He wants me to play tennis with him. *Il veut que je joue au tennis avec lui.*

They expect him to apologize. *Ils s'attendent à ce qu'il présente des excuses.*

We are waiting for her to be ready. *Nous attendons qu'elle soit prête.*

(2) D'autres, introduites par la préposition *for*, ne dépendent pas de verbes. Le sujet de l'infinitif est un nom ou un pronom complément (parce que placé après une préposition). Ces propositions infinitives s'emploient :

— pour exprimer *le but* lorsque la phrase a deux sujets différents *(pour que, afin que).*

The policeman blew his whistle for the cars to stop. *L'agent donna un* *coup de sifflet pour faire arrêter les voitures* (dans une langue plus recherchée on peut dire : **so that the cars should stop**, 367).

I've brought this book for you to read (ou : **to read it**). *J'ai apporté ce livre pour que vous le lisiez* (l'omission de *it* sous-entend : « si vous en avez envie »; avec *it* on sous-entend : « je m'attends à ce que vous le lisiez », c'est presque un ordre).

I'll drive him to the station in order for him not to miss his train (= **so that he shan't miss...**). *Je vais le conduire à la gare en voiture pour qu'il ne manque pas son train* (voir 367).

— pour introduire le complément d'un *adjectif* accompagné de *too (trop... pour que)* ou *enough (assez... pour que)*.

This flat is too small (= **not large enough**) **for us to live in comfortably** (remarquer l'absence de pronom neutre après *in*). *Cet appartement est trop petit pour que nous y vivions à l'aise.*

« **We are too old now for it to matter** » (H. Pinter). *Nous sommes trop vieux maintenant pour que ça ait de l'importance.*

— pour introduire le complément d'un adjectif ou adverbe précédé de *it is*, d'un nom accompagné d'un adjectif précédé de *that is* (mots qui peuvent être sous-entendus dans une exclamation).

It's natural for her to feel proud. *Il est naturel qu'elle se sente fière* (dans une langue plus recherchée : **It's natural that she should feel proud**).

It's impossible for them to agree. *Il est impossible qu'ils se mettent d'accord.*

It's most unusual for us to be up before 7. *Il est vraiment rare que nous soyons levés avant 7 heures.*

Is it possible for life to exist on Mars ? *Est-il possible que la vie existe sur Mars ?*

It is all very well for you to sneer. It is perhaps all that is left for you to do (B. Russell). *Vous pouvez toujours ricaner. C'est peut-être tout ce que vous pouvez encore faire.*

That was a silly thing for him to say. *Il a dit là une chose stupide.*

What a silly thing for him to say ! *Quelle stupidité il a dite !*

On peut commencer la phrase par la proposition infinitive sujet du verbe **(For them to agree is impossible. For us to be up before 7 is most unusual)**, mais cette construction est moins courante. Voir § 204 (4).

— dans l'expression *for there to be* (correspondant à *there is*) dans une langue très soignée.

For there to be a serious accident it needs only a small error of judgement. *Pour qu'il y ait un accident grave il suffit d'une petite erreur de jugement.*

It will require a major international crisis for there to be a loss of confidence in the pound. *Il faudra une crise internationale importante pour causer une perte de confiance dans la livre.*

— après les expressions *there's no need, there's no reason*, et *it's time.*

There's no need for you to worry. *Il n'y a aucune raison pour que tu t'inquiètes* (on emploie aussi couramment la tournure elliptique : « **not to worry** », voir 400).

It's time for you to go to bed. *Il est l'heure que tu ailles te coucher.*

It's time for him to get married. *Il est temps qu'il se marie* (on dit aussi : **It's time he got married**, 362).

398 (f) Il forme avec **what, where, when**, etc., des expressions interrogatives employées seules ou, plus souvent, après un verbe (interrogatives indirectes). Voir 405 (**why** + infinitif sans **to**).

> **I wonder how to get there.** *Je me demande comment y aller.*
> **He asked me what to read.** *Il m'a demandé ce qu'il fallait lire.*
> **She couldn't make up her mind which dress to buy.** *Elle n'arrivait pas à choisir quelle robe elle achèterait.*
> **He doesn't know whether to** (ou : **whether he should**) **go on or give it up.** *Il ne sait pas s'il doit continuer ou abandonner.*

399 (g) Il peut être **sujet d'une phrase**, dans une langue très soignée.

> **To wait would be a waste of time.** *Attendre serait une perte de temps.*

Il est parfois précédé de son sujet introduit par **for** (204, 4°).

> **He loves the countryside, but for him to come with us would interrupt his work.** *Il adore la campagne, mais venir avec nous interromprait son travail.*

Comme sujet le gérondif s'emploie plus couramment que l'infinitif pour exprimer des généralités; les deux formes s'emploient dans les phrases commençant par *« it is »*, construction la plus courante dans la langue parlée. Voir 386.

> **Having tea out on the lawn is quite a treat = It's quite a treat to have** (ou **having**) **tea out on the lawn.** *C'est un plaisir rare de prendre le thé sur la pelouse.*
> **It would be a waste of time to wait** (ou : **waiting**). *Ce serait une perte de temps d'attendre.*

L'infinitif sujet est parfois rappelé sous forme du pronom **that** après une interruption de la phrase.

> **To bask in the sun all day long — that's my idea of a holiday.** *Se rôtir au soleil du matin au soir, c'est ainsi que je conçois les vacances.*

400 (h) Des propositions infinitives sans sujet s'emploient parfois **en tête de phrase**.

> **To think that her own son refuses to support her !** *Dire que son propre fils refuse de subvenir à ses besoins !* (révolte, indignation).
> **To hear him tell the story, you'd believe he behaved like a hero.** *A l'entendre raconter l'histoire, vous croiriez qu'il s'est conduit en héros* (point de vue).
> **Oh ! to be in England**
> **Now that April's there !** (Robert Browning).
> *Ah ! Que ne suis-je en Angleterre maintenant qu'avril y est revenu !* (irréel du présent dans le style poétique, synonyme de *« I wish I were in England »*, 360).

Noter l'expression **« Not to worry ! »** (= there's no need for you to worry).

> **Not to worry ! You'll get there in time.** *Ne vous inquiétez pas, vous y arriverez à temps.*

---

2. — EMPLOIS DE L'INFINITIF SANS TO

401 (a) L'infinitif sans **to** (radical du verbe, ou : base verbale) s'emploie après les **auxiliaires de modalité** (You must be tired. They might come tonight. He can't drive. You shouldn't get up so late. We needn't hurry. Shall I help you ? He won't listen to me...) et après les périphrases *had better* et *would rather* (We'd better go now. I'd rather not wait).

Voir leçon 14 et §§ 116 à 121.

Il sert à former des périphrases à valeur de *futur* (She will be 18 next week), de *conditionnel* (If I were you I'd wait a little longer) et d'*impératif* (Let's go for a walk).

Il sert à former, avec l'auxiliaire *do*, les *formes interrogative* (Does she smoke ?), *négative* (They didn't like the play) *et emphatique* (He does stammer).

Il s'emploie comme *impératif de la 2e personne* (Come and have a cup of tea).

402 (b) Il s'emploie après les *verbes de perception involontaire (to see, to hear, to feel)* ainsi qu'après les verbes *to watch, to notice* et *to know* (ce dernier parallèlement à l'infinitif complet, seulement aux perfects, dans des sens voisins de *to see*).

> **We heard him bang the door.** *Nous l'entendîmes claquer la porte.*
> **We felt the earth quake under our feet.** *Nous sentîmes la terre trembler sous nos pieds.*
> **I watched him load his gun.** *Je le regardai charger son arme.*
> **We've never known them take** (ou : **to take**) **so much interest in their work.** *Nous ne les avons jamais vus s'intéresser à ce point à leur travail.*
> **I've known it happen** (ou : **to happen**). *C'est une chose que j'ai vue se produire.*

Au *passif*, avec tous ces verbes, il faut l'*infinitif complet* (He was heard to bang the door. The earth was felt to quake. They have never been known to take...).

To look at et *to listen to* sont parfois suivis d'infinitifs sans to, comme *to see* et *to hear* (c'est un américanisme).

> **She looked at him** (= **watched him**) **come.** *Elle le regarda venir.*

Voir 379 (construction des verbes de perception avec un participe présent).

403 (c) Il s'emploie après « *to make* + complément » dans des périphrases à sens *causatif* (*make* est alors une sorte d'auxiliaire). Voir 504.

> **They make everybody laugh.** *Ils font rire tout le monde.*
> **He made me miss my train.** *Il m'a fait manquer mon train.*

La phrase peut être elliptique (infinitif sans to sous-entendu).

> **If he refuses to work, we'll make him.** *S'il refuse de travailler, nous l'y contraindrons.*

Au *passif* il faut l'*infinitif complet.*

> **He was made to hand the cheque over.** *On l'obligea à remettre le chèque.*

To have, comme *to make*, forme des structures causatives avec l'infinitif sans *to* (mais pas au passif). Voir 505.

> **Would you have me believe that story ?** *Vous voudriez me faire croire cette histoire ?*

404 (d) Il s'emploie après « *to let* + complément » pour exprimer la *permission*.

> **Let me go.** *Laissez-moi partir.*
> **They let him do what he likes.** *Ils le laissent faire ce qu'il veut.*

Cette construction ne se met pas au passif. On emploie *to allow* (He is allowed to do what he likes).

La phrase peut être elliptique (infinitif sans *to* sous-entendu).

He would like to go to Canada but his parents won't let him. *Il aimerait aller au Canada mais ses parents ne le lui permettent pas.*

Le sens de *to let* s'est affaibli au point de devenir un simple **auxiliaire de l'impératif** (leçon 19).

Let them wait. *Qu'ils attendent.*

Distinguer « **let us go** » *(laissez-nous partir)* et « **let's go** » *(partons).*

On trouve la même construction dans diverses expressions :

Let me tell you this story. *Ecoutez cette histoire.*
Let me have your address. *Donnez-moi votre adresse.*
Let me know when you are back. *Prévenez-moi quand vous serez de retour.*
Let me be. *Laissez-moi tranquille* (on dit plus couramment : **leave me alone**, ou : **let me alone**).

405 (e) *To help* est suivi d'un infinitif complet ou sans *to* (dans le second cas il s'agit d'un américanisme de plus en plus courant en Angleterre), qu'il y ait ou non un complément entre les deux verbes.

Come and help wash up. *Viens aider à faire la vaisselle.*
I helped him (to) finish the job. *Je l'ai aidé à terminer le travail.*

(f) L'infinitif sans *to* s'emploie dans des questions sans sujet commençant par *why* (mais après where, what, when, etc., il faut l'infinitif complet, 398). La forme négative *(Why not... ?)* s'emploie pour une suggestion.

Why waste all this time waiting for them ? *Pourquoi perdre tout ce temps à les attendre ?*
Why not come with us ? *Pourquoi ne pas venir avec nous ?*

406 (g) L'infinitif sans *to* s'emploie après *except* et *but* (dans le sens de « *sauf* »), seules prépositions qui ne soient pas suivies normalement du gérondif.

I've done nothing but worry. *J'ai passé tout le temps à m'inquiéter.*
He did nothing except disturb everyone. *Il n'a rien fait d'autre que de déranger tout le monde.*
I could not but laugh, I could not help but laugh (= **I could not help laughing**, expression plus courante). *Je ne pus m'empêcher de rire.*
There was nothing to do but wait (ou : **but to wait**) **for the doctor.** *Il n'y avait rien d'autre à faire que d'attendre le docteur.*

N.B. L'expression « *nothing but* » peut toutefois être suivie de gérondifs à valeur de noms, décrivant des actions subies.

Nothing but whipping, scolding, starving (Harriet Beecher Stowe). *Rien d'autre que le fouet, les réprimandes, les privations de nourriture.*

Il faut l'infinitif complet après « *there is nothing for it but to...* » et d'autres expressions de sens voisin.

There was nothing for it but to hope they would rescue us quickly. *Tout ce que nous pouvions faire, c'était espérer qu'on viendrait rapidement à notre secours.*
I had no choice but to comply. *Je n'avais pas d'autre choix que d'obtempérer.*
He had no option but to pay. *Il n'a pas pu faire autrement que de payer.*

C'est presque toujours l'infinitif sans *to* que l'on emploie après les expressions de sens restrictif du type « *all I did was* », « *all they do is* », « *the best thing I can do is ».* Mais on emploie aussi l'infinitif complet dans les constructions où *to do* est à l'infinitif complet *(« all you have to do is »).*

> **Here I am, trying to help you, and all you do is laugh at me !** *Alors, pendant que moi, j'essaie de t'aider, tout ce que tu trouves à faire, c'est te moquer de moi !*
>
> **I thought, goodbye, Nat, they'll stab me for sure, but all they did was take my wallet and run in three different directions** (B. Malamud). *Je me suis dit « adieu Nat, ils vont sûrement me poignarder », mais ils se sont contentés de me prendre mon porte-feuille et de s'enfuir dans trois directions différentes.*
>
> **What he really wanted to do was run round the room yelling** (Kingsley Amis). *Ce qu'il voulait faire, en réalité, c'était tourner en rond dans la salle* (de classe) *en poussant des hurlements.*
>
> **To make good pictures all you have to do is (to) follow my advice.** *Pour faire de belles photos nous n'avez qu'à suivre mes conseils.*

407 (h) Il s'emploie après *rather than* (ou : *sooner than*), quel que soit le temps du premier verbe.

> **He would die sooner than give in.** *Il mourrait plutôt que de céder.*
>
> **He resigned rather than sign that treaty.** *Il démissionna plutôt que de signer ce traité.*

Voir 119 (temps après « would rather... than »).

Quand *than* introduit le complément d'un adjectif au comparatif il faut la même forme verbale pour les deux éléments de comparaison.

> **Driving one's own car is more pleasant than travelling in a crowded train.** *Il est plus agréable d'être au volant de sa voiture que de voyager dans un train bondé.*

On emploie un infinitif complet après l'expression *« know better than to... ».*

> **She knows better than to make such a blunder.** *Elle n'est pas assez sotte pour faire une gaffe pareille.*
>
> **I knew better than to disturb him.** *Je me suis bien gardé de le déranger.*

408 (i) Il s'emploie en tête de phrase, précédé de son sujet (qui est accentué) pour exprimer l'*incrédulité* ou une *suggestion absurde.* Avec des pronoms, I, he, etc. sont généralement remplacés par me, him, etc.

> **Derek shoot the tiger ? You're pulling my leg.** *Derek chasser le tigre ? Vous essayez de me faire marcher.*
>
> **Me lend him my car ? Who does he think he is ?** *Moi, lui prêter ma voiture ? Pour qui se prend-il ?*
>
> **Me worry ? Never !** *Moi m'inquiéter ? Sûrement pas !*
>
> **If you fail... — Fail ? Me fail ?** *Si vous échouez... — Echouer ? Moi échouer ?*

409 (j) On trouve des infinitifs sans *to* dans quelques *expressions figées.*

> **Let go of that suitcase, will you.** *Lâchez cette valise, je vous prie.*
>
> **He let slip a word about his intentions.** *Il laissa échapper un mot au sujet de ses intentions.*
>
> **We'll have to make do with what we've got.** *Nous devrons nous contenter de ce que nous avons.*
>
> **I've heard say** (mais on dit plus couramment : I've heard it said, ou simplement : I've heard) **that your country is very picturesque.** *J'ai entendu dire que votre pays est très pittoresque.*
>
> **Bid him come in** (littéraire, archaïque). *Faites-le entrer.*

(k) Dans des proverbes, des infinitifs sans *to* peuvent exprimer des actions parallèles. Ils sont séparés par *and* (qui signifie : « *cela revient à* »). Voir 850.

Spare the rod and spoil the child = *Qui aime bien châtie bien.*

EXERCICES

A Transformer les phrases suivant le modèle :
It's natural that he should feel disappointed → It's natural *for him to* feel disappointed.

1. It was impossible that he should have missed his train. — 2. It is important that they should pass their exam. — 3. It is advisable that they should not be seen together. — 4. It has been arranged that the President shall address the House of Commons. — 5. I'm very anxious that you should make her acquaintance. — 6. He ordered that the prisoners should be shot. — 7. I've left a few sandwiches on the kitchen table so that you can eat them when you come back. — 8. We shut the door so that they should not hear what we were saying. — 9. We locked him in so that he should not escape. — 10. I lent him the record so that he might listen to it several times. — 11. It was incredible that they should have forgotten the appointment. — 12. It is necessary that we should not misinterpret his behaviour. — 13. There's no reason why he should think he has been slandered. — 14. It was impossible that it should have been a mistake. — 15. He ordered that the papers should be burnt.

[B] Transformer les phrases suivant le modèle :
He made a stupid joke → What a stupid joke *for him to* make !
1. She made an unkind remark. — 2. We are going to take an important decision. — 3. The children went to an interesting museum. — 4. The students put on an excellent play. — 5. She's looking forward to a happy occasion. — 6. The child is reading a difficult book. — 7. He'll give his mother a wonderful birthday present. — 8. They did a rash thing. — 9. She is carrying a heavy case. — 10. He gave his students strange advice.

[C] Traduire :
1. Il apprend l'espagnol afin de pouvoir lire Don Quichotte. — 2. J'ai mis la lettre dans ma poche afin de ne pas l'oublier. — 3. Je laisse le journal ici pour qu'il y jette un coup d'œil. — 4. Il est en Angleterre pour apprendre l'anglais et non pour s'amuser. — 5. Ils marchèrent sur la pointe des pieds pour ne pas le réveiller. — 6. Il portait des gants afin de ne pas laisser d'empreintes digitales. — 7. Ils sonnèrent les cloches pour que tout le monde sût que la guerre était finie. — 8. Je vous enverrai quelques vues de mon village pour que vous les montriez à vos amis. — 9. Je vais leur apporter une bouteille de champagne pour qu'ils la boivent à Noël. — 10. Donne-moi un vase pour y mettre ces fleurs.
N.B. La plupart de ces phrases peuvent se traduire (a) à l'aide d'un infinitif, (b) à l'aide d'une périphrase à valeur de subjonctif construite avec may ou should.

[D] Traduire :
1. Lui, épouser une Française ? Je croyais qu'il détestait la France. — 2. Moi leur présenter des excuses ? Pour qui me prenez-vous ? — 3. Pourquoi faire tant d'histoires ? Gardez le sourire. — 4. Pourquoi passer tant de temps à travailler ? La vie est si courte ! — 5. Pourquoi ne pas essayer encore une fois ? — 6. Pourquoi ne pas apprendre l'espéranto ? — Moi apprendre l'espéranto ? Vous plaisantez ! — 7. Tout ce qu'il pouvait faire, c'était aller dire à la police ce qu'il savait. — 8. Vous n'avez rien d'autre à faire que d'appuyer sur ce bouton et attendre dix minutes.

— 9. Il est trop tard pour que nous allions au cinéma. — 10. Je perdrais ma place plutôt que de leur présenter des excuses.

[E] Traduire en employant toutes les fois que c'est possible un infinitif elliptique (*« to anaphorique »*, voir 176, cf. exercice F de la leçon 7) :
1. J'espère que nous ne devrons pas y aller à pied. — C'est regrettable, mais il le faudra. — 2. Aimeriez-vous aller en Grèce ? Oh oui, cela me plairait beaucoup. — 3. N'y allez que si vraiment vous le voulez. — 4. Je ne leur ai pas écrit, ils m'ont demandé de ne pas le faire. — 5. J'ai lu ce livre uniquement parce qu'il le fallait. — 6. Avez-vous mis ma lettre à la boîte ? — Non, j'en avais l'intention, mais j'ai oublié. — 7. Vous pouvez fumer si vous voulez. — 8. Nous n'allons pas au théâtre aussi souvent qu'autrefois. — 9. Il voulait aller en Egypte en juillet, mais nous le lui avons déconseillé. — 10. Ils vous aideront si vous le leur demandez.

19. — L'IMPÉRATIF

1. — FORME AFFIRMATIVE

410 (a) *A la 2ᵉ personne*, l'impératif est semblable à l'infinitif sans *to*. *To be* et *to have* se conjuguent comme les autres verbes.

Give me a drink. *Donnez-moi à boire.*
Come and see what I've found. *Venez voir ce que j'ai trouvé.*
Be a man. *Sois un homme.*
Have another cup of tea. *Prenez une autre tasse de thé.*

L'impératif de la 2ᵉ personne s'emploie pour les directives, les recettes (que le français exprime généralement avec l'infinitif).

Please forward. *Faire suivre, s.v.p.*
Translate the following sentences. *Traduire les phrases suivantes.*
Add the milk, boil for five minutes... *Ajouter le fait, faire bouillir pendant cinq minutes...*

411 (b) *Aux autres personnes*, il se forme avec l'auxiliaire *let* (*let* + complément + infinitif sans *to*). Voir 404.

A la première personne du pluriel son emploi fréquent a donné naissance à la contraction *let's* (= let us).

Let's go for a walk. *Allons nous promener.*

La première personne du singulier, plus rare, se traduit généralement par un pluriel en français.

Let me see, what shall I do now ? *Voyons, que vais-je faire maintenant ?.*

A la 3ᵉ personne le complément qui suit *let* peut être un pronom ou un nom (parfois accompagné d'une proposition relative), ou *there* (de l'expression *there is*).

Let them wait a few minutes. *Qu'ils attendent quelques instants.*
Let her do what she likes. *Qu'elle fasse ce qui lui plaît.*
Let that be a lesson to you. *Que cela te serve de leçon.*

Let the children go to bed at once. *Que les enfants aillent se coucher immédiatement* (construction gauche quand le complément est un nom).

Let those who are tired stop for a rest. *Que ceux qui sont fatigués s'arrêtent pour se reposer.*

Let there be (impératif de « there is ») **no mistake about it.** *Qu'il n'y ait pas d'erreur à ce sujet.*

Dans certaines phrases le sens est proche de celui du verbe *to let* (*permettre, laisser*, 533, e); par exemple la deuxième des phrases ci-dessus pourrait dans certains contextes se traduire par : « *Laissez-la faire ce qui lui plaît* ». On peut éviter toute ambiguïté en se servant d'autres tournures. Comparer :

Let him come. *Qu'il vienne.*

You must allow him to come. *Laissez-le venir.*

Let him make as much noise as he likes, I don't mind. *Qu'il fasse autant de bruit qu'il veut, cela ne me dérange pas.*

I wish he would stop making all that noise. *Qu'il cesse donc de faire tout ce bruit* (Ici *let* ne traduirait pas suffisamment la nuance d'impatience qu'exprime « *que* + *subjonctif* ». Voir 359, 3°).

Lorsque « *que* + *subjonctif* » exprime un *souhait* plutôt qu'un ordre, il est préférable de le traduire par *may* (82).

Qu'ils soient heureux ! **May they be happy !** (langue écrite).

412 © Après *yes* l'impératif est parfois *elliptique* (*do* et, plus rarement, *let's*).

May I open the window ? — Yes, please do. *Puis-je ouvrir la fenêtre ? — Oui, je vous en prie.*

Shall we wait ? — Yes, let's. *Allons-nous attendre ? — Oui (c'est que je conseille de faire).*

ⓓ *Say*, dans le sens de « *let us say* » (*disons, mettons*) peut séparer une préposition d'un nom.

You can learn German in, say, six months. *Vous pouvez apprendre l'allemand, mettons, en six mois.*

ⓔ Noter les impératifs à valeur d'*interjections* ou employés pour des *recommandations laconiques*.

Look out ! *Attention !*

Stop thief ! *Au voleur !*

Mind the dog (= **Beware of the dog**). *Attention, chien méchant.*

Handle with care. *Fragile.*

---

2. — FORME NÉGATIVE

413 ⓐ *Dans la langue soignée* (littéraire, voire archaïque à la 2ᵉ personne), on construit la forme négative *sans do*.

Lead us not into temptation. *Ne nous induis pas en tentation.*

Waste not, want not (proverbe). *Ne gaspille pas et tu ne seras pas dans le besoin.*

Be not afraid. *Ne crains rien.*

Let us (sans contraction) **not waste our time in vain pursuits.** *Ne gaspillons pas notre temps en activités futiles.*

Si le complément est un nom il se place après *not* (comparer avec la place de not à la forme interro-négative, 35).

Let not the children waste their time. *Que les enfants ne perdent pas leur temps.* (Cette tournure ne s'emploie pas dans la langue parlée; on dit : **The children mustn't waste their time**).

414 (b) *Dans la langue familière* (conversation, courrier), on fait précéder l'impératif de *don't* (même avec *to be*).

Don't wait for me. *Ne m'attendez pas.*
Don't be a fool. *Ne sois pas idiot.*
Do not lean outside. *Ne pas se pencher au-dehors.*
Don't let him think that I'm going to forget what he said. *Qu'il ne s'imagine pas que je vais oublier ce qu'il a dit.*
Don't let that occur again. *Que cela ne se reproduise plus.*
Don't let me catch you doing that again. *Que je ne t'y reprenne pas.*

A la 1re personne du pluriel *let's not* (avec contraction) s'emploie, mais moins couramment que *don't let's*.

Let's not (= don't let's) **stay here.** *Ne restons pas ici.*
« Don't let's go out tonight, don't let's go anywhere tonight » (H. Pinter). *Ne sortons pas ce soir. N'allons nulle part ce soir.*

(c) *Don't*, comme *do*, peut s'employer seul (impératif elliptique).

Shall I shut the door ? — Don't, I've left the key inside. *Je ferme la porte ? — Oh non (surtout pas), j'ai laissé la clef à l'intérieur.*

---

3. — IMPÉRATIF EMPHATIQUE

415 (a) En anglais familier, à la 2e personne, construite normalement sans pronom, on emploie parfois *you* (accentué) ou, plus rarement, *somebody, everybody*, pour attirer l'attention ou insister sur un ordre.

You stay where you are. *Vous, ne bougez pas de là* (Remarquer que l'on ne met pas de virgule après you).
You dare ! *Ose un peu, pour voir !*
Just you wait ! *Attends un peu !*
You go with them if you like. *Va donc avec eux si ça te plait.*
You mind your own business. *Occupe-toi donc de tes affaires.*
We are watching you, so you be careful. *Nous t'observons, alors fais attention.*
You are an expert, you tell me how to do it (le second *you* est accentué). *Vous êtes spécialiste, dites-moi donc comment faire.*
Come along everybody ! *En avant, tout le monde !*
Somebody give me a pen, quick. *Vite, qu'on me donne un stylo !*
Everyone stay where they are ! *Que personne ne bouge !* (835).

Will peut s'employer pour donner un ordre catégorique (l'action est présentée au futur, ce qui implique que l'on se refuse à envisager qu'elle puisse ne pas être faite).

You will do as you are told. *Faites ce qu'on vous dis.* Voir 312.

Autre tournure emphatique familière :

Be sure to let me know (dans une langue plus familière : **Be sure and let me know**) **if you need anything** (= **Don't fail to let me know**...). *Ne manquez pas de me faire savoir si vous avez besoin de quoi que ce soit.*

Noter aussi l'expression très courante « *mind you* » (avec inversion).

> **But, mind you, I'm not saying that you're wrong.** *Mais notez bien que je ne dis pas que vous avez tort.*

416 (b) A toute les personnes, mais surtout à la deuxième, on peut faire précéder l'impératif de **do** pour insister ou persuader (même avec **to be**).

> **Do try and understand.** *Essayez donc de comprendre* (voir 530).
> **Do come if you can.** *Venez, je vous en prie, si vous le pouvez.*
> **Do have some more tea.** *Reprenez donc du thé.*
> **Do be a good boy and stop whistling.** *Sois gentil, je t'en prie, cesse de siffler.*
> **Do let's stop a minute, I'm so tired.** *Oh, arrêtons-nous une minute, je suis si fatigué* (A la première personne du pluriel cet emploi de **do** appartient à une langue un peu affectée).

Pour accorder une permission, l'impératif elliptique **do** peut être renforcé par l'expression « **by all means** ».

> **May I read your paper ? — By all means do** (ou : **Do, by all means**). *Puis-je lire votre journal ? — Oui, je vous en prie.*

417 (c) A la **forme négative** on peut renforcer une interdiction **en accentuant not** ou, dans la langue familière, en ajoutant **you** à la 2ᵉ personne.

> **Do NOT smoke.** *Défense absolue de fumer.*
> **Don't you go and tell everybody about it.** *Surtout ne vas pas raconter cela à tout le monde.*

On peut aussi se servir de l'expression « ***Mind you don't...*** » (497, 4°).

> **Mind you don't drop the vase.** *Surtout ne laisse pas tomber le vase.*
> **Mind you don't fall into the river.** *Ne va pas tomber dans la rivière.*

418 (d) On peut faire suivre une phrase à l'impératif d'un ***tag*** qui ajoute une nuance autoritaire (**will you**) ou persuasive (**will you ? shall we ?**). L'intonation permet de faire la différence entre les deux sens de « **will you** ».

> **Stop shouting, will you** (intonation descendante). *Cesse de hurler, je te prie.*
> **Go and help your mother, will you ?** (intonation ascendante, avec ou sans point d'interrogation). *Va aider ta mère, veux-tu ?*
> **Let's start tomorrow, shall we ?** *Si nous partions demain ?* (qu'en pensez-vous ?).

EXERCICES

[A] Traduire :

1. Soyez prêt pour sept heures. — 2. N'ayez pas peur. Ne vous inquiétez pas. — 3. Restons encore dix minutes. — 4. Qu'ils sachent tous que je ne cèderai pas. — 5. N'en parlons à personne. — 6. Je vous en prie, faites comme chez vous. — 7. Asseyons-nous et prenons une tasse de thé. — 8. Que ce genre de chose ne se reproduise plus. — 9. Puis-je me servir de votre téléphone ? — Oui, je vous en prie. — 10. Ne sois pas si gourmand. — 11. Venez donc jouer avec nous. — 12. Décidons-nous rapidement. — 13. Soyez raisonnable, ne faites pas tant d'histoires. — 14. Ne nous disputons pas. — 15. Je vous en prie, cessez de vous plaindre. — 16. Jetez un coup d'œil à cette photo. — 17. Qu'ils se conduisent bien s'ils veulent que je les emmène au cirque. — 18. Qu'ils ne s'imaginent pas que cet

examen sera facile. — 19. Que chacun fasse de son mieux. — 20. Que ceux qui ne sont pas d'accord donnent leur point de vue. — 21. Dieu dit : « Que la lumière soit ». Et la lumière fut. — 22. Qu'il n'y ait pas de malentendu. — 23. Sois gentil; cesse de taquiner ta sœur. — 24. Qu'il fasse pour le mieux. — 25. Ne partons pas encore. Attendons-les.

[B] Transformer les phrases suivantes pour leur donner un ton emphatique :

1. Don't break your neck. — 2. Stop complaining. — 3. Help yourself to some more cake. — 4. Go and see him when you are in London. — 5. May I borrow your dictionary ? — Yes, do. — 6. Don't try and deceive me. — 7. Be careful. Don't break the Chinese vase. — 8. Let's stop for a rest. — 9. Have a cigar. — 10. Be a little more sensible.

20. — LA VOIX PASSIVE

1. — GÉNÉRALITÉS

419 La voix passive se construit comme en français : le *participe passé* du verbe est précédé de l'auxiliaire *be* que l'on conjugue. Le passif existe à tous les temps et peut s'employer précédé d'un *auxiliaire de modalité* (can, may, must, ought to...) ou d'une expression comme *to be likely to, to be sure to, to happen to*...

Pour le passif de *to have* (rare), voir 57 et 58.

Le passif s'emploie pour les *actions subies par le sujet*. Il peut être suivi d'un *complément d'agent* introduit par *by*.

David was punished by Mr Murdstone. *David a été puni par M. Murdstone.*
The national anthem will be played by the school orchestra. *L'hymne national sera joué par l'orchestre de l'école.*

Dans le premier exemple l'auxiliaire *be* est conjugué au preterite, dans le second au futur.

Il n'est pas indispensable d'employer un complément d'agent. En fait la plupart des phrases passives ne sont pas suivies d'un complément d'agent. Si l'anglais veut préciser qui fait l'action, il emploie de préférence la voix active (sauf parfois s'il veut ajouter une nuance emphatique, voir 420, remarque 1).

(a) **This bridge was built in the 13th century.** *Ce pont a été construit au XIIIᵉ siècle.*
You'll be surprised when you hear the news. *Vous serez surpris quand vous apprendrez la nouvelle.*
If he sees you, you are sure to be punished. *S'il te voit, tu seras certainement puni.*

(b) **He hasn't been caught yet.** *On ne l'a pas encore attrapé.*
We are not wanted here. *On ne veut pas de nous ici.*
You are wanted on the phone. *On vous demande au téléphone.*
Some smoke could be seen coming out of the engine. *On voyait de la fumée sortir du moteur.*
Children should be seen, not heard. *Les enfants, on doit les voir mais non les entendre* (c'est-à-dire : ils ne doivent pas prendre part à la conversation).

(c)   **Melon can be eaten at the beginning or at the end of the meal.** *Le melon peut se manger au début ou à la fin du repas.*
Tea is drunk out of a cup. *Le thé se boit dans une tasse.*
Shelley was drowned while sailing off Viareggio. *Shelley s'est noyé en faisant de la voile au large de Viareggio.*
We were bored. *Nous nous sommes ennuyés.*
This is not done in England. *Cela ne se fait pas en Angleterre.*

Comme le montrent les exemples ci-dessus, le passif anglais peut se traduire en français (a) par un *passif*, (b) par une *phrase active dont le sujet est « on »*, (c) par un *verbe pronominal*.

420   *Remarques :* (1) Le passif s'emploie parfois pour *mettre en relief le complément d'agent*, qui est alors accentué.

The mistake was made by you, not by me. *C'est toi qui as fait l'erreur, et non moi* (Cf. **You made the mistake, I didn't**).

(2) Bien distinguer l'*adjectif* du *participe passé* dans les phrases :

Les portes ne sont pas encore ouvertes (adjectif). **The gates aren't open yet.**
Les portes sont ouvertes (participe passé) *chaque matin à 8 heures.* **The gates are opened at 8 every morning** (phrase passive).

(3) Certains verbes passifs peuvent être accompagnés d'un *complément de manière ou de moyen* introduit par *with* plus couramment que par *by*.

The ground was covered with dead leaves. *Le sol était recouvert de feuilles mortes.*
The room was filled with smoke. *La pièce était emplie de fumée.*
The country is surrounded with (ou : **by**) **high mountains.** *Le pays est entouré de hautes montagnes.*

Mais, avec un complément d'agent :

They were surrounded by (et non : **with**) **the enemy.** *Ils furent encerclés par l'ennemi.*

Noter comment se construit le complément du passif *known :*

He is known to the police. *Il est connu par la police.*
Known to everybody. *Connu de tous.*

421   (4) Diverses expressions anglaises passives correspondent à des expressions françaises actives : **to be born** (*naître*, « être mis au monde »), **to be left** (*rester*, « être laissé »), etc.

Shakespeare was born in 1564. *Shakespeare est né (naquit) en 1564.*
Where were you born ? *Où es-tu né ?* (Ne pas oublier que *« je suis né à Lyon »* n'est pas un passif mais le passé composé de *naître* conjugué avec l'auxiliaire *être*; on traduit par le preterite du verbe passif **to be born** : « **I was born in Lyons** »).
Few people were left (= **There were few people left**) **in the town.** *Il restait peu de gens dans la ville* (comparer avec la construction : **I have only five dollars left.** *Il ne me reste que cinq dollars*).
He was taken ill (with pneumonia, diphtheria...) while in Rome. *Il tomba malade alors qu'il se trouvait à Rome.*
It's easier said than done. *C'est plus facile à dire qu'à faire.*
What was to be done ? *Que fallait-il faire ?*
A town to be seen in spring. *Une ville à voir au printemps.*
That remains to be seen. *Cela reste à voir.*

214

There was no more to be said. *Il n'y avait rien à ajouter.*
He is possessed of (= he has) exceptional gifts (langue écrite). *Il possède des dons exceptionnels.*

(5) *To read* et *to sell* s'emploient parfois à l'actif avec un sens passif.

This book reads very well. *Ce livre se lit facilement.*
The message reads as follows. *Le message est ainsi rédigé.*
His novels sell like hot cakes. *Ses romans se vendent comme des petits pains* (d'où : **a best-seller**).

De même :

A material that washes well. *Un tissu qui se lave bien.*
The film has been showing for three months. *Le film est à l'affiche depuis trois mois* (voir 426).

Cf. **to drown = to be drowned** (*se noyer*).

The two Sikh terrorists are due to hang (= to be hanged) tomorrow morning (BBC). *Les deux terroristes sikhs doivent être pendus demain matin.*

422 (6) Un passif peut se réduire au participe passé (***passif elliptique***). Le participe passé non précédé de *have* (c'est-à-dire ne faisant pas partie d'un perfect) a d'ailleurs presque toujours un sens passif (exceptions : **a well-read man, well-behaved children**, etc. § 630).

English spoken. *On parle anglais.*
Wanted (on bills outside police stations). *On recherche...*
Wanted (in newspapers). *Offres d'emplois.*
"Colored not wanted" (over the doors of some hotels in the South of the USA until the 1960ies). *Gens de couleur indésirables.*

L'anglais commence rarement une phrase par un passif elliptique, plus courant en français. On ne le trouve guère en tête de phrase que dans le style écrit.

Fatigué par ce long voyage, je décidai de me reposer deux ou trois jours.
Feeling tired (ou : **Tired**, dans la langue écrite; dans la langue parlée : **As I was tired) by the long journey, I decided to rest for a couple of days.**

423 (7) Pour exprimer le ***passage d'un état à un autre*** (sens ***inchoatif***) on emploie souvent *to get* au lieu de l'auxiliaire *to be*. Comparer :

He was very excited. *Il était surexcité.*
He got excited. *Il s'est emporté.*

De même : **to get drunk** (*s'enivrer*), **to get broken** (*se casser*), **to get killed** (*se tuer*, accidentellement), **to get married** (*se marier*), **to get used to** (*s'habituer à*), etc.

To get peut aussi impliquer une ***idée d'effort*** (*chercher à...*), notamment lorsqu'il est suivi d'un pronom réfléchi (bien que l'on emploie parfois un pronom réfléchi sans qu'il y ait une idée d'effort : « you'll get yourself killed » = « you'll get killed »).

He behaves as if he were trying to get (himself) arrested. *Il se conduit comme s'il cherchait à se faire arrêter.*

De même : **to get (oneself) invited** (*se faire inviter*), **to get (oneself) punished** (*se faire punir*), **to get (oneself) introduced** (*se faire présenter*), etc.

(8) Le complément d'agent peut être une proposition ***interrogative (ou exclamative) indirecte.***

I was startled by how ill she looked (A. Christie). *Je fus saisi de voir combien elle avait l'air malade.*

424 (a) *Verbes suivis d'une postposition (phrasal verbs) ou d'un complément indirect :* au passif le participe passé est suivi de la postposition ou de la préposition.

> **The fire was put out in ten minutes.** *Le feu fut éteint en dix minutes.*
>
> **That will have to be put off until next week.** *Il faudra remettre cela à la semaine prochaine* (actif : **We shall have to put that off...**).
>
> **The doctor had to be sent for.** *Il fallut envoyer chercher le médecin.*
>
> **The poor dog was run over by a bus.** *Le pauvre chien a été écrasé par un autobus* (deux constructions possibles à l'actif dans ce cas particulier : **A bus ran over the poor dog,** ou moins couramment : **A bus ran the poor dog over**).
>
> **Is this house still lived in ?** *Cette maison est-elle encore habitée ?*
>
> **The house had been broken into.** *La maison avait été cambriolée.*
>
> **There is a house broken into every five minutes.** *Il y a un cambriolage toutes les cinq minutes.*
>
> **We could see that the bed had been slept in.** *On voyait bien que quelqu'un avait couché dans le lit.*
>
> **He is well thought of.** *On a bonne opinion de lui.*
>
> **I hope they can be prevailed upon to stay longer.** *J'espère qu'on pourra les persuader de rester plus longtemps.*
>
> **This is a delay that cannot be put up with.** *C'est un retard que l'on ne peut tolérer.*
>
> **'There are hundreds of nouns that can be got rid of'** (G. Orwell). *Il y a des centaines de noms dont on peut se débarrasser.*
>
> **He was laughed at and played tricks on by the village children.** *Les enfants du village se moquaient de lui et lui jouaient des tours.*

On garde de même la préposition après un participe passé employé comme épithète. Les deux termes sont alors séparés par un trait d'union.

> **With unheard-of generosity.** *Avec une générosité inouïe (sans précédent).*
> **Unsought-for honours.** *Des honneurs non sollicités.*
> **A much sought-after job.** *Un emploi très demandé.*

425 (b) *Verbes suivis de deux compléments directs,* le premier d'*attribution* et le second d'*objet* (*to give, to offer, to send, to tell, to teach, to show...,* voir 490) : chacun des deux compléments peut servir de sujet à une phrase passive.

> **They gave him a chair** ↗**A chair was given to him** (ou : **was given him**).
> ↘**He was given a chair.**

Dans la première phrase passive l'omission de *to* est un américanisme. En anglais britannique cette omission est rare, sauf dans une langue très soignée.

La seconde phrase passive (que l'on ne peut traduire en français mot à mot) s'emploie beaucoup plus couramment que la première.

> **She was awarded a scholarship** (plus courant que : **A scholarship was awarded to her**). *On lui accorda une bourse.*
> **They are taught two languages.** *On leur enseigne deux langues.*
> **I've been told a funny story.** *On m'a raconté une histoire drôle.*
> **You will be refused permission.** *On vous refusera la permission.*

426 (c) Une phrase passive peut se mettre à la *forme progressive* si le sens l'exige (action en progrès).

> **The house opposite ours is being pulled down.** *On est en train de démolir la maison en face de chez nous.*
>
> **My car is being repaired.** *On est en train de réparer ma voiture (Ma voiture est en réparation).*
>
> **Lunch was still being cooked when I got home.** *On était encore en train de préparer le déjeuner quand je suis arrivé à la maison.*
>
> **A new civilisation is being born.** *Une nouvelle civilisation est en train de naître.*
>
> **I think we are being followed.** *Je crois qu'on nous suit.*

Expression elliptique courante dans les restaurants : « **Lunch (tea,** etc.) **now being served** ».

Les phrases du type « **the book is printing** » (= is being printed) ne sont plus très courantes aujourd'hui, sauf dans :

> **The National Theatre, where 'Hamlet' is now playing** (= being played)... *Le National Theatre, où l'on donne 'Hamlet' en ce moment...*
>
> **What film is showing at the Pavilion ?** *Quel film donne-t-on au Pavilion ?*

427 (d) *La possibilité ou l'impossibilité de construire un verbe au passif* sera examinée en même temps que le régime de ce verbe (leçons 24 à 29). En particulier, un grand nombre de verbes construits avec une proposition infinitive (leçon 25) peuvent s'employer au passif, contrairement au français.

> **She was advised to wait** (actif : **They advised her to wait**). *On lui conseilla d'attendre.*
>
> **You are expected to do your best** (actif : **People expect you to...**). *On s'attend à ce que vous fassiez de votre mieux.*
>
> **I was asked to show my passport.** *On me demanda de montrer mon passeport.*
>
> **He was forbidden (He was not allowed) to leave the country.** *On lui interdit (On ne lui permit pas) de quitter le pays.*
>
> **He was told to mind his own business.** *On lui dit de s'occuper de ce qui le regardait.*

Ne pas confondre le passif de *to tell* avec celui de *to say* (voir 524).

> **He is said to be the son of a famous actor.** *Il passe pour être* (= *il serait*) *le fils d'un acteur célèbre* (on dit aussi : **It is said that he is...**).

Bien construire également au passif les verbes *to remember* et *to remind* (528).

---

3. — TRADUCTION DE « ON »

428 (a) *Une phrase passive* (traduction la plus courante). Voir 419, b.

(b) Les pronoms *we, you, they,* selon le sens de la phrase.

> *On boit beaucoup de thé en Angleterre.* **They drink a lot of tea in England** (ce n'est pas un Anglais qui parle, sinon la phrase serait : **We drink...**; et quand un étranger dit cela à un Anglais : **You drink...**).
>
> *On ne sait jamais.* **You never can tell** (vérité générale dans un style familier).

ⓒ **People** quand *on* a le sens d'un pluriel (= *tout le monde*), **somebody** (= **someone**) quand *on* a le sens d'un singulier (sujet inconnu ou non précisé).

> *On l'aimait beaucoup.* **People were very fond fo him/her** (ou **He/she was well liked**).
> *On frappe à la porte.* **Someone's knocking at the door.**

ⓓ Le pronom indéfini **one**, dans un style soigné, quand il s'agit de vérités générales, d'expressions proverbiales. Le ton est un peu sentencieux. Voir 728.

On emploie aussi parfois, mais plus rarement, « *a man* » (cf. l'étymologie de notre pronom *on* : le latin *homo*).

> *On ne sait jamais.* **One never knows** (plus familier : **You never know**).
> *On peut toujours trouver le temps de lire.* **One can always find time for reading.**
> *On doit se détendre après le travail.* **One** (= a man) **must relax after work.**
> « **That's my comfort, a man can die but once** » (Fielding). *Voilà ce qui me rassure, on ne meurt qu'une fois.*

ⓔ **There is** + **nom à sens verbal** (exprimant généralement un bruit).

> *On frappa (on sonna) à la porte.* **There was a knock (a ring) at the door.**
> *On tira un coup de feu près de nous.* **There was a shot near us.**
> *On applaudit à tout rompre.* **There was a burst of applause.**

EXERCICES

A Mettre à l'actif :

1. They were helped by us. — 2. You will be invited by her. — 3. He is missed by everybody. — 4. She was stared at by the passers-by. — 5. He hadn't been told the truth by anybody. — 6. We are taught Spanish by a Mexican. — 7. He was believed to be a spy. — 8. He can't be relied on. — 9. Go away ! You are not wanted here. — 10. I've been slandered by one of you.

B Mettre au passif (sous-entendre le complément d'agent) puis traduire :

1. The policeman arrested him and took him to the police-station. — 2. We shall have to put up with the noise. — 3. They will give him another chance. — 4. People advised him to see a doctor. — 5. They are building a modern hotel. — 6. They had not expected such a bad result. — 7. He is a man you can rely on. — 8. They will teach us music. — 9. Do they expect me to make a speech ? — 10. His father was beating him and shouting at him. — 11. You should not take these books away. — 12. They showed us into a large room. — 13. People could not account for the accident. — 14. We have looked through these papers. — 15. We put him to bed and sent for the doctor. — 16. Nobody was doing anything to help us. — 17. They awarded him the first prize. — 18. People said that he was the king's half-brother. — 19. They have offered him a very good job. — 20. We could see a dark glow on the horizon.

Voir aussi leçon 25, exercice E; leçon 26, exercice B; leçon 29, exercice A.

[C] Traduire par des phrases au passif :

1. On lui a dit de montrer son passeport. — 2. On le considérait comme un membre de la famille. — 3. Parle-t-on l'anglais à la Jamaïque ? — 4. Des hommes aussi savants ne se rencontrent pas tous les jours. — 5. On est en train de réparer ma voiture. — 6. On parla peu de ce qui s'était passé. — 7. On ne lui avait jamais parlé de son père. — 8. Combien reste-t-il de chaumières dans le village ? — Il n'en reste qu'une. — 9. Quand et où êtes-vous né ? — 10. On leur fera visiter la ville. — 11. Ils

étaient en train de se faire gronder par le proviseur. — 12. Il ne reste que deux places au premier rang. — 13. En Angleterre les cigarettes se vendent dans les mêmes boutiques que les bonbons. — 14. On leur conseilla d'emporter des vêtements chauds. — 15. Il s'aperçut qu'on le dévisageait et il rougit. — 16. Ce nom ne peut pas s'employer au pluriel. — 17. On ne pouvait pas faire grand-chose pour les secourir. — 18. Jamais on ne lui avait parlé avec autant de bienveillance. — 19. Enseigne-t-on la philosophie dans les établissements secondaires en Angleterre ? — 20. « Il naît trop d'enfants dans les familles pauvres », dit le châtelain du village. « Ce sont les riches de la paroisse qui doivent les nourrir ».

[D] Traduire (« *on* ») :

1. Il faut que je parte, on m'attend. — 2. On le respectait dans la ville, mais on ne se liait pas d'amitié avec lui. — 3. Alors, on s'amuse bien, les enfants ? — 4. On ne peut jamais être sûr du temps qu'il fera, il vaut mieux prendre un imperméable. — 5. Je vois bien qu'on ne veut pas de moi ici. — 6. On le disait sévère. — 7. On lit beaucoup plus de journaux en Angleterre que chez nous. — 8. Voulez-vous qu'on vous emmène à la gare en voiture ? — 9. On parle le gallois dans le nord du Pays de Galles. — 10. Restez, on a besoin de vous. — 11. On ne devrait jamais se mettre en colère. — 12. Ne vous fâchez pas, on peut bien plaisanter de temps en temps. — 13. On m'a volé mon porte-monnaie. — 14. Quand on est en vacances, on n'aime pas écrire de longues lettres. — 15. « L'été, dans mon pays, on boit beaucoup de thé glacé », dit l'Américain. — « Mais on boit encore plus de coca-cola, n'est-ce pas ? », dit le Français. — 16. On vous donnera tout ce dont vous aurez besoin. — 17. Que peut-on faire dans un cas comme celui-là ? — 18. On leur enseigne trois langues. — 19. On leur avait conseillé de ne pas se plaindre. — 20. On ne leur permit pas de dire ce qu'ils pensaient.

---

21. — CONCORDANCE DES TEMPS ET STYLE INDIRECT

1. — CONCORDANCE DES TEMPS

429 (a) La concordance des temps se fait comme en français dans des subordonnées dépendant de *I think/I thought, he says/he said, they tell me/they told me,* etc. Comparer :

I think it's going to rain. *Je crois qu'il va pleuvoir.*
I thought it was going to rain. *Je croyais qu'il allait pleuvoir.*
She tells me she has seen a ghost. *Elle me dit qu'elle a vu un fantôme.*
She told me she had seen a ghost. *Elle m'a dit qu'elle avait vu un fantôme* (present perfect → past perfect).
He says it will be easy. *Il dit que ce sera facile.*
He said it would be easy. *Il a dit que ce serait facile* (**would be** : conditionnel à valeur de futur dans le passé).

Ce phénomène de concordance se rencontre après les ***verbes d'opinion et de déclaration*** (496) : to think, to believe, to assume, to guess, to doubt, to say, to tell, to maintain, to claim, etc.

430 (b) Dans les phrases dont la subordonnée (commençant par *if, suppose*, parfois *unless*) exprime *une condition*, la concordance des temps se fait comme en français. Voir 358.

> **If he comes tomorrow we'll play tennis.** *S'il vient demain nous jouerons au tennis* (c'est un potentiel).
>
> **If he were** (fam. : **If he was**) **here today we'd** (= would ou should) **play tennis.** *S'il était ici aujourd'hui nous jouerions au tennis* (c'est un irréel du présent).
>
> **If he'd** (= had) **come yesterday we'd** (= would ou should) **have played tennis.** *S'il était venu hier nous aurions joué au tennis* (c'est un irréel du passé).
>
> **They wouldn't do that if they hadn't** (= **unless they had**) **a good reason for it.** *Ils ne feraient pas cela s'ils n'avaient pas une bonne raison de le faire* (irréel du présent).

431 *Remarques :* (1) L'auxiliaire *will* et son preterite *would* peuvent s'employer après *if* quand ils expriment un *consentement* ou une *obstination* (ne pas confondre cet emploi avec les cas où ils sont auxiliaires du futur et du conditionnel). *If* est alors souvent suivi de *only*. Voir aussi 307.

> **If the students will spend a few hours studying these rules, they will be able to avoid numerous mistakes.** *Si les étudiants veulent bien passer quelques heures à étudier ces règles, ils pourront éviter de nombreuses fautes.*
>
> '**O, Mr Conroy, will you come for an excursion to the Aran Isles this summer ?... It would be splendid for Gretta too if she'd come**' (J. Joyce) *Oh, M. Conroy, voulez-vous venir faire une excursion aux îles d'Aran cet été ?... Ce serait magnifique pour Gretta elle aussi si elle voulait bien venir.*
>
> **She'd go out after dinner if (only) her mother would let her.** *Elle sortirait après le dîner si sa mère le lui permettait.*

Will peut aussi s'employer après *if* synonyme de *whether* dans des phrases de style indirect (**I wonder if they will come,** § 436). On exprime alors un doute, et non une condition.

(2) Après *if* l'idée de possibilité au past perfect (*irréel du passé*) s'exprime de deux façons : **If he could have come...** = **If he had been able to come...** *S'il avait pu venir...* (Comparer avec : I wish you could have seen him, 102, 359).

> **If only I could have spoken to her !** *Si seulement j'avais pu lui parler !*

(3) Après l'expression *« it looks as if »* on emploie le présent (ou le present perfect, le futur, etc., selon le sens) dans la langue familière, le preterite (ou past perfect) modal dans la langue soignée. Voir 539.

> **It looks as if it's going to rain.** *On dirait qu'il va pleuvoir.*
>
> **He looks as if he's** (= **has**) **drunk** (ou : **he'd drunk**) **too much.** *On dirait qu'il a trop bu.*

432 (c) On a vu (325) que *les subordonnées de temps* introduites par les conjonctions *when, once, while, as soon as*, etc., sont au présent quand elles dépendent de principales au futur ou à l'impératif, au preterite quand elles dépendent de principales au conditionnel.

> **We'll play tennis when they come.** *Nous jouerons au tennis quand ils viendront* (même temps que dans une subordonnée de condition, à la différence du français : **We'll play tennis if they come** = *s'il viennent*).
>
> **Come as soon as you are ready.** *Venez dès que vous serez prêt.*

I'll remember him as long as I live. *Je me souviendrai de lui jusqu'à la fin de mes jours.*

He would come as soon as he was ready. *Il viendrait dès qu'il serait prêt.*

He would come as soon as he had finished. *Il viendrait dès qu'il aurait fini* (le preterite had est ici auxiliaire du past perfect).

Les deux dernières phrases sont au style indirect libre (439).

433 (d) L'expression française *« c'est... que »*, *« c'est... qui »* reste généralement au présent quel que soit le temps de la seconde proposition. L'anglais respecte la concordance des temps.

It *was* I who did it. *C'est moi qui l'ai fait.*

It *was* in England that we spent our holidays that year. *C'est en Angleterre que nous avons passé nos vacances cette année-là.*

Jim, that *was* what everybody called him. *Jim, c'est ainsi que tout le monde l'appelait.*

It *was* thanks to him that I wasn't drowned. *C'est grâce à lui que je ne me suis pas noyé.*

It *will be* John who will win the race. *C'est John qui gagnera la course.*

It *had* always *been* Manuel who had made the decisions. (Thornton Wilder). *C'est toujours Manuel qui avait pris les décisions.*

Toutefois cette expression est beaucoup moins courante qu'en français (la même idée est souvent exprimée à l'aide d'une construction emphatique : *I did it. C'est moi qu'il l'ai fait*).

434 (e) Les subordonnées introduites par la conjonction *that* ou un relatif et dépendant de principales au preterite ou au conditionnel sont normalement au preterite dans une langue soignée.

You wouldn't believe she *was* still in her teens, would you ? *Vous ne croiriez pas qu'elle a moins de vingt ans, n'est-ce pas ?*

Anyone who *refused* to sign the document would be looked upon as a traitor. *Quiconque refuserait de signer le document serait considéré comme un traître.*

'Peter is the main character... After three years at the Tivoli one might say he *was* living on his nerves' (Préface de 'The Kitchen', d'Arnold Wesker). *Peter est le personnage principal... Après trois ans au Tivoli on peut dire qu'il vit sur ses nerfs.*

How can you say such things ? No one who *knew* you would believe them. *Comment pouvez-vous dire des choses pareilles ? Aucune personne qui vous connaît ne les croirait.*

Cf. 250 (citation de Pinter) et 339 (2), dernier exemple.

Remarque : Après des expressions synonymes de « it looks as if... » (it would seem that, one would think that...) on emploie parfois le *subjonctif* de *to be* (*were* au singulier).

To see him behave as he does, you would think he was (ou : he were) the richest man in the Kingdom. *A le voir se comporter ainsi, on s'imaginerait que c'est l'homme le plus riche du royaume.*

435 Les subordonnées dépendant de *« he said that... »*, *« I thought that... »*, etc. suivent comme en français les règles de la concordance des temps (429).

(a) Si *la principale est au présent*, la subordonnée rapporte les paroles (ou les pensées) sans en changer le temps.

> **He says in his letter that he is going to sell his car** (He says : ''I'm going to...''). *Il dit dans sa lettre qu'il va vendre sa voiture.*

On fait de même si la principale est au present perfect. (On a vu que cette forme ne doit pas être considérée comme un passé; voir leçon 11).

> **He has told me that he is going to sell his car.** *Il m'a dit qu'il allait vendre sa voiture.*

(b) Si *la principale est au preterite,*

les paroles prononcées au **présent** sont rapportées au *preterite;*
les paroles prononcées au **preterite** ou au **present perfect** sont rapportées ou *past perfect;*
les paroles prononcées au **futur** sont rapportées au *futur dans le passé* (c'est-à-dire que les présents *shall, will, is going to*, etc., sont remplacés par les preterites *should, would, was going to*, etc. (324).

> **He told me he was tired** (He said, 'I'm tired'). *Il m'a dit qu'il était fatigué.*
> **He told me he had lost our address** (He said, 'I've lost your address). *Il m'a dit qu'il avait perdu notre adresse.*
> **He told me he had been learning Chinese for two years** (He said, 'I've been learning...). *Il m'a dit qu'il apprenait le chinois depuis deux ans.*
> **He told me he thought he was going to fail** (He said, 'I think I'm going to fail'). *Il m'a dit qu'il croyait qu'il allait échouer.*
> **He told me he would wait until the next morning** (He said, 'I'll wait until tomorrow morning'). *Il m'a dit qu'il attendrait jusqu'au lendemain matin* (Voir ci-dessous, remarque 3).

Remarques : (1) *Must* et *need*, qui sont des présents, peuvent s'employer au style indirect, comme des preterites (87 et 94).

> **He said that I must do my best but I needn't worry** (He said, 'You must... but you needn't...). *Il a dit que je devais faire de mon mieux mais que je n'avais pas à m'inquiéter.*
> **I saw a tall, black-haired woman staring at me over the garden hedge. I knew at once it must be Mrs Lee** (A. Christie). *Je vis une grande femme brune qui me dévisageait par-dessus la haie du jardin. Je compris immédiatement que ce devait être Mrs Lee.*

De même pour *should* et *ought to*, qui s'emploient au style direct dans des contextes présents ou futurs.

> **We wondered what should be done (what ought to be done).** *Nous nous demandions ce qu'il fallait faire.*

(2) Les paroles prononcées *au preterite* sont parfois rapportées au même temps, *au lieu du past perfect*, quand la date de l'action est précisée.

> **He said he saw it when he was in London.** *Il a dit qu'il l'avait vu quand il était à Londres.*
> **He said he saw it in 1980.** *Il a dit qu'il l'avait vu en 1980.*

(3) Au style indirect **yesterday, last week, tomorrow, next week,** etc. deviennent *the day before, the previous week, the day after, the following week,* etc. (ou des expressions synonymes), tout comme en français *demain* devient *le lendemain, hier* devient *la veille,* etc.

(c) Les paroles prononcées *au futur* devraient être rapportées, selon les puristes, en employant le même auxiliaire, sans tenir compte du changement de personne. Mais cette « règle » est de plus en plus rarement observée.

> **She says she shan't be back for tea because she has a lot of shopping to do** (She says, 'I shan't be back...'). *Elle dit qu'elle ne sera pas rentrée pour le thé parce qu'elle a beaucoup d'achats à faire* (On dit beaucoup plus couramment aujourd'hui : **She says she won't be back..).**

De même, avec une principale au preterite : **She said she shouldn't be back...** (dans la langue courante d'aujourd'hui : **She said she wouldn't be back...).**

436 (d) Quand *les paroles prononcées sont des questions,* on les rapporte dans des *interrogatives indirectes* (442).

> **She asked me where John was** (She asked, 'Where is John ?'). *Elle m'a demandé où était John* (remarquer l'ordre des mots).
> **She asked us whether we were cold** (She asked, 'Are you cold ?'). *Elle nous a demandé si nous avions froid..*

If remplace couramment *whether,* surtout dans la langue parlée. Comparer les phrases suivantes, où *will* et *would* sont auxiliaires du futur et du conditionnel, avec celles du § 431 (remarque 1) :

> **I wonder if they will come.** *Je me demande s'ils viendront.*
> **I wondered if they would come.** *Je me demandais s'ils viendraient.*
> **I wonder if they would have come if we had invited them** (seul le premier *if* a le sens de *whether*). *Je me demande s'ils seraient venus si nous les avions invités.*

437 (e) Quand les paroles prononcées sont des *ordres,* des *demandes,* on peut les rapporter à l'aide des verbes *to order, to ask, to tell, to say,* etc. Ces deux derniers verbes ne se construisent pas de la même façon.

> **She asked me to shut the door** ('Will you shut the door ?', she asked me). *Elle me demanda de fermer la porte.*
> **He told them not to be late** ('Don't be late', he said to them). *Il leur dit de ne pas être en retard.*
> **They said that he should** (ton plus sec : **that he was to**) **let them know when he was ready** (They said to him, 'Let us know when you are ready'. Avec *to tell* la phrase serait : **They told him to let them know...).** *Ils lui dirent de les prévenir quand il serait prêt.*

Dans une nouvelle de K. Mansfield, Laura parle à une amie au téléphone. Sa mère lui dit : « **Tell her to wear that sweet hat she had on last Sunday** ». Et elle transmet : « **Mother says you're to wear that sweet hat you had on last Sunday** » (Voir 125).

> ## 3. — MÉLANGE DES STYLES.
> ## STYLE INDIRECT LIBRE

438 (a) *L'anglais mélange souvent très librement les deux styles* (direct et indirect), par exemple en introduisant dans une phrase de style indirect (donc sans guillemets) des interjections ou des propositions à la forme interrogative. Ce mélange des styles est fréquent chez les meilleurs auteurs. Il donne plus de vivacité au récit.

> I asked him where he was going to spend the summer. He said, well, he didn't know yet, but would I lend him my guide-books to Italy. (Style direct : He said : « Well, I don't know yet, but will you lend me your guide-books to Italy ? »). *Je lui ai demandé où il allait passer l'été. Il m'a dit que, ma foi, il ne savait pas encore, mais il m'a demandé de lui prêter mes guides de l'Italie.*

> I was thinking who could it be (= I was thinking, 'Who can it be ?' = I was wondering who it could be). *Je me demandais qui cela pouvait bien être.*

> She asked me would I help her with her luggage (= She asked me to help her... = She asked me, 'Will you help me with my luggage ?'). *Elle me demanda de l'aider à porter ses bagages.*

> "She does not sleep well, and suffers from her nerves. Will I please do something about it ? » (Nigel Balchin) (= She asks me to do something about it = She says, 'Will you please do something about it ?'). *Elle dort mal et souffre des nerfs. Elle me demande d'y faire quelque chose.*

> The young man's name was Eddy Littlejohn, but over dinner he said, look here, would they call him Ginger; everyone else did. So they began to call him Ginger, and he said wouldn't it be a good idea if they had another bottle of fizz, and Nina and Adam said yes, it would (Evelyn Waugh, *Vile Bodies*).

Style direct :

> ...he said : 'Look here, **will you** call **me** Ginger ? Everyone else **does'** ...and he said : 'Wouldn't it be a good idea if **we** had... ?' ...and Nina and Adam said : ''Yes, it would''.

Style indirect :

> he **asked them whether they would** call him Ginger, as everyone else did... he **suggested that it would be** a good idea if... and Nina and Adam **agreed that it would** (impossible d'employer « look here » et « yes »).
> *Le jeune homme s'appelait Eddy Littlejohn, mais au cours du dîner il leur dit : « Tenez, appelez-moi Ginger, comme tout le monde, voulez-vous ? ». Ils se mirent donc à l'appeler Ginger, alors il leur dit : « Vous ne croyez pas que ce serait une bonne idée si on reprenait une bouteille de mousseux ? »; sur quoi Nina et Adam répondirent : « Oui, certainement ».*

Dans l'exemple suivant (Paul Scott, *'A Male Child'*), « **I suppose** », formule figée de la langue parlée familière, est intégrée à la phrase de style indirect, au pluriel, conjuguée au preterite comme les autres verbes du récit :

> The waitress brought tea. We all three agreed that it was a cold day; that it would be colder yet; that we could stand almost anything but the cold; but that it was to be expected we supposed. There was a ritualistic quality in this exchange (la suite de propositions introduites par **that**, comme une litanie, met en relief avec humour l'aspect rituel de ce banal échange d'impressions).

Autre exemple (John Wyndham, *'Chocky'*), dans lequel un enfant rapporte une conversation téléphonique :

> 'A man rang up, when Mummy was out. He said was I Matthew, and I said I was, and he said he was BBC, and could he come round and

see me. I said I supposed it'd be all right, because it seemed rude to say no to the BBC. So he came...'

On a une construction semblable dans le même roman :

'It's Patience who rang up in the afternoon and said could she come tomorrow' (= she asked whether she could come).

439 (b) Les propositions qui introduisent le style indirect **(he said, he thought...)** sont parfois sous-entendues. Le style indirect est alors suggéré par le contexte *(style indirect libre)*. La phrase elliptique comporte souvent un auxiliaire de modalité.

He ran to the station. He must catch that train (cette phrase signifie : He thought he must catch that train, c'est pourquoi *must* est employé dans un contexte passé). *Il courut jusqu'à la gare. « Il ne faut pas que je rate ce train », se dit-il* (mais la phrase anglaise est beaucoup moins explicite).

Why should he hurry ? She was sure to be late (= He thought, 'She is sure to be late'). *Pourquoi se dépêcherait-il ? Elle allait sûrement être en retard.*

Dans « he must catch that train » et « she was sure to be late », le locuteur réel n'est pas le narrateur (celui qui prononce les phrases), mais « he » (sujet des propositions sous-entendues), c'est-à-dire celui qui exprime ses sentiments au sujet de l'action (nécessité, probabilité). Voir 62, 63 (notion de modalité).

Le passage au style indirect libre est parfois perceptible grâce à l'emploi d'un temps qui ne conviendrait pas au contexte dans le style direct.

The cheek of it ! He was damned if he was going to have it ! *Quel toupet ! Pour rien au monde il n'allait supporter cela !* (au style direct, le preterite « was damned if... » ne s'emploie pas et le sujet n'est jamais **he**, mais I).

Should he go back ? He was damned if he would (A. Huxley). *Fallait-il y retourner ? Il n'en était pas question* (au style direct : Shall I go back ? I'm damned if I will).

Certains auteurs emploient volontiers le style indirect libre, suggérant par là qu'ils font confiance au lecteur pour comprendre quand « he said », « she thought », etc. sont sous-entendus. C'est une façon de créer une sorte d'intimité intellectuelle entre l'auteur et le lecteur.

EXERCICES

A Mettre le verbe de la subordonnée commençant par *if* (a) au preterite, (b) au past perfect, et appliquer la concordance des temps dans la principale; puis traduire les phrases.

1. If you eat this cake you'll be sick. — 2. If you get up early you'll see the sunrise. — 3. If you are a good pupil, your parents will be proud of you. — 4. If I catch him doing it again, he'll get into trouble. — 5. If it's too cold to go out, we can always watch television. — 6. If you write to him he'll answer your letters. — 7. If I have to leave my country, I'll settle in Canada. — 8. If you warn him he'll come at once. — 9. If anyone comes into the garden the dog will bark. — 10. If he doesn't like it he'll let us know. — 11. If you can see this film I'm sure you'll like it. — 12. If you will listen to me, I'll do what I can to help you.

225

[B] Transformer les phrases pour mettre en relief les mots en italique suivant le modèle :

I did it → It was I who did it.

1. I made her acquaintance *in 1968*. — 2. **Mrs Herdman** will teach you science. — 3. *I* saw it first. — 4. **The Brazilians** had won the World Cup that year. — 5. **John** broke the sad news to her. — 6. **The Prime Minister** himself (ou : herself) will answer the question. — 7. The fire broke out *in a baker's shop*. — 8. He won't know the result of his exam *until the end of the month*. — 9. The allied forces landed in Normandy *on June 6th, 1944*. — 10. She had not married again, *because of her son*.

[C] Mettre au style indirect :

1. She said : "I've seen a ghost. I won't sleep in that room again !" — 2. They said : "We've been waiting for you for half an hour", but I replied/answered : "I don't believe it". — 3. Who is this man, I wonder ? — 4. "Will you have a cup of tea", she asked them. But they replied/answered, "We've already had several cups". — 5. "Is there a telephone box near here ?", he asked. "Where is the police station ?" — 6. He said, "I don't know this man. I've never met him". — 7. "Are you tired ?", I asked them. "We aren't", they said. — 8. They said, "We'll stay with you until the doctor arrives". But she said, "You needn't". — 9. "Can you lend me £ 50 ?", I asked him. He replied/answered, "I'm afraid I can't. — 10. He said, "I won't sing because I have no voice and I don't want to make a fool of myself". — 11. "Have you read 'Jane Eyre' " ? I asked her. "Yes", she said. — 12. "Do you trust me ?", I asked her. She replied/answered, "I'm afraid I don't any more !" — 13. "Did you enjoy listening to the lecture ?", I asked him. "No", he said. — 14. "I'm afraid I must go", he said, "because my wife must be wondering where I am". — 15. "Just phone me if you need my help", I said to him.

[D] Mettre au style direct :

1. She asked us when we had come back and whether we had enjoyed our holidays. — 2. They said they were tired and asked whether they could have a rest. — 3. He apologized for being so late, and promised he would never be late again. — 4. He asked me where Cyprus was, and whether I had been there. — 5. I asked him how long he had been living in Bradford. He answered he had been born there. — 6. He said he was glad he had come. — 7. I asked them how often they went to England. They said they went as often as they could. — 8. He said when he was rich he would buy a yacht. — 9. He often says he wishes he could play the cello. — 10. We asked her if she could drive. She said yes, she could. — 11. I asked him if he thought it was going to rain. He said he hoped it would keep fine until we had left. — 12. They told us to take our macs as it was sure to rain. — 13. She asked us how we were and whether we knew that her husband had been taken ill a few days before. — 14. They suggested we should go and visit them while they were at the seaside in July. — 15. She said that he had been very silly and that he was not to do it again.

22. — PHRASES INTERROGATIVES

1. — QUESTIONS FERMÉES
ET QUESTIONS OUVERTES

440 (a) On appelle *questions fermées* celles auxquelles on ne peut répondre que par *yes* ou *no* (ou une expression de même sens : *of course, certainly not*, etc., ou un *tag* « *sujet* + *auxiliaire* », § 159).

Ces questions commencent par l'auxiliaire. Leur intonation est *ascendante*.

Did you have a nice time ? — Yes, we did. *Vous êtes-vous bien amusés ? — Oui.*

Are your parents at home ? — No, they're not. *Tes parents sont-ils chez eux ? — Non.*

Isn't she ready ? (question posée à la forme interro-négative). **— Of course she is.** *Elle n'est pas prête ? — Bien sûr que si.*

Do you intend to answer their letter ? — I don't. *Avez-vous l'intention de répondre à leur lettre ? — Certainement pas* (réponse catégorique).

441 (b) On appelle *questions ouvertes* celles auxquelles on ne peut pas répondre par *yes* ou *no*. La réponse doit comporter une précision (nom d'une personne ou d'un objet, complément de lieu, de temps, de cause, etc.).

Ces questions commencent par un terme interrogatif (pronom, adverbe, nom précédé d'un adjectif interrogatif). Leur intonation est *descendante.*

Where did you buy your camera ? — I bought it in Germany. *Où as-tu acheté ton appareil photo ? — Je l'ai acheté en Allemagne.*

Who are you waiting for ? — I'm waiting for John. *Qui attends-tu ? J'attends John.* Voir 226 (rejet de la préposition *for*) et 784 (*who/whom*).

Whose racket did you borrow ? — I borrowed Peter's. *La raquette de qui as-tu empruntée ? — J'ai emprunté celle de Peter.*

Comme en français, les réponses sont souvent elliptiques, surtout dans la langue familière (« **In Germany** », « **John** », « **Peter's** »).

On a vu (26) que dans les questions commençant par un mot (ou groupe de mots) interrogatif qui est *sujet de la phrase*, le verbe est à la forme affirmative, comme en français.

Who speaks German ? — I do. *Qui parle l'allemand ? — Moi.*

How many people came ? *Combien de gens sont venus ?*

Dans ces questions, **speaks** et **came** ne sont pas à la forme interrogative.

(c) *Questions commençant par how.*

Ce sont, bien sûr, des questions ouvertes, à intonation descendante. Elles peuvent concerner le moyen ou (si elles sont construites avec *to be*) la santé.

How did you do it ? *Comment l'avez-vous fait ?*

How are you ? — Fine, thanks (plus familier que : **Very well, thank you**). *Comment allez-vous ? — Très bien merci* (Pour « **How do you do ? »**, voir 24).

Un grand nombre de questions ouvertes commencent par ''*how* + *adjectif ou adverbe* » (**long, old, far, much, many, often**, etc.), constructions idiomatiques souvent plus élégantes que leurs traductions en français.

How long has she been a widow ? *Depuis combien de temps est-elle veuve ?*

How far is it from Washington to Philadelphia ? *Quelle distance y a-t-il de Washington à Philadelphie ?*

How often do you go to London ? *Tous les combien allez-vous à Londres ?*

How long is your car ? *Quelle est la longueur de votre voiture ?*

How wide is the Thames in London ? *Quelle est la largeur de la Tamise à Londres ?*

How tall are you ? — *Combien mesurez-vous ?*

'How soon will they shoot me ?' (G. Orwell). *Dans combien de temps vont-ils me fusiller ?* (sous-entendu : Est-ce pour bientôt ?).

Pour *« how come...? »*, voir 28.

(d) Pour les phrases interrogatives **emphatiques** (« **What ever did you do that for ? »**), voir 156.

---

2. — INTERROGATIVES INDIRECTES

442 Ces propositions permettent de rapporter, après des verbes comme **to ask, to wonder, to discuss, to know**, etc., des questions posées par une autre personne ou que l'on se pose à soi-même. La seconde proposition est introduite par un terme interrogatif. Si le premier verbe est au preterite il faut respecter la **concordance des temps.**

(a) **Questions fermées :** l'interrogative indirecte est introduite par **whether** (dans la langue familière : **if**).

I wonder whether they'll come. *Je me demande s'ils vont venir.*

We are discussing whether we ought to invite them. *Nous discutons pour savoir si nous devons les inviter.*

He asked me if I was tired. *Il m'a demandé si j'étais fatigué.*

(b) **Questions ouvertes :** contrairement au français on ne fait **pas d'inversion** (sauf dans certaines expressions construites avec **what** et le verbe **to be**).

He asked me where the children were. *Il m'a demandé où étaient les enfants.*

Nobody knows where the dog is. *Personne ne sait où est le chien.*

Show him where the bathroom is. *Montrez-lui où est la salle de bains.*

I wonder whose car this is. *Je me demande à qui est cette voiture.*

He asked me what was the matter (what was the trouble / what was the use of trying / what was the point of it all). *Il m'a demandé ce qu'il y avait (ce qui n'allait pas/à quoi cela servait d'essayer / quelle était la raison de tout cela).*

Mais de telles inversions restent exceptionnelles : **He asked me what the time was** est plus courant que : **He asked me what was the time.**

I can't think what you mean. *Je ne vois pas ce que vous voulez dire.*

Ask a policeman where the nearest tube station is. *Demande à un agent où est la station de métro la plus proche.*

We wish we knew who that man is. *Nous aimerions savoir qui est cet homme.*

I wonder what the weather is like in London. *Je me demande quel temps il fait à Londres.*

443 (c) Le premier verbe peut être *accompagné d'une préposition.*

Don't worry about what's going to happen. *Ne t'inquiète pas de ce qui va se passer.*

It's nothing to do with who did it. *Cela n'a rien à voir avec la question de savoir qui l'a fait.*

I'm not interested in whether you succeed or not. *Que vous réussissiez ou non, cela ne m'intéresse pas.*

It all depends (on) how many people will come. *Tout dépend du nombre de gens qui viendront* (Dans cette construction on omet parfois *on* après *to depend*).

They agreed about why (= they agreed as to why = they agreed why) the car had broken down. *Ils tombèrent d'accord sur la cause de la panne.*

La préposition *at* est toujours omise après l'impératif *look* suivi d'une interrogative indirecte.

Look what you've done ! *Regarde ce que tu as fait !*
Look who's turned up ! *Regarde qui est arrivé !*

444 (d) On peut *inverser l'ordre des propositions*, dans un style soigné, surtout quand la principale comporte une négation. Dans ce cas *whether* ne peut pas être remplacé par *if*.

Why he behaves so foolishly I really don't know. *Pourquoi il se comporte de façon aussi stupide, je n'en sais vraiment rien.*

Whether he was tired or preferred to be alone I cannot say. *Etait-il fatigué ou préférait-il rester seul, je ne saurais le dire.*

Remarquer que les verbes *know* et *say* ne sont pas suivis d'un pronom (*it, that*) rappelant la première proposition; remarquer également que les deux propositions ne sont pas séparées par une virgule.

Une interrogative indirecte peut être sujet d'un verbe (voir 204, 5°).

Whether you agree or not is immaterial to me. *Que tu sois ou non d'accord, cela m'est tout à fait indifférent.*

445 (e) Le verbe de la seconde proposition peut être à l'*infinitif,* ce qui permet de ne pas exprimer son sujet. Dans ce cas *whether* ne peut pas être remplacé par *if*.

He doesn't know whether to go on or give it up (= whether he should go on...). *Il ne sait s'il doit continuer ou abandonner.*

Do you know where to get off the bus ? *Savez-vous où vous devez descendre de l'autobus ?*

He couldn't make up his mind which one to buy. *Il n'arrivait pas à choisir lequel il achèterait.*

We must inquire how best to get there. *Nous devons nous renseigner sur le meilleur moyen d'y aller.*

We are at a loss what to do (where to go, how to do it). *Nous ne savons vraiment pas quoi faire (où aller, comment faire).*

Cas particuliers : *to learn, to teach* et *to know* sont souvent suivis d'une interrogative indirecte introduite par *how to.*

I learnt (He taught me) how to use the tape-recorder. *J'ai appris (Il m'a appris) à me servir du magnétophone.*

I don't know how to use it. *Je ne sais pas m'en servir.*

Mais quand il s'agit de *réflexes* acquis par la pratique on préfère un simple infinitif après *to learn* et *to teach* (**I learnt to drive. He taught me to swim**); et

« **know how to** » est couramment remplacé par *can* (**He can't drive. Can John swim ?** Voir 71).

(f) Pour les interrogatives indirectes dépendant d'un *nom* (**I've no idea who she is**) ou d'un *adjectif* (**She is not aware how much he spends**), voir 693, 694.

EXERCICES

A Poser les questions se rapportant aux mots en italiques.

Exemple : I'm going to play with *Betty* → Who are you going to play with ?

1. They're laughing at *you*. — 2. My wife was born *in Dublin*. — 3. Peter told me *to wait here*. — 4. She was *18* when she married him. — 5. I go to the dentist's *every six months*. — 6. Bill drank *four* glasses of whisky. — 7. It took him *an hour* to repair the engine. — 8. She's *much better*. — 9. *Nobody* helped me. — 10. He thinks he is *the boss*. — 11. I'm writing to *my sister*. — 12. They had to wait *for twenty minutes*. — 13. We borrowed the money from *our cousin*. — 14. He's been in bed *for a week*. — 15. It's *twenty miles* from Dover to Calais. — 16. *Four* people died in the crash. — 17. He's in love with *my daughter*. — 18. I used *John's* dictionary. — 19. We came *on our bikes*. — 20. They'd known each other *for years*. — 21. *John* made these shelves. — 22. He had to come *three* times. — 23. There was *one* piano in the school. — 24. We'll *fly* to Malta. — 25. The nearest station is *five miles* from here. — 26. Dickens died *in 1870*. — 27. My grandfather has been dead *for ten years*. — 28. She was *only 5 foot* tall. — 29. Her husband has lunch *at the canteen*. — 30. I went to the cinema *twice* last week.

[B] Bâtir des phrases suivant les modèles :

(a) Where is the bathroom ? (Show me...) → Show me *where the bathroom is*.

1. Where are your brothers ? (Can you tell me...). — 2. Who is this man ? (I wish I knew...). — 3. What are the so-called flying-saucers ? (I wonder...). — 4. Where is Reykjavik ? (Nobody here knows...). — 5. Whose house is this ? (Can you tell me...). — 6. What is the time ? (I don't know...). — 7. How is your father ? (Please tell us...). — 8. Whose fields are these ? (I think I know...). — 9. What are these insects ? (I'd like to know...). — 10. Do you know the new librarian ? (He asked me...).

(b) Must I phone or write to him ? (I don't know...) → I don't know *whether to phone or write to him* (Bâtir les interrogatives indirectes avec des infinitifs).

1. Where shall we go now ? (Can you tell us...). — 2. What must I write to them ? (Please tell me...). — 3. Must I wait here or go and look for them ? (I wish I knew...). — 4. How do you start the engine ? (Show me...). — 5. Which bus should we take ? (Ask him...). — 6. Where must we forward the letter ? (We don't know...). — 7. Shall we camp in Corsica or drive to Lapland ? (We are still considering...). — 8. Which card shall I send them ? (I can't make up my mind...). — 9. I can't pronounce his name (Teach me...). — 10. Must I tell my friends about it or keep it a secret ? (I wonder...).

[C] Construire avec un infinitif la proposition interrogative indirecte :

1. I don't know where I have to go. — 2. Tell me when I ought to stop. — 3. They wonder whether they ought to rent a flat or buy a house. — 4. Advise me which one I ought to buy. — 5. Show them where they can leave their luggage. — 6. They don't know whether they should walk or go by bus. — 7. Did he tell you which books you should read ? — 8. She is wondering whether she should bake the potatoes or boil them. — 9. Have you made up your minds where you want to go tonight ? — 10. Will you advise me which tie I ought to wear ?

[D] Traduire :

1. — Voudriez-vous lui montrer où se trouve la bibliothèque ? — 2. Je me demande quel âge a sa femme. — 3. Savez-vous qui était le Régent ? — 4. Pouvez-vous m'expliquer ce qu'est le Y.M.C.A. ? — 5. Regardez ce qui s'est passé ! — 6. Ne vous inquiétez pas du prix que cela coûtera. — 7. J'aimerais savoir où sont les enfants. — 8. Sais-tu combien de tentacules a une pieuvre ? — 9. Pendant ses vacances à la ferme il a appris à traire une vache. — 10. Tout dépend de ce qu'il dira. — 11. Peu importe ce qu'il pense. — 12. Il ne savait pas s'il fallait nous saluer ou faire semblant de ne pas nous avoir vus. — 13. Vous ne mettrez pas dix minutes à apprendre à vous servir de cette machine à laver. — 14. Personne ne sait d'où viennent les nouveaux voisins. — 15. Savez-vous où sont les îles Malouines ?

23. — PHRASES EXCLAMATIVES

Les constructions sont différentes selon que l'exclamation porte sur un adjectif (ou adverbe), sur un verbe ou sur un nom. Elles peuvent s'employer comme propositions exclamatives indirectes.

1. — EXCLAMATION PORTANT SUR UN ADJECTIF OU UN ADVERBE

446   On peut la construire avec *how* ou avec *so*.

(a) *Construction avec how :* l'adjectif ou adverbe est placé immédiatement après *how*; il n'y a pas normalement d'inversion.

How pretty she is ! *Comme elle est jolie !*
How fast they run ! *Comme ils courent vite !*
How well he played ! *Comme il a bien joué !*

Ne pas confondre : **How old he is !** (*Comme il est vieux !*) et : **How old is he ?** (*Quel âge a-t-il ?*).

Avec des participes passés employés comme adjectifs :

How tiring the journey has been ! *Comme le voyage a été fatigant !*
How tired your mother looks ! *Comme votre mère a l'air fatiguée !*

Le verbe *to be* et son sujet sont souvent *sous-entendus*.

How nice ! *Comme c'est gentil !*
How (very) nice of her ! *Comme c'est gentil de sa part !*
How disappointing ! *Comme c'est décevant !*

L'inversion (construction semblable à une forme interrogative) se fait, exceptionnellement, dans le style littéraire.

How numerous are Thy works, o God (Psaumes).
"How Green was my Valley", roman de R. Llewellyn.
How well do I remember her parlour... (Samuel Butler). *Quel souvenir précis j'ai gardé de son petit salon...*

447 (b) *Construction avec so :* c'est la forme elliptique d'une phrase dont la subordonnée sous-entendue exprimerait une conséquence.

> **She is so pretty !** (so pretty that all the boys fall in love with her).
> **He looks so old !** (so old that nobody would believe he is under fifty).
> **I'm so glad !** *Comme je suis content !*
> **He is so selfish !** *Comme il est égoïste !* (ou : *Quel égoïste !*).

Ces phrases signifient : « **She is very pretty** », « **He looks very old** », etc., mais le ton est moins sec, moins impersonnel. Il s'y ajoute une nuance affective (attendrissement, regret, surprise, etc.).

Dans la langue parlée on peut renforcer l'exclamation en disant : « **She is ever so pretty !** ». Noter la progression :

> **She is very pretty** < **She is so pretty** < **She is ever so pretty** < **How pretty she is !**

La construction avec *so* peut être employée dans une seconde proposition exprimant la *cause.*

> **They shouted insults at him, (as) they were so furious at having been fooled.** *Ils lui criaient des injures, tellement ils étaient furieux de s'être laissés rouler.*

On peut aussi dire, avec inversion (style plus soigné) : **They shouted insults at him, so furious were they at having been fooled** (211).

448 (c) Une construction semblable à la *forme interro-négative* (mais avec une intonation descendante) s'emploie pour des exclamations familières.

> **Isn't she pretty !** *Elle est rudement jolie !* (sens très voisin de : She's very pretty, isn't she ?).
> **Doesn't he look cross !** *Il a l'air drôlement en colère !*
> **Wasn't it a good idea !** *Ça a été une rudement bonne idée !*
> **Wasn't she mad !** *Elle était joliment furieuse !*

La négation est parfois omise (américanisme).

> **Was I scared !** *J'ai eu une de ces peurs !*
> **Was I glad to see her !** (Erich Segal). *J'étais rudement content de la voir !*

(d) La tournure familière (et rare) « *if +* **forme négative de to be** *+* **adjectif** » exprime la surprise.

> **She exclaimed, 'If that isn't just too lovely !'** (A. Christie). *Elle s'écria : « Ma parole, qu'est-ce que c'est joli, ça ! »* (cf. 449, d).

---

2. — EXCLAMATION PORTANT SUR UN VERBE

449   On peut la construire avec *how* (ou *how much*), parfois avec *so much*. On comparera les exemples donnés avec les constructions étudiées ci-dessus.

(a) *Construction avec how* (ou *how much*, qui insiste plus sur l'intensité de l'action).

> **How he snores !** *Comme il ronfle !*
> **How they laughed when I told them the story !** *Comme ils ont ri quand je leur ai raconté l'histoire !*

232

(b) *Construction avec so much.*

> **They laughed so much** ! (so much that people stared at them).

« **I love you so** » (au lieu de « **so much** ») est un archaïsme (mais cette expression a été reprise dans des chansons populaires modernes).

(c) Construction semblable à la *forme interro-négative :* le ton est familier, parfois moqueur.

> **Didn't they laugh** ! *Ils ont bien ri !*
> **Hasn't he grown** ! *Comme il a grandi !*
> **Doesn't time fly** ! *Comme le temps passe !* (synonyme de la tournure emphatique : **Time does fly**).
> **Didn't he let everybody know that he had been promoted** ! *Ah, il n'a laissé personne ignorer qu'il était monté en grade !*
> **Didn't he scream when the dentist asked him to open his mouth** ! *Il a poussé de ces cris quand le dentiste lui a demandé d'ouvrir la bouche !*
> **Don't I know** ! *A qui le dites-vous !*

Sans négation (mais ce n'est pas un américanisme, cf. 448).

> **What did I tell you** ! *Qu'est-ce que je vous disais !* (= N'est-ce pas que j'avais raison ?).

Voir aussi 280 (dernier exemple).

(d) « *If + verbe à la forme négative* » (familier, assez rare).

> **Well, if I haven't left my umbrella in the train** ! *Voilà-t-il pas que j'ai laissé mon parapluie dans le train !* (cf. 448, d).

---

3. — EXCLAMATION PORTANT SUR UN NOM

Elle peut se construire avec *what* ou avec *such*, que le nom soit seul ou accompagné d'un adjectif.

450 (a) *Construction avec what :* les noms dénombrables singuliers (564) sont précédés de l'article indéfini. Comme pour les exclamations commençant par *how*, il n'y a pas d'inversion (comparer l'ordre des mots en anglais et en français dans le premier exemple).

> **What a pretty garden your neighbour has** ! *Quel joli jardin a votre voisin !*
> **What a liar he is** ! *Quel menteur !*
> **What holidays we had together** ! *Quelles vacances nous avons passées ensemble !*
> **What contempt he showed** ! (nom indénombrable : pas d'article). *Quel mépris il a manifesté !*

L'exclamation peut être elliptique.

> **What a treat** ! *Quel régal !*
> **What a nuisance** ! *Comme c'est agaçant !*
> **What advice** (indénombrable) **to give (to) such a young child** ! *Quels conseils à donner à un enfant si jeune !*

Exceptions : l'article s'emploie, bien que les noms soient indénombrables, dans quelques cas particuliers, avec : *pity, shame, disgrace, fuss, relief, waste, mess, shambles* et *hurry.* Voir 566.

> **What a pity** ! (= **What a shame** !). *Quel dommage !*

What a mess ! (= **What a shambles !**). *Quel gâchis !*
What a fuss ! *Que d'histoires !*

451 (b) *Construction avec such :* le ton de ces exclamations est le même que pour celles qui sont construites avec *so* (447). L'article indéfini s'emploie dans les mêmes cas qu'après *what* (450).

He is such a liar ! *Mon Dieu, quel menteur !*
He made such a fuss ! *Il en a fait des histoires !*
You gave me such a fright ! (ici *fright* est dénombrable : non pas la peur en général mais la frayeur ressentie à un moment précis). *Vous m'avez fait une de ces peurs !*

Dans la langue parlée on peut renforcer ces exclamations en ajoutant *ever* (**He is ever such a liar !**). Mais « ever such » est moins courant que « ever so ».

(c) Exclamation portant sur *le nombre, la quantité mesurable :* on peut construire avec *how much/how many* ou avec *what a lot of* (cette dernière construction est plus courante).

What a lot of money (= **How much money**) **he has spent !** *Que d'argent il a dépensé !*
What a lot of books (= **How many books**) **I've read !** *Que de livres j'ai lus !*

Cf. **What a load of rubbish !** (familier). *Quelles inepties !*

Avec une inversion :

How many times have I told you not to do that ! *Combien de fois ne t'ai-je pas dit de ne pas faire cela !*

452 (d) *Le nom précédé de l'article défini*, avec intonation descendante (article prononcé sur une note élevée) peut être une exclamation exprimant familièrement *l'indignation.*

The swine ! (plus grossier : **The bastard !**). *Quel cochon ! Quelle canaille !*
The cheek ! (= **The cheek of it !**). *Quel toupet !*

(e) *Some* (accentué) s'emploie parfois dans des exclamations familières (souvent ironiques).

He's some gambler ! *C'est un fameux joueur !*
We saw Concord the other day. Some plane ! *Nous avons vu Concorde l'autre jour. Ma parole, quel avion !*
I tried to repair the engine. Some job ! *J'ai essayé de réparer le moteur. Tu parles d'un boulot !*
'**When I warned them** (= **the French) that Britain would fight on alone, whatever they did, their generals told their Prime Minister and his divided Cabinet, ''In three weeks England will have her neck wrung like a chicken''... Some chicken !... Some neck !'** (Discours de W. Churchill aux Communes).

(f) *This* et *that* s'emploient en fin de *phrase exclamative elliptique.*

A fine house, this ! (= **What a fine house this is !**) *En voilà une belle maison !*
A silly remark, that ! *En voilà une remarque idiote !*

234

(g) Noter les exclamations elliptiques :

Fire ! Help ! Murder !
You liar ! You coward ! You lazy boy !
Well, I never ! *Par exemple ! Pas possible !*

---

4. — EXCLAMATIVES INDIRECTES

453   Les propositions exclamatives, comme les interrogatives, peuvent dépendre de propositions principales. On a alors des exclamatives indirectes, qui ne sont pas suivies d'un point d'exclamation. On ne change pas l'ordre des mots, mais si le premier verbe est au passé on respecte la ***concordance des temps.***

You can guess how happy they were. *Vous pouvez deviner combien ils étaient heureux.*

I didn't know how cruel he could be. *Je ne savais pas à quel point il pouvait être cruel.*

You've no idea how angry she was. *Vous ne pouvez pas imaginer combien elle était furieuse.*

'It takes a Continental to show us how ignorant we really are' (Peter Shaffer). *Il faut quelqu'un d'outre-Manche pour nous montrer à quel point nous sommes vraiment ignorants.*

I can't tell you how shocked I was (= how much I was shocked). *Je ne peux pas vous dire à quel point j'ai été scandalisé.*

Nobody knows how much they have suffered. *Personne ne sait combien ils ont souffert.*

We all know what a liar he is. *Nous savons tous combien il est menteur.*

EXERCICES

A Transformer les phrases suivant le modèle :

She is **very** nice → (a) She is **so** nice ! (avec so ou such, suivant le cas).
               (b) **How** nice she is ! (avec how ou what, suivant le cas).
               (c) **You can't imagine how** nice she is (exclamative indirecte).

1. They have a very nice house. — 2. He worked very hard. — 3. They are very selfish. — 4. He looked very tired. — 5. He is indeed a hypocrite. — 6. He drank quite a lot of whisky. — 7. The village is very quiet. — 8. We had to solve many problems. — 9. He could be a very cruel man. — 10. He made a mess of it.

B Transformer les phrases suivant les modèles :

She **is** pretty → Isn't she pretty !
Time does fly → Doesn't time fly !

1. He did snore. — 2. They **are** funny. — 3. She did look disappointed. — 4. They **are** proud of their son. — 5. He did loathe those geography lessons. — 6. I do know what a fool he is. — 7. They did work hard. — 8. The sermon **was** a bore. — 9. They did pull his leg. — 10. We did miss our English tea.

[C] Traduire.

1. Comme ils avaient l'air heureux ! — 2. Comme il est bavard ! Quel raseur ! — 3. Il a fait une de ces colères ! — 4. Personne ne savait combien il avait été courageux. — 5. Quelle chance a votre ami de passer ses vacances en Italie ! — 6. Quel bon tour nous lui avons joué ! — 7. Il faut que vous sachiez combien il est

menteur. — 8. Quel petit paresseux ! Comme ton père sera mécontent quand il apprendra à quel point tu as été paresseux ! — 9. Nous avons eu une de ces tempêtes ! — 10. Quelle gaffe épouvantable ! Comme tout le monde se sentait gêné ! — 11. Comme nous l'avons trouvé déprimé et aigri ! — 12. Quelle nostalgie il éprouvait en écoutant ces chansons ! — 13. Ils ont bien ri quand je leur ai raconté à quel point il s'était rendu ridicule. — 14. Nous n'avons même pas pensé à les inviter, tellement nous étions surpris de les voir. — 15. Je suis allé me coucher sans dîner, tellement j'étais fatigué après ce long voyage. — 16. Que de problèmes il nous a fallu résoudre ! Que de temps nous avons perdu ! — 17. Quel beau pays que l'Irlande ! — 18. Ils avaient voyagé toute la journée. Comme ils avaient l'air fatigués ! — 19. Quel soulagement ! Comme nous étions inquiets ! — 20. Comme les livres sont chers ! Que d'argent j'ai dépensé pour des livres cette année !

24. — LE RÉGIME DES VERBES : INFINITIF OU GÉRONDIF

INTRODUCTION : LE RÉGIME DES VERBES, GÉNÉRALITÉS

454 (a) Les leçons 24 à 29 (et dans une certaine mesure aussi les leçons 44 à 51) sont consacrées au *régime des verbes*, c'est-à-dire à la nature et à la construction des éléments de la phrase que le verbe introduit.

Certains verbes se construisent parfois comme leurs équivalents français (**I want to buy a car; I want your opinion**) mais admettent aussi des constructions très différentes des nôtres (**I want you to come with me; I want this work done for tomorrow; your hair wants cutting**), alors que d'autres constructions, possibles en français, ne le sont pas en anglais (on ne peut pas traduire mot à mot : « *Je veux que vous me donniez votre opinion* »).

Pour un verbe donné les possibilités de constructions (ou *Structures*; en anglais : « *patterns* ») sont en nombre limité. Ainsi certains verbes n'admettent qu'une structure (**to resemble** ne peut être suivi que d'un complément direct d'objet), alors que d'autres (par exemple : **to like, to remember, to tell**) peuvent se construire de diverses façons selon l'idée à exprimer. Certains verbes ne sont jamais suivis d'un infinitif (**to avoid**), d'autres d'un complément direct (**to comment**), d'autres encore d'une subordonnée (**to want**).

Il est bien sûr possible de se fier à son flair, à ce que l'on a assimilé par la pratique (ou, à défaut, au hasard...), mais cette méthode, ou plutôt cette absence de méthode, ne met pas toujours à l'abri de fautes portant sur des verbes d'emploi courant. Par exemple, bon nombre d'étudiants de niveau honorable hésitent sur la construction de *to think* et de *to enjoy* en traduisant « *il croit tout savoir* » et « *cela lui ferait plaisir de tout savoir* » (**He thinks he knows everything. He would enjoy knowing everything**) et font parfois des fautes de construction quand ils doivent employer des verbes comme *to borrow, to present, to miss, to mind, to wonder, to avoid*, etc.

Une étude méthodique des structures du verbe s'impose donc si l'on veut mettre un peu d'ordre dans un domaine aussi complexe. Cette étude est d'ailleurs facilitée par le fait que les verbes de sens voisins sont souvent construits avec la même structure; par exemple, la plupart des verbes exprimant des réactions psychiques sont suivis du gérondif, alors que ceux qui expriment une volonté d'agir ou une préparation à l'action sont dans l'ensemble suivis de l'infinitif. Mais on verra qu'il y a des exceptions.

455 (b) Le verbe peut être suivi d'éléments très variés selon les cas. On distingue les structures dans lesquelles le verbe est suivi d'un autre verbe (A) de celles dans lesquelles il est suivi d'un autre élément de phrase que le verbe (B).

A. — *Verbe suivi d'un autre verbe.* Ce dernier, précédé ou non de son sujet, peut être :

    (1) *à l'infinitif complet.*
       He wants to stay here (457).
       They want me to go with them (proposition infinitive, leçon 25).

    (2) *à l'infinitif sans to.*
       Come and help wash up (405).
       They make me laugh (structure causative, leçon 27).

    (3) *au gérondif.*
       I enjoyed seeing them. I remember John telling me about it (462, 465).

    (4) *au participe présent.*
       They got talking (376).
       He kept me waiting (379).

    (5) *au participe passé.*
       He got killed in a car crash (423).
       They had a house built (structure causative, leçon 27).

    (6) *dans une subordonnée introduite par that.*
       I think / I tell you (that) he is lying (496, 499).

    (7) *dans une interrogative (ou exclamative) indirecte.*
       I wonder whether they know each other. She asked me what the time was (leçons 22 et 23).

B. — *Verbe suivi d'un autre élément de phrase qu'un verbe :*

    (1) *un complément d'objet direct.*
       I need a good dictionary (leçon 26).

    (2) *une préposition + complément indirect.*
       I'm looking for my keys (leçon 26).

    (3) *deux compléments directs (attribution + objet).*
       They gave John a gold watch (leçon 26).

    (4) *un complément direct + un complément indirect.*
       She reminded him of his promise (leçon 26).

    (5) *un attribut* (nom ou adjectif).
       He looks a fool / He looks silly. He called me a liar (leçon 26).

    (6) *un terme « résultatif »,* exprimant un mouvement ou un aboutissement, par exemple un adverbe (**They kicked him out**), un adjectif (**You'll eat yourself sick**), etc. Ce sont les structures résultatives (leçon 28).

C. — Le verbe peut aussi être employé *seul,* qu'il s'agisse d'un verbe intransitif (**She fainted. You are lying**) ou d'un verbe transitif dont le complément est sous-entendu (**I don't mind. Wait ! Look !**).

456 (c) Il faut apprendre avec soin comment construire tout verbe suivi directement d'un autre verbe. Les cas dans lesquels le second verbe est à l'*infinitif sans to* (leçon 18), au *participe présent* (leçon 17) et au *participe passé* (leçon 20) sont nettement délimités. Mais il est parfois délicat de choisir entre l'*infinitif complet* (**She deserves to win**) et le *gérondif* (**He enjoyed reading her letter**). Certains verbes sont suivis de l'infinitif ou du gérondif *indifféremment* (**to start, to intend**), d'autres *suivant le sens* de la phrase (**I must remember to post the letter / I remember posting the letter**), d'autres enfin sont *toujours* suivis du gérondif (**to enjoy, to avoid**) ou bien de l'infinitif (c'est le plus grand nombre : **to hope, to refuse, to happen, to manage**...). On verra que *l'infinitif est souvent lié à une idée de futur* (préparation à l'action, volonté d'agir), *le gérondif à une idée de passé* (évocation d'un souvenir) *ou d'atemporel* (généralités en dehors du temps, goûts permanents), mais les cas particuliers sont nombreux.

Revoir ce qui a été dit sur la souplesse de construction du gérondif (qui peut être précédé d'un possessif ou d'un sujet) : leçon 17.

Les phrases construites avec ces deux structures seront examinées en les classant selon leur sens.

1. — VOLONTÉ D'AGIR, PRÉPARATION A L'ACTION

457 (a) Les verbes exprimant que l'*on se tourne vers une action* (volonté d'agir, préparation à l'action, effort...) se construisent presque tous *avec un infinitif,* notamment : *to want, to wish, to mean, to hope, to expect, to wait, to ask, to beg, to promise, to offer, to swear, to decide, to determine, to resolve, to choose, to plan, to prepare, to arrange, to threaten, to attempt, to endeavour, to undertake, to strive, to seek* (ces trois derniers seulement dans la langue écrite).

Do you want to come with us ? *Voulez-vous venir avec nous ?*
I meant to tell you about it. *J'avais l'intention de vous en parler.*
I hope to see you there. *J'espère vous y voir.*
We expect to be back on Sunday. *Nous pensons rentrer dimanche.*
I'm waiting to be served. *J'attends qu'on me serve* (v. ci-dessous : remarque).
She asked to see the manager. *Elle demanda à voir le gérant.*
I beg to differ. *Permettez-moi de ne pas être de votre avis.*
He promised (offered) to help us. *Il a promis (offert) de nous aider.*
They swore to tell the truth. *Ils jurèrent de dire la vérité.*
We decided (ou : **determined) to do it by ourselves.** *Nous avons décidé de le faire seuls* (Avec une construction passive : **We are determined to fight to the end.** *Nous sommes décidés à lutter jusqu'au bout.* On ne dit pas « we are decided to... »).
He resolved to settle in Australia. *Il résolut de se fixer en Australie.*
They chose to ignore the warning. *Ils décidèrent de ne pas tenir compte de l'avertissement.*
We had planned to fly to Rome. *Nous avions projeté d'aller à Rome en avion.*
They arranged to start early. *Ils prirent des dispositions pour partir de bonne heure.*
''Prepare to meet thy doom''. *Prépare-toi à affronter la mort* (Avec une construction passive : **I'm quite prepared to help you.** *Je suis tout disposé à vous aider*).
They threatened to kill us. *Ils menacèrent de nous tuer.*
He attempted to escape. *Il tenta de s'évader.*
We endeavour to do our best. *Nous tâchons de faire de notre mieux.*

He undertook to finish the job by Friday. *Il s'engagea à terminer le travail pour vendredi.*

They sought to kill him (littéraire). *Ils cherchèrent à le tuer.*

Il convient de comparer à ces verbes les auxiliaires ***have to*** (nécessité) et ***ought to*** (contrainte). Dans ces deux cas aussi l'emploi de l'infinitif est lié au fait que l'on « se tourne vers une action à accomplir ». Voir aussi ***is / was to*** (122).

Pour ***to intend, to propose, to consent*** et ***to agree***, voir 459.

Remarque : noter l'emploi de « ***I can't wait + infinitif*** ».

'Oh, Mr Pulling, it's happened... I can't wait to tell Julian' (Gr. Greene). *Ah, Mr Pulling, c'est arrivé... Je meurs d'impatience de le dire à Julian.*

458 ⓑ Cependant quelques verbes exprimant une préparation à l'action se construisent *avec un gérondif : **to consider, to contemplate, to anticipate, to suggest, to advise***.

We are considering buying a caravan. *Nous envisageons d'acheter une caravane.*

She is contemplating staying there for a week. *Elle envisage d'y rester une semaine.*

They had not anticipated finding (= expected to find) **such a complex situation.** *Ils ne s'étaient pas attendus à trouver une situation aussi complexe.*

I suggest taking a taxi. *Je propose que nous prenions un taxi.*

If anyone were to come by air I would advise taking a taxi from the airport. *Si quelqu'un arrivait en avion je conseillerais de prendre un taxi pour venir de l'aéroport.*

Quand ces deux derniers verbes ont un second sujet on peut avoir les constructions suivantes :

I suggest your taking a taxi (rare dans la langue parlée, 384).

I suggest you (should) take a taxi (369).

I advise you to take a taxi (474).

To think of, exprimant un projet, est bien sûr suivi d'un gérondif.

We are thinking of going to Scotland. *Nous pensons aller en Ecosse.*

459 ⓒ Peuvent être suivis d'un *gérondif* aussi bien que d'un *infinitif : **to intend*** et ***to propose*** (le premier plus courant que le second).

They intend to sell (= **They intend selling**) **their house.** *Ils ont l'intention de vendre leur maison.*

What did he propose to do (ou : **doing**) ? *Que comptait-il faire ?*

ⓓ ***To consent*** et ***to agree*** se construisent avec un infinitif quand la phrase n'a qu'un sujet, avec un gérondif précédé de ***to*** quand elle en a deux.

They agreed (consented) to help us. *Ils acceptèrent de (consentirent à) nous aider.* (N.B. ***To accept*** ne se construit pas ainsi, v. infra).

He has agreed to John coming with us. *Il est d'accord pour que John vienne avec nous.*

He will never consent to her marrying a foreigner. *Il ne consentira jamais à ce qu'elle épouse un étranger.*

Autres constructions de ***to agree*** : Voir 496, 502 (c).

He has agreed to (= **He has accepted**) **our proposal.** *Il a accepté notre proposition.*

(e) *To try* est suivi d'un *infinitif* dans le sens de *tenter de, s'efforcer de*, et d'un *gérondif* quand il signifie : *essayer à titre d'expérience*.

> **I tried to open the door but it was locked.** *J'ai essayé d'ouvrir la porte mais elle était fermée à clef.*
>
> **Try adding a little water.** *Ajoutez un peu d'eau pour voir ce que cela donnera.*

Voir 530 (« *try and understand* »).

2. — RECUL DEVANT L'ACTION, AJOURNEMENT

460 (a) Ces notions, contraires de celles que nous venons d'examiner, s'expriment dans la plupart des cas avec un *gérondif*, notamment après les verbes : *to avoid, to put off, to postpone, to defer, to give up, to resist, to help* (dans l'expression « *I cannot help* »), *to escape, to prevent*.

> **He avoided making the same mistake again.** *Il évita de refaire la même erreur.*
>
> **We can't postpone** (plus familier : **We can't put off**) **writing to her any longer.** *Nous ne pouvons pas nous permettre de tarder plus longtemps à lui écrire.*
>
> **We shall have to defer making the decision.** *Il faudra que nous remettions à plus tard de prendre la décision.*
>
> **I'm going to give up smoking.** *Je vais m'arrêter de fumer (renoncer au tabac).*
>
> **I've given up trying to cheer him up.** *J'ai renoncé à essayer de lui remonter le moral.*
>
> **He resisted being bribed.** *Il ne se laissa pas corrompre.*
>
> **I couldn't help** (= resist) **telling him what I thought.** *Je n'ai pas pu m'empêcher de lui dire ce que je pensais.*
>
> **He just escaped being killed.** *Il a bien failli être tué.*
>
> **There is nothing to prevent our doing so** (dans une langue plus familière : **to prevent us doing so**, ou : **to prevent us from doing so**). *Rien ne peut nous empêcher d'agir ainsi.*
>
> **You can't prevent me from going there.** *Vous ne pouvez pas m'empêcher d'y aller.*

461 (b) C'est l'*infinitif* que l'on emploie après : *to refuse, to hesitate, to omit, to pretend, to fail*. Pour to *forget*, voir 465.

> **He refused to answer.** *Il refusa de répondre.*
>
> **We hesitated to tell her the truth.** *Nous avons hésité à lui dire la vérité.*
>
> **They had omitted to warn her.** *Ils avaient omis de la prévenir* (cf. *to fail*, § 32).
>
> **He pretends to be very busy.** *Il fait semblant d'être très occupé.*

(c) *To neglect* peut être suivi d'un infinitif ou, plus rarement, d'un gérondif.

> **He neglected to thank them** (plutôt que : **thanking them**). *Il négligea de les remercier.*

462   Certains verbes exprimant ces notions ne se construisent qu'avec un gérondif, d'autres avec un gérondif ou un infinitif selon le sens de la phrase.

(a) Sont suivis d'un *gérondif*, jamais d'un infinitif : *to enjoy, to mind, to resent, to object to, to miss, cannot stand.* Le second verbe peut être précédé de son sujet ou d'un possessif (mais le gérondif est employé seul quand le sujet du premier verbe s'applique aussi au second : **I enjoyed seeing them**, et non : « my seeing them »).

We enjoyed seeing them again. *Nous avons eu plaisir à les revoir.*

I enjoyed my friends coming with us. *Cela m'a fait plaisir que mes amis viennent avec nous.*

I enjoyed their (langue familière : **them**) **coming with us.** *Cela m'a fait plaisir qu'ils viennent avec nous.*

Would you mind opening the window ? *Cela vous ennuierait-il d'ouvrir la fenêtre ?* (Ce verbe s'emploie surtout aux formes interrogative et négative).

Would you mind not smoking ? *Cela vous ennuierait-il de ne pas fumer ?*

You don't mind John coming with us, do you ? *Cela ne vous ennuie pas que John vienne avec nous, n'est-ce pas ?*

Do you mind my (plus couramment dans la langue parlée : **me**) **smoking ?** *Cela vous dérange-t-il que je fume ?* (Quand on n'a pas encore commencé à fumer on demande couramment : **Do you mind if I smoke ?**)

He resents being called Bobby. He resents us (langue soignée : **our**) **calling him Bobby.** *Cela l'irrite qu'on l'appelle Bobby.*

I object to being treated like a child. *Cela me déplaît qu'on me traite comme un enfant.*

Her mother objects to her wearing a mini-skirt. *Cela déplaît à sa mère qu'elle porte une mini-jupe.*

We missed having the use of our car. *Cela nous a manqué de ne pas avoir notre voiture.*

He can't stand being kept waiting. *Il a horreur qu'on le fasse attendre.*

I can't stand people shouting. *J'ai horreur que l'on crie.*

Remarques : (1) Ces verbes peuvent aussi être *suivis d'un nom* (gérondif = nom verbal) : **I enjoyed the film. Do you mind my cigar ? He resented my remark. We object to his behaviour. I miss my English breakfast. She can't stand bad manners.**

(2) Autres constructions de *to enjoy* et *to mind* :

We enjoyed ourselves (= we had a nice time). *Nous nous sommes bien amusés.*

Mind you don't fall. *Faites attention de ne pas tomber.*

I don't mind (complément sous-entendu). *Cela ne me dérange pas.*

Voir aussi 502, c (« **Enjoy !** »).

463 (b) Les verbes *to like, to love, to dislike, to hate, to loathe, to prefer* et l'expression *cannot bear* sont suivis d'un *infinitif* quand ils expriment des *réactions en présence d'actions précises.*

Would you like to go for a walk now ? *Aimeriez-vous aller vous promener maintenant ?*

I'd love to see a ballet. *J'aimerais beaucoup voir un ballet* (remarquer que ces deux phrases sont au conditionnel).

I hate to tell you this but I feel I must. *Il m'est désagréable de vous dire cela mais je crois qu'il le faut.*

I can't bear to hear you speak like this. *Je ne puis supporter de vous entendre parler ainsi.*

If you prefer to stay here (rather than come with us), just tell us. *Si vous préférez rester ici (plutôt que de venir avec nous), vous n'avez qu'à nous le dire* (infinitif sans **to** après **rather than**, 407).

Ces mêmes verbes sont généralement suivis d'un *gérondif* (mais aussi parfois d'un infinitif, surtout en américain) quand ils expriment des *réactions habituelles*, des goûts constants.

I like taking a walk before breakfast. *J'aime faire une promenade avant le petit déjeuner.*

I loathe waiting. *J'ai horreur d'attendre.*

He can't bear seeing his pupils lazy and disobedient. *Il ne peut pas supporter de voir ses élèves paresseux et désobéissants.*

I prefer driving my own car to travelling by train. *Je préfère être au volant de ma voiture plutôt que de voyager par le train* (le second gérondif est introduit par **to**, comme dans : **I prefer tea to coffee**). Voir aussi 118 (**« would rather »**).

Remarque : ces verbes se construisent aussi avec une *proposition infinitive* (477, 479).

---

4. — EXCUSES, AVEUX, SOUVENIRS

464 (a) Se construisent avec un *gérondif* (ou avec un *nom*) : **to forgive, to excuse, to admit, to confess to, to acknowledge, to own up to, to deny.**

Forgive me (langue soignée : my) asking you this question. *Excusez-moi de vous poser cette question* (aussi : **Forgive me for asking...**).

Please excuse me (langue soignée : my) being late. *Veuillez m'excuser d'être en retard* (on dit aussi : **Excuse me for being late. I'm sorry for being late. I'm sorry to be late. I'm sorry I'm late,** 684).

He admitted having stolen (ou : **stealing**) **the jewels.** *Il avoua avoir volé les bijoux* (aussi dans une langue plus soignée : **He admitted to stealing the jewels**).

They confessed to having stolen (ou : **to stealing**) **the car.** *Ils avouèrent avoir volé la voiture* (plus familier : **they owned up to having stolen...,** ou : **to stealing...**).

They acknowledged having planned to assassinate the President (langue soignée). *Ils reconnurent avoir projeté d'assassiner le Président.*

He denies being a member of the party. *Il nie être membre du parti.*

On dit aussi, avec des subordonnées : **He admitted he had stolen... They confessed they had stolen... They acknowledged they had planned... He denies that he is...**

465 (b) **To regret, to remember** et **to forget** se construisent avec un *gérondif* pour évoquer un souvenir (donc idée de passé), ou avec un *infinitif* pour exprimer une action qui reste à accomplir (donc idée de futur).

I regret going there by car. *Je regrette d'y être allé en voiture* (917).

I regret to tell you that it's too late. *Je regrette d'avoir à vous dire qu'il est trop tard.* (Cette construction ne s'emploie que dans des formules polies de ce genre).

242

I remember posting the letter last night. *Je me rappelle avoir mis la lettre à la poste hier soir.*

I must remember (= **I must not forget**) **to post this letter.** *Il ne faut pas que j'oublie de mettre cette lettre à la poste.*

I shall always remember (= **never forget**) **you** (langue soignée : **your**) **calling me a coward.** *Je n'oublierai jamais que vous m'avez traité de lâche.*

On dit aussi, avec des subordonnées : **I regret that I went... I remember that I posted... I shall never forget that you called me...** (équivalent de la construction avec un gérondif).

---

5. — DÉBUT, CONTINUATION ET FIN DE L'ACTION

466   Certains verbes exprimant ces notions ne se construisent qu'avec un gérondif, d'autres avec un gérondif ou un infinitif. En fait la forme en *-ing* peut aussi être considérée ici comme un participe présent et les verbes comme des auxiliaires d'aspect puisqu'ils précisent à quelle phase de son déroulement on envisage l'action.

(a) Sont **suivis d'un gérondif** (et non d'un infinitif) : **to stop, to finish, to leave off, to have done, to go on, to keep (on), to quit** (surtout américain) et **to burst out** (avec *laughing*, et plus rarement *crying*).

> **Stop complaining.** *Cesse de te plaindre* (voir remarque ci-dessous).
> **I haven't finished reading that book yet.** *Je n'ai pas encore fini de lire ce livre.*
> **Leave off biting your nails.** *Arrête de te ronger les ongles.*
> **Has she done crying ?** *A-t-elle fini de pleurer ?*
> **I hope it won't go on** (= **keep**) **raining all day.** *J'espère qu'il ne va pas continuer à pleuvoir toute la journée.*
> **They kept (on) hoping everything would be all right.** *Ils continuèrent à espérer que tout irait bien.*
> **Keep smiling.** *Gardez le sourire.*
> **Will you quit grumbling ?** (amér.) *Allez-vous cesser de rouspéter ?*
> **They burst out laughing when he came in.** *Ils ont éclaté de rire quand il est entré.*

Remarques : (1) Ne pas confondre « **I stopped reading my paper** » *(je me suis arrêté de lire mon journal)*, phrase où est exprimée la fin d'une action, et : « **I stopped to read my paper** » *(je me suis arrêté pour lire mon journal)*, phrase dans laquelle l'infinitif *to read*, synonyme de « in order to read », exprime un but. Dans la seconde phrase un gérondif (ou un nom) est sous-entendu après stopped (par exemple : walking, my work...). On peut combiner les deux constructions dans la même phrase : **I stopped working to have a cup of tea.** *Je me suis arrêté de travailler pour prendre une tasse de thé.*

(2) Comparer de même : **He went on speaking** *(il continua à parler)* et : **He went on to speak of the Ku-Klux-Klan** *(il se mit ensuite à parler du Ku-Klux-Klan).*

467 (b) Sont **suivis d'un gérondif ou d'un infinitif : to begin, to start, to continue, to cease.**

Après **to begin** et **to start** les verbes exprimant des actions involontaires (en particulier des activités mentales ou des sensations : **to understand, to realize, to feel...**) sont à l'*infinitif.*

I began learning (ou : **to learn**) **Russian when I was 10.** *J'ai commencé à apprendre le russe à l'âge de 10 ans.*

He began wasting (ou : **to waste**) **his money.** *Il s'est mis à gaspiller son argent.*

He began to realize (et non : realizing) **how foolish he had been.** *Il commença à prendre conscience de la bêtise qu'il avait faite.*

It started to rain (= **It started raining**) *Il se mit à pleuvoir.*

Mais, à la forme progressive, pour éviter les deux formes en *-ing* : **It's beginning to rain** (et non : « raining »).

How long will you continue working (= **to work**) ? *Combien de temps allez-vous continuer à travailler ?*

Noter les expressions de sens négatif emphatique :

I don't begin to understand. *Je n'y comprends absolument rien.*

She doesn't begin to realize how serious the situation is. *Elle n'a aucune idée de la gravité de la situation.*

---

6. — GÉRONDIF A SENS PASSIF

468   Un gérondif à sens passif s'emploie après **to need, to want** (même sens, plus courant), **to require, to deserve** et l'expression **won't bear** (voir aussi 696, l'adjectif **worth**).

Your hair wants cutting. *Vous avez besoin de vous faire couper les cheveux* (littéralement : « vos cheveux ont besoin d'être coupés »).

His French needs brushing up. *Son français a besoin d'être rafraîchi.*

This plant requires looking after carefully. *Cette plante exige qu'on s'en occupe avec soin.*

Their efforts (sujet neutre) **deserve rewarding** (on dit aussi, très couramment : **deserve to be rewarded**). *Leurs efforts méritent d'être récompensés.*

His language won't bear printing. *Son langage est indigne d'être imprimé* (comparer avec « can't bear », 463).

---

7. — DIVERS

469 (a) Quelques verbes construits avec un *infinitif* :

to happen, to chance (142) :

I happened to be in London at the time. *Je me trouvais à Londres à cette époque-là.*

I never chanced (plus soigné que : « happened ») **to meet him.** *Je n'ai jamais eu l'occasion de le rencontrer.*

to afford (conjugué avec **can**) :

I can't afford to buy a house. *Je ne peux pas me permettre d'acheter une maison* (je ne suis pas assez riche pour...).

to deserve :

You (sujet personnel) **deserve to win.** *Vous méritez de gagner* (comparer avec l'emploi du § 468).

244

to prove, to turn out :

He proved to be a coward. *Il se révéla être un lâche.*
She turned out to be Sir Winston's cousin. *On apprit qu'elle était la cousine de Sir Winston.* (Voir aussi 500).

to seem, to appear :

He seemed to expect an invitation. *Il semblait s'attendre à une invitation.*
There appears to be a mistake. *Il semble qu'il y ait une erreur.*

to learn :

You should learn to drive. *Tu devrais apprendre à conduire* (idée de réflexes à acquérir; voir aussi 445).

to stand, dans les expressions :

He stands to lose. *Il risque de perdre.*
He stands to win. *Il a des chances de gagner.*

to dare, to need : voir 93 à 96 et 99.

N.B. *to allow, to enable, to permit* et *to lead* ne sont jamais suivis directement d'un autre verbe à l'infinitif. Il faut un complément entre les deux verbes.

Cela permet de conclure que... **This enables us (me, one...) to conclude that...**
Elle ne permet pas de fumer dans son salon. **She doesn't allow people to smoke** (ou : **she doesn't allow smoking**) **in her sitting-room.**
Cela conduit à agir en égoïste. **That leads one (us, people...) to behave selfishly.**

470 (b) Quelques verbes construits avec un *gérondif* :

to risk :

You'll risk breaking your leg. *Vous risquerez de vous casser une jambe.*

to imagine, to fancy (exclamatif) :

Can you imagine Fred riding a horse ? *Pouvez-vous vous représenter Fred à cheval ?*
Fancy meeting you here ! *Vous ici ! Par exemple ! (Quelle surprise de vous rencontrer ici !)*
Fancy you (plus courant que : **your**) **reading the Times !** *Tiens, vous lisez le Times !* (comme c'est surprenant !)

to practise :

You ought to practise writing with your left hand. *Vous devriez vous entraîner à écrire de la main gauche.*

to report :

He reported having seen it. *Il signala l'avoir vu* (cf. **He admitted having seen it** ≠ **he denied having seen it**, 464).

to understand :

We can't understand her behaving like that. *Nous ne comprenons pas qu'elle se conduise ainsi.*

to allow : voir 469 et 476.

Remarque : C'est le gérondif qu'on emploie, après une préposition, pour exprimer *un motif (to apologize for, to reproach someone with* ou *for, to accuse someone of, to congratulate someone on...).* Voir 893.

He apologized for being late. *Il s'excusa d'être en retard.*

471 (c) **To think** se construit avec un **infinitif** dans le sens de « to expect » (langue écrite soignée).

> **We never thought to see her there.** *Nous ne nous attendions pas à la trouver là* (On dit beaucoup plus couramment, avec une subordonnée : **We never thought we'd see her there.** Ou on se sert de **to expect** : **We never expected to see her there**).

On emploie **to think of** + **gérondif** dans le sens de « to consider the idea of » et dans celui de « not to forget ».

> **We are thinking of going to Scotland next summer.** *Nous pensons aller en Ecosse l'été prochain* (= *nous envisageons d'aller...*).
> **Did you think of bringing your camera ?** *Avez-vous pensé à apporter votre appareil photo ?*

Dans le sens de « to believe » il est suivi d'une **subordonnée**, jamais d'un infinitif.

> **He thinks he is right.** *Il croit avoir raison.*

Voir aussi 497, remarque 3.

(d) Pour l'expression du succès **(to succeed, to manage)** et de l'échec **(to fail)**, voir 138 et 139.

> **8. — TABLEAU DES PRINCIPAUX VERBES SUIVIS DE L'INFINITIF OU DU GÉRONDIF**

472

	INFINITIF	GÉRONDIF
1. — VOLONTÉ D'AGIR, PRÉPARATION A L'ACTION	want, hope, expect, promise, offer, plan, decide, prepare, threaten, attempt try (tentative)	consider, contemplate, anticipate try (expérience)
	intend	
2. — RECUL DEVANT L'ACTION, AJOURNEMENT	refuse, hesitate, pretend	avoid, put off, give up, (can't) help, prevent
3. — RÉACTIONS PSYCHIQUES, PRÉFÉRENCES	 [(dis)like, love, hate, prefer] + actions précises	enjoy, mind, resent, object to, cannot stand [(dis)like, love, hate, prefer] + goûts constants
4. — EXCUSES, AVEUX, SOUVENIRS	 [regret, remember, forget] + action restant à accomplir	forgive, excuse, admit, confess to, deny [regret, remember, forget] + souvenir évoqué

	INFINITIF	GÉRONDIF
5. — DÉBUT, CONTINUATION, FIN DE L'ACTION		stop, finish, keep (on), go on, quit
	begin, start, continue	
6. — DIVERS	seem, happen, deserve, (can) afford, need, fail, manage	[want, need, deserve] + gérondif à sens passif; succeed in, think of

EXERCICES

[A] Mettre les verbes entre parenthèses à l'*infinitif* ou au *gérondif* :
1. We could not avoid (meet) him occasionally. — 2. I had meant (tell) you about it yesterday. — 3. Did he expect (see) them at the party ? — 4. He intends (learn) (play) the clarinet. — 5. We had contemplated (stay) in the Isle of Skye for a few days. — 6. We had planned (stay) in the Isle of Skye for a few days. — 7. Did you enjoy (watch) the match ? — 8. We never expected (be) given so many presents. — 9. I suggest (give) up the idea of it. — 10. They pretended (be) asleep. — 11. He refused (say) what he knew. — 12. He had to admit to (tell) us lies. — 13. I didn't mean (hurt) his feelings. — 14. I don't mind (wait) a few minutes, but I resent (be) kept waiting half an hour. — 15. They deserve (be) happy. — 16. Your tie wants (clean). — 17. He doesn't want (have) anything to do with it. — 18. They are considering (settle) in Australia. — 19. We hesitate (take) a decision while he is away. — 20. I enjoyed (have) a long chat with him. — 21. They are contemplating (buy) a house. — 22. He promised (do) his very best. — 23. They intend (leave) on Saturday. — 24. Would you mind not (smoke) ? — 25. He resents (be) treated like a child. — 26. We hope (spend) the week-end in the Lake District. — 27. We are considering (spend) the week-end in the Lake District. — 28. We have planned (spend) the week-end in the Lake District. — 29. We intend (spend) the week-end in the Lake District. — 30. We shall enjoy (spend) the week-end in the Lake District.

B Transformer les phrases suivant les modèles :
(a) You must not be too noisy. → You must *avoid being* too noisy.
1. We shouldn't upset her. — 2. Don't waste your time. — 3. They lied to their father so as not to be punished. — 4. We mustn't make him feel that we've ignored him. — 5. Don't discuss politics with him. — 6. He was living in a small village so as not to be arrested by the Germans. — 7. They shouldn't show their children that they don't get on well. — 8. They should not operate on him because he has a weak heart. — 9. Don't get into trouble with the police. — 10. They advised us not to drink water in that country.
(b) Do you mind if I smoke ? → *Do you mind me smoking ?* (plus soigné : *my smoking ?*).
1. Do you mind if we stop for a rest ? — 2. Do you mind if John comes with us ? — 3. Do you mind if they attend your lecture ? — 4. Do you mind if I use your telephone ? — 5. Do you mind if we take Judith to the dance ? — 6. Do you mind if I borrow your bicycle ? — 7. Do you mind if the party is postponed till next week ? — 8. Do you mind if I don't go with you ? — 9. Do you mind if he doesn't come with us ? — 10. Do you mind if Peter doesn't have his holidays with us this year ?
N.B. Voir aussi leçon 47, exercice C.

(c) I shall be glad to see them again → *I shall enjoy seeing* them again.
1. He was glad to go to the theatre with her. — 2. I was glad to hear them play that sonata. — 2. Will you be glad to camp in Corsica ? — 4. I'm sure you'll be glad to hear what he said about you. — 5. I shall be glad to have her stay with us in July. — 6. They were glad to hear you tell them about your adventures. — 7. We were not at all glad to go to their party. — 8. Were they glad to hear from him ? — 9. We shall be glad not to have to get up early tomorrow. — 10. He was very glad to be in England again.

(d) I used to smoke cigars → *I've given up smoking* cigars.
1. We used to read the Times. — 2. He used to collect stamps. — 3. They used to have an English breakfast. — 4. We used to travel together. — 5. She used to play the piano. — 6. I used to drive to my office. — 7. We used to invite them. — 8. Her husband used to drink whisky. — 9. I used to talk politics with him. — 10. We used to go to the horse-races.

(e) Your hair ought to be cut → Your hair *wants (= needs) cutting.*
1. My raincoat ought to be cleaned. — 2. My watch ought to be seen to. — 3. This chapter has to be rewritten. — 4. Nylon shirts don't have to be ironed. — 5. This machine ought to be oiled. — 6. Those boys ought to be caned. — 7. This plan ought to be thought over. — 8. This play has to be rehearsed for months. — 9. This plant has to be watered very often. — 10. Their children ought to be looked after.

[C] Mettre les verbes entre parenthèses à l'infinitif ou au gérondif :
1. I think you had better stop (quarrel). — 2. I think we had better stop (have) a cup of tea — 3. They started (wonder) whether he was deceiving them. — 4. I began (understand) how she had felt. — 5. He began (cry) quietly. — 6. They are beginning (learn) Latin. — 7. Do you remember (meet) Mr Henderson ? — 8. You must remember (introduce) me to Mr Henderson tomorrow. — 9. Have you ever tried (teach) a parrot to talk ? — 10. They kept (punish) him, but he did not seem to mind (be) punished and he went on (misbehave), so I advised them (try) not (punish) him for a change. — 11. He didn't even stop (ask) how she was. — 12. They never stop (complain). — 13. Do you remember (lock) the door ? — 14. Did you remember (lock) the door ? — 15. I'd like (have) a bath before I go to bed. — 16. We all like (have) tea on the lawn in summer. — 17. It went on (rain) for five days. — 18. After analysing all our difficulties he went on (examine) the various ways to face them. — 19. I tried (make) him realize that he was wrong, but he would not listen to me. — 20. After vainly trying (make) myself understood in half a dozen foreign languages, I tried (speak) to them in my native tongue and found to my surprise that they understood French.

[D] Exprimer la même idée en employant le verbe donné entre parenthèses :
1. They told us not to bang the doors (to avoid). — 2. Please don't smoke (to mind). — 3. They intend to get married (to think). — 4. I used to try and help him (to give up). — 5. They managed to open the safe (to succeed). — 6. He doesn't want to be treated like a foreigner (to resent). — 7. I was glad to go to the opera with her (to enjoy). — 8. Whatever you do, don't discuss politics with him (to avoid). — 9. We have planned to buy a caravan (to consider). — 10. Please help me (to mind). — 11. He used to read the Observer every Sunday (to give up). — 12. The car ought to be washed (to want). — 13. We shall be glad to be in Scotland again (to enjoy). — 14. He tried not to answer their questions (to avoid), he would not answer their questions (to refuse). — 15. May I use your telephone ? (to mind).

[E] Traduire :
1. Cela nous a fait plaisir que vous jouiez avec nous. — 2. Je ne sais pas quoi faire pour empêcher que les oiseaux mangent nos fruits. — 3. J'espère que cela ne lui

fait rien que nous rentrions tard ce soir. — 4. Nous ne pouvons pas nous empêcher de rire quand nous le voyons. — 5. Cela l'irrite qu'on le considère comme un étranger. — 6. Cela ne vous fait rien que je vous appelle Ken, n'est-ce pas ? — 7. Nous avons renoncé à chercher un appartement et nous nous proposons d'acheter une maison. — 8. Il a nié avoir reçu la lettre. — 9. J'ai eu grand plaisir à passer ce dimanche à la campagne. — 10. Cela ne me fait rien d'attendre, mais je propose que nous attendions à l'intérieur. — 11. Cela t'a fait plaisir que Grand-mère te raconte cette histoire ? — 12. Je reconnais m'être trompé mais je nie vous avoir menti. — 13. S'il continue à se conduire ainsi il risque de perdre sa place. — 14. Elle adore qu'on lui dise qu'elle est jolie. — 15. Vous rappelez-vous lui avoir posé cette question ? — 16. Votre manteau a besoin d'être brossé. — 17. J'ai horreur qu'on me dise ce que je dois faire. — 18. A-t-il vraiment renoncé à fumer et à boire ? — 19. Ils attendent qu'on leur donne des ordres. — 20. Cela lui déplaît d'avoir à cirer ses chaussures lui-même. — 21. Je me rappelle lui avoir donné dix dollars. — 22. Vous êtes-vous rappelé que vous deviez lui téléphoner ? — 23. Je regrette de lui en avoir parlé. — 24. Je regrette d'avoir à vous dire que je ne suis pas d'accord avec vous. — 25. Qu'aimeriez-vous faire maintenant ? — 26. Je n'aime pas qu'on me dérange quand je travaille. — 27. Nous préférons jouer de la musique plutôt que de l'écouter. — 28. Préféreriez-vous aller au cinéma ? — 29. Je n'oublierai jamais qu'il a dit que j'avais triché. — 30. J'ai horreur d'être en retard. — 31. Ils envisagent de passer trois semaines en Irlande. — 32. Cela vous ennuierait-il de me traduire cette lettre ? — 33. J'aime jouer aux échecs. Aimeriez-vous jouer avec moi ? — 34. Comment pourrions-nous l'empêcher de faire cette erreur ? — 35. Je ne puis m'empêcher de penser que vous le regretterez quand il sera mort. — 36. Veuillez m'excuser de ne pas vous accompagner. — 37. Ils ont accepté de nous prêter l'argent dont nous avons besoin. — 38. Ils ont enfin consenti à ce que John achète une moto. — 39. Evitez de le taquiner, il est très susceptible. — 40. Ils veulent m'empêcher de dire ce que je pense.

25. — LA PROPOSITION INFINITIVE

473   On a étudié (§ 397) la proposition infinitive introduite par *for* ne dépendant pas d'un verbe (**I've brought this book for you to read. That was a silly thing for him to say. Is it possible for life to exist on Mars ?**). La proposition infinitive dépendant d'un verbe est d'un emploi très courant, au passif comme à l'actif pour un grand nombre de verbes.

● *A l'actif* le mot qui sépare les deux verbes est sujet du second, mais il a la forme d'un complément (**They wanted us to wait.** Le sujet de *to wait* est *us*, et non « we »). La formule de cette structure est donc :
   « *sujet + verbe + complément d'objet + infinitif complet* ».
● *Au passif* le sujet unique est en tête de phrase (**They told us to wait** devient au passif : **We were told to wait**), d'où la formule :
   « *sujet + verbe passif + infinitif complet* ».

Chacune des deux propositions (principale et infinitive) peut comporter une *négation*. Comparer :

   He didn't ask us to come. *Il ne nous a pas demandé de venir.*
   He asked us not to come. *Il nous a demandé de ne pas venir.*
   He didn't ask us not to come. *Il ne nous a pas demandé de ne pas venir.*

Rappelons que la forme négative de l'infinitif *to come* est *not to come* (cf. « to be or not to be »).

L'infinitif, qu'il soit accompagné ou non d'une négation, se réduit parfois à la particule *to (to anaphorique)* dans une construction elliptique (176).

He wanted to smoke his pipe, but she asked him not to. *Il voulait fumer sa pipe, mais elle lui a demandé de ne pas le faire.*

Shall I drive you home ? — I'd love you to. *Je vous reconduis en voiture ? — J'en serais ravie.*

Don't put your bread on the cloth, you're not supposed to. *Ne mets pas ton pain sur la nappe, cela ne se fait pas.*

Les verbes qui peuvent être suivis d'une proposition infinitive peuvent être classés en 4 catégories suivant leurs sens. On examinera dans quels cas la construction au *passif* est possible.

---

1. — INVITATION A L'ACTION

474   La proposition infinitive se rencontre après de nombreux verbes exprimant une *invitation à faire une action* (ou à ne pas la faire si l'infinitif est négatif). A l'actif la construction est voisine du français. La construction passive, souvent impossible en français, est très courante.

(a) Principaux verbes de cette catégorie : *to invite, to tempt, to encourage* (alors que *to discourage* se construit avec *from* + gérondif), *to persuade* (alors que *to dissuade* se construit avec *from* + gérondif), *to lead, to induce, to decide* (avec un sujet neutre), *to advise, to warn, to tell, to ask, to order, to beg, to require, to request, to entreat, to urge, to press, to implore, to instruct, to plead with, to motion, to beckon, to dare, to challenge.*

They've invited us to go and see them. *Ils nous ont invités à aller les voir.*

The fine weather tempted us to go out. *Le beau temps nous incita à sortir.*

Do persuade her to come with us. *Je vous en prie, persuadez-la de nous accompagner* (N.B. *To convince* ne se construit pas ainsi. Voir 485, remarque 4).

What led you to think so ? *Qu'est-ce qui vous a amené à penser cela ?*

What ever induced him to give up the attempt ? *Qu'est-ce qui a bien pu l'inciter à abandonner cette tentative ?*

That decided me to alter my plan. *Cela m'a décidé à changer mon projet.*

I advised him not to buy a second-hand car. *Je lui ai conseillé de ne pas acheter une voiture d'occasion* (aussi : **I advised him against buying...**).

The villagers warned him not to go there by himself. *Les gens du village lui déconseillèrent d'y aller seul* (aussi : **warned him against going...**).

They told us to come early. *Ils nous ont dit de venir de bonne heure* (noter l'américanisme : **They said for us to come early;** cf. 478, remarque 2).

He asked me not to tell anybody about it. *Il m'a demandé de n'en parler à personne* (N.B. Quand le complément de *to ask* est neutre, il est généralement introduit par *for* et l'infinitif est presque toujours passif : **He asked for his gallant behaviour during the war to be taken into account.** *Il demanda que l'on tînt compte de sa conduite héroïque pendant la guerre).*

She begged them not to leave her alone. *Elle les supplia de ne pas la laisser seule.* (= **She pleaded with them not to leave...,** ou moins couramment : **She entreated them not to leave...).**

She requested them to stop making such a noise. *Elle les pria de cesser de faire tout ce bruit.*

They urged the peasants to rebel. *Ils poussèrent les paysans à se révolter.*
The manager instructed him to deal with the matter. *Le directeur le chargea de régler cette question.*
She motioned him (ou : **to him**) **to shut the door.** *Elle lui fit signe de fermer la porte.*
He beckoned them (ou : **to them**) **to come in.** *Il leur fit signe d'entrer.*
He challenged me (= **He dared me**) **to dive from the pier.** *Il m'a mis au défi de plonger du haut de la jetée.*

475 (b) La même construction s'emploie avec des verbes exprimant que l'*on favorise une action*, qu'on la rend possible : *to teach, to allow, to enable, to permit, to remind, to help, to leave.*

Her husband taught her to drive. *Son mari lui apprit à conduire* (on dit aussi, moins couramment : **Her husband taught her how to drive.** C'est cette dernière construction, avec *how to*, que l'on emploie quand il s'agit d'une façon de s'y prendre plutôt que de réflexes à acquérir : **I must teach you how to use the washing-machine,** § 445).
Her parents didn't allow her to go to the dance. *Ses parents ne lui ont pas permis d'aller au bal.*
A legacy enabled them to buy their house. *Un héritage leur permit d'acheter leur maison* (Voir 469).
You must remind me to write the letter. *Vous devez me faire penser à écrire la lettre* (527).
Shall I help you to translate the letter ? (ou : **Shall I help you translate the letter ?** Voir 405). *Voulez-vous que je vous aide à traduire la lettre ?*
I'll leave you to settle all this business. *Je vais vous laisser régler toute cette affaire* (Voir 533).

476 (c) Tous ces verbes ((a) et (b)) peuvent se construire *au passif*, généralement sans complément d'agent (on traduit par « *on* + voix active »).

They were advised to wait. *On leur conseilla d'attendre.*
I was asked not to tell anybody. *On m'a demandé de n'en parler à personne.*
We were told to come early. *On nous a dit de venir de bonne heure* (Voir 524, *to be told* et *to be said*).
I was taught to drive when I was in the army. *On m'a appris à conduire quand j'ai fait mon service militaire.*
Will you be allowed to come ? *Vous permettra-t-on de venir ?*
I was reminded to phone them. *On m'a fait penser à leur téléphoner* (528).

---

2. — VOLONTÉ, ORDRES, PRÉFÉRENCES

477 La proposition infinitive s'emploie, à l'exclusion de toute proposition subordonnée (sauf exceptions rares), après des verbes exprimant *un ordre, une volonté, une interdiction, un désir*, que le sujet impose (ou aimerait imposer) à un objet. Certains de ces verbes se construisent seulement à l'actif, d'autres à l'actif et au passif. *To prefer* admet plusieurs constructions.

(a) Verbes qui ne se construisent normalement qu'*à l'actif : to want, to like, to love, to dislike, to hate, to wish, to get, to cause* (avec un sujet neutre) et l'expression *cannot bear.*

They want us to go with them (« They want that we... » est impossible).

Ils veulent que nous allions avec eux. Le complément de **want** est la proposition infinitive « us to go with them », dans laquelle **us** (malgré sa forme de complément) est sujet de **to go**. Chacun des deux verbes a donc son sujet. Mais si la phrase n'a qu'un sujet, le verbe **to want** est directement suivi d'un infinitif : **Do you want to go with them ?** *Voulez-vous aller avec eux ?* (457).

N.B. Dans la langue familière, seulement à la forme négative, **to want** est parfois suivi d'un complément + **gérondif :** **I don't want those people meddling** (= those people to meddle) **with my private affairs.** *Je ne veux pas que ces gens-là se mêlent de mes affaires personnelles.* Voir aussi 468.

> **What would you like me to do ?** *Que voudriez-vous que je fasse ?* (au conditionnel de politesse **to like** remplace **to want**; on ne dit pas « would you want... ? »).
>
> **I like children to be well-mannered.** *J'aime que les enfants soient bien élevés.*

N.B. Dans la langue familière, seulement à la forme négative, **to like** est parfois suivi d'un complément + **gérondif :** **I don't like children arguing with their parents.** *Je n'aime pas que les enfants répondent à leurs parents.*

> **She'd love you to play tennis with her.** *Elle serait ravie que tu joues au tennis avec elle.*
>
> **I hate you to behave like that.** *J'ai horreur de vous voir agir ainsi.*
>
> **Do you really wish me to go ?** (langue un peu guindée) *Souhaitez-vous vraiment que j'y aille ?* (Ce verbe ne peut être suivi d'une subordonnée qu'au subjonctif preterite ou past perfect : **I wish he weren't so lazy. I wish I hadn't bought this dictionary. I wish you would tell me the truth.** Voir 359).
>
> **You should get your brother to help you.** *Tu devrais te faire aider par ton frère* (idée de persuasion, 506).
>
> **What caused him to change his mind ?** *Qu'est-ce qui lui a fait changer d'avis ?* (plus couramment : **What made him change his mind ?** § 506).
>
> **I can't bear them to believe that I'm a liar** (langue écrite). *Je ne puis supporter qu'ils me considèrent comme un menteur.*

478 (b) Verbes se construisant *à l'actif et au passif :* to intend, to mean, to oblige, to force, to compel, to order, to forbid, to direct.

> **This is intended to be a very informal dinner.** *Il s'agit dans notre esprit d'un petit dîner sans cérémonie.*
>
> **I mean the secret to be kept.** *J'entends que l'on garde le secret.*
>
> **You aren't meant to repeat it.** *Vous n'avez pas la permission de le répéter.*
>
> **He was compelled to resign.** *Il fut obligé de démissionner.*
>
> **He was ordered to pay at once.** *On lui ordonna de payer immédiatement.*
>
> **He ordered the prisoners to be shot.** *Il fit fusiller les prisonniers* (on emploie parfois une subordonnée avec un subjonctif, 369).
>
> **They were forbidden to say a word.** *On leur interdit de dire un seul mot.*
>
> **The officer directed the troops to advance.** *L'officier donna à ses hommes l'ordre d'avancer.*

Remarques : (1) On encadre parfois le premier verbe entre **what** et **is** (**was**...) pour le mettre en relief. La proposition infinitive est alors introduite par **for**.

> **What I want is for them to be happy** (I want them to be happy). *Ce que je veux, c'est qu'ils soient heureux.*

252

(2) La préposition *for* s'emploie aussi en américain pour introduire des propositions infinitives après *to like, to love, to want, to say,* etc.

She'd love for you to play tennis with her. *Elle serait ravie que tu joues au tennis avec elle.*

"Mom says for you to take a bath before dinner" (Peanuts). *Maman dit que tu dois prendre un bain avant le dîner.*

(3) Ces constructions sont semblables à celles des §§ 474 et 475, bien qu'on ne puisse pas les traduire en français de la même façon. Comparer :

He asked me to bring my camera *(m'a demandé de).*
He told me to bring my camera *(m'a dit de).*
He wanted me to bring my camera *(voulait que je).*
He would like me to bring my camera *(aimerait que je).*

479 ⓒ *To prefer* peut se construire comme *to want* (proposition infinitive, seulement à l'actif).

Would you prefer me to stay ? *Préféreriez-vous que je reste ?*

Voir aussi 45 (citation d'A. Wesker).

Une subordonnée au subjonctif s'emploie parfois dans la langue écrite : **He preferred that the incident should not be** (ou : **were not**) **mentioned** (= **He preferred the incident not to be mentioned**). *Il préférait que l'on ne parlât pas de cet incident* (370).

Pour les autres constructions de ce verbe, voir 915.

---

3. — ATTENTE, CONFIANCE

480 ⓐ *To expect* s'emploie à l'actif et au passif.

Do they expect me to read all these books ? *S'attendent-ils à ce que je lise tous ces livres ?* (au passif : **Am I expected to read... ?**)

We expected him to make a speech. *Nous nous attendions à ce qu'il fît un discours* (au passif : **He was expected to make...**).

Quand *to expect* est employé dans son sens affaibli, très courant, synonyme de « to suppose, to think », il se construit avec une subordonnée.

I expect he thought it was a joke. *Il a sans doute cru que c'était une plaisanterie.*

Did she see us ? — I expect she did (= **I expect so**, voir 178). *Nous a-t-elle vus ? — Je crois que oui.*

ⓑ *To wait for* (+ proposition infinitive) ne s'emploie qu'à l'actif.

I'm waiting for the rain to stop. *J'attends que la pluie s'arrête.*
We are waiting for her to give us an answer. *Nous attendons qu'elle nous donne une réponse.*

Ce verbe se construit aussi *avec until :* **I'll wait until they come home.** *J'attendrai qu'ils rentrent* (On construit avec *until*, à l'exclusion de la proposition infinitive, quand les deux verbes sont à la même personne : **This book is too difficult for you, wait until you are old enough to understand it.** *Ce livre est trop difficile pour toi. Attends d'être assez grand pour le comprendre*). Voir aussi : 486, 487 (*Wait for* + complément d'objet), 457 (*I can't wait to...*).

(c) *To depend* (= *rely, count*) *on, to trust*, à l'actif et au passif.

> **You can depend on him to be there on time.** *Vous pouvez être certain qu'il sera à l'heure.*
> **We are counting** (ou : **relying**) **on him to help us.** *Nous comptons qu'il nous aidera.*
> **She may be trusted to do the work well.** *On peut être assuré qu'elle fera bien ce travail* (Voir aussi 494).

To depend, to count et **to rely** se construisent aussi avec un **gérondif** (**You can never depend on his / him being on time.** *On ne peut jamais être sûr qu'il sera à l'heure*).

---

4. — OPINION, DÉCLARATION, PREUVE

481   La proposition infinitive s'emploie (parallèlement à une subordonnée introduite par **that**, qui est plus courante dans la langue parlée) après des verbes exprimant **une opinion, une déclaration, une preuve**. L'infinitif est généralement **to be** (parfois sous-entendu, surtout à la voix active). Ces verbes se construisent souvent **au passif**.

(a) *To believe, to declare, to report, to deny, to know, to consider, to show, to prove* (et dans une langue très soignée : *to feel, to see, to find*, dans des sens voisins de *to believe*).

> **They believed him (to be) a little mad.** *On le croyait un peu fou* (on dit couramment : **They believed he was...**). **To think** est plus courant dans cet emploi (482).
> **We believe it to have been a mistake.** *Nous croyons que cela a été une erreur* (= **We believe it was...**).
> **He believes himself to be a victim of circumstances.** *Il se croit victime des circonstances.*
> **I deny this to be a true statement of the facts.** *Je nie que cela soit un compte-rendu exact des faits* (avec un seul sujet : le gérondif, 464).
> **We know it to have been a mistake.** *Nous savons que cela a été une erreur.*
> **I had never known her to laugh so much.** *Je ne l'avais jamais vue tant rire* (Voir aussi, avec un infinitif sans *to*, 402).
> **I consider him (to be) an honest man.** *Je le considère comme un honnête homme* (Pour les autres constructions de ce verbe, voir 941).
> **His new book shows him to be a first-rate novelist.** *Son nouveau livre montre que c'est un excellent romancier.*
> **His letter proves him to be still alive.** *Sa lettre prouve qu'il est encore vivant.*
> **I felt their solution to be a mistake.** *J'eus le sentiment que leur solution était une erreur.*

Exemples de constructions passives :

> **He was believed to be a little mad.** *On le croyait un peu fou.*
> **The victim is believed to have been poisoned.** *On pense que la victime a été empoisonnée.*
> **She was declared (to be) a witch.** *On la déclara sorcière.*
> **He is reported to be dead.** *On dit qu'il est mort* (ou : *Il serait mort*).
> **He was known to be fond of fishing.** *On le savait amateur de pêche.*
> **The document was proved to be genuine.** *Le document s'avéra authentique.*

254

482 (b) *To think* et *to say* ne se construisent avec une proposition infinitive qu'au passif. A l'actif ils sont suivis d'une subordonnée.

> **He was thought to be a little mad.** *On le croyait un peu fou* (A la voix active, plus courante : **They thought he was a little mad,** ou : **They thought him a little mad**).
>
> **He is said to be a miser** (said = reputed). *On le dit avare* (A l'actif : **People say he is a miser**).
>
> **Twenty German planes are said to have been shot down yesterday** (said = reported). *Vingt appareils allemands auraient été abattus hier* (Voir 524, *to be said* et *to be told*).

483 (c) *To suppose* s'emploie avec une proposition infinitive principalement au passif, dans des sens très différents.

> **Most people supposed him (to be) dead.** *La plupart des gens supposaient qu'il était mort* (plus couramment : **supposed he was dead**).
>
> **Am I supposed** (= expected) **to ring you ?** *Vous attendez-vous à ce que je vous téléphone ?* (Est-ce à moi de vous téléphoner ?).
>
> **We are not supposed** (= allowed) **to sit on the grass.** *Il n'est pas permis de s'asseoir sur l'herbe.*
>
> **You are not supposed to know that.** *Vous n'êtes pas censé savoir cela.*

I suppose s'emploie aussi (comme *I expect*) dans un sens affaibli (langue familière), suivi d'une subordonnée.

> **I suppose he won't agree.** *Je pense qu'il ne sera pas d'accord* (Il ne sera probablement pas d'accord).

Voir aussi 178, 179 (*I suppose so, I suppose not*).

EXERCICES

[A] Compléter les phrases pour exprimer un contraste entre deux volontés.

Exemple :
She wants to be an actress, but her parents... (be a nurse) → *but her parents want her to be a nurse* (proposition infinitive).

1. I want to go to a concert, but they... (go to the cinema with them). — 2. He would prefer to buy a small Italian car, but his wife... (buy a big American car). — 3. They would like to ignore us, but we... (be our friends). — 4. Our children want to hitch-hike to Italy, but we... (spend a month in an English school). — 5. He wants to sell his car, but his daughter... (give it to her). — 6. He would like to go for a walk, but we... (play bridge with us). — 7. Her husband would like to work until he is 65, but she... (retire when he is 60). — 8. They would prefer to get married now, but their parents... (wait until they have finished their exams). — 9. We would like to go to the seaside, but our children... (invite them for the weekend). — 10. Peter wanted to have another glass of whisky, but Barbara... (stop drinking).

B Transformer les phrases suivant le modèle :
Shall I help you ? → *Do you want me to* help you ?

1. Shall I make the tea ? — 2. Shall I tell you what I think ? — 3. Where shall we go ? — 4. Shall I call a doctor ? — 5. Shall I take the dog for a walk ? — 6. Shall I give you a lift to the market place ? — 7. Shall I bring my record-player ? — 8. Shall I buy you an ice-cream ? — 9. Shall we come earlier than usual ? — 10. What shall I bring you ?

[C] Transformer les phrases suivant le modèle :

They say he is a good doctor → He *is said to* be a good doctor.

1. People believed she was a witch. — 2. They say he is very cruel. — 3. People thought he had been a secret agent during the war. — 4. People believe he is the murderer. — 5. They consider he is the greatest poet of this century. — 6. They believed he had a French wife. — 7. People said he had been a sailor in his youth. — 8. Everyone knows that the Welsh are good singers. — 9. They say she was a beauty when she was a girl. — 10. They think he is very rich. — 11. Everyone knew he had spent his childhood in Australia. — 12. They say the Scots are tight-fisted. — 13. They said he could speak five languages. — 14. They believed he was a Freemason. — 15. We consider his initiative was a mistake.

[D] Traduire :

1. Nous aimerions que vous soyez de retour pour six heures. — 2. Ma mère veut que je lui écrive chaque semaine. — 3. S'attend-il à ce que nous l'aidions ? — 4. Je préférerais que vous me disiez la vérité. — 5. J'attends qu'elle me donne une réponse. — 6. A quelle heure voulez-vous que je vous réveille ? — 7. S'attendent-ils à ce que nous écrivions les premiers ? — 8. J'ai horreur de vous entendre parler ainsi. — 9. Ils n'aimeraient pas que leur fille épouse un étranger. — 10. Nous aimerions que les vacances de Noël soient plus longues. — 11. Nous attendons que la pluie s'arrête. — 12. Je ne m'attends pas à ce que vous me croyiez. — 13. Je veux que vous m'écoutiez tous très attentivement. — 14. Nous attendons qu'ils se décident. — 15. Il voudrait que tous les hommes soient heureux. — 16. Ils seraient ravis que nous les invitions. — 17. Je ne veux pas que tu sois en retard. — 18. Aimeriez-vous que je vous apprenne à conduire ? — 19. Nous préférerions que notre jardin soit plus grand. — 20. Pourquoi voulez-vous qu'il apprenne le latin ?

[E] Mettre au passif (en sous-entendant le complément d'agent), puis traduire :

1. They asked me to give my opinion. — 2. They persuaded her to change her plans. — 3. Someone advised me not to trust him. — 4. They will expect her to help the children with their lessons. — 5. People told us not to bathe in the lake. — 6. They required us to take off our shoes before entering the mosque. — 7. They advised her to rest for a few weeks. — 8. Do they expect me to make my own bed ? — 9. Did they ask you to show your passport ? — 10. Do they allow him to receive letters ?

[F] Traduire :

1. On leur a conseillé d'y aller par le train. — 2. On considère qu'il était l'homme le plus instruit de son siècle. — 3. On s'attend à ce que vous vous présentiez. — 4. On lui demanda de se décider immédiatement. — 5. On disait qu'il avait traversé la Manche à la nage à l'âge de 18 ans. — 6. Ils se croient très malins. — 7. On dit que les Ecossais sont avares. — 8. On leur apprend à ne jamais mentir. — 9. On le croyait amateur de chasse et de pêche. — 10. On les pria de ne pas toucher aux objets exposés. — 11. On s'attendait à ce qu'il présentât des excuses. — 12. On ne m'a pas dit de ne pas fumer. — 13. On leur apprendra l'anglais et le russe. — 14. On les a contraints à vendre leur maison. — 15. On la croyait divorcée. — 16. On les dit très hospitaliers. — 17. On leur a dit d'attendre dehors. — 18. On pensait qu'il était encore vivant. — 19. Ils se croient plus vertueux que leurs voisins. — 20. On dit qu'il a passé son enfance à Ceylan.

N.B. Voir aussi leçon 7, exercice F (« to anaphorique »).

26. — COMPLÉMENTS ET ATTRIBUTS

Le complément d'objet d'un verbe peut être un nom, un pronom, une proposition introduite par **what** (ce que...), une subordonnée introduite par **that**, un gérondif ou un infinitif (leçon 24), une proposition infinitive (leçon 25), une proposition interrogative indirecte (§§ 442 à 445). Le verbe peut aussi être suivi d'un attribut (adjectif ou nom), ou bien être employé seul.

1. — UN COMPLÉMENT D'OBJET DIRECT OU INDIRECT

484 La plupart des verbes suivis d'un complément d'objet se construisent comme en français. On examinera ici les principaux verbes qui se construisent différemment dans les deux langues.

(a) *Complément direct en anglais, indirect en français :* **to obey** *(obéir à),* **to answer** *(répondre à),* **to resist** *(résister à),* **to attend** *(assister à),* **to use** *(se servir de),* **to need** *(avoir besoin de),* **to approach** *(approcher de),* **to address** *(adresser la parole à),* **to enter** *(entrer dans),* **to suit** *(convenir à),* **to fit** *(aller à,* question de taille, de pointure...*),* **to mind** *(faire attention à, s'occuper de),* **to expect** *(s'attendre à),* **to enjoy** *(jouir de),* **to trust** *(faire confiance à),* **to doubt** *(douter de),* **to resemble** *(ressembler à,* moins courant que **to look like**), **to resent** *(s'offenser de),* **to board a ship, a bus, a plane** *(monter à bord de, monter dans),* **to patronize** *(se fournir chez),* etc.

> **Obey your parents.** *Obéissez à vos parents.*
> **He could not answer the question.** *Il ne put pas répondre à la question.*
> **They resisted the enemy for weeks.** *Ils résistèrent à l'ennemi pendant des semaines.*
> **Did you attend the lecture ?** *Avez-vous assisté à la conférence ?* (voir aussi 488, 489).
> **You may use a dictionary.** *Vous pouvez vous servir d'un dictionnaire.*
> **He doesn't need our advice.** *Il n'a pas besoin de nos conseils.*
> **We are approaching London.** *Nous approchons de Londres.*
> **He didn't even address me.** *Il ne m'a même pas adressé la parole.*
> **She entered the room** (= she came, ou went, into the room). *Elle entra dans la pièce* (Dans les indications scéniques, ce verbe peut s'employer au subjonctif sans complément : **Enter Lady Macbeth**).
> **Will the date suit your friends ?** *La date conviendra-t-elle à vos amis ?*
> **This coat is too loose for me, it might fit my sister.** *Ce manteau est trop large pour moi, il pourrait aller à ma sœur.*
> **Mind the step.** *Attention à la marche.*
> **Mind your own business.** *Occupez-vous de vos affaires.*
> **We did not expect so many answers.** *Nous ne nous attendions pas à un si grand nombre de réponses.*
> **She enjoys good health.** *Elle jouit d'une bonne santé.*
> **We trust our children.** *Nous faisons confiance à nos enfants* (voir aussi 480, c, et 494).
> **Do you doubt my honesty ?** *Doutez-vous de mon honnêteté ?*
> **She resembles her mother** (plus couramment : she looks like her mother). *Elle ressemble à sa mère.*
> **He resented what I said.** *Il s'est offusqué de ce que j'ai dit.*

257

She boarded a bus (= got on a bus) **going to Hyde Park**. *Elle monta dans un autobus allant à Hyde Park.*

We don't patronize this shop. *Nous ne sommes pas clients de ce magasin.*

"Mourning becomes Electra". *« Le deuil sied à Electre »* (pièce de Eugene O'Neill).

They drank his health. *Ils burent à sa santé.*

485   *Remarques :* (1) Plusieurs des verbes ci-dessus peuvent aussi être suivis d'un *gérondif : to enjoy, to mind, to resent, to resist* (§§ 460, 462) et avec un sens passif *to need* (468).

(2) *To remember* se construit comme *se rappeler* (avec un complément direct), et non comme *se souvenir de.*

    I remember my promise. *Je me souviens de ma promesse.*

(3) Dans certains cas il y a interversion du sujet et de l'objet quand on passe d'une langue à l'autre.

    We miss our friends. *Nos amis nous manquent.*
    We like them. *Ils nous sont sympathiques.*
    We enjoyed the film. *Le film nous a plu.*
    Do you mind my cigar ? *Est-ce que mon cigare vous dérange ?* (Ce verbe peut aussi s'employer sans complément : **I don't mind.** *Cela ne me dérange pas.* Mais il faut toujours un complément d'objet après **to like.** Pour **to enjoy,** voir 502, c).
    He resented my remark. *Ma remarque lui a déplu.*

(4) Ne pas confondre les constructions de **to convince** (+ complément direct) et de **to persuade** (proposition infinitive ou complément direct).

    You've convinced me (ou : You've persuaded me). *Vous m'avez convaincu.*
    I couldn't persuade (et non « convince ») him to come. *Je n'ai pas pu le persuader de venir.*

486 ⓑ *Complément indirect en anglais, direct en français : to listen to (écouter), to look* (ou : *stare, gaze, glance, peep...*) *at (regarder), to look after (surveiller), to look for (chercher), to wait for (attendre), to hope for (espérer), to pay for (payer* + chose achetée), *to account for (expliquer), to comment on (= upon) (commenter), to aim at (viser), to point at (montrer du doigt), to approve of (approuver), to operate on (opérer), to care for (aimer),* etc.

    Listen to her. *Ecoutez-la.*
    What are you looking at ? *Que regardez-vous ?* (le complément du verbe est le pronom *what*). Voir remarque (3).
    Look after the children. *Surveillez les enfants.*
    We are looking for him. *Nous le cherchons* (Voir 843, 2°).
    Let's wait for them. *Attendons-les.* (Voir remarque ci-dessous).
    What else can you hope for ? *Que pouvez-vous espérer de plus ?*
    Who's going to pay for the dinner ? *Qui va payer le dîner ?* (Mais il faut un complément direct quand on exprime la somme payée ou la personne qui la reçoit : **To pay £500, to pay the bill, to pay the electrician. I paid £4 for this tie**).
    How can you account for that ? *Comment pouvez-vous expliquer cela ?*
    Comment on the last stanza. *Commentez la dernière strophe.*
    He aimed at the lion, fired, and missed. *Il visa le lion, tira, et le manqua.*
    The children pointed at him. *Les enfants le montraient du doigt.*
    I don't approve of the policy of the present government. *Je n'approuve pas la politique du gouvernement actuel.*

They had to operate on him immediately. *Il fallut l'opérer d'urgence.*
Would you care for a cup of tea ? *Aimeriez-vous une tasse de thé ?*
I don't really care for tea. *Je n'aime pas vraiment le thé.*
They don't care much for television. *Ils n'aiment pas beaucoup la télévision* (voir aussi 488, 489).

487 *Remarques :* (1) *To wait* est parfois remplacé dans la langue écrite par *to await* (suivi d'un complément direct), notamment quand le complément est un terme abstrait (**We await your instructions.** *Nous attendons vos instructions*).

To wait se construit avec un complément direct dans : **To wait one's turn** *(attendre son tour).*

Voir 457 (**I can't wait to...**) et 480 (**Wait until**).

(2) *To ask* se construit avec *for* quand le complément exprime une personne que l'on désire voir; ou un objet, un conseil, etc., que l'on désire recevoir.

> **Has anybody asked for me ?** *Est-ce que quelqu'un m'a demandé ?*
> **He wrote to me to ask for advice** (= to ask me for advice) **about his future.** *Il m'a écrit pour me demander conseil sur son avenir.*

Le complément est direct quand c'est un terme abstrait qui n'exprime pas une chose reçue (**To ask the price, the time.** *Demander le prix, l'heure*) et dans : **To ask a question,** *poser une question.*

Autres constructions de ce verbe :

> **Ask John to help you.** *Demande à John de t'aider* (§ 474). La phrase peut être elliptique : **Ask John.** *Demande à John.*
> **He asked me for my passport.** *Il me demanda mon passeport.*
> **She asked to see the manager.** *Elle demanda à voir le gérant.*
> **He asked a favour of me** (= He asked me a favour). *Il me demanda un service.* La préposition est *of* quand le complément de personne est le dernier, ce qui ne se trouve que dans un petit nombre d'expressions abstraites (Voir 773, 1er exemple).
> **It is asking too much of him.** *C'est trop lui demander.*
> **I have never asked anything of anybody.** *Je n'ai jamais rien demandé à personne* (Mais s'il s'agit d'une demande concrète, par exemple de l'argent : **I have never asked anybody for anything**). Voir aussi 491 (d).

(3) *To look* s'emploie sans la préposition *at* dans : **to look somebody straight in the eye, to look somebody up and down,** *toiser quelqu'un* (cf. le proverbe : **Don't look a gift horse in the mouth**).

488 (c) *Compléments indirects dans les deux langues*, mais prépositions différentes : *to think of (penser à), to believe in (croire à), to depend on (dépendre de), to live on (vivre de), to profit by,* ou *to benefit from (profiter de), to laugh at (rire de), to wonder at (s'étonner de), to answer for (répondre de), to attend to (s'occuper de,* par exemple dans un magasin), etc.

> **What are you thinking of ?** *A quoi pensez-vous ?* (Mais : **I'll have to think about it.** *Il faudra que j'y réfléchisse*).
> **They believe in ghosts.** *Ils croient aux fantômes.*
> **It will depend on the weather.** *Cela dépendra du temps qu'il fera.*
> **They live on fruit and milk.** *Ils se nourrissent de fruits et de lait.*
> **You can't profit by** (= benefit from, gain by) **other people's experience.** *On ne profite pas de l'expérience des autres.*
> **People laughed at him.** *Les gens se moquèrent de lui.*
> **I don't wonder at his reaction.** *Je ne m'étonne pas de sa réaction.*

We can't answer for his honesty. *Nous ne pouvons pas répondre de son honnêteté.*

She remonstrated with them (about..., over...). *Elle leur fit des remontrances (au sujet de...).*

Who will care for (= look after) her when she is old ? *Qui s'occupera d'elle quand elle sera vieille ?.*

489 ⓓ Quand le sens le permet, les verbes examinés ci-dessus (ⓐ, ⓑ et ⓒ) peuvent se construire *au passif.*

She wants to be obeyed. *Elle veut qu'on lui obéisse.*

You are needed. *On a besoin de vous.*

They can't be trusted. *On ne peut pas leur faire confiance.*

Trouble is expected. *On s'attend à des ennuis.*

Your advice will be remembered. *On se souviendra de vos conseils.*

The patients are well looked after. *Les malades sont bien soignés.*

He was stared at, laughed at. *On le dévisageait, on se moquait de lui.*

Are you being attended to ? *Est-ce qu'on s'occupe de vous ?* (dans un magasin). Voir aussi 484.

He had to be operated on for appendicitis. *Il fallut l'opérer de l'appendicite.*

His health was drunk. *On but à sa santé.*

He is being cared for by his daughter. *Sa fille s'occupe de lui.*

---

2. — DEUX COMPLÉMENTS DIRECTS

490   Certains verbes peuvent être suivis de *deux compléments directs* (dans le sens de : non introduits par une préposition) : *un complément d'attribution* (nom ou pronom exprimant généralement une personne) précédant *un complément d'objet.*

ⓐ *To give, to send, to lend, to write, to offer, to show, to award, to refuse, to tell, to pay, to teach :* ces verbes peuvent aussi se construire avec un complément d'attribution indirect introduit par *to* (492). On peut dire « **He gave John a book** » ou « **He gave a book to John** ». Dans chacune de ces phrases l'accent est mis sur le second complément. La voix passive peut se former de deux façons différentes (**John was given a book/A book was given to John**, 425).

He sent his friends a lot of postcards. *Il envoya à ses amis de nombreuses cartes postales.*

Will you lend Maggie your paper ? *Voulez-vous prêter votre journal à Maggie ?*

He showed everybody the letter. *Il montra la lettre à tout le monde.*

They awarded her the scholarship. *Ils lui attribuèrent la bourse* (au passif : **She was awarded the scholarship**).

We can't refuse her anything. *Nous ne pouvons rien lui refuser* (au passif : **She can't be refused anything**).

He's told me a strange story. *Il m'a raconté une histoire bizarre* (au passif : **I've been told a strange story**).

He paid his friend all that he owed him. *Il paya à son ami tout ce qu'il lui devait.*

They teach our children two languages. *On enseigne à nos enfants deux langues* (au passif : **Our children are taught two languages**).

They wrote him a long letter. *Ils lui écrivirent une longue lettre* (Pour ce verbe, un seul passif : **A long letter was written to him**).

491 ⓑ ***To buy, to leave, to make, to reach*** : ces verbes peuvent aussi se construire avec un complément d'attribution indirect introduit par ***for*** (492). On peut dire « **He bought her an ice-cream** » ou « **He bought an ice-cream for her** ». Il n'y a qu'une construction passive (**An ice-cream was bought for her**).

> **Have you left me anything to eat ?** *M'avez-vous laissé quelque chose à manger ?*
> **She made her daughter summer dresses.** *Elle fit à ses filles des robes d'été.*
> **Could you reach me the dictionary.** *Pourrais-tu me passer le dictionnaire ?*

ⓒ ***To spare,*** construit avec deux compléments directs, n'a pas d'équivalent construit avec une préposition.

> **Can you spare me a moment ?** *Peux-tu me consacrer un instant ?*
> **I'll spare you the horrible details.** *Je vous épargnerai les détails affreux.*

ⓓ ***Cas particulier : to ask,*** que l'on construit parfois avec un complément indirect introduit par ***of*** (487).

> **He asked the King a favour** (= **He asked a favour of the King**). *Il demanda une faveur au Roi* (Ce verbe diffère des prédédents par sa nature, « the King » n'étant pas un complément d'attribution).
> **Let me ask you a question.** *Permettez-moi de vous poser une question.*

---

3. — DEUX COMPLÉMENTS : DIRECT ET INDIRECT

492 ⓐ On a vu ci-dessus la ***double construction*** des verbes qui ont un complément d'objet et un complément d'attribution :

> **He gave John a book/He gave a book *to* John** (490).
> **He bought her an ice-cream/He bought an ice-cream *for* her** (491).

Comparer les deux phrases, dont le complément que l'on veut mettre en relief est placé en seconde position :

> **They offered my brother a good job.** *Ils ont offert un bon emploi à mon frère.*
> **They offered the job to my brother.** *C'est à mon frère qu'ils ont offert cet emploi.*

La construction avec deux compléments directs est plus courante si le complément d'attribution est court, la construction avec une préposition est plus courante si le complément d'objet est court.

> **Give me an ice-cream and give one to your sister.** *Donne-moi une glace et donnes-en une à ta sœur.*

Avec le verbe ***to give***, quand les deux compléments sont des pronoms, on a trois possibilités :

> **Give it to me.** *Donnez-le moi.*
> **Give me it** (plus familier, courant).
> **Give it me** (construction très familière, possible seulement avec ***it***, et non avec ***them, that***...).

493 ⓑ Quelques autres verbes dont ***le complément indirect est une personne :***

> **He explained his behaviour to me.** *Il m'expliqua sa conduite.*

261

Describe your impressions to us. *Décrivez-nous vos impressions.*
They borrowed £100 from him. *Ils lui empruntèrent £100.*
She tried to hide her feelings from us. *Elle essaya de nous cacher ses sentiments.*
They played a trick on me. *Ils m'ont joué un tour.*

Ces quelques verbes ne se construisent jamais avec deux compléments directs (« he explained me... », « describe us... », « they borrowed him... », etc. sont des constructions impossibles).

494 © Verbes suivis d'un complément direct de personne et d'un *complément indirect de chose :*

They presented him with a gold watch. *Ils lui offrirent une montre en or.*
The U.S.A. supplied them with weapons. *Les Etats-Unis leur fournirent des armes.*
They provide us with useful information. *Ils nous fournissent des renseignements utiles.*
She used to ply the children with toys and sweets. *Elle comblait les enfants de jouets et de bonbons.*
They robbed her of all her savings (= They stole all her savings). *Ils lui volèrent toutes ses économies.*
The film reminded me of my childhood. *Le film m'a rappelé mon enfance.*
He treated me to a glass of beer. *Il m'offrit un verre de bière.*
They entrusted him with the keys. *Ils lui confièrent les clefs (ils le chargèrent de garder les clefs;* on peut dire aussi : **They entrusted the keys to him**).
You can trust me with your camera. *Tu peux me prêter ton appareil photo en toute confiance.*
Tell me about your plans. *Parlez-moi de vos projets.*

495   *Remarques :* (1) C'est cette structure de phrase que l'on emploie pour exprimer *un motif*, le complément indirect étant un nom ou un gérondif : *to blame somebody for, to accuse somebody of, to charge somebody with, to congratulate somebody on, to thank somebody for*, etc. (voir 893).

She blamed him for his laziness. *Elle lui reprocha sa paresse.*
She blamed him for not telling her the truth. *Elle lui reprocha de ne pas lui dire* (ou : *de ne pas lui avoir dit) la vérité.*

Noter la double construction de *to blame :* **He blamed me for it/He blamed it on me** (dans la seconde construction on met en relief le complément de personne *me : Il m'en a rendu responsable*).

(2) Tous ces verbes peuvent se construire *au passif*, avec ou sans complément d'agent : **He was presented with a gold watch. They were supplied with weapons by the U.S.A. She was robbed of all her savings. He was entrusted with the keys. He was blamed for his laziness**, etc. (S'il n'y a pas de complément d'agent on peut traduire par « *on + voix active* » : *on lui a offert, on lui a volé, on lui a confié, on lui a reproché...*).

---

4. — LA SUBORDONNÉE INTRODUITE PAR THAT

La conjonction *that* est souvent sous-entendue, surtout dans la langue parlée.

496 ⓐ Cette construction est très voisine du français après les verbes exprimant la connaissance (*to know, to understand*), la perception (*to see, to feel, to notice*), une opinion (*to think, to believe, to consider, to doubt*), une déclaration (*to say, to declare, to report, to state, to insist, to complain, to mean*), un accord (*to agree, to admit*), un aveu (*to confess, to acknowledge, to deny*), une supposition (*to suppose, to imagine, to assume, to expect, to guess*), un souvenir ou un oubli (*to remember, to forget*), un espoir, une crainte, une surprise (*to hope, to trust, to fear, to wonder*), etc.

I know (that) you are right. *Je sais que vous avez raison.*

I understand (that) they are leaving tomorrow. *Je crois savoir qu'ils partent demain.*

I don't doubt that they will agree. *Je ne doute pas qu'ils ne soient d'accord.* (A la forme affirmative **to doubt** se construit aussi avec **whether** : **I doubt whether he can understand.** *Je doute qu'il puisse comprendre*).

He insisted that he hadn't done it. *Il affirma avec insistance qu'il ne l'avait pas fait.* Voir 498 (1) et 370 (remarque 2).

Do you mean (= Do you mean to say) that you are going to marry her ? *Voulez-vous dire que vous allez l'épouser ?*

Everyone agrees that the Scots are very hospitable. *Tout le monde s'accorde à reconnaître que les Ecossais sont très hospitaliers.*

There's no denying that he plays well. *On ne saurait nier qu'il joue bien.*

I expect (= I daresay) he's lost our address. *Il a sans doute perdu notre adresse.*

You mustn't forget that he's Irish. *Vous ne devez pas oublier qu'il est irlandais.*

I hope (ou : trust) that you are in good health. *J'espère que vous êtes en bonne santé.*

Do you wonder (= Are you surprised) that he has failed ? *Vous étonnez-vous qu'il ait échoué ?*

497   *Remarques :* (1) Plusieurs de ces verbes (*to believe, to consider, to declare, to know, to report, to deny, to suppose*) peuvent aussi se construire avec une *proposition infinitive* (481, 483).

(2) La subordonnée introduite par *that* peut être *elliptique*, réduite à un sujet et à un auxiliaire.

I don't like tea. — I know you don't. *Je n'aime pas le thé ? — Je sais que tu ne l'aimes pas* (ou : *Je le sais*).

Après certains verbes la subordonnée introduite par *that* peut être remplacée par *so* (ou si elle est négative, par *not*), pour éviter une répétition. Voir 178 à 180.

Is he coming ? — I hope so (= **I hope he is**). *Vient-il ? — J'espère que oui* (ou au contraire : **I hope not** = **I hope he isn't**).

(3) Après les verbes *to think, to believe* et *to feel*, on emploie une subordonnée, jamais un infinitif. Comparer avec le français.

Je crois avoir raison. **I think I'm right.**

J'ai cru entendre frapper à la porte. **I thought I heard a knock at the door.**

Il croit tout savoir. **He thinks he knows everything.**

Pour qui se prend-il ? **Who does he think he is ?**

Je pense avoir fait mon devoir. **I feel I've done my duty.**

(4) *To see, to hear* et *to mind* (ce dernier uniquement à l'impératif) peuvent être suivis de subordonnées dans des sens spéciaux.

I'll see (= I'll see to it, I'll make sure) that they don't do it again (remarquer la subordonnée à l'indicatif présent). *Je veillerai à ce qu'ils ne recommencent pas.*

I hear (= I've heard, I've been told, I gather, I understand) that you are going to leave us (remarquer les temps des verbes de la principale). *J'ai appris que vous allez nous quitter.*
Mind you don't fall. *Faites attention de ne pas tomber.*
Mind you wipe your shoes before you come in. *N'oubliez pas de vous essuyer les pieds avant d'entrer.*

498 (b) On a vu (leçon 16) que plusieurs verbes, beaucoup moins nombreux qu'en français, peuvent être suivis d'une **subordonnée au subjonctif** :

(1) verbes exprimant une **suggestion** ou une **proposition (to suggest, to propose, to insist)** : construction avec **should** (surtout en Br. E.), subjonctif « présent » (donc sans concordance des temps) en Am. E., mais aussi de plus en plus en Br. E. dans une langue très soignée.

> **He insisted that she should come/that she come** (dans une langue moins soignée : **that she came**). *Il insista pour qu'elle vînt.*

(2) verbes exprimant une **demande** ou un **ordre**, dans le style officiel (**to order, to request, to command, to demand**) : construction avec **should** ou subjonctif « présent ».

> **The judge ordered that the defendant (should) be put on probation.** *Le juge ordonna que l'inculpé fût mis en liberté surveillée.*

(3) **to wish** et **would rather** peuvent être suivis d'un **subjonctif preterite** (= preterite modal) ou **past perfect**.

> **I wish I were in England.** *J'aimerais être en Angleterre.*
> **I'd rather he were here.** *Je préférerais qu'il soit ici.*

499 (c) La subordonnée est précédée d'un complément d'objet après les verbes **to tell, to remind, to teach, to inform, to warn**.

> **He told me** (au passif : **I was told**) **he was too tired to come.** *Il m'a dit (on m'a dit) qu'il était trop fatigué pour venir.*
> **Remind him that the last bus leaves at 10.** *Rappelez-lui que le dernier autobus part à 10 heures* (Voir 526 à 528 : **to remind** et **to remember**).
> **The incident taught us that we couldn't trust him.** *Cet incident nous a appris que nous ne pouvions pas lui faire confiance.*
> **He warned us that he wouldn't be home before 11.** *Il nous a avertis qu'il ne rentrerait pas avant 11 heures.*

Le complément est indirect, introduit par **to**, après les verbes **to explain, to write, to prove**.

> **They explained to us** (jamais : « they explained us ») **that they had been delayed by an accident.** *Ils nous ont expliqué qu'ils avaient été retardés par un accident* (voir aussi 493).
> **She wrote to me** (aussi : **She wrote me**, construction surtout américaine) **that her mother was ill.** *Elle m'a écrit que sa mère était malade.*
> **I'll prove to him that he is wrong.** *Je lui prouverai qu'il a tort.*

To say se construit parfois ainsi (« He said to me that... »), mais on préfère employer **to tell** (+ complément direct : « He told me that... »). Comparer :

> **He said it was too expensive.** *Il a dit que c'était trop cher.*
> **He said to us that it was too expensive** (construction gauche et rare). *Il nous a dit que c'était trop cher.*
> **He told us it was too expensive** (même sens, construction courante).

(d) On place parfois la subordonnée en tête de phrase (inversion de style littéraire).

264

That I had behaved like a fool I saw no reason not to confess. *Je m'étais conduit comme un imbécile, je ne vis aucune raison de ne pas l'avouer* (Remarquer qu'il n'y a pas de virgule entre les deux propositions dans la phrase anglaise).

---

5. — LES ATTRIBUTS

500 L'attribut peut être un **adjectif** (**He looks silly.** *Il a l'air idiot*) ou un **nom** (**He looks a fool.** *Il a l'air d'un imbécile*).

Comme en français, le verbe peut être construit avec **un attribut du sujet** (« sujet + verbe + attribut ») ou d'**un attribut de l'objet** (« sujet + verbe + objet + attribut »).

(a) Se construisent avec un **attribut du sujet** les verbes d'état (**to be, to remain, to keep**), d'impression ou d'apparence (**to look, to sound, to feel, to seem, to appear**), de révélation (**to prove, to turn out**). Ces quatre derniers verbes sont souvent suivis de **to be** (voir 469).

> **They remained** (= kept) **silent.** *Ils gardèrent le silence.*
> **I hope you are keeping well.** *J'espère que vous continuez à bien vous porter.*
> **He looked** (rarement : He looked to be) **disappointed.** *Il avait l'air déçu.*
> **His story sounds a bit strange.** *Son histoire paraît un peu bizarre.*
> **Their house feels damp.** *Leur maison donne une impression d'humidité.*
> **The exam seemed difficult (to me).** *L'examen (m') a semblé difficile.*
> **The information proved useful.** *Les renseignements se sont révélés utiles.*
> **He proved (to be) selfish, he proved to be a selfish man, he proved himself (to be) a selfish man.** *Il s'est montré égoïste.*
> **Their plan proved a failure.** *Leur projet échoua.*
> **What a pretty girl she has turned out (to be) !** *Quelle jolie fille elle est devenue !*

Noter aussi les expressions : **His story rings true (false).** *Son histoire a (n'a pas) l'accent de la vérité.*

501 (b) Se construisent également avec un attribut du sujet les verbes exprimant une évolution (**verbes inchoatifs**) : **to become, to grow, to get** (avec les deux derniers l'attribut ne peut être qu'un adjectif).

> **He became famous/a famous man.** *Il devint célèbre.*
> **He is growing old.** *Il vieillit.*
> **Get ready.** *Préparez-vous.*

Ces verbes s'emploient couramment avec des adjectifs au comparatif.

> **"As they grew older, They also grew bolder..."** (dans un « limerick »). *En prenant de l'âge, ils prirent aussi de la hardiesse.*
> **It's getting colder and colder** (665). *Il fait de plus en plus froid.*

Certains verbes prennent un sens inchoatif dans des expressions idiomatiques.

> **The leaves are turning yellow.** *Les feuilles jaunissent.*
> **He turned Labour.** *Il devint travailliste.*
> **He turned seventy-five last month.** *Il a atteint l'âge de soixante-quinze ans le mois dernier.*
> **It had just turned 11 when we arrived.** *Il était à peine plus de 11 heures quand nous sommes arrivés.*

And so the dream came true. *Et ainsi le rêve se réalisa.*
I fell asleep during the lecture. *Je me suis endormi pendant la conférence.*
She went mad after her husband's execution. *Elle devint folle après l'exécution de son mari.*
The milk has gone (ou : **turned**) **sour.** *Le lait a tourné.*
The well has run dry. *Le puits s'est tari.*

ⓒ Les verbes d'*opinion* et de *déclaration* (*to believe, to think, to consider, to declare, to suppose*) peuvent se construire avec un *attribut de l'objet*. Voir aussi 481, 483.

We consider him (to be) an intelligent man. *Nous le considérons comme un homme intelligent* (au passif : **He is considered an intelligent man**).
They declared him guilty. *On le déclara coupable.*

ⓓ Autres verbes construits avec un attribut de l'objet (voir aussi 517) :

The noise drove him mad. *Le bruit l'a rendu furieux.*
He called me a liar. *Il m'a traité de menteur.*
The news made her happy. *La nouvelle la rendit heureuse.*
They made him king. *Ils le firent roi.*
Leave me alone (aussi : **Let me alone**). *Laisse-moi tranquille.*
I'll paint the shutters green. *Je vais peindre les volets en vert.*

Ces phrases peuvent se mettre au passif (**She was made happy by the news. The shutters will be painted green**).

---

6. — LE VERBE SEUL

502 ⓐ Se construisent seuls, précédés de leur sujet mais sans compléments d'objet ni attributs, *les verbes intransitifs*.

He sneezed. *Il éternua.*
They were sleeping. *Ils dormaient.*
It rarely snows in our country. *Il neige rarement dans notre pays.*

Ces verbes peuvent être accompagnés, comme en français, d'un adverbe ou d'un complément de lieu, de temps, de manière, etc. (mais non d'objet).

Noter toutefois la construction idiomatique dans laquelle certains verbes intransitifs sont employés transitivement avec un complément direct semblable au radical du verbe :

He is sleeping his last sleep. *Il dort son dernier sommeil.*
She laughed a merry laugh. *Elle rit d'un rire joyeux.*
I dreamed a strange dream last night. *J'ai fait un rêve bizarre cette nuit.*
"Fight the good fight with all thy might" (dans un « hymn » célèbre).

ⓑ Certains verbes employés seuls ont un *sens réfléchi* (exprimant principalement des actions de la vie quotidienne : *to wash, to dress, to shave*) ou *réciproque* (*to meet, to gather, to fight*).

He shaved and dressed in ten minutes. *Il se rasa et s'habilla en dix minutes* (pour l'emploi du pronom réfléchi avec ces verbes, voir 720).
Where can we hide ? *Où pouvons-nous nous cacher ?*
Perhaps we shall meet again. *Peut-être nous reverrons-nous ?*
They fought on the pavement. *Ils se battirent sur le trottoir.*
"Workers of all countries, unite !" *Travailleurs de tous les pays, unissez-vous !*

(c) Certains verbes transitifs peuvent s'employer seuls, leur **complément** (direct ou indirect) restant **sous-entendu.**

> **The key doesn't fit** (= doesn't fit the lock). *Ce n'est pas la bonne clef.*
> **I don't mind.** *Cela ne me dérange pas.*
> **It's rude to point** (= to point at people). *Il est impoli de montrer du doigt.*
> **I quite agree** (= agree with you). *Je suis tout à fait d'accord.*
> **Look ! Listen ! Wait !** (et non « look at », « listen to », « wait for »). *Regardez ! Ecoutez ! Attendez !*

N.B. Noter l'américanisme familier « **Enjoy !** », sans complément (= Have a nice time !). En Br. E. ce verbe est toujours suivi d'un complément (nom, 484; gérondif, 462; pronom réfléchi, 720).

Noter aussi l'emploi sans complément d'objet de *to belong* (**to belong to**..., *appartenir à*..., 731) dans les phrases comme : **He doesn't belong** *here* (*Il n'est pas à sa place ici*). **Put these books** *where* **they belong** (*Remettez ces livres à leur place*).

EXERCICES

A Intervertir l'ordre des compléments en remplaçant le complément d'attribution par un pronom.
Exemple : You must lend your toys to your brother → You must lend him your toys.
1. I'll show your letter to all my friends. — 2. You must not give a tip to the usherette. — 3. The police offered £50 to all those who could help them. — 4. She must buy a new frock for Margaret. — 5. I will never lend my car to the Joneses. — 6. He wrote long letters to his wife. — 7. She made very good cakes for John and me. — 8. He didn't leave any cake for his sister. — 9. They always told the truth to their children. — 10. I will give my opinion to the staff.

[B] Mettre à la voix passive (en omettant le complément d'agent), puis traduire :
1. They resented my remark. — 2. Nobody can trust them. — 3. They were staring at us. — 4. We will obey your orders. — 5. They showed us the 13th century cellars. — 6. They had to send for the doctor. — 7. They didn't obey me. — 8. They will give her good advice. — 9. People pointed at him. — 10. They look after him very well. — 11. People praised him for his courage. — 12. They told us an incredible story. — 13. They teach all the pupils three languages. — 14. They will supply you with skis. — 15. They charged the man with killing the old lady. — 16. Somebody has robbed me of my passport. — 17. They presented her with a transistor radio. — 18. What he said reminded me of a film I had seen. — 19. Somebody has told us about your accident. — 20. You can't reproach me with anything. — 21. Nobody could answer the question. — 22. They need you. — 23. We drank his health. — 24. They expect trouble. — 25. We missed you while you were away. — 26. How can you account for that ? — 27. He does not like people to laugh at him. — 28. They treated us to a very good dinner. — 29. We'll spare you the horrible details. — 30. People congratulated them on their success.

[C] Traduire :
1. Que cherchiez-vous ? — 2. On s'attend à un grand succès. — 3. Qui les surveillait ? — 4. De quoi dépendra sa décision ? — 5. Qui attendez-vous ? — 6. On se souviendra de sa menace. — 7. Je n'ai besoin de rien. — 8. Avez-vous assisté à la conférence ? — 9. Tout ce que vous pouvez espérer, c'est leur indulgence. — 10. A qui sont-ils censés obéir ? — 11. Il faut obéir à la loi. — 12. Il demanda à boire. — 13. Il ne faut pas trop lui demander. — 14. Vous a-t-on demandé des

arrhes ? — 15. Son violon est très beau. Combien en demande-t-il ? — 16. Il ne faut pas que j'oublie de payer mes impôts. — 17. Combien avez-vous payé ce tableau ? — 18. Il refusa de commenter les récents événements. — 19. Approuvez-vous son comportement ? — 20. La cuisine française me plaît, mais mon thé anglais me manque.

[D] Traduire :

1. Qui leur fournira les livres dont ils auront besoin ? — 2. Les bandits leur avaient volé leurs bagages. On leur avait volé leurs bagages. — 3. Il emprunte de l'argent à tous ses amis et ne le leur rend jamais. — 4. Rappelez-lui l'heure du train. — 5. Je ne lui confierais pas ma voiture. — 6. On m'a volé. On m'a volé mon passeport. — 7. Demandez-lui de nous parler de son voyage. — 8. A qui allez-vous emprunter l'argent ? — 9. A qui confierez-vous les documents quand vous partirez en vacances ? — 10. Expliquez-nous vos difficultés. — 11. Vous essayez de me cacher quelque chose. — 12. Je vous félicite d'avoir gardé votre sang-froid (de votre comportement raisonnable).

[E] Traduire :

1. Il croit pouvoir gagner la course. — 2. Nous pensons arriver jeudi soir. — 3. J'ai l'impression d'avoir bien réussi. — 4. Nous veillerons à ce qu'il se conduise bien. — 5. Avez-vous entendu dire qu'il va se remarier ? — 6. Fais attention de ne pas renverser le pot de peinture sur le tapis. — 7. Je pense les avoir convaincus. — 8. Il nous a expliqué qu'il ne pouvait rien faire pour elle. — 9. Il nous a prouvé qu'il n'avait pas menti. — 10. Il pense avoir des parents sévères, mais nous, nous avons l'impression de l'avoir plutôt gâté.

27. — LES STRUCTURES CAUSATIVES

503 Il s'agit de structures de phrases dans lesquelles *le sujet est à l'origine de l'action, en prend l'initiative, mais ne l'accomplit pas lui-même*. Il la fait faire (si elle est active) ou subir (si elle est passive) par l'objet. Exemples de phrases françaises causatives : « *John m'a fait boire trop de whisky* » (John, le sujet de la phrase, est à l'origine de l'action, mais c'est moi, complément d'objet, qui l'ai accomplie). « *Je ferai réparer ma montre* » (c'est moi qui suis à l'origine de l'action, mais c'est la montre, complément, qui la subira). On constate que le français utilise dans les deux cas la même formule « *faire + infinitif* ». L'anglais utilise des structures différentes selon que le complément d'objet accomplit l'action ou la subit. Le premier verbe, quelle que soit sa nature, joue le rôle d'un auxiliaire.

1. — « AUXILIAIRE + OBJET + VERBE À SENS ACTIF »

504 Selon la nature de l'auxiliaire (*make, have, get...*) le second verbe est à l'infinitif sans *to*, à l'infinitif complet ou au participe présent, mais il a dans tous les cas un sens actif (le terme qui le précède accomplit l'action, ne la subit pas).

(a) « *Make + objet + infinitif sans to* » est la construction la plus courante.

Dans la phrase « **His jokes made us laugh** » (*ses plaisanteries nous ont fait rire*), *us* est à la fois complément de *made* (d'où la forme de ce pronom) et sujet de *laugh*. Les deux verbes sont toujours séparés à la voix active, contrairement au français.

268

They made me miss my train. *Ils m'ont fait manquer mon train.*
His father made him learn Spanish. *Son père lui a fait apprendre l'espagnol.*

Le sujet est souvent un neutre.

What made him resign ? *Qu'est-ce qui l'a fait démissionner ?*
It makes one think. *Cela fait réfléchir.*

Le second verbe est parfois sous-entendu pour éviter une répétition (177).

If he refuses to pay, we'll make him. *S'il refuse de payer, nous l'y contraindrons.*

Au passif il faut un **infinitif complet.**

He was made to hand the cheque over. *On l'obligea à remettre le chèque* (à l'actif : **They made him hand the cheque over**).

Remarque : Cette construction de **to make** est voisine de celle de **to let**, étudiée au § 404 (**They let him do what he likes. They would use my car if I let them**).

505 (b) « **Have + objet + infinitif sans to** » s'emploie, seulement à l'actif :

(1) comme synonyme (surtout américain) de « make + objet + infinitif sans to ».

We had (= made) him admit he knew them. *Nous lui avons fait reconnaître qu'il les connaissait.*

(2) accompagné de **will, would, would like to**, pour exprimer une volonté, un désir.

I won't have you laugh at him. *Je ne tolèrerai pas que vous vous moquiez de lui.*
Would you have me believe that story ? *Vous voudriez me faire croire cette histoire ?*
He isn't the kind of boy my parents would like to have (= to see) me marry. *Ce n'est pas le genre de garçon que mes parents voudraient me voir épouser.*

Voir aussi 333 (citation de la Bible).

(3) dans diverses tournures idiomatiques.

We had a queer thing happen to us (= A queer thing happened to us). *Il nous est arrivé quelque chose de bizarre* (ici le sens est affaibli, non causatif).
I should like to have you meet Dr Jones (= I should like you to meet...). *Je voudrais vous présenter au docteur Jones.*
« **I would rather tell you myself than have you learn it from another** » (Iris Murdoch). *Je préfère vous le dire moi-même plutôt que vous l'appreniez par quelqu'un d'autre.*

506 (c) Le second verbe est à l'**infinitif complet** quand le premier est **to get, to order, to cause.**

You should get your brother to help you. *Tu devrais te faire aider par ton frère* (idée de persuasion).
He ordered them to burn all the papers. *Il leur fit brûler tous les documents* (ordre catégorique).
What caused him to resign ? (= What made him resign ?). *Qu'est-ce qui l'a fait démissionner ?* (style un peu recherché. Le sujet de **to cause** est généralement un neutre).

507 (d) Le second verbe est au *participe présent* dans diverses expressions avec *to start, to set, to get*; parfois avec *to have* (en particulier après « I can't have », « I won't have » et « I'm not having »).

The news started me thinking. *La nouvelle m'a fait réfléchir.*

His jokes set (= started) **everybody laughing.** *Ses plaisanteries ont fait rire tout le monde.*

We'll soon get things going (ou : **moving**). *Nous allons bientôt mettre les choses en route.*

Why don't you send him packing ? (langue familière). *Pourquoi ne l'envoyez-vous pas promener ?*

I won't have you meddling in this matter. *Je ne vous permets pas de vous mêler de cette affaire* (voir 379, 3°).

She started telling them her sad story, and after a few minutes she had them all crying. *Elle se mit à leur raconter sa triste histoire, et au bout de quelques minutes elle réussit à les faire tous pleurer.*

Le sens causatif est très estompé dans des phrases comme :

If you don't keep your dog on a lead you'll have people complaining. *Si vous ne tenez pas votre chien en laisse les gens vont se plaindre* (on constate un résultat, généralement désagréable). Cf. 505 (3).

---

2. — « AUXILIAIRE + OBJET + PARTICIPE PASSÉ (PASSIF) »

508 Ne pas oublier que le participe passé garde toujours le sens d'un passif (sauf quand il est précédé directement de l'auxiliaire *have* pour former les perfects).

(a) **« Have + objet + participe passé ».**

Dans la phrase « **They had a new hospital built** » (*ils firent construire un nouvel hôpital*), *built* a bien un sens passif : l'hôpital a été construit. La phrase pourrait d'ailleurs se terminer par un complément d'agent (*by*...), ce qui n'est pas le cas des phrases des §§ 504 à 507.

I must have my watch repaired. *Il faut que je fasse réparer ma montre.*
She had her coat cleaned. *Elle fit nettoyer son manteau.*

L'ordre des mots est ici particulièrement important. Comparer :

They had a house built. *Ils firent bâtir une maison.*
They had built (ou : **They'd built**) **a house.** *Ils avaient bâti une maison* (past perfect).

Toutefois l'emploi d'un pronom relatif peut entraîner le rapprochement de *have* et du participe passé dans la construction causative.

The house (that) they had built. *La maison qu'ils avaient bâtie*, ou : *la maison qu'ils firent bâtir.* Dans le second sens (causatif) *had* est accentué, ce qui évite toute ambiguïté, du moins oralement.

Le sens causatif de *have* est parfois très estompé, ou disparaît entièrement, dans des phrases comme :

She had her purse stolen. *On lui a volé* (« *Elle s'est fait voler* ») *son porte-monnaie.*
He had (= got) **his leg broken.** *Il s'est cassé la jambe.*
It had me worried (baffled). *Cela m'a inquiété (intrigué).*
I won't have it said that I am a liar (style soigné). *Je ne tolèrerai pas que l'on dise que je suis un menteur.*

270

509 (b) « *Get + objet + participe passé* ». Cette structure s'emploie couramment comme synonyme de « have + objet + participe passé ».

> **I must get** (= have) **my hair cut.** *Il faut que j'aille chez le coiffeur.*
> **The car is dirty. You must wash it or get** (= have) **it washed.** *La voiture est sale. Lave-la ou fais-la laver.*

L'emploi de *get* insiste parfois sur une idée d'effort pour obtenir un résultat.

> **He got them punished by the teacher.** *Il les a fait punir par le professeur.*
> **We'll get it done in no time.** *Nous allons finir cela très vite.*
> **He was trying to get himself invited.** *Il essayait de se faire inviter.*

510 (c) Des constructions elliptiques avec *want* ou *would like* et un participe passé ont un sens causatif.

> **I'd like these shoes repaired by Tuesday.** *J'aimerais que ces chaussures soient réparées pour mardi.*
> **What do you want done ?** *Que désirez-vous qu'on fasse ?*

Comparer ces phrases avec les propositions infinitives : **I'd like you to repair these shoes. What do you want me to do ?**

(d) « *Make + oneself + participe passé* » : ce schéma ne se rencontre qu'avec un nombre limité de participes passés : *heard, obeyed, respected, understood.*

> **He couldn't make himself understood.** *Il n'arrivait pas à se faire comprendre.*

---

3. — TRADUCTIONS DE « FAIRE + INFINITIF »

511 Malgré les apparences, les deux phrases françaises *« il a fait pleurer son frère »* et *« il a fait punir son frère »* appartiennent à des structures « profondes » différentes : dans le premier cas le frère *a pleuré* (actif), alors que dans le second cas il *a été puni* (passif). La seconde phrase pourrait être complétée par un complément d'agent (« *par son père* »), mais non la première.

Dans la plupart des cas les phrases dans lesquelles *faire* est suivi d'un infinitif se ramènent à l'un ou l'autre de ces deux types. Les cas particuliers seront examinés au § 512.

(a) *l'infinitif a un sens actif* : traduire par *« make + objet + infinitif sans to »* (504).

> *Vous l'avez fait rougir.* **You made him** (ou : **her**) **blush.**
> *Ils m'ont fait venir trop tôt.* **They made me come too early.**
> *Nous leur ferons avouer leurs crimes.* **We'll make them confess their crimes.**

Les infinitifs ont bien un sens actif (il ou elle a rougi, je suis venu trop tôt, ils avoueront), il serait impossible d'imaginer un complément d'agent (« *par...* »).

> *Il a fait pleurer son frère.* **He made his brother cry** (comparer l'ordre des mots dans les deux langues).

Les autres traductions, étudiées aux §§ 505 à 507, sont moins courantes, sauf « have + objet + infinitif sans to », surtout en américain.

(b) *l'infinitif a un sens passif* : traduire par *« have* (ou : *get*) *+ objet + participe passé »* (508, 509).

> *Je ferai taper ce texte.* **I'll have** (ou : **get**) **this text typed.**

Nous le ferons mettre en prison. **We'll have him jailed.**

Mon relieur ne fait pas la dorure lui-même, il la fait faire. **My bookbinder doesn't do the gilding himself, he has it done.**

Les infinitifs français ont bien un sens passif (le texte sera tapé, l'individu sera mis en prison, la dorure est faite). Ces phrases pourraient se terminer par un complément d'agent (ex : **I'll have the text typed by my secretary**).

Il a fait punir son frère. **He had (ou : got) his brother punished.**

Dans cet emploi *have* se conjugue avec l'auxiliaire *do* (voir 56).

Quand as-tu fait vérifier les freins ? **When did you have the brakes checked ?**

512 (c) *autres traductions.*

(1) On emploie parfois un seul verbe (dit « *verbe factitif* »), qui a alors un sens causatif. Comparer :

{ **The water is boiling.** *L'eau bout* (construction intransitive).
{ **I must boil some water.** *Il faut que je fasse bouillir de l'eau* (construction transitive factitive).
{ **He has grown.** *Il a grandi.*
{ **He is growing a moustache.** *Il se laisse pousser la moustache.*

De même : **to grow vegetables** *(faire pousser des légumes)*, **to start the car** *(faire démarrer la voiture)*, **to fly a kite** *(faire voler un cerf-volant)*, **to work someone hard** *(faire beaucoup travailler quelqu'un)*...

(2) On peut parfois traduire « faire + infinitif » à l'aide d'une *structure résultative* (leçon 28).

Ils l'ont fait obéir en le menaçant. **They threatened him into obedience.**

(3) Expressions idiomatiques :

Ne nous faites pas attendre. **Don't keep us waiting.**

Faites-nous savoir si vous êtes reçu. **Let us know if (= whether) you have passed.**

Faites-le entrer. **Show him in.**

Ils firent venir le docteur. **They called for (ou : in) the doctor.**

Ils m'ont fait comprendre que j'étais de trop. **They gave me to understand that I was not wanted.**

Elle nous a fait comprendre que ce serait une erreur. **She led us to understand that it would be a mistake.**

(4) *« se faire + infinitif ».*

— action recherchée : *« to get + participe passé »*, ou *« to get oneself + participe passé »*. Voir 423.

Il se conduit comme s'il cherchait à se faire arrêter. **He behaves as if he were trying to get (himself) arrested.**

Se faire inviter. **To get (oneself) invited.**

— action subie : *« to be (ou : to get) + participe passé »* (donc un simple passif).

Se faire écraser. **To be (ou : to get) run over.**

— « se faire + infinitif + objet ».

Il se fit expliquer la situation. **He had the situation explained to him.**

— Cas particuliers : *se faire entendre (comprendre, obéir, respecter)* : **to make oneself heard (understood, obeyed, respected).**

Remarque : Il arrive qu'on puisse traduire *« faire + infinitif »* en suivant deux modèles différents (§§ 504 et 508), à condition de bien choisir le terme placé entre les deux verbes.

> *Il fait faire ses devoirs par sa sœur.*
> (1) **He makes his sister do his homework for him** (504), ou : **He gets his sister to do his homework for him** (506) : l'accent est mis sur la contrainte ou la persuasion.
> (2) **He has (= gets) his homework done for him by his sister** (508) : on ne s'intéresse qu'au résultat.

EXERCICES

A Bâtir des phrases suivant le modèle :

I wasted my time (John...) → *John made me waste my time* (construction causative de *to make*; le sujet entre parenthèses est à l'origine de l'action).

1. He went to the hairdresser's (His father...). — 2. We changed our plans (The bad weather...). — 3. He stayed in bed (The nurse...). — 4. He admitted that he was wrong (We...). — 5. He will apologize to you (I...). — 6. We coughed (The smoke...). — 7. He brushes his teeth twice a day (His parents...). — 8. He gave up smoking (His doctor...). — 9. We arrived very late (The traffic jams...). — 10. They played the sonata again (We...). — 11. She felt guilty (Your remark...). — 12. He drove very slowly (The fog...). — 13. You will say what you know (The police...). — 14. If they go on like this I'll lose my patience (They...). — 15. They call him "sir" (He...).

B Bâtir des phrases suivant le modèle :

He didn't want to go to the dentist's (His mother...) → His mother *made him go* to the dentist's.

1. They didn't want to apologize (We...). — 2. He didn't want to say what he knew (They...). — 3. He didn't want to stay in bed (The nurse...). — 4. He never admits that he is wrong (Nobody can...). — 5. He never laughs (We'll...). — 6. He hates brushing his teeth (His parents have to...). — 7. They don't want to learn their lessons (I'll...). — 8. She didn't want to sing us a song (We...). — 9. He hates going to the hairdresser's (His father...). — 10. I never miss my train (They... yesterday).

C Bâtir des phrases suivant le modèle :

Do you make your dresses yourself ? No (my neighbour) → No, *I have them made by* my neighbour.

1. Did John build the shed himself ? No (the bricklayer). — 2. Did you type this text yourself ? No (my secretary). — 3. Did John make these shelves himself ? No (the joiner). — 4. Did you repair the engine of your car yourself ? No (the mechanic). — 5. Do you brush your own shoes ? Of course not (my brother). — 6. Are you going to frame this picture yourself ? No (a professional framer). — 7. Did Ken translate the French poem himself ? No (his sister). — 8. Does he wash his own shirts ? No (his wife). — 9. Were you able to stop the leak ? No (the plumber). — 10. Did they murder the king themselves ? No (a soldier).

[D] Traduire.

1. Il m'a fait perdre mon après-midi. — 2. Nous allons faire peindre la barrière en vert. — 3. Combien de temps t'ont-ils fait attendre ? — 4. Il n'arrivait pas à se faire entendre. — 5. Nous lui ferons raconter l'histoire quand vous serez là. — 6. Je vous ferai savoir ce que j'ai décidé. — 7. Il fit enseigner le latin à ses fils. — 8. Vous devriez vous faire arracher cette dent. — 9. Vous allez me faire perdre patience.

— 10. Il les fit mettre en prison. — 11. Tous les combien vous faites-vous couper les cheveux ? — 12. Il a fait pleurer son frère. — 13. Il a fait punir son frère. — 14. Vous devriez vous faire respecter. — 15. Tu devrais faire nettoyer ton complet. — 16. Ne me faites pas rire ! — 17. Avez-vous fait réparer votre montre ? — 18. Nous lui ferons perdre cette mauvaise habitude. — 19. Qu'est-ce qui vous a fait croire que j'étais de mauvaise humeur ? — 20. Nous lui ferons apprendre l'anglais dès l'âge de sept ans. — 21. Vous devriez faire examiner votre chat par le vétérinaire. — 22. Ne me flattez pas, vous allez me faire rougir. — 23. Dépêche-toi, ne les fais pas attendre. — 24. Ils lui firent comprendre que c'était son devoir d'épouser leur fille. — 25. Ils se font envoyer des livres français régulièrement. — 26. Il se fit expliquer la situation. — 27. Elle se faisait apporter ses repas dans sa chambre. — 28. Il se fit inviter par toutes les meilleures familles de la ville. — 29. Pourquoi ne te fais-tu pas aider par ton père ? — 30. Son comportement bizarre nous a fait douter de son honnêteté.

28. — LES STRUCTURES RÉSULTATIVES

513   Il s'agit de structures de phrases dans lesquelles le verbe exprime un **_moyen_**, le résultat (déplacement, transformation, opération abstraite) étant exprimé à l'aide de divers **_éléments « résultatifs »_** : un adjectif attribut (**He pushed the door open**), une postposition (**They kicked the dog out**), une préposition suivie d'un nom (**They starved to death**), **_into_** ou **_out of_** suivis d'un gérondif (**We talked her out of selling her house**).

Le verbe peut être suivi directement de l'élément résultatif (**The door banged shut. He drove to the station**) ou en être séparé par un complément d'objet (**She sang her baby to sleep. He drove his friends to the station**).

On remarquera que ces constructions idiomatiques sont souvent plus concises et plus élégantes que leurs traductions en français.

1. — MANIÈRE DE SE DÉPLACER

514   (a) Le verbe indique de quelle façon on se déplace, le déplacement lui-même est exprimé à l'aide de l'élément résultatif (postposition, ou préposition + nom), si bien que l'ordre des termes est différent du français.

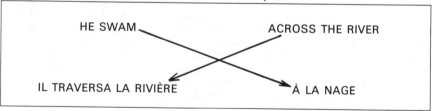

She ran out. _Elle sortit en courant._
He limped up the hill. _Il monta la côte en boitant._
They broke into the room. _Ils entrèrent dans la pièce par effraction._
He flew round the world. _Il fit le tour du monde en avion._
They hurried back home. _Ils rentrèrent chez eux à la hâte._
She sailed on to the stage. _Elle entra en scène majestueusement._

We'll drive to London tomorrow. *Nous irons demain à Londres en voiture.*
I'll drive you to the station. *Je vais vous conduire à la gare en voiture.*
We walked her home. *Nous l'avons raccompagnée chez elle (à pied).*
He bowed us to our rooms. *Il nous conduisit avec force courbettes jusqu'à nos chambres.*

Le verbe peut indiquer une circonstance (bruit, lumière...) qui accompagne un déplacement.

The door banged shut (*shut* est ici un adjectif). *La porte claqua.*
The car screeched to a halt. *La voiture s'arrêta avec un grincement strident (de freins).*
The train thundered past. *Le train passa dans un grondement de tonnerre.*
The lightning flashed across the sky. *L'éclair traversa le ciel.*

Remarque : noter l'expression « **to swim the Channel** » *(traverser la Manche à la nage),* avec complément direct.

(b) On trouve aussi cette structure avec des verbes de sens plus vague.

Show them in. *Faites-les entrer.*
I'll see you to the door. *Je vais vous accompagner jusqu'à la porte.*
I saw her off at the station. *Je l'ai accompagnée à son train.*
Let me in. *Laissez-moi entrer.*

515 (c) Le verbe exprimant un déplacement peut être suivi de l'expression « *one's way* », généralement quand il s'agit d'un déplacement malaisé.

I groped my way towards the door. *J'avançai vers la porte à tâtons.*
He shouldered (elbowed, kicked, threaded) his way through the crowd. *Il se fraya un chemin à travers la foule à coups d'épaules (de coudes, de pieds, en se faufilant).* Sans préciser la façon de se frayer un chemin : **He made his way through the crowd.**

Par extension, au sens figuré :

He has worked his way up. *Il s'est élevé à force de travail.*
He had idled his way through Oxford. *Il avait passé ses années à Oxford dans l'oisiveté.*
We laughed our way through that fortnight. *Nous avons passé cette quinzaine de jours à rire.*
The fire had eaten its way to the top floor. *Le feu, dévorant tout, avait atteint le dernier étage.*

516 (d) Cette structure permet notamment de préciser si la personne ou l'objet qui se déplace s'éloigne ou se rapproche de la personne qui décrit le déplacement : s'il y a éloignement on emploie *to go*, s'il y a rapprochement on emploie *to come*.

Ainsi, quand la personne qui parle est en haut de l'escalier :

Montez = **Come upstairs.**
Descendez = **Go downstairs.**

Mais si elle est au pied de l'escalier :

Montez = **Go upstairs.**
Descendez = **Come downstairs.**

De même, « *sortez* » se dit « **go out** » si la personne qui parle est à l'intérieur, « **come out** » si elle est à l'extérieur.

Je peux dire « **Come out for a walk** » quand je suis encore à l'intérieur, car j'invite à me suivre, à se rapprocher de moi en quelque sorte.

517 (a) Les structures résultatives permettent d'exprimer dans une langue imagée le *rapport entre un moyen et un résultat*. On remarquera que l'ordre des termes est chronologique, l'action précédant son résultat. Comparer « **he shouted himself hoarse** » et « *il s'enroua à force de crier* » : le français envisage d'abord le résultat et précise ensuite comment il a été obtenu, alors que l'anglais décrit les faits dans leur ordre temporel (**shouted** précède logiquement **hoarse**).

(1) l'élément résultatif est *un adjectif attribut*.

He grabbed my hand but I shook him loose. *Il me saisit la main mais je lui fis lâcher prise d'une secousse.*

The dog licked the plate clean. *Le chien nettoya l'assiette à coups de langue.*

They shook him awake. *Ils le réveillèrent en le secouant.*

The news shook him rigid. *La nouvelle le paralysa de stupéfaction.*

He pushed the door open. *Il poussa la porte* (l'ouvrit en la poussant).

"Flush has grown an absolute monarch and barks one distracted when he wants a door opened" (Mrs Browning, citée par Virginia Woolf). *Flush est devenu un monarque absolu et il aboie à vous rendre fou quand il veut qu'on lui ouvre une porte.*

(2) l'élément résultatif est *une postposition* (qui forme avec le verbe un *phrasal verb*, leçon 8).

They kicked the dog out. *Ils chassèrent le chien à coups de pieds.*

She kissed the child's tears away. *Elle arrêta les larmes de l'enfant en l'embrassant.*

The policeman waved the car down. *L'agent fit signe à la voiture de s'arrêter.*

To ring the curtain up équivaut à notre expression : *frapper les trois coups.*

(3) l'élément résultatif est *une préposition suivie d'un nom*.

She sang her baby to sleep (*sleep* est ici un nom : le sommeil). *Elle endormit son bébé en lui chantant une chanson.*

He starved (bled...) to death. *Il mourut de faim (d'une hémorragie...).*

She rubbed the sleep out of her eyes. *Elle se frotta les yeux pour se réveiller.*

He struggled to his feet. *Il réussit à grand-peine à se relever.*

He is struggling back towards health. *Il lutte pour retrouver la santé.*

Their voices died (ou : **faded**) **into silence.** *Leurs voix moururent petit à petit, puis ce fut le silence.*

The police had clubbed the students into submission. *La police avait maîtrisé les étudiants à coups de matraques.*

They threatened him into obedience. *Ils l'ont fait obéir en le menaçant.*

They swore him to secrecy. *Ils lui firent jurer de garder le secret.*

"She will sing the savageness out of a bear" (Othello, IV, 1). *Rien qu'en chantant elle apprivoiserait un ours.*

She could drink most of the English journalists under the table (Ch. Isherwood). *Elle supportait mieux l'alcool que la plupart des journalistes anglais.*

They had all thinned away, these good resolutions, like smoke into nothingness (A. Huxley). *Elles s'étaient toutes évanouies, ces bonnes résolutions, comme de la fumée, et il n'en était rien resté.*

The open square is there but it has been changed beyond all recognition

(A. Moorehead). *La place est toujours là mais on ne la reconnaît plus tellement elle a été changée.*

"Our surgeons can alter people beyond recognition" (G. Orwell). *Nos chirurgiens peuvent rendre les gens méconnaissables.*

He goaded her past endurance (A. Christie). *Elle ne pouvait plus supporter ses harcèlements* (on dit couramment : **beyond endurance**).

Les verbes habituellement construits avec une préposition *(to stare at, to laugh at, to talk to...)* la perdent quand ils sont employés dans une structure résultative.

They laughed him out of his plans. *Ils lui firent abandonner ses projets en se moquant de lui.*

She laughed the matter off. *Elle prit la chose en riant.*

They stared him out. *Ils lui firent perdre contenance à force de le dévisager* (ou : *ils lui firent baisser les yeux*).

I talked him round to my point of view. *A force de discussions je l'ai amené à adopter mon point de vue.*

Nobody can talk him out of it. *Personne ne peut l'en dissuader.*

518 (b) Le terme résultatif peut être *into* ou *out of* suivis d'un gérondif, dans une langue soignée. Les verbes ainsi construits expriment la menace *(to threaten, to frighten)*, la persuasion (*to talk, to entice*, mais non **to persuade**, 474), la tromperie *(to deceive, to delude)*, la moquerie *(to laugh, to shame)*. **To talk** est le seul de ces verbes que l'on construise ainsi dans la langue parlée courante.

They threatened him into signing the cheque. *Ils le contraignirent sous la menace à signer le chèque.*

You won't frighten me out of telling the truth. *Ce n'est pas en m'intimidant que vous m'empêcherez de dire la vérité.*

They laughed him out of publishing his poems. *En se moquant de lui, ils le dissuadèrent de publier ses poèmes.*

We talked her out of selling her house. *Nous l'avons dissuadée de vendre sa maison (à force de discussions).*

He deluded them into believing that the task would be an easy one. *Il les a induits en erreur, leur faisant croire que la tâche serait facile.*

Voir aussi 310 (citation de Kingsley Amis).

519 (c) Le verbe peut être à la *voix passive.* (**The dog was kicked out. He was sworn to secrecy. He was threatened into signing the cheque...**).

The bull-fighter was gored to death. *Le torero fut tué d'un coup de corne.*

Saint Stephen was stoned to death. *Saint Etienne fut lapidé.*

He had been shot dead. *On l'avait tué d'une balle de révolver* (ou : *d'un coup de fusil*, etc.). Il y a ici passage instantané de la vie à la mort, d'où la construction différente des deux exemples précédents.

The M.P. was "kicked upstairs". *On se débarrassa du député en l'envoyant siéger à la Chambre des Lords* (dont les pouvoirs sont très limités).

The actor was booed from the stage. *L'acteur quitta la scène, chassé par les huées.*

He was scared stiff. *Il était paralysé de frayeur.*

He was not to be laughed out of it (Dickens). *On eut beau rire, il ne voulut pas en démordre.*

An old coat worn to rags and an old hat battered out of shape. *Un vieux manteau réduit en haillons et un vieux chapeau tout cabossé.*

520 (d) On emploie parfois un ***pronom réfléchi*** entre le verbe et l'élément résultatif, que celui-ci soit un adjectif, une postposition ou une préposition suivie d'un nom.

> **Milton read himself blind.** *Milton devint aveugle à force de lire.*
> **You'll eat yourself sick.** *Tu vas te rendre malade à force de manger.*
> **He slept himself sober.** *Il se dégrisa en dormant (cuva son alcool).*
> **They shouted themselves hoarse.** *Ils s'enrouèrent à force de crier.*
> **He worked himself silly.** *Il s'est abruti de travail.*
> **He worked himself free.** *Il parvint à se dégager.*
> **He worked himself up into a rage.** *Il se mit en fureur* (comparer les sens de ***worked*** dans ces trois phrases).
> **He drank himself to death.** *Il est mort alcoolique.*
> **I often read myself to sleep.** *Je m'endors souvent en lisant.*
> **The candle had burnt itself out.** *La bougie s'était entièrement consumée.*
> **He had probably worried himself into a nervous breakdown over his debts** (Ch. Isherwood). *Il avait probablement fait une dépression nerveuse à force de se tracasser pour ses dettes.*

521 (e) Un grand nombre d'***expressions imagées*** (par exemple des exagérations familières) sont des structures résultatives.

> **The lecture bored us stiff** (= **bored us to death**). *La conférence nous a mortellement ennuyés.*
> **We were tickled to death at the idea.** *Cette idée nous a follement amusés.*
> **She cried her eyes out.** *Elle pleura à chaudes larmes.*
> **The poor woman ate her heart out.** *La pauvre femme se fit beaucoup de mauvais sang.*
> **I'll work my fingers to the bone for my children.** *Je me tuerai au travail pour mes enfants.*
> **This factory works round the clock.** *Cette usine travaille vingt-quatre heures sur vingt-quatre.*
> **To sleep the clock round.** *Faire le tour du cadran* (dormir douze heures d'affilée).
> **What it all boiled down to was that there was no difficulty whatsoever in getting to Baghdad so long as you had between sixty and a hundred pounds in cash** (A. Christie). *Le problème se ramenait à ceci : il n'y avait pas la moindre difficulté pour se rendre à Bagdad dans la mesure où l'on disposait de soixante à cent livres en liquide.*
> **He yawned his head off.** *Il bâillait à se décrocher la mâchoire.*

La même image (la tête qui se sépare du corps, comme dans un dessin animé) est employée dans trois contextes différents dans une scène de « When we are married », de J.B. Priestley (ces phrases sont dites par trois personnages différents) :

> **"You were bawling your 'ead off".** *Tu braillais à tue-tête.*
> **"I could knock your fat head off".** *J'ai bien envie de te casser ta sale gueule.*
> **"If it had been a funeral — they'd have all been here, laughing their heads off".** *Si ça avait été un enterrement... ils auraient tous été ici à rire comme des baleines.*

EXERCICES

[A] Compléter avec un verbe de sens précis, puis traduire la phrase.

1. The drunkard was... across the street. — 2. The murderer... out of the house. — 3. The "United States" was... up the Hudson River. — 4. I... to my bedroom so as

not to wake them up. — 5. After a long day's work, the tired old farmer... back home. — 6. The arrow... past my ear. — 7. We had to... across the shallow river. — 8. The cripple was... along the road. — 9. The little car was... up the hill, and we were wondering whether it would manage to reach the top. — 10. Blériot... over the Channel in 1909.

[B] Transformer les phrases suivant le modèle :

He told them the truth because they frightened him → They *frightened him into telling* them the truth.

1. He joined their organisation as a result of their enticing him. — 2. She accepted their offer because they talked to her about it. — 3. He did not wear his green hat because they laughed at him about it. — 4. He proposed to her as a result of her cajoling him. — 5. She did not marry her cousin because her parents talked to her about it. — 6. He opened the safe for the gangsters as a result of their frightening him. — 7. She received the stolen money as a result of their threatening her. — 8. He did his homework as a result of our bullying him. — 9. He stopped sucking his thumb because we laughed at him about it. — 10. They did not play the trick on the poor fellow because we shamed them about it.

[C] Traduire :

1. Le traîneau passa avec un tintement de grelots. — 2. Le vieux camion s'éloigna dans un bruit de ferraille. — 3. La lourde charrette passa devant chez nous avec fracas. — 4. D'un regard furieux elle le fit sortir de la pièce. — 5. D'un geste de la main il les fit s'éloigner. — 6. A force de discussions, ils l'amenèrent à s'inscrire au parti. — 7. A force de se moquer de lui, ils lui ont fait perdre cette habitude. — 8. Ils la contraignirent, sous la menace, à leur remettre tous ses bijoux. — 9. Ses amis ont fini par le dissuader d'acheter une voiture de sport. — 10. En lui faisant honte, elle l'a contraint à aller chez le coiffeur. — 11. En lui faisant honte, ils l'ont contraint à présenter des excuses. — 12. Irez-vous à Marseille en avion ou en voiture ? — 13. Il gaspilla au jeu toute sa fortune. — 14. Les lumières s'éteignirent et il nous fallut regagner nos places à tâtons. — 15. Elle alla sur la pointe des pieds jusqu'au lit de l'enfant qui dormait. — 16. Je l'aidai à enlever son manteau. — 17. Le bébé s'endormit à force de pleurer. — 18. Tu vas te rendre malade si tu continues à boire. — 19. Il va se tuer à la tâche. — 20. Va voir ce film. Tu vas mourir de rire.

29. — QUELQUES VERBES À CONSTRUCTIONS MULTIPLES

On se contentera dans cette leçon de mettre l'accent sur des constructions courantes souvent mal connues des francophones.

1. — TO SAY ET TO TELL

522 (a) *To say* a pour complément direct les paroles prononcées. On peut ajouter un complément de personne introduit par *to.*

Say something. *Dites quelque chose.*
He said good morning to us. *Il nous a dit bonjour.*
You must say thank you to them. *Vous devez leur dire merci.*

279

Il sert à rapporter des paroles entre guillemets. On peut alors le placer en tête de phrase, en fin de phrase ou entre virgules.

> He said, 'Why don't you come with us ?' (virgule plutôt que deux points).
> 'Why don't you come with us ?', he said (sans inversion; « said he » est très rare, 206, 6°).
> 'Yes, he said to us, I'm going to get married'.

Au style indirect (435) on n'exprime pas normalement la personne à qui les paroles sont adressées.

> He said (that) he was tired. *Il a dit qu'il était fatigué* (On ne dit pas couramment : « He said to me that he was tired ». On dit : « He told me that he was tired »).

N.B. Noter les expressions : **To say one's lesson** *(réciter sa leçon)* et : **What do you say to a cup of tea ?** *(Que diriez-vous d'une tasse de thé ?)*

523 (b) *To tell* est suivi d'un complément direct exprimant à qui les paroles sont adressées. Le second complément (les paroles prononcées) peut être un nom, une subordonnée (style indirect), une interrogative indirecte, un infinitif.

> He told me a lie. *Il m'a menti.*
> Let me tell you a story. *Je vais vous raconter une histoire.*
> Tell us about your plans. *Parlez-nous de vos projets* (le complément indirect est introduit par *about* beaucoup plus couramment que par *of*).
> He told me (that) he was tired. *Il m'a dit qu'il était fatigué* (mais, sans complément de personne : He said that he was tired).
> Can you tell me where John is ? *Peux-tu me dire où est John ?* (voir 442).
> They told us to wait. *Ils nous ont dit d'attendre* (voir 474).

Dans la première construction (deux compléments directs), si le complément de personne est long on peut le placer en dernier après la préposition *to* : **He told lies to all his friends except Peter.**

Comparer les deux séries de phrases (voir aussi 499) :

> He said something funny, et : He told us something funny.
> She said it was too late, et : She told me it was too late.
> He said, 'Wait for me', et : He told me to wait for him.

Autres constructions de *to tell* :
> You never can tell. *On ne sait jamais.*
> There's no telling what may happen. *On ne peut pas prévoir ce qui peut se passer.*
> What the fight was about would have been hard to tell (construction de style soigné). *Il aurait été difficile de déterminer le motif de ce combat.*
> Can you tell him from his twin brother ? *Arrivez-vous à le distinguer de son frère jumeau ?*
> No one could tell them apart. *Personne ne pourrait les distinguer.*
> It told on his health. *Cela affecta sa santé.*
> You're telling me ! *A qui le dites-vous !*

To tell n'est suivi d'un complément direct neutre que dans des expressions toutes faites comme : **to tell the truth** *(dire la vérité)*, **to tell lies** *(dire des mensonges)*, **to tell a story** *(raconter une histoire)*, **to tell tales** *(cafarder)*, **to tell the difference** *(reconnaître la différence)*, etc.

524 (c) *Au passif*, ne pas confondre les constructions et les sens de ces deux verbes.

To say a deux constructions synonymes.

> It is said that he is very shy. *On dit qu'il est très timide.*

280

He is said to be very shy *(he is said = he is reputed)*.

To tell peut se construire au passif dans plusieurs cas.

I've been told a funny story. *On m'a raconté une histoire drôle.*

I was told that you were ill *(I was told = I was informed)*. *On m'a dit que vous étiez malade.*

I was told to wait *(I was told = I was asked, I was ordered)*. *On m'a dit d'attendre.*

They hadn't been told about the incident. *On ne leur avait pas parlé de cet incident.*

He doesn't need to be told twice (about it). *On n'a pas besoin de le lui dire deux fois.*

525 (d) Les deux verbes s'emploient dans des *phrases elliptiques* avec *so* (178 à 180).

He said so (He told me so). *Il l'a dit (Il me l'a dit).*

So he said (So he told me). *C'est ce qu'il a dit (C'est ce qu'il m'a dit).*

To tell, synonyme de to ask, to order, peut être construit avec un *to anaphorique* (176).

I wanted to call the police but he told me not to. *Je voulais appeler la police mais il m'a dit de ne pas le faire.*

| 2. — TO REMEMBER ET TO REMIND |

526 (a) *To remember* (comparable par sa construction à *to say*) a pour complément direct la chose dont on se souvient.

I remember my holidays. *Je me souviens de mes vacances.*

Do you (ou : Can you) remember their phone number ? *Vous rappelez-vous leur numéro de téléphone ?.*

Pour l'*évocation d'une action passée* on peut employer un *gérondif* (ou parfois une subordonnée introduite par *that*).

I remember locking the door (**locking** plus couramment que : **having locked**). *Je me rappelle avoir fermé la porte à clef.*

I remember Mr Jones locking the door (ou : I remember that Mr Jones locked the door). *Je me rappelle que Mr Jones a fermé la porte à clef.*

Quand il s'agit d'une *action qu'il ne faut pas oublier de faire*, *to remember* est suivi d'un *infinitif*.

We must remember (= we must not forget) to write to them. *Nous ne devons pas oublier de leur écrire.*

Des phrases comme « I remember posting the letter (yesterday) » et « I must remember to post the letter (tomorrow) » illustrent une différence fondamentale entre le gérondif (idée d'action passée) et l'infinitif (idée d'action future).

Noter l'expression : **Please remember me to your friends.** *Veuillez transmettre mes amitiés à vos amis.*

527 (b) *To remind* (comparable par sa construction à *to tell*) a pour complément direct la personne à qui on rappelle quelque chose. Le second complément se construit de diverses façons.

The film reminded me of my holidays. *Le film m'a rappelé mes vacances.*

You must remind me of it. *Vous devez m'y faire penser.*

She reminded me that the Smiths were coming to dinner. *Elle me rappela que les Smith venaient dîner.*

Remind me to invite them. *Faites-moi penser à les inviter* (infinitif : action qui reste à faire).

Comparer :

I remembered my promise, et : **She reminded me of my promise.**

I remembered that he was a Scot, et : **She reminded me that he was a Scot.**

I must remember to do it, et : **You must remind me to do it.**

528 (c) *Au passif to remember* n'a qu'une construction.

Your promise will be remembered. *On se souviendra de votre promesse.*

To remind peut se mettre au passif dans plusieurs cas.

I am reminded of our trip to Greece. *Cela me rappelle notre voyage en Grèce.*

I was reminded that smoking was not allowed. *On me rappela qu'il n'était pas permis de fumer.*

I was reminded to thank them. *On m'a fait penser à les remercier.*

---

3. — TO COME ET TO GO

529 (a) Ne pas oublier l'opposition fondamentale entre ces deux verbes : qu'ils soient employés seuls ou avec des postpositions, *to come* exprime **un rapprochement** (ou une apparition), *to go un éloignement* (ou une disparition). Voir 516.

The sun hasn't come out all day. *Le soleil ne s'est pas montré de la journée.*

The tide is coming in (≠ **going out**). *La marée monte* (≠ *descend*).

When we got there they were gone (ou : **they had gone**). *Quand nous sommes arrivés ils avaient disparu* (pour l'emploi de l'auxiliaire *be*, voir 41).

Remarque : La même opposition existe entre les deux verbes *to bring* (rapprochement) et *to take* (éloignement) :

They brought their daughter with them. *Ils ont amené leur fille.*

We'll take you to a concert. *Nous vous emmènerons au concert.*

"You can't take it with you" (comédie de Kaufman et Hart). *« Vous ne l'emporterez pas avec vous ».*

530 (b) Le verbe qui suit *to go* ou *to come* est souvent introduit par *and*, surtout aux formes semblables au radical du verbe (infinitif, présent simple, futur, impératif...). Les deux verbes sont au même temps.

Come and see us tonight. *Venez nous voir ce soir.*

I go and visit them every week. *Je vais leur rendre visite chaque semaine.*

We'll go and help him. *Nous irons l'aider.*

Can you come and help me ? *Peux-tu venir m'aider ?*

A la 3ᵉ personne du singulier du présent simple :

He often comes and plays chess with me. *Il vient souvent jouer aux échecs avec moi.*

Cette tournure est moins employée au preterite, et plus rare encore au present perfect.

We went and saw them (plus courant : **We went to see them**) **yesterday.** *Nous sommes allés les voir hier.*

They have gone (ou : **been**) **and watched the match.** *Ils sont allés assister au match* (plus couramment, surtout s'ils ne sont pas encore revenus : **They have gone to watch**).

Remarquer les deux constructions différentes dans : « **I went and saw my mother. I hadn't been to see her for a long time** » (A. Christie). Dans la seconde phrase, au past perfect, « been and seen » serait impossible.

Il faut l'*infinitif*, à tous les temps, si l'on veut exprimer clairement une *idée de but.*

I hope they come to see me, not to watch T.V. *J'espère qu'ils viennent pour me voir, et non pour regarder la télévision.*

Remarque : Cet emploi de *and* se rencontre avec d'autres verbes, notamment *to try.*

I'll try and help you (plus familier que : **I'll try to help you**). *Je vais essayer de vous aider.*

Do try and understand. *Essayez donc de comprendre.*

Autres exemples (expressions toutes faites) :

Wait and see. *Attendez les événements.*

Mind and do what you are told, or else... (familier, moins courant que : **Mind you do...**). *Et tâche de faire ce qu'on te dit, sans ça...* (voir 497, 4°).

531 ⓒ Tournure spéciale au verbe *to go :* **To go hunting** (ancienne forme : *a-hunting*), **shooting, fishing, swimming, shopping, camping...** *Aller à la chasse à courre, à la chasse, à la pêche, aller se baigner, aller faire des achats, aller faire du camping.*

To go black-berrying. *Aller à la cueillette des mûres.*

To go bird's-nesting. *Allez dénicher les nids.*

Cette tournure ne s'emploie que dans un nombre limité d'expressions (principalement pour les activités en plein air). Elle a parfois un sens péjoratif (style familier) :

With two girls on his hands already he had no business to go falling in love with a third. *Avec deux filles déjà sur les bras il aurait pu se dispenser de tomber amoureux d'une troisième.*

On dit : *to go for* a walk (a drive, a swim, a picnic...), *to go on* a trip (a journey, a tour, an excursion).

Voir 377 (*come* + participe présent).

532 ⓓ *Have been/has been* s'emploie comme present perfect de *to go* (260).

Have you been to Ireland ? — Yes, we went to Dublin last summer. *Etes-vous (déjà) allés en Irlande ? — Oui, nous sommes allés à Dublin l'été dernier.*

Comparer le sens des deux present perfects :

They have been to Australia. *Ils sont allés en Australie* (ils y ont fait un voyage; il est sous-entendu qu'ils en sont revenus).

They have gone to Australia. *Ils sont partis en Australie* (ils y sont encore).

Is John at home ? — No, he's gone to the pictures. *John est-il chez lui ? Non, il est allé au cinéma* (il y est en ce moment).

We've already been to the National Gallery three times. We went yesterday. *Nous sommes déjà allés trois fois à la National Gallery. Nous y sommes allés hier.*

(e) *To go* et *to come* sont parfois synonymes de *to become*. Voir 501 (**to go mad, to come true**).

(f) *To go* peut être suivi d'*onomatopées*.

> **It went bang.** *Cela a fait boum.*
> **The clock goes tick-tock, tick-tock.** *La pendule fait tic-tac.*

---

4. — TO LEAVE ET TO LET

533   On envisagera surtout les cas où ces deux verbes traduisent « *laisser* » (Autres sens : to leave = partir, quitter; to let = louer).

(a) *Laisser à tel endroit, dans tel état, dans telle position : to leave.*

> **I've left the book on your desk.** *J'ai laissé le livre sur votre bureau.*
> **Please leave the door open.** *Veuillez laisser la porte ouverte.*
> **I'd rather be left in peace.** *Je préfère qu'on me laisse tranquille.*
> **They left us standing at the door.** *Ils nous ont laissés attendre à la porte.*
> **Leave me alone.** *Laissez-moi tranquille* (dans ce cas particulier on dit aussi : **Let me alone**).
> **Let well alone** (expr. prov.). *Le mieux est l'ennemi du bien.*

(b) Noter l'expression « *let alone* » (= *pour ne rien dire de*).

> **There were six of them in the car, let alone the dogs.** *Ils étaient six dans la voiture, sans compter les chiens.*
> **They have never seen one, let alone used one.** *Ils n'en ont jamais vu, et encore moins utilisé.*
> **He did not know the girl's name, let alone her address** (G. Orwell). *Il ne savait pas le nom de la fille, et encore moins son adresse.*

(c) *Laisser quelque chose à quelqu'un : lo leave.*

> **Have you left me anything to drink ?** *M'avez-vous laissé quelque chose à boire ?*
> **He's left nothing for us.** *Il ne nous a rien laissé.*
> **He's left nothing for us to drink.** *Il ne nous a rien laissé à boire.*

(d) *Laisser la responsabilité de : to leave* construit avec un infinitif complet.

> **I'll leave you to take the decision** (ou : **I'll leave it to you to decide**). *Je vous laisserai prendre la décision.*

(e) *Laisser la permission de, permettre : to let* construit avec un infinitif sans *to*.

> **They didn't let him come with us.** *Ils ne l'ont pas laissé venir avec nous.*
> **Let me give you this advice.** *Permettez-moi de vous donner ce conseil.*

C'est par une extension de cet emploi de *to let* que s'est formé l'*impératif* (voir leçon 19).

(f) *To let* s'emploie aussi avec une *postposition*.

> **Let me in.** *Laissez-moi entrer.*
> **Let him through.** *Laissez-le passer.*
> **I won't let you down.** *Vous pouvez compter sur moi.*
> **I'll let you off this time.** *Je vous pardonne pour cette fois.*

284

(g) Le passif *to be left* traduit le verbe impersonnel « *il reste* ».

> **What is left ?** *Que reste-t-il ?*
> **There is nobody left.** *Il ne reste personne.*
> **I have £ 5 left.** *Il me reste £ 5.*
> **The ten minutes we have left** (*have* et *left* sont tous deux accentués). *Les dix minutes qui nous restent.*

---

5. — LES VERBES DE PERCEPTION INVOLONTAIRE

534 Ne pas confondre les verbes de *perception involontaire : to see, to hear,* et ceux qui expriment des *actes volontaires*, des efforts pour voir, pour entendre : *to look (at), to listen (to).* Quant aux verbes *to feel, to taste* et *to smell*, ils peuvent exprimer l'une ou l'autre de ces deux notions (**I felt a few drops of rain**, perception involontaire. **Feel this material**, action volontaire).

Les verbes de perception involontaire ont plusieurs caractéristiques communes :

(a) Ils sont souvent *conjugués avec can* (plus couramment qu'avec *do*).

> **I can't see anything, it's too dark.** *Je ne vois rien, il fait trop noir.*
> **Can't you hear voices in the garden ?** *N'entendez-vous pas des voix dans le jardin ?*
> **I can feel a nail in my shoe.** *Je sens un clou dans ma chaussure.*

535 (b) *Ils n'ont pas normalement de forme progressive.*

Comparer la question et la réponse : **Can you see the plane ?** — **Yes, I'm looking at it** (A la différence de to see, le verbe to look qui exprime un acte volontaire s'emploie à la forme progressive).

Voir 246 (emplois exceptionnels de to *see* et to *hear* à la forme progressive).

(c) Ils se construisent, ainsi que *to watch, to notice* et *to observe* (et, moins couramment, *to look at, to listen to*) avec un complément suivi d'un infinitif sans *to* ou d'un participe présent (voir 402). Comparer :

> **He rushed out and then I saw him run away towards the station.** *Il est sorti en courant et alors je l'ai vu s'enfuir vers la gare.*
> **When I reached the corner of the street I saw him running away towards the station.** *Quand je suis arrivé au coin de la rue je l'ai vu s'enfuir* (= *qui s'enfuyait*) *vers la gare* (Dans cette seconde phrase, l'action de fuir était déjà en progrès quand elle a été perçue, d'où l'emploi du participe présent).

Si la première de ces deux constructions est au passif, il faut un infinitif complet.

> **He was seen to run away.** *On l'a vu s'enfuir.*

To see joue le rôle d'un auxiliaire de sens vague dans :

> **I wouldn't like to see him get hurt.** *Je ne voudrais pas qu'il soit blessé.*

536 (d) Quand l'action perçue est passive, *to see* et *to hear* se construisent avec un participe passé. Remarquer l'ordre des mots.

> **I saw the Queen crowned.** *J'ai vu couronner la Reine.*
> **I heard my name called.** *J'entendis appeler mon nom.*

I've heard it said that (= I've heard that) there is a monster in this lake. *J'ai entendu dire qu'il y a un monstre dans ce lac.*

Avec une forme progressive (action en progrès) :

When he went to Paris at the age of five, he saw the Eiffel Tower being built. *Quand il alla à Paris à l'âge de cinq ans, il vit bâtir la Tour Eiffel.*

(e) Pour les emplois de *to see, to hear* et *to feel* suivis d'une subordonnée, voir 497.

---

6. — LES VERBES D'IMPRESSIONS

537 Ce sont : *to look, to sound, to feel, to smell* et *to taste* (comparer cette liste avec celle du § 534). Ils se construisent de trois façons différentes.

(a) *Suivis d'un adjectif* attribut du sujet.

He looks pleased. *Il a l'air content.*
Marble feels cold. *Le marbre est froid au toucher.*
'This cake tastes funny'. 'It tastes all right to me'. « *Ce gâteau a un drôle de goût. — Moi, je le trouve bon* (= *je n'y trouve rien d'anormal*) ».
His story sounds credible. *Son histoire paraît vraisemblable* (ce verbe s'emploie pour ce qu'on entend ou ce qu'on lit).

L'attribut peut être *un nom* après *to look* et *to sound* (He looks a happy man. This sounds a true story).

538 (b) *Avec la préposition like* (description, ressemblance).

He looks like Churchill. *Il ressemble à Churchill.*
What does he look like ? *Comment est-il ?* (Ne pas confondre avec : How is he ? *Comment va-t-il ?*).
It looks like rain. *On dirait qu'il va pleuvoir* (voir aussi 539).
It looks like (being) another power-cut. *On dirait que c'est encore une panne de courant.*
'It looks like a plot to me' (J.B. Priestely). *J'ai l'impression que c'est un complot.*
It sounds like an Irish folk-dance. *On dirait une danse populaire irlandaise.*
It feels like silk. *Au toucher on dirait de la soie.*
This gas smells like garlic. *Ce gaz a une odeur d'ail* (Mais si je dis : « What's there for lunch ? It smells *of* garlic in the kitchen », c'est qu'il y a effectivement de l'ail, ce n'est pas une simple impression).

539 (c) *Suivis de « as if »* (ou *« as though »*) + proposition.

You look as if you are getting bored. *Vous avez l'air de vous ennuyer.*
It looks as if it's going to rain. *On dirait qu'il va pleuvoir* (voir 538).
It looks to me as though we are going to have a storm. *J'ai l'impression que nous allons avoir une tempête.*
You sound as if you're going to enjoy yourself. *A vous entendre, on a l'impression que vous allez bien vous amuser.*

Dans une langue très soignée ces phrases seraient construites avec un subjonctif preterite (358) : You look as if you *were* getting bored. It looks as if it *were* going to rain. It looks to me as though we *were* going to have a storm. You sound as if you *were* going to enjoy yourself. Mais dans la langue parlée on préfère un indicatif.

She looked as if she had been crying. *On aurait dit qu'elle avait pleuré* (voir ci-dessous, remarque 3).

540 *Remarques :* (1) *To feel* s'emploie aussi dans ces trois constructions (notamment avec un sujet personnel) pour exprimer des *impressions physiques ou psychiques.*

I felt tired and disappointed. *Je me sentais fatigué et déçu.*
I feel like a wise old man. *J'ai l'impression d'être vieux et sage.*
'Sometimes I feel like a motherless child' (Negro spiritual). *Parfois j'ai l'impression d'être un enfant sans mère.*
'You've been quarrelling here, haven't you ?' 'No, we haven't'. 'Well, that's what it feels like to me' (J.B. Priestley). *Vous vous êtes disputés ici, hein ? — Mais non. — J'en ai pourtant bien l'impression.*
He felt as if he were (ou : **was**) **drunk.** *Il avait l'impression d'être ivre.*
She felt as if she were (ou : **was**) **going to faint.** *Elle avait l'impression qu'elle allait s'évanouir.*

(2) **To feel like + gérondif** = *avoir envie de +* infinitif.

I don't feel like staying here long. *Je n'ai pas envie de rester longtemps ici.*
Do you feel like (having) a cup of tea ? *As-tu envie d'une tasse de thé ?*
(Cette expression est souvent elliptique, les gérondifs *having, eating, drinking* étant souvent sous-entendus après like).

(3) Noter les américanismes dans lesquels *like = as if.*

He looked like he had drunk too much. *On aurait dit qu'il avait trop bu.*
'Sometimes I feel like I'm almost gone' (Negro spiritual). *Parfois j'ai l'impression que je suis presque mort.*

(4) **To be, to seem, to appear** peuvent eux aussi être suivis de *like* et de *as if.*

What is the weather like ? *Quel temps fait-il ?*
It was (= **it seemed, it appeared**) **as if everyone had expected the event.** *On eût dit que tout le monde s'était attendu à l'événement.*

(5) Noter les constructions de *to ring* et de *to read* (comparer avec *to sound*), dans :

His words ring true. *Ses paroles sonnent juste.*
His story does not ring true (= **rings false**). *Son histoire n'a pas l'accent de la vérité.*
The book reads well, it reads like a detective story. *Ce livre se lit bien, il se lit comme un roman policier.*

EXERCICES

[A] Mettre à la voix passive (en sous-entendant le complément d'agent), puis traduire :

(a) 1. Somebody told us to reserve our seats. — 2. People say that he was a hero during the war. — 3. They'll tell you the whole story. — 4. They had never told her that her son was in hospital. — 5. Everyone says they are good at languages. — 6. Someone told us to stop smoking. — 7. People say he was a good pianist. — 8. Someone told him the train had just left the station. — 9. They told us about their difficulties. — 10. I don't like people to tell me lies. — 11. Nobody ever told her the truth. — 12. People said he had owned three factories. — 13. Did anyone tell him to show his driving licence ? — 14. Someone will tell them where to stay for the night. — 15. Has anyone told you that he is leaving next week ?

(b) I. We shall always remember their kindness to us. — 2. He reminded us not to light a fire in the wood. — 3. The police reminded the foreign motorist that he must keep to the left. — 4. We remind the students that they have to be back by 11 p.m. — 5. We reminded him of his promise. — 6. People easily remember the telephone number of the police station. — 7. They heard someone shout, ''Fire ! Fire !'' — 8. We saw the man drop a gun into the river. — 9. We never saw him laugh. — 10. Nobody had ever heard them complain.

[B] Traduire : *(dire)*

1. Vous a-t-il dit merci ? — 2. Nous lui avons dit de s'arrêter. — 3. Dites-nous pourquoi vous êtes en retard. — 4. Tout le monde dit qu'il est vaniteux, mais je peux vous dire que ce n'est pas vrai. — 5. Elle n'a pas encore dit à ses parents qu'elle est fiancée. — 6. Vous auriez dû nous dire la vérité. — 7. On nous a dit de venir de bonne heure. — 8. Vous a-t-on dit que Mr Smith a eu un accident ? — 9. On dit qu'il a été étudiant en médecine pendant trois ans. — 10. On leur dira quand ils doivent partir. — 11. Dites-nous comment sont les villes américaines. — 12. On le dit très timide. — 13. Ne dis jamais de mensonges. — 14. On vous dira de lire beaucoup de journaux anglais. — 15. Dites à tous vos amis ce que je viens de vous dire. — 16. On disait qu'il avait été acteur de cinéma avant la guerre. — 17. Vous a-t-on dit où est la bibliothèque ? — 18. Quand nous dira-t-on la vérité ? — 19. On ne lui avait pas dit qu'il était interdit de fumer. — 20. On m'a beaucoup parlé de vous.

[C] Traduire *(rappeler, se souvenir)* :

1. Je ne me rappelle jamais son adresse. — 2. Vous rappelez-vous les avoir invités ? — 3. Ce concerto me rappelle toujours « Brève Rencontre ». — 4. Ils nous ont rappelé qu'il y aurait une coupure de courant dans l'après-midi. — 5. Je ne me souviens pas de lui mais je me souviens très bien de son frère. — 6. Je me rappelle avoir remarqué qu'elle avait l'air fatiguée. — 7. Les paysages de cette région me rappellent la Suisse. — 8. Il ma rappelé que je devais lui prêter mon électrophone. — 9. Quelle leçon cela a dû être pour eux ! Je suis sûr qu'ils s'en souviendront ! — 10. C'est vous qui avez refusé de le faire, autant qu'il m'en souvienne.

[D] Traduire *(laisser)* :

1. Ils n'ont pas voulu nous laisser entrer. — 2. Laissez la clef sous le paillasson. — 3. Elle laisse ses enfants libres de faire ce qu'ils veulent. Elle les laisse faire ce qu'ils veulent. — 4. Ne laisse pas le chat entrer dans la cuisine. — 5. J'ai dû laisser ma pipe chez vous ? — 6. Qui a laissé la fenêtre ouverte ? — 7. Ils ne veulent pas me laisser aller au cinéma ce soir. — 8. Ne laisse pas ton frère s'approcher de la rivière. — 9. Il vous restera une demi-heure pour vous détendre avant le dîner. — 10. Si nous ne nous dépêchons pas, il ne restera rien pour nous. — 11. On les laisse seuls toute la journée. — 12. Laissez-les parler, ils ne savent pas ce qu'ils disent.

[E] Traduire :

1. J'aime beaucoup cet arbre. Je l'ai vu planter quand j'étais enfant. — 2. Entendez-vous les cloches ? Je les entends sonner tous les soirs. — 3. Leurs explications paraissent peu convaincantes. — 4. Quel goût a ce sirop ? — Il a un goût affreux. — 5. Ressemble-t-il à son père ou à sa mère ? — 6. Il se dirigea à la nage vers la petite île déserte, ayant l'impression d'être Robinson Crusoé. — 7. J'ai bien envie de ne pas répondre à sa lettre. — 8. Leurs chants ressemblent à des Negro spirituals. — 9. Ce fruit ressemble à une poire, mais n'a pas le même goût. — 10. Nous avions tous l'impression d'être des héros. — 11. A le voir, on croirait que c'est lui le patron ici. A l'entendre on croirait que c'est lui le patron ici. — 12. Ce pont n'est pas très vieux, je l'ai vu bâtir. — 13. Ce quatuor ressemble

à l'hymne national autrichien. — 14. A le voir, on le croirait intelligent; mais pas à l'entendre. — 15. Ce bonbon a un goût de gingembre. — 16. Son grand chapeau le faisait ressembler à un Texan. — 17. Je n'ai pas envie de sortir ce soir. — 18. Je l'ai envoyé se coucher sans dîner; cela m'a donné l'impression d'être une brute. — 19. Nous avons tous entendu sa déposition, qui ne paraît pas véridique. — 20. On aurait dit qu'il allait se mettre à pleurer.

[F] Transformer les phrases suivant les modèles :

Is she an Indian ? → She *looks like* an Indian.
Look at those clouds. Is it going to rain ? → It *looks as if* it's going to rain (Employer le verbe d'impression convenant au sens de la phrase).

1. Are they twin brothers ? — 2. Was it a shot ? — 3. Is this gin ? — 4. Listen to the engine. Are we going to have another breakdown ? — 5. Look at him. Is he going to be sick ? — 6. Was it a flying saucer ? — 7. Does the piano need tuning ? — 8. Look at her. Is she feeling homesick ? — 9. Is it a Manx cat ? — 10. Listen to the language those two men are speaking. Is it Hungarian ? — 11. Is this horse meat ? — 12. Didn't the cook forget to put salt in the soup ? — 13. Isn't your cake burning ? You'd better have a look in the kitchen. — 14. Is this Handel's "Messiah" ? — 15. Look at him. Has he been ill ?

2

LE SYNTAGME
NOMINAL

30. — LE NOM

1. — GÉNÉRALITÉS

541 (a) Qu'il soit sujet, complément ou attribut, le nom s'emploie tantôt seul (**I like novels. Tea is cheap in England**), tantôt accompagné de divers **déterminants :** articles, adjectifs déterminatifs (démonstratifs, possessifs, indéfinis, numéraux...), adjectifs qualificatifs, génitifs, compléments introduits par des prépositions, propositions introduites par des relatifs (Nous emploierons ici le mot « **détermi-nant** » dans un sens large, par opposition à « **déterminé** »).

> I like *this* novel.
> I like *a good historical* novel.
> I like *Jane Austen's* novels.
> I like *the* novel *he wrote when he was in a prison camp.*

L'ensemble formé par le nom et ses déterminants est un **syntagme nominal**. Le substitut d'un nom ou d'un syntagme nominal est un **pronom** (personnel, démonstratif, indéfini, etc.). Certains pronoms peuvent, comme le nom, être accompagnés dans certains cas de déterminants, par exemple *one* dans :

> **This tie is too dark, I like the red one better.**
> **I like the one you gave me.**
> (mais non : « I like John's one », § 737).

Les emplois des pronoms, ainsi que ceux des adjectifs déterminatifs (qui ont souvent la même forme : **this, that, some, all**...) seront étudiés dans les leçons 36 à 40.

Les propositions relatives et les compléments introduits par des prépositions suivent le nom qu'ils déterminent. Les autres déterminants (articles, adjectifs, génitifs) *précèdent le nom*. Les articles et les divers adjectifs (ou mots employés comme adjectifs) sont des mots invariables (exceptions : les démonstratifs *this/these* et *that/those*).

542 (b) Des déclinaisons du vieil anglais il ne reste que peu de choses. Un nom a au maximum quatre formes : *child, child's, children, children's*. Pour ce nom et pour quelques autres (**man, woman**...) les quatre formes diffèrent phonétiquement, mais dans le cas le plus fréquent, il n'y a que *deux formes phonétiquement différentes*.

> ['faːðə] *(father)*
> ['faːðəz] *(father's, fathers, fathers')*.

La forme terminée par un suffixe à sifflante s'emploie pour le pluriel, le génitif singulier et le génitif pluriel. Un grand nombre de noms ne s'emploient pas couramment au génitif, notamment la plupart des noms neutres (noms d'objets, notions abstraites). Le génitif sera étudié à la leçon 37.

(c) Certains noms n'ont qu'*une forme*, qui est un singulier (**furniture, luggage**), ou un pluriel (**clothes, scissors**), ou une forme commune au singulier et au pluriel (**sheep, aircraft, series**). Ces cas particuliers seront étudiés aux §§ 549, 556, 565.

543 (d) La fonction d'un nom est indiquée, pour l'essentiel, comme en français, par sa place dans la phrase ou par l'emploi d'une préposition (*by* introduit un complément d'agent, *to* un complément d'attribution, *from* un complément de provenance, etc.). Pour la place des noms sujets et compléments, voir leçon 9.

Le genre n'intervient, grammaticalement, que pour le choix des pronoms personnels et des possessifs (570 à 573).

Le nombre est clairement indiqué puisque l'*s* du pluriel est toujours prononcé (les noms à forme unique, comme *sheep, craft* ou *series*, sont peu nombreux).

Pour comprendre l'emploi du singulier et du pluriel ainsi que l'emploi des articles, il y a lieu de faire intervenir les notions de « *dénombrable* » et « *indénombrable* » (§§ 563 à 569).

L'emploi de l'article défini sera étudié à la leçon 31, notamment en faisant intervenir la notion de nom déterminé ou indéterminé.

On se méfiera des noms que le français a adoptés en les construisant différemment (*un short* = **a pair of shorts**, § 556; *un toast* = **a piece of toast**, § 565).

| 2. — SINGULIER ET PLURIEL |

544 (a) *Formation du pluriel.*

Les déterminants du nom sont des mots invariables (à l'exception de *this* et *that*), mais le pluriel des noms est marqué par un *suffixe à sifflante, toujours prononcé*, semblable phonétiquement à celui qui marque leur génitif ou la 3e personne du singulier des verbes au présent simple.

Comparer phonétiquement :

> **the cat/the cats** (seul le nom est différent)
> *le chat/les chats* (seul l'article est différent).

(1) L'orthographe et la prononciation du suffixe à sifflante ont été examinées à propos de la 3e personne du singulier du présent. Les règles sont les mêmes (§§ 9 et 20).

La terminaison est *-es* après s, z, x, sh ou ch (**buses, dresses, boxes, dishes, churches**). Si le singulier est terminé par un *y*, le pluriel est en *-ies* quand l'*y* est précédé d'une consonne (a cherry → **cherries**; a baby → **babies**), en *-ys* quand l'*y* est précédé d'une voyelle (a play → **plays**; a guy → **guys**) ou s'il s'agit d'un nom propre (de pays, de famille), quelle que soit l'orthographe du singulier (**The Kennedys, the two Germanys**, bien que l'*y* de ces deux noms soit précédé d'une consonne), ou d'un mot employé exceptionnellement comme nom (**a thousand whys**).

Pour la prononciation, se reporter au § 9, et comparer les trois cas :

> — [z] après un son vocalique, indépendamment de l'orthographe : **days, laws, cherries, doors** [dɔːz, dɔəz], **sisters, sighs** [saiz]
> — [z] ou [s] après les consonnes autres que les sifflantes ou les chuintantes, selon que c'est le plus facile :
> > [z] : **bags, beds, robes, gloves, walls, lines**
> > [s] : **backs, bets, ropes, roofs**
> — [iz] après une sifflante ou une chuintante : **buses, glasses, boxes, dishes, churches, bridges, judges, colleges** (dans les trois derniers exemples l'*e* appartient au radical du nom, dans les exemples précédents il appartient à la terminaison).

On prononce [ðz] (et non [ðiz]) la terminaison *-thes* : **clothes** [klouðz] (parfois [klouz]).

545 (2) Certains pluriels sont *irréguliers phonétiquement* (orthographe régulière) :

— a house [s] → houses [ziz] (l's du radical change de prononciation, seul exemple de ce phénomène).

— [θ] → [ðz] : **baths, paths, mouths, youths,** alors que le pluriel est régulier [θs] pour **deaths, births, months. Oaths** et **truths** ont les deux prononciation [θs] et [ðz]. Ne pas confondre **cloths** [θs], pluriel de a **cloth** (*une nappe*) et **clothes** [klouðz], qui n'a pas de singulier (*des vêtements*).

546 (3) Un grand nombre de noms terminés par un *o* précédé d'une consonne font leur pluriel en *-oes* (irrégularité d'orthographe seulement) : **potatoes, mosquitoes, tomatoes, heroes, Negroes, innuendoes, cargoes, buffaloes, mottoes, dominoes, commandoes, Eskimoes** (les six derniers ont aussi la forme en *-os*).

Le pluriel est en *-os* pour : **pianos, photos, ghettos,** et des termes techniques ou d'origine étrangère : **dynamos, archipelagos, crescendos, manifestos, albinos, fiascos, infernos, virtuosos, rhinos** (= rhinoceroses)...

Le pluriel de *no* est *noes* dans : « **The noes have it** ». *Les « non » l'emportent* (au Parlement).

547 (4) Certains noms terminés par *-f* ou *-fe* font leur pluriel en *-ves* alors que d'autres ont un pluriel régulier (**roofs, dwarfs, beliefs, handkerchiefs, chiefs**...).

Principales formes irrégulières : les noms terminés par *-lf* (wolf → **wolves**; half → **halves**; calf → **calves**...), *-eaf* (leaf → **leaves**; sheaf → **sheaves**...), *-ife* (wife → **wives**; life → **lives**...; toutefois : « **still lifes** », *des natures mortes*), ainsi que thief → **thieves** et loaf → **loaves.**

Comparer : **The Merry Wives of Windsor**
Snow White and the Seven Dwarfs.

Ont les deux formes de pluriel : **scarf** (scarfs, scarves), **hoof** (hoofs, hooves), **wharf** (wharfs, wharves). La forme régulière est la plus courante dans la langue parlée.

Le pluriel de **staff** est **staves** [steivz] dans le sens de « *portée musicale* », et parfois de « *bâton, houlette* », **staffs** dans les autres cas.

548 (5) Quelques noms ont gardé leur *pluriel germanique* (comparer avec le pluriel des noms allemands) :

foot [u] → *feet* [iː] (voir 811)   mouse ['au] → *mice* [ai]
tooth [uː] → *teeth* [iː]   louse → **lice**
goose [uː] → *geese* [iː]

ox → *oxen*   man → *men*
child [tʃaild] → *children* ['tʃildrən]   woman ['wumən] → *women* ['wimin]

brother → *brethren*, au sens religieux (« **My dear brethen** »); dans les autres cas : **brothers (brothers and sisters).**

(6) *Penny* a deux pluriels : *pennies* pour désigner des pièces de un penny (**She gave me the change in pennies**) et *pence* quand il exprime une valeur (**It cost me 50 pence**). Dans les adjectifs composés (632) on emploie généralement la forme de singulier : **a twopenny** ['tʌpni] **piece.**

Do you prefer a fivepenny piece (= a fivepence) **or five pennies ?**
Préférez-vous une pièce de 5 pence ou cinq pièces de un penny ?

Quant à *dice* (*les dés*), c'est le pluriel de *die*, mais le singulier s'emploie surtout au sens figuré (**The die is cast.** *Les dés sont jetés*). On dit couramment « **one of the dice** », *un dé* (comparer avec « one of the Beatles »).

549 (7) *Pluriel semblable au singulier.* Sont invariables :

— **sheep, deer** (*cerf, chevreuil, daim...*), **swine** (*porc*), **grouse** (*coq de bruyère*); **trout, salmon, perch, pike** (*brochet*) et quelques autres noms de poissons (pour *fish*, voir 568).
Those swine ! *Quels cochons !* (mais **pigs, hogs** ont un pluriel régulier).
I caught seven trout and two salmon. *J'ai attrapé sept truites et deux saumons.*

— **counsel** (*avocat*), mais la forme « counsels » s'emploie aussi parfois.

— **craft** (*embarcation*) (et **aircraft, spacecraft**).
Twenty enemy aircraft (= planes) **were shot down yesterday.** *Vingt appareils ennemis ont été abattus hier.*

Ont également la même forme au singulier et au pluriel : **means** (554), **series, species**, etc. (551); **bob** (synonyme familier de shilling) et **quid** (synonyme familier de pound, 808), **stone** (unité de poids, 811). On emploie parfois comme pluriels **foot**, unité de longueur (811), **pair** (556) et **head** (558). On dit « **a wage of fourteen pound (£ 14) a week** ».

On omet souvent l'*s* de *kinds* et *sorts* dans des expressions comme « **these kind(s) of people** », « **those sort(s) of things** ».

"**I quite like those kind of things**" (H. Pinter). *J'aime assez ce genre de choses.*

550 (8) *Pluriel des lettres de l'alphabet* : on ajoute *'s* (souvent sans apostrophe après des majuscules).

The M.P.'s, ou : **the MPs** (= Members of Parliament). *Les députés à la Chambre des Communes.*
P.O.W.'s, ou **PoWs** ['piː ou 'dʌbljuːz] (= prisoners of war). *Des prisonniers de guerre.*
The 3 r's [ɑːz] (reading, writing, arithmetic).
Mind your p's and q's ['piːzən'kjuːz]. *Surveille ton langage et tes manières.*

(9) *Pluriel des noms propres* : comme pour les noms communs (comparer avec le français : les Dupont et les Durand).

The Robinsons and the Joneses ['dʒounziz]. *Les Robinson et les Jones.*
To keep up with the Joneses. *Rivaliser de standing avec les voisins.*
The two Cromwells, the two Pitts.
The Murrys (J.M. Murry and his wife Katherine Mansfield). Voir 544.
The Misses Brown (ou plus couramment : **the Miss Browns**). *Les demoiselles Brown.*

551 (10) Certains noms ont gardé leur *pluriel étranger ou classique.* (cette liste n'est pas complète, vérifier dans le dictionnaire en cas de doute) :

— *français* : chateau → **chateaux** (parfois **chateaus**, avec ou sans accent circonflexe), plateau → **plateaux** ou **plateaus**, portmanteau → **portmanteaux** ou **portmanteaus**, beau → **beaux** (rarement **beaus**); corps [kɔː] (au sens militaire) → **corps** [kɔːz] (même orthographe, deux prononciations).

— *Italien* : dilettante → **dilettanti** (parfois : **dilettantes**); virtuoso → **virtuosi** (ou **virtuosos**); **spaghetti** (invar.) est considéré comme un singulier.

— *grec* : phenomenon → **phenomena**, criterion → **criteria, protozoa** (pluriel de protozoon, rare au singulier); crisis[-sis] → **crises**[-siːz], oasis[-sis] → **oases**[-siːz], analysis[-sis] → **analyses**[-siːz], metamorphosis[-sis] → **metamorphoses**[-siːz].

— *latin* : datum (singulier rare) → **data**['deitə] (les données d'un problème), stratum → **strata** (**the lower strata of society,** *les couches
inférieures de la société*), medium → **media**['miːdjə] (par exemple dans
« **mass media** », les moyens modernes d'information), millenium → **mil-
lenia; paraphernalia** (pluriel sans singulier : *attirail*); mais : gymna-
siums, stadiums, chrysanthemums, etc.; series → **series,** species → **species;** larva[-və] → **larvae**[-viː], lacuna → **lacunae;** bacil-
lus → **bacilli**[-ɑi], fungus → **fungi,** genius → **genii**['dʒiːniɑi] *(des génies,
êtres surnaturels)*, mais : geniuses (= men of genius).
Ont deux pluriels , en *-i* [-ɑi] et en *-uses* [-əsiz] : cactus, terminus,
hippopotamus.

552 (b) *Noms singuliers terminés par un s.*

(1) Noms de sciences, d'activités humaines terminés par *-ics* (**physics,
mathematics,** fam. : **maths, linguistics, phonetics, politics, economics, athletics,
gymnastics...**) : ces noms sont singuliers quand ils désignent la science ou
l'activité en général et que le verbe est to be suivi d'un attribut singulier ou d'un
adjectif; dans les autres cas ils sont généralement pluriels (notamment avec un
article ou un possessif).

> **Mathematics is easier than I expected.** *Les mathématiques sont plus
> faciles que je ne m'y attendais.*
> **His maths are hopeless.** *Il est nul en maths* (mais : **His physics is
> hopeless**).
> **She says that politics is too complex for her.** *Elle dit que la politique est
> trop complexe pour elle.*
> **We are enemies where politics are** (plutôt que : **is**) **concerned.** *Nous
> sommes ennemis quand il s'agit de la politique.*
> **The acoustics of this hall are excellent.** *L'acoustique de cette salle est
> excellente.*

N.B. Les noms de sciences non terminés par un *-s* sont évidemment des
singuliers (**arithmetic, logic, rhetoric...**).

553   (2) Quelques noms de jeux (**billiards, chess, draughts, dominoes, darts,
bowls...**), de maladies (**measles,** *la rougeole;* **mumps,** *les oreillons,* **shingles,** *le
zona*), de bâtiments (**barracks,** *caserne;* **works,** *usine*), de lieux (**crossroads,**
carrefour; **gallows,** *gibet;* **links,** *terrain de golf*) ainsi que **shambles** *(scène de
carnage ou de désordre)* : ce sont des singuliers, mais **barracks, works, links** et
crossroads s'emploient aussi comme pluriels.

> **Dominoes is a quiet game.** *Les dominos sont un jeu tranquille* (mais
> **dominoes** désignant les objets est un pluriel).
> **Is draughts easier than chess ?** *Le jeu de dames est-il plus facile que les
> échecs ?*
> **A dangerous crosswards.** *Un carrefour dangereux.*
> **There is a gas-works near the barracks.** *Il y a une usine à gaz près de la
> caserne.*

Distinguer **a kennel** *(une niche)* et : **a kennels** *(un chenil);* **a department store**
(un grand magasin) et : **a general stores** *(une boutique d'alimentation générale,
un bazar de village).*

554   (3) *News* est toujours singulier. C'est un nom indénombrable (565).

> **The news is good.** *Les nouvelles sont bonnes.*

Here is the news. *Voici nos informations.*
I am waiting for news. *J'attends des nouvelles.*

Le singulier français se traduit par « **a piece** (= **an item**) **of news** ».

An interesting item of news. *Une nouvelle intéressante.*

Means s'emploie comme singulier ou comme pluriel.

> **There is** (ou : **there are**) **no means of knowing the truth.** *Il n'y a aucun moyen de savoir la vérité.*
> **A good means of getting rich.** *Un bon moyen pour faire fortune.*

Wages est pluriel au sens propre, singulier au sens figuré.

> **His wages are very low.** *Son salaire est très bas* (aussi : **his wage is very low**).
> **The wages of sin is death.** *La mort est le salaire du péché.*

Odds *(inégalité, chances)* est un pluriel.

> **The odds are against him.** *Les chances sont contre lui.*

Mais dans le sens de « *différence, désaccord* », il s'emploie aussi, exceptionnellement, comme singulier.

> **This was the first intimation, to the girls, of an odds between Miss Brodie and the rest of the teaching staff** (Muriel Spark). *Ce fut pour les fillettes le premier indice d'une divergence entre Miss Brodie et l'ensemble de ses collègues.*

On a aussi un singulier dans l'expression familière : « **What's the odds ?** » *(Qu'est-ce que ça fait ? Quelle importance ?)*

Le singulier ***a summons*** *(sommation à comparaître → procès-verbal)* forme son pluriel régulièrement : ***summonses*** ['sʌmənziz].

An innings *(division d'un match de cricket)* fait au pluriel : ***innings*** ou (fam.) ***inningses***. En Amérique on dit : ***an inning*** *(division d'un match de base-ball)*.

> **He's had a good innings.** *Il a vécu longtemps (et heureux).*

555 (4) ***Noms de pays :*** **Wales** *(le Pays de Galles)* est singulier.

The United States (ou : **the U.S.A.**) l'est aussi quand on considère l'état fédéral (ce qui est presque toujours le cas) et non les différents états.

> **The United States is as large as Europe.** *Les Etats-Unis sont aussi grands que l'Europe.*

Flanders est singulier; **the Netherlands** *(les Pays-Bas)* est presque toujours singulier, de même que **the Philippines** (« **The Philippines has had 400 years of the Spanish Inquisition and 50 years of Hollywood** »).

556 (c) ***Noms pluriels qui n'ont pas de singulier.***

(1) Certains désignent des ***objets formés de deux parties symétriques.*** Leur singulier se forme à l'aide de l'expression « ***a pair of*** », que l'on emploie aussi avec un nombre; on dit « **two pairs of scissors** » ou (familièrement) « **two pair of scissors** ».

> — **trousers, shorts, corduroys, jeans, breeches** *(culotte de cheval),* **panties, briefs** *(slip),* **trunks** *(caleçon de bain),* etc.; **pyjamas; overalls** *(combinaison de mécanicien);*
> — **scissors, clippers** *(tondeuse),* **tongs** *(pince,* par exemple : **sugar-tongs**), **nut-crackers** *(casse-noisettes),* **scales** *(balance* à deux plateaux; par extension : toute balance, mais on dit parfois « **a scales** »), **compasses**

298

(compas; cf. **a compass**, *une boussole*), **bellows** (*soufflet*; on dit **a pair of bellows** ou **a bellows**).

My shorts are torn, you must buy me a new pair. *Mon short est déchiré, il faut que tu m'en achètes un autre.*

How many pair(s) of compasses will you need ? *Combien de compas te faudra-t-il ?*

« *Pair of* » est normalement sous-entendu avec un démonstratif (**these scissors**) ou un possessif (**my pyjamas**).

N.B. Bizarrement, on dit parfois « **a pair of steps** » (= a stepladder, *un escabeau*), expression dans laquelle *pair* a perdu son sens originel précis (comme **couple** dans : « **in a couple of days** », *dans quelques jours*).

557   (2) *Clothes* (*les vêtements*), *goods* (*les marchandises*), *savings* (*les économies*), *riches* (*les richesses*), *contents* (*le contenu*), *morals* (*la morale*; cf. **a code of morals**, *une morale*).

I emptied the contents of the bottle in the sink. *Je vidai le contenu de la bouteille dans l'évier.*

Morals were growing laxer, the churches emptier (C.M. Joad). *La morale se relâchait, les églises se vidaient.*

Clothes [klouðz] ne peut s'employer ni au singulier ni avec un nombre (on dit : **an article of clothing, a garment**). Ne pas confondre **clothes** avec **cloths** [klɔθs], pluriel de **a (table-) cloth**, *une nappe*.

558   (3) *People*, signifiant « *les gens* », est un pluriel qui n'a pas de singulier.

How many people were there ? *Combien de gens y avait-il ?*

People are very nice to us. *Les gens sont très gentils avec nous.*

There are four people waiting outside. *Il y a quatre personnes qui attendent dehors* (ici, *people* est le pluriel de *person*).

Le pluriel *peoples* (*les peuples*; sing. : **a people**) s'emploie peu (ex. : **the French-speaking peoples**, *les peuples francophones*).

Folk (*les gens*) est un pluriel, comme *people*.

Some folk never stop complaining. *Il y a des gens qui se plaignent sans arrêt.*

The old folk (parfois : **folks**) **of the village.** *Les vieux du village.*

Le pluriel *folks* est plus familier (américanisme); il désigne souvent les parents, la famille (avec un possessif ou un article défini à sens de possessif). Il s'emploie aussi comme vocatif.

How are the folks at home ? *Comment ça va chez toi ?*

That's all, folks. *C'est tout, les gars.*

Cattle, pluriel collectif, forme son singulier à l'aide de l'expression « *head of* », qu'il faut employer avec un nombre (*head* est alors invariable).

The cattle are grazing. *Le bétail est en train de paître.*

The farmer has more than twenty head of cattle. *Le fermier a plus de vingt bêtes à cornes.*

Au collectif *poultry* (*la volaille*) correspond le singulier *a fowl*.

The poultry are being fed. *On est en train de donner à manger à la volaille.*

Mais : **Poultry is very expensive this year.** *La volaille est très chère cette année.*

Vermin est presque toujours considéré comme un pluriel (**those vermin**).

« **The Tory party are vermin** », formule du leader travailliste Aneurin Bevan.

559   N.B. L'anglais emploie le pluriel dans les mots et expressions :

Grapes *(le raisin),* **hops** *(le houblon),* **oats** *(l'avoine);*
The stairs *(l'escalier. Un escalier,* **a staircase** *);*
The banisters, parfois : **banister** *(la rampe de l'escalier);*
The customs *(la douane,* voir 577*);*
The railings round the park *(la grille du jardin public);*
To play the bagpipes *(jouer de la cornemuse),* **the virginals** *(du virginal);*
To live in digs (fam. *habiter une chambre meublée).*

560 ⓓ Noms singuliers à *sens collectif* pouvant être suivis d'un *verbe au singulier ou au pluriel :* **family, crowd, public, party, army, police, enemy, staff, clergy, Government, Parliament...**

Le singulier s'emploie quand on considère le groupe comme formant un tout, une unité; le pluriel quand on considère les différents membres du groupe. Comparer :

My family *is* from Yorkshire. *Ma famille est originaire du Yorkshire.*
My family *are* fond of tea. *Dans ma famille on aime le thé.*
The police *are* after him. *La police est à ses trousses.*
The crowd shouted at the top (ou : **tops**) **of *their* voices.** *La foule cria à tue-tête.*
The public *are* (ou : ***is***) **requested not to smoke in this building.** *Le public est prié de ne pas fumer dans ce bâtiment.*
The class *were* (ou : ***was***) **not listening to him.** *Les élèves ne l'écoutaient pas.*

Voir aussi 558 (citation d'Aneurin Bevan).

Exceptionnellement : **Mankind, I thought, *are* a mistake. The universe would be sweeter and fresher without *them*** (Bertrand Russell).

561 ⓔ *L'accord en nombre* est plus strict qu'en français dans des cas où nous nous exprimons avec plus d'élégance, mais aussi parfois avec moins de clarté.

They blew their *noses* every five minutes. *Ils se mouchaient toutes les cinq minutes.*
They came in with their *hats* on their *heads* and their *pipes* in their *mouths*. *Ils entrèrent, le chapeau sur la tête et la pipe à la bouche.*
He broke his parents' *hearts*. *Il désespéra ses parents.*
Make up your *minds*, children ! *Décidez-vous, les enfants !*
The best years of our *lives*. *Les plus belles années de notre vie.*
They were deeply affected by the *deaths* of both their sons. *Ils furent profondément affectés par la mort de leurs deux fils.*

They came in their *car* et : **They came in their *cars*** ont des sens différents, alors que nous disons généralement dans l'un et l'autre cas : *Ils sont venus en voiture.*

On emploie le pluriel dans des expressions comme :

To change trains. *Changer de train.*
To shake hands with. *Donner une poignée de main à.*
To make friends with. *Se lier d'amitié avec.*

562 ⓕ On construit comme des *singuliers*, avec un article indéfini (ou *another*) certaines expressions comportant une idée de *durée* (parfois aussi de *distance* ou de *somme d'argent*) au pluriel.

300

We had an enjoyable two and a half weeks in Ireland last year. *Nous avons passé deux semaines et demie agréables en Irlande l'année dernière.*
It will take a further three days. *Il faudra trois jours de plus.*
Another ten minutes. *Encore dix minutes.*
It's a good three miles from here to the station. *Il y a au moins cinq kilomètres d'ici à la gare* (voir 802).
There is still another £500 to be paid. *Il reste à payer encore 500 livres.*

---

3. — DÉNOMBRABLES ET INDÉNOMBRABLES

563 La question de syntaxe la plus délicate dans l'étude du syntagme nominal est *l'emploi ou l'omission des articles.* Cette question est liée à celle de *l'emploi du singulier et du pluriel.*

En français, un nom commun employé dans une phrase est toujours précédé d'un article quand il n'y a pas d'adjectif déterminatif (possessif, démonstratif, indéfini, numéral), ce qui donne pour le nom *cheval* (désignant l'animal et non la viande) un total de quatre combinaisons possibles (au maximum) selon le nombre et l'article choisi :

le cheval, les chevaux, un cheval, des chevaux.

En anglais, selon la nature des noms, on a un plus ou moins grand nombre de combinaisons possibles avec les articles. On appellera « *syntagme minimal* » le groupe « article + nom » (sans adjectif ni complément), l'omission de tout article pouvant être considérée comme le degré zéro d'un article.

Pour un nom donné il peut y avoir au maximum 5 types de « syntagmes minimaux » (on ne tiendra pas compte ici du partitif *some*); par exemple, avec le nom *glass* :

the glass, the glasses, a glass, glasses, glass.

Mais avec le nom *horse* il n'y a que 4 possibilités :

the horse, the horses, a horse, horses;

avec *shame*, 3 possibilités :

the shame, a shame, shame;

et avec *luggage*, 2 possibilités seulement :

the luggage, luggage.

Voir 588 (noms pour lesquels il n'y a qu'une possibilité : **the sun**).

Ces constatations amènent à classer les noms selon les types de « syntagmes minimaux » dans lesquels il est possible de les construire, et à définir les notions de « dénombrable » et d'« indénombrable » qui expliquent ces différentes possibilités.

564 (a) Le nom HORSE s'emploie dans 4 types de « syntagmes minimaux ».

the horse, the horses, a horse, horses.

Les noms possédant ces 4 possibilités sont des noms *dénombrables* (« *countable* »), c'est-à-dire qu'ils désignent des objets, des êtres, des événements, etc. qui peuvent être dénombrés, comptés. C'est pourquoi on peut :

— *les mettre au pluriel, et en préciser le nombre* (c'est-à-dire les faire précéder d'un adjectif numéral, ou d'un déterminatif plus vague comme *few*, *several* ou *many* comportant une idée de nombre);

301

— *les faire précéder au singulier du numéral one ou de l'article indéfini* (forme affaiblie de ce numéral).

Mais dans une phrase ils ne s'emploient pas seuls (« horse ») sans article ni adjectif déterminatif au singulier.

Sont dénombrables :

(1) *la plupart des noms concrets :* bag, table, book, train, house, tree, etc.; child, friend, wife, cat, etc.; loaf *(miche, pain);*

(2) *quelques noms abstraits :* trip, journey; blunder, mistake; idea; joke, laugh; treat, bore, nuisance; event, ordeal; threat, scare; novel, poem, etc.

> He gave a short laugh. *Il eut un court éclat de rire.*
> What a blunder ! *Quelle gaffe !*
> That's a nuisance. *C'est bien ennuyeux.*
> He went through terrible ordeals. *Il traversa des épreuves terribles.*

565 (b) Le nom LUGGAGE ne s'emploie que dans 2 types de « syntagmes minimaux » :

the luggage, luggage.

Les noms ne possédant que ces possibilités sont des noms *indénombrables* (« *uncountable* »), c'est-à-dire qu'ils désignent des objets, des activités, des notions, etc. qui ne peuvent être dénombrés. C'est pourquoi :

— *on ne peut pas les mettre au pluriel,* les faire précéder de *few,* de *several,* de *many,* d'un nombre;

— *on ne peut pas les faire précéder de l'article indéfini,* qui est une sorte de nombre (forme affaiblie de *one*).

Mais on peut les faire précéder de *some, any, no;* de *little* (et : *a little*), et de *much*; des démonstratifs *this* et *that* (mais non de *these* et *those*); et de locutions comme *a lot of, a piece of.* Cette dernière peut s'employer au pluriel et avec un nombre quand le sens le permet et que le souci de précision l'exige.

Sont indénombrables :

(1) *des noms de matériaux (d'aliments,* etc.) : **water, tea, bread** (cf. : **a loaf of bread, a loaf), toast** (a piece of toast = *un toast), meat, spaghetti, spinach* ['spinidʒ] *(des épinards);* **wool, petrol, gravel** *(des graviers)...*

> This spaghetti is delicious. *Ces spaghetti sont délicieux.*

N.B. Le français « *muguet* » est indénombrable *(du muguet),* alors que l'anglais « lily of the valley » est dénombrable.

> Two lilies of the valley. *Deux brins de muguet.*

(2) *des noms à sens collectif :* **furniture** (a piece of...), **rubbish** (a bit of...); **luggage** et l'américain **baggage** ('a piece of luggage', dans le jargon des porteurs, mais plus couramment : **a bag, a case...**).

> There is too much furniture in this room. *Il y a trop de meubles dans cette pièce.*
> My luggage is very heavy — Where is it ? *Mes bagages sont très lourds.*
> — *Où sont-ils ?*

(3) *des noms d'activités humaines :* **travel** (et : **travelling**; cf. les dénombrables **a journey, a trip), football, jazz, cooking, stamp-collecting** (et autres noms verbaux), etc.; les noms des langues : **English, German, Latin...**

N.B. **Travel** s'emploie parfois au pluriel, surtout quand il s'agit de longs voyages (style soigné), mais jamais avec un nombre (**I met him on my travels;** « **Gulliver's Travels** »; « **Travels with a Donkey in the Cevennes** », de Stevenson).

(4) *les noms de couleurs* : yellow, black...

(5) *la plupart des noms abstraits*, notamment :
— information (*des renseignements*; a piece of...), **news** (sing., *des nouvelles*, voir 554), knowledge *(les connaissances, le savoir)*, **progress, advice** *(des conseils; a piece of...)*, **evidence** (*des preuves*, par exemple au tribunal); **accommodation** *(le logement);*
— fun, humour (to have a sense of...);
— luck (a piece of..., a stroke of...); peace;
— behaviour, courage, laziness, insolence, shyness, malice, contempt, madness, tact, ...
— anger (a fit of...), pride (mais l'article peut s'employer dans l'expression « to take a pride in »), conceit...

   The advice he gives is **worth listening to.** *Les conseils qu'il donne valent la peine d'être écoutés.*
   He gave me an **excellent piece of advice.** *Il m'a donné un excellent conseil.*
   We shall have some fun. *Nous allons rire.*
   It wasn't much fun. *Ce n'était pas très drôle.*

N.B. Noter les couples de noms :

   shade (indén.) / a shadow (dén.)
   fiction (indén.) / a novel, a short story, etc. (dén.)
   laughter (indén.) / a laugh (dén.)
   shingle (indén.; *les galets*, au bord de la mer) / a pebble (dén.). Cf. shingles *(le zona).*

566 ⓒ Quelques noms indénombrables (sans pluriel, jamais précédés d'un nombre, même one) peuvent cependant être précédés de l'article indéfini dans certains cas : après *to be* (parfois *to seem, to look, to sound*); dans les expressions « *what a... !* » et « *such a...* »; ainsi que dans quelques expressions idiomatiques (exemples ci-dessous).

   Ce sont : *pity, shame, disgrace; fuss, relief, hurry, waste.*

   He is a disgrace to his family. *Il est la honte de sa famille.*
   What a pity ! What a shame ! *Quel dommage !*
   What a pity that you can't come ! *Quel dommage que vous ne puissiez pas venir !*

N.B. On emploie exceptionnellement le pluriel dans l'expression « **It's a thousand pities that...** » *(Il est infiniment regrettable que...).*

   He made such a fuss ! *Il a fait un tas d'histoires.*
   You are making a fuss about nothing. *Vous faites des histoires pour rien.*
   What a relief ! *Quel soulagement !*
   I'm in a (great) hurry. *Je suis (très) pressé.*
   What a waste ! *Quel gaspillage !*
   It's a waste of time. *C'est une perte de temps.*

Remarques : (1) **Mess** *(gâchis)* et **shambles** (nom singulier, même sens) s'emploient avec *the* ou *a* mais non seuls (et jamais au pluriel).

   What a mess (= a shambles) you've made ! *Quel gâchis vous avez fait !*
   Look at the mess you've made. *Regardez le gâchis que vous avez fait.*

(2) L'indénombrable *nonsense* s'emploie parfois avec l'article indéfini.

   What nonsense ! *Quelles bêtises !*
   This policy is (a) nonsense. *Cette politique est une absurdité.*

(3) **Help** s'emploie avec l'article indéfini dans le sens de « personne ou chose qui aide ». Il ne se met pas au pluriel.

He was a great help to us. *Il nous a été d'un grand secours.*

567 (d) Un certain nombre de noms sont **tantôt dénombrables, tantôt indénombrables.** Ainsi GLASS *(le verre, nom de matière)* est indénombrable, alors que A GLASS *(un verre, nom d'objet)* est dénombrable.

Le premier s'emploie dans 2 « syntagmes minimaux » :

glass, the glass;

le second dans 4 « syntagmes minimaux » :

the glass, the glasses, a glass, glasses.

Ces noms à double nature sont :

(1) des noms abstraits qui sont indénombrables dans leur sens le plus général et dénombrables quand ils s'appliquent à un contexte précis, notamment :
— **truth, prejudice, scandal;**
— **chance, success, reward, punishment, failure;**
— **virtue, weakness, sin;**
— **love, sympathy, friendship, kindness, jealousy;**
— **pleasure, joy, comfort;**
— **fear, fright, concern;**
— **life, death, war;**
— **freedom; habit; genius; test; experience**, etc.

> **Truth** (indén.) **is sometimes stranger than fiction.** *La réalité dépasse parfois la fiction.*
> **I told him some home truths** (dén.). *Je lui ai dit ses quatre vérités.*

568 (2) quelques noms dénombrables dans leur sens concret et indénombrables dans leur sens abstrait ou collectif (ou quand ils désignent une matière) :
— **wood, glass** (voir plus haut).
— **a room** (dén.; *une salle*) / **room** (indén.; *de la place*).
— **a dress** (dén.; *une robe*) / **dress** (indén. : **battle dress,** *tenue de combat;* **in evening dress,** *en tenue de soirée*).
— **a play** (dén.; *une pièce de théâtre*) / **play** (indén., *le divertissement* : « **All work and no play makes Jack a dull boy** », proverbe).
— **a cake** (dén.; *un gâteau*) / **cake** (= *fruit cake*, indén., *du « cake ».* Cf. « **a piece of cake** »).
— **a country** (dén.; *un pays*) / **the country** (indén.; *la campagne*).
— **a business** (dén.; *une firme*, plur. : **businesses**) / **business** (indén. : « **Business is business** »).
— **laces** (dén.; *des lacets*) / **lace** (indén., *de la dentelle*).
— **a hair** (dén.; *un poil, un cheveu*) / **hair** (indén.; *la chevelure, les cheveux*).

> **I've found two red hairs on his coat collar. Now his secretary is red-haired...** *J'ai trouvé deux cheveux roux sur le col de son manteau. Or sa secrétaire est rousse...*
> **To split hairs.** *Couper les cheveux en quatre.*
> **Don't cut it too short.** *Ne les coupez pas trop courts.*
> **A fine head of hair.** *Une belle chevelure.*

—*fruit* s'emploie généralement comme indénombrable.

> **Do you eat much fruit ?** *Mangez-vous beaucoup de fruits ?*

Mais le pluriel (donc dén.) s'emploie pour désigner « différentes espèces de fruits », et aussi au sens figuré.

Bananas, pine-apples and other tropical fruits. *Les bananes, les ananas et les autres fruits tropicaux.*

The fruits of peace. *Les fruits (les bienfaits) de la paix.*

— *fish* s'emploie généralement comme indénombrable (aliment), parfois comme dénombrable (animaux) dont le pluriel est **fish** (parfois : **fishes**).

There are lots of fish in the lake. *Il y a beaucoup de poisson(s) dans le lac.*

How many fish did you catch ? *Combien de poissons as-tu attrapés ?*

I caught three fish (plutôt que : **fishes**). *J'ai attrapé trois poissons.*

N.B. Les habitués des safaris construisent souvent comme des indénombrables les noms des animaux qu'ils considèrent comme du gibier : **There's a lot of giraffe and elephant in Kenya** (cf. : I caught seven trout and two salmon, 549).

— quelques noms de *légumes* habituellement dénombrables sont parfois employés comme des indénombrables : **potato, cabbage, swede** *(le rutabaga).*

Have some more potato (ou : **potatoes**). *Reprenez des pommes de terre* (**potato** s'emploie s'il s'agit de purée, qui est indénombrable).

— *foot* et *horse* désignaient autrefois *l'infanterie* et *la cavalerie*, ils étaient alors indénombrables.

And all the King's horse and all the King's men
Couldn't put Humpty-Dumpty together again (Nursery Rhyme).

569 (3) Plusieurs noms désignant des *lieux* (dén.) s'emploient dans un sens abstrait (indén.) pour désigner *l'activité qui y est normalement associée*. L'indénombrable s'emploie alors sans article défini.

— **a school / to go to school; school begins at 9** *(les classes).*
— **a college / when I was at college** *(quand j'étais étudiant).*
— **a bed / to go to bed** *(aller se coucher).*
— **a church, a chapel / Do they go to church or to chapel ?** *(Sont-ils anglicans ou non-conformistes ?).*

De même, le nom est indénombrable dans : **to go to hospital, to go to market, to go to town, to be in jail, to be at home** (ces expressions n'évoquent pas un bâtiment particulier mais *les soins médicaux, les emplettes*, etc.).

Comparer les phrases suivantes :

The wounded were taken to hospital (indénombrable, sans article : pour y recevoir des soins).
We must go to *the* hospital to see old Mrs Jones (dénombrable, avec article : pour une visite à un malade).
He goes to school by bus (He = a pupil).
I must go to *the* school to see your teachers (I = a parent).

Remarques : (1) Il est conseillé de vérifier si un nom est dénombrable ou indénombrable toutes les fois qu'il y a un doute.

Les bons dictionnaires (par exemple : « Longman Dictionary of Contemporary English », « Oxford Student's Dictionary of Current English ») le précisent toujours.

(2) La notion de dénombrable et indénombrable ne rend pas compte des différences entre **silence** et **the silence**, entre **friends** et **the friends**, etc., qui seront étudiées à la leçon 32 (notamment en faisant intervenir la notion de *nom déterminé ou indéterminé*).

305

570   Les articles et les adjectifs étant invariables, le genre a beaucoup moins d'importance qu'en français. On ne s'en préoccupe que pour le choix des pronoms personnels et des adjectifs et pronoms possessifs de la 3ᵉ personne du singulier.

    Au *masculin* et au *féminin*, qui s'emploient pour les personnes, s'oppose le *neutre*, qui est le genre des objets et des notions abstraites.

(a) Un certain nombre de noms désignant les personnes sont de *genre indéterminé*, pouvant s'appliquer à un homme ou à une femme :

— **a teacher, a pupil, a student, a nurse, a secretary, an assistant, a cook, a novelist, a worker, a star...**

— **a cousin, a parent** *(père ou mère)*, **a sibling** *(frère ou sœur)*, **a friend, a neighbour, a slave, a liar, a beggar, a fool...**

— **an Italian, an Australian, a German,** etc.; **a Protestant, a Jew** (le féminin est : **a Jew** ou **a Jewess**)...

    La présence d'un possessif ou d'un pronom personnel dans la phrase permet souvent d'éviter toute ambiguïté.

> **Even the teacher had (...) a special smile for the other children when Lil Kelvey came up to *her* desk with a bunch of dreadfully common-looking flowers** (K. Mansfield). Ici, *the teacher* = *l'institutrice*.

    On peut préciser le genre de ces noms, si c'est nécessaire, en les faisant précéder de **male/female; boy/girl; man/woman** (ou **lady**, ou **maid**, suivant le cas).

> **A male nurse,** *un infirmier;* **a woman novelist,** *une romancière.*

    Le nom *person* peut, lui aussi, désigner un homme ou une femme, mais on le construit généralement comme un masculin lorsqu'il s'applique à n'importe qui.

> **A person shortens *his* life by 5.5 minutes with each cigarette that *he* smokes** (article de l'International Herald Tribune). *On raccourcit sa vie de 5 minutes et demie à chaque cigarette que l'on fume.*
> **Any person who wants to visit the mosque must take off *his* shoes.** *Toute personne désirant visiter la mosquée doit se déchausser.*

    Le pronom pluriel s'emploie parfois pour remplacer des noms de genre indéterminé (*person*, etc.).

> **It is usual for a visiting *dignitary* to come to the palace to dine with the monarch, not for her to go meet *them*** (The International Herald Tribune).
> **If you hear a lot about a person, you feel you get to know *them*** (pour éviter l'expression gauche : « *him or her* »; mais le sujet « *he or she* » est plus courant). *Si vous entendez beaucoup parler d'une personne, vous avez l'impression de faire sa connaissance.*

    Sont du genre indéterminé les noms composés du type « *chairperson* », *président(e),* et « *spokesperson* », *porte-parole,* néologismes anti-sexistes (qui en fait ne s'emploient guère que pour désigner des femmes).

571 (b) Un moins grand nombre de noms qu'en français ont une *forme spéciale au féminin.*

    (1) addition d'un *suffixe :* lion → *lioness;* god → *goddess;* usher *(huissier)* → *usherette (ouvreuse);* barman → *barmaid;* policeman → *policewoman.*

Pour **widow** → *widower* et **bride** → *bridegroom* c'est le masculin qui a un suffixe.

(2) *noms composés* (574 à 580) : **boy- (girl-) friend; he- (she-) goat; bull- (cow-) elephant; man- (maid-) servant; male (female) secretary.**

> **a woman doctor** (parfois : **a lady doctor**), *une doctoresse*.
> **the lady principal,** *la directrice de collège*.
> **a she-monkey,** *une guenon*.

(3) *mots différents :* **boy/girl, father/mother,** etc.; **horse/mare, drake/duck, fox/vixen, dog/bitch,** etc.

Mais dans le cas des animaux, comme en français, l'un des deux termes ne s'emploie que si on éprouve le besoin de préciser le genre; on dit parfois que c'est un *terme « marqué »*, et que l'autre, pouvant s'appliquer à tous les animaux de l'espèce, mâles ou femelles, est *« non marqué »*. Le terme « non marqué » est le plus souvent le nom masculin, mais ce n'est pas toujours le cas (ex. : **duck**, nom féminin, s'emploie couramment pour désigner un canard, d'où le nom **« Donald Duck »** bien que Donald soit un prénom masculin).

572 (c) *Les noms d'animaux* sont *neutres* quand on les considère plus comme des choses que comme des personnes (absence de liens affectifs), alors qu'ils sont *masculins ou féminins* quand on en fait des amis, qu'on les observe avec intérêt ou amusement, ou que le contexte demande que l'on précise leur genre (en particulier avec les noms *« marqués »*).

> **Leave this spider alone, *it* won't hurt you.** *Laisse cette araignée tranquille, elle ne te fera pas de mal.*
> **The mare and *her* foal.** *La jument et son poulain* (mare est « marqué »).
> **Look at this frog, isn't *he* funny ?** *Regarde cette grenouille, n'est-ce pas qu'elle est drôle ?* (Dans des cas semblables, c'est également au masculin que l'on parle d'une tortue, d'une abeille, d'une souris, d'une perruche, etc.).

Mickey Mouse a un prénom masculin (diminutif de *Michael*).

Ceci n'est pas une règle absolue. Par exemple, au chap. 2 d'*Alice in Wonderland*, la souris est tantôt du neutre, tantôt du masculin : « **Perhaps *it* doesn't understand English** », thought Alice... **The Mouse was trembling down to the end of *his* tail... *Its* face was quite pale.**

Parmi les animaux domestiques, quand il ne paraît pas nécessaire de préciser le genre, *dog* est généralement masculin et *cat* féminin. Mais ces deux noms peuvent aussi être du neutre, quand il s'agit d'animaux que l'on ne connaît pas (Cela dépend de l'attitude d'esprit du locuteur).

> ***His* Master's Voice.** *La Voix de Son Maître*.
> **Bruce is a clever dog, *he* understands everything you say.** *Bruce est un chien intelligent, il comprend tout ce qu'on dit.*
> **A wretched dog kept me awake, *it* barked the whole night.** *Un maudit chien m'a empêché de dormir, il a aboyé toute la nuit.*

Evidemment ses maîtres parleront d'un chat mâle (terme précis : **a tom-cat**) au masculin, et d'une chienne (**a bitch**) au féminin. Le nom **bitch**, souvent employé comme insulte grossière désignant une femme, est parfois considéré comme un mot à éviter, même au sens propre.

Baby et même parfois *child* peuvent être du neutre, quand il est inutile de préciser le sexe.

The child sat on *its* mother's lap. *L'enfant était assis sur les genoux de sa mère.*

The baby was playing with *its* teddy-bear. *Le bébé jouait avec son ours.*

Remarquer l'emploi du neutre dans cette phrase de 'Nineteen Eighty-Four' (G. Orwell) : **Some eavesdropping little sneak — 'child hero' was the phrase generally used — had overheard some compromising remark and denouced *its* parents to the Thought Police.**

573 (d) *Personnifications.* Un certain nombre de noms neutres s'emploient parfois au masculin ou au féminin.

(1) *Pays et villes :* couramment au *féminin* (mais le neutre est également employé).

England and her colonies, London and her (ou : **its**) **parks,** etc.

(2) *Véhicules : ship* et les autres noms désignant des bateaux sont couramment employés au féminin. Pour les autres véhicules (et parfois les machines) l'emploi du féminin suppose généralement un lien affectif (par exemple entre une voiture et son conducteur, entre un train et les employés de la gare ou les usagers habituels), mais il peut aussi être ironique.

> **The Queen Mary was on her maiden voyage across the Atlantic.** *Le Queen Mary faisait sa première traversée de l'Atlantique* (Remarquer que les paquebots portent des noms de reines, jamais de rois, et comparer avec « le France ». Seuls les navires de guerre peuvent porter des noms masculins : **the *King* George V, the Prince of Wales**...).
>
> **She won't start.** *Elle* (= Ma voiture) *ne veut pas démarrer.*
>
> **'She's running a bit late this morning', said a railway official** (C.E. Eckersley). « *Votre train a un peu de retard ce matin* », *dit un employé* (Personnification plus rare dans ce dernier exemple).

(3) *Personnifications poétiques : le masculin* pour des noms suggérant la force, la majesté, la laideur (**War, Death, mountain, river**... Ex. : **Death and his scythe,** *La Mort et sa faux.* Cf. « **Old *Man* River** »); *le féminin* pour des noms suggérant la vie, la douceur (**Nature, Fortune, Peace, Mercy**...). **Sun** est masculin, **Moon** féminin. Ces personnifications sont très rares en prose.

Remarque : Dans tous les cas de personnifications on peut employer les pronoms *he/she*, les adjectifs *his/her*, etc. mais non le relatif *who*, réservé aux personnes; on se sert alors généralement de *that*.

---

5. — LES NOMS COMPOSÉS

574 (a) Le premier élément, qui précise le sens du second, est considéré comme un adjectif (c'est un **déterminant**). Le mot le plus important est donc le deuxième (c'est le **déterminé**), mais c'est presque toujours le premier élément qui porte l'accent tonique.

A horse-race. *Une course de chevaux.*
A race-horse. *Un cheval de courses.*
A tea-cup. *Une tasse à thé.*
A goal-keeper. *Un gardien de but.*
A service station. *Une station service.*

Quand le deuxième élément est dérivé d'un verbe, il est souvent terminé par le suffixe *-er*, notamment dans les noms de personnes (**a newcomer,** *un nouveau venu;* **a wood-cutter,** *un bûcheron*...) ou d'ustensiles (**a tin-opener,** *un ouvre-boîte;*

a **screw-driver**, *un tourne-vis;* a **gas-cooker**, *un réchaud à gaz...*). Ne pas confondre ces deux catégories de noms composés (a **paper-hanger**, *un tapissier;* a **clothes-hanger**, *un cintre*). A **dishwasher** désigne soit une personne (*plongeur dans un restaurant*), soit une machine (*lave-vaiselle*).

Les noms composés en -*er* ne sont pas tous dérivés de verbes, ils sont parfois synonymes de noms composés de trois éléments.

A **double-decker** (= a double-deck bus), *un autobus à impériale.*
A **sixth-former** (= a sixth-form pupil), *un(e) élève de « sixth form »* (= classe de première).
A **bed-sitter** (= a bed-sitting room), *une chambre-salon, un studio.*

Attention à l'ordre des mots quand le nom composé dérive d'une expression verbale.

A **hand-shake** (cf. **to shake hands with**...), *une poignée de mains.*
At the **outbreak of the war**... (= **when the war broke out**), *Quand la guerre a éclaté...*

575 Les noms composés s'emploient dans les sens les plus variés. Le rapport de sens entre les deux éléments est très différent dans les exemples suivants :

a **shop-window**, *une vitrine de magasin;*
a **flower-bed**, *un parterre de fleurs;*
a **book-shelf**, *une étagère à livres;*
shoe-polish, *du cirage;*
an **armchair**, *un fauteuil;*
the **blackboard**, *le tableau noir.*

Comparer : a **mosquito net** (pour protéger contre...), a **hair net** (pour maintenir en place...), a **butterfly net** (pour attraper...).

D'où certaines ambiguïtés, certains calembours. Dans « Fahrenheit 451 » (de R. Bradbury), les « **firemen** » n'*éteignent* pas les incendies, ils les *allument.*

On ne peut se servir d'un nom composé pour exprimer une idée de cause (*un cri de peur* = a **scream of fear**), ni de groupe (*une bande de jeunes* = a **gang of teenagers**), ni le contenu d'un récipient (comparer : a **teacup**, *une tasse à thé*, et : a **cup of tea**, *une tasse de thé*).

Le français exprime souvent à l'aide de mots de formation savante ce que l'anglais désigne à l'aide de noms composés d'éléments simples.

a **driving-mirror** (= a **rear-view mirror**), *un rétroviseur* (voir 391).
stamp-collecting, *la philatélie;*
an **ear, nose and throat specialist**, *un oto-rhino-laryngologiste.*
a **pea-shooter**, *une sarbacane.*

Le phénomène inverse est beaucoup plus rare.

a **catapult**, *un lance-pierres.*

576 ⓑ Le deuxième terme d'un nom composé est parfois seul employé quand le contexte est clair.

The man at the **wheel** (= steering-wheel). *L'homme au volant.*
To sit in a **chair** (= in an armchair). *Etre assis dans un fauteuil* (cf. **on a chair**, *sur une chaise*).
"I'll take you to the **station**", said the policeman (= to the police station). *« Je vais vous emmener au poste »,* dit l'agent.

Dans un hôpital, on dit « the **theatre** » pour the **operating theatre** *(la salle d'opération).*

Certains noms composés anglais ayant été « adoptés » en français (ou en « franglais ») sous une forme abrégée, en ne conservant généralement que le premier terme, il faut se garder de confondre :

> basket *(panier)* et **basket-ball,**
> goal *(but)* et **goal-keeper,**
> a **puzzle** *(une énigme, un problème)* et a **jigsaw puzzle,**
> snack *(casse-croûte)* et **snack-bar.**

De même on ne peut sans changer leur sens abréger les noms composés : a **pullover, football, volley-ball,** etc.

577 Ⓒ Le premier élément *(le déterminant), traité comme un adjectif,* ne prend pas en principe la marque du pluriel.

> A **tooth-brush,** *une brosse à dents* (pl. **tooth-brushes).**
> The **guest-room,** *la chambre d'amis* (pl. **guest-rooms).**
> A **cherry-tart,** *une tarte aux cerises* (pl. **cherry-tarts).**

Font exception (premier élément terminé par un *s*) les noms qui n'ont pas de singulier ou dont le singulier est terminé par un *s* : a **clothes-hanger,** *un cintre;* a **goods-train,** *un train de marchandises;* the **physics teacher,** *le professeur de physique;* a **savings bank,** *une caisse d'épargne;* a **brains trust,** *un comité d'experts* (dans le sens d'intelligence, *brains* s'emploie surtout au pluriel; **brain trust** est un américanisme), etc.

Dans **newspaper** l'*s* appartient au nom singulier **news** *(les nouvelles).*

On dit **the trouser pockets** *(les poches du pantalon),* bien que le nom **trousers** n'existe pas au singulier (556). De même : **pyjamas/a pyjama jacket.**

Le nom *customs,* dans le sens de *douane,* n'a pas de singulier. On dit pourtant : a **custom-house officer** (= a customs-officer), *un douanier;* mais : **the customs-duties,** *les droits de douane.*

On dit : **the Trade Unions** (ou **Trades Unions**), *les syndicats;* **the Trades-Union Congress** (= **TUC**), *la confédération syndicale* (britannique).

On constate une tendance à former des noms composés dont le premier élément porte la marque du pluriel (il est phonétiquement semblable à un génitif singulier ou pluriel, si bien que sa fonction est parfois ambiguë).

> **Sports-shoes, a sports-jacket,** *des chaussures (une veste) de sport.*
> A **sports goods shop.** *Un magasin d'articles de sport.*
> The **modern language** (ou **languages**) **department.**
> The **United Nations Organisation.**

Certains noms composés terminés par *man, woman, people, folk* ont un premier élément au génitif : a **statesman,** *un homme d'état;* a **sporstsman,** *un sportif;* a **craftsman,** *un artisan;* a **spokesman,** *un porte-parole;* a **tradesman,** *un commerçant;* a **frontiersman,** *un homme de la « frontière »* (en Amérique); **towns-folk** (= **townspeople**), *des citadins.*

Ce sont des génitifs génériques (739, 740).

578 Ⓓ Le premier élément n'est pas toujours un nom. Il peut être *un pronom* (a **he-goat,** *un bouc;* a **she-monkey,** *une guenon*); *une lettre de l'alphabet* (a **U-turn,** *un demi tour sur place;* **X-rays,** *les rayons X*); *une postposition* (**the output,** *le rendement, la production;* an **up-train,** *un train de banlieue allant vers Londres*); *un adverbe* (a **yes-man,** *un béni-oui-oui;* an **early riser,** *une personne matinale;* **over-production,** *la surproduction*); *un adjectif* (a **straitjacket,** *une camisole de force;* a **grandson,** *un petit-fils*); *un verbe* (a **drawbridge,** *un pont-levis*); le préfixe *self* (§ 717).

Quand le premier élément est *un gérondif*, lui seul est accentué (**a drawing-pin**, *une punaise;* **a watering-can**, *un arrosoir*). Voir § 391.

De même, distinguer **a blackbird** (1re syllabe accentuée), *un merle*, de **a black bird** (deux mots accentués), *un oiseau noir*.

579 (e) *Formations diverses :*

(1) Le *génitif générique* (ex. **a farmer's wife**, *une fermière;* **a butcher's shop**, *une boucherie;* **a boys' school**, *une école de garçons*) sera étudié aux §§ 739 à 742.

> **A bachelor flat** *(une garçonnière)* est une sorte de génitif générique à désinence zéro (comme l'américain « **a baby carriage** », *une voiture d'enfant*).

(2) Le second élément est parfois *une postposition*. Dans ce cas c'est le premier élément qui prend la marque du pluriel quand il a la forme d'un nom (terminaison en *-er*) : **passers-by**, *des passants;* **lookers-on** (= **onlookers**, mot plus courant), *des spectateurs, des badauds*. De même lorsque le premier élément est un gérondif (nom verbal) : **goings-on**, *des manigances.*

Mais dans **grown-ups** *(adultes),* **left-overs** *(des restes),* **set-tos** *(chamailleries),* le premier élément étant un participe passé, c'est le deuxième qui prend la marque du pluriel.

> **They were having one of their usual set-tos** (Nancy Mitford). *Ils se livraient à une de leurs chamailleries habituelles.*

De même quand le premier élément est un infinitf sans *to :* **take-offs and landings**, *décollages et atterrissages.*

(3) Si le nom composé est formé de *plus de deux éléments*, c'est le nom le plus important qui prend la marque du pluriel.

> **A mother-in-law**, *une belle-mère*. Plur. : **mothers-in-law**.
> **Mothers-to-be**. *Des futures mamans.*

Quand aucun des éléments formant le nom composé n'est un nom, c'est le dernier qui prend la marque du pluriel.

> **Merry-go-rounds**, *des manèges de chevaux de bois.*
> **Good-for-nothings**, *des bons à rien.*
> **Might-have-beens**. *Des espoirs déçus.*
> **Has-beens**. *Des hommes finis* (dont la carrière est finie).

(4) Quand le premier est *man, gentleman* ou *woman* (mais non *lady*) qualifiant le deuxième élément (sexe, rang social), les deux mots prennent la marque du pluriel.

> **A manservant**, *un domestique*. Plur. : **menservants**.
> **A woman driver**, *une automobiliste*. Plur. : **women drivers**.
> **A gentleman-farmer**. Plur. : **gentlemen-farmers**.
> **Women doctors**, mais **lady doctors** (« doctoresses »).

Dans **man-eaters** *(cannibales)* et dans **woman-haters** *(misogynes),* le premier élément n'indique pas le sexe du second, il en est le complément.

(5) *Les titres des journaux* (surtout ceux des « popular papers ») comportent souvent des noms composés de plusieurs éléments, sans aucun verbe (voir 988).

GO BACK TV PLEA TO DOCKERS.

Ce style appartient essentiellement aux « headlines », l'expression « Go back TV plea » (appel télévisé pour une reprise du travail) ne pouvant pas s'employer dans une phrase complète.

(6) Noter les noms composés formés de deux noms séparés par *cum* (latin : *avec*) : **a bed-cum-sitting room** (= a bedsitter), *un studio;* **a bathroom-cum-toilet; a garage-cum-workshop**, etc. (courant dans les petites annonces immobilières).

Iris Murdoch (dans 'The Unicorn') emploie l'expression : « **a sort of bailiff-cum-family-friend »** (a **bailiff** = *un régisseur*).

(7) *Les « portmanteau words »* (= « *mots-valise* », à cause de leur contenu sémantique composite) sont formés d'éléments provenant de deux mots différents fondus en un seul mot.

> **brunch** (breakfast + lunch), *petit déjeuner tardif servant de déjeuner.*
> **motel** (motor + hotel), *hôtel pour automobilistes → motel.*
> **a moped** (motor + pedal), *un cyclomoteur.*
> **Oxbridge** (Oxford + Cambridge), les deux vieilles universités anglaises (par opposition aux autres).
> **a workaholic** (work + alcoholic), *un toxicomane du travail, un bûcheur invétéré.*

580 (f) *Orthographe* des noms composés. Il n'y a pas de règle absolue concernant l'emploi du *trait d'union*. En principe,

(1) on écrit en un seul mot les noms composés les plus employés, surtout s'ils n'ont que deux syllabes : **bedroom, raincoat, headache, windscreen, greengrocer, policeman...**

(2) on sépare les élement du nom composé par un ou des traits d'union quand le premier élément n'est pas un nom (**a he-goat, an up-train, X-rays**) ou quand le nom est formé de plus de deux éléments (**a merry-go-round, a mother-to-be, a daughter-in-law**).

(3) le trait d'union s'emploie quand le premier élément a une terminaison verbale (**a steering-wheel, a sewing-machine**) ou quand le nom composé est long (**a fellow-traveller, a petrol-station**).

Mais l'usage est en pleine évolution. Un grand nombre de noms composés peuvent s'écrire avec ou sans trait d'union. On constate une tendance à l'employer de moins en moins (surtout en Amérique, où il est devenu rare).

On écrit ordinairement : **a policeman, a police constable, a police inspector, the police-station** (ou, de plus en plus souvent : **the police station**); **a boyfriend, a boy scout.**

(4) on écrit en deux mots sans trait d'union les expressions qui ne sont pas à proprement parler des noms communs (on ne les trouve pas dans les dictionnaires), par exemple : **the Beethoven symphonies** (= the symphonies by Beethoven), **the London streets** (= the streets of London), **the garden paths** (= the paths of the garden).

EXERCICES

A Mettre au pluriel, par écrit et oralement :

1. A brush, a cloth, a birch, a mouth, a house, a mouse, a grouse, a month, a fox, an ox, an axe, a pass, a path, a death, a truth, a truce, a tooth, an oath, a bath, a birth, a challenge, a judge, a boot, a foot, Mr Evans (pl. : the...), Mr Jenkin (pl. : the...), Mr Jenkins (pl : the), Mr Jones (pl. : the...), Miss Brown (pl. : the...).

2. A toy, a hobby, an abbey, a play, an enemy, a trolley, a story, a storey, a key, a buoy, a gypsy, a hero, a ghetto, a negro, a photo, a commando, a potato, a tomato, a piano, a cargo, a virtuoso.
3. A knife, a dwarf, a scarf, a roof, a belief, a thief, a wife, a handkerchief, a calf, a loaf, a half, a safe, a wolf.
4. A listener-in, a grown-up, a passer-by, a lady doctor, a woman doctor, a manservant, a woman driver, a clergyman, a gentleman-farmer, a son-in-law, a tooth-brush, a girlfriend, a grandson, an apple-tart, a might-have-been, a he-goat, a woman-hater.
5. A brickworks, a summons, an innings, a barracks, a series, a crisis, an oasis, a phenomenon, an analysis, an army corps, a pair of scissors, an s, a y, an r, an h.

[B] Employer dans les phrases les noms donnés entre parenthèses :

1. (advice) Let me give you a... — 2. (shorts) He was wearing a T-shirt and a... — 3. (toast) Could I have a... ? — 4. (news) There are several interesting... in today's 'Times'. — 5. (crossroads) This... is very dangerous. — 6. (trousers) Do you like my new... ? — 7. (pyjamas) She is buying two... for her son. — 8. (information) He gave us a useful... — 9. (brick works) There is a big... near the village. — 10. (compasses) The architect uses several...

[C] Employer avec un article indéfini si c'est possible (ex. : information → *a piece of* information).

Scales, rubbish, luggage, news, barracks, pyjamas, clothes, advice, clippers, politics, shorts, gas-works, (several) people, warlike peoples, (two) hairs in the soup, shaggy hair, leather goods, poultry, gallows, series, army corps, shambles, (bathing) trunks.

N.B. Dans plusieurs cas on ne peut employer l'article indéfini qu'en remplaçant le nom collectif indénombrable par un dénombrable.

D Traduire.

1. A lawn-mower. — 2. A bird-fancier. — 3. A pencil-sharpener. — 4. A tax-collector. — 5. A theatre-goer. — 6. A wrong-doer. — 7. A windscreen-wiper. — 8. A frog-eater. — 9. A best-seller. — 10. A bookseller. — 11. A record-player. — 12. A trombone player. — 13. A lamplighter. — 14. A cigarette-lighter. — 15. A gas-fitter. — 16. A gas-burner. — 17. A paper-hanger. — 18. A clothes-hanger. — 19. A vacuum-cleaner. — 20. A window-cleaner.

[E] Traduire.

1. Les nouvelles sont-elles bonnes ? — Voici une nouvelle qui vous surprendra. — 2. Tes cheveux sont très longs, tu devrais te les faire couper. — 3. Ne l'écoute pas, les conseils qu'il donne sont très mauvais. — 4. Il voyage toujours avec très peu de bagages. — 5. Mon salaire n'a pas été augmenté depuis quatre ans. — 6. Nous ne faisons pas beaucoup d'affaires avec eux. — 7. Pourquoi emportes-tu tant de bagages ? Qui va les porter ? — 8. Y a-t-il un moyen de savoir ce qui s'est passé ? — 9. Combien de personnes sont venues à la conférence ? — Plus de cent. Tout le monde était très satisfait. — 10. J'ai des renseignements très sûrs au sujet de cette entreprise. — 11. Les progrès qu'il a faits sont des plus encourageants. — 12. Mes cheveux commencent à grisonner, je vais les faire teindre. — 13. Si vous demandez à n'importe quelle personne dans la rue ce qu'elle pense de la Chambre des Lords, elle répondra probablement qu'elle ne s'en soucie guère. — 14. Je suis seul, ma famille est partie passer une semaine au bord de la mer. — 15. Sa famille habite l'île de Wight depuis le 14ᵉ siècle. — 16. Ils risquèrent leur vie pour essayer de sauver l'enfant. — 17. Permettez-moi de vous donner un bon conseil. — 18. Le public était très satisfait, et il applaudit avec enthousiasme. — 19. La Grande-

Bretagne essaie de vendre ses petites voitures aux Etats-Unis. — 20. Les girafes ont un long cou et une petite tête. — 21. Visitez l'Ecosse et ses lacs. Visitez le Pays de Galles et ses montagnes. — 22. La police n'a pas encore arrêté le meurtrier. — 23. Pensiez-vous que les Etats-Unis allaient gagner la guerre du Vietnam ? — 24. La foule attend que la reine sorte du palais. — 25. Les affaires marchent au ralenti depuis le début de l'année.

31. — L'ARTICLE DÉFINI

1. — PRONONCIATION

581　　L'article *the* [ði:] se prononce :

• [ði] devant *une voyelle* (ou plus exactement devant un mot commençant *phonétiquement* par une voyelle).

> **the eyes** [ði'aiz]; **the ears** [ði'iəz]; **the air** [ði'ɛə]
> **the R.A.F.** [ði'a:'rei'ef]; **the M.P.'s** [ði'em'pi:z]
> **the I** [ði'el] **in "half" is not sounded.** *L'I de « half » ne se prononce pas.*
> **Henry VIII** [ði'eitθ]; **the 11th century.**

On ne prononce pas (seules exceptions) l'*h* initial des mots **hour, honest, honour** et **heir** (ainsi que des mots qui en dérivent : **honesty, honourable**, le féminin **heiress**...). L'article qui les précède est donc prononcé [ði].

> **The heir** [ði'ɛə] **to the throne.** *L'héritier du trône.*

• [ðə] devant tout mot commençant *phonétiquement* par *une consonne.*

> **the sky; the window, the hair, the head; the heart; the house, the hospital.**

On prononce [ðə] devant les consonnes [j] et [w], quelle que soit l'orthographe :

> **the year, the ewe** [ðə'ju:] *(la brebis),* **the university, the European nations, the use of the United Nations, the U.S.A.**
> **the Y.M.C.A.** (= **Young Men's Christian Association**).
> **On the one** [ðə'wʌn] **hand..., on the** [ði] **other hand...** *D'une part..., d'autre part...*

La prononciation correcte de l'article est aussi importante que l'*h* pour distinguer phonétiquement les mots comme **the hair/the air; the heel** *(le talon)/***the eel** *(l'anguille);* **the harbour/the arbour** *(la tonnelle)...*

• [ði:] quand il est *accentué* (il est alors généralement en italiques). Voir 591.

> **The Bible is *the* book for him.** *La Bible est pour lui le livre par excellence.*

Remarques : (1) On prononce [ði:] ou [ði] quand on hésite sur le choix du mot qui va suivre (on ignore donc s'il commencera par une voyelle ou par une consonne), et parfois au lieu de [ðə] (devant une consonne) dans une diction lente, pour mettre en relief le mot qui suit (par exemple un nom propre, le mot-clef d'un discours, etc.).

(2) D'autre part on remarque chez certaines personnes une tendance à prononcer [ði] de préférence à [ðə] devant une consonne dans un grand nombre de cas, comme pour vouloir donner l'impression qu'elles soignent leur diction.

314

(3) Un certain nombre de personnes prononcent [ði] devant [j] (**the United States**).

(4) Les Cockneys, qui ne prononcent pas l'*h* initial de mots comme **hospital, heart, house, head**, etc., prononcent [ði] l'article *the* qui précède ces mots.

---

2. — NOMS DÉTERMINÉS ET INDÉTERMINÉS. EMPLOI DE L'ARTICLE DÉFINI

582 (a) Rappelons que nous avons classé les noms (563 à 568) en :
  - *dénombrables* (ex. : **tree, child, bag, joke; glass**, nom d'objet) qui s'emploient
    au singulier avec un article défini ou indéfini (**the tree, a tree**);
    au pluriel avec ou sans article défini (**the trees, trees**; on parle dans ce dernier cas du degré zéro de l'article, ou de l'article zéro, Ø).
  - *indénombrables* (ex. : **advice, luggage; glass**, nom de matière) qui s'emploient uniquement au singulier, avec ou sans article défini (**the advice, advice**).

Le problème du choix entre *the* et l'article zéro se pose donc :
  pour les dénombrables au pluriel,
  pour les indénombrables (toujours singuliers).

Pour ces deux catégories l'article *the* ne s'emploie que *quand le nom est déterminé*, c'est-à-dire que son sens est précisé, délimité par des déterminants ou par le contexte. L'article *the* est un ancien démonstratif (forme affaiblie de *that*), qui a gardé une valeur démonstrative bien supérieure à celle de l'article défini français (dont l'origine est le démonstratif latin *ille*). On verra qu'il se traduit parfois en français par un démonstratif.

583 *Il ne s'emploie pas devant les noms indénombrables indéterminés*, par exemple pour exprimer des *généralités* concernant les matériaux (**glass, wood, petrol**), les aliments (**bread, fish, milk**), les couleurs (**red, yellow**), les activités humaines (**football, war, travelling, cooking**), les langues (**English, German**), les notions abstraites (**love, freedom, pride**; mais voir 596).

  How much is petrol in the U.S.A. ? *Combien coûte l'essence aux Etats-Unis ?*
  In Britain tea is generally drunk with milk. *En Grande-Bretagne le thé se boit généralement avec du lait.*
  Blue is her favourite colour. *Le bleu est sa couleur préférée.*
  He thinks cricket is boring. *Il pense que le cricket est ennuyeux.*
  Spanish is easier than Russian. *L'espagnol est plus facile que le russe.*
  Speech is silver but silence is gold. *La parole est d'argent mais le silence est d'or.*

L'indénombrable **furniture** est indéterminé dans « **furniture is expensive** », où il a un sens général. Il est déterminé dans « **the furniture of their living-room** », dans « **the furniture we saw at Hampton Court** » et dans « **I liked the china better than the furniture** », phrases dans lesquelles il s'agit de meubles précis.

L'article *the* ne s'emploie pas devant les *dénombrables pluriels* quand on exprime des *généralités*, par exemple au sujet de catégories (de personnes, d'animaux, d'objets : **children, cats, books**).

  Teachers have long holidays. *Les professeurs ont de longues vacances.*
  Boys will be boys = *Il faut que jeunesse se passe.*

Dogs are faithful friends. *Les chiens sont des amis fidèles.*
Short reckonings make long friends. *Les bons comptes font les bons amis.*
Willows grow in damp places. *Le saule pousse dans les endroits humides.*
She's very fond of jewels. *Elle aime beaucoup les bijoux.*
He collects stamps and coins. *Il collectionne les timbres et les pièces de monnaie.*

584 (b) *Les dénombrables pluriels et les indénombrables peuvent être déterminés :*

(1) *par une proposition qui en précise le sens.*

The books I bought this morning are for you. *Les livres que j'ai achetés ce matin sont pour vous* (cf. **I am very fond of books.** *J'aime beaucoup les livres).*

The toys on the carpet are of course Tim's. *Les jouets qui traînent sur le tapis sont évidemment ceux de Tim* (cf. **All children like toys).**

The coffee they gave us was excellent. *Le café qu'ils nous ont donné était excellent.*

The Spanish they are taught is Mexican Spanish. *L'espagnol qu'on leur enseigne est le dialecte mexicain.*

I don't always understand the English they speak in Yorskhire. *Je ne comprends pas toujours l'anglais que l'on parle dans le Yorkshire* (voir aussi 643).

He hadn't the courage to go on. *Il n'a pas eu assez de courage pour continuer.*

The patience he showed amazed everybody. *La patience dont il a fait preuve a surpris tout le monde.*

Cf. avec un nom propre : « **The Paris I love** » (titre d'un livre), **the London of my youth...**

585 (2) *par un complément introduit par of* qui en précise ou en limite le sens :

I am fascinated by the deep blue of this picture. *Je suis fasciné par le bleu intense de ce tableau.*

The Wars of the Roses. *La guerre des Deux Roses.*
The history of mankind. *L'histoire de l'humanité.*

Comparer : **to believe in progress/the progress of science; he gets fun out of life/the fun of it; a matter of life and death/the life and death of a hero** (ici l'article s'applique aux deux noms et n'est pas répété), etc.

Le complément déterminatif peut être introduit par une autre préposition que *of.*

The War between the States (nom sudiste de *la Guerre de Sécession*).
The man at the wheel. *L'homme au volant, le chauffeur.*
The silence in the room was impressive. *Le silence qui régnait dans la salle était impressionnant.*
The people in the village helped them. *Les gens du village les ont aidés* (cf. **People don't like him very much.** *Les gens ne l'aiment pas beaucoup).*

Les expressions toutes faites de sens abstrait comme **presence of mind, life at sea, freedom of speech (of opinion, of conscience...)** doivent être considérées comme des sortes de noms composés ne prenant pas l'article. Mais on dit **the freedom of the Press.**

Dans les expressions comme **children of all countries** (= all children), **men of all races** (= all men), etc. on ne peut pas dire que le complément introduit par *of* limite le sens du nom.

Voir aussi 502, b (dernier exemple).

316

(3) *par le contexte* (l'article est alors souvent traduit par un **démonstratif** français). C'est le cas d'un grand nombre de noms dans les récits et les descriptions.

> **We were getting fed up with the war.** *Nous commencions à en avoir assez de cette guerre.*
> **Tell me the truth.** *Dites-moi la vérité* (il ne s'agit pas ici d'une abstraction philosophique mais d'un cas précis : la vérité au sujet de...).
> **A fight to the death.** *Une lutte jusqu'à la mort* (sous-entendu : de l'un des combattants).
> **The dogs wouldn't let him come near the house.** *Les chiens ne voulaient pas le laisser approcher de la maison.*
> **The leaves were beginning to turn yellow.** *Les feuilles commençaient à jaunir.*
> **The man looked mad.** *L'homme avait l'air d'un fou.*
> **The child looks tired.** *Cet enfant a l'air fatigué.*
> **I didn't like the fellow.** *Ce type-là ne m'était pas sympathique.*
> **« Madame Bovary », translated from the French** (sous-entendu : of G. Flaubert) **by—.**

N.B. Expressions diverses dans lesquelles l'article *the* correspond à notre démonstratif :

> **Something of the kind.** *Quelque chose de ce genre.*
> **At the moment.** *En ce moment.*
> **At the time.** *A cette époque-là.*
> **The latter.** *Ce dernier* (voir 662).

(4) par un adjectif qui en précise le sens au point d'en faire un **véritable nom propre.**

> **The Black Death.** *La Peste Noire.*
> **The Trojan War.** *La guerre de Troie.*

...ou s'il y a une opposition.

> **The working classes, the middle classes.** *La classe ouvrière, les classes moyennes.*
> **The New World.** *Le Nouveau monde.*

Mais, sans article (c'est le cas général quand le nom est accompagné d'une épithète) :

> **French bread, white coffee** *(le café au lait)*, **Danish blue** *(le fromage bleu danois).*
> **Greek civilisation, German history** (Cf. **The history of Germany**).
> **Modern languages, chamber music, hero worship** *(le culte des héros).*

Dans ces deux derniers exemples il s'agit de noms composés dont le premier élément est employé comme adjectif.

(c) Sont déterminés par leur sens les noms désignant *une personne ou une chose unique en son genre :*

> ● *Les éléments, les planètes, les phénomènes atmosphériques :* **the wind, the weather, the sea, the sky, the rain, the snow, the moon, the sun, the earth.**

Mais (sens partitif) : **(some) snow,** *de la neige,* **(some) earth,** *de la terre.*

On dit : **Mars,** ou **the planet Mars.** Dans les romans d'anticipation on dit aussi **Earth, Moon,** etc., comme s'il s'agissait de différents pays.

Mais dans la langue courante les noms **the earth, the sun, the moon** ne peuvent s'employer, en raison de leur caractère unique, que dans un seul syntagme minimal (563) : avec l'article défini.

● *Les titres*, avec le *nom sous-entendu :* **The Queen, the President, the Duke.**

L'article s'emploie aussi quand le titre est suivi de *of* : **the Queen of England, the President of the U.S.A., the Duke of Edinburgh.** (Mais voir 592).

Pour les noms propres (qui désignent les personnes ou des lieux uniques en leur genre), voir 592 à 595.

● *Les institutions :* **the Police, the Army and the Navy, the Air Force (the R.A.F.), the Church, the Cabinet, the Press...**

Parliament (sans article) est un nom propre (= the Houses of Parliament), comme **Congress. Justice** désigne une abstraction (contraire de **injustice**) et une institution; ce nom se construit dans le second cas comme dans le premier, c'est-à-dire sans article (alors que l'on dit : **the Police, the law,** avec ou sans majuscule).

● *Les inventions :* **the telephone, the radio, the cinema, the aeroplane, the atomic bomb...**

Exception : **television** (le plus souvent sans article après *on*).

> **I spoke to him on the phone.** *Je lui ai parlé au téléphone.*
> **I heard him on the radio.** *Je l'ai entendu à la radio.*
> **I saw him on television** (plutôt que : **on the television**). *Je l'ai vu à la télévision* (familièrement : **on T.V.,** ou **on « the telly »**).

● *Les genres littéraires précis :* **the sonnet, the ode, the short story, the novel, the essay...**

Les noms suivants, qui désignent des genres plus vagues, sont indénombrables et ne prennent l'article que s'ils sont déterminés par un complément : **prose and verse, poetry, fiction, romance, criticism.**

Comparer : **English poetry** (587) et : **the poetry of childhood** (585).

On dit **the theatre,** avec l'article, comme dans son premier sens (salle de spectacle); **drama** s'emploie avec ou sans article (généralement sans article).

Les genres musicaux se construisent comme les genres littéraires : **the sonata, the symphony, the quartet, the opera, the blues** (mais sans article pour des catégories plus vagues, indénombrables : **chamber music, sacred music, jazz, rock**).

589 ● *Les espèces animales ou végétales, les types humains, les catégories*, au singulier : **the oak** *(le chêne),* **the rabbit** *(le lapin),* titres de leçons dans un livre de sciences naturelles; **'The English Village'** (titre d'un livre).

> **The 18th century squire was fond of hunting.** *Le châtelain de village du* XVIIIᵉ *siècle aimait la chasse à courre.*
> **The badger is a notoriously shy animal.** *Le blaireau est un animal dont le caractère craintif est bien connu.*

On exprime ainsi des généralités concernant le comportement typique d'une espèce. Mais dans la langue parlée on emploie plus couramment le pluriel sans article (583).

> **Dogs are faithful friends** (plutôt que : **The dog is a faithful friend**). *Les chiens sont des amis fidèles* (ou : *le chien est...*). On dit aussi, avec l'article indéfini : **A dog is a man's best friend.**

318

590   *Exceptions : man* et *woman* ne prennent pas l'article au singulier quand ils sont employés comme noms de catégories.

> **Woman is reputed to be more intuitive than man.** *La femme passe pour avoir plus d'intuition que l'homme.*
> **Is Man doomed ?** *L'homme est-il condamné à disparaître ?* (ici Man = mankind).
> **Man and the animal.** *L'homme et l'animal.*
> **Woman and the child.** *La femme et l'enfant.*

De même si ces noms sont précédés d'adjectifs qui n'en limitent pas beaucoup le sens ou qui sont imprécis : **civilized man, modern man** (mais : **the American woman; the hunted man,** *l'homme traqué*).

Dans « **The Man versus the State** », titre de Herbert Spencer, « **the man** » signifie *l'individu*, et non *l'humanité*. Mais dans l'usage moderne on omettrait ici l'article.

Dans « **Arms and the Man** », titre de G.B. Shaw, il s'agit de la traduction des premiers mots de l'Enéide, « Arma virumque », qui sont suivis d'un complément déterminatif **(the man... who...).**

591   ● Quand il s'agit d'un nom désignant une chose que l'on veut distinguer des autres appartenant à la même catégorie, que l'on considère *unique pour son excellence*, on prononce l'article [ði:] (on l'écrit en italiques, ou on le souligne).

> **X is *the* tobacco.** *X est le tabac **idéal**.*
> **He is *the* dentist in this town.** *C'est lui le **grand** dentiste de la ville.*
> **This is *the* performance of Schumann's piano concerto.** *C'est l'interprétation **idéale** (ou : « **de référence** ») du concerto de piano de Schumann.*

> ## 3. — L'ARTICLE DÉFINI ET LES NOMS PROPRES

592 (a) *Noms de personnes.*

(1) Pas d'article devant un *titre suivi du nom de la personne :* **Queen Elizabeth, Prince Philip, President Kennedy, Pope John XXIII** (= the twenty-third), **Admiral Nelson, Captain Smith, Doctor Robinson, Professor Jones.**

On a vu (588) qu'il faut l'article si le nom de la personne n'est pas exprimé : **the Queen and the Duke, the Queen of England.**

> **The King** (= **King George VI**) **was fond of family life.** *Le roi (le roi George VI) aimait la vie de famille.*

Exception : Emperor est généralement précédé de l'article.

> **King George,** mais : **the Emperor Augustus.**
> « **King Lear** » (de Shakespeare), mais : « **The Emperor Jones** » (de Eugene O'Neill).

On dit parfois, dans les textes officiels et dans le « Court Circular » du Times : *the* **Princess Margaret** (mais plus couramment : **Princess Margaret**).

Mr ['mistə] peut être suivi d'un titre, sans article.

> **Mr Chairman** (aux Communes : **Mr Speaker**). *Monsieur le Président.*

Noter : **Christ** (sans article), mais : **the Messiah** [mi'saiə], **St John the Baptist.**

593   (2) Les noms de personnes *accompagnés d'un adjectif* de sens familier (**good, old, poor, nice, little...**) ne prennent pas l'article. Il en va de même pour ceux qui sont souvent accolés au nom, formant une sorte de sobriquet.

> **Good old George !** *Ce bon vieux George !*
> **Poor little Miss Bishop cried her eyes out** (W. Somerset Maugham). *La pauvre petite Miss Bishop a pleuré à chaudes larmes.*
> **Tricky Dicky** (= President Nixon). *Dicky le Roublard.*

Les autres adjectifs sont précédés de l'article.

> **The notorious Mr Hyde.** *Le tristement célèbre Mr Hyde.*

Comparer : **The great Shakespeare** et : **Great Will** (plus familier).

L'adjectif *reverend*, devant le nom d'un écclésiastique, est précédé de l'article :
the Reverend Dr R.H. Conwell, the Reverend Father O'Flaherty.

594 (b) *Noms de peuples.*

(1) *Les adjectifs substantivés* à sens collectif prennent l'article : **the English, the French** (638); **the Chinese, the Swiss** (641).

On peut dire **the English** ou **English people** (**the Chinese** ou **Chinese people,** etc.) pour décrire le comportement de l'Anglais (du Chinois, etc.) moyen.

> **The French** (ou plus familièrement : **French people**) **shake hands all day long.** *Les Français donnent des poignées de mains à longueur de journée.*

(2) *Les noms de nationalités*, qu'ils soient semblables à l'adjectif (ex. : **American, German,** 639) ou qu'ils en soient différents (ex. : **Dane/** adj. **Danish,** 640) s'emploient au pluriel avec l'article pour désigner l'ensemble de la nation ou ceux qui la représentent (ministres, sportifs dans une compétition internationale...), avec ou sans article pour décrire le comportement de l'individu moyen.

> **The Brazilians are likely to win the World Cup this year.** *Les Brésiliens vont vraisemblablement gagner la Coupe de Monde cette année.*
> **We all wondered whether the Americans or the Russians would reach the moon first.** *Nous nous demandions tous si c'était les Américains ou les Russes qui atteindraient la lune les premiers.*
> **Americans don't mind changing jobs (...) as long as it pays.** *Les Américains changent volontiers d'emploi, dans la mesure où cela paie.* (Cette phrase de Graham Hutton est extraite d'un livre sur le peuple américain intitulé « **The** Americans »).

595 (c) *Noms géographiques.*

(1) *Les noms de pays* (de continents, de provinces) singuliers ne prennent pas l'article : **France, (Great) Britain, South America, Canada, India, Mexico, Benelux, Wales, Flanders** (ces deux derniers sont des singuliers), etc.

Exceptions : *the* **Tyrol,** *the* **Ukraine,** *the* **Lebanon** (mais on dit de plus en plus : **Lebanon,** sans article), *the* **Crimea,** *the* **Sahara,** *the* **Sudan,** *the* **Netherlands,** *the* **Transvaal,** *the* **Congo,** *the* **Ruhr,** *the* **Saar** (mais ces derniers sont des noms de rivières), **Argentina** ou : *the* **Argentine** (Republic), *the* **Vatican.**

Les noms de pays pluriels prennent tous l'article : **the West Indies, the British Isles,** etc.

The United Kingdom est un singulier, et souvent aussi **the United States,** mais les noms *kingdom* et *states* ne sont pas à l'origine des noms propres, d'où l'article.

De même, avec l'article, les abréviations : **the U.S.A.** (voir 599), **the U.S.S.R., the U.K.**

Les noms des provinces françaises perdent leur article : **Brittany, Provence, Burgundy...** (mais : *the* **Auvergne**, comme pour les noms de chaînes de montagnes ; *the* **Dordogne** : pour les départements il n'y a pas d'usage fixe).

(2) *Les noms de cours d'eau* prennent l'article.

> **The Thames** [temz] (ou : **the river Thames**). *La Tamise.*
> **The Hudson** (ou : **the Hudson River**).

Remarquer la place du mot **river** : avant le nom du fleuve en Angleterre, après aux Etats-Unis. Les noms des fleuves de pays exotiques sont souvent construits « à l'américaine », même par les auteurs anglais, par exemple : « **the great Limpopo river** » (R. Kipling).

(3) Les noms de *chaînes de montagnes* (qui sont souvent des pluriels) prennent l'article (**The Himalayas, the Alps, the Auvergne, the Atlas, the Rocky Mountains, the Appalachians, the Highlands**), alors que les noms de *sommets* ne le prennent pas (**Etna, Vesuvius, Mount Rainier, Kilimandjaro, Snowdon, Ben Nevis**, etc. Exception : **the Matterhorn**, *Le Mont Cervin*).

(4) Les noms des *mers* prennent tous l'article (**the Atlantic, the North Sea, the Channel, the Mediterranean, the Red Sea**, etc.). Mais les autres termes géographiques n'ont pas d'article à moins qu'ils ne comportent la préposition *of* ou un nom pluriel : **Lake Michigan, Easter Island, Cape Cod, Galway Bay**, etc., mais : **the Isle of Wight, the Cape of Good Hope, the Bay of Biscay, the Great Lakes, the British Isles, the Channel Islands**.

On dit **Lake Leman** ou **the Lake of Geneva** (aussi très souvent : **Lake Geneva**).

(5) Les noms de *rues* et de *monuments* ne prennent généralement pas l'article (**Oxford Street, Whitehall, Broadway, Fifth Avenue, 34th Street, Trafalgar Square, Westminster Bridge, St Paul's Cathedral, Buckingham Palace**, etc.), sauf s'ils comportent la préposition *of* (**the Tower of London**).

Exceptions :

> **The High Street.** *La Grand'Rue* (mais en américain, sans article : **Main Street**).
> **The Strand, the Mall**, mais : **Pall Mall** (rues de Londres).
> **Edgware Road**, ou : **the Edgware Road** (l'article s'emploie parfois quand le nom qui précède *road* indique vers quelle localité se dirige la route qui sort d'une grande ville).
> **The Capitol, the White House, the Kremlin.**

Les noms de rues ou de monuments français sont précédés de *the* quand ils prennent l'article défini en français : **the rue de Rivoli, the Champs Elysées, the Sacré-Cœur, the Eiffel Tower** (mais sans article, comme en français : **Notre-Dame**).

(6) Noter : **Cairo** *(Le Caire),* **Capetown** *(Le Cap),* **Mecca** *(La Mecque),* **Piraeus** [pai'riːəs] *(Le Pirée),* **Valletta, Havana, New Orleans**, mais : **The Hague** *(La Haye),* **Le Havre** (parfois : **Havre**), **Le Mans**.

(d) On garde sans le traduire l'article français dans : « **I read it in Le Monde** (in **Le Figaro**) », alors que nous traduisons l'article anglais : « *Je l'ai lu dans le Times (dans le Guardian)* ».

4. — CAS PARTICULIERS

596 (a) *Noms abstraits.*

On a vu que la plupart (mais non tous) sont des indénombrables, qui ne prennent l'article défini que s'ils sont déterminés.

> **Truth and falsehood.** *La vérité et le mensonge.*
> **I want to know the truth.** *Je veux savoir la vérité* (sous-entendu : à ce sujet).

A côté de **reason, intelligence, conscience,** on dit : **the mind, the soul, the heart** (comme : **the body, the brain,** etc.).

A côté de **Nature, Heaven, Hell** (considérés comme des noms propres), on dit : **the world, the jungle, the creation.** Noter aussi : « **What the hell... ! »** (156).

597 (b) *Divisions du temps.* Les noms des saisons, jours de la semaine, etc. ne prennent en général pas d'article.

> **I don't like winter.** *Je n'aime pas l'hiver.*

En américain « **the fall** » (*l'automne*) prend l'article.

> **Saturday is the nicest day of the week.** *Le samedi est le jour le plus agréable de la semaine.*
> **We don't work on Saturdays** (en américain : **We don't work Saturdays**). *Nous ne travaillons pas le samedi.*

Ils prennent l'article s'ils sont déterminés par un complément ou par le contexte.

> **The summer I spent in Ireland was very wet.** *L'été que j'ai passé en Irlande a été très humide.*
> **The summer had been very wet and we hoped the autumm would be sunny.** *L'été avait été très humide et nous espérions que l'automne serait ensoleillé.*

Précédés de *last* et de *next* les jours de la semaine (et les mots : **week, month, year, term,** etc.) s'emploient avec ou sans article, mais dans des sens différents.

> **Last week, next week.** *La semaine dernière, la semaine prochaine.*
> **The last week, the next week.** *La dernière semaine, la semaine suivante.*
> **He came to see us last year.** *Il est venu nous voir l'année dernière.*
> **The last year of the war.** *La dernière année de la guerre.*
> **Last Sunday was the last Sunday of the holidays.** *Dimanche dernier était le dernier dimanche des vacances.*

Toutefois : **next day** ou : **the next day** (dans un style plus soigné), *le lendemain.*

Les noms des *fêtes* n'ont pas d'article : **Whitsun,** *la Pentecôte;* **All Saints' Day,** *la Toussaint.*

Noter les expressions :

> **All day, all day long.** *Toute la journée, à longueur de journée.*
> **All the week** (ou plus couramment : **all week**). *Toute la semaine.*
> **All the year (round)** ou : **all year.** *Toute l'année.*
> **At this time of (the) day.** *A cette heure-ci.*
> **At this time of (the) year.** *A cette saison.*
> **At your time of life.** *A votre âge.*
> **In the past.** *Dans le passé.*
> **At present, in (the) future.** *Dans le présent, à l'avenir* (mais : **for the present, for the future**).
> **At present.** *A présent.*

322

598 (c) **Repas, maladies, jeux**. Pas d'article, sauf s'ils sont **déterminés par un complément**.

(1) **Breakfast is ready.** *Le petit déjeuner est prêt* (le nom est pourtant déterminé par le contexte).

Lunch is at one. *Le déjeuner est à une heure.*
The lunch they gave us was excellent. *Le déjeuner qu'ils nous ont offert était excellent.*

(2) **Cancer, tubercolosis, rheumatism, etc.**

On disait naguère : **the measles** *(la rougeole)*, **the mumps** *(les oreillons)*, **the flu** *(la grippe)*. Aujourd'hui ces noms s'emploient généralement sans article. On dit encore **the plague** *(la peste)*.

On dit **a headache; toothache, stomach-ache** (parfois avec l'article indéfini).

Noter : **It gives me the creeps** (fam. : **the horrors**). *Cela me donne la chair de poule, cela me fait froid dans le dos.*

(3) Avec le verbe *to play*, comparer :

To play cricket, to play chess (sports et jeux de société : pas d'article).
To play the piano, to play the cello (instruments de musique : l'article, souvent omis dans ce cas en américain).
To play the fool. *Faire l'idiot.*

599 (d) **Titres de journaux**. L'article est **souvent omis** (comme dans notre style « télégraphique »).

Prime Minister greets President of U.S.A. (mais dans le cours de l'article la phrase serait : **The Prime Minister is greeting the President of the U.S.A.**). *Le Premier Ministre accueille le Président des Etats-Unis.*

N.B. C'est au même style « télégraphique » qu'appartient la formule, également impossible dans une phrase construite : « **made in USA** ».

Strike hits car output. *La grève affecte la production automobile.*

600 (e) L'article peut, **sans être répété**, s'appliquer à deux noms séparés par **and** (parfois aussi : **or**) quand ils sont étroitement **liés par le sens** (cf. 615 et 749).

The King and Queen (mais : the King and the President).
The boys and girls of this school (mais : the teachers and the parents).
Give me the cup and saucer that are on the tray (mais : the cup and the spoon).

601 (f) L'article **the** a un **sens distributif**, devant des unités de temps, de mesure, dans diverses expressions :

He is paid by the hour. *Il est payé à l'heure.*
Our car does 30 miles to the gallon = *Notre voiture consomme neuf litres aux 100.*
Cinemas by the dozen, ice-cream by the ton. *Des cinémas par douzaines, de la glace par tonnes.*

602 (g) Emplois commandés par la grammaire.

(1) L'article défini s'emploie devant le **superlatif d'un adjectif** (**He is the best player in the team**), mais non devant le superlatif d'un adverbe (**Which do you like best ?**). Voir 656, 657.

(2) Il s'emploie devant **les adjectifs substantivés à sens collectif**, qui sont alors des pluriels (**the blind, the rich and the poor, the English**). Voir 633.

(3) Il s'emploie devant *les adjectifs substantivés à sens abstrait* (the absurd, the supernatural). Voir 636.

(4) Il se lit, même quand il ne s'écrit pas, devant les nombres ordinaux (**James II** se lit : **James the second**; mais sans article : **5th Avenue, 34th Street**, 807).

L'article défini *ne s'emploie pas* après un *génitif* (**John's car**, 732), après *whose*, génitif de *who* (754, 778), devant un *pronom possessif* (**mine, yours,** *le mien, le vôtre*, 752), et avec *most* (= *la plupart de*), sauf dans l'expression « *most of* ».

> **Most people were pleased.** *La plupart des gens ont été contents.*
> **Most of the people who came were pleased.** *La plupart des gens qui sont venus ont été contents.*

Pour l'omission de l'article dans « **to go to hospital** », « **to be at college** », voir 569. Dans les expressions « **to go home** » *(rentrer chez soi)* et « **to be home** » *(être de retour)*, **home** est un adverbe (comme dans « to go out », « to be out »).

603 (h) *Expressions idiomatiques.* Il n'est pas possible de dresser ici une liste complète des expressions dans lesquelles l'article est omis ou employé.

La liste ci-dessous ne comprend que des expressions très courantes.

> **On the right, on the left.** *A droite, à gauche.*
> **Keep left**, ou : **keep to the left.** *Restez à gauche, gardez votre gauche.*
> **Turn left**, ou : **turn to the left.** *Tournez à gauche.*
> **On the one hand... On the other hand...** *D'une part... D'autre part...*
> **To travel by train, by car, by plane, by bus.** *Voyager par le train, en voiture, en avion, par l'autobus.*
> **On the ground.** *Par terre.*
> **On deck.** *Sur le pont* (du navire).
> **To be in the wrong** (= **to be wrong**). *Avoir tort.*
> **I took the wrong train.** *Je me suis trompé de train.*
> **Hand in hand.** *La main dans la main.*
> **To live from hand to mouth.** *Vivre au jour le jour.*
> **They have just enough to keep body and soul together.** *Ils ont tout juste de quoi ne pas mourir de faim.*
> **To go on tiptoe.** *Avancer sur la pointe des pieds.*
> **From top to bottom.** *De fond en comble.*
> **To climb on top.** *Monter à l'impériale* (de l'autobus).
> **From beginning to end** (= **from start to finish**). *Du commencement à la fin.*
> **At sunrise, at sunset.** *Au lever du soleil, au coucher du soleil.*
> **There could be** *the odd* **shower** (= occasional showers) **in the afternoon** (bulletin météorologique). *Il pourrait y avoir quelques averses intermittentes dans l'après-midi.*

EXERCICES

A Lire :

1. The beginning and the end, the bow and the arrows, the old women, the young children, the year, the hour.
2. The ale, the hail; — the heart, the art; — the edge, the hedge; — the hair, the air, the heir, the hare; — the hunt, the ant, the haunt, the aunt.
3. The union, the onion; — the unemployed, the uniform, the umbrella, the lion and

the unicorn; — the urgent need, the usual need; — the unanimous decision, the ultimate decision; — the one I prefer, the only one I like; — the other day; — the one-eyed man; — on the one hand..., on the other hand...
4. The F.B.I., the C.I.A.; — the I.R.A.; — the R.S.P.C.A. and the N.S.P.C.C.; — the U.S.A. and the U.S.S.R.; — the Y.H.A.; — the L.C.C.; — the X-rays; — the I.Q.
5. The 18th century, the 15th century, the 11th century.
6. The 1 o'clock train, the 8 o'clock train; the 10 o'clock news, the 11 o'clock news.

[B] Ajouter l'article *the* si c'est nécessaire :

1. I am very fond of ... fish. — 2. ... fish I caught weighed more than four pounds. — 3. It is not easy to give a definition of ... humour. — 4. Do you appreciate ... humour of this short story ? — 5. ... English think ... French is a difficult language. — 6. This novel was translated from ... French by our teacher. — 7. ... French are fond of ... good food. — 8. ... French people are fond of ... good food. — 9. ... man in ... street is not really interested in ... politics. — 10. Did you like ... music of this film ? — No, ... only music I like is ... chamber music. — 11. ... Queen Elizabeth and ... Duke of Edinburgh have invited ... King of Belgium and ... Queen Fabiola. — 12. Did you see ... Queen on ... television ... last Saturday ? — No, but I heard her on ... radio. — 13. ... Lake Leman is also called ... Lake of Geneva or ... Lake Geneva. — 14. ... foxes and ... wolves live in ... New World as well as in ... Old, but ... coyote is found only in ... America. — 15. ... jackals and ... hyenas of ... Africa are ... fierce animals. — 16. ... earth revolves round ... sun. — 17. Is ... planet Mars bigger than ... moon ? — 18. ... most boys are interested in ... cars. — 19. ... most of ... boys in our class want to be ... doctors. — 20. We spent three weeks in ... Isle of Wight ... last summer. Unfortunately ... last week was spoilt by ... rain. — 21. How often do you go to ... cinema ? — We go on ... Wednesdays and ... Saturdays. — 22. Few people have ... moral courage, for instance ... courage of their convictions. — 23. ... man is ... king of ... Universe. — 24. Alceste hated ... mankind, he hated all ... men. — 25. When I was first introduced to him, I thought ... man was a hypocrite. — 26. I found ... people in ... village very inquisitive. I like ... people to mind their own business. — 27. ... people we met on our journey were very hospitable. — 28. We enjoyed our holidays in Spain, though we liked... wines better than ... cooking. — 29. ... Chinese cooking and ... French cooking are said to be ... best in ... world. — 30. ... English children don't go to ... school on ... Saturdays. — 31. He is very fond of ... birds, he has written a book about ... red-headed woodpecker and another about ... ostriches. — 32. I prefer ... autumn to ... winter. — 33. ... winter has been very mild so far. — 34. ... King Henry VIII broke with ... Pope and proclaimed himself ... head of ... Church in England — 35. There are coalmines in ... north of ... France, ... Belgium, ... Saar and ... Ruhr, but there are very few in ... Netherlands. — 36. Would you prefer to live in ... USA or in ... United Kingdom ? — 37. ... memory is one of ... most valuable faculties of ... mind. — 38. ... dinner will be at 8 tonight. — 39. ... most of his novels deal with ... selfishness of ... rich. — 40. ... truth is sometimes stranger than ... fiction. — 41. It is important to establish ... truth of ... matter. — 42. ... donkey is a much maligned animal. — 43. He had an accident yesterday and was taken to ... hospital. Let's go to ... hospital and enquire how he is. — 44. He went to ... church to take a picture of ... stained-glass windows. — 45. ... neighbours go to ... church on ... Sunday evenings. — 46. He told me on ... phone that he would not be coming. — 47. Are ... relationships between ... President and ... Congress always good ? — 48. ... Irish speak ... English, so do ... Scots and ... most of ... Welsh. — 49. He plays ... cricket better than he plays ... piano. — 50. He is learning ... Greek. — Do you mean ... modern Greek or ... Greek of Plato and Sophocles ? — 51. ... Japanese have ... loveliest gardens in ... world. — 52. ... Prime Minister made an important speech in ... Parliament ... last week. — 53. ... English believe in ... democracy and ... freedom of ... press. — 54. ... engineers are better

paid than ... teachers. — 55. During ... war, ... King George VI was on friendly terms with ... Prime Minister. — 56. ''... RSPCA'' means : ... Royal Society for ... Prevention of ... Cruelty to ... Animals. — 57. Do ... Great Britain and ... United States speak ... same language ? — 58. ... books are expensive. I borrowed ... book I am reading from ... Public Library. — 59. I enjoyed ... lunch we had together on ... Fifth Avenue. — 60. He tkinks ... Wales has ... best rugby team in ... British Isles.

32. — L'ARTICLE INDÉFINI. SOME, ANY, NO

1. — FORME DE L'ARTICLE INDÉFINI

604 (a) Il a deux formes : **a** [ə] et **an** [ən]. Comparer avec ce qui a été dit de la prononciation de l'article **the** (581).

• **a** devant un mot commençant *phonétiquement par une consomme.*

A cat, a hat, a horrible crime, a hospital, a hostage, (*h* prononcés).

De même devant les consonnes [j] et [w], quelle que soit l'orthographe.

A year, a ewe *(une brebis),* **a university, a unique exhibit, a European country, a United States ambassador; a wing, a one-way street, a YMCA hostel.**

• **an** devant un mot commençant *phonétiquement par une voyelle.*

An eye, an ear, an umbrella; an RAF ['ɑː'rei'ef] **pilot, an MP** ['em'piː] (= a Member of Parliament), **an F sharp** *(un fa dièze),* **an X-ray examination.**

De même devant les quelques mots dont l'*h* initial ne se prononce pas.

An honest man, an honourable man, an hour, an heir *(un héritier).*

Remarques : (1) Quand la première syllabe d'un mot commençant par un *h* n'est pas accentuée, l'*h* est parfois à peine prononcé, d'où : **an historic occasion, an historical novel, an heroic deed** (tous accentués sur la 2ᵉ syllabe), parallèlement à : **a historic occasion,** etc.

(2) On dit : **a hotel** plus couramment que **an hotel** (mot accentué sur la 2ᵉ syllabe), mais toujours : **a hostel** *(un foyer d'étudiants),* ce mot étant accentué sur la 1ʳᵉ syllabe.

(3) Devant la consonne [j], l'article indéfini est toujours **a**, jamais **an**.

Comparer :

The United States : [ðə], parfois [ði].
A United States ambassador : **a**, jamais **an**.

(4) Les Cockneys, qui ne prononcent pas l'*h* initial, disent : « an horrible crime », « an horse race », « an hospital », etc.

• Lorsque l'article indéfini est accentué (ce qui se produit plus rarement que pour l'article défini), on le prononce [ei], [æn].

He is not *the* [ðiː] **general, but just** *a* [ei] **general.** *Il n'est pas le seul général, mais simplement un général parmi d'autres.*

605 (b) A la *forme négative* on peut remplacer *not a* par *no*, qui est plus catégorique.

> **No noise could be heard.** *On n'entendait pas de bruit.*
> **We've no car** (plus simplement et plus couramment : **We haven't a car**).
> **There's no cinema** (plus simplement : **there isn't a cinema**) **in the village.**
> *Il n'y a pas de cinéma dans le village.*

« *No* » peut avoir le sens de « *not at all a* » (valeur emphatique).

> **He is no friend of mine.** *Il n'est pas du tout de mes amis.*
> **He is no fool.** *Il est loin d'être sot.*
> **He is no gentleman.** *Il manque totalement d'éducation.*
> **You must do no such thing.** *Vous ne devez absolument pas faire une chose pareille.*

606 (c) L'article indéfini *n'existe pas au pluriel*. Le pluriel de **a cat** est **cats**.

> **We've always had cats and dogs in our house.** *Nous avons toujours eu des chats et des chiens à la maison.*

Cats s'emploie aussi dans un sens général (voir 583).

> **We are fond of cats.** *Nous aimons les chats.*

Avec une idée de nombre, de quantité, le pluriel est généralement précédé de *some* (= *des, un certain nombre de*).

> **I heard some cats miaowing last night.** *J'ai entendu des chats miauler cette nuit.* Voir 618.

---

2. — EMPLOI DE L'ARTICLE INDÉFINI

607 (a) Rappelons ce qui a été dit aux §§ 563 à 568 :

(1) *Les noms indénombrables* (luggage, travel, advice, information, luck, toast dans le sens de « pain grillé », etc.) ne sont jamais précédés de l'article indéfini, d'où des expressions du type « **a piece of** » (a piece of toast, an item of news...) qui permettent d'exprimer une idée de singulier.

Exceptions : Sont précédés de l'article indéfini, aux cas étudiés au § 566, les noms indénombrables : **pity, shame, disgrace, fuss, relief, hurry, waste, mess, shambles.**

> **What a pity !** *Quel dommage !*
> **I'm in a hurry.** *Je suis pressé.*
> **He made such a fuss !** *Il a fait un tas d'histoires !* (Voir aussi 610).

(2) *Les noms dénombrables* prennent au singulier l'article défini ou l'article indéfini selon le sens. Comme en français, un nom introduit une première fois par un article indéfini est précédé les fois suivantes de l'article défini.

> **We have *a* theatre and several cinemas in our town. *The* theatre was built a century ago.** *Nous avons un théâtre et plusieurs cinémas dans notre ville. Le théâtre a été bâti il y a un siècle.*

608 (b) Les remarques qui suivent ne s'appliquent qu'aux *noms dénombrables*.

(1) L'article indéfini s'emploie *devant un nom singulier attribut ou placé en apposition.*

> **His father, a post-office clerk, is a member of the Labour Party.** *Son père, employé à la poste, est membre du parti travailliste.*

An orphan at six, he was brought up by his uncle. *Orphelin à six ans, il fut élevé par son oncle.*

When I was a boy, we lived in a small village. *Quand j'étais enfant, nous habitions un petit village.*

They've made me a prefect. *Ils m'ont choisi comme moniteur* (dans un collège). Mais : **They made him king, they elected him chairman** (titre porté par un seul personnage).

Exception : **They took (kept) him prisoner.** *Ils le firent (le retinrent) prisonnier* (mais « prisoner » est ici construit comme un adjectif; on aurait au pluriel : **They took two hundred Germans prisoner**).

De même : **They took (ou : held) eight people hostage.** *Ils prirent huit personnes comme otages.*

609   (2) Il s'emploie ***après une préposition***.

She's gone out without an umbrella. *Elle est sortie sans parapluie* (*without* se construit comme *with*).

He was in a bad temper (= **in a bad mood**). *Il était de mauvaise humeur.*

He was dressed up as a policeman. *Il était déguisé en agent de police.*

To behave as an enemy. *Se conduire en ennemi.*

My duty as a father... *Mon devoir de père...*

In my capacity as a doctor... *En ma qualité de docteur...*

He is more famous as a novelist than as a poet. *Il est plus célèbre comme romancier (en tant que...) que comme poète.*

Après *as* l'article est parfois omis, sauf si le verbe est *to be* (exemple précédent).

'I respect him both as man and as artist' (John Fowles). *Je le respecte à la fois en tant qu'homme et en tant qu'artiste.*

On note aussi une tendance (notamment chez les journalistes) à omettre l'article indéfini après *as* et devant un nom en apposition.

Avec l'expression ***kind of*** le sens n'est pas toujours le même avec ou sans article :

What kind of a man is the new boss ? *Quel genre d'homme est le nouveau patron ?*

What kind of man is he ? (s'emploie parfois dans le même sens; mais implique souvent que l'on met en doute ses qualités viriles, son courage).

Remarquer l'emploi des articles dans les deux langues dans des expressions comme :

The trunk of a tree (= **a tree-trunk**). *Un tronc d'arbre.*

The wing of a chicken. *Une aile de poulet.*

The helmet of a policeman (= **a policeman's helmet**). *Un casque d'agent de police.*

We heard the report of a gun. *Nous entendîmes un coup de fusil.*

A father (ou : **the father**) **of a family** : *Un père de famille.*

Of suivi de l'article indéfini s'emploie pour séparer deux noms, le premier qualifiant le deuxième.

That idiot of a clerk. *Cet imbécile d'employé.*

His old witch of a mother-in-law. *Sa vieille sorcière de belle-mère.*

A young fool of a chap. *Un jeune imbécile.*

They live in a palace of a house. *Ils vivent dans un vrai palais.*

She is a fine figure of a woman. *Elle est belle femme.*

His foghorn of a voice. *Sa voix de stentor.*
What a gem of a hat ! *Quel amour de chapeau !*

Cf. I'm not much of a tea-drinker. *Je ne suis pas très amateur de thé.*

'I'm not much of a one for Art' (A. Christie). *Je ne suis pas très amateur d'art.*

610   (3) Il s'emploie après *such* et **what** pour introduire un nom **dénombrable singulier**, ainsi que *pity, shame, disgrace, fuss, relief, hurry, waste, mess, shambles* (566).

I've never heard such a funny story. *Je n'ai jamais entendu une histoire aussi drôle.*
You gave me such a fright ! *Vous m'avez fait une de ces peurs !*
What a pretty garden Mrs Jones has ! *Quel joli jardin a Mrs Jones !*
What a pity ! *Quel dommage !*
What a relief when we heard that the war was over ! *Quel soulagement quand nous avons appris que la guerre était finie !*
Mais : What courage she has ! *Quel courage elle a !*
What bad luck ! *Quelle malchance !* (noms indénombrables).

611   (4) Il se place entre l'adjectif et le nom quand l'adjectif est précédé de *as, too, so, how*. Ces tournures un peu gauches sont souvent remplacées par des expressions synonymes.

We have as large a house as you have (= Our house is as large as yours). *Nous avons une maison aussi grande que la vôtre.*
This is too small a house (= This house is too small) for such a large family. *C'est une maison trop petite pour une famille aussi nombreuse.*
He is not so clever a boy (= such a clever boy) as his brother. *Ce n'est pas un garçon aussi intelligent que son frère.*
I didn't know how lazy a boy (on préfère : what a lazy boy) he was. *Je ne savais pas à quel point il était paresseux.*
'Not to put too fine a point upon it, she was a procuress, a cocaine-seller, and a receiver of stolen goods' (Ch. Isherwood). *Pour appeler les choses par leur nom, elle était entremetteuse, trafiquante de cocaïne et receleuse.*

On place parfois après le nom un adjectif précédé de *as* ou *so* (c'est alors un attribut elliptique), même quand il n'introduit pas un complément.

On a planet as large as Jupiter... *Sur une planète aussi grosse que Jupiter...*
'I didn't think you could have a son so old' (Iris Murdoch). *Je ne pensais pas que vous puissiez avoir un fils aussi grand.*
She spoke in a voice so quiet that I could scarcely hear (C.P. Snow). *Elle parlait d'une voix si faible que j'entendais à peine.*

Too est parfois précédé de l'article indéfini (style littéraire).

She (Katherine Mansfield) had not yet cultivated that power of compassionate irony which tempers a too ardent sensibility (W.E. Williams). *Elle n'avait pas encore cultivé cette faculté d'ironie compatissante qui tempère une sensibilité trop ardente.*

Voir 863 (place de l'article avec *quite* et *rather*).

L'article indéfini se place entre *half* et le nom en anglais britannique, souvent avant *half* en américain.

Half an hour (amér. : a half hour). *Une demi-heure.*
Half a pound (en abrégé : ½ lb.). *Une demi-livre* (poids).

Half a loaf is better than no bread (prov.) = *Faute de grives on mange des merles* (half a loaf : *la moitié d'un pain*).

Ne pas confondre **half a crown** (la somme de 2 shillings et 6 pence, équivalent de 12 ½ p. d'aujourd'hui) et **a half-crown** (*une demi-couronne*, pièce qui valait cette somme).

L'article indéfini s'emploie assez couramment après ***many***, surtout dans l'expressions ***many a time*** (=many times).

I have come here many a time. *Je suis venu ici maintes fois.*

(5) Ne pas confondre *a little* (*un peu de*) et *little* (*peu de*); *a few* (*quelques*) et *few* (*un très petit nombre de*). Voir 789, 791.

I spent the evening with a few friends. *J'ai passé la soirée avec quelques amis.*

He has (very) few friends. *Il a (très) peu d'amis.*

612 (6) L'article indéfini ne s'emploie pas avec l'adjectif **same** (823). Avec l'adjectif **wrong** on emploie l'article ***the*** dans quelques expressions comme : **to take the wrong umbrella** (*se tromper de parapluie*), **to get on the wrong bus** (*se tromper d'autobus*), **to do the wrong exercise** (*se tromper d'exercice*), etc.; mais l'article indéfini peut s'employer quand ***wrong*** signifie *erroné* (**a wrong answer**, *une réponse inexacte*) ou *mal, immoral* (**that was a wrong thing to do**, *c'est mal d'avoir fait cela*).

613 (7) Distinguer l'article indéfini de l'adjectif numéral ***one***. Comparer :

I have a sister who lives in Scotland. *J'ai une sœur qui vit en Ecosse.*
I have one sister and two brothers. *J'ai une sœur et deux frères.*

Voir aussi 799 (**a hundred/one hundred**).

Dans le sens de « *un certain* », devant un nom de personne, on emploie l'article dans un style cérémonieux, surtout quand le nom est sujet; et l'indéfini *one*, dans un style officiel, en particulier quand le nom est placé en apposition.

A Mrs Smith is asking to see you, sir. *Une certaine Mrs Smith demande à vous voir, Monsieur.*
A friend of his, one John Robinson, had offered to lend him £ 500. *Un de ses amis, un certain John Robinson, avait offert de lui prêter 500 livres.*

On dit : **one day** (*un jour, un certain jour*), **one evening, one year**....

614 (8) L'article indéfini s'emploie plus qu'en français dans les ***titres*** d'ouvrages littéraires, d'œuvres musicales, etc.

A Tale of a Tub (Swift), **A Farewell to Arms** (Hemingway), **A Portrait of the Artist as a Young Man** (Joyce), **A Passage to India** (E.M. Forster), **A Woman of Thirty** (traduction de « La Femme de trente ans », de Balzac), **An English Pronouncing Dictionary** (D. Jones), **A Simple Symphony, A Ceremony of Carols** (Benjamin Britten)...
Comparer : **A Sentimental Journey** (Sterne) et : *Voyage autour de ma chambre* (X. de Maistre).

615 (9) L'article indéfini, comme l'article défini (600), peut être *sous-entendu* devant un deuxième nom étroitement lié au premier par le sens.

A cup and saucer (mais : a cup and a glass).
A knife and fork (mais : a knife and a spoon).

La même règle s'applique aux adjectifs possessifs (**my father and mother**, mais : my father and my cousin).

330

616   (10) Il s'emploie devant une unité (**sens distributif**). Voir 601.

> **We go to London twice a year.** *Nous allons à Londres deux fois par an.*
> **Cherries are 50 pence a pound.** *Les cerises coûtent 50 pence la livre.*
> **At 80 miles an hour you can't enjoy the landscape.** *A 130 à l'heure on ne peut pas profiter du paysage.* (On dit aussi **80 miles per hour**, ou : **80 m.p.h.**).

617   (11) Il s'emploie dans diverses **expressions idiomatiques.**

> **He had a very pale face.** *Il avait le visage très pâle.*
> **She has a weak heart.** *Elle a le cœur fragile.*
> **He has a guilty conscience.** *Il n'a pas la conscience tranquille.*
> **To go to bed on an empty stomach.** *Aller se coucher le ventre vide.*
> **I have a headache (a sore throat).** *J'ai mal à la tête (à la gorge).*
> **He has a right to complain.** *Il a le droit de se plaindre.*
> **To have a sense of humour.** *Avoir de l'humour.*
> **To be a slave to (one's duty).** *Etre esclave de (son devoir).*
> **I have a good mind to call it a day.** *J'ai bien envie d'arrêter là mon travail pour aujourd'hui.*
> **Don't make a noise.** *Ne faites pas de bruit.*
> **There's nothing to make a fuss about.** *Il n'y a pas de quoi faire tant d'histoires.*
> **He was found in a coma.** *Quand on l'a découvert il était dans le coma.*
> **Shall we make a fire ?** *Allons-nous faire du feu ?*
> **Give me a light.** *Donnez-moi du feu* (allumette ou briquet).
> **To be in a hurry.** *Etre pressé.*
> **To be at a loss.** *Etre embarrassé* (681).
> **To go to a restaurant.** *Aller au restaurant.*
> **To go to a concert.** *Aller au concert.*
> **To come to a stop.** *S'arrêter*, généralement de façon imprévue (véhicule).
> **We must put an end to this scandal.** *Nous devons mettre fin à ce scandale.*
> **Matters are coming to a head.** *Une crise se prépare.*
> **I can't do two things at a time** (= **at once**). *Je ne peux pas faire deux choses à la fois.*
> **You are supposed to set an example.** *Vous êtes censé donner l'exemple.*
> **On an average.** *En moyenne* (aussi, très couramment : **on average**).
> Voir 802 (**a good 3 miles**).

---

3. — SOME, ANY, NO

618 (a) L'adjectif indéfini **some** [səm] (*quelque*) s'emploie couramment dans le sens de notre article partitif (*du, de la, des*). Il est inaccentué. Il s'emploie :

(1) Devant des noms **singuliers indénombrables** (*une certaine quantité de, un peu de*).

> **Have some tea.** *Prenez du thé* (mais, sans article partitif : **To have tea** = *prendre le thé*, quand il s'agit du repas et non de la boisson).
> **I've left some bread and butter in the kitchen for you to eat when you come back.** *J'ai laissé du pain beurré dans la cuisine pour que tu le manges quand tu rentreras.*
> **Let me give you some advice.** *Permets-moi de te donner des conseils.*
> **There was some luggage in the hall.** *Il y avait des bagages dans le vestibule.*

(2) Devant des noms **dénombrables pluriels** (il sert alors de pluriel à l'article indéfini, dans le sens de « *quelques, un certain nombre de* »).

> **Some people were waiting outside.** *Des gens attendaient dehors.*
> **There are some letters for you.** *Il y a des lettres pour vous.*

Il a alors le même sens que **several, a few,** expressions accentuées qui insistent plus sur l'idée de nombre.

Ne pas confondre **several times** (*plusieurs fois*) et **sometimes** (*parfois, de temps en temps*).

Some peut être accompagné de **more.**

> **Have some more tea (some more peas).** *Reprenez du thé (des petits pois).*

619 (b) **Some** est remplacé par **any** dans la plupart des **phrases interrogatives** et dans les propositions exprimant un **doute** ou une **supposition.**

> **Are there any cinemas in the town ?** *Y a-t-il des cinémas dans la ville ?*
> **I wonder whether** (= **if**) **there are any cinemas in the town.** *Je me demande s'il y a des cinémas dans la ville.*
> **If you have any objections, just tell us.** *Si vous avez des objections, vous n'avez qu'à nous le dire.*

Toutefois on emploie **some** dans les questions si l'on veut montrer qu'on attend (ou qu'on espère) une réponse affirmative, par exemple quand on offre quelque chose (dans ce cas, **any** exprimerait une indifférence fort peu polie). Comparer :

> **Would you like some tea ?** *Voulez-vous du thé ?* (offre polie).
> **Would you like any tea ?** *Vous ne voulez pas prendre de thé ?* (= je n'insiste pas).
> **Can I have some tea ?** *Est-ce que je peux prendre du thé ?*

Dans les questions avec **some** on n'envisage pas le cas où la réponse serait négative.

C'est aussi souvent le cas à la forme interro-négative, qui semble appeler une réponse affirmative.

> **Didn't he give you some money ?** *Il ne t'a pas donné d'argent ?* (On attend la réponse : « *Mais si* »). L'« Oxford Advanced Learner's Dictionary of Current English » donne cet exemple et le paraphrase ainsi : He gave you some money, didn't he ?

Avec un nom dénombrable singulier, comparer ces questions (dans une librairie) :

> **Have you a book called ''The Greek Myths'' ?**
> **Have you any book about Greek mythology ?** (différence de degré de précision).

Any s'emploie à la place de some dans une phrase comportant une **négation** (ou une idée négative).

> **We haven't any tea left.** *Il ne nous reste pas de thé.*
> **I've never eaten any frogs.** *Je n'ai jamais mangé de grenouilles.*
> **There was hardly any sunshine yesterday.** *Il n'y a presque pas eu de soleil hier.*
> **I came back to England without any money.** *Je rentrai en Angleterre sans argent.*

620 (c) **Not any,** suivi d'un singulier ou d'un pluriel, peut être remplacé par **no.** Le verbe est alors à la forme affirmative puisqu'il ne peut y avoir qu'une négation. Le ton est plus catégorique.

There's no tea (plus catégorique que : **There isn't any tea**). *Il n'y a pas de thé.*

We could hear no noise (**We couldn't hear any noise**). *Nous n'entendions pas de bruit.*

Stick no bills. *Défense d'afficher.*

No mistakes. *Zéro faute.*

Not any est plus courant que *no* dans la langue parlée quand le nom qui l'accompagne est complément (**We couldn't hear any noise**, plutôt que « we could hear no noise »). Mais on emploie *no* si le nom est sujet (**No noise could be heard**).

No est donc une sorte d'*article négatif (pas de).*

No bread *(pas de pain)* ≠ **some bread** *(du pain).*
No books *(pas de livres)* ≠ **some books** *(des livres).*

Il s'emploie, suivi d'un gérondif, pour les *interdictions.*

No smoking. *Défense de fumer.*

No s'emploie aussi pour remplacer *not a* ou *not at all a* (voir 605).

621 ⓓ *Some* et *any* sont omis quand il n'y a aucune idée de quantité, de nombre.

Would you rather have tea or coffee ? *Préférez-vous du thé ou du café ?* (idée de choix et non de quantité).

You should give your children sugar, it's good for them. *Donnez du sucre à vos enfants, c'est bon pour leur santé* (on ne précise aucunement la quantité).

On omet également *some* et *any* quand il s'agit de grandes quantités (premier sens de *some : un peu de*);

There's water everywhere in Ireland. *Il y a de l'eau partout en Irlande.*
They drink tea all day long. *Ils boivent du thé à longueur de journée.*

Ne pas confondre :

Some (= **a few**) **years ago.** *Il y a quelques années.*

et :

Years ago. *Il y a des années, de nombreuses années.*

Voir 958 (e) : « minutes later ».

ⓔ Pour les autres sens de *some* et de *any*, voir 792, 818, 822, 829.

Some [sʌm] **people came in their cars, others by train.** *Certaines personnes arrivèrent en voiture, d'autres par le train* (**Some** est alors accentué).

Any book will do. *N'importe quel livre fera l'affaire.*

EXERCICES

A Faire précéder les expressions suivantes de l'article indéfini (*a* ou *an*) :

1. ... honest family; ... hospitable family; ... unidentified flying object (= ... UFO); ... uniform; ... umbrella; ... union; ... year ago; ... hour ago; ... only child; ... one-way street; ... ewe and ... lamb; ... hair; ... heir; ... hare; ... heel; ... eel; ... hell; ... euphemism; ... Eurasian; ... historical novel; ... History of England; ... 18th century painting; ... 7 and ... 8; "... hungry dog, ... angry dog".

2. ... USSR satellite; ... Y.M.C.A. hostel; ... B.A. and ... M.A.; ... S.O.S. message; ... R.A.C. patrol; ... U-turn on ... A-road; ... L.C.C. clerk; ... H.P. sauce; ... U.N.E.S.C.O. magazine; ... E flat and ... F sharp. Do you spell "realize" with ... s or ... z ?

[B] Traduire.

1. Son frère, journaliste célèbre, était membre de la Fabian Society. — 2. Leur crétin de fils ne réussira jamais à son examen. — 3 C'est un homme trop vaniteux pour avouer qu'il s'est trompé. — 4. Ce cochon de douanier m'a fait vider mes deux valises. — 5. Kipling était à la fois romancier et poète. — 6. Quel chef d'œuvre ! Quel génie chez ce peintre ! — 7. Je ne peux pas supporter son idiot de frère. — 8. Je n'ai jamais mangé un aussi bon gâteau. — 9. Ces œufs coûtent 20 pence la douzaine. — 10. Il gagne 20 000 livres par an. — 11. Ils vont à la piscine deux fois par semaine. — 12. Quel affreux raseur ! Quel imbécile prétentieux ! — 13. Quels conseils à donner à un si jeune enfant ! — 14. Quels progrès il a faits ! Quel soulagement pour ses parents ! — 15. Boit-on du vin ou du cidre dans votre région ? — 16. Voulez-vous de la sauce à la menthe ? C'est très bon avec le mouton. — 17. Il ne reste pas de thé. Il ne reste presque pas de thé. — 18. Voulez-vous des petits pois avec votre poisson ? — 19. Y a-t-il des protestants en Irlande du Sud ? — 20. Il n'y a pas de vent aujourd'hui. Il n'y a presque pas de vent aujourd'hui.

C Transformer les phrases suivant les modèles :

He is not a gentleman → He is no gentleman (ton emphatique, plus catégorique).
Avec un possessif (758) : He is not our friend → He is no friend of ours.

1. I'm not a musician. — 2. He isn't a fool. — 3. She is not a beauty. — 4. This is not a place for a well-brought up young lady. — 5. He is not a linguist. — 6. There isn't such a thing. — 7. I didn't say such a thing. — 8. He is not in a hurry. — 9. This is not your business. — 10. He is not our partner. — 11. It isn't my concern. — 12. It isn't a small matter. — 13. I'm not an angel. — 14. He is not one of my relatives. — 15. That was not an easy task.

33. — L'ADJECTIF QUALIFICATIF

1. — GÉNÉRALITÉS

622 (a) Les adjectifs qualificatifs anglais sont des *mots invariables.*

Young people. *Les jeunes gens.*
The new papers. *Les nouveaux journaux.*

(Dans « **the newspapers** » l's de la première syllabe appartient au nom invariable « **the news** » = *les nouvelles*).

C'est également le cas des adjectifs déterminatifs (indéfinis, possessifs, etc.).

The other days. *Les autres jours.*
Our friends. *Nos amis.*

Exceptions : les deux démonstratifs *this* et *that* (761 à 766).

(b) Aux adjectifs qualificatifs proprement dits (**young, blue, difficult, happy**...) s'ajoutent les participes employés comme adjectifs :

— **participes présents** à sens **actif** (**disappointing**, *décevant;* **deafening**, *assourdissant;* **dazzling**, *éblouissant*...);
   The developing countries. *Les pays en voie de développement.*

— **participes passés** à sens **passif** (**disappointed**, *déçu;* **a written report**, *un compte rendu écrit;* **a hidden treasure**, *un trésor caché*...).

Ne pas les confondre :

   A tiring journey. *Un voyage fatigant.*
   The tired passengers. *Les voyageurs fatigués.*

Sont également terminés par **-ed** des adjectifs formés à partir d'un nom et signifiant « *muni de* », « *doué de* » : **the stringed instruments, horned cattle, a talented artist, the Winged Victory** *(la Victoire de Samothrace).* Voir aussi 631.

Un nom placé devant un autre nom joue le rôle d'un **déterminant** (c'est-à-dire d'un **adjectif**, 574). Il peut servir à traduire un adjectif français quand il n'existe pas d'adjectif anglais correspondant.

   The school year. *L'année scolaire.*
   A rail disaster. *Une catastrophe ferroviaire.*
   A border dispute. *Un différend frontalier.*
   A coal-field. *Un bassin houillier.*
   A sun-dial. *Un cadran solaire.*
   An eye-witness. *Un témoin oculaire.*
   Tear-gas. *Gaz lacrymogène.*

Les quatre derniers peuvent être orthographiés avec un trait d'union ou en un seul mot (voir 580).

Remarquer que dans tous ces exemples l'adjectif français est un terme de formation savante.

De même pour plusieurs adjectifs correspondant à des noms de pays ou de villes.

   The New Zealand climate. *Le climat néo-zélandais.*
   The London parks. *Les parcs londoniens.*
   The New York museums. *Les musées new-yorkais.*

623 (c) **L'adjectif épithète se place devant le nom** (le déterminant précède normalement le déterminé). S'il y a plusieurs épithètes on place près du nom l'adjectif qui lui est le plus intimement lié par le sens.

   A tall, thin man. *Un homme grand et mince.*
   A long, difficult exercise. *Un exercice long et difficile.*
   The narrow, winding streets of the old city. *Les rues étroites et tortueuses de la vieille ville.*
   A very kind old lady. *Une vieille dame très aimable.*
   A silly little boy. *Un petit garçon stupide.*

Dans les trois premiers exemples, des virgules séparent les adjectifs exprimant des idées qui s'ajoutent les unes aux autres, que l'on peut considérer séparément (les adjectifs sont tous également accentués); remarquer qu'il n'y a pas de conjonction **and** entre les adjectifs. Dans les deux autres, les expressions « **old lady** » et « **little boy** » comportent des adjectifs étroitement unis aux noms; ils ne sont pas précédés de virgules. On ne considère pas, dans le cas de l'enfant, qu'il est d'une part petit et d'autre part stupide; les deux adjectifs ne sont pas sur le même plan (c'est **silly** qui est accentué).

Comparer :

a thick, yellow book, *un gros livre jaune.*
a red and yellow book, *un livre rouge et jaune* (une partie est rouge, l'autre jaune, d'où *and*).
Red, white and blue (couleurs du « Union Jack »).

624 (d) *Exceptions : épithètes placées après le nom.*

(1) Adjectifs accompagnés d'un *complément.*

A full glass. *Un verre plein.*
A glass full of water. *Un verre plein d'eau.*
Her cheeks wet with tears. *Ses joues mouillées de larmes.*
The people ready to fight. *Les gens prêts à se battre.*

Voir aussi 611 (*so... that...*), (*as... as...*).

(2) Adjectifs *nombreux ou contrastés* (style écrit soigné).

An old beggar, dirty, ragged, sad-looking, was standing outside the church. *Un vieux mendiant, sale, en haillons, à l'air triste, se tenait à la porte de l'église.*
Legal tender for all debts, public and private (= whether public or private). *Monnaie libératoire pour toutes les dettes, publiques ou privées* (expression qui figure sur les billets de banque américains).

(3) Expressions traditionnelles traduites du français : **The Princess Royal,** *la Princesse Royale* (fille aînée du souverain); **an Inspector General; the Estates General; the Church militant; the President Elect** (titre porté par le Président des U.S.A. entre l'élection et l'« inauguration »); **a court martial; from time immemorial; the sum total,** *le total d'une addition;* **the Poet Laureate** (poète officiel du souverain); **a battle royal,** *une mêlée générale, une bagarre;* **the heir apparent,** *l'héritier présomptif,* etc.

Cf. **The Alcoholics Anonymous.**

(4) Titres de certains ouvrages littéraires (archaïsme poétique) : « **Images old and new** » (R. Aldington).

Dans une langue très soignée, *things* est souvent suivi d'un adjectif (**Things English,** *tout ce qui concerne l'Angleterre.* « **Remembrance of Things Past** » traduit le titre de Proust, « *A la recherche du temps perdu* »).

Dans « **Paradise Lost** » (*Le Paradis perdu,* de Milton) et dans « **Prometheus Unbound** » (*Prométhée délivré,* de Shelley) le titre est elliptique et le participe passé n'est pas à proprement parlé un adjectif (How Paradise was lost; how Prometheus was unbound).

Cf. « **Brideshead Revisited** » (Evelyn Waugh).

(5) L'adjectif *proper,* dans le sens de « *proprement dit* ».

The population of England proper. *La population de l'Angleterre proprement dite* (et non de toute la Grande-Bretagne).

Mais : **To do the proper thing.** *Faire ce qui convient.*

(6) Quand un *comparatif épithète* est *accompagné d'un complément,* deux constructions sont possibles.

A bigger house than ours (dans une langue plus soignée : **a house bigger than ours**). *Une maison plus grande que la nôtre.*

625 (e) L'adjectif peut être *attribut du sujet*, après *to be, to look, to feel, to keep...* (He looks old. I feel tired. They kept quiet) ou *de l'objet* (I find this exercise difficult. The news made them all happy).

L'attribut peut exprimer *le résultat, l'aboutissement* de l'action (He pushed the door open. He shouted himself hoarse). Voir leçon 28.

La construction de l'attribut est parfois *elliptique*, ce qui le place immédiatement après le nom. Ne pas le confondre avec une épithète.

> A penny saved (= a penny that is saved) is a penny gained. *Il n'y a pas de petites économies.*

On a également une construction elliptique dans l'expression « to scream (to struggle...) like one possessed », *crier (se débattre...) comme un possédé.*

> The Mahdi was a man possessed (A. Moorehead). *Le Mahdi était possédé du démon.*

C'est notamment le cas des adjectifs commençant par le préfixe *a-* (*asleep, awake, alone, alive, afraid...*), qui ne sont jamais épithètes. Comparer :

> He plays better than any man alive. *Il joue mieux que quiconque.*
> No living man could play better. *Personne au monde ne pourrait mieux jouer.*
> He is asleep. *Il est endormi.*
> A sleeping child. *Un enfant endormi.*
> He spent the evening alone. *Il passa la soirée seul.*
> A lonely traveller. *Un voyageur solitaire.*

Ne s'emploient normalement que comme attributs (après *to be, to look...*) les adjectifs *ill* (dans le sens de : *malade*), *well* (*bien portant*), *glad, cross* (*fâché*), *drunk*. Comparer :

> He is drunk. *Il est ivre.*
> A drunken man was reeling along the pavement. *Un homme ivre titubait sur le trottoir.*
> He has been ill for a week. *Il est malade depuis une semaine.*
> He is a sick man. *C'est un malade.*

Comme épithète (emploi exceptionnel) :

> 'He was an ill man, I could see that at once' (A. Christie). *C'était un malade, j'ai remarqué cela tout de suite.*

626 Un adjectif attribut peut être *sous-entendu* après *to be* pour éviter une répétition.

> I didn't think he would be sympathetic; well, he was. *Je ne pensais pas qu'il serait compréhensif; eh bien, il l'a été.*
> I wondered if they would be strong enough. They were. *Je me demandais s'ils seraient assez forts. Ils le furent.*

Parfois on rappelle l'adjectif à l'aide d'un *substitut adjectival* (*it* ou *so*), indispensable si le verbe est *to look, to seem, to sound...*

> He is seriously ill, though he does not look it (ou : so). *Il est gravement malade, bien qu'il n'en ait pas l'air* (voir aussi 711).
> He is an old man now. — He looks very much so. *C'est maintenant un vieillard. — Cela se voit terriblement.*

627 (f) Ne s'emploient que comme *épithètes : sheer, mere, bare* (dans le sens de *mere*), *utter, arrant*.

> Out of sheer kindness. *Par pure bonté.*

A mere coincidence. *Une pure coïncidence.*
The mere thought frightens me. *Cette seule pensée m'effraie.*
He escaped death by the barest margin. *Il échappa à la mort de justesse.*
A bare tenth of a second. *Pas plus d'un dixième de seconde.*
He is an utter fool. *C'est un parfait imbécile.*
He's an arrant liar. *C'est un menteur fieffé.*

628 (g) L'adjectif peut accompagner ***something, anything, nothing*** (et, plus rarement ***somebody...***), sans préposition.

> **Something funny happened this morning.** *Il est arrivé quelque chose de drôle ce matin.*
> **Anything new ?** *Rien de neuf ?*
> **It's nothing worth listening to.** *Ce n'est rien qui vaille la peine d'être écouté.*
> **Somebody rich enough to have servants.** *Quelqu'un d'assez riche pour avoir des domestiques.*

(h) Dans les ***propositions concessives*** l'adjectif peut être placé (dans une langue très soignée) en tête, devant la conjonction (***as, though***) : **rich as he is, rich though he is, rich though he may be** (*si riche qu'il soit, il a beau être riche...*). Voir 908.

---

2. — LES ADJECTIFS COMPOSÉS

629   Voir ce qui a été dit sur les noms composés. Le second élément est le plus important; le premier en précise le sens; il est ***déterminant*** par rapport au second. Dans le cas général, quand l'adjectif est composé de deux mots, le deuxième est un adjectif, un participe présent, un participe passé ou un nom terminé par le suffixe ***-ed***.

(a) *Le second élément est un adjectif.*

> **Oxford blue** (= dark blue) **and Cambridge blue** (= light blue). *Bleu foncé et bleu clair.*
> **To be sea-sick** (ou : **seasick**). *Avoir le mal de mer.*
> **To be home-sick** (ou : **homesick**). *Eprouver de la nostalgie.*
> **To be over-scrupulous.** *Etre scrupuleux à l'excès* (De même : **over-polite, over-confident**, etc.).
> **To be self-confident.** *Etre sûr de soi.*

Attention à l'ordre des termes quand le premier élément est un nom avec idée de comparaison.

> **A brick-red dress.** *Une robe rouge brique.*
> **A lemon-yellow tie.** *Une cravate jaune citron.*
> **It was pitch-dark.** *Il faisait nuit noire* (littéralement : comme de la poix).

630 (b) *Le second élément est un participe présent* (à sens ***actif***).

> **A hair-raising adventure.** *Une aventure effroyable* (à faire dresser les cheveux sur la tête).
> **A fast-running horse** (= a horse that runs fast). *Un cheval rapide.*
> **An old-looking house** (= a house that looks old). *Une maison à l'air vétuste.*
> **A painstaking boy** (= a boy who takes pains). *Un garçon travailleur.*
> **A heart-breaking scene.** *Une scène déchirante.*

338

An easy-going man. *Un homme accommodant.*
A tight-fitting jacket. *Une veste étroite.*

(c) *Le second élément est un participe passé* (à sens *passif*).

A horse-drawn carriage (it is drawn by a horse). *Une voiture à cheval.*
A home-made cake (it is made at home). *Un gâteau fait à la maison.*
A well-brought up child. *Un enfant bien élevé.*
A well-known actress. *Une actrice célèbre.*
The star-spangled banner. *La bannière étoilée* (drapeau des U.S.A.).
A far-fetched comparison. *Une comparaison tirée par les cheveux.*
New-laid eggs. *Des œufs frais.*
Semi-detached houses. *Des maisons jumelées.*
A self-styled doctor. *Un soi-disant docteur.*
A gang-ridden city. *Une ville infestée de gangsters.*
An old-established tradition. *Une tradition très ancienne.*
To be tongue-tied. *Rester muet* (d'étonnement, etc.).

Exceptions : Quelques participes passés ont un sens actif dans des adjectifs composés :

A well-read man. *Un homme qui a beaucoup lu.*
A well-spoken (≠ rough-spoken) man. *Un homme au langage courtois* (≠ *un homme bourru*).
A plain-spoken (= outspoken) man. *Un homme qui a son franc-parler.*
A well-travelled (ou : much-travelled) man. *Un homme qui a beaucoup voyagé.*
A short-lived triumph. *Un triomphe éphémère.*
Well-behaved children. *Des enfants qui se conduisent bien.*
The best-behaved pupil in the class. *L'élève le plus sage de la classe.*

631 (d) *Le second élément est un nom terminé par le suffixe -ed* (faux participe passé). Ce suffixe se prononce comme celui des participes passés (voir § 10) et on applique les mêmes règles pour le redoublement éventuel de la consonne finale. Le premier élément exprime principalement la forme, la couleur, une qualité abstraite; c'est parfois un nombre. Le 2ᵉ élément peut désigner :

(1) *les parties du corps.*

A fair-haired [hɛəd] girl. *Une jeune fille blonde.*
A blue-eyed [aid] man. *Un homme aux yeux bleus.*
A long-eared [iəd] rabbit. *Un lapin à longues oreilles.*
A one-legged man. *Un unijambiste* (**legged** se prononce généralement ['legid]).

(2) *les vêtements.*

Blue-uniformed soldiers. *Des soldats en uniformes bleus.*
The black-coated workers. *Les employés de bureau* (appelés plus couramment aujourd'hui : « white-collar workers »).
Black-shirted men. *Des hommes à chemises noires.*

(3) *les parties d'un objet.*

Gold-framed spectacles. *Des lunettes à monture en or.*
A three-storeyed (ou : storied) house. *Une maison à deux étages* (aussi : a three-storey house).
A green-shaded lamp. *Une lampe à abat-jour vert.*
A low-necked dress. *Une robe décolletée.*

(4) *les qualités abstraites.*

Bad-tempered *(de mauvaise humeur);* short-sighted *(myope);* long-sighted *(presbyte);* far-sighted *(clairvoyant);* good-natured *(de bon caractère);* quick-witted *(à l'esprit vif);* cool-headed *(à l'esprit calme, imperturbable);* cold-blooded *(froid, insensible);* narrow-minded *(étroit d'esprit);* public-spirited *(dévoué à l'intérêt public);* low-spirited, downhearted *(découragé, déprimé);* broken-hearted *(désespéré);* old-fashioned *(démodé, arriéré);* many-coloured *(multicolore);* queer-shaped *(de forme bizarre);* medium-sized *(de taille moyenne);* a long-winded speech *(un discours interminable);* heavy-handed *(trop sévère);* left-handed *(gaucher);* middle-aged *(d'âge mûr);* many-sided *(aux talents variés),* etc.

-minded peut être précédé des adverbes **mechanically, commercially, socially** *(qui a le sens de la mécanique, des affaires, de la vie en société).*

-mannered est précédé tantôt d'un adverbe (**well**-mannered, *bien élevé),* tantôt d'un adjectif (**rough**-mannered, *rustre).*

Remarques :

(1) Les adjectifs composés terminés par *-ed* s'emploient surtout comme épithètes quand ils ont un sens concret.

> A long-nosed man. Mais : He has a long nose (mieux que : « He is long-nosed »).
> The soldiers have blue uniforms (et non : « are blue-uniformed »).

Ceux qui ont un sens abstrait peuvent s'employer comme attributs aussi bien que comme épithètes.

> A bad-tempered man. *Un homme qui a mauvais caractère.*
> He is always bad-tempered on Monday mornings. *Il est toujours de mauvaise humeur le lundi matin.*

(2) On peut former des adverbes en ajoutant le suffixe *-ly* à certains adjectifs composés exprimant des qualités abstraites.

> Half-heartedly, *sans enthousiasme.*
> Absent-mindedly, *distraitement.*
> Good-naturedly, *avec bonhomie.*

632 (e) Adjectifs composés de *formations diverses.*

Il s'agit d'expressions toutes faites qui équivalent par leur sens à des adjectifs. Elles peuvent être formées de plus de deux éléments.

> Pre-war (post-war) Britain. *La Grande-Bretagne d'avant (d'après) -guerre.*
> A first-rate hotel. *Un hôtel de premier ordre.*
> An anti-aircraft missile. *Un projectile de la D.C.A.*
> The well-off (= well-to-do) classes. *Les classes aisées.*
> A one-time world champion. *Un ancien champion du monde.*
> A one-way street. *Une rue à sens unique.*
> A four-letter word. *Un mot de quatre lettres* (c'est-à-dire un gros mot).
> A five-year plan. *Un plan quinquennal* (voir 743).
> Second-hand books. *Des livres d'occasion.*
> A ladies-only compartment. *Un compartiment réservé aux dames.*
> Get-at-able (≠ un-get-at-able). *Accessible* (≠ *inaccessible).*
> An unheard-of success. *Un succès sans précédent.*
> Unlooked-for romance. *Des aventures inattendues* (que l'on n'a pas cherchées).
> A drive-in theater. *Un cinéma en plein air pour automobilistes* (aux U.S.A.).
> Dodgem (c.-à-d. dodge them) cars. *Autos tamponneuses.*

She moves with a cat-like grace. *Elle se déplace avec une grâce féline.*

The 8.47 train. *Le train de 8 heures 47.*

A tenpenny stamp (le singulier **penny** et non le pluriel **pence** dans un adjectif composé). *Un timbre de dix pence.*

A two year and nine month prison sentence. *Une peine d'emprisonnement de deux ans et neuf mois.*

A fifteen-year-old boy. *Un garçon de quinze ans* (**Year** est dans ce cas généralement invariable, alors que l'on dit : **He is fifteen years old.** Mais dans ce dernier cas **years** ne fait pas partie d'un adjectif. Par ailleurs, on dit « **a three-week(s)-old magazine** » : les autres unités que **year** sont alors souvent au pluriel avant *old*).

A twenty-four hour strike. *Une grève de vingt-quatre heures.*

Age-old traditions. *Des traditions séculaires.*

The 11 o'clock service. *L'office de 11 heures.*

A plain-clothes (police)man. *Un policier en civil* (557).

A happy-go-lucky fellow. *Un garçon insouciant.*

An R.S.P.C.A. meeting. *Une réunion de la Société Protectrice des Animaux.*

You aren't up-to-date, Grannie. *Tu n'es pas à la page, Grand-mère.*

His matter-of-fact remarks. *Ses remarques terre à terre.*

His couldn't-care-less attitude. *Son attitude j'm'en foutiste.*

He leads a hand-to-mouth kind of life. *Il vit au jour le jour.*

A live-and-let-live policy. *Une politique de tolérance réciproque.*

A coming-of-age party. *Une fête de 18ᵉ (naguère de 21ᵉ) anniversaire.*

The do-it-yourself department. *Le rayon bricolage.*

She put on her we-are-not-amused face. *Elle prit son air pincé* (pour montrer qu'elle ne trouvait pas cela drôle).

A do-or-die attitude. *Une attitude inébranlable.*

A British-is-best point of view. *Un point de vue chauvin.*

His take-it-or-leave-it attitude. *Son attitude intransigeante.*

Her waste-not-want-not habits. *Ses habitudes d'extrême parcimonie.*

A down-to-earth policy. *Une politique réaliste.*

A Keep Britain Tidy campaign. *Une campagne nationale de la propreté.*

An anti-Common Market speech. *Un discours hostile au Marché Commun.*

The never-to-be-forgotten dinner party at the Robinsons'. *Le dîner inoubliable chez les Robinson.*

A holier-than-thou attitude. *Une attitude de supériorité moralisante.*

Dans la presse on trouve couramment des formules comme : « **Mrs Thatcher's lieutenants are particularly concerned about a why-bother-to-vote-at-all-since-she-is-bound-to-win syndrome** » (International Herald Tribune).

On peut voir d'après les exemples ci-dessus que l'emploi du trait d'union est plus général pour les adjectifs composés (surtout ceux qui sont terminés par -*ed* ou qui sont formés de plusieurs mots) que pour les noms composés (voir 580).

Voir aussi 974 (mots étrangers employés comme adjectifs : « **an au pair girl** »...).

---

2. — LES ADJECTIFS SUBSTANTIVÉS

633 (a) L'adjectif (ou le participe à valeur d'adjectif) peut s'employer **précédé de l'article défini** avec le sens d'un **nom collectif**. Malgré son sens il ne prend pas la marque du pluriel, mais le verbe qui l'accompagne est au pluriel (comme si on sous-entendait un nom pluriel après l'adjectif, **people** par exemple). Cette construction s'emploie surtout avec les adjectifs couramment employés pour décrire des personnes.

The rich and the poor (= Rich people and poor people). *Les riches et les pauvres.* Ne pas confondre **the rich** *(les riches)* et **the riches,** nom abstrait *(les richesses).*

Are the blind as unhappy as the deaf ? *Les aveugles sont-ils aussi malheureux que les sourds ?*

The many, the few. *Les masses, les privilégiés.*

The happy few. *L'élite.*

The dead and the wounded. *Les morts et les blessés.*

The faithful, the heathen. *Les fidèles* (sens religieux), *les païens* (on dit aussi : **the heathens,** ce mot étant un adjectif ou un nom).

The unemployed. *Les chômeurs.*

The self-taught. *Les autodidactes.*

Golf, a game for the middle-aged. *Le golf, sport pour les gens d'âge mûr.*

A word to the wise. *A bon entendeur salut* (the wise = ceux qui savent).

"So the last shall be first and the first last" (Bible). *Ainsi les derniers seront les premiers et les premiers les derniers.* (Voir aussi 661).

The Welsh are more demonstrative than the English. *Les Gallois sont plus expansifs que les Anglais* (638).

L'article disparaît quand l'adjectif substantivé est précédé d'un génitif (ex. : **Is Mrs Thatcher's Government doing enough for Britain's elderly ?**).

634 Ces expressions désignent l'ensemble des riches (des aveugles, des chômeurs, des Gallois...). Elles ne peuvent s'appliquer à un *groupe limité* (quelques aveugles, un groupe de chômeurs, la plupart des Gallois...). Dans ces cas, de même qu'au singulier, l'adjectif doit être suivi d'un nom.

I spoke with a few English people during the holidays. *J'ai parlé avec quelques Anglais pendant les vacances.*

He helped the blind man across the road. *Il aida l'aveugle à traverser la chaussée.*

Some unemployed men were queuing at the agency. *Des chômeurs faisaient la queue au bureau de placement.*

Most French people never drink tea. *La plupart des Français ne boivent jamais de thé.*

The three wounded men were taken to hospital. *On conduisit les trois blessés à l'hôpital.*

In the country of the blind the one-eyed man is king (prov.). *Au pays des aveugles le borgne est roi.*

C'est aussi grâce à un nom que l'on peut former le féminin ou exprimer l'âge.

A blind woman. *Une aveugle.*

A blind girl. *Une jeune aveugle.*

Le nom est parfois omis avec *dead, wounded, injured, hurt* (style des journaux). Comparer :

Three dead, two injured in car crash (titre). *Trois morts et deux blessés dans un accident de voiture* (988).

The wounded were taken to hospital. *Les blessés furent emmenés à l'hôpital.*

Fewer jobless in Britain (Titre de l'International Herald Tribune). *Moins de chômeurs en Grande-Bretagne.*

On trouve exceptionnellement des adjectifs substantivés employés seuls (*people* est sous-entendu) pour l'expression d'un contraste.

There always have been rich and poor in the world (W. Somerset-Maugham). *Il y a toujours eu des riches et des pauvres dans le monde.*

342

Les adjectifs substantivés à sens collectif ne peuvent pas se mettre au génitif.

The loneliness of the deaf (ou : **Deaf people's loneliness**). *La solitude des sourds.*

635 (b) Certains adjectifs (peu nombreux) s'emploient comme *des noms*, c'est-à-dire qu'*ils peuvent prendre la marque du pluriel.* Voici les principaux :

The Whites and the Blacks. *Les blancs et les noirs.*
The Cape-coloureds. *Les métis du Cap* (Afrique du Sud).

Mais : *Les jaunes :* **the yellow races** (ou : **people of yellow race**).

The privates. *Les simples soldats.*
The reds (terme généralement péjoratif désignant *les communistes*).
The drunks. *Les ivrognes.*
The over-forties, etc. *Les quadragénaires*, etc.
The under-tens. *Les moins de dix ans.*
The over-eighteens have the right to vote. *Les plus de dix-huit ans ont le droit de vote.*
The sixteen-year-olds. *Les jeunes de seize ans.*
The newly-weds. *Les jeunes mariés.*
Three fourpennies, please. *Trois timbres de 4 pence* (ou *trois billets d'autobus de 4 pence*), *s.v.p.*
Woollies. *Des lainages.*
Greens. *Des légumes verts* (et : **the Greens**, *les Verts, écologistes*) :
Aren't they dears ! *Comme ils sont gentils !*

Pour les noms et adjectifs de nationalités (**The Italians, the Japanese**, etc.) voir 639, 641.

636 (c) Quelques adjectifs s'emploient précédés de l'article défini comme *noms abstraits singuliers* (mais plus rarement qu'en français et surtout dans le langage de la *philosophie* ou de la *critique*).

The beautiful, the sublime. *Le beau, le sublime.*
The uncanny and the supernatural. *Le mystérieux et le surnaturel.*
The unknown. *L'inconnu.*
The theatre of the absurd. *Le théâtre de l'absurde.*
To do the impossible. *Faire l'impossible.*
The Knowable and the Unknowable (H. Spencer). *Le connaissable et l'inconnaissable.*
Tales of the Arabesque and Grotesque (E. A. Poe) = « *Histoires extraordinaires* ».

637 (d) Pour éviter de répéter un nom dénombrable déjà exprimé on peut faire suivre un adjectif du pronom *one* (pluriel : *ones*), mais pas couramment s'il s'agit de personnes ou pour l'expression de généralités.

A blue car and a black one. *Une voiture bleue et une noire.*
Yellow flowers and white ones. *Des fleurs jaunes et des blanches.*
He bought some English books and some French ones. *Il acheta des livres anglais et des français.*

Mais : « **a tall man and a short man** » (plutôt que : « a short one »); « **English people and French people** » (et non : « French ones »); « **English cars and French cars** » (plutôt que : « French ones »).

French stamps are prettier than English stamps (plutôt que « English ones »). *Les timbres français sont plus jolis que les anglais.*

Dans la langue littéraire *one* est parfois omis, de même que le nom pluriel, surtout s'il y a une idée de contraste.

> **His left arm was somewhat shorter than his right** (Harper Lee). *Il avait le bras gauche un peu plus court que le droit.*
>
> **There are as many prejudices in the New World as in the Old.** *Il y a autant de préjugés dans le Nouveau Monde que dans l'Ancien.*
>
> **Spanish bulls are more fiery than Mexican** (D.H. Lawrence). *Les taureaux d'Espagne sont plus fougueux que ceux du Mexique.*
>
> **Fair men as a class aren't so amorous as dark** (C.P. Snow). *Les hommes blonds dans l'ensemble sont moins sensuels que les bruns.*

One est généralement omis après un superlatif (**Your garden is *the prettiest***) mais non après un comparatif (**This vase is too small, I want *a bigger one***).

One ne peut remplacer après un adjectif un nom indénombrable.

> **French cooking is reputed to be better than English cooking** (et non « English one »).

(e) *One/ones* s'emploie aussi après un adjectif pour remplacer un nom (*man, child...*) qui n'a pas été exprimé. Il permet donc de substantiver des adjectifs.

> **The little ones are at school.** *Les gamins sont à l'école.*
> **He's a clever one.** *C'est un malin.*
> **He's a bad 'un** [ən] (très familier pour *one*). *C'est un sale type.*

---

4. — NOMS ET ADJECTIFS DE NATIONALITÉS

638   Les noms et adjectifs de nationalités appartiennent à plusieurs catégories selon qu'il existe ou non un nom singulier, et selon que ce nom est semblable ou non à l'adjectif. On peut les classer en quatre catégories.

(a) ENGLISH. *Il n'existe que l'adjectif.* Le nom se forme artificiellement à l'aide d'un suffixe. Le nom collectif suit la règle des §§ 633, 634 : **the English** *(les Anglais, tous les anglais)*, ou : **English people.**

> **An English Christmas.** *Un Noël anglais.*
> **An Englishman, two Englishwomen.** *Un Anglais, deux Anglaises.*
> **A group of English girls.** *Un groupe de jeunes Anglaises.*
> **The English** (ou : **English people**) **are fond of tea.** *Les Anglais aiment le thé.*

Se construisent de même : **French, Irish, Welsh** (nom du pays : **Wales**), **Dutch** (nom du pays : **the Netherlands**, ou improprement : **Holland**).

Pour **Scotch** et **Scots**, voir 642.

639 (b) AMERICAN. *Le nom singulier est semblable à l'adjectif.* Au pluriel, avec l'article *the* (parfois omis, 594), il peut prendre un sens collectif.

> **An American, two American girls.** *Un Américain, deux jeunes Américaines.*
> **The American national parks.** *Les parcs nationaux américains.*
> **The Americans don't play cricket.** *Les Américains ne jouent pas au cricket.*

Se construisent de même les adjectifs terminés par *-an* : **Italian** (pays : **Italy**), **German (Germany), Austrian (Austria), Hungarian (Hungary), Belgian (Belgium), Norwegian (Norway), Russian (Russia), European (Europe), Canadian (Canada), Mexican (Mexico), Indian (India), Egyptian (Egypt), Australian (Australia),** etc.

Certains adjectifs non terminés par -*an* se construisent comme *American*, par exemple : **Greek (Greece), Czech** [tʃek] **(Czechoslovakia), Yugoslav (Yugoslavia), Israeli (Israel), Iraqi (Iraq), Pakistani (Pakistan), Bengali (Bengal)**...

640 ⓒ SPANISH. *Le nom singulier est différent de l'adjectif* (**a Spaniard**). Le nom collectif est **the Spaniards** (mais on dit aussi : **the Spanish**).

> **The Spanish government.** *Le gouvernement espagnol.*
> **A Spaniard, a Spanish woman** (en deux mots, cf. : an Englishwoman, 638). *Un Espagnol, une Espagnole.*
> **The Spaniards** (ou : **the Spanish**, ou : **Spanish people**) **have their lunch at 2 p.m.** *Les Espagnols déjeunent à 2 heures de l'après-midi.*

Se construisent de même : **Swedish/a Swede** (pays : **Sweden**), **Danish/a Dane (Denmark), Finnish/a Finn (Finland), Polish/a Pole (Poland), Turkish/a Turk (Turkey), Jewish/a Jew** (féminin : **a Jewess**)...

Pour **British** et **Scottish**, voir 642.

On peut rattacher à cette catégorie **New Zealand** (nom du pays employé comme adjectif : **a New Zealand farm**)/ **a New Zealander** *(un Néo-Zélandais).*

641 ⓓ JAPANESE. *Le nom et l'adjectif sont semblables. Le nom est invariable.*

> **A Japanese print.** *Une estampe japonaise.*
> **A Japanese, a Japanese girl.** *Un Japonais, une jeune Japonaise.*
> **The Japanese live on rice and fish.** *Les Japonais se nourrissent de riz et de poisson.*

Se construisent de même les adjectifs terminés par -*ese* [-iːz] : **Chinese** (on dit : **a Chinese** ou : **A Chinaman**, seul nom de cette catégorie formé ainsi), **Siamese, Burmese** (pays : **Burma**), **Vietnamese, Sudanese, Lebanese,** (pays : **Lebanon**, § 595), **Maltese** (pays : **Malta**), **Portuguese**..., ainsi que **Swiss** (pays : **Switzerland**).

642 ⓔ *Cas particuliers.*

(1) *English* ne peut s'employer que pour les personnes et les choses de l'Angleterre proprement dite. Pour ce qui s'applique à l'ensemble de la Grande-Bretagne (**Great Britain**) ou du Royaume-Uni (**the United Kingdom**) il faut employer l'adjectif *British* (**the British government**, **a British passport**). Le nom « **a Briton** » s'emploie peu, sauf en histoire (« **the ancient Britons** »). Les Américains disent « **a Britisher** ». En Grande-Bretagne on dit « **a British subject** », ou on précise : **an Englishman, a Welshwoman, a Scot.**.. Le nom collectif est : **the British** (dans une langue très familière : « **the Brits** »).

(2) Pour l'Ecosse il y a trois adjectifs correspondant à des noms différents :

> *Scotch* → **a Scotchman** }
> *Scots* → **a Scotsman** } comme **English** → **an Englishman.**
> *Scottish* → **a Scot,** comme : **Polish** → **a Pole**

Le nom **Scotchman** est considéré comme péjoratif, on dit **a Scotsman** ou **a Scot.**

Avec un nom de chose l'adjectif **Scotch** est le plus employé (**Scotch whisky, the Scotch dialect**), avec un nom de personne il est préférable d'employer **Scottish** ou **Scots** (**a Scottish girl, a Scottish piper**).

Le nom collectif est : **the Scots**. « **The Scotch** » est considéré comme insultant.

643 *Remarques :* (1) Ces adjectifs prennent toujours une *majuscule*, à la différence du français.

> **He is fond of French wines.** *Il aime les vins français.*

Cependant on écrit parfois sans majuscule (l'idée de nationalité étant très estompée) les expressions : **french windows** *(des portes-fenêtres)* et **french-fried potatoes**, ou « **frenchfries** » *(des frites,* en américain).

(2) L'adjectif sans article s'emploie comme nom désignant *la langue* du pays.

> **He speaks English, Russian and Chinese.** *Il parle l'anglais, le russe et le chinois* (ces noms prennent toujours une majuscule).
> **English is easier than Russian.** *L'anglais est plus facile que le russe.*

De même, avec une majuscule et sans article : **Latin, Arabic, Hebrew, Esperanto**, etc...

Mais avec l'article : « **translated from the French by...** » (il faut sous-entendre : the French of Balzac, of Flaubert...).

> **What's the French for "self-control" ?** *Comment dit-on en français « self-control »* ? (ici, the French = the French word).

(3) Ne pas confondre :

> **Do you like English ?** *Aimez-vous l'anglais ?*
> **Do you like *the* English ?** *Aimez-vous les Anglais ?*

EXERCICES

[A] Traduire :
1. Des Africains aux dents blanches et aux cheveux crépus. — 2. L'aigle à deux têtes. — 3. Un tricorne. — 4. L'avion de 10 heures; de 10 heures 45; de 22 heures 45. — 5. Une fillette de dix ans. — 6. Une maison à quatre étages. — 7. Un timbre de 10 cents; un billet de 5 dollars. — 8. Un animal à quatre mains. — 9. Un livre relié en cuir; un livre broché. — 10. Une jeune fille agile de ses doigts. — 11. Un manchot; un unijambiste; un myope; un borgne; un gaucher. — 12. Un billet de première; un élève de 1re; les familles des classes moyennes. — 13. Une fleur parfumée; une pipe malodorante. — 14. Il était bien élevé, presque poli à l'excès. — 15. Un homme à l'esprit vif; à l'esprit calme; à l'esprit étroit; à l'esprit ouvert. — 16. Des hommes à l'air heureux; au visage triste; au visage ouvert; au teint basané. — 17. Un homme au cœur sensible; à la vue perçante; prompt à s'emporter; vieux jeu; radin. — 18. Un garçon de café à veste rouge. — 19. Une voiture d'occasion. — 20. Une jeune fille rousse. — 21. Une jeune aveugle. — 22. Des montagnes couronnées de neige; une nappe blanche comme la neige. — 23. Des oiseaux à longues pattes. — 24. Un congé de milieu de trimestre. — 25. La femme blonde portait un tailleur bleu ciel et la jeune fille brune une robe jaune citron.

[B] Traduire :
1. Les jeunes et les vieux ne s'entendent pas toujours très bien. — 2. Lequel est Laurel, le gros ou le maigre ? — 3. Un poème allégorique sur les bons et les méchants. — 4. C'est un égoïste et un vaniteux. — 5. Regardez, un aveugle traverse la rue. — 6. Donne-moi un gâteau, un gros. Donne-moi des cerises, des grosses. — 7. « Bienheureux les pauvres en esprit, car le royaume des cieux est à eux ». — 8. Il y avait deux voitures rangées le long du trottoir, une grise et une blanche. — 9. Nous sommes scandalisés par l'égoïsme des riches (de certains riches). — 10. Les voitures d'occasion sont-elles vraiment meilleur marché que les neuves ?

1. Trois Anglais et une Irlandaise. — 2. L'équipe galloise et l'équipe écossaise. — 3. Deux Français et deux Italiens. — 4. Les Polonais aiment beaucoup la France et les Français. — 5. Les Turcs et les Portugais sont habitués à un climat plus chaud que les Hollandais, les Belges et les Danois. — 6. Il parle l'espagnol comme un Espagnol. — 7. Comprenez-vous le gallois ? Les Gallois parlent-ils tous le gallois ? — 8. Le suédois est-il très différent du norvégien et du danois ? Les Suédois comprennent-ils les Norvégiens et les Danois ? — 9. Cet Anglais n'aime pas les Irlandais ni les Gallois. Il préfère les Ecossais. — 10. Nous, Ecossais d'Inverness, parlons l'anglais mieux que les Anglais. — 11. Cette jeune Allemande aime beaucoup le français et le latin. — 12. Un Néo-Zélandais m'envoie ses vœux de Noël tous les ans. — 13. L'Américain se disait que les Britanniques étaient restés très victoriens. — 14. Les Suisses parlent l'allemand, le français ou l'italien. Certains Suisses parlent les trois langues. — 15. Les Israéliens sont-ils tous juifs ? — 16. Comment dit-on en anglais « gemütlich » ? — 17. Les Russes et les Chinois boivent du thé. Les Ecossais et les Irlandais aussi, mais ils préfèrent souvent le whisky. — 18. Les Hollandais et les Suisses font de meilleurs fromages que les Anglais et les Allemands. — 19. Les Japonais ont bien failli envahir l'Australie pendant la Seconde Guerre mondiale. Les Australiens s'attendaient à une invasion japonaise. — 20. Deux Françaises et un Irlandais bavardaient amicalement en anglais.

34. — COMPARATIFS ET SUPERLATIFS

1. — FORMATION

644 (a) *Comparatifs et superlatifs de supériorité.*

(1) *L'adjectif est court.*

John is taller than ['tɔːlǝðǝn] **Dick.** *John est plus grand que Dick.*
He is the tallest ['tɔːlist] **boy in** (plutôt que : of) **the family.** *C'est le garçon le plus grand de la famille.*

On suit la même règle d'orthographe que pour le preterite des verbes (19).

Fine → finer, finest (*n* non final).
Thin → thinner, thinnest (*n* final).
Free → freer [friːǝ]**, freest** [friːist].

(2) *L'adjectif est long.*

John is more intelligent than Dick. *John est plus intelligent que Dick.*
He is the most intelligent boy in the family. *C'est le garçon le plus intelligent de la famille* (Observer l'ordre des mots).

645 (3) Il n'y a **pas de règle absolue** permettant de dire si un adjectif doit être considéré comme long ou court, mais on pourra s'en tenir aux indications suivantes :

Adjectifs d'une syllabe : tous courts (big, short, white, dark, quick, slow, ...), sauf ceux qui ont une terminaison de participe passé (**tired, pleased**; on dit pourtant « **to do one's damnedest** », *faire tout son possible*), ainsi que **frank, apt, dead, real, drunk, cross,** et parfois **glad, quiet, cruel.**

N.B. Orthographe de ceux qui sont terminés par un *y* précédé d'une consonne : **dry → drier; shy → shyer** (parfois **shier**); **sly → slyer.**

Adjectifs de deux syllabes : généralement courts s'ils sont terminés par un *y* (que l'on change en *-ier, -iest :* **pretty → prettier, the prettiest** ['pritiist]) ou par *-er* (**clever**), *-le* (**gentle, noble**), *-ow* (**narrow, shallow**); longs s'ils sont terminés par *-ful* (**useful, careful**), *-less* (**useless, careless**), *-al* (**usual, vital**), *-ous* (**curious, glorious**), *-ile* (**fertile, mobile**), *-ish* (**bookish**), *-ive* (**active**), *-id* (**vivid**), ou s'ils sont formés avec le préfixe *a-* (**alone, afraid**). Les autres adjectifs de deux syllabes peuvent se construire de deux façons (**common, pleasant, profound...**).

"**Curiouser and curiouser ! » cried Alice (she was so much surprised, that for the moment she quite forgot how to speak good English)** (Lewis Carroll).

Adjectifs de plus de deux syllabes : tous longs (**difficult, comfortable, picturesque...**), sauf ceux qui sont formés d'un préfixe négatif et d'un adjectif court (**unhappy**).

Mais des raisons de style ou d'euphonie peuvent amener un auteur à s'écarter de ces « règles ».

His feelings for her were altogether more strong than hers for him (Angela Thirkell). *Les sentiments qu'il éprouvait pour elle étaient nettement plus ardents que ceux qu'elle éprouvait pour lui.*

(4) Les comparatifs et superlatifs des **adjectifs composés** se forment tantôt avec les suffixes, tantôt avec **more, the most** (cas le plus fréquent).

Well-known → better-known, best-known.

Mais : **He is more short-sighted (more hard-working) than I am.** *Il est plus myope (plus travailleur) que moi.*

646 (5) **Le comparatif des adverbes** se forme comme celui des adjectifs (**longer,** *plus longtemps;* **faster,** *plus vite;* **more often** plus courant que : **oftener,** *plus souvent*). Mais le comparatif de l'adjectif s'emploie souvent avec un sens adverbial (**easier** = more easily; **quicker** = more quickly; **louder** = more loudly).

Les adverbes de deux syllabes en *-ly* sont considérés comme longs (**more sadly**), sauf **early (earlier).**

647 (6) **Irréguliers.**

- **Good** (et **well**) → **better, best.**
  Bad (et **ill**) → **worse, worst.**

He is the best doctor in the town. *C'est le meilleur docteur de la ville.*
This is the worst restaurant in the town. *C'est le plus mauvais restaurant de la ville.*

Better et **best** s'emploient dans des adjectifs composés et dans diverses expressions idiomatiques.

He is better-known than his brother. *Il est plus connu que son frère.*

348

She is the best-looking girl in the family. *Elle est la plus jolie fille de la famille.*

I like tea better than coffee. *Je préfère le thé au café.*

He is better (worse) than yesterday. *Il va mieux (plus mal) qu'hier.*

● *Far*

farther, farthest (avec idée de distance).

further, furthest (au sens figuré).

We can't go any farther without a rest. *Nous ne pouvons pas aller plus loin sans nous reposer.*

We shan't go further into the matter. *Nous n'approfondirons pas plus la question.*

(Mais **further** s'emploie couramment à la place de **farther**, pour la distance).

● *Old*

{ **older, oldest** (sens général).

{ **elder, eldest** *(aîné)*. **Elder,** qui ne s'emploie que comme épithète, n'est jamais suivi de ***than***... Voir 662.

● *Late*

{ **later** *(ultérieur)*, **latest** *(le plus récent)*.

{ **latter** (662), **last** (*le dernier*, par exemple sur une liste).

The last chapter. *Le dernier chapitre.*

The latest news. *Les dernières nouvelles.*

Pour les emplois de ***former*** et de ***latter***, voir 662.

— Pour les comparatifs de ***much, many, little*** et ***few***, voir 794, 795.

— On ajoute les suffixes *-er* et *-most* aux adverbes ***up, in*** et ***out***, qui s'emploient alors comme adjectifs (les comparatifs comme épithètes seulement).

Superlatifs : **uppermost, innermost, outermost,** plus couramment que **upmost, inmost, outmost**.

The upper jaw. *La mâchoire supérieure.*

The outer suburbs. *La banlieue extérieure, la grande banlieue.*

The thought was uppermost in his mind. *Cette pensée occupait la première place dans son esprit.*

N.B. ***Utter*** et ***utmost*** (doublets de ***outer*** et ***outmost***) s'emploient au sens abstrait.

The utmost poverty. *La misère la plus profonde.*

The issue is of the utmost importance. *Cette question est d'importance primordiale.*

On ajoute aussi le suffixe *-most* à ***fore*** et ***top*** (***hindmost*** et ***furthermost*** s'emploient rarement).

The topmost peak. *Le sommet le plus élevé.*

In the foremost rank. *Au tout premier rang.*

First and foremost (adv.). *En tout premier lieu.*

Everyone for himself and the devil take the hindmost. *Chacun pour soi, malheur à ceux qui sont à la traîne.*

648 (b) *Comparatifs et superlatifs d'infériorité.*

Italian is less difficult than Russian. *L'italien est moins difficile que le russe* (= **Italian is not so difficult as Russian**).

They gave us the least comfortable of their rooms. *Ils nous ont donné la moins confortable de leurs chambres.*

Dick is less tall than John. *Dick est moins grand que John* (l'adjectif étant court, on dit plus couramment : **Dick is not as tall as John**).

Le superlatif des adjectifs courts s'emploie peu (on remplace couramment **the least tall** par **the shortest, the least big** par **the smallest**...).

649 ⓒ *Comparatifs d'égalité.*

She is *as* tall *as* her brother. *Elle est aussi grande que son frère.*
She is *as* intelligent *as* her brother. *Elle est aussi intelligente que son frère.*
Is Britain as large as France ? *La Grande-Bretagne est-elle aussi grande que la France ?*

Les deux **as** [əz] sont inaccentués et liés phonétiquement aux mots qui les suivent.

A la forme négative *(inégalité)*, que l'on emploie souvent à la place du comparatif d'infériorité, on peut dire :

She'*s not so* intelligent *as* her brother.
She *isn't as* intelligent *as* her brother.

La première tournure est préférable pour exprimer une simple inégalité (*moins intelligente*), la seconde lorsqu'on veut sous-entendre que le frère est très intelligent et qu'elle n'est *pas tout à fait aussi intelligente.*

Mais cette différence n'est pas toujours observée et les deux tournures peuvent souvent être considérées comme synonymes.

650 ⓓ *Superlatif absolu.*

Il se forme avec *very* placé devant un *adjectif* ou un adverbe, *much* (ou *very much*) devant un *participe passé*. Un grand nombre de participes passés s'emploient comme de purs adjectifs et peuvent donc être précédés de *very* (**tired, pleased,** et de plus en plus couramment, **moved, touched, surprised, interested, concerned, disappointed, shocked, annoyed, excited**...).

I'm very tired and very cold. *Je suis très fatigué et j'ai très froid.*
I was very (= very much) surprised when I heard the news. *J'ai été très surpris quand j'ai appris la nouvelle.*

Mais (idées verbales, avec ou sans complément d'agent) :

She was much (= greatly) rewarded by her son's success. *Elle a été très récompensée par le succès de son fils.*
They were much talked about. *On parlait beaucoup d'eux.*
He was very much loved by those who knew him closely. *Il était très aimé de ceux qui le connaissaient bien.*
Pen-holders aren't much used nowadays. *On ne se sert pas beaucoup de porte-plume aujourd'hui.*
The donkey is a much maligned animal. *L'âne est un animal très calomnié.*

On dit : **very different** ou **much different** (surtout avec une négation); **very (much) embarrassed** (= very much at a loss); **very well known** *(très connu);* **quite possible, quite true** (plus couramment que : **very possible, very true**).

Afraid (ancien participe passé) se construit généralement avec *very* au sens propre (**She is very afraid of mice,** plus courant que : **She is very much afraid of mice**), mais avec *very much* au sens affaibli (**I'm very much afraid that he will fail.** *Je crains fort qu'il n'échoue*).

"I'm not much good at maths" (où *good* est souvent considéré comme un nom) a un sens emphatique (= *je suis à peu près nul*), comparé à la tournure normale : **I'm not very good at maths.**

651 On peut aussi former le superlatif absolu avec *most (vraiment très), so* (447), *ever so* (ton plus familier), ou avec un certain nombre d'adverbes en *-ly* (extremely, awfully, dreadfully, tremendously, terribly, jolly...).

> **It was most kind of him to help us.** *Cela a été fort aimable de sa part de nous aider.*
> **He is awfully nice.** *Il est rudement sympathique.*
> **I'm dreadfully sorry.** *Je regrette infiniment.*

Cf. aussi : **He was damned** (= **damn**) **silly.** *Il a été rudement bête.*

> **They were** *nothing if not* **optimistic.** *Ils étaient vraiment très optimistes.*
> **There was precious little** (= **very little**) **left** (familier). *Il ne restait pas grand' chose.*

Un superlatif en *-est* suivi de *of* peut prendre le sens d'un superlatif absolu (*vraiment très, des plus...*) dans des expressions comme :

> **And the best of luck to him !** (souvent ironique) = *Je lui souhaite bien du plaisir !*
> **The two girls were on the friendliest of terms** (A. Christie). *Les deux filles avaient des relations des plus amicales.*

L'idée contraire (*pas très, très peu, rien moins que*) peut s'exprimer à l'aide des expressions *not very* (ou *very* suivi d'un adjectif formé avec un préfixe négatif : *un-, im-*), *far from, less than.*

> *Très peu satisfaisant.* **Very unsatisfactory, far from satisfactory, less than satisfactory** (« understatement »), **anything but satisfactory** (style recherché).
> **The noise was less than reassuring.** *Le bruit n'était pas des plus rassurants.*

652 (e) Le sens d'un adjectif peut aussi être modifié par *too* (*trop*) ou *enough* (*assez*).

> **I'm too tired to work.** *Je suis trop fatigué pour travailler.*

Avec un participe passé qui n'est pas employé comme un simple adjectif on emploie *too much.*

> **I hope you weren't disturbed too much** (= **too much disturbed**) **by the noise we made.** *J'espère que vous n'avez pas été trop dérangé par le bruit que nous avons fait.*

None too s'emploie dans le sens de *not very, not enough* (c'est un « understatement »).

> **The water was none too warm.** *L'eau n'était pas très chaude.*

Enough se place *après l'adjectif.*

> **Will the car be big enough for the six of us ?** *La voiture sera-t-elle assez grande pour nous six ?*
> **The meat isn't cooked enough.** *La viande n'est pas assez cuite.*
> **Are you tall enough to reach the top shelf ?** *Etes-vous assez grand pour atteindre l'étagère du haut ?*

Mais : *C'est assez cher* (assez = passablement, et non : suffisamment). **It's pretty** (= **fairly; rather**) **expensive.**

> *Un assez bon roman :* **quite a good novel, a fairly good novel, a rather good** (= **rather a good**) **novel.** Remarquer la place de l'article indéfini accompagnant *quite* et *rather.*

653 (f) L'anglais ne modifie pas le sens des adjectifs à l'aide de suffixes (sauf *-ish* dans **bluish, reddish,** etc., *bleuâtre, rougeâtre...*). Il n'y a pas de suffixes diminutifs (en français : gentillet, pâlot...).

L'expression « *nice and* » a une valeur intensive. (**Nice and hot,** *bien chaud.* **Nice and long,** *d'une bonne longueur*). Cf. **bright and early,** *très tôt, de bon matin.*

---

2. — CONSTRUCTION

654 (a) Le complément du *comparatif de supériorité (ou d'infériorité)* est introduit par *than* [ðən] (c'est le seul emploi de ce mot), alors que celui du *comparatif d'égalité* est introduit par *as* [əz].

> **She is prettier than her sister.** *Elle est plus jolie que sa sœur.*
> **She is as pretty as her sister.** *Elle est aussi jolie que sa sœur.*

Quand le complément du comparatif est un pronom personnel, on construit couramment une proposition elliptique (dont l'auxiliaire peut être sous-entendu, dans la langue écrite).

> **I have a smaller car than they have.** *J'ai une plus petite voiture qu'eux.*
> **He runs quicker than we do.** *Il court plus vite que nous.*

Dans ces deux phrases, « than they », « than we » (auxiliaire sous-entendu) ne s'emploient pas dans la langue parlée.

Comparer les deux phrases :

> **He is stronger than I am.** *Il est plus fort que moi* (**He** et **I** sont l'un et l'autre sujets).
> **I found her nicer than him.** *Je l'ai trouvée plus sympathique que lui* (**her** et **him** sont l'un et l'autre compléments).

Dans la langue familière on dit souvent : **He is stronger than me** (au lieu de **I am**).

Le choix du pronom est très important dans les deux phrases suivantes :

> **She hates him more than I do.** *Elle le déteste plus que je ne le déteste.*
> **She hates him more than me** (= **more than she hates me**). *Elle le déteste plus qu'elle ne me déteste.*

Aux autres personnes que la 1re du singulier l'emploi du pronom complément est considéré comme incorrect.

> **You are nicer than they are** (et non : « than them »). *Vous êtes plus gentils qu'eux.*

655 Le complément d'un comparatif peut aussi être *un adjectif* ou toute *une proposition.*

> **He is as wise as he is brave.** *Il est aussi sage que brave.*
> **She is more pretty than (she is) intelligent** (= **She is prettier than she is intelligent**). *Elle est plus jolie qu'intelligente.*
> **It's easier than I thought.** *C'est plus facile que je ne croyais* (On ne traduit pas en anglais ce *ne* qui n'a pas de valeur négative).
> **He is more liked than (he is) respected.** *Il est plus aimé que respecté.*

Dans une langue très soignée le complément peut être une subordonnée construite avec *should.*

> **There is nothing I want more than that she should be happy.** *Il n'y a rien que je désire plus que son bonheur.*

On peut faire une inversion si le sujet de la proposition complément est long (langue soignée).

> **He is more studious than were his father and his uncles** (= than his father and his uncles were). *Il est plus studieux que ne l'étaient son père et ses oncles.*

Quand le complément du comparatif est un adjectif introduit par *to be*, on n'emploie pas de pronom neutre (construction soignée).

> **I was driving much faster than was** (et non « than it was ») **safe.** *Je conduisais beaucoup plus vite qu'il n'était prudent.*
> **He works harder than is necessary** (= than necessary). *Il travaille plus qu'il n'est nécessaire.*

Remarquer la construction elliptique du proverbe :

> **There are more** (ou : **finer**) **fish in the sea than ever came out of it** (ou : **than have ever been caught**) = « *Pour un(e) de perdu(e), dix de retrouvé(e)s* ».

(b) *Le comparatif d'égalité* peut être *épithète ou attribut* (parfois elliptique).

> **On a planet as large as Jupiter...** (= **On as large a planet as Jupiter...** Voir 611, place de l'article). *Sur une planète aussi grande que Jupiter...*

656 (c) *Le superlatif* est précédé de l'article *the* (à moins qu'il n'y ait un possessif, comme en français : **my oldest friend,** *mon plus vieil ami*).

Son complément est introduit par *in* s'il exprime un lieu, par *of* (ou très souvent *in*) dans les autres cas.

> **He is the oldest member of the family.** *C'est lui le doyen de la famille.*
> **He is the oldest man in the town.** *C'est l'homme le plus âgé de la ville.*
> **He is the richest man in** (plutôt que *of*) **the family.** *C'est l'homme le plus riche de la famille.*
> **The biggest factory in the world.** *La plus grande usine du monde.*

Quand le complément du superlatif est une subordonnée relative on emploie le pronom *that* de préférence à *who* et à *which. That* est souvent sous-entendu. Voir 774 et 775.

657 (d) Le superlatif n'est pas précédé de l'article quand il est employé comme *adverbe* et dans l'expression « *it is... to...* » ;

> **Which do you like best ?** *Lequel préférez-vous ?*
> **When they first met...** *Quand ils se sont rencontrés pour la première fois...*
> **He who laughs last laughs longest.** *Rira bien qui rira le dernier.*
> **It's wisest to wait.** *Le plus sage est d'attendre.*

Comparer :

> **He is happiest when he is alone.** *C'est quand il est seul qu'il est le plus heureux* (on ne le compare pas aux autres).
> et : **He is the happiest of the lot.** *C'est lui le plus heureux du groupe* (on le compare aux autres).

Ne pas confondre les constructions synonymes :

> **I repaired it** *as best I could* (as = *comme*) ;
> **I repaired it** *as well as I could* (comparatif d'égalité).

658 (e) On peut *renforcer ou préciser* le sens d'un comparatif ou d'un superlatif à l'aide des expressions suivantes :

Comparatif de supériorité.

He is *much* older than I thought. *Il est beaucoup plus âgé que je ne pensais.*

He is *far* (= much) more serious than his brother. *Il est beaucoup plus sérieux que son frère.*

I want something *rather* (= a little, slightly) smaller than this. *Je voudrais quelque chose d'un peu plus petit que cela.*

It's *even* better (= it's better *still*). *C'est encore meilleur.*

He is three years older than his brother. *Il est de trois ans plus âgé que son frère.*

He is *no* better than his brother. *Il ne vaut absolument pas mieux que son frère.*

Is he *any* better than his brother ? *Vaut-il vraiment mieux que son frère ?*

Comparatif d'égalité.

He is *quite* as (ou, plus couramment : *just* as) lazy as his brother. *Il est tout aussi paresseux que son frère.*

He is *not nearly so* intelligent (= he is *nowhere near so/as* intelligent) as his brother. *Il est loin d'être aussi intelligent que son frère.*

His situation was not nearly so desperate as Gordon's had been in Khartoum (A. Moorehead). *Sa situation était loin d'être aussi désespérée que l'avait été celle de Gordon à Khartoum.*

France is *twice* as large as Britain. *La France est deux fois plus grande que la Grande-Bretagne* (le français emploie un comparatif de supériorité).

Après *three times, four times*, etc. (mais non après *twice*) on peut aussi employer un comparatif de supériorité (**three times as large as = three times larger than**).

Motorways are three times safer than other roads. *Les autoroutes sont trois fois plus sûres que les autres routes.*

Superlatifs.

The *very* latest news. *Les toutes dernières nouvelles.*

The *very* best player in the country. *Le meilleur de tous les joueurs du pays.*

France is the *second* largest country in Europe. *La France est le second pays d'Europe par sa superficie.*

He is *by far* the best. *Il est de loin le meilleur.*

It is *far and away* the most exciting play of the year. *C'est de très loin la pièce la plus passionnante de l'année.*

659 (f) *Comparatif d'égalité employé avec un nom ou un pronom.*

L'article indéfini se place entre l'adjectif et le nom (ou pronom), mais cette tournure est assez gauche; on peut généralement l'éviter.

They have *as pleasant a house* as their neighbours. *Ils ont une maison aussi agréable que leurs voisins.* (Plus couramment : **Their house is as pleasant as their neighbours'**).

It was a market-town — as tiny a one as England possesses (E.M. Forster). *C'était une ville marché, parmi les plus petites qui se trouvent en Angleterre.*

Voir aussi 664 et 829 (construction avec *any*).

354

A la forme négative on remplace souvent *so* par *such* (l'ordre des mots est différent). Si le nom est pluriel on doit employer *such*.

> They haven't *such a pleasant house* (= so pleasant a house, ou, plus couramment : *as pleasant a house*) as their neighbours. *Ils n'ont pas une maison aussi agréable que leurs voisins.*
>
> They haven't *such pretty flowers* as their neighbours (impossible de construire avec *so*). *Ils n'ont pas d'aussi jolies fleurs que leurs voisins.*

S'il n'y a pas d'adjectif on se sert de l'expression : « *as much of a* » pour introduire le nom.

> He is as much of a liar as his brother. *Il est aussi menteur que son frère* (« *menteur* » ne peut pas se traduire par un adjectif).

660 (g) Le premier *as* des comparatifs d'égalité est parfois sous-entendu dans les expressions toutes faites (comparaisons familières) lorsque le verbe *to be* est lui aussi sous-entendu, par exemple en réponse à une question.

> **(As) good as gold.** *Sage comme une image.*
> **(As) drunk as a lord.** *Soûl comme un cochon.*
> **(As) fit as a fiddle** (a fiddle = a violin). *En parfaite forme.*
> **(As) cool as a cucumber.** *Imperturbable, flegmatique.*
> (Remarquer les allitérations).
> **How are you ? — (As) fit as a fiddle.**

661 (h) Un superlatif peut s'employer comme nom, avec un article ou un possessif.

> **She is the prettiest.** *C'est elle la plus jolie.*
> **I'm doing my best.** *Je fais de mon mieux.*
> **He is not at his best on Monday mornings.** *Il ne se montre pas sous son meilleur jour le lundi matin.*

Un superlatif substantivé peut avoir un *sens collectif* (633).

> "The survival of the fittest" (H. Spencer et Ch. Darwin). *La survivance des plus aptes.*
> **So the last shall be first...** (Bible). *Ainsi les derniers seront les premiers.*
> **The oldest and the youngest**
> **Are at work with the strongest** (Wordsworth, Written in March).

Un comparatif doit être suivi de *one* si le nom est sous-entendu.

> **This cup is too small, give me a bigger one.** *Cette tasse est trop petite, donnez-m'en une plus grande.*

Ne peuvent s'employer comme noms que les comparatifs *elder* et *better*, mais seulement au pluriel et dans des sens très précis.

> **Obey your elders (and betters).** *Obéis à tes aînés.*

| 3. — EMPLOIS IDIOMATIQUES |

662 (a) Ne pas confondre les comparatifs et les superlatifs, qui se ressemblent plus en français qu'en anglais.

> { *Un meilleur roman.* **A better novel.**
> { *Son meilleur roman.* **His best novel.**
>
> { *Une plus grande joie.* **A greater joy.**
> { *Sa plus grande joie.* **His greatest joy.**

Comparer : **David Copperfield is *a better novel than*** (*un meilleur roman que*) **Nicholas Nickleby** (comparatif) et : **David Copperfield is *the best novel that*** (*le meilleur roman que*) **Dickens wrote** (superlatif + subordonnée relative).

L'anglais (comme le latin) remplace le superlatif par un ***comparatif*** s'il n'y a que ***deux éléments de comparaison***.

Her younger son. *Le plus jeune de ses deux fils.*
Her eldest son. *L'aîné de ses fils.* (Ils sont plus de deux).
She has two sons, the elder is an engineer and the younger a medical student. *Elle a deux fils, l'aîné est ingénieur et le plus jeune étudiant en médecine.*
The more intelligent of their (two) sons. *Le plus intelligent de leurs deux fils.*

On dit cependant : « **Which of the two pictures do you like best ?** » (et non « **better** »). *Lequel de ces deux tableaux préférez-vous ?*

et : « **May the best man win !** ». *Que le meilleur gagne !* (par exemple dans un match de boxe).

The first et **the last** étant des superlatifs (comme le montrent leurs terminaisons) on les remplace par les comparatifs **the former** et **the latter** pour se référer à deux personnes (ou deux choses) déjà nommées.

I've been introduced to Mr Smith and Mr Morgan; I like the latter better than the former. *On m'a présenté à M. Smith et à M. Morgan; je trouve ce dernier plus sympathique que l'autre.*

The latter est plus employé que **the former**. Ces deux expressions, invariables, peuvent avoir le sens de pluriels.

The Smiths and the Morgans came to visit me yesterday; the latter came with their cousins. *Les Smith et les Morgan sont venus me rendre visite hier; ces derniers sont venus avec leurs cousins.*

Noter l'anomalie :

He got the better of it *(comparatif). Il a eu le dessus.*
He got the worst of it *(superlatif). Il a eu le dessous.*

663 (b) A un ***simple adjectif français*** peut correspondre un ***comparatif anglais*** quand il y a une idée d'opposition entre deux éléments, deux groupes, etc.

The weaker sex. *Le sexe faible.*
The younger generation. *La jeune génération.*
In my younger days... *Dans ma jeunesse...*
The upper forms. *Les grandes classes* (dans une école).
The Upper House, the Lower House. *La Chambre Haute, la Chambre Basse.*
The upper (≠ **lower**) **classes.** *La haute société* (≠ *le prolétariat*). On a gardé les comparatifs malgré l'apparition d'un troisième élément : the middle classes.
For the better part of an hour. *Pendant près d'une heure.*
His better self. *Ce qu'il y a de bon (de meilleur) en lui.*
His better half. *Sa chère moitié* (sa femme).
On the farther bank (of the river). *Sur la rive opposée, sur l'autre rive.*
Sooner or later. *Tôt ou tard.*

On remarque d'ailleurs une certaine prédilection de l'anglais pour les comparatifs et les superlatifs dans les expressions familières, les proverbes (657), les slogans. (La traduction littérale de « **Persil washes whiter** » n'est guère satisfaisante).

356

664 (c) Le comparatif d'égalité s'emploie dans diverses *expressions idiomatiques*.

> **As far back as the 12th century.** *Dès le 12ᵉ siècle.*
> **As early as 6 o'clock.** *Dès 6 heures.*
> **As many as ten people saw it.** *Jusqu'à dix personnes l'ont vu.*

Il peut s'employer suivi de *any* pour exprimer une qualité qui n'est pas surpassée.

> **This whisky is as good as any that I've (ever) drunk.** *Jamais je n'ai bu de meilleur whisky* (mais peut-être en ai-je bu d'aussi bon).

665 (d) Idée de *progression (de plus en plus, de moins en moins).*

On emploie deux comparatifs séparés par *and*. S'il n'y a pas de suffixe (adjectifs longs et infériorité) l'adjectif n'est exprimé que la seconde fois. *To be* est souvent remplacé par *to get* (*to grow, to become*, dans une langue plus soignée).

> **It's (getting)** *colder and colder.* *Il fait de plus en plus froid.*
> **He works better and better.** *Il travaille de mieux en mieux.*
> **Life is getting** *more and more* **expensive.** *La vie devient de plus en plus chère.*
> **This serial is growing** (ou : **becoming**) *less and less* **interesting.** *Ce feuilleton devient de moins en moins intéressant.*

666 (e) Idée de *progressions parallèles (plus... plus..., moins... moins...).*

The (qui est ici un adverbe) précède chacun des comparatifs. Remarquer l'ordre des mots : chaque proposition commence par l'adjectif au comparatif.

> *The harder* I worked, *the happier* I was. *Plus je travaillais avec ardeur, plus j'étais heureux.*
> **The older he gets, the less he understands his children.** *Plus il vieillit, moins il comprend ses enfants.*
> **The better we know him, the more foolish we find him.** *Plus nous le connaissons, plus nous le trouvons stupide.*

Le verbe *to be* et son sujet sont parfois sous-entendus.

> **The more, the merrier.** *Plus on est de fous, plus on rit.*
> **The sooner the better.** *Le plus tôt sera la mieux.*
> **The less said about it the better.** *Moins on en parle* (ou : *parlera*), *mieux cela vaut* (ou : *vaudra*).

667 (f) *D'autant plus... que.*

Le comparatif est précédé de l'adverbe *the* (souvent : *all the*); la seconde propostion, qui exprime une cause, est introduite par *as*, parfois *since (puisque)* ou *because*; elle peut être remplacée par *for* suivi d'un nom ou d'un gérondif.

> **He felt** *all the more* **depressed** *as* **all his friends were away.** *Il se sentait d'autant plus déprimé que tous ses amis étaient absents.*
> **I was** *all the less* **surprised** *as* **I have known him for years.** *J'ai été d'autant moins surpris que je le connais depuis des années.*
> **His results are all the more remarkable because nobody helped him.** *Ses résultats sont d'autant plus remarquables que personne ne l'a aidé.*
> **The country is the poorer for his death.** *Le pays a beaucoup perdu quand il est mort.*
> **How are you feeling ? — The better for seeing you, darling.** *Comment te sens-tu ? — Beaucoup mieux maintenant que tu es là, ma chérie.*
> **In order the better to understand...** (style écrit). *Afin de mieux comprendre...*

On trouve aussi cette construction dans diverses expressions idiomatiques.

We are none the happier for it. *Nous n'en sommes pas plus heureux.*
He is none the wiser for it. *Il n'est pas plus avancé pour cela.*
So much the better if they can come. *Tant mieux s'ils peuvent venir.*
All the more reason for telling him. *Raison de plus pour lui en parler.*
The coat was much the worse for wear. *Le manteau était très usé.*
(The) more's the pity. *C'est d'autant plus regrettable. C'est bien dommage.*

---

4. — EXPRESSIONS CONSTRUITES COMME DES COMPARATIFS

668 (a) *Other* et *rather* (à l'origine des comparatifs) sont suivis de *than*.

In no other country than England can you enjoy so much freedom of speech. *Dans aucun autre pays que l'Angleterre vous ne pouvez jouir d'autant de liberté d'expression.*
She preferred to go on foot rather than wait for the bus. *Elle préféra y aller à pied plutôt que d'attendre l'autobus* (pour l'infinitif sans *to* après *rather than*, voir 407).

On emploie de même *than* après les expressions *I'd rather, I'd sooner, I'd better* (voir 118), et après *no sooner*.

He had no sooner finished (ou, avec inversion : **No sooner had he finished**) **the job than he was asked to start on another.** *Il n'eut pas plus tôt fini ce travail qu'on lui demanda d'en commencer un autre.*

La même idée peut s'exprimer avec *hardly*... *when* (dans une langue moins correcte : « hardly... than ») : **Hardly had he finished the work when** (mieux que : **than**) **he was asked to start on another.** Voir aussi 958.

On se sert aussi de *than* pour introduire les compléments des expressions terminées par *else*.

Nothing else than (on dit plus couramment : **nothing else but, nothing except**) **bread and water.** *Rien d'autre que du pain et de l'eau.*

669 (b) *Same*, dont le sens est proche d'un comparatif d'égalité, se construit avec *as* lorsqu'il y a une **idée de comparaison**.

We have the same car as the Joneses. *Nous avons la même voiture que les Jones.*
He has the same opinions as his father (as I have). *Il a les mêmes opinions que son père (que moi).*

Same peut aussi être suivi de *that, who, which*... introduisant une proposition (avec un verbe) exprimant une identité et non une comparaison. (Voir aussi 823).

He has remained the same liar that he was as a boy. *Il est resté le même menteur que dans son enfance* (on peut omettre *same*).

670 (c) Toutefois, malgré le sens et l'étymologie, on construit avec *to* les adjectifs *superior, inferior, senior, junior, similar, equivalent*.

Your case is similar to mine. *Votre cas est semblable au mien.*

Different se construit avec *from*, parfois aussi avec *to* ou *than*, par exemple quand le complément est une proposition. Quand le complément est un nom, « different than » (qui s'entend surtout en Amérique) et « different to » (qui s'entend surtout en Angleterre) appartiennent à une langue moins soignée que « different from ».

358

They want to be different *from* other people. *Ils veulent se distinguer des autres.*

Ireland's a very different place *to* what it was when I was a boy (C.P. Snow, romancier britannique). *L'Irlande est très différente de ce qu'elle était dans mon enfance* (On trouve quelques paragraphes plus loin : **That's what I meant when I said that Ireland was a very different place *than* it was forty of fifty years ago.** Remarquer que cette dernière phrase est construite sans ***what***).

'Having a relationship with an artist's a very different kettle of fish *to* having a relationship with an ordinary man' (Kingsley Amis). *Une aventure que l'on a avec un artiste est une tout autre affaire que celle que l'on a avec un homme ordinaire.*

Remarquer que dans le premier exemple ***different*** et ***from*** ne sont pas séparés. Dans les exemples suivants ***different*** et ***to/than*** sont séparés par le nom.

EXERCICES

[A] Transformer les phrases suivant le modèle :

I've never seen a funnier film →
This is *one of the funniest films I've ever seen.*
This film is *as funny (as funny a film) as any I've seen.*

1. I've never drunk a better wine. — 2. I've never read a more thrilling novel. — 3. I've never had a more brilliant pupil. — 4. You've never made a better cake. — 5. I've never caught a bigger fish. — 6. We've never known a warmer day in November. — 7. I've never seen a prettier jewel. — 8. I've never played a more interesting game. — 9. We've never had a thicker fog. — 10. I've never heard a more impertinent remark. — 11. I've never met a wiser man. — 12. I've never seen a taller man.

[B] Transformer les phrases suivant le modèle :

As (= in proportion as) we get to know him better, we find him more and more foolish → *The better* we get to know him, *the more* foolish we find him.

1. As he gets older, he works less and less. — 2. As we got nearer to the house, we liked it more and more. — 3. As they read more about that mysterious island, they were more and more determined to explore it. — 4. As there was less food in the shops, it became more and more expensive. — 5. If you speak louder, they will listen to you less and less attentively. — 6. As they went farther into the tunnel, it got darker and darker. — 7. As they punished him more, he obeyed them less and less. — 8. As he got older, he looked more and more like his father. — 9. As they went farther north, they met fewer and fewer people. — 10. As he ate less, he felt better and better.

[C] Transformer les phrases suivant le modèle :

He had expected a good result, that is why he felt so disappointed → He felt *all the more* disappointed *as* he had expected a good result.

1. The delinquent was very young, that is why they were so lenient. — 2. She happened to be alone in the house, that is why the noise frightened her so much. — 3. He had had a sleepless night, that is why he felt so tired. — 4. It was very foggy, that is why he drove so carefully. — 5. Their friends were staying with them, that is why they were so happy. — 6. It had been raining all day, that is why we were so depressed. — 7. He didn't realize he was being laughed at, that is why he laughed so much. — 8. He knew the exam would not be easy, that is why he

worked so hard. — 9. We had not had any breakfast, that is why we were so hungry. — 10. They knew we were listening to them, that is why they played so well. — 11. He knew it was only a joke, that is why his reaction was not understandable. — 12. We knew what a brilliant student he was, that is why his success did not surprise us.

[D] Transformer les phrases suivant le modèle :

They had *hardly* (litt. : hardly had they) sat down to have tea on the lawn *when* it started raining → They had *no sooner* (litt. : no sooner had they) sat down to have tea on the lawn *than* it started raining (les phrases ainsi obtenues appartiennent à une langue plus soignée).

1. He had hardly made the remark when he realized it was a dreadful blunder. — 2. They had hardly come back from Japan when they started making plans to go to Brazil. — 3. He had hardly dropped the letter into the pillar-box when he realized he had forgotten to put a stamp on it. — 4. I had hardly gone to sleep when the telephone rang. — 5. She had hardly consented to marry him when she began to wish she hadn't. — 6. The funeral was hardly over when the heirs started to quarrel. — 7. She had hardly settled in her new house when she felt she would not like it as much as the old one. — 8. He had hardly been introduced to her when he fell in love with her. — 9. I had hardly started to tell him the story when he interrupted me, saying he had heard it before. — 10. They had hardly started to explain why they were late when he flew into a violent passion.

[E] Traduire.

1. Il est encore plus doué que son frère. — 2. Le plus jeune de ses deux fils est étudiant en droit, l'aîné est déjà avocat. — 3. Elle est beaucoup plus jeune que lui. — 4. Je n'ai pas une voiture aussi puissante qu'eux. — 5. C'est de loin l'homme le plus riche de la ville. — 6. Il est moins grand que son frère mais il est tout aussi fort. — 7. Notre appartement est deux fois plus grand que le leur. — 8. Il est meilleur pianiste qu'elle; c'est le meilleur pianiste que j'aie jamais entendu. — 9. L'espagnol est tout aussi difficile que l'anglais. — 10. L'Angleterre n'a pas d'aussi bons fromages que nous. — 11. Le Brésil est de loin le pays le plus grand d'Amérique du Sud. — 12. Il est de plus en plus difficile de trouver un appartement à Londres. — 13. Il va de mieux en mieux. — 14. Plus nous attendions, plus il était impatient. — 15. Nous avons été d'autant plus surpris de le voir que nous le croyions en Australie. — 16. Il a été d'autant plus déçu qu'il s'attendait à être reçu avec une mention. — 17. Notre voyage en Ecosse a été d'autant plus agréable qu'il a fait exceptionnellement beau. — 18. Il est de plus en plus égoïste; raison de plus pour le mettre en pension. — 19. Ses résultats sont de plus en plus mauvais. — 20. Ce dramaturge est moins célèbre que Bernard Shaw, mais je trouve que ses pièces sont tout aussi bonnes. — 21. Oxford et Cambridge sont deux villes très agréables; cette dernière est plus petite et plus calme. — 22. Nous avons des trains de plus en plus rapides. Ce sont les plus rapides du monde. — 23. Plus il grandit, plus il ressemble à son père. — 24. L'Empire State Building est trois fois plus haut que le bâtiment des Nations Unies. Mais ce n'est plus le plus haut gratte-ciel de New York. — 25. Cet hiver a été plus froid que d'habitude. C'est l'hiver le plus froid que nous ayons eu depuis des années. — 26. Pendant plusieurs semaines nous n'avons pas eu d'autre nourriture que des noix de coco. — 27. Il est très aimé de son entourage. — 28. Nous étions tous très fatigués et très déçus. — 29. J'ai lu « Pamela » et « Tom Jones »; j'ai trouvé ce dernier roman plus drôle que l'autre. — 30. Il a la même voiture que moi.

35. — RÉGIME DES NOMS ET DES ADJECTIFS

671   Si la construction des noms et des adjectifs pose moins de problèmes à l'étudiant que celle des verbes, il ne faut cependant pas négliger cette question, surtout en ce qui concerne *le vocabulaire abstrait* (expression des sentiments, description du caractère et du comportement, opérations de l'esprit, etc.).

Un grand nombre de noms et d'adjectifs se construisent avec une préposition qui n'est pas la même qu'en français (ex. : **His interest in maths. I am pleased with my new job**). Certains sont suivis d'une subordonnée introduite par *that* (**She was sorry that she had come**) ou d'une interrogative indirecte (**We had no idea where you had been**), constructions parfois impossibles en français. Dans certains cas plusieurs constructions sont possibles; elles peuvent correspondre à des sens différents (ex. : **He is sure that he will fail/He is sure to fail**).

C'est pourquoi il est conseillé d'apprendre le régime des noms et adjectifs abstraits en même temps que leur sens [1]. On se limitera ici à quelques exemples illustrant les principales constructions différentes du français.

1. — NOMS ET ADJECTIFS + PRÉPOSITION + COMPLÉMENT

672   La préposition introduit un nom, un pronom (*it, this, what*, ...) ou un gérondif.

(a) *Noms*. On notera particulièrement les cas où *for* se traduit par « *de* ».

His interest in maths. *Son intérêt pour les mathématiques.*
His interest in what we did. *L'intérêt qu'il portait à ce que nous faisions.*
They took great delight in driving each other wild. *Ils prenaient grand plaisir à se faire enrager mutuellement.*
He had some difficulty in making himself understood. *Il eut des difficultés à se faire comprendre.*
An attempt at democracy. *Un essai de démocratie.*
Cruelty to animals. *La cruauté envers les animaux.*
I have no objection to their coming. *Je ne m'oppose pas à ce qu'ils viennent.*
I should feel a great aversion to obeying such orders. *J'éprouverais une grande répugnance à obéir à de tels ordres.*
The reason for his absence (Cf. **The reason why he is not here**). *La raison de son absence.*
Their eagerness for knowledge. *Leur appétit de science.*
It's time for breakfast. *C'est l'heure du petit déjeuner.*
There's no need for so much formality. *Il n'y a pas besoin de tant de cérémonie.*
We must make allowance(s) for youth. *Il faut faire la part de la jeunesse.*
We have no use for people like you here. *Nous n'avons pas besoin de gens comme vous ici.*
There is not much hope of their being alive (**of finding them alive**, construction plus courante). *Il n'y a pas beaucoup d'espoir qu'ils soient vivants (de les retrouver vivants).*

---

(1) Ouvrage recommandé pour l'étude du *vocabulaire abstrait* : **Le Mot et l'Idée - 2**, de J. Rey, C. Bouscaren et A. Mounolou (Ed. Ophrys). Le régime des noms, des adjectifs et des verbes y est indiqué avec précision et illustré de nombreux exemples.

673 (b) ***Adjectifs***. On notera les emplois de ***with*** et ***at*** avec des adjectifs exprimant des réactions psychiques.

I am angry/furious with him. *Je suis furieux contre lui, je lui en veux.*

He is angry/furious at what we have done. *Il est fâché/furieux de ce que nous avons fait.*

He was angry at being kept waiting. *Il était irrité qu'on le fît attendre.*

He was angry over the delay. *Il a été furieux de ce retard.*

Who is responsible for the accident ? *Qui est responsable de l'accident ?*

I am pleased with my new job. *Je suis satisfait de mon nouvel emploi* (voir aussi 676).

We were all amazed (ou : **surprised**) **at his talent.** *Nous avons tous été étonnés par son talent.*

I was surprised at seeing (ou : **surprised to see**) **so many people.** *J'ai été surpris de voir tant de monde.*

We were amused at (= **by**) **his mistakes.** *Ses erreurs nous ont amusés.*

They are content with little. *Ils se contentent de peu.*

He is imbued with many prejudices. *Il est imprégné de nombreux préjugés.*

You are liable to a fine. *Vous êtes passible d'une amende.*

He was mad with joy when she agreed to marry him. *Il a été ivre de joie quand elle a accepté de l'épouser.*

He is keen (fam. : **mad**) **on sport.** *Il a la passion des sports* (voir aussi 680).

She is interested in languages. *Elle s'intéresse aux langues.*

She is good at languages. *Elle est bonne en langues.*

She is proficient in languages. *Elle est très forte en langues.*

She is gifted in (parfois **at**) **languages.** *Elle est douée pour les langues.*

She is gifted with exceptional talents. *Elle est douée de talents exceptionnels.*

He was intent on his work. *Il était absorbé par son travail.*

What is £ 6 equivalent to in francs ? *Quel est l'équivalent en francs de £ 6 ?*

What's wrong with my tie ? *Que reproches-tu à ma cravate ?* (Voir aussi 685).

She is afraid of what people will say. *Elle a peur de ce que vont dire les gens* (voir aussi 682).

He is afraid of dogs (of being bitten by the dog). *Il a peur des chiens (d'être mordu par le chien).*

He is afraid of people laughing at him. *Il a peur qu'on rie de lui.*

He is used to people laughing at him. *Il est habitué à ce qu'on rie de lui.*

I'm tired of (I'm fed up with) hearing their silly remarks. *Je suis fatigué (j'en ai assez) d'entendre leurs remarques stupides.*

I'm fed up with it. *J'en ai par-dessus la tête.*

Pour la construction de ***different, similar, superior, inferior***, voir 670.

674 (c) ***Remarques.***

(1) Quand plusieurs prépositions introduisent le même complément, celui-ci peut être placé après la dernière préposition (style soigné).

She is both keen on and good at languages. *Non seulement elle se passionne pour les langues, mais elle y réussit bien.*

Translations from and into Russian. *Versions et thèmes russes.*

The management accept no responsibility for damage to or loss of any articles. *La direction ne peut être tenue responsable au cas où un article, quel qu'il soit, serait endommagé ou perdu.*

362

His understanding of and interest in international affairs make him a first-rate editor. *Sa compréhension des affaires internationales et l'intérêt qu'il leur porte font de lui un excellent rédacteur en chef.*

Wells' greatness lies not in his difference from, but in his enormous likeness to, the man in the street (C.M. Joad). *Wells est grand non par ce qui le distingue de l'homme de la rue, mais par sa ressemblance frappante avec lui.*

En mathématiques, « **a ≥ b** » se lit : « **a is more than or equal to b** » *(supérieur ou égal à).*

(2) Les noms et adjectifs de la même famille se construisent avec la même préposition.

> **We are anxious for news.** *Nous sommes impatients de recevoir des nouvelles.*
> **Our anxiety for news.** *Notre impatience de recevoir des nouvelles.*
> **We were amused at his blunder.** *Sa gaffe nous a amusés.*
> **Our amusement at his blunder.** *Notre amusement lorsqu'il a fait cette gaffe.*

(3) Certains noms et adjectifs peuvent être construits avec deux prépositions, l'une introduisant un complément d'objet et l'autre un complément de cause.

> ⎰ **He is grateful to me for my help.** *Il m'est reconnaissant de l'avoir aidé.*
> ⎱ **He is grateful to me for helping him.**
>
> **I am angry with myself for being such a fool.** *Je m'en veux d'avoir été si bête.*
> **His apology to me for calling me a liar.** *Les excuses qu'il m'a présentées pour m'avoir traité de menteur.*

(4) Certains noms *(time, eagerness...)* et adjectifs *(pleased, liable...)* ne se construisent pas avec un gérondif. Quand ils sont suivis d'un verbe, ce dernier est à l'infinitif.

> **It's time to leave.** *Il est l'heure de partir.*
> **I'm pleased to see you.** *Je suis content de vous voir.*
> **We are all liable to make mistakes.** *Nous sommes tous exposés à* (= *nous pouvons tous*) *nous tromper.*

> **2. — NOMS ET ADJECTIFS + INFINITIF**

675 (a) **Noms.** Un certain nombre d'entre eux sont de la même famille que des verbes construits, eux aussi, avec un infinitif (leçon 24). Comparer :

> **His refusal to help us.** *Son refus de nous aider* (Cf. **He refused to help us**).
> **Our failure to respect the rules.** *Nos infractions aux règlements* (Cf. **We failed to respect the rules**).

Mais cela n'est pas une règle : par exemple, le nom *hope* est suivi de la préposition *of* (**Their hope of being rescued.** *Leur espoir d'être secourus*), alors que le verbe *to hope* est suivi d'un infinitif (**We hope to see you soon.** *Nous espérons vous voir bientôt*).

D'autres noms correspondent à des adjectifs construits avec un infinitif :

> **His anxiety to help us.** *Son grand désir de nous aider* (Cf. **He is anxious to help us**).

His ability to do this work. *Son aptitude à faire ce travail* (Cf. **He is able to do this work**).

Mais il arrive qu'un nom et un adjectif de la même famille se construisent différemment (ex. : **Is it possible to go there ? / Is there any possibility of going there ?**)

Un infinitif peut s'ajouter à un nom pour exprimer l'*utilité* , ou avec un *sens passif.*

> **He had an old knife to cut his bread with.** *Il avait un vieux couteau pour couper son pain.*
> **A saucepan to boil water in.** *Une casserole pour faire bouillir de l'eau.* (Remarquer l'emploi des prépositions en fin de phrase).
> **He has a large family to support.** *Il a une famille nombreuse à nourrir.*
> **I have a lot of work to do.** *J'ai beaucoup de travail à faire.*
> **There are a great many picturesque little villages to see** (= **to be seen**) **in Devon.** *Il y a un grand nombre de petits villages pittoresques à voir dans le Devon.*

676 ⓑ *Adjectifs.* Ils peuvent être attributs ou épithètes.

(1) *Attributs.*

> **She was eager** (≠ **reluctant**) **to help us.** *Elle était très désireuse de* (≠ *peu disposée à*) *nous aider.*
> **He is apt to forget his debts.** *Il est enclin à oublier ses dettes.*
> **We were sorry** (≠ **pleased**) **to hear the news.** *Nous avons été navrés* (≠ *heureux*) *d'apprendre cette nouvelle* (voir aussi 684).

Un grand nombre d'adjectifs ou participes passés exprimant des émotions se construisent ainsi (**happy, pleased, glad, disappointed, amazed, surprised...**).

Avec cette structure, *sure* exprime une quasi-certitude, selon l'opinion du locuteur. La périphrase « *be sure to* » exprime donc une nuance de modalité (113).

> **They are sure to be late again.** *Ils vont encore sûrement arriver en retard.*
> **He is sure to fail.** *Il échouera certainement.* (C'est mon opinion).
> Cf. *Il est sûr d'échouer* (C'est son opinion). **He is sure that he'll fail, he is sure of failing, he expects to fail.**

Pour éviter une répétition l'infinitif est parfois réduit à la particule *to (to anaphorique*, 176), notamment après **pleased, happy, glad** et **sorry.**

> **Could you teach the children to swim ? — I shall be pleased to.** *Pourriez-vous apprendre à nager aux enfants ? — Très volontiers.*

677 (2) *Epithètes.*

> **A hard man to please.** *Un homme difficile à satisfaire.*
> **An easy place to reach.** *Un endroit facile à atteindre (d'accès facile).*
> **Pleasant words to listen to.** *Des paroles agréables à entendre.*
> **Tiring people to live with.** *Des gens avec qui il est fatigant de vivre.*
> **A poor place to be in on a summer afternoon.** *Un endroit où il est peu agréable de passer un après-midi d'été.*

678 (3) L'adjectif suivi de l'infinitif peut être accompagné de *too, enough, so... as.* Il peut être précédé de *it is.*

> **He is too busy to see you.** *Il est trop occupé pour vous recevoir.*
> **Will he be strong enough to lift the piano ?** *Sera-t-il assez fort pour soulever le piano ?*
> **Will you be so kind as to help me ?** *Auriez-vous l'amabilité de m'aider ?*

It would be silly to refuse. *Ce serait idiot de refuser.*

A la forme exclamative *it is* est souvent sous-entendu.

How nice to see you again ! *Quel plaisir de vous revoir !*

Aux phrases commençant par *it is* correspondent des phrases synonymes à sujet personnel.

It's difficult to put up with him = He is difficult to put up with. *Il est difficile à supporter.*

It's pleasant to listen to this music = This music is pleasant to listen to. *Cette musique est agréable à écouter.*

(4) Comparer :

He is eager to please. *Il est très désireux de plaire* (sens actif).

He is easy to please (= it is easy to please him). *Il est facile à satisfaire* (sens passif).

679 (c) Un certain nombre de noms et d'adjectifs se construisent tantôt avec **une préposition introduisant un complément**, tantôt avec **un infinitif**. Cette différence de construction correspond parfois (mais non toujours) à une différence de sens. Il s'agit notamment d'adjectifs exprimant des émotions. Quelques exemples :

● *Opportunity* se construit généralement avec un infinitif s'il s'agit de l'avenir, avec *of* ou *for* introduisant un gérondif s'il s'agit du passé (comparer avec les constructions de *to remember*, 526).

I should like to take this opportunity to thank you all. *Je voudrais profiter de cette occasion pour vous remercier tous.*

This was the ideal opportunity for making the journey. *Ce fut l'occasion idéale de faire le voyage.*

This should be a good opportunity (for us) to make their acquaintance. *Ceci devrait être une bonne occasion pour faire (pour que nous fassions) leur connaissance.*

I have never had the opportunity of making their acquaintance. *Je n'ai jamais eu l'occasion de faire leur connaissance.*

N.B. *Occasion* se construit principalement avec un infinitif.

There was no occasion to complain (aussi : **no occasion for complaining, no occasion for complaint**). *Il n'y avait pas lieu de se plaindre.*

680 ● *Keen* se construit avec *on* + gérondif ou avec un infinitif (parfois une subordonnée avec *should*).

He is very keen on going with them. *Il tient beaucoup à les accompagner.*

He is very keen (= eager) **to visit his friends again.** *Il est très désireux d'aller revoir ses amis.*

He is very keen that his son should become (= keen on his son becoming) **an engineer.** *Il tient beaucoup à ce que son fils soit ingénieur.*

● *Interested* se construit avec la préposition *in* ou un infinitif.

I'm interested in astronomy. *Je m'intéresse à l'astronomie.*

We should be interested to know (= we are curious to know) **why he has refused our offer.** *Nous serions heureux de savoir pourquoi il a refusé notre offre.*

Parfois (sens emphatique) : *interested in* + gérondif.

The police are interested in finding witnesses of the accident. *La police désire vivement trouver des témoins de l'accident* (= **are very anxious to find...**).

681   • *To be at a loss* (*être embarrassé*) admet les constructions suivantes :
Infinitif :

> **I should be at a loss to answer.** *Je serais bien embarrassé pour répondre.*
> **He was at a loss to imagine what purpose could be served by inventing such myths** (Bertrand Russell). *Il n'arrivait absolument pas à imaginer quel dessein pouvait servir l'invention de tels mythes.*

Préposition *for* + nom :

> **I was at a loss for an answer.** *Je ne savais quoi répondre.*
> **She is never at a loss for an answer.** *Elle a réponse à tout.*
> **I am at a loss for words to express my admiration.** *Les mots me manquent pour exprimer mon admiration.*

Interrogative indirecte : voir 445.

682   • *Afraid of* (+ nom ou gérondif) exprime la crainte de ce qui pourrait arriver, *afraid to* le recul devant une action à accomplir (mais on emploie aussi *afraid of* dans ce sens).

> **He is afraid of being sacked.** *Il a peur d'être congédié.*
> **Don't be afraid to give** (aussi : **afraid of giving**) **your opinion.** *N'ayez pas peur de donner votre opinion.*

Afraid se construit aussi avec une subordonnée (voir 690).

683   • *Amazed* et *surprised* admettent les constructions suivantes :
Infinitif :

> **She was surprised to see so many people.** *Elle était surprise de voir un si grand nombre de gens.*

Préposition *at* ou *by* :

> **She was surprised at seeing so many people.**
> **I was surprised by** (ou **at**) **his behaviour.** *Son comportement m'a étonné.*

Subordonnée : voir 691.

684   • *Sorry* admet les constructions suivantes :
Infinitif :

> **I'm sorry to have kept you waiting.** *Je regrette de vous avoir fait attendre.*
> **I'm sorry to hear that you've been ill.** *Je suis désolé d'apprendre que vous avez été malade* (voir aussi 686).

Préposition *for* + nom ou gérondif :

> **I'm sorry for this delay.** *Excusez-moi de ce retard.*
> **I'm sorry for being so late.** *Excusez-moi d'arriver si tard* (aussi : **I'm sorry to be so late, I'm sorry I'm so late**).
> **Aren't you sorry for** (parfois : **about** ou **over**) **what you've done ?** *Ne regrettez-vous pas ce que vous avez fait ?*

Subordonnée introduite par *that* :

> **I'm sorry (that) I can't help you.** *Je regrette de ne pas pouvoir vous aider.*
> **She was sorry that she had come** (= **she wished she hadn't come**, 917). *Elle regrettait d'être venue.*

N.B. *Ashamed* admet les mêmes constructions que *sorry* (mais la préposition est *at, of* ou *over*).

> **I'm ashamed to have kept you waiting.** *Je suis confus de vous avoir fait attendre.*

He was ashamed at (parfois : **of** ou **over**) **what he had done.** *Il avait honte de ce qu'il avait fait.*

I'm ashamed that I made that blunder. *Je suis confus d'avoir fait cette gaffe.*

685 ● ***To be right*** et ***to be wrong*** se construisent avec un infinitif ou avec ***in*** + gérondif.

> **You were right to accept** (= **in accepting**) **his offer.** *Vous avez eu raison d'accepter son offre.*

Noter la différence de sens entre les deux phrases :

> **I was wrong in thinking that he was reliable** (= I was mistaken). *J'ai eu tort de penser qu'on pouvait lui faire confiance.*
> **You were wrong to abuse him** (= It was bad of you to...). *Vous avez eu tort de l'insulter* (voir aussi 673).

686 ⓓ Noms et adjectifs construits avec ***une proposition infinitive introduite par for.***

> **There's no need for you to hurry.** *Il n'est pas nécessaire que vous vous dépêchiez.*
> **This is useful for you to read.** *Il est utile que vous lisiez ceci.*
> **Is it safe for them to go out ?** *Est-il prudent qu'ils sortent ?*
> **I should be sorry for you to think** (= if you thought) **I've betrayed you.** *Je serais navré que vous pensiez que je vous ai trahi.*
> **This box is too heavy for you to lift.** *Cette caisse est trop lourde pour que tu la soulèves* (Remarquer l'absence de pronom complément après **lift**, voir 397).
> **This flat is too small for us to live in comfortably.** *Cet appartement est trop petit pour que nous y vivions à l'aise.*
> **It's unusual for us to be up before 7.** *Il est rare que nous soyons levés avant 7 heures* (Autre construction possible, mais moins courante : **For us to be up before 7 is unusual**).

687 ⓔ La structure « ***it is*** + ***adjectif*** + ***of*** + ***complément*** + ***infinitif***» s'emploie pour exprimer une opinion sur un comportement (avec ***kind, nice, good, clever, brave, cruel, silly, wicked, ridiculous...***).

> **It is very kind of her to invite them.** *C'est très gentil de sa part de les inviter.*
> **It was ridiculous of John to lose his temper.** *John a été ridicule de se mettre en colère.*

A la forme exclamative, ***it is (it was...)*** est souvent ***sous-entendu.***

> **How very kind of her to invite them !**
> **How ridiculous of John to lose** (ou : **to have lost**) **his temper !**

688 ⓕ Après des verbes exprimant ***une opinion ou une impression (to think, to consider, to judge, to find, to feel)***, le pronom *it* peut introduire un nom ou adjectif attribut d'un infinitif (langue soignée, style pompeux). Voir 692.

> **I consider it my duty to warn you.** *Je considère qu'il est de mon devoir de vous prévenir* (Cf. It is my duty to warn you).
> **She felt it advisable to intervene.** *Elle jugea qu'il était souhaitable d'intervenir.*
> **I think it a great pity not to take the opportunity.** *Je pense qu'il est vraiment dommage de ne pas profiter de l'occasion.*

367

We think it unwise to climb the mountain without a guide. *A notre avis il est imprudent de faire l'ascension de cette montagne sans guide.*

I should find it difficult to obey such stupid orders. *Je trouverais difficile d'obéir à des ordres aussi stupides* (On ne peut omettre *it*).

Une construction semblable s'emploie après **to make.**

The bad weather made it necessary (for them) to cancel the open air show. *Le mauvais temps a obligé (les a obligés) à annuler le spectacle en plein air.*

Exception : le pronom *it* ne s'emploie pas dans les expressions (de style soigné) : **to think fit to, to see fit to.**

He did not think fit to follow my advice. *Il n'a pas jugé bon de suivre mes conseils.*

---

3. — NOMS ET ADJECTIFS + SUBORDONNÉE INTRODUITE PAR THAT

689 (a) *Noms* (exprimant une *opinion*, une *déclaration*, une *information*). *La conjonction that ne peut pas dans ce cas être omise.*

The thought that he had to be operated on frightened him. *L'idée qu'il devait se faire opérer l'effrayait.*

Their assumption that everything would be easy was proved wrong. *Leur hypothèse selon laquelle tout serait facile s'est révélée fausse.*

The fact that he is an orphan is no extenuating circumstance. *Le fait qu'il est orphelin n'est absolument pas une circonstance atténuante.*

The doctrine that the Pope is infallible. *La doctrine de l'infaillibilité pontificale.*

The statement that he was going to resign surprised everyone. *La déclaration annonçant qu'il allait démissionner a surpris tout le monde.*

Ne pas confondre la conjonction *that*, que l'on ne peut pas omettre dans les phrases ci-dessus, avec le pronom relatif *that* (= which), que l'on peut omettre.

The statement (that) he made... *La déclaration qu'il a faite...*

Remarquer que ces noms sont presque tous de la même famille que des verbes exprimant des opinions ou des déclarations, construits également avec une subordonnée **(He thought that..., They assumed that..., He stated that...** Voir 496).

690 (b) *Adjectifs* (exprimant principalement des *émotions*). La conjonction *that* peut être omise. Le sujet de la subordonnée peut être le même que celui de la principale, à la différence du français.

I'm glad (that) you've come. *Je suis content que vous soyez venu.*
I'm glad (that) I've come. *Je suis content d'être venu.*
She is sorry that she can't come. *Elle regrette de ne pas pouvoir venir.*
She is delighted that she has accepted the job. *Elle est ravie d'avoir accepté cet emploi.*
She wasn't aware that her husband was fond of gambling. *Elle ne se rendait pas compte que son mari aimait le jeu.*

Avec cette construction *I'm afraid* (à la 1ʳᵉ personne) exprime plus souvent un regret poli qu'une crainte (sauf si la subordonnée est construite avec *may/might*, 691).

I'm afraid you've failed. *Je regrette de vous dire que vous avez échoué.*
I'm afraid it can't be done. *Je regrette que cela ne soit pas possible.*
I'm afraid I have to go. *Je regrette de devoir partir.*

368

On peut sous-entendre la subordonnée après *I'm afraid* en la remplaçant par *so* ou *not* (178, 179).

Is it going to rain ? — I'm afraid so. *Va-t-il pleuvoir ? — Je le crains.*

691 ⓒ Les noms et adjectifs exprimant *l'impatience ou l'indignation* et les **expressions impersonnelles** étudiées au § 371 sont suivis d'une subordonnée avec **should** (valeur de subjonctif).

He is anxious that you should meet his friends. *Il est impatient que vous fassiez la connaissance de ses amis.*
It's incredible that he should be so absent-minded. *Il est incroyable qu'il soit si distrait.*
I'm surprised that you should behave so foolishly. *Je suis surpris que vous vous conduisiez de façon aussi stupide* (surprise + indignation).

Mais (à l'indicatif plus couramment qu'au subjonctif) :

I'm surprised that he didn't come. *Je suis surpris qu'il ne soit pas venu* (simple constatation d'un fait surprenant).

Afraid exprimant une crainte (avec idée de futur) peut être suivi d'une subordonnée avec **may/might** ou, dans la langue littéraire, de **lest** (+ **should**).

He is afraid he may fail. *Il craint d'échouer.*
We were afraid he might lose his way (= **afraid lest he should lose his way**). *Nous craignions qu'il ne se perdît.*

L'expression « *it's time* » est suivie d'un subjonctif preterite ou d'un infinitif (362).

It's about time I bought myself a new umbrella. *Il serait temps que je m'achète un nouveau parapluie.*
It's time to go to bed. *Il est l'heure d'aller se coucher.*
It's time for you to go (= **it's time you went**) **to bed.** *Il est l'heure que tu ailles te coucher.*

692 ⓓ Après des verbes exprimant *une impression ou une opinion*, le pronom *it* peut introduire un nom ou un adjectif attribut d'une subordonnée, dans une langue soignée (comparer avec la construction étudiée au § 688).

They found it worrying that nobody had answered their call. *Ils trouvèrent inquiétant que personne n'ait répondu à leur appel.*
We consider it a pity that he can't go to college. *A notre avis il est regrettable qu'il ne puisse pas aller à l'université.*
We find it amazing that he should believe in such preposterous theories. *Nous trouvons stupéfiant qu'il croie à des théories aussi saugrenues* (surprise + indignation : **should**, comme au § 691).

Une construction semblable s'emploie après **to make.**

We must make it clear that we shall never surrender. *Nous tenons à ce qu'on sache bien que nous ne capitulerons jamais.*

Noter l'expression « *to take it for granted that* » (*considérer comme admis que*).

We can take it for granted that he will be elected. *Nous pouvons tenir pour certain qu'il sera élu.*

ⓔ Quand le sujet de la phrase est *it* on peut *intervertir l'ordre des propositions* et supprimer *it* (langue littéraire).

It seemed impossible that a Republican could be elected mayor of New

York City (= That a Republican could be elected mayor of New York City seemed impossible).

That he was being observed became more and more evident from day to day (Algernon Blackwood). *Il devenait chaque jour plus évident qu'on l'observait.*

---

4. — NOMS ET ADJECTIFS + INTERROGATIVE INDIRECTE

693 Comme après un verbe (leçon 22), l'interrogative indirecte peut être à un temps personnel ou à l'infinitif. Elle peut être précédée d'une préposition, souvent omise avec certains noms et adjectifs (il n'y a pas de règle à ce sujet).

(a) *Noms.*

It's a question of who's going to be second. *Le problème est de savoir qui sera second.*

The question (of) whether to (= whether we ought to) invite him or not was being discussed. *On discutait pour savoir s'il fallait ou non l'inviter* (la préposition *of* est souvent omise avant *whether*).

I have no idea how he did it (ou : **no idea as to how he did it**). *J'ignore totalement comment il l'a fait.*

I hadn't the faintest (fam. : the foggiest) idea what he meant. *Je n'avais pas la moindre idée de ce qu'il voulait dire.*

"Haven't you any idea as to who did it ?" (A. Christie). *Vous ne voyez pas du tout qui est le coupable ?*

Do you know (the reason) why he didn't come ? *Savez-vous la raison pour laquelle il n'est pas venu ?*

There was a debate as to what should be done. *On discuta pour savoir ce qu'il convenait de faire.*

Take care how you cross the street. *Attention à la façon dont vous traversez la rue.*

His account of how he managed it was very lively. *Il nous a raconté avec beaucoup de verve comment il s'y est pris.*

On peut placer l'interrogative indirecte en tête de phrase.

How he gets his information I've no idea. *Comment il se procure ses renseignements, je n'en ai pas la moindre idée.*

L'expression *to be at a loss* peut être suivie d'une interrogative indirecte (voir aussi 681).

They were at a loss how to behave (parfois : **at a loss as to how to behave**). *Ils ne savaient pas comment se comporter.*

I was at a loss what to answer. *Je ne savais quoi répondre.*

694 (b) *Adjectifs.*

La préposition est plus souvent omise qu'avec les noms.

I'm not sure how to do it. *Je ne suis pas sûr de la façon de procéder.*

I'm not sure why they didn't come. *Je ne suis pas sûr de la raison pour laquelle ils ne sont pas venus.*

He was not sure whether his leg was being pulled. *Il se demandait si on le faisait marcher.*

She is not aware (of) how much he spends. *Elle ne se rend pas compte des sommes qu'il dépense.*

He is still uncertain whether to go. *Il hésite encore à y aller.*

370

She is worried about what is going to happen. *Elle s'inquiète de ce qui va se passer.*

They seemed to be (...) inquisitive about who she was (Kingsley Amis). *Ils semblaient curieux de savoir qui elle était.*

---

5. — AUTRES CONSTRUCTIONS

695 (a) Les noms exprimant *un déplacement* (*way, walk, drive*...) peuvent être suivis d'une postposition (c'est-à-dire d'un adverbe, 182) ou d'une expression introduite par une préposition.

> **Then began the long climb down.** *Alors commença la longue descente* (en montagne).
>
> **The drive back was very slow because of the fog.** *Le retour en voiture a été très lent à cause du brouillard.*
>
> **On our way home we met the vicar** (*home* est ici un adverbe, 855). *Sur le chemin du retour nous avons rencontré le pasteur.*
>
> **I always enjoyed the walk down that busy street on Saturday afternoons.** *J'aimais toujours le trajet à pied par cette rue animée le samedi après-midi* (ici *down* n'exprime pas une descente, 852).

696 (b) L'adjectif *worth* est suivi directement d'un nom, d'un pronom ou d'un gérondif à sens passif.

> **It's worth a lot of money.** *Cela vaut très cher.*
>
> **This jewel is worth £ 200.** *Ce bijou vaut 200 livres.*
>
> **One bird in the hand is worth two in the bush** (prov.). *Un bon « tiens » vaut mieux que deux « tu l'auras ».*
>
> **It isn't worth the trouble** (= **it isn't worth it**). *Cela n'en vaut pas la peine.*
>
> **This book is worth reading.** *Ce livre vaut la peine d'être lu.*
>
> **It's worth trying.** *Cela vaut la peine d'essayer.*
>
> **He thought that life was not worth living.** *Il pensait que la vie ne valait pas la peine d'être vécue.*

Worth peut aussi être construit avec le nom *while (le temps, la peine)* suivi ou nom d'un gérondif (ou parfois d'un infinitif quand *while* est précédé d'un possessif).

> **It isn't worth while going there.** *Cela ne vaut pas la peine d'y aller.*
>
> **It isn't worth our while going** (ou : **to go**) **there.** *Cela ne vaut pas la peine que nous y allions.*
>
> **It is not worth your while reading** (ou : **to read**) **this book.** *Cela ne vaut pas la peine que tu lises ce livre* (On peut aussi construire comme au § 688 : **You will not find it worth your while to read this book**).

Noter l'adjectif *worthwhile* : a worthwhile proposition, *une proposition valable.*

> **Is teaching a worthwhile profession ?** *L'enseignement est-il une profession qui donne des satisfactions ?*

697 (c) L'adjectif *busy* est suivi d'un participe présent ou de *with* + un nom.

> **He was busy repairing an old alarm-clock.** *Il était occupé à réparer un vieux réveil.*
>
> **He is busy with his work until 6 p.m.** *Son travail l'occupe jusqu'à 6 heures du soir.*

EXERCICES

A Transformer les phrases suivant les modèles :

You needn't start yet → There's **no need for you to** start yet.
You needn't have left so early → There was **no need for you to** leave so early.

1. You needn't worry. — 2. You needn't shout at me. — 3. They needn't make such a fuss. — 4. We needn't run. — 5. You needn't have given them a present. — 6. He needn't have lost his temper. — 7. You needn't be afraid of them. — 8. He needn't wait for us. — 9. She needn't have been so generous. — 10. You needn't tell them you've been helped.

B Transformer les phrases suivant le modèle :

I feel I ought to tell you that you are wrong → **I feel it my duty to** tell you that you are wrong (ton plus solennel).

1. I feel I ought to advise you to be careful. — 2. I felt I ought to interfere to protect the poor dog. — 3. I feel I ought to write a letter to the Editor of the Times. — 4. She felt she ought to tell him that he was drinking too much. — 5. We feel we ought to help our brother-in-law. — 6. I felt I ought to stop Ken making a fool of himself. — 7. I never felt I ought to respect him. — 8. He felt he ought to tell the police what he had seen. — 9. She felt she ought to join the R.S.P.C.A. — 10. They feel they ought to adopt an orphan.

C Transformer les phrases suivant le modèle :

John was ridiculous, he lost his temper → **It was ridiculous of John to** lose his temper → **How ridiculous of John to** lose (= to have lost) his temper !

1. She was extremely kind, she stayed at home to look after the baby. — 2. He was rather silly, he pretended he hadn't seen us. — 3. They were very clever, they guessed what had happened. — 4. He was wicked, he played a dirty trick on his friends. — 5. She was very nice, she forgave them at once. — 6. You were careless, you forgot to lock the door. — 7. Her parents were very generous, they gave us £ 1,000 when we bought our house. — 8. He was brave, he dived into the cold water of the lake to try and recover my sun-glasses. — 9. He was cruel, he referred to the fact that her father was in jail. — 10. John was very good, he did the washing-up.

D Transformer les phrases suivant le modèle :

We can't live in this flat, it's too small → This flat is **too small for us to live in**.

1. I can't sit in this chair, it's too narrow. — 2. He can't solve the problem, it's too difficult. — 3. I can't tell you the story now, it's too long. — 4. You can't read this book, it's too difficult. — 5. I couldn't jump over the gate, it was too high. — 6. She couldn't carry the bag, it was too heavy. — 7. We couldn't wade across the river, it was too deep. — 8. I can't drink this tea, it's too hot. — 9. We can't bathe in this lake, its water is too cold. — 10. He couldn't translate the text, it was too difficult.

E Transformer les phrases suivant le modèle :

It's difficult to understand his bahaviour → **I find it difficult to** understand his behaviour.

1. It's unpleasant to queue at the canteen. — 2. It was stupid to have waited so long. — 3. It was rather encouraging to have passed the exam so easily. — 4. It would be a pity not to see them (construire avec think). — 5. It was pleasant to have such a large garden. — 6. It would be impossible to obey such stupid orders. — 7. It's unpleasant to get up early in winter. — 8. It was a pity that she couldn't

come (construire avec feel). — 9. It was disappointing that they should have forgotten us. — 10. It was rather amusing that he should have called you an extremist.

F Transformer les phrases suivant le modèle :
It's pleasant to listen to this music → This music is *pleasant to listen to*.

1. It's rather hard to deal with this kind of problem. — 2. It's always pleasant to look forward to a week-end at the sea-side. — 3. It won't be easy to account for those queer happenings. — 4. It was not safe to go through the forest at night. — 5. It's impossible to answer this question. — 6. It was very nice to play with those children. — 7. It was not very difficult to remember her birthday, as she was born on Christmas Day. — 8. It's not always easy to get on with them. — 9. It's rather tiring to live with those people. — 10. It will be very hard to make up for this loss.

[G] Transformer les phrases suivant le modèle :
You ought to read this book → This book is *worth reading*.

1. You ought to visit the Tate Gallery. — 2. You ought to taste this wine. — 3. You ought to keep this magazine. — 4. You ought to take the exam. — 5. You ought to inquire into this matter. — 6. You ought to remember this address. — 7. You ought to think over this suggestion. — 8. You ought to go to his lecture. — 9. You ought to try this recipe. — 10. You ought to fight for your ideas.

[H] Traduire :

1. J'ignore la raison pour laquelle il est fâché contre moi. — 2. Je suis très content d'avoir vu ce film. — 3. Je suis navré d'avoir perdu ce livre. — 4. Il nous sera facile de l'aider. — 5. Je trouve ridicule de tant dépenser pour la nourriture. — 6. Il fait trop froid pour que nous prenions le thé dans le jardin aujourd'hui. — 7. Les circonstances les ont obligés (made it necessary...) à vendre la maison de leurs parents. — 8. Je n'aurais pas la naïveté de lui faire confiance. — 9. Il est facile de s'entendre avec lui (He is...). — 10. Il est agréable de travailler avec eux. — 11. L'eau est-elle assez chaude pour que nous allions nous baigner ? — 12. C'est très gentil de sa part de nous avoir envoyé un cadeau de Noël. — 13. Cela a été idiot de sa part de faire tant d'histoires. — 14. Nous trouvons regrettable de devoir refuser leur offre. — 15. Il nous sera impossible de vous donner une réponse avant lundi. — 16. Est-il l'heure que vous partiez ? — 17. J'espère qu'il n'aura pas la stupidité d'en parler à tout le monde. — 18. Trouveriez-vous agréable qu'on vous donne de tels ordres ? — 19. Ce diamant vaut £ 100. Je croyais qu'il valait plus que cela. — 20. Ce film vaut-il la peine d'être vu ? — 21. Il pensait que le latin ne valait pas la peine d'être appris. — 22. La question de savoir s'il faut y aller par avion ou par bateau n'a pas encore été réglée. — 23. Nous ne savons toujours pas où aller l'été prochain (employer : to be uncertain). — 24. Il tient beaucoup (to be keen) à ce que sa fille épouse un pasteur. — 25. Son père tient beaucoup à ce qu'il apprenne les mathématiques modernes.

36. — LES PRONOMS PERSONNELS, RÉFLÉCHIS ET RÉCIPROQUES

1. — TABLEAU DES PRONOMS PERSONNELS ET RÉFLÉCHIS

698

I am	looking at *myself*,	the mirror is in front of *me*
You are	looking at *yourself*,	the mirror is in front of *you*
He is	looking at *himself*,	the mirror is in front of *him*
She is	looking at *herself*,	the mirror is in front of *her*
It is	looking at *itself*,	the mirror is in front of *it*
(it = a bird, a mouse, etc.)		
We are	looking at *ourselves*,	the mirror is in front of *us*
You are	looking at *yourselves*,	the mirror is in front of *you*
They are	looking at *themselves*,	the mirror is in front of *them*

699   *Remarques :* (1) Le pronom complément est semblable au pronom sujet à la 2ᵉ personne et pour le neutre de la 3ᵉ personne.

   (2) **La 2ᵉ personne du singulier**, archaïque (§ 21), étant remplacée par la 2ᵉ personne du pluriel, on se sert des mêmes formes que l'on s'adresse à une ou à plusieurs personnes. Seule exception : les pronoms réfléchis sont différents (voir 717).

   (3) Aux formes faibles des pronoms personnels (c'est-à-dire quand ils ne sont pas spécialement accentués), les *h* de *he, him* et *her* se prononcent à peine (ou pas du tout); de même parfois on ne prononce pas le *th* de *them* dans une élocution peu soignée. **Us** se prononce (et s'écrit souvent) *'s* à l'impératif (**Let's go for a walk**).

> **Then he ran away** [i'ræn, i:'ræn];
> **Give him the money** ['givim];
> **What's wrong with her** ['wiðə] ?
> **Look at them** ['lukətðəm, 'lukətəm].

2. — EMPLOIS DES PRONOMS PERSONNELS

700 (a) On n'omet que très rarement (dans des expressions familières) le pronom sujet (et l'auxiliaire s'il y en a un).

> **See what I mean ?** *Tu vois ce que je veux dire ?*
> **Coming with us ?** *Vous venez avec nous ?*
> **Like a drink ?** (= Would you like... ?). *Vous voulez boire quelque chose ?*
> **Serves you (him, them...) right.** *C'est bien fait pour toi (pour lui, pour eux...).* Le sujet *it* est sous-entendu.
> **Thank you** (= I thank you). *Merci.*
> **Bet you won't !** *Chiche !* (je te mets au défi de le faire).
> **Enjoying ourselves. Wish you were here** (sur une carte postale de vacances). *Nous nous amusons bien. Regrettons que vous ne soyez pas ici.*

701 (b) On ne répète pas le pronom personnel (« *moi, je...* »).

> *I'm* giving the orders and *he's* supposed to obey. *Moi, je donne les ordres et lui, il est censé obéir.*
>
> I know very well that they can't come early, but *you* can. *Je sais fort bien qu'eux, ils ne peuvent pas venir de bonne heure, mais vous, vous le pouvez.*
>
> Your brother's hard-working, but *you're* lazy. *Ton frère, lui, est travailleur, mais toi, tu es paresseux.*

Le sujet est mis en relief grâce à un accent tonique très fort (le mot peut être souligné ou imprimé en italiques). On peut aussi le faire suivre d'un pronom en *-self* ou de l'expression « *for my part* » (ou « *for one* »).

> I myself (= I for my part, I for one) believe that he's wrong. *Moi, je crois qu'il se trompe.*

On répète rarement plusieurs sujets sous la forme d'un pronom pluriel.

> My brother and I are very fond of chess (pas de virgule entre le dernier sujet et le verbe). *Mon frère et moi, nous aimons beaucoup les échecs.*
>
> You and I don't often agree. *Vous et moi, nous ne sommes pas souvent d'accord.*

702 (c) *Le pronom sujet peut être séparé du verbe* par un adverbe, un adjectif, un mot (ou groupe de mots) en apposition, etc. Voir plus haut : « I for my part believe... » et comparer avec notre expression : « *Je soussigné... déclare que...* » (I, the undersigned, ... declare that...).

> I, too, have been to Australia. *Moi aussi, je suis allé en Australie.*
>
> It very often rains here in April. *Il pleut très souvent ici en avril.*
>
> We very much enjoyed seeing them again. *Nous avons été très heureux de les revoir.*
>
> It alone can account for his mistake. *Cela seul peut expliquer son erreur.*
>
> How could he, one of the richest men in the Kingdom, have the slightest idea of what hunger is ? *Comment lui, l'un des hommes les plus riches du royaume, pourrait-il avoir la moindre idée de ce que c'est que la faim ?*

703 (d) Ne pas confondre les pronoms sujets et les pronoms compléments.

> *We* are going to Scotland, they are coming with *us*. *Nous allons en Ecosse, ils viennent avec nous.*
>
> Even he has understood. *Même lui a compris* (*he* est accentué).
>
> His parents want him to be a teacher but *he* would rather be an actor. *Ses parents veulent qu'il soit professeur mais lui préférerait être acteur.*

Le complément d'un comparatif est en principe à la même forme que le premier élément de comparaison (forme sujet dans la plupart des cas). Comparer :

> They find him cleverer than me (*him* et *me* sont l'un et l'autre à la forme complément). *Ils trouvent qu'il est plus intelligent que moi.*
>
> He is younger than I (*He* et *I* sont l'un et l'autre à la forme sujet). *Il est plus jeune que moi.*

Mais cette dernière construction est assez gauche. On ajoute un rappel du verbe (**younger than I am**), ou bien, dans une langue moins soignée, on emploie le pronom complément, surtout à la première personne du singulier (**younger than me**) Voir 654.

De la même façon, on remplace souvent dans la conversation le pronom sujet par le pronom complément après le verbe *to be* et après « *nobody but* », « *everybody but* »... quand le verbe est sous-entendu.

> **Who's there ? — It's me** ("It's I", plus correct, serait trop pédant). *Qui est là ? — C'est moi.*
>
> **Nobody has done it, — nobody but him** (plus couramment que **he**). *Personne ne l'a fait, sauf lui.*
>
> Mais devant le verbe : **Nobody but he has done it** (toutefois « **Nobody but him...** » est une incorrection assez courante). *Personne d'autre que lui ne l'a fait.*

N.B. Les personnes qui veulent éviter tout risque de dire *me* au lieu de *I* (faute qu'elles considèrent comme vulgaire) versent parfois dans l'excès contraire, et on entend parfois « **between you and I** ».

> **'It is a wonderful moment for my husband and I** (sic)...' (dans un discours de la reine Elizabeth II).

Si le pronom sujet est mis en relief grâce à l'expression « *it is... who...* », on ne le remplace pas par un pronom complément.

> **It was I who did it.** *C'est moi qui l'ai fait* (433).

704 (e) Le *pronom complément* est placé *après le verbe*.

> *Les voyez-vous ?* **Can you see them ?**
> *Je l'attends.* **I'm waiting for him.**
> *Ils nous ont écrit.* **They've written to us.**

Attention à l'ordre des mots dans :

> **Give me your cup.** *Donnez-moi votre tasse.*
> **Give it to me.** *Donnez-la moi.*

On dit aussi familièrement « **Give me it** », et, dans une langue plus relâchée, « **Give it me** ». Voir 492.

705 (f) On n'accentue pas les pronoms sujets ou compléments, sauf si l'on a une raison spéciale de les mettre en relief.

Comparer :

> **Look at them** ['lukətðəm]. *Regardez-les.*

et :

> **You must look at them** ['ðem], **not at me** ['miː]. *C'est eux que vous devez regarder, et non pas moi.*
> **I did it.** *C'est moi qui l'ai fait.*

Dans ce dernier exemple l'italique (ou simplement le contexte) indique que le pronom porte l'accent tonique de la phrase.

Le pronom sujet accentué, suivi d'un auxiliaire, s'emploie pour répondre à des questions commençant par « *Who... ?* ».

> **Who has seen this film ? — I have.** *Qui a vu ce film ? — Moi.*
> **Who helped you ? — He did.** *Qui vous a aidé ? — Lui.*

706 (g) Le schéma « *numéral + of + pronom complément* » permet de combiner un nombre avec un pronom personnel.

> **The four of us were there.** *Nous y étions tous les quatre.*
> **Both of you** (= **The two of you**) **are very clever.** *Vous êtes tous les deux très intelligents.*
> **There were twenty of them.** *Ils étaient vingt.* (« **they were twenty** » signifie généralement « **they were twenty years old** »).

Ne pas confondre « **three of us** » *(trois d'entre nous)* et « **the three of us** » *(nous trois)*. « **The two of them** » = « **both of them** » *(eux deux)*.

On construit de même (avec **of + pronom complément**) les pronoms indéfinis (« quantifiers », leçon 39) exprimant un nombre vague : **all, every one, many, most, several, a few, few, some, any, none, either, neither,** etc.

> **Few of them.** *Peu d'entre eux.*
> **A few of them.** *Quelques-uns d'entre eux.*
> **Most of us.** *La plupart d'entre nous.*
> **None of us.** *Aucun d'entre nous.*
> **Any of you.** *N'importe lequel d'entre vous.*
> **Every one** (en deux mots devant **of**) **of you.** *Vous tous, sans exception.*

Voir aussi 831 (construction double de **all** et **both** avec un pronom personnel).

707 (h) **It** s'emploie :

(1) pour remplacer un **nom de genre neutre** (objet, animal, abstraction non personnifiée).

> **I like their house, it's very comfortable.** *J'aime leur maison, elle est très confortable.*

On ne sous-entend pas le pronom **it** après les prépositions (**with, under, in,** etc.), qui ne peuvent s'employer seules.

> **We opened the box, but there was nothing in it.** *Nous avons ouvert la boîte, mais il n'y avait rien dedans.*
> **When the waitress took the plate away she found a florin under it.** *Quand la serveuse enleva l'assiette elle trouva dessous une pièce de 2 shillings.*

(2) pour servir de sujet aux **verbes de sens impersonnel.**

> **It's raining again.** *Il recommence à pleuvoir.*

(3) pour introduire des **tournures impersonnelles** comportant un **adjectif** ou un **nom**.

> **It would be silly to refuse.** *Ce serait stupide de refuser.*
> **It's a great pity not to take the opportunity.** *Il est bien dommage de ne pas profiter de l'occasion.*

708 (4) pour introduire un **adjectif** ou un **nom attribut d'un infinitif ou d'une subordonnée.**

> **You'll find it difficult to get used to (it).** *Vous trouverez difficile de vous y habituer* (688).
> **We find it a pity that she can't come.** *Nous trouvons qu'il est dommage qu'elle ne puisse pas venir* (692).

Noter les constructions voisines :

> **And since then he had not found it in him to go away** (Carson McCullers). *Et depuis lors, il n'avait pas eu le courage de partir.*
> **He had got it into his head that we had deceived him.** *Il s'était mis dans la tête que nous l'avions trompé.* Voir 307 (dernier exemple).
> **We can take it for granted** (= **take it as read** [red]) **that he'll agree.** *Nous pouvons présumer qu'il sera d'accord.*
> **I'll see to it** (ou : **I'll see**) **that he doesn't disturb you again.** *Je veillerai à ce qu'il ne vous dérange plus.*
> **I've heard it said** (ou plus simplement : **I've heard**) **that you can't go there any longer.** *J'ai entendu dire qu'il n'est plus possible d'y aller.*

Exception : *it* ne s'emploie pas dans les expressions « *to see fit to* », « *to think fit to* » (688).

709   (5) dans un sens très vague, surtout dans des *expressions idiomatiques.*

Damn it ! I've forgotten my key. *Zut ! J'ai oublié ma clef.*
Come off it ! *Soyons sérieux ! (Cessez de jouer la comédie).*
There's more to it than meets the eye. *On ne voit pas le dessous des cartes.*
Let's face it. *Regardons les choses en face.*
It's too late now, we've had it ! *C'est trop tard maintenant, c'est fichu !*
I had it out with them. *J'ai tiré les choses au clair avec eux.*
He had it in for me. *Il m'en voulait.*
Take it easy. *Ne t'en fais pas* (américanisme, courant aussi en Angleterre).
Tradition has it that... *La tradition veut que...*
He's lazy, that's all there is to it. *Il est paresseux, voilà tout.*
The worst of it is that we can't do anything for them. *Le pire, c'est que nous ne pouvons rien faire pour eux.*
He got the worst (≠ **the better**) **of it.** *Il eut le dessous (le dessus).* Voir 662.
We had a hectic time of it. *Ça a été très mouvementé.*
The shame of it ! *Quelle honte !*

On l'emploie aussi après des noms et adjectifs employés comme verbes.

We had to foot it. *Il a fallu y aller à pied.*
He wanted to lord it over us. *Il a voulu le prendre de haut avec nous.*
He had to rough it at first. *Au début il a mangé de la vache enragée.*

710   (6) pour introduire le nom d'une *personne que l'on mentionne pour la première fois* dans le contexte. Comparer :

Somebody's knocking at the door, it's probably Mr Jones. *On frappe, c'est probablement Mr Jones.*
I don't like his brother, he's a very conceited man. *Je n'aime pas son frère, c'est un homme très vaniteux* (**he**, et non *it*, l'identité de la personne ayant déjà été précisée par le nom « **brother** »).

711   (7) Ne pas confondre *it* (qui remplace un nom) avec *so* (qui peut remplacer une proposition subordonnée après certains verbes; voir 178).

This story is very funny but I don't believe *it* (it = this story). *Cette histoire est très drôle mais je n'y crois pas.*
Do you think he is likely to succeed ? — No, I don't think *so* (so = that he is likely to succeed). *Croyez-vous qu'il ait des chances de réussir ? — Non, je ne le crois pas.*

It peut aussi remplacer un adjectif attribut (voir 626).

''**I hope you're well. You look it**'' (A. Huxley). *J'espère que vous êtes en forme. Vous en avez l'air.*

712 (i) Le pronom *it* ne s'emploie pas :

(1) quand le sujet du verbe est une *proposition commençant par what.*

What I like best about them is their bluntness. *Ce que j'apprécie le plus chez eux, c'est leur franc-parler* (la proposition sujet n'est pas reprise sous la forme d'un pronom neutre; il n'y a pas de virgule).

(2) comme complément d'une *proposition infinitive introduite par for.*

I've left a paper on your desk for you to read. *J'ai laissé un journal sur votre bureau pour que vous le lisiez.*

378

L'emploi de *it* (**for you to read it**) suggèrerait que l'on s'attend à ce que l'interlocuteur lise le journal. L'omission de *it* suggère qu'on lui en offre simplement la possibilité.

713   (3) après **as** introduisant une proposition, après **as** ou ***than*** introduisant le complément d'un comparatif (le verbe est souvent ***to be***).

He never works more than is necessary. *Il ne travaille jamais plus qu'il n'est nécessaire.*

... as far as lies in my power. *... dans la mesure où cela dépend de moi.*

I was driving much faster than was safe. *Je roulais beaucoup plus vite qu'il n'était prudent.*

As might have been expected... *Comme on aurait pu s'y attendre...*

As often happens... *Ainsi que cela se produit souvent...*

As is the custom... *Comme c'est la coutume...*

They have prejudices against the Welsh, as is well known. *Ils ont des préjugés contre les Gallois, comme chacun sait.*

714   (4) pour traduire un certain nombre d'expressions impersonnelles en français *(l'anglais a beaucoup moins d'expressions impersonnelles).*

Il faut que vous veniez. **You must come.**

Il se peut qu'ils soient en retard. **They may be late.**

Il manque deux livres. **Two books are missing.**

Il me manque dix cents. **I am ten cents short.**

Il ne reste rien. **There is nothing left.**

Il nous reste vingt minutes. **We have twenty minutes left.**

Il s'est révélé qu'ils étaient cousins germains. **They turned out to be first cousins.**

Il se trouve que je le connais. **I happen to know him.**

Quelques expressions impersonnelles dans les deux langues :

It occurred to me that... *Il me vint à l'esprit que...*

It struck me that... (= **it flashed through my mind that...**). *Il me sembla soudain que...*

It took me an hour to do it. *Il m'a fallu une heure pour le faire.*

It takes all sorts to make a world (prov.). *Il faut de tout pour faire un monde.*

715 (j) Le pronom *you*, accentué, peut précéder un nom mis en apostrophe.

You liar ! *Menteur !*

Il n'est suivi d'un adjectif seul que lorsque le nom reste sous-entendu pour éviter d'être grossier.

You stupid — !! (cf.« *Espèce de... !* »).

Dans les autres cas l'adjectif placé après *you* doit être suivi d'un nom.

Paresseux ! **You lazy boy !**

716 (k) Traduction des pronoms *en* et *y*.

En remplace « *de* + complément », *y* remplace « *à* + complément ». Pour les traduire, bâtir la phrase selon la construction propre au verbe, au nom ou à l'adjectif.

Je m'en souviens. **I remember it.**

Vous ne devez pas vous en inquiéter. **You shouldn't worry about it.**

Il ne s'en est jamais remis. **He never recovered from it.**

J'en suis fier. **I am proud of it.**

Rends-moi mon dictionnaire, j'en ai besoin. **Give me my dictionary back, I need it.**

Nous nous y attendions. **We were expecting it.**

Y avez-vous pensé ? **Did you think of it ?**

Vous vous y habituerez. **You will get used to it.**

N.B. *Y* est aussi un adverbe (*J'y vais demain.* **I'm going there tomorrow**).

Pour les autres emplois et traductions de *en*, voir 876 et 877.

---

3. — LES PRONOMS RÉFLÉCHIS, OU « PRONOMS EN -SELF »

717 (a) En observant le tableau du § 698 on remarque que les pronoms réfléchis de la 3ᵉ personne se forment à partir des *pronoms compléments* (**him, her, it, them**), alors que ceux des autres personnes se forment à partir des *adjectifs possessifs* (**my, our, your**).

Le suffixe (-*self* au singulier, -*selves* au pluriel) est toujours accentué.

C'est le seul cas où à la 2ᵉ personne il soit possible de faire une différence entre un interlocuteur singulier et un pluriel.

Enjoy yourself et **Enjoy yourselves** se traduisent en français de la même façon *(Amusez-vous bien)*, à moins que l'on n'emploie le tutoiement.

Self s'emploie comme *préfixe* pour former des noms et adjectifs composés.

noms :

self-control, *le sang-froid;* **self-government,** *l'autonomie;* **self-denial,** *l'abnégation;* **self-respect,** *la dignité, l'amour-propre,* etc.

adjectifs :

self-confident, *sûr de soi;* **self-centred,** *égocentrique;* **self-conscious,** *intimidé (par le regard des autres);* **self-styled,** *soi-disant,* etc.

718 (b) Avec certains verbes le pronom terminé par -*self*/-*selves* a un sens nettement *réfléchi* (une même personne, ou une même chose, est à la fois sujet et objet du verbe).

I wish you could see yourself. *Si seulement vous pouviez vous voir !*

He taught himself Spanish. *Il a appris l'espagnol tout seul.*

Help yourself to some more. *Reprenez-en.*

I cursed myself for being such a fool. *Je m'en voulais d'avoir été si bête.*

I couldn't hear myself speak. *Je ne m'entendais pas parler.*

Ne pas confondre :

He killed himself (= he committed suicide).

et :

He was killed (in an accident).

Les pronoms réfléchis peuvent s'employer dans des *structures résultatives.*

He shouted himself hoarse. *Il s'enroua à force de hurler* (520).

The baby cried itself to sleep. *Le bébé s'endormit à force de pleurer.*

On les emploie dans la structure causative « *make* + *pronom réfléchi* + *participe passé* » (voir 510, d).

I could't make myself understood. *Je n'arrivais pas à me faire comprendre.*

Les pronoms réfléchis peuvent être *compléments d'attribution.*

She poured herself a second cup. *Elle se versa une seconde tasse.*

I'm going to buy myself a cine-camera. *Je vais m'acheter une caméra.*

719 ⓒ Le pronom en -*self* permet souvent d'*insister sur le sujet*. Il n'a pas alors de sens réfléchi.

> **I'll do it myself.** *Je le ferai moi-même.*
> **They said it themselves.** *Ils l'ont dit eux-mêmes.*
> **I have never been to Australia myself** (ou : **I myself have never been...**, 702). *Moi, je ne suis jamais allé en Australie.*
> **There were three of us, my two brothers and myself** (= **and I**; dans une langue moins soignée : **and me**). *Nous étions trois, mes deux frères et moi.*

720 ⓓ Le pronom en -*self* a un sens affaibli dans un petit nombre d'*expressions pronominales* (dont le sens n'est pas réfléchi).

> **Did you enjoy yourselves ?** *Vous êtes-vous bien amusés ?*
> **Brace yourself for the shock (the sad news...).** *Préparez-vous* (ou : *Rassemblez votre courage*) *pour le choc* (*la triste nouvelle...*).
> **Behave yourselves** (ou : **Behave**). *Conduisez-vous bien* (Mais sans pronom : **How did he behave ?** *Comment s'est-il conduit ?*).
> **You should avail yourself of every opportunity to practise your English** (langue écrite soignée). *Vous devriez profiter de toutes les occasions de pratiquer votre anglais.*

L'expression « **he seated himself near the window** » (= he sat down...) appartient à la langue littéraire.

La plupart de nos verbes pronominaux correspondent à des verbes anglais (transitifs ou intransitifs) construits sans pronom réfléchi : **to dress** *(s'habiller),* **to remember** *(se rappeler),* **to wonder** *(se demander),* etc. Comparer :

> **It took him ten minutes to shave and dress.** *Il lui fallut dix minutes pour se raser et s'habiller.*
> **Dicky is now big enough to dress himself.** *Dicky est maintenant assez grand pour s'habiller tout seul.*

721 ⓔ "*By* + *pronom en* -*self*" = *tout seul* (alone, or without any help).

> **Did she spend the evening by herself** (= **all by herself**) ? *A-t-elle passé la soirée seule ?*
> **I'm by myself, they've all gone for a walk.** *Je suis tout seul, ils sont tous partis se promener.*
> **They put out the fire by themselves before the fire-brigade arrived.** *Ils éteignirent le feu tout seuls avant l'arrivée des pompiers.*

N.B. Noter aussi les expressions « **he was beside himself** » (**with rage**, etc.), *il était hors de lui;* et « **between ourselves** », ou « **between our two selves** » (= between you and me), *entre nous* (= *ne le répétez pas*).

Pour « *among* + *pronom réfléchi pluriel* », voir 727.

722 ⓕ Après une préposition (en dehors des cas étudiés au § 721) on emploie un pronom complément (**him** et non **himself**, etc.) si le sens n'est pas réfléchi. C'est le cas notamment des prépositions de lieu.

> **She put her cup down on a small table near her** (et non « herself »). *Elle posa sa tasse sur une petite table près d'elle.*
> **He looked around him** (et non « himself »). *Il regarda tout autour de lui.*

Mais (sens réfléchi) :

> **He can only speak about himself.** *Il ne sait parler que de lui.*

(g) Noter le schéma *« adjectif possessif + adjectif qualificatif + self »*.

I was not my normal self. *Je n'étais pas dans mon état habituel.*
He was his old jovial self again. *Il avait retrouvé sa jovialité habituelle.*

---

4. — LES PRONOMS RÉCIPROQUES

723 (a) *Each other* et *one another* sont des expressions invariables dont le sens est pluriel (échange d'actions, de sentiments, etc., entre deux ou plusieurs sujets). En principe on emploie *each other* quand il y a deux sujets **(John and Jennie love each other)**, *one another* quand il y en a plus de deux **(Christ said we ought to love one another)**, mais aujourd'hui ces expressions sont pratiquement synonymes.

They hate each other (= **They hate one another**). *Il se haïssent.*

Ne pas confondre :

They killed themselves (= they committed suicide).
They killed one another. *Ils s'entretuèrent.*

They blamed themselves. *Ils se sentaient responsables.*
They blamed each other. *Ils se rejetaient la responsabilité.*

724 (b) Ces expressions composées sont *inséparables*, en particulier quand elles sont employées avec des prépositions.

The dog and the cat are afraid of each other. *Le chien et le chat ont peur l'un de l'autre.*
They were running after one another. *Ils couraient les uns après les autres.*
We sat opposite one another. *Nous étions assis face à face.*
They look like each other. *Ils se ressemblent.*
They loathe the sight of each other, they make life hell for each other. *Ils ne peuvent pas se sentir, ils s'empoisonnent mutuellement l'existence.*

725 (c) Les pronoms réciproques peuvent se mettre au *cas possessif* (§ 736).

They threw themselves into each other's arms. *Ils se jetèrent dans les bras l'un de l'autre.*
We often pull each other's leg. *Nous nous faisons souvent des farces les uns aux autres.*
They meet at one another's houses. *Ils se réunissent les uns chez les autres.*

726 (d) Certains verbes s'emploient *seuls* avec un *sens réciproque*.

We met at the bus-stop. *Nous nous sommes rencontrés à l'arrêt de l'autobus.*
What did they quarrel about? *A quel propos se sont-ils querellés ?*

De même : **to gather** *(se rassembler),* **to part** *(se séparer),* **to fight** *(se battre),* etc.

727 (e) Après *among* le pronom *réfléchi* pluriel prend un *sens réciproque*.

They were always quarrelling among themselves. *Ils ne cessaient de se quereller.*
You must agree among yourselves. *Il faut vous entendre entre vous.*

Après *between* (sens réciproque) on emploie un pronom complément.

They discussed the problem between them (et non « themselves »). *Ils discutèrent le problème entre eux.*

---

5. — ONE, PRONOM PERSONNEL

728 (a) **One** est un pronom personnel indéfini, sujet ou complément, à sens général, parfois appelé « impersonal pronoun ». Il s'emploie en particulier dans des sentences, des proverbes.

One never knows. *On ne sait jamais.*

One can always try. *On peut toujours essayer.*

Money isn't enough to make one happy. *L'argent ne suffit pas pour rendre heureux.*

One doesn't like to have a big lorry in front of one. *On n'aime pas avoir un gros camion devant soi.*

« **I realised at once there was someone in the room. One does very easily when one is blind** » (A. Christie). *Je m'aperçus immédiatement qu'il y avait quelqu'un dans la pièce. C'est très facile quand on est aveugle.*

Dans la langue familière **one** est souvent remplacé par un autre pronom **(You never know. We can always try...)**, qui prend alors un sens général (Pour les autres façons de traduire notre pronom *on*, voir 428).

On doit l'employer, à l'exclusion des pronoms **him, her, it, them,** quand la phrase est à un *mode impersonnel* (infinitif, gérondif...).

To have the future in front of one. *Avoir l'avenir devant soi.*

729 (b) **One** peut se mettre au *cas possessif.*

It is difficult to make up one's mind so quickly. *Il est difficile de se décider si rapidement.*

Running after one's hat on a windy day makes one feel silly. *Courir après son chapeau un jour de grand vent, cela vous donne l'impression d'être ridicule.*

« **Who should one leave one's money to except one's own flesh and blood ? Blood is thicker than water** ». (A. Christie). *A qui léguer son argent si ce n'est à sa famille ? Les liens du sang sont les plus forts.*

C'est avec cette construction que sont donnés dans les dictionnaires les verbes suivis de noms accompagnés de possessifs.

To blow one's nose. *Se moucher* (mais avec un sujet : **he blew his nose, we blew our noses,** etc.).

To rack one's brains. *Se creuser la cervelle.*

730 (c) Le pronom réfléchi *oneself* (rarement : « one's self ») doit s'employer avec un verbe à un mode impersonnel ou lorsque le sujet est *one.*

Teaching oneself Russian (= Learning Russian by oneself) is no easy task. *Apprendre le russe tout seul n'est pas une tâche facile.*

It's awful to find oneself locked out at 2 a.m. *Il est affreux de se trouver dehors devant sa porte fermée à clef à 2 heures du matin.*

One should not talk about oneself too much. *On ne doit pas trop parler de soi.*

N.B. En américain on emploie souvent **him, his, himself** quand le sujet est *one* (Définition de l'expression « **the biter bit** » dans le Random House Dictionary, de New York : « **a situation in which *one* injures *himself* while trying to injure another** »).

EXERCICES

[A] Ajouter le pronom *it* quand c'est nécessaire :
1. We all found... very unpleasant to have to leave so early. — 2. The road was flooded, as... often happens in winter. — 3. He spoke more than... was wise when he was with strangers. — 4. I took... for granted that they would come to the party. — 5. I've heard... said that she's going to be married again. — 6. She won the first prize, as... had been expected by us all. — 7. He always knocked at the door louder than... was necessary. — 8. I found... encouraging to understand most of the film without having to read the subtitles. — 9. The Scots hate wasting their money, as... is well-known. — 10. The exam turned out to be easier than... had been expected. — 11. We found... stupid to have waited so long. — 12. They had got... into their heads that German would be too difficult for them.

B Compléter avec des pronoms réfléchis.
1. She blamed... for the accident. — 2. Look at your umbrella ! You should buy... a new one. — 3. They lost the match and were ashamed of... — 4. Can I have some more jelly ? — Help... — 5. There's no reason why one should be ashamed of... because one is left-handed. — 6. Who taught you Latin ? — I taught... — 7. « God helps those who help... » (proverbe). — 8. You must all be hungry, go to the kitchen and help... — 9. There was so much noise, I couldn't make... heard. — 10. Stop eating, John, you'll eat... sick. — 11. It's bad manners to talk about... too much. — 12. The door opens... when someone comes near it. — 13. Does he expect us to work... to death ? — 14. She made... a cup of tea and cut... a piece of cake. — 15. We have done our duty, we have nothing to reproach... with.

[C] Traduire :
1. Lui et moi, nous sommes de très bons amis. — 2. Est-ce lui ou elle qui a dit cela ? — 3. Je voudrais bien savoir ce que lui, il en pense. — 4. Eux, ils restent jusqu'à la fin du mois, mais nous, nous devons partir dimanche. — 5. Moi, je ne me suis pas encore décidé. — 6. Vous, les Français, vous ne savez pas ce que c'est que le thé. — 7. Moi, j'ai toujours tort, et toi, tu as toujours raison. — 8. Elle et moi, nous sommes nés dans le même village. — 9. Est-ce à moi que vous dites cela ? — 10. Je me demande ce que lui, il ferait s'il était ici. — 11. Moi seul, je sais ce qui s'est passé. — 12. Elle joue mieux que lui. Je la trouve plus douée que lui. — 13. Lui et moi, nous nous connaissons depuis plus de quinze ans. — 14. Même lui, il reconnaît que j'ai raison. — 15. Nous aussi, nous apprenons les mathématiques modernes.

[D] Traduire.
1. Nous aurions dû leur écrire nous-mêmes. — 2. Je me disais que j'avais eu beaucoup de chance. — 3. Ils se téléphonent dix fois par jour. — 4. Ce couteau coupe très bien. Ne vous coupez pas. — 5. Nous ne pouvons nous en prendre qu'à nous-mêmes. — 6. Je me demandais à qui elle parlait, mais je m'aperçus qu'elle parlait toute seule. — 7. On devrait toujours garder son passeport sur soi. — 8. Ils cherchaient mutuellement à se voler leur documents secrets. — 9. Ils vivent repliés sur eux-mêmes. — 10. Nous nous connaissons depuis longtemps, mais nous ne nous écrivons pas très souvent. — 11. C'est un mari égoïste, il ne pense qu'à lui. — 12. Il se voyait déjà président du club. — 13. Nous nous voyons au stade tous les samedis. — 14. Elle était assise toute seule dans un angle de la pièce. — 15. Ils chuchotaient entre eux. — 16. Je n'y avais jamais songé. — 17. Il m'a dit que c'était vrai, mais j'en doute. — 18. J'ai acheté un nouvel appareil photo, j'en suis satisfait. — 19. Cela a été un grand succès, personne ne s'y attendait. — 20. Prends la voiture, je ne m'en servirai pas aujourd'hui.

37. — LE GÉNITIF. NOTION DE POSSESSION.

731 A une question commençant par l'interrogatif **whose** *(à qui... ?)* correspondent des réponses comportant :

    (1) un nom au *génitif (cas possessif),*
    (2) un nom accompagné d'un *adjectif possessif,*
ou (3) un *pronom possessif.*

> **Whose umbrella is this ?** (ou : **Whose is this umbrella ?**) *A qui est ce parapluie ?* (754).
> (1) **It's John's (umbrella).** *C'est celui de John* (732, 737).
> (2) **It's my umbrella.** *C'est mon parapluie* (744).
> (3) **It's mine.** *C'est le mien* (752).

La possession peut aussi s'exprimer à l'aide des verbes **to belong** et **to own.**

> **Does the house belong to you ? — No, it belongs to my father.** *La maison vous appartient-elle ? — Non, elle appartient à mon père* (voir aussi 502).
> **Who owns this factory ?** *A qui appartient* (= *qui possède) cette usine ?*

Pour le verbe **to have** exprimant la possession (ses formes interrogative et négative, sa construction avec **got**), voir 54.

1. — LE GÉNITIF DES NOMS (CAS POSSESSIF)

732 Le génitif des noms (noms terminés par un **suffixe à sifflante** phonétiquement semblable à la marque du pluriel mais orthographié *'s* ou *s'*) s'emploie surtout pour exprimer un *rapport de possession ou de parenté.* On l'appelle alors aussi *« cas possessif ».* Les autres emplois du génitif seront étudiés au § 743.

(a) *Formation.* La prononciation du suffixe suit les mêmes règles que pour l's du pluriel des noms ou celui de la 3ᵉ personne du singulier des verbes (§ 9). **Girl's** se prononce comme **girls, mistress's** comme **mistresses, judge's** comme **judges.**

Le génitif sert de *déterminant* au nom qui le suit. Sa position par rapport à ce nom est comparable à celle d'un adjectif déterminatif.

    (1) *Possesseur singulier* :

> **Derek's** ['deriks] **car.** *La voiture de Derek* (la tournure « the car of Derek » est très gauche et extrêmement rare).
> **Jane's** [dʒeinz] **camera.** *L'appareil photo de Jane.*
> **George's** ['dʒɔːdʒiz] **wife.** *La femme de George.*
> **Mrs Church's** ['tʃəːtʃiz] **children.** *Les enfants de Mrs Church.*

On remarque que le « possesseur » (ce terme étant employé dans un sens vague dans les deux derniers exemples) est placé le premier, qu'il est suivi de *'s,* et que le deuxième nom perd son article. Si l'expression est précédée d'un article, celui-ci appartient donc au « possesseur » (voir toutefois 739).

> **The Queen's coach.** *Le carrosse de la Reine.*
> **The boss's** ['bɔsiz] **son.** *Le fils du patron.*

Chaque nom peut être accompagné d'un ou plusieurs adjectifs.

> **The old woman's little house.** *La petite maison de la vieille femme.*

Le nom du possesseur peut être une expression formée avec *of.*

The Queen of England's husband and children. *Le mari et les enfants de la reine d'Angleterre.*

The Lord Mayor of London's coach. *Le carrosse du lord maire de Londres.*

(2) *Possesseur pluriel* :

Our friends' house. *La maison de nos amis.*

On remarque que le nom du possesseur est simplement suivi d'une apostrophe après l'*s* du pluriel. « **Our friends' house** » se prononce comme « **our friend's house** » *(la maison de notre ami)*. Pour éviter toute ambiguïté on peut dire « **the house of our friends** », mais on préfère éviter cette tournure gauche quand le contexte est suffisamment clair.

Le possesseur pluriel peut être le nom d'une famille précédé de l'article. Ne pas confondre :

{ **Mr Morgan's house.** *La maison de Mr Morgan.*
The Morgans' house. *La maison des Morgan* (550, 9°).
The Morgan family. *La famille Morgan* (dans ce dernier cas il n'y a aucun rapport de possession entre les deux noms, on n'a donc pas de cas possessif, mais un nom composé).

(3) *Cas particuliers.*

733 ● *Les pluriels irréguliers* non terminés par un *s* forment leur génitif comme les singuliers (il faut toujours faire entendre une sifflante).

The children's toys. *Les jouets des enfants.*
The women's dresses. *Les robes des femmes.*
Other people's misfortunes. *Les malheurs des autres.*
The mothers-in-law's dresses. *Les robes des belles-mères* (579).
The passers-by's umbrellas. *Les parapluies des passants* (579).

● *Les noms propres* terminés par un *s* ajoutent normalement le suffixe *'s*, prononcé [iz].

Charles's ['tʃɑːlziz] **brothers.** *Les frères de Charles* (comparer avec la prononciation de « George's wife »).
Mrs Jones's ['dʒounziz] **husband.** *Le mari de Mrs Jones.*

Toutefois l'usage varie pour les noms de personnages célèbres, notamment les noms d'origine classique ou biblique, pour lesquels il ne pourrait y avoir aucune ambiguïté, ainsi que certains noms étrangers.

Dickens' novels, Keats' poems, H.G. Wells' opinions, plus couramment que Dickens's novels, etc. (Toutefois le génitif « régulier » est moins rare quand le nom est monosyllabique : « **Keats's poems** » se rencontre plus souvent que « Dickens's novels »).
Sophocles' tragedies, Socrates' death (seule construction pour les noms grecs en -*es*).
In Jesus' time, ou : **In Jesus's** ['dʒiːzəsiz] **time.**
Moses' laws; for Jesus' sake (seules formes possibles).
Beethoven's Ninth and Brahms' First (symphonies).

(4) On emploie parfois deux génitifs qui s'enchaînent. Le deuxième nom exprime alors généralement un lien de parenté.

My father's uncle's house. *La maison de l'oncle de mon père.*
Betty's brother's motor-bike. *La moto du frère de Betty.*

(5) Noter l'emploi de *to* exprimant un lien entre deux personnes dans « **Edgar, son to Gloster** » (personnages de « King Lear », archaïsme), **secretary to the manager, apprentice to a joiner** (rapports d'employé à employeur), « **Twinings,**

386

teamen to connoisseurs for over 280 years » (rapports de firme à clients),
« Silversmiths (by appointment) to the Queen », etc.

734 (b) *Emplois.*

(1) Le génitif ne s'emploie normalement que pour *un nom de personne* (*ou d'animal* que l'on considère plus comme une personne que comme un objet, 572).

My sister's husband. *Le mari de ma sœur.*
The dog's tail. *La queue du chien.*
The monkey's paw. *La patte du singe* (ou : *la patte de singe*, « génitif générique », voir 739).
Mais : The leg of the table (ou, couramment : the table-leg). *Le pied de la table* (noms d'objets).
The windows of my bedroom. *Les fenêtres de ma chambre* (ou : my bedroom windows, nom composé).
The freedom of the press (noms abstraits).

Toutefois certains noms neutres (noms de pays ou de villes, institutions, abstractions) sont parfois personnifiés (573). On peut alors les employer au génitif.

England's history (mais dans un titre : The History of England).
The Church's future ['tʃəːtʃiz] (ou : the future of the Church).

On emploie aussi le génitif dans des *expressions traditionnelles* (notamment avec des noms d'animaux ou de parties du corps, ou suivis de *end, edge, sake*).

The bull's eye. *Le centre de la cible.*
The lion's share. *La part du lion* (génitif générique, 739).
A bird's eye view. *Une vue à vol d'oiseau.*
He enjoyed himself to his heart's content. *Il s'en est donné à cœur joie.*
At arm's length. *A bout de bras.*
He was at his wits' end. *Il ne savait plus à quel saint se vouer.*
Our journey's end (style littéraire). *La fin de notre voyage.*
The water's edge. *Le bord de l'eau.*
'The Razor's Edge' (roman de W. Somerset Maugham). *Le Fil du rasoir.*
Art for art's sake. *L'art pour l'art.*
For Heaven's sake (= for goodness' sake, for God's sake). *Pour l'amour de Dieu.* Remarquer « goodness' » et non « goodness's », dans cette expression idiomatique. On écrit parfois « for goodness sake », sans apostrophe.

Une somme d'argent peut se construire au génitif, suivie de *worth.*

Give me a pound's worth (mais : fifty pence worth, sans apostrophe) of sweets. *Donnez-moi pour une livre (pour 50 pence) de bonbons.*
I want my money's worth. *J'en veux pour mon argent.*

735 (2) Le génitif ne s'emploie pas avec les adjectifs substantivés à sens collectif (633, 634).

The Country of the Blind (nouvelle de H.G. Wells). *Le Pays des Aveugles.*
The favourite hobbies of the English (ou : English people's favourite hobbies). *Les passe-temps favoris des Anglais.*

736 (3) On peut construire au génitif les pronoms *somebody (nobody, anybody), somebody else, everybody, each other* et *one another* (pour *one's*, voir 729).

It's everybody's responsibility. *C'est la responsabilité de tous.*
He took somebody else's hat and ran out. *Il prit le chapeau de quelqu'un d'autre et sortit en courant.*
It's nobody's business but our own. *Cela ne regarde que nous.*

They were throwing cups and saucers at each other's faces. *Ils se lançaient au visage des tasses et des soucoupes* (voir 725).

737   (4) On sous-entend le deuxième nom *(génitif elliptique)* quand il a déjà été exprimé et que sa répétition n'est pas indispensable pour la clarté de la phrase (en français : *celui de, celle de...*).

I can hear a car, I think it's the doctor's. *J'entends une voiture, je crois que c'est celle du docteur.*

This isn't your pen, it's John's. *Ce stylo n'est pas à toi, c'est celui de John.*

Ne pas confondre :

John and Mary's parents. *Les parents de John et de Mary* (frère et sœur).

John's parents and Mary's (ou : **John's and Mary's parents**). *Les parents de John et ceux de Mary.*

Un génitif elliptique peut être placé en tête de phrase.

Mrs Morgan's is a very old cat. *Le chat de Mrs Morgan est très vieux.*

Remarquer que le pronom *one*, qui remplace un nom après un adjectif, *ne s'emploie pas après un génitif elliptique.* Comparer :

This suitcase is too small, give me a bigger one. *Cette valise est trop petite, donne-m'en une plus grande.*

My suitcase is smaller than Margaret's. *Ma valise est plus petite que celle de Margaret.*

738   (5) *Le génitif elliptique* s'emploie notamment lorsqu'on sous-entend (mais sans qu'ils aient été exprimés auparavant) les noms **shop, store, house, church, cathedral, school, college, hospital,** à moins que ces mots ne soient indispensables à la clarté de la phrase.

She is at the chemist's. *Elle est chez le pharmacien.*

I bought this book at Smith's. *J'ai acheté ce livre chez Smith.*

I must go to the hairdresser's. *Il faut que j'aille chez le coiffeur.*

He spends his holidays at his uncle's. *Il passe ses vacances chez son oncle* (voir « Traduction de *chez* », 874).

Is St Dunstan's far from St Paul's ? *L'église St Dunstan est-elle loin de la cathédrale St Paul ?*

The quad of St John's. *La cour d'honneur du « college » St John* (à Oxford ou à Cambridge).

Quand le premier élément est un nom propre, l'apostrophe est parfois omise dans les noms de magasins, de firmes.

Selfridges (= Selfridge's), **Cooks** (= Cook's), etc.

(6) Un nom au génitif peut être *suivi d'un gérondif,* dans une langue très soignée (384).

Ken's coming with us disturbed our plans. *Le fait que Ken nous ait accompagné a dérangé nos projets.*

(7) On ne peut faire suivre un cas possessif d'un pronom relatif que si ce dernier a pour antécédent le deuxième nom.

« *La mère des deux enfants qui ont joué la sonate* » ne peut se traduire par : « the two children's mother who... » (expression dans laquelle l'antécédent de who serait mother). Dire « **The mother of the two children who played the sonata** ».

739   (8) *Le génitif générique.* — Dans les cas étudiés ci-dessus le génitif détermine avec précision le nom qui le suit. C'est ce qu'on appelle parfois un *génitif* *déterminatif* (**John's car, my neighbours' children** : nous savons de quelle voiture, de quels enfants il s'agit). Mais le premier élément peut se contenter de préciser la catégorie à laquelle appartient le second, sans l'individualiser. C'est alors un *génitif générique*, qui est en fait une *sorte de nom composé*. L'article et les adjectifs qui précèdent un génitif générique s'appliquent à l'ensemble de l'expression, dont les termes sont étroitement unis, et non au premier terme comme c'est le cas pour un génitif déterminatif.

A farmer's wife. *Une fermière* (et non : la femme d'un fermier).
A man's job. *Un métier d'homme* (et non : le métier d'un homme).
A butcher's shop. *Une boucherie.*
A clergyman's son. *Un fils de pasteur.*
A new boys' school. *Une nouvelle école de garçons.*
Cheap women's hats. *Des chapeaux de femmes bon marché.*

Comparer « **a new boys' school** » (**new** s'applique à **boys' school**, comme on dit : **a new technical school**) et : « **my son's new school** » (**new** ne s'applique qu'à **school**, d'où sa place après le génitif déterminatif **my son's**). **Cheap**, bien sûr, s'applique à **women's hats** et non à **women** ! (comparer avec le génitif déterminatif : **the young women's hats**).

La périphrase avec *of* ne peut s'employer que comme équivalent d'un génitif déterminatif (**my son's new school = the new school of my son**; mais il n'y a pas d'équivalent construit avec *of* pour : **the new boys' school**).

Quand le second terme est au pluriel on trouve parfois deux orthographes parallèles (correspondant à une seule prononciation) :

Farmer's wives ou : **farmers' wives.**
Butcher's shops ou : **butchers' shops.**

Mais quand le premier terme a un pluriel non terminé par un *s* on préfère généralement le mettre au pluriel :

Clergymen's sons plutôt que : clergyman's sons.
Men's jobs et non : man's jobs.

740   Les génitifs génériques étant des *expressions figées* (on ne peut guère employer que ceux que l'usage a consacrés, quoique les écrivains en créent parfois, mais c'est alors surtout un élément de leur style propre), l'apostrophe est parfois omise (et l'*s* collé au nom) dans l'orthographe libre des magasins, des annonces publicitaires, etc.

Mens wear, boys wear (pour : men's, boys'). *Vêtements pour hommes, pour garçonnets.*

Des noms comme **craftsman** *(artisan),* **statesman** *(homme d'état),* **townsfolk** *(citadins),* etc. (577) sont des génitifs génériques dont les deux éléments ont été soudés.

741   Avec des possessifs, des démonstratifs et certains adjectifs qualificatifs (qui par leur sens peuvent s'appliquer à l'un ou à l'autre des deux noms), il y a parfois risque d'ambiguïté, du moins par écrit.

This farmer's wife. *Cette fermière,* ou : *la femme de ce fermier ?*
This woman's hat. *Ce chapeau de femme,* ou : *le chapeau de cette femme ?* (dans ces deux exemples, la première interprétation fait de « **farmer's wife** » et de « **woman's hat** » des génitifs génériques, la seconde en fait des génitifs déterminatifs).
His master's degree. *Son diplôme de « master »* (approx. : sa maîtrise) ou : *le diplôme de son professeur ?*

De même pour : **these pretty women's hats (these ridiculous women's hats**, etc.).

Aux deux sens possibles correspondent deux articulations différentes, une légère coupure phonétique étant possible après l'adjectif s'il s'agit d'un génitif générique (**these pretty // women's hats,** *ces jolis chapeaux de femmes*), après *women's* s'il s'agit d'un génitif déterminatif (**these pretty women's // hats = the hats of these pretty women,** *les chapeaux de ces jolies femmes*). D'autre part, quand il y a un génitif générique, un seul élément porte un accent tonique, généralement le premier (comme c'est le cas pour les noms composés, 574), alors que pour un génitif déterminatif les deux éléments sont accentués (comme c'est le cas pour un nom précédé d'un adjectif épithète). Comparer :

> My 'neighbour's 'wife (*deux accents*, comme dans : **a 'faithful 'wife, a 'nagging 'wife**).
>
> A 'farmer's wife, parfois : **a farmer's 'wife** (*un seul accent*, comme dans : **a 'housewife, a 'midwife**).

Le risque d'ambiguïté est donc limité dans la langue parlée. Il n'y a bien sûr aucune ambiguïté possible dans « **this woman's daughter** », l'expression « **woman's daughter** » n'étant jamais employée comme génitif générique. Il n'y en a pas non plus dans « **my father's duty** » *(le devoir de mon père)*, « **father's duty** » n'étant pas un génitif générique (*mon devoir de père* = **my duty as a father**).

> **His prize-fighter's physique** (G. Orwell). *Son physique de boxeur* (génitif générique, seul sens possible).

Un nom propre ne forme pas normalement de génitif générique (exceptions évidentes : **Adam's apple,** *la pomme d'Adam;* **Saint Vitus's dance** ou : **Saint Vitus dance,** *la danse de Saint-Guy*). C'est pourquoi on ne peut pas dire « this Kipling's novel ». On dit : **this novel by Kipling, this novel of Kipling's** (759); ou, surtout dans la langue écrite : **this Kipling novel** (nom composé; cf. **the Shakespeare comedies, the Beethoven symphonies,** etc.).

742   (9) *Génitif générique à « désinence zéro ».* — Le rapport sémantique entre les deux éléments de noms composés comme **a bachelor flat** *(une garçonnière)* ou **a pedestrian crossing** *(un passage pour piétons)* conduit à les considérer comme des génitifs génériques sans désinence. Il s'agit en particulier d'américanismes comme **a barber shop** (= a hairdresser's shop) ou **a baby carriage** (= a pram, *une voiture d'enfant*). En Angleterre « **a baby car** » peut désigner une voiture minuscule, **baby** jouant le rôle d'un adjectif.

N.B. Le dialecte américain admet d'ailleurs aussi cette construction pour des noms de personnes (mais il ne s'agit pas alors de génitifs génériques) dans des expressions comme : « **The Kennedy foreign policy** » (en Angleterre : Kennedy's foreign policy), « **The Reagan Administration** », etc. Remarquer l'emploi de l'article défini.

743   (10) *Autres emplois du génitif.*

   ● *Date* (avec les jours de la semaine, ou **today, tonight, yesterday, tomorrow, last year, next week,** etc.).

> **Last Sunday's 'Observer'.** *L'« Observer » de dimanche dernier.*
> **Yesterday's weather forecast.** *Les prévisions météorologiques d'hier.*
> **What is today's date ?** *Quelle est la date d'aujourd'hui ?*

   ● *Durée :*

> **A week's holiday.** *Un congé d'une semaine.*

A moment's rest. *Un instant de repos.*
In a week's time, in two years' time. *Dans une semaine, dans deux ans.*
A ten minutes' break. *Un arrêt (une récréation) de dix minutes.*

● *Distance* :

A thirty miles' drive. *Un trajet en voiture de cinquante kilomètres.*

Avec des pluriels l'apostrophe est souvent omise. Mais on emploie plus couramment des adjectifs composés (donc sans marque du pluriel, voir 632) : **A ten-minute break, a thirty-mile drive.** Toutefois c'est toujours le génitif (avec ou sans apostrophe) que l'on emploie devant *time* (**in two years' time**, ou : **in two years time**).

Comparer :

The Hundred Years' War. *La guerre de Cent Ans* (expression de formation ancienne, avec génitif).
The Six-Day War. *La guerre des Six Jours* (expression de formation récente, avec adjectif composé).

---

2. — ADJECTIFS ET PRONOMS POSSESSIFS

744 (a) *Tableau des adjectifs et pronoms possessifs.*

I live in *my* house	The house is *mine*
You live in *your* house	The house is *yours*
He lives in *his* house	The house is *his*
She lives in *her* house	The house is *hers*
We live in *our* house	The house is *ours*
You live in *your* house	The house is *yours*
They live in *their* house	The house is *theirs*

Au neutre de la 3ᵉ personne du singulier : The bird is in *its* nest. Il n'y a pas de pronom. On utilise l'expression *its own* (756).

A l'indéfini *one* correspondent l'adjectif possessif *one's* et l'expression *one's own* qui sert de pronom.

Rapprocher de cette liste l'interrogatif possessif *whose* (génitif de *who*) qui s'emploie comme pronom ou comme adjectif (voir 754).

745 *Remarques :* (1) Les adjectifs ne sont accentués que si l'on veut les mettre en relief dans la phrase.

Are your [jə] friends coming ? *Vos amis viennent-ils ?* (adjectif inaccentué).
Your [jɔː] mother said that, not mine. *C'est ta mère qui a dit cela, et non la mienne* (adjectif accentué).

L'*h* des adjectifs *his* et *her* ne se prononce presque pas (ou pas du tout) quand ils sont inaccentués.

She came on her bicycle [ɔnə(ː)'baisikl]. *Elle est venue à bicyclette.*
He is in his room [iniz'ruːm]. *Il est dans sa chambre.*

Les pronoms (mine, yours...) sont toujours accentués.

(2) Les adjectifs et les pronoms possessifs sont des *mots invariables.* L'*s* des pronoms *ours, yours, theirs, hers* n'est pas une marque de pluriel.

Here is *our* friend. *Voici notre ami.*
Here are *our* friends. *Voici nos amis.*

This car is **ours.** *Cette voiture est à nous.*
These spectacles are **mine.** *Ces lunettes sont à moi.*

(3) En comparant ce tableau avec celui du § 698 on remarquera qu'il reste des ***traces de déclinaisons :***

> ***Génitifs en s*** (his, its, whose) ou en ***r*** (her, our, your, their).
> ***Accusatifs-datifs en m*** (him, them, whom).

Comparer :

> **John's book** et **his book, the monkey's paw** et **its paw.**

746 (b) *Accord.*

(1) A la ***3ᵉ personne du singulier*** l'accord en genre ne se fait pas avec le mot qui suit mais ***avec le « possesseur ».***

> **John and his mother.** *John et sa mère.*
> **Jennie and her husband.** *Jennie et son mari.*
> **Martin is washing his car.** *Martin est en train de laver sa voiture.*
> **The house stands in the middle of its own grounds.** *La maison est située au milieu de son parc.*
> **Its roof is covered with thatch.** *Son toit est couvert de chaume.*
> **Its owner lives in London.** *Son propriétaire vit à Londres.*

747 (2) ***One's*** s'emploie si le sujet de la phrase est l'indéfini ***one*** (qui joue le rôle d'un ***pronom personnel,*** 728, 729) ou si le verbe est à un ***mode impersonnel.***

> **One likes to hear one's children praised.** *On aime entendre dire du bien de ses enfants* (En américain on dit aussi **« his children »**).
> **It's a pleasure more than a duty to help one's friends.** *C'est un plaisir plus qu'un devoir d'aider ses amis.*

On a vu (728) que dans la conversation l'indéfini ***one*** est couramment remplacé par un autre pronom; on peut dire **« to help our friends »** ou **« to help your friends ».**

748 (3) Le possessif ***pluriel their*** s'emploie après ***everybody*** (= ***everyone***), ***nobody*** (et parfois aussi après ***somebody***), singuliers de genre indéterminé, dans la langue familière.

> **Everyone had brought their cameras** (ou : **their camera**). *Tout le monde avait apporté son appareil photo* (**« his camera »** serait plus correct mais s'emploie moins car cela semble impliquer qu'il n'y avait que des hommes. On peut dire aussi **« his or her camera »**, mais cette tournure est gauche et un peu pédante, quoique correcte).
> **Everybody soon made up their minds** (ou **their mind**). *Tout le monde se décida rapidement.*
> **Nobody could find their luggage.** *Personne n'arrivait à retrouver ses bagages.*

On emploie normalement le possessif pluriel après les ***noms collectifs.***

> **We could hear the crowd shouting at the top of their voices.** *Nous entendions la foule crier à tue-tête.*

749 (c) *Emplois de l'adjectif possessif.*

(1) L'adjectif possessif ne s'accordant pas avec le mot qui le suit, on peut ne l'exprimer qu'une fois quand il s'applique à deux ou plusieurs noms étroitement liés par le sens (cf. 600).

My father and mother. *Mon père et ma mère* (mais : **my father and my uncle**).

His wife and children. *Sa femme et ses enfants.*

Our cups and saucers. *Nos tasses et nos soucoupes* (mais : **our plates and our saucers**).

He ate his fish, mashed potatoes and green peas while reading his evening paper. *Il mangea son poisson, sa purée et ses petits pois tout en lisant son journal du soir.*

(2) Un nom au génitif est parfois employé parallèlement à un adjectif possessif, dont il est séparé par **and** (construction rare).

Linda's and my dresses were being made by Mrs Josh (Nancy Mitford). *Mrs Josh était en train de faire la robe de Linda et la mienne.*

750 (3) Le possessif s'emploie plus fréquemment qu'en français devant les **parties du corps** et les **vêtements** (nous préférons l'article défini).

They sat by the fire with their pipes in their mouths. *Ils étaient assis au coin du feu, la pipe à la bouche.*

They all had their hats on their heads. *Ils avaient tous le chapeau sur la tête.*

Remarquer les pluriels **mouths, heads**, etc.

She lifted her eyes (= she looked up). *Elle leva les yeux.*

He fell on his back. *Il tomba sur le dos.*

His face was pale. *Il avait le visage pâle.*

His left leg was broken. *Il avait la jambe gauche cassée.*

My nose is bleeding. *Je saigne du nez.*

On fait de même pour quelques noms abstraits.

He lost his life at Waterloo. *Il perdit la vie à Waterloo* (pluriel : **they lost their lives...**).

They made up their minds (parfois : **their mind**) **on the spot.** *Ils se décidèrent sur-le-champ.*

They recovered their courage. *Ils reprirent courage* (**life, mind** sont **dénombrables**, d'où les pluriels, alors que **courage** est **indénombrable**).

Mais on dit (après un verbe passif) :

He was wounded in the leg. *Il fut blessé à la jambe.*

On emploie aussi l'article dans quelques expressions idiomatiques :

A cold in the head (= **a head cold**). *Un rhume de cerveau.*

To stare someone in the face. *Dévisager quelqu'un.*

To kiss a child on the forehead. *Embrasser un enfant sur le front.*

Cf. **He's a pain in the neck.** *Il est casse-pieds.*

Les expressions suivantes comportant des adjectifs possessifs se traduisent par des verbes pronominaux français :

To blow one's nose. *Se moucher.*

To comb one's hair. *Se peigner.*

To wash one's hands. *Se laver les mains.*

To sprain one's ankle. *Se fouler la cheville.*

751 (4) L'adjectif est remplacé par « **of** + **pronom complément** » dans diverses expressions.

I can't bear the sight of him. *Je ne peux pas le sentir.*

For the life of me I couldn't remember his name. *Il me fut absolument impossible de me rappeler son nom.*

The war lasted three years and at the end of it both countries were ruined. *La guerre dura trois ans et lorsqu'elle se termina les deux pays étaient ruinés.*

It's easy when you have the knack of it. *C'est facile quand vous savez comment vous y prendre.*

752 (d) *Emplois du pronom possessif.*

(1) Il n'est jamais précédé de l'article.

There's a newspaper on the desk. Is it yours or mine ? *Il y a un journal sur le bureau. Est-ce le tien ou le mien ?*

(2) Il peut être complément ou attribut d'un verbe.

This umbrella is mine. *Ce parapluie est le mien.*

The fault is mine. *C'est de ma faute (c'est moi le responsable).*

I like their house but I'd rather have yours. *J'aime leur maison mais je préfère la vôtre.*

(3) Il peut aussi être sujet, en tête de phrase. Cela permet de le mettre en relief, par exemple pour insister sur un contraste (style soigné).

Theirs are well brought-up children. *Leurs enfants à eux sont bien élevés.*

Ours is a French car. *Notre voiture (à nous) est française.*

Yours is a nation of shopkeepers, as Napoleon said. *Vous êtes une nation de boutiquiers, comme l'a dit Napoléon.*

Ken and Barbara have very quiet hobbies : his is stamp-collecting, hers water-colour painting. *Ken et Barbara ont des passe-temps bien tranquilles : lui la philatélie, elle l'aquarelle.*

Hers had been considered a hopeless case. *On considérait que son cas était sans espoir.*

753 (4) Emplois idiomatiques.

It's not ours (theirs...) to decide. *Il ne nous (leur...) appartient pas de décider.*

He's one of ours. *Il est des nôtres (de notre camp).* Ne pas confondre avec **« one of us »** *(l'un d'entre nous).*

Pour la construction *« a friend of mine », « no business of yours »*, etc., voir 758.

(5) *Yours* s'emploie dans les formules de politesse (toujours laconiques) qui terminent les lettres, soit seul (style familier), soit accompagné d'un adverbe.

Yours (et non « your ») **truly.** *Je vous prie d'agréer l'expression de ma considération distinguée.*

Yours sincerely (ou : **Sincerely yours**), familièrement : **Yours ever.** *Bien cordialement à vous.*

Ironiquement, « **yours truly** » = **me** *(« votre serviteur »).*

'**They wanted me to go steady with a girl, save money, get married to her and then settle down to a nice steady job. Day after day, year after year, world without end, amen. Not for yours truly !**' *(« Très peu pour moi ! »)* (A. Christie).

3. — L'INTERROGATIF WHOSE

754 Ce *génitif de who* est adjectif ou pronom.

(a) *L'adjectif whose* doit être suivi immédiatement du nom de l'objet dont on cherche qui est le propriétaire, sans article.

> **Whose** [huːz] **umbrella is this?** *A qui est ce parapluie?* (Pour la construction très courante : « Whose is this umbrella ? », v. infra).

Comparer la construction des expressions :

> { **Whose umbrella... ?**
> **John's umbrella.**
> **His umbrella.**

Dans les trois cas, un [z] sépare phonétiquement le possesseur (ou le pronom qui le remplace : who, he) de l'objet possédé.

(b) Le nom précédé de l'adjectif *whose* peut être sujet ou complément. Il peut se trouver dans une interrogative indirecte.

> **Whose gloves are these?** *A qui sont ces gants?*
> **Whose umbrella did you borrow?** *Le parapluie de qui as-tu emprunté?*
> **Whose car did you come in?** *Dans la voiture de qui es-tu venu?* (226).
> **I wonder whose house that is.** *Je me demande à qui est cette maison.*

755 (c) *Whose* est employé très couramment comme *pronom interrogatif* dans les questions posées avec le verbe *to be*.

> **Whose is this umbrella?** (= Whose umbrella is this?)
> **Whose are these gloves?** (= Whose gloves are these?).
> **Whose is this?** *A qui appartient ceci?*

4. — CONSTRUCTIONS IDIOMATIQUES

756 (a) *Own* peut renforcer l'idée de possession. Il accompagne toujours un adjectif possessif ou un nom au génitif.

> **I saw it with my own eyes.** *Je l'ai vu de mes propres yeux.*
> **Mind your own business.** *Occupez-vous de vos (propres) affaires.*
> **In the new flat Dick will have his own room.** *Dans le nouvel appartement Dick aura sa chambre à lui.*
> **He has his own opinions about the matter.** *Il a ses opinions à lui sur ce sujet.*
> **The king's own son had betrayed the country.** *Le propre fils du roi avait trahi le pays.*
> **She makes her own dresses.** *Elle fait ses robes elle-même.*
> **The children did their own cooking.** *Les enfants faisaient leur cuisine eux-mêmes.*

Dans ces deux derniers exemples, *own* insiste sur le fait que le sujet fait l'action par lui-même et pour lui-même.

Le pronom possessif (*mine, yours...*) est parfois remplacé par l'adjectif suivi de *own (my own, your own...)*. Cette tournure s'emploie, faute de pronoms, pour le neutre et l'indéfini : *its own, one's own* (peu employés).

> **My time's my own this afternoon** ('s = is). *J'ai tout mon temps à moi cet après-midi.*

This house is our own. *Cette maison est à nous* (nous appartient).
Why do you want to borrow my bike ? You have your own. *Pourquoi veux-tu emprunter mon vélo ? Tu as le tien (tu en as un).*

757 (b) Pour marquer le caractère exclusif de la possession on peut se servir de l'expression « *of one's own* » *(bien à soi)*, le nom étant précédé d'un **article indéfini** ou de **no.**

> **Ginger has a flavour of its own.** *Le gingembre a un goût particulier.*
> **They have no house of their own.** *Ils n'ont pas de maison à eux.*
> **To have a house of one's own is everybody's dream.** *Avoir une maison à soi, voilà le rêve de chacun.*

N.B. L'expression « *on one's own* » est synonyme de *by oneself, alone (tout seul).*

> **I am (all) on my own today.** *Je suis tout seul aujourd'hui.*

758 (c) Le nom placé après un génitif ne pouvant être accompagné d'un article indéfini (l'article sous-entendu est *the*), on a recours à une construction idiomatique pour exprimer des idées du type « *un ami de mon père* ».

> **A friend of my father's.** *Un ami de mon père* (cf. *L'ami de mon père*, **my father's friend**).

Dans cette expression, *of* = among (one among my father's friends); mais il arrive souvent que cette tournure n'implique pas l'idée d'« un ou plusieurs éléments parmi d'autres », notamment lorsqu'elle est précédée d'un *démonstratif* ou de *no* (v. infra).

De la même façon, *avec un pronom possessif* :

> **A friend of mine.** *Un de mes amis, un ami (à moi).*
> **He is a cousin of ours.** *C'est un de nos cousins.*

Avec l'article négatif *no* :

> **He is no relation of ours.** *Il n'est pas de notre famille.*
> **This is no business of yours.** *Ceci ne vous regarde pas.*
> **It's no fault of hers.** *Ce n'est pas de sa faute.*
> **He is no friend of mine.** *Il n'est pas de mes amis* (« understatement » à valeur emphatique).

759 Le nom peut être précédé d'un *démonstratif* (style soigné, le ton est souvent ironique).

> **That American cousin of theirs owns three factories.** *Ce cousin qu'ils ont en Amérique possède trois usines.*
> **That stupid son of ours has failed his exam again.** *Notre idiot de fils a encore échoué à son examen.*
> **That temper of hers makes it difficult for her to make friends.** *A cause de son fichu caractère il lui est difficile de se faire des amis* (voir aussi 763).

Pour introduire le nom d'un auteur, on peut employer cette construction, mais on se sert plus couramment de la préposition *by.*

> **A novel of Stevenson's that I am fond of is "The Black Arrow".** *Un roman de Stevenson que j'aime beaucoup, c'est « La Flèche Noire ».*
> **« Treasure Island » is a famous novel by Stevenson.** *« L'Ile au Trésor » est un roman célèbre de Stevenson.*

(Dans la première phrase je m'adresse à une personne qui n'ignore pas qui était

Stevenson. Dans la seconde, de style plus didactique, j'indique qui est l'auteur du roman, par exemple en réponse à une question posée par un enfant).

On peut aussi avoir recours à un nom composé **(The famous Graham Greene novel, ''The Power and the Glory'').**

760 (d) *Noms qui ne se construisent qu'avec des génitifs* (ou avec « *of...* ») :

(1) *Sake.*

Do it for my sake. *Fais-le pour me faire plaisir.*
For God's sake (voir 734). *Pour l'amour de Dieu.*
For the sake of justice. *Pour l'amour de la justice.*
For the sake of appearances. *Pour sauver les apparences.*

(2) *Behalf.*

Don't worry on my behalf. *Ne vous inquiétez pas pour moi.*
He was speaking on their behalf (on his father's behalf). *Il parlait en leur nom (pour le compte de son père).*
On behalf of all my colleagues... *Au nom de tous mes collègues...*

EXERCICES

A Lire :
1. Prince Charles's school. — 2. Mrs Williams's house. — 3. Elizabeth's boy-friend. — 4. Some ass's milk. — 5. The tobacconist's shop. — 6. The waitress's job. — 7. The Thomases's car. — 8. Somebody else's business. — 9. The Princess's husband. — 10. Alice's Adventures in Wonderland. — 11. The air hostess's uniform. — 12. A scientist's ambition. — 13. Smith's crisp chips. — 14. Mr Jenkin's house, Mr Jenkins's house; the Jenkins' house, the Jenkinses' house. — 15. Kenneth's father. — 16. Coleridge's poems, Wordsworth's poems, Burns'(s) poems, Keats'(s) poems.

B Transformer les phrases suivant le modèle :
Our flat is very small → Ours is a very small flat (style soigné).
1. Her job is quite pleasant. — 2. Our television set is an old one. — 3. Your picture is very nice. — 4. Their house is extremely ugly. — 5. My childhood was a happy one. — 6. Their sense of humour is peculiar. — 7. Her cat is grey and white. — 8. Your watch is Swiss, isn't it ? — 9. Our kitchen is very modern. — 10. His gifts were exceptional.

C Transformer les phrases suivant le modèle :
His red beard is rather impressive → *That red beard of his* is rather impressive.
1. Your motor-bike is very noisy. — 2. I don't like her new boy-friend. — 3. I found his book rather boring. — 4. Their nephew, who went to Eton and Cambridge, is a pompous ass. — 5. Her black eyes fascinated everyone. — 6. Their precious Greek wine tasted like vinegar. — 7. Your friends might have wiped their feet before they came in. — 8. My wife didn't appreciate their jokes. — 9. I don't think much of his Japanese camera. — 10. Your dog is a nuisance to the whole district.

D Poser des questions commençant par *whose*, suivant le modèle :
I borrowed Mr Smith's umbrella → Whose umbrella did you borrow ?
1. These are my glasses. — 2. We went to London in John's car. — 3. This is Ken's hat. — 4. This is our neighbour's dog. — 5. The customs-officer opened my case. — 6. Jennie's essay was the best. — 7. The escaped prisoner was hiding in his

brother's house. — 8. I thought Sheila's dress was the prettiest. — 9. I spent the night at the Ashleys'. — 10. They were playing with the postman's children.

[E] Dire s'il s'agit d'un génitif déterminatif ou d'un génitif générique, ou si l'expression est ambiguë :

1. A blue lady's bicycle. — 2. The young lady's blue bicycle. — 3. This new boy's bicycle. — 4. He led a dog's life. — 5. These pretty women's gloves. — 6. The old girls' school. — 7. The Old Girls' Association. — 8. This clergyman's son. — 9. This woman's daughter. — 10. He is living in a fool's paradise. — 11. April Fools' Day (= April Ist). — 12. He took the lion's share. — 13. Those ridiculous women's hats. — 14. Those expensive children's toys. — 15. The new grocer's shop.

[F] Traduire :

1. George et sa femme; Betty et son mari; Charles Lamb et sa sœur; le portrait d'Emily Brontë par son frère; la maison et son jardin; la lampe et son abat-jour; la chatte et ses petits. — 2. Ils avaient les mains dans les poches et la cigarette à la bouche. — 3. Ils avançaient lentement, tête baissée, un lourd sac tyrolien sur le dos. — 4. Mes opinions ne regardent personne. — 5. Ton paresseux de frère a été renvoyé de son collège. — 6. Un camarade de classe de Dick a téléphoné pour demander s'il voulait jouer au tennis avec lui. — 7. Nous avons le même nom mais il n'est pas de ma famille. — 8. Il est l'ami de tout le monde. — 9. Les coutumes curieuses des Irlandais; les préjugés des Français. — 10. Il est stupide de perdre son sang-froid pour si peu. — 11. On doit aimer et aider ses semblables. — 12. On est encore jeune à quarante ans. — 13. Je crois bien qu'ils ont perdu la raison. — 14. Ils cultivent leurs légumes eux-mêmes. — 15. Ce vélo n'est pas celui de Betty, n'est-ce pas ? — Non, ce n'est pas le sien. — 16. Leurs enfants sont en Angleterre, les miens en Allemagne. — 17. Il est agréable d'avoir un bureau à soi, où l'on peut travailler en paix. — 18. A qui est ce pyjama ? — C'est le mien. — 19. Leur jardin à eux est très bien entretenu (commencer la phrase par un pronom possessif). — 20. Ma voiture à moi est toute petite (idem).

38. — DÉMONSTRATIFS, RELATIFS ET INTERROGATIFS

1. — DÉMONSTRATIFS

761 *This* et *that* sont adjectifs ou pronoms.

(a) *Les adjectifs démonstratifs this et that* sont les seuls adjectifs qui aient un pluriel différent du singulier :

> *This* [ðis] book → *these* [ðiːz] books.
> *That* [ðæt] book → *those* [ðouz] books.

This s'oppose à *that* : le premier exprime la proximité dans l'espace ou le temps, le second l'éloignement.

> **In this country.** *Dans ce pays* (où nous sommes). Cette expression remplace souvent « in England » quand le contexte le permet, c'est-à-dire si le locuteur se trouve en Angleterre.

In that country, in those countries. *Dans ce pays-là, dans ces pays-là* (où nous ne sommes pas).
Look at these pictures. *Regardez ces photos* (que voici).
Look at that plane. *Regardez cet avion* (là-bas ou là-haut).
This week. *Cette semaine* (dans laquelle nous sommes).
That week. *Cette semaine-là.*
These days. *De nos jours* (pour ***this/these*** + ***durée***, voir 287).
In those days. *A cette époque-là.*

Comparer :
This is Mr Robinson (= Let me introduce you to Mr Robinson).
Is that you, Dad ? (question posée par exemple à une personne qui arrive dans l'obscurité).

This est souvent associé à la première personne, ***that*** à la 2ᵉ (ou à la 3ᵉ) personne. Comparer :
Look at this book (que j'ai à la main, que je vous montre).
What's that book ? (que vous avez, ou : qu'il a).

762 L'emploi de ***that*** peut aussi impliquer une ***opinion du locuteur*** (modalité) et s'appliquer alors à des personnes ou à des choses proches dans l'espace ou le temps.

● *Nuance péjorative* :
That fellow again ! We're sick of him. *Encore ce type ! Nous l'avons assez vu.*
Don't use that word, it's very rude. *N'emploie pas ce mot-là, il est très grossier.*

● *Clin d'œil à l'interlocuteur*, sous-entendu (= « you know what I mean ») :
Oh that voice ! I can hear it now. *Ah, cette voix ! Je l'entends encore.*
Banish tiredness and that « low » feeling (annonce publicitaire). *Débarrassez-vous de la fatigue et de cette sensation d'être « à plat ».*
It's just one of those things... *Ce sont des choses qui arrivent.*
Those green eyes of hers (759). *Ses yeux verts* (sous-entendu : qui ne laissent pas indifférent).

Les romanciers américains emploient parfois ***this*** dans le sens d'un article indéfini (comme pour donner l'impression que l'on a devant soi l'objet ou la personne dont il est question). Quelques exemples dans 'The Catcher in the Rye' (J.D. Salinger) : **'I have this grandmother that's quite lavish with her dough... The bellboy that showed me to the room was this very old guy around sixty-five... When I got off at Penn Station, I went into this phone booth... I started reading this timetable I had in my pocket...'**

763 ***This*** et ***that*** peuvent être suivis de ***one*** remplaçant un nom déjà exprimé.

Here are the two pictures. Do you prefer this one or that one ? *Voici les deux photos. Préfères-tu celle-ci ou celle-là ?* (Les deux démonstratifs sont employés ici avec une idée de constraste).

Mais au pluriel on emploie les pronoms ***these*** et ***those*** de préférence à « these ones », « those ones » (821).

Une tournure idiomatique permet d'employer à la fois un démonstratif et un possessif (759).

This world of ours. *Ce monde dans lequel nous vivons.*
Those queer ideas of his about the matter. *Les idées bizarres qu'il a sur cette question.*

764 (b) *Les pronoms démonstratifs this/these* et *that/those* s'emploient souvent dans des cas où le français préfère les adjectifs ou d'autres expressions.

> **Is this your hat ?** *Ce chapeau est-il à vous ?*
> **That was a very silly remark.** *Cette remarque était bien stupide.*
> **This is a beautiful symphony.** *Cette symphonie est magnifique.*
> **This is an interesting part of the country.** *Cette région est intéressante.*
> **This is England, not France, don't forget it.** *Nous sommes ici en Angleterre, et non en France, ne l'oubliez pas.*
> **This is supposed to be a free country.** *Nous sommes censés être ici dans un pays libre.*

This désigne le moment présent dans l'expression « *before this* » (= before now).

> **Forgive me for not writing before this.** *Pardonnez-moi de ne pas avoir écrit plus tôt* (voir aussi 324, citation de Ch. Isherwood).

Noter l'emploi de *this, that* en fin de phrase exclamative elliptique, dans le style familier (452, f).

> **A very nice garden, this !** (= What a very nice garden this is !). *En voilà un beau jardin !*

En principe, *this* annonce ce qui suit, *that* s'applique à ce qui précède.

> **This is the reason for their delay.** *Voici (= Je vais vous donner) la raison de leur retard.*
> **Is that what you really think ?** *Est-ce vraiment cela que vous pensez ?* (ce que vous venez de dire).

Toutefois *this* s'emploie aussi parfois pour ce dont on vient de parler, qui est encore présent à l'esprit (donc en quelque sorte proche du présent, ou du moment où se situe un récit fait au passé).

> **At this, he got up angrily and left the room** (style littéraire). *Là-dessus il se leva furieux et quitta la pièce.*

765 *This is, that is* peuvent être suivis de *where, when, why, how (c'est... que...).*

> **This is where we spent a week last summer.** *C'est ici que nous avons passé une semaine l'été dernier.*
> **That's where you're mistaken.** *C'est en cela que vous vous trompez.*
> **That was when she fainted.** *C'est alors qu'elle s'évanouit.*
> **That's why he failed.** *C'est pour cela qu'il a échoué.*
> **That was how he managed it.** *C'est ainsi qu'il s'en est tiré.*

766 Si le démonstratif est suivi de *of* ou d'une proposition relative on emploie *that/those*, jamais *this/these*.

> **Those who are tired may have a rest.** *Ceux qui sont fatigués peuvent se reposer.*
> **Our garden is smaller than that of our neighbours** (dans la langue parlée : than our neighbours'). *Notre jardin est plus petit que celui de nos voisins.*

That/those, suivi de *of* ou d'un complément de lieu, est généralement remplacé par *the one(s)* quand il s'agit de noms d'objets concrets (dénombrables).

> **The garden in front of the house is smaller than the one at the back.** *Le jardin devant la maison est plus petit que celui qui est derrière.*

Mais avec un nom abstrait :

> **The price of a book and that of a record.** *Le prix d'un livre et celui d'un disque.*

400

That which (neutre) est généralement remplacé par *what*, mais pour identifier un objet précis on emploie *the one(s) which* (relatif souvent sous-entendu).

What I gave you yesterday. *Ce que je vous ai donné hier.*
The one (the ones) I gave you yesterday. *Celui que je vous ai donné (ceux que je vous ai donnés) hier.*

Pour les personnes, on dit au singulier « *the one who* », au pluriel « *those who* » (les expressions « he who », « they who » sont archaïques).

The one who played the last piece was the best. *Celui qui a joué le dernier morceau a été le meilleur.*

The one et *those* sont souvent suivis d'expressions elliptiques (relatif et *to be* sous-entendus) : participes, expressions de temps et de lieu.

The one sitting near the window. *Celui qui est assis près de la fenêtre.*
80 % of those asked (= **those who were asked**) **answered in the affirmative.** *80 % des personnes interrogées ont répondu affirmativement.*
Those under eighteen. *Ceux qui n'ont pas dix-huit ans.*

767 (c) *This* et *that* s'emploient aussi dans la langue familière comme *adverbes.*

He is only this tall. *Il n'est pas plus grand que cela* (phrase accompagnée d'un geste indiquant la hauteur).
We didn't go that far. *Nous ne sommes pas allés aussi loin que cela.*
Men like Goethe, Ibsen, Tolstoy, Swift, however much they may differ among themselves, have this much at least in common, that they all differ profoundly from the man in the street (C.M. Joad). *Des hommes comme Goethe, Ibsen, Tolstoï, Swift, si différents qu'ils soient les uns des autres, ont au moins ceci en commun qu'ils sont tous très différents de l'homme de la rue* (this much : ni plus ni moins que ceci).
It wasn't all that easy. *Ça n'a pas été aussi facile que ça* (« *all that +
adjectif* », expression familière).

768 (d) *Autres démonstratifs.*

(1) *L'article the* a souvent la valeur d'un démonstratif (586).

The (= **this**) **child looks tired.** *Cet enfant a l'air fatigué.*
The fellow is a liar. *Ce type-là est un menteur.*
At the time. *A cette époque-là.*
At the moment. *En ce moment.*

Pour « **the former... the latter...** » *(celui-là..., celui-ci,* ou : *ce dernier...),* voir 662.

(2) L'adjectif *yonder*, pour désigner des objets très éloignés, est archaïque.

Yonder trees. *Ces arbres là-bas* (on dit aujourd'hui : **those trees over there**).

Toutefois on emploie encore l'adverbe *yonder* (ou plus couramment *over yonder*).

769 (3) *Such* a la valeur d'un démonstratif dans diverses constructions où il est employé seul (langue soignée), accompagné d'un nom (langue écrite ou parlée), ou en corrélation avec *as* (langue écrite un peu guindée : such... as... = the... which...; the... who...).

Such was his behaviour (langue soignée). *Telle fut sa conduite.*
Such is my intention (langue soignée). *Telle est* (ou : *voilà*) *mon intention.*
I haven't had such a good breakfast for months. *Cela fait des mois que*

je n'ai pas pris un petit déjeuner aussi bon (C'est un comparatif d'égalité négatif, voir 659. L'article indéfini se place après **such**).

On such a day as this (= on a day like this). *Un jour comme celui-ci.*

You ought to read such books as (plus simplement : the books that) **your teachers advise you to read.** *Vous devez lire les livres que vos professeurs vous conseillent de lire.*

Such people as (plus simplement : Those who) **do not respect the law shall rue it.** *Quiconque ne respecte pas la loi le regrettera amèrement.*

```
2. — LES RELATIFS WHO, WHICH, THAT
      ET LE « RELATIF ZERO »
```

770   Dans la langue parlée plus encore que dans la prose écrite simple, *les pronoms relatifs s'emploient peu :*

(1) *Who/whom* et *which* sont le plus souvent sous-entendus (c'est le « **relatif zéro** ») dans les propositions relatives déterminatives (772 et 775).

(2) Aux phrases comportant des subordonnées relatives entre virgules, l'anglais préfère des suites de *propositions indépendantes.*

(3) Les pronoms relatifs *whom* et *whose* (qu'il ne faut pas confondre avec l'interrogatif *whose*) sont aujourd'hui archaïques en dehors de la langue littéraire.

771 (a) *Who/whom* et *which.*

Who [huː] est sujet, *whom* [huːm] est complément; *which* peut être l'un ou l'autre. *Who/whom* a pour antécédent un nom masculin ou féminin, *which* a pour antécédent un nom neutre.

La plupart des exemples suivants appartiennent à la langue écrite soignée.

My brother, who is a doctor, lives in Cardiff. *Mon frère, qui est docteur, habite Cardiff. Who* a pour antécédent « **my brother** » et est *sujet* de « **is** ».

My brother, whom you met last Saturday, lives in Cardiff. *Mon frère, que vous avez rencontré* (ou : *dont vous avez fait la connaissance) samedi dernier, habite Cardiff. Whom* est *complément direct* de « **met** ».

My brother, with whom you played bridge last Saturday, lives in Cardiff. *Mon frère, avec qui vous avez joué au bridge samedi dernier, habite Cardiff. Whom* est *complément indirect* de « **played** » (Cf. infra, remarque 2, et 773 : « who you played bridge with »).

Our house, which stands opposite the post-office, was built by my grandfather. *Notre maison, qui est située juste en face de la poste, a été bâtie par mon grand-père. Which* a pour antécédent « **our house** » et est *sujet* de « **stands** ».

Our house, which we like very much, was built by my grandfather. *Notre maison, que nous aimons beaucoup, a été bâtie par mon grand-père. Which* est *complément direct* de « **like** ».

Our house, in which ten people could live comfortably, was built by my grandfather. *Notre maison, dans laquelle dix personnes pourraient vivre à l'aise, a été bâtie par mon grand-père. Which* est *complément indirect* de « **live** ».

Remarques : (1) On emploie *who/whom* pour les animaux dont on parle au masculin ou au féminin et *which* pour ceux dont on parle au neutre. Pour les noms collectifs désignant des groupes de personnes on emploie tantôt **who/whom** (on considère les différents individus, le verbe est donc au **pluriel**), tantôt **which** (on considère le groupe, terme abstrait, le verbe est donc au **singulier**).

> **The crowd which was gathering on the pavement** (mais : **the crowd who were gathering on the pavement**). *Le rassemblement qui se formait sur le trottoir.*

(2) Dans la langue parlée, quand il n'est pas possible d'éviter l'emploi du pronom relatif, par exemple dans le sens de « the person who(m) », on remplace souvent **whom** (forme considérée comme trop recherchée, voire archaïque) par **who** (voir 784, l'interrogatif **who** employé pour **whom**).

> *"I shall talk to who I like"* (A. Wesker). *Je parlerai à qui je veux* (**who** est ici **complément direct** de « **like** », et « **who I like** » est complément indirect de « **talk** »).

772 (b) *That.*

Les pronoms **who/whom** et **which** sont souvent remplacés par **that**, inaccentué [ðət], quand la subordonnée qu'ils introduisent a un **sens restrictif**, limitatif (elle délimite le sens de l'antécédent, qui ne peut en être séparé par une virgule; comparer avec les exemples du § 771). C'est une **proposition relative déterminative**.

Cette règle s'applique plus généralement aux choses qu'aux personnes; **who** peut donc s'employer même quand la subordonnée a un sens restrictif.

(1) Comparer les phrases :

> **The book that he wrote after the war deals with life in a prison camp.** *Le livre qu'il a écrit après la guerre traite de la vie dans un camp de prisonniers.*
> **The book, which he wrote after the war, deals with life in a prison camp.** *Ce livre, qu'il a écrit après la guerre, traite de la vie dans un camp de prisonniers.*

Dans le premier exemple la subordonnée est indispensable pour déterminer le nom « **book** » : il s'agit de celui qu'il a écrit après la guerre et non d'un autre, car on sous-entend qu'il en a écrit d'autres. Le sujet de « **deals** » est : « **the book that he wrote after the war** », c'est pourquoi on ne met pas la subordonnée entre virgules.

Dans le second exemple l'article *the* a la valeur d'un démonstratif et suffit à déterminer le nom « **book** » : il s'agit du livre dont il a déjà été question. Le sujet de « **deals** » est « **the book** », c'est pourquoi la subordonnée, qui pourrait être supprimée sans que l'équilibre de la phrase en souffre, est placée entre virgules. On peut aussi la placer entre parenthèses ou entre tirets.

> **The letter that George sent me was very interesting** (la subordonnée est indispensable pour délimiter le sens de « **letter** »). *La lettre que George m'a envoyée était très intéressante.*
> **George's letter, which I received this morning, was very interesting** (la subordonnée entre virgules ajoute une idée qui n'est pas indispensable pour l'équilibre de la phrase; on dit d'ailleurs aussi, plus couramment : **George's letter was very interesting. I received it this morning**). *La lettre de George, que j'ai reçue ce matin, était très intéressante.*

Mais si George m'a envoyé plusieurs lettres et que je veuille préciser laquelle était intéressante, je dirai : **George's letter that I received this morning was very**

interesting (sans virgules). *Celle des lettres de George que j'ai reçue ce matin était très intéressante.*

> **The children that** (ou : **who**) **were tired went to bed at once.** *Les enfants qui étaient fatigués* (et non les autres) *allèrent se coucher immédiatement* (L'antécédent désignant des personnes, on emploie **who** ou **that** pour introduire la subordonnée de sens restrictif, sans virgule ni coupure phonétique).
>
> **The children, who were tired, went to bed at once.** *Les enfants, qui étaient fatigués* (ils l'étaient tous), *allèrent se coucher immédiatement.* (Les virgules sont la seule différence, comme en français, si la première phrase est construite avec **who.** Mais les subordonnées relatives entre virgules appartiennent à la langue écrite soignée; dans la langue parlée on dirait : **The children were tired, they went to bed at once.**)

773   (2) Si les pronoms **whom** et **which** sont introduits par une **préposition**, on ne peut les remplacer par **that** qui si l'on rejette la préposition après le verbe et ses compléments (226). Le relatif **that** n'est jamais précédé d'une préposition.

There was nobody of whom they could ask the way (G. Orwell). *Il n'y avait personne à qui ils pouvaient demander leur chemin.*

The friend that I play tennis with (plus couramment que : with whom I play tennis) **would beat you easily.** *L'ami avec qui je joue au tennis vous battrait facilement.*

The picture that I am looking at (= « the picture at which I am looking », construction très gauche, évitée dans la langue écrite comme dans la langue parlée) **is a landscape by Constable.** *Le tableau que je suis en train de regarder est un paysage de Constable.*

It's a thing that we can't do without (seule construction courante). *C'est une chose dont nous ne pouvons nous passer.*

774   (3) La subordonnée non précédée d'une virgule a un **sens restrictif** après **only, all, last, first, second,** etc., un **superlatif** ou l'expression **it is.** Dans ce cas **that** est préférable, même pour remplacer **who** et **whom.**

The only film (the best film) that I've seen this month. *Le seul (le meilleur) film que j'aie vu ce mois-ci.*

It was that film that I liked best (le premier **that,** démonstratif, est accentué; le second, relatif, ne l'est pas). *C'est ce film-là que j'ai préféré.*

He is the most intelligent man that I know. *C'est l'homme le plus intelligent que je connaisse.*

He is the last man that I would borrow money from. *Il est le dernier homme à qui j'emprunterais de l'argent.*

775 (c) *Le « relatif zéro »* (∅).

Le pronom relatif **that** peut être sous-entendu (« relatif zéro ») quand il est complément.

Cette suppression du pronom **that** est très courante, dans la langue parlée plus encore que par écrit. On ne peut la faire que si la subordonnée a un **sens restrictif,** mais on ne peut ni supprimer ni remplacer par **that** les pronoms **who, whom, which,** introduisant une subordonnée entre virgules.

Exemples pris dans les phrases citées ci-dessus : **The book he wrote after the war... The letter he sent me... The picture I am looking at. The friend I play tennis with... A thing we can't do without... The best film I've seen this month... The**

most intelligent man I know... The last man I would borrow money from...
(Remarquer l'absence de virgule).

Le pronom sujet ne peut être sous-entendu.

Exception : Le pronom relatif sujet est parfois sous-entendu dans la conversation après *there is* ou *it is* + nom ou pronom.

> There's a man (who) wants to speak to you. *Il y un homme qui désire vous parler.*
> 'Was it you rang just now ?' (A. Christie). *C'est vous qui avez appelé à l'instant ?*
> 'There's two ladies and a gentleman just went that way' (J.B. Priestley). *Deux dames et un monsieur viennent de partir par là* (pour le singulier « there's », voir 45).

On sous-entend le pronom relatif quand *la préposition qui le précède est rejetée après un infinitif.*

> We have nothing about which to complain → nothing to complain about. *Nous n'avons à nous plaindre de rien.*
> He'd like to have someone with whom to play tennis → someone to play tennis with. *Il aimerait avoir quelqu'un avec qui jouer au tennis.*

C'est la seconde construction (relatif omis et préposition rejetée) que l'on emploie dans la langue parlée et dans la prose écrite simple.

776 (d) *Whom* et *which* peuvent être précédés de *than*, dans la langue littéraire affectée (archaïsme). La subordonnée comporte un comparatif et une négation.

> Disraeli, than whom no greater Prime Minister ever governed this country... *Disraeli, le plus grand Premier Ministre qui ait jamais gouverné ce pays...*
> The Bible, than which no better book could be offered to a son... *La Bible, le meilleur des livres que l'on puisse offrir à un fils...*

777 (e) Une petite *proposition incise* (people said, he thought...) est parfois intercalée après le relatif.

> It was a present which I knew would give her great pleasure (sans virgule avant ni après « I knew »). *C'était un cadeau qui, je le savais, lui ferait un grand plaisir.*
> A gift to the Gods that all Buddhists believe have their home on Mount Everest (Sir Edmund Hillary). *Une offrande aux Dieux qui, selon la croyance de tous les Bouddhistes, habitent l'Everest.*
> In a restaurant hardly anybody besides himself even knew existed... (Iris Murdoch). *Dans un restaurant dont presque tout le monde, à part lui, ignorait jusqu'à l'existence. That est sous-entendu avant **hardly**.*

---

3. — LE RELATIF WHOSE

778 (a) Revoir ce qui a été dit sur *l'interrogatif possessif whose* (754). *Le relatif whose*, qui appartient surtout à la langue écrite soignée, voire un peu guindée, exprime lui aussi un rapport de possession ou de parenté. Il est lui aussi suivi immédiatement du nom, qui perd son article. Ce nom peut être sujet ou complément. *Whose* peut être précédé d'une préposition.

> John, whose father is an engineer, is good at maths. *John, dont le père est ingénieur, est bon en mathématiques.*

My brother, whose eldest son you know, is a doctor in Cardiff. *Mon frère, dont vous connaissez le fils aîné, est docteur à Cardiff.*

Our neighbour, whose dog I nearly ran over, was furious. *Notre voisin, dont j'ai failli écraser le chien, était furieux.*

Mr Smith, with whose children I spent a week in Scotland, lent us his car. *M. Smith, avec les enfants de qui j'ai passé une semaine en Ecosse, nous a prêté sa voiture.*

Dans la langue parlée, ces phrases seraient coupées (ex. : **John is good at maths. His father is an engineer**).

Comparer :   « *whose father* » et « *John's father* »;
            « *whose dog* » et « *our neighbour's dog* », etc

et remarquer qu'en français le relatif et le nom peuvent être séparés (« *dont j'ai failli écraser le chien* »), ce qui est impossible en anglais.

779 (b) Quoique *whose* soit le *génitif de who* (pronom dont l'antécédent est toujours une personne), on l'emploie souvent avec un antécédent neutre; on évite la tournure peu élégante dans laquelle le nom est suivi de *of which.*

> **My room is the one whose windows are open** (plutôt que : **the windows of which are open**). *Ma chambre est celle dont les fenêtres sont ouvertes.*
>
> **The house whose roof can be seen through the trees is a Tudor house** (plutôt que : **the house the roof of which...**). *La maison dont on aperçoit le toit à travers les arbres date du 16ᵉ siècle.*

Dans la langue parlée *whose* est remplacé par une expression de sens équivalent **(My room is the one with the open windows).**

780 (c) Traductions de *dont.*

(1) On ne peut traduire *dont* par *whose* que s'il y a un rapport entre deux noms, notamment un rapport de possession, en prenant cette expression dans un sens très large. Voir ci-dessus, §§ 778, 779.

(2) Dans des phrases comme « *le livre dont je vous ai parlé est épuisé* », « *son fils, dont elle est si fière, est un imbécile* », le français emploie le relatif *dont* parce que le verbe *parler* et l'adjectif *fier* se construisent avec la préposition *de*. Traduire par *which* ou *whom* (ou *that* ou le *relatif zéro*) suivant le cas, et bâtir la subordonnée selon la construction propre au verbe ou à l'adjectif.

> **The book about which I spoke to you is out of print.** La proposition relative étant déterminative (772), on rejette généralement la préposition *about* et on remplace *which* par *that* ou le *relatif zéro :* **The book (that) I spoke to you about is out of print** (traduction plus élégante).
>
> **Her son, of whom she is so proud** (ou : **whom she is so proud of**), **is a fool.** Dans la subordonnée entre virgules on ne peut pas remplacer *whom* par *that* ou le *relatif zéro.* Ce type de phrase, assez gauche, est toujours évité dans la langue parlée (On peut dire : « **She's very proud of her son, but he's a fool** », ce qui n'est pas le même niveau de langue que la phrase française).

De même :

> *Un homme dont tout le monde a peur.* **A man everyone is afraid of** (mieux que : **A man of whom everyone is afraid**).
> *La classe sociale dont il était issu.* **The social class he had come from.**
> *Le mendiant dont ils se moquaient.* **The beggar they were laughing at.**
> *Les outils dont je me sers.* **The tools which** (ou **that** ou plus couramment le relatif zéro) **I use.**

Les conseils dont nous avons besoin. **The advice which** (ou **that** ou plus couramment le relatif zéro) **we need.**

To use et *to need* sont suivis de compléments directs.

(3) **Dont** signifie « *parmi lesquels* » (idée de choix) quand il est suivi de « *certains* », « *plusieurs* », « *la plupart* », « *tous* », « *aucun* », un **superlatif** ou un **nombre.**

Le traduire par **of which** (ou **of whom**) précédé du pronom indéfini, du superlatif ou du nombre (style écrit soigné).

> **Sheridan wrote several comedies, the best of which is The School for Scandal.** *Sheridan a écrit plusieurs comédies, dont la meilleure est l'Ecole de la Médisance.*
> **He has eight children, most of whom are gifted in languages.** *Il a huit enfants, dont la plupart sont doués pour les langues.*
> **There were 80 passengers, nearly all of whom were drowned.** *Il y avait 80 passagers, dont presque tous se sont noyés.*
> **They gave him four books, three of which were by Dickens.** *Ils lui donnèrent quatre livres, dont trois de Dickens.*
> **He told many stories, some of which were true (none of which was true).** *Il a raconté de nombreuses histoires, dont plusieurs étaient vraies (dont aucune n'était vraie).*
> **She gave him some advice, most of which was excellent.** *Elle lui donna des conseils, dont la plupart étaient excellents.*

Dans toutes ces phrases le relatif se place à l'endroit où serait le pronom si la phrase était coupée **(He has eight children; most of them are gifted in languages. She gave him some advice; most of it was excellent).**

(4) Lorsque « *certains* », « *la plupart* », etc., placés après **dont** introduisent un nom, traduire par « *some of whose* », « *most of whose* », etc. (style très soigné).

> **It is a country most of whose inhabitants can neither read nor write.** *C'est un pays dont la plupart des habitants ne savent ni lire ni écrire.*

(5) Pour la traduction de « *ce dont* », voir 783.

---

4. — LE DÉMONSTRATIF RELATIF WHAT

781 (a) **What**, qui équivaut à *that which*, renferme son antécédent. Il peut être sujet ou complément.

> **What struck me most was the high standard of living.** *Ce qui m'a frappé le plus, c'est le haut niveau de vie* (**What** est **sujet** de **struck**).
> **What he told us was true.** *Ce qu'il nous a dit était vrai* (**What** est **complément** de **told**).
> **What I liked best was the cartoon.** *Ce que j'ai préféré, c'est le dessin animé.*

Remarquer que les deux propositions ne sont pas séparées par une virgule et que le sujet du second verbe n'est pas répété sous la forme d'un pronom personnel (le sujet de « *was* » est la proposition « **what I liked best** »).

Le verbe *to be* qui suit **what** peut s'accorder en nombre avec le nom qui le suit.

> **What I liked best were** (plutôt que **was**) **the clowns.** *Ce que j'ai préféré, ce sont les clowns.*

La proposition introduite par *what* peut être complément d'un verbe, d'un nom ou d'un adjectif.

I'll remember what he said. *Je me souviendrai de ce qu'il a dit.*

Listen to what he is saying. *Écoutez ce qu'il dit.*

The reason for what might be called his half-failure. *La raison de ce qu'on pourrait appeler son demi-échec.*

She is afraid of what people will say. *Elle a peur de ce que vont dire les gens.* (Remarquer que l'on ne fait pas d'inversion après *what* à la forme affirmative, cf. 206, 4°).

Après les verbes *to care (about)* et *to depend (on)* la préposition est souvent omise devant *what*.

He doesn't care what people will say. *Il se moque de ce que diront les gens.*

It all depends what they intend to do. *Tout dépend de ce qu'ils comptent faire.*

782 (b) Autres traductions de « *ce que* », « *ce qui* ».

(1) *Which* a pour antécédent un membre de phrase (*What* annonce ce qui suit, alors que *which* résume ce qui précéde. *What* n'a pas d'antécédent, *which* en a un).

He told us he had travelled round the world, *which* was not true. *Il nous a dit qu'il avait fait le tour du monde, ce qui n'était pas vrai* (L'antécédent de *which* est toute la proposition qui précède la virgule).

He apologized most politely, *which* we all appreciated very much. *Il s'est excusé très poliment, ce que nous avons tous beaucoup apprécié.*

I slipped on the ice, *which* they thought was very funny. *Je glissai sur le verglas, ce qu'ils trouvèrent très drôle.*

Comparer la construction des deux phrases :

***What* made us laugh was that he looked most uncomfortable.** *Ce qui nous a fait rire, c'est qu'il avait l'air fort embarrassé.*

He looked most uncomfortable, *which* made us laugh. *Il avait l'air fort embarrassé, ce qui nous a fait rire.*

(2) *Tout ce qui, tout ce que = all (that), everything (that), whatever.*

All that worries me about the new house is the size of the garden. *Tout ce qui m'inquiète au sujet de la nouvelle maison, c'est la dimension du jardin* (**that** étant sujet de **worries**, on ne peut pas le sous-entendre; on ne dit jamais « all what »).

They give him all that (= all = everything = whatever) **he wants.** *Ils lui donnent tout ce qu'il veut.*

(3) *Ce à quoi, ce contre quoi*, etc. = *what* + préposition rejetée.

Ce à quoi je pensais. **What I was thinking of.**

Ce contre quoi ils se révoltaient. **What they were rebelling against.**

783 (c) Traductions de « *ce dont* ». (C'est un cas particulier de « *ce que* », la phrase française comportant un verbe, nom ou adjectif construit avec « *de* »).

(1) *What* quand l'expression n'a pas d'antécédent.

What I need is a good dictionary. *Ce dont j'ai besoin, c'est un bon dictionnaire.*

(2) *Which* quand l'expression a pour antécédent *un membre de phrase*. Bien choisir la construction du verbe.

The food was very bad, which he never complained about (= about which he never complained). *La nourriture était très mauvaise, ce dont il ne s'est jamais plaint.*

She was very kind to them, which they will always remember. *Elle a été très bonne avec eux, ce dont ils se souviendront toujours.*

(3) *tout ce dont* = **all that**.

All (that) we need is fine weather. *Tout ce dont nous avons besoin, c'est du beau temps.*

5. — PRONOMS ET ADJECTIFS INTERROGATIFS

Pour la construction des phrases interrogatives, voir leçon 22.

784 (a) *Who/whom.* Dans la langue parlée **whom** est toujours remplacé en tête de phrase par **who**, pronom interrogatif qui peut donc être sujet ou complément.

Who (sujet) **plays chess** ? — **I do.** *Qui joue aux échecs ? — Moi.*
Who (complément) **are you going to invite** ? *Qui allez-vous inviter ?*
Who **were you talking to** ? *A qui parliez-vous ?* (On évite la tournure correcte mais gauche : « To whom were you talking ? »).
'I got a letter this morning' — 'Who from ?'. *« J'ai reçu une lettre ce matin » — « De qui ? »* (voir 227).

Mais (construction aujourd'hui archaïque, avec une interrogation indirecte) :

Never send to know for whom the bell tolls; it tolls for thee (John Donne). *N'envoie jamais demander pour qui sonne le glas; il sonne pour toi.*

Pour *l'interrogatif whose*, voir 754.

785 (b) *Which*, interrogatif, exprime une *idée de choix (lequel ?)*, pour les personnes aussi bien que pour les choses. *Which* est pronom ou adjectif.

Which of these cakes will you have ? *Lequel de ces gâteaux voulez-vous ?*
Which of the two sisters did he marry ? *Laquelle des deux sœurs a-t-il épousée ?*
Which foreign languages have you studied ? *Quelles langues vivantes avez-vous étudiées ?*

Il est sous-entendu dans ces phrases que *le choix est limité* à un petit nombre de possibilités présentes à l'esprit de l'interlocuteur. Sinon on emploierait *what*. Comparer :

What books do you prefer ? *Quels livres préférez-vous ?*
Which novel by Fielding do you prefer ? *Lequel des romans de Fielding préférez-vous ?*

Remarque : Les adjectifs interrogatifs *which* et *what* jouent le rôle d'*adjectifs relatifs* dans des phrases comme :

The murder was committed at 9 p.m., at which time I was at my club. *Le crime a été commis à 21 heures, heure à laquelle j'étais à mon cercle.*
He gave his daughters what money he had. *Il donnait à ses filles tout l'argent qu'il avait* (what money = all the money that).
Give me what books you have on the subject. *Donnez-moi tous les livres que vous avez sur cette question.*

He must have been getting on for eighty in the year 1807, earlier than which date I suppose I can hardly remember him (Samuel Butler). *Il devait avoir près de quatre-vingts ans en 1807, date avant laquelle je ne pense pas pouvoir me souvenir de lui.* (Cette construction avec « *than which* » est littéraire).

786 (c) Une petite *proposition interrogative incise (did he say, would you think...)* est parfois intercalée sans virgule entre le terme interrogatif et le verbe (777).

Which *would you say* was the best film ? *Quel a été à votre avis le meilleur film ?*

Who *do you think* is the greatest man of our century ? *Quel est à votre avis le plus grand homme de notre siècle ?*

Dans ces deux exemples le terme interrogatif est sujet. Quand il est complément (ou quand c'est un adverbe), le verbe principal ne se met pas à la forme interrogative.

Where does she think they've gone ? (et non : « have they gone »). *Où croit-elle qu'ils sont allés ?*

What book did he say we should read ? *Quel livre a-t-il dit que nous devrions lire ?*

La conjonction *that* peut être exprimée après « **does she think** », « **did he say** », qui ne sont donc pas des propositions incises, contrairement à « **would you say** » et « **do you think** » dans les deux premiers exemples (où il n'est pas possible d'introduire *that*).

(d) Pour l'emploi de *ever* (ou « *on earth* », « *the devil* ») après un pronom interrogatif dans une question emphatique, voir 156.

EXERCICES

[A] Compléter avec le pronom relatif qui convient (*which, that*, « *relatif zéro* », etc.)

1. The film ... we saw last night was very good. — 2. That film, ... I had seen before, is about a man ... is hunted by the police in Belfast. — 3. This is the worst winter ... we have had for ten years. — 4. Mr Thomson, with ... I play bridge on Saturdays, is the man ... I introduced to you at the party. — 5. Bob, ... plays the oboe in our orchestra, knows Benjamin Britten. — 6. The noise ... we had to put up with got on our nerves. — 7. Their front-garden, ... is very small, is full of flowers. — 8. The man in ... car I came is a town-councillor. — 9. The only advice ... I can give you is to give up the attempt. — 10. Will the person ... car is parked in front of our garage be so kind as to move it ? — 11. He told us a long story about his dogs, ... was very funny. — 12. The story ... he told us was very funny. — 13. He is the laziest fellow ... I've ever met. — 14. The first piece on the programme, ... I liked, was an overture by Rossini. — 15. The first piece on the programme ... I liked was the concerto ... they played after the interval.

[B] Rejeter la préposition et omettre le pronom relatif quand c'est possible :
1. The record to which we were listening was given us by Tim. — 2. John's wife, with whom we had tea, is a very good pianist. — 3. The lady with whom we had tea is a very good pianist. — 4. The friends for whom we are waiting are always late. — 5. Their house, in which ten people could live comfortably, stands at the top of the cliff. — 6. The chair in which you are sitting is two hundred years old. — 7. The people to whom this house belongs live in Glasgow. — 8. Brian, with

410

whom I never agree, is very narrow-minded. — 9. The film about which so much has been written is on at the Odeon. — 10. He is a friend on whom you can always rely.

[C] Traduire (« **dont** ») :

1. La maladie dont il est mort était la lèpre. — 2. Le mur dont le jardin est entouré a 5 pieds de haut. — 3. Wilde, dont j'aime tant les comédies, était irlandais. — 4. L'homme dont il est jaloux le déteste. — 5. Le manteau dont il était vêtu était en lambeaux. — 6. J.S. Bach a eu vingt enfants, dont quatre sont devenus des compositeurs célèbres. — 7. Ce fut un choc dont il ne se remit jamais. — 8. John Morgan, dont je suis le cousin germain, vient nous voir la semaine prochaine. — 9. Sa femme, dont vous vous souvenez certainement, a passé son enfance en Afrique du Sud. — 10. Il m'a prêté plusieurs livres, dont aucun ne m'a plu. — 11. Il y avait sur la table douze verres, dont trois étaient fêlés. — 12. Ils emportèrent de nombreux bijoux, dont la plupart valaient plusieurs centaines de livres. — 13. Ses parents n'aiment pas le garçon dont elle est amoureuse. — 14. J'y fis la connaissance de plusieurs Anglais, dont trois sont devenus mes amis. — 15. Notre voisin est un homme très instruit, dont deux des fils sont professeurs de mathématiques.

[D] Subordonner la seconde phrase à la première avec un pronom relatif, suivant le modèle :

We went to see four plays; we liked them all → We went to see four plays, **all of which** we liked.

1. She was introduced to a lot of people; she did not make friends with any of them. — 2. He bought a number of newspapers; he read only one of them. — 3. There are thirty boys and girls in my form; several of them have been to Britain. — 4. There will be twelve people at the party; you've already met most of them. — 5. They spoke to him in several languages; he didn't understand any to them. — 6. They arrested five men; all of them were found guilty. — 7. We sent them a lot of postcards; they never received some of them. — 8. I read the list of applicants; some of their names were familiar to me. — 9. They awarded the prize to a young woman; most of her short stories had been published in magazines. — 10. He invited a few of his colleagues; we found them all very nice.

[E] Traduire (« *ce que* », « *ce dont* », « *c'est ... que* »).

1. Il n'écoute jamais ce qu'on lui dit. — 2. Tout ce qu'il dit est vrai. — 3. Il y avait beaucoup de brouillard sur la route, ce qui nous a fait arriver très tard. — 4. Je me demande ce que va faire le gouvernement. — 5. Son voisin joue du violon, ce qui l'agace terriblement. — 6. Nous avons ri, ce qui l'a rendu furieux. — 7. Ce qui l'a vexé, c'est que nous avons ri. — 8. Il fait tout ce qui lui plaît et ne se soucie pas de ce qu'en pensent ses parents. — 9. Il trouve à redire à tout ce que je fais, ce qui m'agace. — 10. Il nous a donné beaucoup de conseils, ce dont nous aurions pu nous passer. — 11. Tout ce qu'il me faut pour être heureux, c'est un voilier et un jour de grand vent. — 12. Ce qui l'a beaucoup surpris, c'est qu'ils mangent le mouton avec de la sauce à la menthe. — 13. J'ai oublié ce dont vous m'avez parlé. — 14. Ce dont elle a affreusement peur, ce sont les araignées. — 15. Il a enfin réussi à son examen, ce dont nous nous réjouissons tous. — 16. Ce qui me tracasse, c'est que je ne retrouve pas mon passeport. — 17. Ils nous ont permis d'utiliser leur téléphone, ce dont nous les avons remerciés. — 18. Il n'a pas tenu sa promesse, ce que nous lui avons tous reproché. — 19. Ce dont je vous félicite, c'est votre humour. — 20. Voici ce à quoi il faisait allusion. — 21. C'est ici que je suis né. — 22. C'est alors que les policiers sont entrés dans le bar. — 23. C'est de cette façon que vous ferez des progrès en anglais. — 24. C'est ici que nous allons déjeuner. — 25. C'est maintenant que nous devons intervenir.

Traduire (« *qui* », « *que* », « *lequel* »...).

1. Les amis avec qui je voyage souvent aiment beaucoup l'archéologie. — 2. Ce n'est pas le genre de livres auxquels je m'intéresse. — 3. J'ai trouvé le livre que tu cherches. — 4. J'aimerais trouver un secrétaire à qui je puisse faire confiance. — 5. Fais attention, la chaise sur laquelle tu es assis n'est pas très solide. — 6. Les sujets auxquels il s'intéresse nous ennuient à mourir. — 7. La plupart des acteurs étaient bons, quoique je n'aie pas beaucoup apprécié celui qui jouait le rôle de Banquo. — 8. Le film que j'ai vu samedi était très drôle. — 9. Le film, que j'avais déjà vu, était très drôle. — 10. La famille à laquelle elle appartient est une des plus riches de Grande-Bretagne.

[G] Intercaler « *do you think* », suivant les modèles :
Who won the race ? → Who do you think won the race ?
What did he understand ? → What do you think he understood ?

1. Where could we have a cup of tea ? — 2. How many people attended the meeting ? — 3. How far can we go by car ? — 4. What are you doing ? — 5. Which of these books would he like best ? — 6. What will happen next ? — 7. What did we invite them for ? — 8. Which of the two sisters did he fall in love with ? — 9. Why did he sell his house ? — 10. How much did he pay for it ?

[H] Traduire :

1. Lequel d'entre vous a cassé ce carreau ? — 2. A qui voulez-vous parler ? — 3. De qui vous moquez-vous ? — 4. Qui attendez-vous ? — 5. Qui est venu pendant que j'étais sorti ? — 6. Avec quoi allons-nous ouvrir ces boîtes de conserves ? — 7. Avec lequel d'entre nous préféreriez-vous voyager ? — 8. Quel a été à votre avis le plus grand roi de France ? — 9. Mais pour qui donc se prend-il ? (commencer la question par : Who... ?). — 10. Devinez qui a gagné la course (idem). — 11. A qui croyez-vous parler ? — 12. Que pouvons-nous espérer d'autre ?

---

39. — NOTION DE QUANTITÉ. LES NUMÉRAUX

Une quantité imprécise peut s'exprimer à l'aide d'un adjectif ou pronom indéfini : **a lot (of), much/many, (a) little, (a) few, enough**... Pour une quantité précise on se sert des adjectifs numéraux : **two pints of milk, five pounds, three thousand people**... On appelle « quantificateurs » ou « quantifieurs » (*quantifiers*) les adjectifs indéfinis exprimant la quantité et les adjectifs numéraux cardinaux.

1. — INDÉFINIS EXPRIMANT UNE NOTION DE QUANTITÉ

787 (a) *Beaucoup de, peu de, combien de... ?*

(1) *Much* accompagne un nom singulier, *many* un nom pluriel.

> **There was not much traffic.** *Il n'y avait pas beaucoup de circulation.*
> **There were not many cars.** *Il n'y avait pas beaucoup de voitures.*

La même règle est appliquée lorsque le nom est sous-entendu (*much* et *many* sont alors des pronoms).

> **There isn't much left in the pot.** *Il n'en reste pas beaucoup dans la théière* (much = much tea).

The English drink tea, but many also drink coffee. *Les Anglais boivent du thé, mais beaucoup boivent aussi du café* (many = many English people).

L'expression « *many a* + singulier » s'emploie surtout dans la prose littéraire, mais l'expression **many a time** est assez courante comme synonyme de **many times**.

We have been there many a time. *Nous y sommes allés maintes fois.*

788 (2) A la forme affirmative *much* et *many* sont généralement remplacés par *a lot of, plenty of; much* est parfois remplacé par *a great deal of, many* par *a great many, a large number of, lots of*.

There was a lot of fog. *Il y avait beaucoup de brouillard.*
We had a lot of trouble. *Nous avons eu beaucoup de difficultés.*
He has plenty of money, and a great many people would like to be his friends. *Il a beaucoup d'argent, et bien des gens voudraient être ses amis.*
Lots of people think as I do. *Beaucoup de gens pensent comme moi.*
Quite a lot of = very much, very many.

Noter les litotes (langue soignée) : *not a few* (+ pluriel), *not a little* (+ singulier), synonymes de *a lot of*. De même *quite a few* (+ pluriel) = *a large number of* (bon nombre de).

789 (3) *Little* accompagne un nom singulier, *few* un nom pluriel.

They have very little luggage. *Ils ont très peu de bagages.*
There are very few exceptions. *Il y a très peu d'exceptions.*
The poor fellow has little money and few friends. *Le pauvre diable a peu d'argent et peu d'amis.*

Presque pas de = *hardly any* (29).

There's hardly any bread left. *Il ne reste presque pas de pain.*

There are hardly any trees on the island. *Il n'y a presque pas d'arbres sur l'île.*

Noter l'expression (langue soignée) : *next to no* = pour ainsi dire pas de.

There is next to no evidence. *Il n'y a pour ainsi dire pas de preuves.*

790 (4) *Combien de* = *how much* + singulier
how many + pluriel,
que le nom soit exprimé ou sous-entendu.

How much milk do you want ? *Combien de lait voulez-vous ?*
How many letters did you get ? *Combien de lettres avez-vous reçues ?*
How many (of you) agree with me ? *Combien (d'entre vous) sont d'accord avec moi ?*
How much did you pay for this vase ? *Combien avez-vous payé ce vase ?*

How much s'emploie avec *to be* pour demander un *prix* (que le nom soit singulier ou pluriel).

How much are these apples ? *Combien coûtent ces pommes ?*

791 ⓑ *Un peu de, quelques.*

(1) *A little* accompagne ou remplace un nom singulier, *a few* un nom pluriel.

He drank a little milk and ate a few biscuits. *Il but un peu de lait et mangea quelques biscuits.*

413

Ne pas confondre *little/few* et *a little/a few* : sans article ils insistent sur la très petite quantité, le très petit nombre (*vraiment très peu de*, et assez souvent : *trop peu de*); avec l'article ils expriment une simple constatation (*une petite quantité de, un petit nombre de*). Toutefois quand « *a few* » est employé avec *the, these* ou *those*, l'article *a* disparaît.

> **The few days I spent in London.** *Les quelques jours que j'ai passés à Londres.*
> **These few instances.** *Ces quelques exemples.*

N.B. Nous avons vu (788) que *quite a few* = quite a lot of (*bon nombre de*).

(2) *Several* est synonyme de *a few* (*un petit nombre de, plusieurs*).

> **Several people clapped.** *Plusieurs personnes applaudirent.*
> **Several of them won't be able to come.** *Plusieurs d'entre eux ne pourront pas venir.*

792 (3) *Some* (*une certaine quantité de, un certain nombre de*) remplace fréquemment *a little* et *a few* (donc avec un pluriel comme avec un singulier), en insistant moins nettement sur la petite quantité, le petit nombre. *Some* a souvent le sens d'un simple article partitif ou d'un article pluriel (*du, de la, des*, voir 618). Il n'est pas accentué quand c'est un adjectif, il l'est quand c'est un pronom.

> **Give me some** [səm] **money.** *Donne-moi un peu d'argent (de l'argent).*
> **He came with some friends.** *Il est venu avec quelques* (ou : *des*) *amis.*

Some peut être suivi de *of* + nom ou pronom.

> **Some** [sʌm] **of the men were tired.** *Quelques-uns des hommes étaient fatigués.*
> **Some of us will stay here.** *Quelques-uns d'entre nous resterons ici.*
> **Some of what he said was very sensible.** *Une partie de ce qu'il a dit était très raisonnable.*

Any s'emploie à la place de *some* après une négation, et généralement dans une phrases interrogative ou pour l'expression d'un doute (voir 619).

> **There are very few cinemas in the town, if any.** *Il y a très peu de cinémas dans la ville, si tant est qu'il y en ait un seul.*
> **We didn't speak to any of them.** *Nous n'avons parlé à aucun d'entre eux* (Cf. We spoke to some of them).

Pour les autres emplois de *some* et *any*, voir 618 à 621, 818, 822, 825, 829.

793 (c) *Autant de, plus de, moins de, tant de, que de... !*

(1) *Autant de* = **as much** + singulier
              as many + pluriel.

Le complément est introduit par *as* (comparatif d'égalité).

A la forme négative : *not as much/not so much; not as many/not so many.*

> **Some children spend as much time in front of the TV as they do in the classroom.** *Il y a des enfants qui passent autant de temps devant la télé qu'en classe.*
> **Do the English eat as much bread as we do ?** *Les Anglais mangent-ils autant de pain que nous ?*
> **Ben Jonson did not write as many** (ou : **so many**) **plays as Shakespeare did.** *Ben Jonson n'a pas écrit autant de pièces que Shakespeare.*

794 (2) *Plus de* = *more... (than...).*

More est le comparatif de *much* (+ singulier) et de *many* (+ pluriel).

It gives more smoke than heat. *Cela donne plus de fumée que de chaleur.*

He's got a lot more books than I have. *Il a beaucoup plus de livres que moi.*

Have some more. *Reprenez-en.*

Un peu plus de = a little more (+ singulier), *a few more* (+ pluriel).

795   (3) *Moins de = less* + singulier (comparatif de *little*)
                fewer + pluriel (comparatif de *few*).

Le complément est introduit par *than.*

There were fewer people than usual. *Il y avait moins de monde que d'habitude.*

You should drink less whisky (couramment : **You shouldn't drink so much whisky**). *Tu devrais boire moins de whisky.*

He knew little Latin and less Greek. *Il* (Shakespeare) *savait peu de latin et encore moins de grec.*

You make fewer and fewer mistakes. *Vous faites de moins en moins de fautes.*

Cependant, dans une langue peu soignée, *less* s'emploie assez souvent au lieu de *fewer* devant un nom pluriel (**less books, less people**).

She was congratulating herself that she had made less mistakes than usual (A. Christie). *Elle se félicitait d'avoir fait moins de fautes que d'habitude.*

796   (4) *Tant de = so much* + singulier   *Si peu de = so little* + singulier
            so many + pluriel   *so few* + pluriel.

Le complément de conséquence est introduite par *that.*

They had so much luggage that they needed two porters. *Ils avaient tant de bagages qu'il leur fallut deux porteurs.*

We have so many books that we don't know where to keep them. *Nous avons tant de livres que nous ne savons pas où les ranger.*

I didn't know there would be so many people. *Je ne savais pas qu'il y aurait tant de gens.*

He has so few teeth left that he can't eat meat. *Il lui reste si peu de dents qu'il ne peut pas manger de viande.*

'Never... was so much owed by so many to so few' (W. Churchill parlant des pilotes de la R.A.F. en 1940). *Jamais tant de personnes n'ont eu une telle dette envers un si petit nombre.*

(5) *Que de... ! = How much* + singulier
              How many + pluriel (on dit beaucoup plus couramment : **What a lot of... !** Voir 451).

How much sunshine ! *Que de soleil !*

How many flowers ! *Que de fleurs !*

What a lot of mistakes ! *Que d'erreurs !*

797 ⓓ *Trop de, assez de.*

   (1) *Trop de = too much* + singulier   *Trop peu de = too little* + singulier
            too many + pluriel   *too few* + pluriel.

They spend too much time watching T.V. and too little time reading. *Ils passent trop de temps à regarder la télévision et trop peu de temps à lire.*

She has too many friends. *Elle a trop d'amis.*

Too few people like music in this country. *Trop peu de gens aiment la musique dans ce pays.*

Noter les expressions :

I have a ticket too many. *J'ai un billet de trop.*
That was once too often. *C'était une fois de trop.*

(2) *Assez de = **enough**.*

I haven't enough money (enough stamps). *Je n'ai pas assez d'argent (de timbres).*

Enough se place parfois, mais plus rarement, après le nom (**enough time/time enough**), alors qu'il se place toujours (652) après l'adjectif (**big enough**).

*Bien assez de = **plenty of**.*

We shall have plenty of time to have tea. *Nous aurons largement le temps de prendre le thé.*

---

2. — NOMBRES CARDINAUX

798 (a) ***De 1 à 99.***

one [wʌn]	eleven [i'levn]	
two [tuː]	twelve ['twelv]	twenty ['twenti]
three [θriː]	thirteen ['θəː'tiːn]	thirty ['θəːti]
four [fɔː]	fourteen ['fɔː'tiːn]	forty ['fɔːti]
five [faiv]	fifteen ['fif'tiːn]	fifty ['fifti]
six [siks]	sixteen ['siks'tiːn]	sixty ['siksti]
seven [sevn]	seventeen ['sevn'tiːn]	seventy ['sevnti]
eight [eit]	eighteen ['ei'tiːn]	eighty ['eiti]
nine [nain]	nineteen ['nain'tiːn]	ninety ['nainti]
ten [ten]		

38 = ***thirty-eight;*** 71 = ***seventy-one;*** 94 = ***ninety-four.***

Remarques : (1) Les nombres terminés par **-ty** sont accentués sur la première syllabe, alors que ceux qui sont terminés par **-teen** portent normalement deux accents. (Toutefois, si le rythme de la phrase le demande, ils peuvent n'avoir qu'un accent, qui est alors le plus souvent sur la seconde syllabe).

(2) Attention à l'orthographe de ***fourteen*** et de ***forty***.

(3) On utilise encore parfois (mais de moins en moins) les expressions archaïques ***five and twenty*** (= twenty-five), ***nine and forty*** (= forty-nine), etc.; surtout pour l'heure (**It's five and twenty minutes past two**), plus rarement pour l'âge (**at the age of nine and forty**) et le recul dans le temps (**five and twenty years ago**). Comparer avec l'allemand.

799 (b) ***A partir de 100.***

One hundred ['hʌndrəd], ***one thousand*** ['θauzənd] sont plus précis que ***a hundred, a thousand***.

A hundred people were waiting outside. *Cent personnes attendaient dehors.*

His grandfather settled in the States just one hundred years ago. *Son grand-père s'est fixé aux Etat-Unis il y a juste cent ans.*

Les dizaines et les unités ajoutées à *hundred*, à *thousand*, à *million*, sont toujours précédées de *and* (sauf en américain).

      142 = **a hundred** (ou : **one hundred**) *and* **forty-two.**
      250 = **two hundred** *and* **fifty** (amér. : **two hundred fifty**).
      893 = **eight hundred** *and* **ninety-three.**
    2,001 = **two thousand** *and* **one.**
    7,500 = **seven thousand five hundred** (pas de *and* entre les milliers et les centaines).
  42,506 = **forty-two thousand five hundred** *and* **six.**

On a parfois en américain « **twenty-five hundred dollars** », ($2,500), pour « **two thousand five hundred dollars** ».

Remarquer la virgule qui sépare les milliers des centaines (voir 803).

    1,000,000   = *one million.*
    3,000,025   = **three million and twenty-five.**
    3,500,000   = **three million five hundred thousand.**
  1,000,000,000 = **one thousand million** (*milliard* s'emploie peu).

One billion signifie **one thousand million** (= *un milliard*) en Amérique, mais **one million million** (= *mille milliards*) en Angleterre (où toutefois on l'emploie moins aujourd'hui dans ce sens que dans le sens américain).

One thousand million years ago. *Il y a un milliard d'années.*

Dans les titres des journaux : *£20m* (= **twenty million pounds**), *5m people* (= **five million people**), etc.

N.B. L'anglo-indien a des mots spéciaux pour 100 000 (*lakh*) et pour 10 000 000 (*crore*), qui s'emploient surtout pour les sommes d'argent (**25 lakhs** = 2 500 000 rupees).

800 (c) *Dozen* [dʌzn], *hundred*, *thousand* et *million* sont invariables quand ils sont multipliés par un nombre précis (**two dozen eggs, five hundred pounds, three thousand years ago, four million people**) ou précédés de *several, a few, many* (**several hundred people**), alors qu'ils prennent la marque du pluriel quand ils sont suivis de *of* (**hundreds of times, thousands of birds, millions of stars**). On emploie parfois le pluriel *millions* après un nombre qui le multiplie quand le nom est sous-entendu.

Score s'emploie peu au sens propre (*vingtaine*) : « **five score years ago** » (*il y a un siècle*) et « **a few score yards** » (*quelques vingtaines de mètres*) sont des archaïsmes. Dans la Bible, « **three score years and ten** » (*70 ans*) est donné comme est la durée normale de la vie humaine. Mais *scores of* s'emploie dans un sens vague (= a great many) : **scores of times** (*bien des fois*, « *trente-six fois* »), **scores of people** (*une foule de gens*).

On dit en anglo-indien : *lakhs of* (= a great many) **people, lakhs of casualties,...**

801 (d) Les autres nombres ne prennent *la marque du pluriel* qu'exceptionnellement. Ils sont alors considérés comme des noms.

    They filed out in twos, in threes. *Ils sortirent en rang par deux, par trois.*
    To be/to go on all fours. *Etre/marcher à quatre pattes.*
    The 1930ies/1930s (the thirties). *Les années 1930 (les années trente).*
    Three fives are fifteen. *3 × 5 = 15.*

802 (e) *Nombre imprécis.*

    Il y a une cinquantaine d'années. **About fifty years ago, some fifty years ago, fifty odd years ago, fifty years or so ago.**

Il y a environ deux mois. **A couple of months ago.**
Deux ou trois fois. **A couple of times.**
Cela vous coûtera dans les 5 livres. **That will cost you in the region of 5 pounds** (= **about 5 pounds**).
Moins de dix minutes. **Less than ten minutes, under ten minutes.**
Plus de dix minutes. **More than ten minutes, over ten minutes.**
Près d'un million d'habitants. **Nearly** (= **almost**) **a million inhabitants.**
A peine dix maisons. **Hardly ten houses.**
Il y a au moins cinq kilomètres d'ici à la gare. **It's a good** (= **at least**) **three miles to the station.**

Pour « *a good* + *nombre* », voir 562. De même :

> **An estimated 100,000 people were treated for skateboard injuries last year** (International Herald Tribune). *On évalue à 100 000 le nombre de personnes ayant reçu des soins l'année dernière à la suite d'accidents de planche à roulettes.*

On peut insister sur un grand nombre en employant les expressions « *as much as* », « *as many as* », « *as long as* » (contraires de *hardly*).

> *Une bonne dizaine de milliers de gens.* **As many as** (= **No fewer than**) **ten thousand people.**
> *Pendant une bonne centaine d'années.* **For as long as a hundred years.**

803 (f) *Décimales.* On les lit chiffre après chiffre. Le « *decimal point* », souvent placé à mi-hauteur, se lit « **point** ».

> 3·1416 = **three point one four one six.**
> ·472 = **point four seven two** (le zéro qui précède le « decimal point » est généralement omis dans ce cas).
> 3 minutes 17·6 (**seventeen point six**). *3 minutes 17 secondes et 6 dixièmes.*

804 (g) *Zéro.* Il se lit *nought* [nɔːt] (*zero* en américain), avant ou après le « decimal point ».

> ·01 = **point nought one** (ou : **nought point nought one**).
> **20 is the top mark, 0 (nought) the bottom mark.** *20 est la meilleure note, zéro la plus mauvaise.*
> **I got nought** (ou : **no marks**) **for my essay.** *J'ai eu zéro pour ma dissertation.*
> **No mistakes** (remarquer le pluriel). *Zéro faute.*

On lit [ou], comme la lettre o, dans les numéros de téléphone (811), les numéros de lignes d'autobus, de chambres d'hôtel, etc., de trois chiffres (106 = **one o six**, plus couramment que « one hundred and six »).

Nil s'emploie dans les résultats sportifs (*zero* en américain).

> **We won (by) three (to) nil** (parfois : **nothing**). *Nous avons gagné par 3 à 0.*
> **No score at half time.** *Zéro partout à la mi-temps.*
> Mais au tennis : **three-love** (3-0), **love all** *(zéro partout).*

Zero, en Angleterre comme en Amérique, désigne le zéro du thermomètre (**Zero degrees**, remarquer le pluriel).

> **Twelve degrees below zero** (ou : **below freezing point**). *Douze degrés au-dessous de zéro.*

Zero s'emploie aussi pour le compte à rebours (**countdown : three, two, one, zero**).

Pour « *zéro heure* », voir 809.

ⓗ Pour **both** *(tous les deux)*, voir 830, 831.

| 3. — NOMBRES ORDINAUX |

805 ⓐ *de 1ᵉʳ à 12ᵉ.*

first (1st) [fəːst]	fifth (5th) [fifθ]	ninth (9th) [nainθ]
second (2nd) ['sekənd]	sixth (6th)	tenth (10th)
third (3rd) [θəːd]	seventh (7th)	eleventh (11th)
fourth (4th) [fɔːθ]	eighth (8th) [eitθ]	twelfth (12th).

Remarquer les **irréguliers** : les trois premiers (non terminés par **-th**), **fifth** et **twelfth** (terminaison **-ve** → **-fth**), et pour leur orthographe, **eighth** (on écrit un seul t) et **ninth** (sans e).

806 ⓑ *A partir de 13ᵉ.*

Il suffit d'ajouter **-th** au nombre cardinal. Les nombres terminés par **-ty** changent cette terminaison en **-tieth** [tiiθ].

> 13th = **thirteenth**   19th = **nineteenth**   27th = **twenty-seventh**
> **The 20th (twentieth) century.** *Le 20ᵉ siècle.*

Attention aux lettres ajoutées aux nombres terminés par 1, 2 ou 3. Comparer 11th, 12th, 13th/21st, 22nd, 23rd (il suffit de les lire mentalement pour éviter les erreurs).

> **His seventieth birthday.** *Son soixante-dixième anniversaire.*
> **Hundredth** (100th) et **thousandth** (1,000th) se forment régulièrement.
> **For the hundredth time.** *Pour la centième fois.*
> 101st, 102nd = **hundred and first, hundred and second.**
> **For the nth** [ði'enθ] **time.** *Pour la Nième fois.*

807 ⓒ Comme en français, les nombres ordinaux sont précédés de ***l'article défini***, à moins qu'ils ne soient employés avec un adjectif possessif ou démonstratif. Exception : les noms des rues américaines (sans article : **5th Avenue, 34th Street**).

Bien prononcer [ði] devant 8th, 18th, 80th (81st, etc.) et 11th. L'article se prononce pour les noms des souverains, alors qu'on ne l'écrit pas.

> **Charles I** (the first).
> **George III** (the third).
> **Henry VIII** (the eighth).
> **John XXIII** (the twenty-third).

| 4. — REMARQUES SUR LES EMPLOIS DES ADJECTIFS NUMÉRAUX |

808 ⓐ **Sommes d'argent.** Il faut lire correctement les abréviations.

(1) *Système monétaire britannique décimal.*

> £4 = **four pounds.**
> £4.50 = **four pounds fifty** (pence), parfois : « four fifty ».
> 25 p = **twenty-five pence**, ou « twenty-five p » [piː]

Voir 548 (**pennies** et **pence**).

(2) *Système monétaire britannique ancien.*

Jusqu'en 1971, les lettres **s** et **d** représentaient respectivement le **shilling** (£1

= 20s) et le *penny* ancien (1s = 12d). Quelques exemples d'abréviations anciennes :

> 6d = **sixpence** (prononciations irrégulières pour **twopence** ['tʌpəns] et **threepence** ['θrepəns])
> 2s (ou 2'-) = **two shillings**
> 2s 6d (ou 2'6, ou 2/6) = **two and six** (*and* précédait le nombre de pence).
> £3 = **three pounds**
> £3'10'- = **3 pounds 10** (shillings)
> £3'17'6 = **3 pounds 17 and six**
> 4 ½d = **fourpence halfpenny** ['heipni]
> 4 gns (= £4'4'-) = **four guineas**

(3) *Système monétaire américain.*

> $4 = **four dollars**
> $4.50 = **four dollars fifty** (cents), parfois : « four fifty ».
> 25 c = **twenty-five cents**

« Bob », synonyme familier de shilling, et « quid » [kwid], synonyme populaire de pound, sont invariables **(five bob, ten quid)**, alors que « buck », synonyme familier de dollar, a un pluriel régulier **(fifty bucks).**

809 ⓑ *Heures.*

> **What's the time ?** (= **What time is it ?**). *Quelle heure est-il ?*
> **What time do you make it ?** *Quelle heure avez-vous ?*
> **What time** (plus couramment que : At what time) **do you get up ?** *A quelle heure vous levez-vous ?*
> **It's 10** (= **It's 10 o'clock**). *Il est 10 heures.*
> **It's 20** (ou : **20 minutes) past 10.** *Il est 10 heures 20.*
> **It's half** [hɑːf] **past 10.** *Il est 10 heures et demie.*
> **It's a quarter** ['kwɔːtə] **to 11.** *Il est 11 heures moins le quart.*
> **It's 5 to 11.** *Il est 11 heures moins 5.*

Réponses elliptiques courantes : **It's 20 to** *(il est moins 20),* **it's half past** *(il est la demie).*

Le mot *minutes* s'emploie si le nombre de minutes n'est pas divisible par 5.

> **It's 7 minutes to 11.** *Il est 11 heures moins 7.*

Les heures précises (des trains, des avions...) se lisent comme elles s'écrivent (12.53 = **twelve fifty-three;** 15.31 = **fifteen thirty-one**).

> **The 8.47 train.** *Le train de 8 heures 47* (bien se garder d'écrire un *h* entre les heures et les minutes).

Dans le style militaire : **1900 hours** (nineteen hundred).

> *Zéro heure :* **2400 (24 hundred) hours.**
> *Zéro heure cinq :* **0005** (lire : double o, o, five).
> *Le train de 0 heures 15.* **The 0.15 train** (lire : 0-fifteen).
> **Neil Armstrong took his first step on the Moon at 0256:20 GMT on July 21st, 1969.**

Dans le language courant on ne compte pas les heures au-delà de 12. On dit :

> **8 in the morning** (ou : **8 a.m.**). *8 heures du matin.*
> **8 in the evening** (ou : **8 p.m.**). *8 heures du soir, 20 heures.*
> **The 6.30 p.m. news (bulletin).** *Les informations de 18 heures 30.*
> **Midnight, five to midnight.** *Minuit, minuit moins cinq.*

> **What's the date today ?** (= **What's today's date ? What date is it today ?**) *Quelle est la date d'aujourd'hui ?*

On utilise les nombres ordinaux. Les jours et les mois prennent une majuscule.

> **Monday, January 23rd** (lire : the twenty-third)
> **Monday 23rd January** (lire : the twenty-third of January).

C'est la première formule qui s'emploie en Amérique, d'où l'abréviation 1.23.1989 (en Angleterre comme en France : 23.1.1989).

Dans une phrase, on fait précéder la date de *on* en anglais britannique.

> **The coronation will take place on June 4th** (sans préposition *on* en américain). *Le couronnement aura lieu le 4 juin.*

Les années s'écrivent sans virgule avant le chiffre des centaines et se lisent par tranches de deux chiffres.

> 1066 = **ten sixty-six**
> 1564 = **fifteen sixty-four** (plus courant que : fifteen hundred and sixty-four).

On place généralement une virgule entre le mois et l'année.

> **Mozart died on December 5th, 1791** (December the fifth seventeen ninety-one).
> **July 14th, 1789** (ou : **14th July, 1789**).

On lit en entier les années divisibles par 100 (1900 = **nineteen hundred;** *l'an mil* = **the year one thousand**) et celles dont le chiffre des dizaines est un zéro (1905 = **nineteen hundred and five,** ou familièrement : **nineteen-o-five**; 2001 = **two thousand and one).**

On lit les mots « hundred and » pour les dates antérieures à l'an 1000 (732 = **7 hundred and 32).**

> **53 B.C.** = *53 avant J.-C.* (B.C. = before Christ). Dans les pays non chrétiens du Proche-Orient on dit parfois : B.C.E. (= before common era).
> **53 A.D.** = *53 après J.-C.* (A.D. = anno Domini).
> **In the 1840ies** (ou **1840s** = **eighteen forties**). *Entre 1840 et 1849.*
> **In the early sixties.** *Entre 1960 et 1965* (ou entre 1860 et 1865...).

811 (d) **Mesures.** Il faut lire correctement (et comprendre) les abréviations. Exemples :

> **He is 5 ft. 9 ins. tall** (lire 5 feet 9 inches, ou : 5 *foot* 9 inches). *Il mesure* (environ) *1 mètre 75* (1 ft. = 12 ins.). Voir aussi 43.
> **He weighs 12 st. 8 lbs.** (lire : 12 stone 8 pounds). *Il pèse* (environ) *80 kilos.* **Stone** (= 14 lbs) est généralement invariable et s'emploie surtout pour le poids des personnes (aussi : **a stone of potatoes).**

(e) **Numéros de téléphone.** Ils se lisent chiffre après chiffre.

> 66102 = **double six, one, o, two.**

812 (f) Les adjectifs *other, next, first* et *last* précèdent généralement les nombres, à la différence du français.

> **The last three days.** *Les trois derniers jours.*
> **The first twenty years of her reign.** *Les vingt premières années de son règne.*
> **The next ten pages.** *Les dix pages suivantes.*
> **The other two.** *Les deux autres* (On dit aussi : **the two others.** Dans ce cas, *others* est un pronom).

De même :

The Big Four. *Les quatre grands* (en politique internationale).

ⓖ Pour l'emploi des adjectifs numéraux avec les pronoms personnels (**four of them/the four of them; there were twenty of them**), voir 706.

813 ⓗ *Les quatre opérations.*

> 4 and 3 are (ou : make) 7 (ou : 4 plus 3 are 7).
> 7 minus 4 is (ou : equals) 3 (ou : 4 from 7 is 3).
> 4 threes are (ou : make) 12 (ou : 4 times 3 is 12; parfois : 4 times 3 are 12).
> 12 divided by 4 is 3 (ou : 4 into 12 is 3).

| 5. — FRACTIONS ET MULTIPLICATEURS |

814 ⓐ *Fractions :* on utilise les nombres ordinaux, qui peuvent se mettre au pluriel.

> **1/3 = one third   2/3 = two thirds   3/5 = three fifths.**

Exceptions : **1/2 = one half   1/4 = one quarter.**

> **Half an hour.** *Une demi-heure* (« **a half hour** » est américain).
> **A quarter of an hour.** *Un quart d'heure.*
> **An hour and a half** (ou : **one and a half hours,** remarquer le pluriel). *Une heure et demie.*
> **1 3/4 pints** se lit : **one and three quarter pints,** ou : **one pint and three quarters.**

Remarquer les expressions :

> **Two thirds of the bottle** (sans article). *Les deux tiers de la bouteille.*
> *Un homme sur trois.* **One man in three** (ou : **one man out of three**).
> *16 sur 20 est une très bonne note.* **16 out of 20 is a very good mark.**

815 ⓑ *Pourcentages.*

> **20 % = twenty per cent** [pə'sent]; **100 % = a hundred per cent.**
> **½ % = half a percent.**
> **A 5 % rise.** *Une augmentation de 5 %.*

816 ⓒ *How many times ?* (*combien de fois ?*). *How often ?* (*tous les combien ?*).

> **He goes to London four or five times a year.** *Il va à Londres quatre ou cinq fois par an* (279).
> **A thousand times.** *Mille fois.*

Exceptions : *once* [wʌns], *twice* (thrice est archaïque; on dit : **three times**).

> **Once or twice.** *Une ou deux fois* (mais : **two or three times**).

Avec un comparatif :

> **My case is twice as heavy as yours** (comparatif d'égalité). *Ma valise est deux fois plus lourde que la tienne.*
> *Deux fois plus long.* **Twice as long** (mais : *Deux fois moins long.* **One half the length of, one half the size of**).
> *Cela pèse huit fois plus lourd* (≠ *moins lourd*). **It weighs eight times as much** (≠ **one eighth as much**).

La construction avec un comparatif de supériorité est moins courante. Elle n'est possible qu'après *times,* jamais après *twice.*

422

Quatre fois plus gros que. **Four times as big as,** ou : **four times bigger than** (cf. exemple ci-dessus : **eight times heavier** = eight times as much).
Dix fois plus petit que : **One tenth the size of,** ou : **ten times smaller than.**

817 ⓓ Les adjectifs-adverbes *twofold, threefold, fourfold,* etc., sont souvent remplacés aujourd'hui quand ils sont adjectifs par leurs synonymes *double, triple* (ou : *treble*), *quadruple.*

> **He repaid me tenfold.** *Il me rendit au décuple ce qu'il me devait.*
> **He increased his wealth a hundredfold.** *Il multiplia sa fortune par cent.*

EXERCICES

[A] Compléter les phrases avec *little, a little, few, a few :*

1. She invited... friends on her birthday. — 2. I'm very busy at the moment, I have... time to read. — 3. Let me give you... advice before you leave. — 4. ... people can read Latin nowadays. — 5. Could I have... more spaghetti ? — 6. I'd like... more of the red roses. — 7. He speaks English remarkably well, he makes... mistakes. — 8. He speaks English well, though he makes... mistakes occasionally. — 9. He is not quite bald yet, but he has... hair left. — 10. You ought to eat... fruit every day.

[B] Compléter avec *much* ou *many :*

1. There were not... people at the concert. — 2. He does not seem to be making... progress. — 3. We don't receive... news from him. — 4. How... times have you been to Britain ? — 5. How... luggage have you got ? — 6. How... toast do you want ? — 7. He didn't give us... useful advice. — 8. He is only a beginner, he hasn't... experience. — 9. During the war he had... unpleasant experiences. — 10. How... money have you got ? — Fifty cents. How... ice creams can I buy with it ?

[C] Compléter avec *less* ou *fewer :*

1. He has been advised to eat... chocolate and... sweets. — 2. ... people go to the cinema nowadays. — 3. They eat... bread than we do. — 4. They make... and... films. — 5. She received... presents than last year. — 6. We get... news from them now that they are living in South Africa. — 7. They do more philosophy and... maths. — 8. I have... bags than you have. I have... luggage than you have. — 9. I read... books but I choose them more carefully. — 10. There was... freedom, though we saw... policemen in the streets.

[D] Traduire.

1. Il y avait beaucoup de gens, ils faisaient beaucoup de bruit. — 2. Combien de gens y avait-il ? — Il y avait peu de gens. — 3. Combien d'argent as-tu à la banque ? — 4. Il y avait très peu de brouillard. Il n'y avait presque pas de brouillard. — 5. Apportez quelques disques si vous voulez. — 6. Nous avons très peu de disques et nous ne les écoutons presque jamais. — 7. Maintenant qu'il est pauvre il a moins d'amis. — 8. Nous ne nous attendions pas à ce qu'il y ait si peu de gens. — 9. Bois autant de lait que tu veux mais ne mange pas trop de fruits. — 10. Il a fait tant d'histoires que personne ne peut plus le supporter. — 11. Nous avons trop peu de clients et trop d'impôts à payer. — 12. Il nous reste peu de temps. — 13. Combien de bagages emportez-vous ? — Je n'emporte presque pas de bagages. — 14. J'ai beaucoup de travail à faire et trop peu de temps pour le faire. — 15. Que de livres nous avons lus ! Que de temps nous avons passé à lire ! — 16. Je lis de moins en moins de romans policiers. — 17. Tu devrais fumer moins de cigarettes et plus de cigares. — 18. Il a très peu de livres, il n'en a pas autant que nous. — 19. Que de temps nous avons gaspillé ! — 20. Il a fait peu de progrès ce trimestre. Il fait autant de fautes qu'avant.

E Lire (et écrire en lettres) :

(a) 35 — 14 — 43 — 54 — 15 — 92 — 13 — 74 — 60 — 18 — 27 — 12.

(b) 475 — 690 — 102 — 653 — 934 — 8,367 — 4,813 — 15,145 — 72,893 — 81,050
— 21,001 — 43,354 — 35,453.

(c) the highest point in Scotland is Ben Nevis (4,406 ft.); the highest point in Wales
is Snowdon (3,560 ft.). The area of the British Isles is 121,102 square miles.

(d) The 11.53 train; the 9.34 train; the 12.25 train.

F Lire les dates :

(a) 1215 — 1534 — 1649 — 1746 — 1832.

(b) 1066 — 1453 — 1603 — 1666 — 1805.

(c) 1170 — 1485 — 1611 — 1688 — 1815.

(d) 1356 — 1558 — 1763 — 1901 — 1936.

(e) 1415 — 1588 — 1783 — 1904 — 1911.

G Lire (et écrire en les faisant suivre de *th, st, nd, rd*) les nombres ordinaux
correspondant à :

13 — 27 — 40 — 53 — 74 — 11 — 81 — 14 — 62 — 12 — 20 — 500 — 501 —
1,002 — 1,032.

H Lire :

(a) James I — George III — Edward VIII — Henry V — Richard II — William IV
— Elizabeth I — Richard III — Charles II — John XXIII — Louis XIV — Henry VI
— Charles V — William III and Mary II — George VI.

(b) Système monétaire ancien : 2'3 — 7'9 — 19'6 — 1'11 — 11'4 ½ — £ 7'10'- —
£ 7'-'10 — £ 24'19'11 — £ 50,000,000.
Système monétaire décimal : 25 p — £ 4·50 — £ 9·75 — £ 19·95.
Système monétaire américain : 25 c — $ 4·50 — $ 9·75 — $ 19·95.

(c) 2/3 — 3/4 — 4/5 — 7/8 — 50 % — 75 % — 99 % — 1·414 — 1·732 — 3·1416.

(d) Dial 999 — Whitehall 1212.

[I] Traduire :

1. Trois douzaines d'œufs. — 2. Des centaines de gens. — 3. Des milliers de
fourmis. — 4. Une cinquantaine de miles. — 5. Plusieurs milliers d'années. — 6. Plus
de 500 livres sterling. — 7. Près de vingt minutes. — 8. Il a trois ans et demi. —
9. Moins de dix ans. — 10. Au moins cinq miles. — 11. Plusieurs centaines de pages.
— 12. Près d'un demi-million d'habitants. — 13. Elle a une trentaine d'années. —
14. Moins de 30 miles à l'heure. — 15. Je leur ai écrit il y a deux mois et demi.

[J] Traduire :

1. Il mesure 6 pieds 3 pouces. — 2. Le train arrive à midi moins 5 et part à midi
7. — 3. La Conspiration des Poudres a été découverte le 5 novembre 1605. — 4. Les
deux premiers actes sont excellents. J'aime moins les deux derniers. — 5. Churchill
est devenu Premier Ministre le 10 mai 1940. — 6. La Deuxième Guerre Mondiale
a éclaté le 1er septembre 1939; elle s'est terminée en Europe le 8 mai 1945 et en
Extrême-Orient le 15 août 1945. — 7. L'Empire State Building a 102 étages; il a
1250 pieds de haut. — 8. Ils se mirent à table à 8 heures 10, et dès la demie ils
étaient déjà en train de faire la vaisselle. — 9. La terre est environ cinquante fois
plus grosse que la lune. — 10. L'essence est près de trois fois plus chère en France
qu'aux Etats-Unis. — 11. Un élève sur trois a eu plus de quinze sur vingt pour cet
exercice. — 12. Deux hommes sur trois ne mangent pas assez. — 13. Une bonne
centaine de gens lui écrivirent pour le féliciter de son article. — 14. Ma fille, qui
est en 5e, apprend en classe que parfois 2 et 1 font 10 ! — 15. La sécheresse a tué

plus d'un demi-million de gens. — 16. Le roi Jacques II passa en exil les treize dernières années de sa vie. — 17. Les Etats-Unis sont devenus indépendants le 4 juillet 1776, mais ils durent se battre contre la Grande-Bretagne jusqu'en 1781. — 18. Nous passons le tiers de notre vie à dormir. — 19. « Hamlet » est presque deux fois plus long que « Macbeth ». — 20. Plusieurs millions de citoyens américains parlent l'espagnol mieux que l'anglais. Peu d'entre eux parlent couramment les deux langues.

40. — LES INDÉFINIS

Les adjectifs et pronoms indéfinis exprimant une notion de quantité (les « *quantifiers* ») ont été examinés dans la leçon 39.

1. — ONE, ONES, SOME

818 *One* ne peut s'employer que pour remplacer des **noms dénombrables**. Son pluriel est **ones** ou **some**, selon les cas.

Le sens de **one** est plus ou moins « indéfini » selon ses emplois.

(a) **One** remplace un nom dénombrable déjà exprimé précédé de l'article indéfini (donc singulier).

> **If you need a hammer, there's one in the garage.** *Si tu as besoin d'un marteau, il y en a un dans le garage.*
> **His uncle was an architect, and he wanted to be one, too.** *Son oncle était architecte, et il voulait en être un lui aussi.*
> **'Are you a Roman Catholic ?'**
> **'No, but I believe my aunt is one'** (Gr. Greene).
> « *Etes-vous catholique ? — Non, mais je crois que ma tante l'est* ».

Pour remplacer un **indénombrable**, c'est **some** que l'on emploie.

> **If you like milk, there's some in the fridge.** *Si vous aimez le lait, il y en a dans le frigidaire.*

Pour remplacer un dénombrable pluriel, c'est aussi **some** que l'on emploie.

> **If you like cherries, there are some** (fam. : « there's some », 45) **in the kitchen.** *Si vous aimez les cerises, il y en a dans la cuisine.*

De la même façon, le pluriel de « **one of my friends** » est « **some of my friends** ».

819 (b) Dans les mêmes conditions (remplaçant un dénombrable déjà exprimé précédé de l'article indéfini), mais **accompagné d'un adjectif, one** s'emploie avec l'article au singulier, et devient **ones** au pluriel.

> **Give me a cake, a big one.** *Donne-moi un gâteau, un gros.*
> **Give me some cherries, some big ones.** *Donne-moi des cerises, des grosses.*

Quand il y a une idée d'opposition, de contraste, *one* est souvent omis après un second adjectif (637). On l'omet également après un superlatif, mais non après un comparatif (voir 637, adjectifs substantivés).

> **This hammer is too small, give me a bigger one.** *Ce marteau est trop petit, donne m'en un plus gros.*
> **These nails are too small, give me some bigger ones.** *Ces clous sont trop petits, donne m'en des plus gros.*
> **This is the biggest (These are the biggest) I have.** *C'est le plus gros (ce sont les plus gros) que j'aie.*

820 (c) *One/ones* peut **remplacer un nom** (de personne, par exemple : *man, child, person*) qui n'a pas été exprimé, surtout dans des expressions consacrées par l'usage.

> **The young** (ou : **little**) **ones are at school.** *Les enfants sont à l'école.*
> **He's a great one for crosswords.** *Il se passionne pour* (ou : *il est très fort pour*) *les mots croisés.*
> **He was not one to complain.** *Il n'était pas homme à se plaindre.*
> **He was screaming like one possessed** (style littéraire). *Il hurlait comme un possédé.*

821 (d) Le sens n'est pas indéfini quand *one* accompagne *this, that, the* ou *which...* ? Il remplace alors un nom accompagné d'un déterminant qui en délimite le sens.

> **I prefer this one to that one.** *Je préfère celui-ci à celui-là.*
> **Which one do you like best ?** *Lequel préfères-tu ?*
> **There are several books about it, but the one I need is out of print.** *Il y a plusieurs livres à ce sujet, mais celui dont j'ai besoin est épuisé.*
> **In the House of Commons the door on the left is for the noes and the one on the right for the ayes.** *A la Chambre des Communes la porte de gauche est pour les « non » et celle de droite pour les « oui ».*
> **"Nixon's the one"** (= the one we want for president), slogan de campagne présidentielle.

Au pluriel : *the ones, which ones...* ? Mais *these* et *those* ne sont pas couramment suivis de *ones*. Comparer :

> **I like that one better.** *Je préfère celui-là.*
> **I like those** (et non « those ones ») **better.** *Je préfère ceux-là.*
> **I didn't see all the churches, but I liked the ones I saw.** *Je n'ai pas vu toutes les églises, mais j'ai aimé celles que j'ai vues.*

Voir aussi 766 (*the ones/those*).

822 (e) Comme **adjectifs indéfinis**, devant un dénombrable singulier, on peut employer *one* ou *some* dans des sens voisins. Toutefois *some* (*un quelconque*) est plus indéfini que *one* (*un certain*). Avec *one* il est généralement sous-entendu qu'on ne donne pas de précision mais qu'on pourrait le faire. Après *some* on sous-entend « or other », le sens est donc très vague.

> **There must be some solution (or other).** *Il doit bien y avoir une solution.*
> **For some reason or another...** *Pour une raison ou pour une autre...*
> **They're living at some place in the Near East.** *Ils habitent quelque part au Proche Orient* (je ne pourrais pas donner plus de précision). En américain *someplace* est employé comme adverbe synonyme de *somewhere*.
> **I hope to see them again some day** (ou : **one day**). *J'espère les revoir un jour.*

426

Voir aussi 572 (dernier exemple).

Voir 613 (*one* + nom d'une personne).

823 (f) Autres emplois de *one*.

(1) *One..., the other...* (et : *one..., another...*) : voir 824.

(2) *One*, pronom personnel (« **One never knows** ») : voir 728.

(3) *One adjectif numéral :* voir 613 (*one/a*), 799 (**one hundred/a hundred**).

(4) *One* s'emploie parfois dans le sens de « the same » (*same* ne s'emploie pas avec un article indéfini).

> **They all ran in one direction.** *Ils couraient tous dans la même direction.*
> **They are of one mind** (= of the same opinion). *Ils sont du même avis.*
> **People of one country** (= of the same country) **do not always agree.** *Les gens d'un même pays ne sont pas toujours d'accord.*

(5) *The one* (+ *nom*) = the only.

> **The one man who knew the truth is now dead.** *Le seul homme qui sût la vérité est maintenant mort.*

---

2. — INDÉFINIS EXPRIMANT UN CONTRASTE

824 (a) *Avec des singuliers.*

One..., the other... L'un..., l'autre...
One..., another... L'un..., un autre...

> **They have two sons, one is a doctor, the other a barrister.** *Ils ont deux fils, l'un est médecin, l'autre avocat.*
> **One of them wanted to go to the cinema, another preferred to watch a play on television, yet another said he would rather go for a walk.** *L'un d'eux voulait aller au cinéma, un autre préférait regarder une pièce à la télévision, un autre encore dit qu'il aimait mieux aller se promener.*

Ne pas confondre *one... another...* avec le pronom réciproque *one another*, dont les deux termes sont inséparables (723, 724).

825 (b) *Avec des pluriels..*

Some..., others/the others... Certains..., d'autres/les autres...

> **Some** [sʌm] **were playing cards, others were listening to a record, others again were sleeping.** *Certains* (ou : *les uns*) *jouaient aux cartes, d'autres écoutaient un disque, d'autres encore dormaient.*
> **"Some like it hot"** (titre de film). *Certains l'aiment chaud.*

Remarquer que *some* est invariable alors que *others* (qui est ici est pronom) prend un *s* (c'est le pluriel du pronom *another*). L'adjectif *other* (suivi d'un nom) est évidemment invariable.

> **His other plays are not so good.** *Ses autres pièces ne sont pas aussi bonnes.*
> **The others** (= the other people) **were asleep.** *Les autres dormaient.*

826 (a) *Chacun, tous, la plupart.*

(1) *Each* s'emploie quand on considère chaque cas séparément, *every* quand on considère l'ensemble.

> **He said a kind word to each** (ou : *each one*) **of us.** *Il dit une parole aimable à chacun d'entre nous.*
> **Every picture in that gallery is a masterpiece** (ou : **All the pictures in that gallery are masterpieces**). *Tous les tableaux de ce musée sont des chefs d'œuvre.*

Each et *every* ne peuvent s'employer qu'avec des noms singuliers, c'est pourquoi on ne peut pas les faire suivre de *people* (du moins quand ce nom est un pluriel signifiant « les gens »). *Tout le monde* = **all (the) people**, ou : **everybody**.

Toutefois on rappelle couramment un nom singulier précédé de *each* ou *every* avec le pronom *they* (pour éviter « he or she », voir 835). Et *each* peut accompagner un sujet pluriel (**They each** + verbe pluriel = **Each of them** + verbe singulier).

> **They each have an American car** (= **Each of them has an American car**). *Chacun d'eux a une voiture américaine.*

827 (2) Ne pas confondre *all* (+ nom indénombrable ou dénombrable) et *whole* (*tout entier, complet,* seulement avec un nom dénombrable).

> **The whole family had been invited.** *On avait invité toute la famille.*
> Mais : **The cat drank all the milk** (indénombrable). *Le chat but tout le lait.*

Avec le nom *day,* comparer les emplois de *each, every, all* et *whole.*

> **Each day in Venice is like a century of bliss.** *Chaque journée à Venise est comme un siècle de félicité.*
> **I read the Times every day.** *Je lis le Times chaque jour* (ou : *tous les jours*). Voir 278 (« every three days », notion de fréquence).
> **It has been raining all day.** *Il a plu toute la journée.*
> **He had to spend the whole day in bed.** *Il dut passer toute la journée (la journée toute entière) au lit.*

828 (3) *Most (la plupart)* exprime la quasi-totalité. Il s'emploie suivi directement du nom (généralités) ou se construit avec *of* (cas particuliers).

> **Most people go to the cinema more often than to the theatre.** *La plupart des gens vont au cinéma plus souvent qu'au théâtre.*
> **Most of our customers prefer Polish vodka.** *La plupart de nos clients préfèrent la vodka polonaise.*
> **He spends most of his time travelling.** *Il passe la plupart de son temps à voyager.*

Noter la progression : In *some* cases < in *most* cases < in *all* cases. Dans *certains* cas < dans *la plupart* des cas < dans *tous* les cas.

Voir 706 (*most of us, most of them*) et 602 (article défini).

829 (b) *All* (pluriel) et *both* (duel).

Les pronoms et adjectifs correspondant à *tous, aucun, n'importe quel* sont différents selon qu'il s'agit d'un *duel* (deux éléments) ou d'un *pluriel* proprement dit (plus de deux éléments).

(1) *Pluriel.*

> *tous* = **all** (+ pluriel) ou **every** (+ singulier). Voir 831.
> *aucun* = **no** (adjectif) ou **none** (pronom)
> *n'importe quel, n'importe lequel* = **any.**

My brothers and I are all fond of chess. None of us likes cards. *Mes frères et moi, nous aimons tous les échecs. Aucun de nous n'aime les cartes.*

None of them has (parfois : **have,** qui est une incorrection grammaticale) **come back yet.** *Aucun d'entre eux n'est encore rentré.*

There's no hope left. *Il ne reste aucun espoir* (533, g).

Any schoolboy knows that. *N'importe quel écolier sait cela.*

He was prepared to do any job. *Il était prêt à faire n'importe quel métier.*

You can get any of these books at the library. *Vous pouvez vous procurer n'importe lequel de ces livres à la bibliothèque.*

We expect him any minute now. *Nous l'attendons d'un instant à l'autre.*

Noter l'emploi de *any* avec un *comparatif d'égalité* :

He was as big a guest as any she had had (H.G. Wells). *Jamais elle n'avait eu d'invité plus important que lui.* (Voir 659 et 664).

Voir aussi 841, 6° (*any but*).

830   (2) *Duel.*

> *tous les deux, l'un et l'autre* = **both** (voir 831).
> *aucun des deux, ni l'un ni l'autre* = **neither**
> *n'importe lequel des deux, l'un ou l'autre* = **either.**

My brother and I are both fond of chess. Neither of us likes cards. *Mon frère et moi, nous aimons tous les deux les échecs. Nous n'aimons les cartes ni l'un ni l'autre.*

You can take either bus. *Vous pouvez prendre l'un ou l'autre autobus.*

Which one do you want ? — Either will do. *Lequel voulez-vous ? — L'un ou l'autre fera l'affaire.*

Which of the two plays did you like best ? — I didn't like either. *Laquelle des deux pièces avez-vous préférée ? — Je n'ai aimé ni l'une ni l'autre.*

You would make a mistake either way. *Vous auriez tort dans un cas comme dans l'autre.*

Either (+ singulier) a parfois le sens de *both* (+ pluriel).

There are shops on either side (= **on both sides) of the street.** *Il y a des boutiques de chaque côté de la rue.*

Voir aussi 852 (*either... or...*) et 858 (*neither... nor...*).

831   (3) Constructions de *all* et *both.*

All et *both* se construisent avec des pronoms personnels de deux façons :

I've read them all (= **I've read all of them**). *Je les ai tous lus.*
I've read them both (= **I've read both of them**). *Je les ai lus tous les deux.*
They were both drunk (= **Both of them were drunk**). *Ils étaient ivres tous les deux.* On dit aussi : **The two of them were drunk.**

Both se construit aussi comme un adjectif, placé avant les possessifs et les démonstratifs.

He lost both his arms (ou : **both arms) in the war.** *Il perdit ses deux bras à la guerre.*

I want both these books. *Je veux ces deux livres.*
Hold it in both hands. *Tiens-le à deux mains.*

All et *both* peuvent se construire avec un pronom relatif.

There are two roads, both of which are in bad repair. *Il y a deux routes, qui sont toutes les deux en mauvais état.*

Ils peuvent s'employer seuls.

Take both. *Prenez-les tous les deux.*
That will be all (fam. : **That's the lot**). *Ce sera tout.*
I like them all/both. *Ils me plaisent tous/tous les deux.*

Pour *l'adverbe both*, voir 851.

---

4. — COMPOSÉS DE SOME, ANY, NO, EVERY

832

Somebody (someone) = *quelqu'un*
Anybody (anyone) = *n'importe qui*
Nobody (no one) = *personne*
Everybody (everyone) = *tout le monde*

Something = *quelque chose*
Anything = *n'importe quoi*
Nothing [ˈnʌθiŋ] = *rien*
Everything = *tout*

Somewhere = *quelque part*
Anywhere = *n'importe où*
Nowhere = *nulle part*
Everywhere = *partout*

Somehow = *d'une façon ou d'une autre*
Anyhow (ou : **anyway**) = *de toute façon*

833   *Remarques :* (1)*Anybody, anything* et *anywhere* remplacent les composés de *some* si la phrase comporte un terme négatif (**not, never, hardly**...) ou pour l'expression d'un doute, d'une éventualité, en particulier dans les phrases interrogatives.

We haven't seen him anywhere. *Nous ne l'avons vu nulle part.*
I have never met anybody who can speak so many languages. *Je n'ai jamais rencontré personne qui sache parler un aussi grand nombre de langues.*
There's hardly anything left for us. *Il ne reste presque rien pour nous.*
Do you know if anybody has phoned ? *Savez-vous si quelqu'un a téléphoné ?*

On a vu (619) que *some* s'emploie parfois dans des phrases interrogatives, il en va de même pour ses composés.

Can I have something to drink ? *Je peux boire quelque chose ?*
Didn't they give you something to eat ? *Ils ne vous ont pas donné quelque chose à manger ?*
Has something happened ? *Est-il arrivé quelque chose ?* (On craint une réponse affirmative, la nouvelle d'un accident, etc., alors que la question : « **Has anything happened ?** » est plus neutre, moins angoissée).
Has somebody asked to see me ? *Quelqu'un a-t-il demandé à me voir ?* (Je m'attends à une visite).

834 (2) *Any* et ses composés devant s'employer dans une phrase négative (à la place de *some*), il est parfois délicat de traduire « *n'importe qui* », « *n'importe quoi* », etc. accompagnés d'une négation. Comparer :

He will do anything to help you. *Il fera n'importe quoi pour vous aider.*
He won't do anything to help you. *Il ne fera rien pour vous aider* (forme négative de : He will do something...).
Je ne suis pas prêt à faire n'importe quoi (sous-entendu : mais seulement ce qui me plaît). I'm not prepared to do *just anything.*
Il ne parle pas à n'importe qui. He doesn't speak to *just anybody* (Cf. He doesn't speak to anybody. *Il ne parle à personne*).
Ce n'est pas n'importe qui. He's not a mere nobody (ou couramment : He's somebody).

835 (3) *Everybody, somebody, nobody* sont suivis de verbes au singulier. Mais s'ils doivent ensuite être rappelés sous forme d'un pronom personnel ou d'un adjectif possessif, on emploie généralement le pluriel (*they, them, their*...), qui est de genre indéterminé. Dans une langue plus soignée on emploie le masculin (647, dernier exemple) ou la tournure gauche « *he or she* » (« *his or her* », etc., voir 570).

Everyone was enjoying themselves. *Tout le monde s'amusait bien.*
Everyone stay where they are ! *Que personne ne bouge !* (415).
Everybody was pleased with the presents they were given, weren't they ? *Ils ont tous été contents des cadeaux qu'ils ont reçus, n'est-ce pas ?*
Nobody will admit that they are wrong. *Personne ne veut admettre qu'il a tort.*
Nobody makes generalizations about life unless they mean to talk about themselves (A. Huxley). *Personne ne dit des généralités sur la vie si ce n'est pas en vue de parler se soi.*
'And did she love you', Tommy asked, 'as much as you loved her ?'.
'Nobody', Mr Oddy replied, 'loves you as much as you love them' (Hugh Walpole). *« Et elle vous aimait »*, demanda Tommy, *« autant que vous l'aimiez ? » — « Personne »*, répondit Mr Oddy, *« ne vous aime autant que vous l'aimez ».*
'Are you going to stay at home to do the washing up ?'
'Well, somebody has to, don't they ?' *(Il faut bien que quelqu'un le fasse, non ?).*

(4) Voir 628 (« *something good* »).

836 (5) *Else (autre)* peut s'ajouter aux composés de *some, any, no, every.*

Did you meet anyone else ? *Avez-vous rencontré quelqu'un d'autre ?*
I have nothing else to tell you. *Je n'ai rien d'autre à vous dire.*
Anything else, madam ? *Et avec cela, madame ?* (dans un magasin).
Everybody knows everybody else (= people know one another) in the village. *Tout le monde se connaît dans le village.*
What are you complaining about ? Everybody else is pleased ? *De quoi te plains-tu ? Tous les autres sont satisfaits.*
Let's go somewhere else. *Allons ailleurs.*

Else s'ajoute aussi à *much, little, what, who* et *where.*

What else could I do ? *Que pourrais-je faire d'autre ?*
Who else is coming ? *Qui d'autre doit venir ?*
Where else could it be ? *A quel autre endroit pourrait-il être ?*
There was little else to be said. *On ne pouvait guère dire autre chose.*

Voir 668 (complément introduit par *than* ou *but*).

837   Le suffixe *-ever*, de sens indéfini, s'ajoute à certains pronoms relatifs et termes interrogatifs, avec le sens de « *n'importe quel* », « *tout* ».

Pronoms :

Whoever said that is a liar. *Quiconque a dit cela est un menteur.*

Whatever happens, don't fail to let us know. *Quoi qu'il arrive, n'omettez pas de nous prévenir.*

Whatever you do, never disturb him when he's working. *Surtout ne le dérangez jamais quand il travaille.*

Here are five books, take whichever you like best. *Voici cinq livres, prenez celui que vous préférez* (quel qu'il soit).

Adverbes :

Wherever I go I come across him. *Partout où je vais je le rencontre.*

Whenever he spoke in public he made a fool of himself. *Toutes les fois qu'il parlait en public il se rendait ridicule.*

He will never succeed, however hard he tries. *Il ne réussira jamais, quels que soient ses efforts.*

Remarques : (1) Les composés de *-ever* sont souvent construits avec l'auxiliaire *may*, qui renfonce l'idée d'éventualité (**Whoever may have said that... Whatever may happen...**), en particulier « *however* + adjectif ou adverbe » (**however hard he may try**). Voir 365 et 907.

(2) Les composés de *-ever* sont parfois remplacés par des expressions de même sens commençant par « *no matter* » (**No matter what you do** = whatever you do). Voir 366.

Don't trust him, no matter what (= **whatever**) **he says or does.** *Ne lui faites pas confiance, quoi qu'il dise ou fasse.*

(3) Les formes *whosoever, whensoever*, etc. s'emploient peu aujourd'hui. Toutefois *whatsoever* (= *whatever*) est assez courant, surtout en fin de phrase négative.

He won't say anything whatsoever. *Il se refuse à dire quoi que ce soit.*

(4) Ne pas confondre le suffixe *-ever* avec l'adverbe *ever*, que l'on ajoute à un terme interrogatif pour renforcer l'idée de doute (156). Comparer :

Whoever arrives late will be punished. *Quiconque arrivera en retard sera puni.*

Who ever can it be ? (*ever* est fortement accentué). *Qui diable cela peut-il être ?* (Dans ce cas l'orthographe « whoever », en un seul mot, est considérée comme une faute).

EXERCICES

[A] Compléter avec *any, no, none, either, neither :*

1. There are eight books on the syllabus, I haven't read... of them yet. — 2. They have two daughters, I don't know... of them. — 3. They are both very young, ... of them is old enough to have known him. — 4. They are all very clever, but... of them is clever enough to find the solution. — 5. They are both very good, ... of them can win the race. — 6. You can park your car on... side of the road. — 7. Several of Bach's sons were composers, but... of them was as great a musician as their

father. — 8. ... child will tell you that a dromedary has one hump. — 9. I'm afraid that... doctor could save him now. — 10. I asked two policemen where the museum was, but... of them knew there was one in the town.

[B] Traduire :

1. Certains étudiants apprennent l'espagnol, d'autres l'allemand. — 2. La plupart des enfants aiment les animaux. — 3. La plupart de nos clientes préfèrent le thé de Ceylan, mais quelques-unes aiment beaucoup le thé de Chine. — 4. Tout le monde prenait ses repas à la cantine. — 5. Ils sont gallois tous les deux, mais ni l'un ni l'autre ne parle le gallois. — 6. Aucun de ses amis n'a pu l'aider. Aucun de ses deux frères n'a pu l'aider. — 7. Personne n'en a jamais rien su. — 8. Il ne dit jamais rien à personne. — 9. Voulez-vous autre chose ? — Non, rien d'autre. — 10. Ils sont fous tous les deux, ils ne se conduisent raisonnablement ni l'un ni l'autre. — 11. Si tu n'as rien d'autre à faire, tu pourrais tondre la pelouse. — 12. Tout le village se moquait de lui. — 13. Vous ne trouverez pas de climat plus sain ailleurs. — 14. Il lit tous les livres, quels qu'ils soient, qui lui tombent sous la main. — 15. Je suis trop occupé, demande à quelqu'un d'autre de t'aider.

3

LES MOTS-CHARNIÈRES

41. — DIX MOTS-CHARNIÈRES
À SENS MULTIPLES
ABOUT — AS — AT — BUT — BY
FOR — SO — STILL — TOO — YET

838 | ABOUT |

1. — *Au sujet de.* A book about *(sur)* Greek mythology. He told me about it *(m'en a parlé).* What do you know about *(que savez-vous de)* the defendant ?

What about (= How about) going to a concert ? *(Et si nous allions... ?).*

2. — *Environ.* About thirty people *(une trentaine de).* He is about sixty. He left about (plus courant que : at about) half past four *(vers 4 heures et demie).*

It's about time we started working (*il serait temps que nous nous mettions au travail,* 362).

3. — *A proximité.* There was nobody about. The countryside about (plus couramment : **around**) **our town** *(la campagne qui entoure notre ville)* **is rather flat. He looked about him** (plus couramment : **He had a look round.** *// regarda autour de lui*).

4. — *Sur le point de.* The train was about to leave (= was just going to leave, tournure plus courante dans la langue parlée, en particulier au présent). We were about to leave *(allions partir)* when the phone rang.

5. — *En tous sens, çà et là* (langue écrite). I spent the day walking about the town *(parcourir en tous sens).* Voir aussi 190 (***About*** postposition).

6. — Divers.

To come about (= to happen). We asked ourselves how it came about that no one had seen the intruder *(comment il se faisait que...).*

To bring about (= to cause to happen). What brought about his resignation ? *(Qu'est-ce qui a occasionné sa démission ?).*

●

839 | AS |

1. — *Comparatif d'égalité.* She is as tall as I am (fam. : as me). She is not so tall (not as tall) as he is (649). Your case is twice as heavy *(deux fois plus lourde)* as mine (658). He has the same opinions as his father (669).

2. — *Comme* (= *vu que, puisque*). As it was raining, we stayed at home (expression de la cause, 889, 894).

3. — *Comme* (= *au moment où, à l'époque où,* ou : *à mesure que*). He

437

waved to me as he got on the bus *(en montant dans l'autobus)*. **He went to Mexico as a child** (= when he was a child). **As he grew older** *(en vieillissant),* he became more easy-going.

4. — *Comme* (+ *point de comparaison* ou de référence, sous forme d'une proposition complète ou elliptique). **Go by tube, as I do** *(comme moi;* on dit aussi **like me**, mais « like I do », qui s'entend fréquemment, est considéré comme une incorrection, 962). **When in Rome, do as the Romans do** (prov.). **It happened as I told you** *(comme je vous l'avais dit).* **We drive on the left, as in England** (elliptique : as they do in England). **He is very fond of shooting, as was his father** (inversion, 211).

5. — *Comme* (= *en tant que, en qualité de).* **She likes him very much as a friend, but she won't marry him. He is greater as a poet than as a philosopher. I protest as a free citizen** *(en ma qualité de).* **In my capacity as a doctor** *(en ma qualité de).* **He acted as interpreter** *(il servit d'interprète;* pas d'article indéfini : ce n'était pas nécessairement sa profession). Voir aussi 609.

Comparer : **He acted as a judge** *(c'était sa fonction).* **He acted as judge in that case** *(il a fait fonction de).* **He acted like a judge** (simple comparaison : *avec autant de sagesse que s'il l'avait été).* **He acted like the judge he was** *(en faisant preuve des qualités exigées par sa fonction).*

6. — *Comme* (= *par exemple*) : *such as* ou *like.* **Northern countries, such as** (= like) **Norway, Sweden and Finland...**

7. — *Après un adjectif ou adverbe,* ***as*** = *si... que...* (908). **Rich as he is** = Rich **though he is** = However **rich he is** *(si riche qu'il soit).* **Much as I like him...** *(Quelle que soit la sympathie qu'il m'inspire...).*

8. — Divers.

As if, as though *(comme si,* 358). **As if to** *(comme pour)* **show everyone that he knew the Duke...** (393).

As yet = so far *(jusqu'ici,* 844).

As for (= as regards, *quant à).* **Do as you like; as for me, I won't sign the petition.**

As well, en fin de phrase = too *(aussi).* **I'll take these two books and this magazine as well.**

As far (ou : **so far**) **as I'm concerned** *(en ce qui concerne).*

Such... as... = those... who... (langue très soignée, 769).

"**It was me as did it**" (dans la langue relâchée, « substandard », ***as*** s'emploie à la place de ***who,*** pronom relatif).

●

1. — *Lieu précis,* sans déplacement. **To be at the station, at home, at one's office, at the chemist's, at the seaside... She is waiting at the door. He is sitting at his desk.**

2. — *Moment précis.* **At half past 12, at teatime, at dawn... At the moment** *(en ce moment).* **At the age of twelve** (mieux que : at twelve).

3. — *Direction du regard, visée,* effort pour atteindre. **To look** (ou : **to stare, to gaze, to peep, to glance, to peer, to frown...**) **at something** (mais **to watch** est suivi d'un complément direct). **To aim at a target** *(viser une cible).* **He grabbed at the knife** *(il avança la main pour saisir le couteau.* Cf. : **He grabbed the knife.** *Il saisit le couteau).*

4. — *Hostilité, moquerie.* **They threw stones at the dog** (mais sans hostilité : **They threw bones to the dog).** **They laughed at him because he**

stammered (*Ils se moquaient de lui parce qu'il était bègue*. Mais « she smiled at him » ne précise pas si le sourire est affectueux ou moqueur).

5. — Divers.

At first = *au début*. **At first I didn't like the food, then I got used to it** (Cf. First = *Premièrement*).

At last = *enfin*. **I have at last finished my work** (Cf. Last = *en dernier*).

At least = *du moins* **(He is ill, at least that's what he says)** ou : *au moins* **(There were at least a hundred people.** Contraire : **at most** = *tout au plus*).

At all : voir 137.

At once : voir *once* (861).

He is good at languages *(bon en)*. Cf. **He is keen on languages, he is gifted in** (ou : **at**) **languages, he is proficient in languages.**

We arrived at Exeter (= **we got to Exeter, we reached Exeter) for lunch.**

●

841 | BUT |

1. — *Mais.* **I tried to open the box but I couldn't. You didn't see it but I did** (*I* est accentué : *mais moi si*).

2. — *Seulement, ne... que* (moins courant que *only*, surtout dans la langue parlée). **She is still but a child** *(n'est encore que)*. **I have but a few days to spend here. He left but an hour ago** *(Il n'y a pas plus d'une heure que)*.

3. — *Excepté.* **The whole truth and nothing but the truth** *(rien que la vérité)*. **He did nothing but disturb everyone** *(n'a rien fait d'autre que)*. **I've done nothing but worry** *(J'ai passé tout mon temps à m'inquiéter.* Voir 406). **Everybody but he** (aussi : « but him », *tous sauf lui*, 703), **was there on time. Who but he could be so mean ?** *(Qui à part lui).*

The last but one, but two *(l'avant-dernier, l'antépénultième).*

The next day but one = two days after *(le surlendemain).*

The previous day but one = two days before *(l'avant-veille).*

But for you we should have been ruined *(Sans vous).*

But that (conjonction) = *excepté que, si ce n'est que* (style littéraire). **I would have helped them but that I was short of money at the time.**

4. — *Conjonction de sens négatif* (après une proposition négative, dans une langue très soignée, voire archaïque). **Never a day passes but he speaks of her** *(sans qu'il parle d'elle).* **It never rains but it pours** (prov. *Un malheur n'arrive jamais seul.* Mot à mot, **but it pours** = *sans qu'il pleuve à verse).*

5. — *Pronom relatif de sens négatif* (dans une propostiion interrogative ou négative; style littéraire, archaïque). **There is no man but wants to be happy** (*qui ne veuille être heureux*; **but wants** = **who does not want**).

6. — Divers.

All but (placé devant un verbe) = **very nearly** (qui est plus courant). **Our stock is all but exhausted** *(pratiquement épuisé).* **He all but fainted** *(faillit s'évanouir)* **when they told him the news.**

Cannot but + infinitif sans *to* = **cannot help** + gérondif (tournure plus courante). **They could not but feel** (= **could not help feeling**; aussi, très couramment : **could not help but feel**) **that they had been deceived** *(ne purent s'empêcher de penser).* Construction de sens voisin : **We had no alterna-tive but to accept their offer** *(nous n'avons pas pu faire autrement que de).*

Voir 332 (« *who should I meet but...* »).

●

842 BY

1. — *Par* (+ *complément d'agent*). **St Paul's Cathedral was designed by Wren. A novel by** *(de)* **John Fowles.**

2. — *Par (moyen, manière, itiné-raire).* **He improved his English by listening** *(en écoutant)* **to the B.B.C.** (884). **They came by train, by bus, by air,** etc. **They came back by** (= **via** [vaiə]) **Calais and Dover. They climbed on the roof by means of a ladder** *(au moyen d'une échelle).* Mais : **He threw it out of the window** *(par la fenêtre).* **He went out through** (aussi : **by**) **the window** *(par la fenêtre).*

3. — *Près de* (sans déplacement). **She was sitting by the window** *(près de la fenêtre;* comparer avec les deux exemples précédents). **To read by the fireside** *(au coin du feu).* **Come and sit by me** (= **near me, beside me, by my side**).

4. — *A la hauteur de, devant* (avec déplacement). **He rushed by me** = **past me**) **without seeing me. There was such a crowd on the pavement that we could not get by** *(ne pouvions pas passer).*

5. — *Pas plus tard que, dès.* **He was up by 6 this morning. Give me an answer by the end of the week** *(d'ici,* ou : *pour).* **They ought to be here by now** *(ils devraient déjà être ici).* Voir 274.

By the time he was ten, Mozart had composed his first symphonies (960).

6. — *By oneself* = **alone. She spent the evening (all) by herself** *(toute seule).* **He couldn't possibly have done that by himself** (= **without help**).

6. — **Divers.**

By and by = **presently** *(dans un ins-tant, tout à l'heure).*
By far the best *(de loin le meilleur).*
By day, by night *(de jour, de nuit).*
We travelled by night.
It's half past by my watch *(à ma montre).*
Eggs are sold by the dozen *(à la douzaine).*
North by northwest *(nord-nord-ouest).* C'est le titre d'un film de Hitch-cock (« *La mort aux trousses* »).
The room is 15 feet by *(sur)* **17 feet 6 inches.**

This is a small meal by his usual standards *(comparé à ce qu'il mange d'habitude).*

I've invited her to dinner, I hope that's all right by you *(que cela ne vous ennuie pas).*

N.B. Les germanistes doivent se garder d'employer *by* dans le sens de « *chez* » (allemand : **bei**).

●

843 FOR

1. — *Pour (attribution, destination, but).* **Here's a letter for you. All pas-sengers for Chester must change at Crewe. Let's go for a walk (for a swim).**

What did you do that for ? *(Pour-*

quoi... ? Après une question de ce type on attend généralement une réponse comportant un infinitif, voir 886).

Noise, pollution, violence, that's civilization for you ! *(c'est ça votre civilisation ! Remarque ironique).*

N.B. « For + gérondif » n'exprime pas le but (voir infra, 3, 4, 6 et 9).

2. — Exprime *une attente, une recherche* (après certains verbes). **What are you looking for ? I'm waiting for Margaret. They sent for a doctor** *(envoyèrent chercher).* **He shouted for help** *(Il cria au secours).* **She was listening for his footsteps** *(tendait l'oreille pour entendre ses pas,* ou : *écoutait s'il venait).* **What else can you hope for ?**

3. — *Pour (utilité).* **What's this gadget for ?** *(A quoi sert).* **It's a key for opening tins** = a key to open tins with *(pour ouvrir).*

4. — *En échange de.* « **My kingdom for a horse !** » (Richard III). **How much did you pay for** *(Combien avez-vous payé)* **this camera ? He works hard for his living** *(pour gagner sa vie).* **It's yours for the asking** *(Vous n'avez qu'à le demander et c'est à vous).*

5. — *En qualité de, en tant que* (= **as**, qui est plus courant). **They chose him for** (= as = to be) **their spokesman** *(comme porte-parole).* « **Kennedy for president** » (slogan électoral).

6. — Introduisant un *complément de cause.* **They wept for joy** *(Ils pleurèrent de joie).* **I couldn't sleep for the noise** *(à cause du bruit).* **He was hanged for betraying his country** *(pour avoir trahi,* remarquer l'infinitif passé français qui exprime la cause et non le but).

For want of *(faute de).* **He died for want of medical attention** *(faute de soins médicaux).* **I'll have this for want of anything better** *(faute de mieux).*

For lack of *(pour insuffisance de).* **He was acquitted for lack of evidence.**

7. — Introduisant un *complément de durée ou de distance.* **We've been living here for ten years** *(depuis).* **She had to wait for the bus for twenty minutes** *(pendant,* 281). **Bends for** *(virages sur)* **3 miles.**

8. — Introduisant une *proposition infinitive.* **The policeman blew his whistle for the cars to stop. That was a silly thing for him to do** *(il a fait là une bêtise).* Voir 397.

9. — Quelques autres sens de la préposition *for.*

What's the French for "self-conscious" *(Comment dit-on en français... ?).*

Are you for or against the proposal ? I'm all for helping them *(partisan de).*

The Honourable Member for Winchester *(député de Winchester à la Chambre des Communes).*

He is tall for his age. It's quite warm for January.

I took him for his brother (ou : I mistook him for his brother).

For all = in spite of *(malgré).* **For all his wealth** *(il a beau être riche),* **he is not very happy. For all you may think** *(quoi que vous en pensiez),* **he has nothing to reproach himself with. They're not married, for all I know** *(que je sache).*

For all that *(tout de même, malgré tout).*

10. — *(Conjonction) Car.* **They went to bed, for it was very late** (ne s'emploie guère que dans la langue écrite, dans une seconde proposition, après une virgule.

1. — *Exclamatif.* **She was so happy !** (= How happy she was !). **It wasn't so very difficult !** *(pas si difficile que ça !).* Voir 449 *(so/so much).*

2. — *Même construction, suivie d'un complément de conséquence.* **They were so tired that they went straight to bed. He was so stupid as to tell everybody what he had found** *(stupide au point de, assez stupide pour).* **Will you be so kind as to translate this letter for me ?** (Ton cérémonieux : *Auriez-vous l'amabilité de*).

3. — *So that, so as to* exprimant *le but* (886, 887). **He went on tiptoe so as not to wake anybody. He went on tiptoe so that nobody should hear him** (Voir 367, emplois de *may/might* et *should*).

4. — *So that* peut aussi exprimer *la conséquence,* mais sans auxiliaire *may/might* ou *should* (896). **It rained all day, so that** (ou : **so**) **we didn't go out** *(si bien que, alors).*

5. — *Ainsi.* **So you've failed again ! So to speak** *(pour ainsi dire).* **And so on** = **And so on and so forth** *(et ainsi de suite).* **Is that so ?** *(Vraiment ? Pas possible !).* **Perhaps so** *(Peut-être que oui).* **So you told her a lie. — So what ?** *(Et alors ?).* **It so happened that...** = It happened that... *(Il s'est trouvé que...).*

6. — Remplace une proposition dans une *phrase elliptique.* **She never intended to come, but she didn't say so** *(ne l'a pas dit).* Voir 178 (**I hope so, I don't think so, I'm afraid so,** etc.). **He would never have admitted it if he could have avoided doing so** (aussi, mais moins couramment : **avoided so doing**).

So s'emploie dans divers « tags » : **He is tired, and so am I. "You are late. — So I am !"** (voir 161, 163, 172).

7. — S'emploie parallèlement à *as* à la *forme négative du comparatif d'égalité.* **He is not so clever as** (plus courant que : **He is less clever than**) **his brother** (« **He isn't as clever as...** » suggère que le frère est très intelligent, 649).

Si l'adjectif est accompagné d'un nom, l'article indéfini se place entre les deux. **He is not so clever a boy as his brother** (Mais on préfère une construction avec *such,* plus élégante : **He isn't such a clever boy as his brother**).

8. — Divers.

Or so (après un nom précédé d'un nombre) = about. **For twenty years or so** *(pendant une vingtaine d'années).* **Twenty years or so ago** *(il y a une vingtaine d'années).*

So far *(jusqu'à maintenant, jusqu'ici) :* voir *far,* 853
So long ! *A bientôt !*
How are you ? — So so *(comme ci comme ça)*
Mr So-and-so. *Monsieur Untel.*
He's an old so-and-so (euphémisme pour « bastard », « swine », etc.).

●

1. — *Encore, encore maintenant* (continuation, lien avec le passé). **They are still working** (= they haven't stopped working yet). **He is still in England** (≠ he is *no longer* in England). **Are you still interested in stamp-collecting ?** *(T'intéresses-tu toujours à).*

Comparer : **He is always ill** (toujours = constamment) et : **He is still ill** (toujours = encore).

Voir 847 *(yet* et *still).*

2. — *Encore* (+ *comparatif*; dans ce sens *even* est plus courant). **The first film wasn't very good, the second was still worse** (= worse still, even worse).

3. — *Pourtant, cependant* (= yet, however). **I'm very happy here, still I can't help feeling a little homesick at times** *(toutefois je ne peux pas m'empêcher).*

N.B. *Still* est aussi un adjectif *(calme)* et un nom *(un alambic).*

●

846 | TOO |

1. — *Egalement, aussi* (se place généralement après le terme auquel il s'applique). **I, too, have been to Greece** (avec ou sans virgules; dans la conversation « **I as well** » s'emploie de préférence à « **I too** », expression qui manque de simplicité). **He speaks German, and Italian, too. Bobby can swim, and dive, too** (= and also dive = and dive as well).

N.B. Quand le contexte est clair on peut dire : **He's been to India, I've been to India too** (= I too have been to India, *moi aussi je suis allé*).

Avec une négation : **He hasn't been to India, I haven't been to India *either.***

2. — *De plus, qui plus est.* **Though he is a king, and King of England too, he may make serious mistakes.**

3. — *Trop.* **You're driving too fast. This car is too expensive for me. It's too difficult a task for him** (remarquer la place de l'article indéfini; voir 611). **I'm too tired to go out tonight.**

Too much modifiant un verbe se place après ce verbe : **He's drunk too much** *(il a trop bu).*

Voir 797 (*too much/too many* + nom).

Comparer :
He, too, drives fast (avec ou sans virgules). *Lui aussi, il conduit vite.*
He drives badly, and he drives fast too. *Il conduit mal, et de plus il conduit vite.*
He drives too fast. *Il conduit trop vite.*

●

847 | YET |

1. — *Jusqu'à maintenant, encore* (dans des phrases négatives ou exprimant un doute). **He has not yet written to us** (On dit plus couramment, l'expression *not yet* n'étant pas inséparable : **He hasn't written to us yet**). **I've never been to Canada yet** *(encore jamais).* **Nobody has arrived yet** *(Personne n'est encore arrivé).* **I wonder whether they have finished their work yet** (ici yet = by now).

He isn't here yet ≠ **He is already here.**

Contrairement à *still* (lien avec le passé), *yet* se tourne vers l'avenir, où l'action peut encore se situer : **He still hasn't arrived** marque plus l'impatience que : **He hasn't arrived yet.** De même : **Has he still not finished ?** (still accentué) marque plus l'impatience que : **Hasn't he finished yet ?**

L'« Oxford Advanced Learner's Dictionary of Current English » donne ces deux exemples suivis de leur paraphrase : « **Is your brother here yet, Has he arrived ?** » et : « **Is your brother still here, Hasn't he left ? »**.

"**Had your daily pinta yet ?**" (pinta = pint of milk). *Avez-vous bu votre pinte de lait quotidienne ?* (sous-entendu : sinon, il est encore temps de le faire).

2. — *Encore* (dans une phrase sans négation ni idée de doute). Mais *still* est beaucoup plus courant sauf quand il y a une idée d'éventualité. **There's time yet** (= there's still time). **We have yet to find the answer** *(il nous reste encore à trouver).* **He has yet to learn** (= He hasn't learnt yet) **how to keep his mouth shut.**
"**We shall see the kid playing in the semi-finals at Wimbledon yet**"

(W. Somerset Maugham). *Nous avons encore des chances de voir le gamin jouer dans les demi-finales à Wimbledon* (Dans cette phrase *yet* exprime une éventualité, une action peut-être encore possible; on ne pourrait pas employer *still*).

3. — *As yet* = *Jusqu'à maintenant, jusqu'ici* (= so far, up to now). **There have been no complaints as yet.**

4. — *Pourtant, cependant.* **I'm not superstitious, yet** (= and yet) **I don't like walking under a ladder. He looks strong, and yet he is seriously ill. It's strange, yet** *(mais)* **true.**

Entre deux adjectifs épithètes (construction littéraire) : **Their monumental yet understandable mistake** *(quoique compréhensible).*
His strong yet delicate hand (A. Christie). *Sa main forte et pourtant délicate.*

EXERCICES

Les exercices relatifs à cette leçon sont placés après la leçon 43 (page 469).

---

42. — PRINCIPAUX ADVERBES, PRÉPOSITIONS ET CONJONCTIONS. LISTE ALPHABÉTIQUE

DMC = Dix mots-charnières (leçon 41).
Postp. = Postpositions (leçon 8).

848 ABOUT. Voir Postp. (190) et DMC (838).
ABOVE.

1. *Au-dessus (de), plus haut que* (niveau) **Their flat is just above ours. His results are well above (the) average** (Cf. *over*).
2. (sens figuré) **This theory is above** (= **beyond**, qui est plus courant) **me/above my head** *(me dépasse).* **He is above telling a lie** *(ne s'abaisserait pas jusqu'à;* cf. **beneath**).

3. *Plus de* (= **over**, qui est plus courant) : **Above a hundred people.**

4. **Above all** (et non « over all »). *Surtout, avant tout :* **Above all, we must keep our self-control.**

ACCORDING TO. *Selon, suivant :* **According to the witness, there were two shots. The Gospel according to St Luke. According to whether you are a nobleman or a commoner** *(selon que... ou...).*

ACROSS.
1. (avec déplacement) :

comparer
avec
through (867)

To swim across the river, to run across the street (*traverser...*). D'où : **A big headline across the front page** *(sur toute la largeur de).*

2. (sans déplacement). *De l'autre côté de :* **I saw him across the street** (*sur l'autre trottoir*; mais cette phrase peut aussi signifier : *je l'ai aidé à traverser*, si on l'interprète comme une structure résultative, 514).

3. **I came** (= **ran**) **across him yesterday** (*je l'ai rencontré par hasard).*

4. **Come across** (ou : **round**, ou **over**) **to see us tonight** (courte distance).

AFTER.
1. (préposition). *Après :* **After lunch. After the holidays. After leaving the country** (*Après avoir quitté*, 388). **After the fashion of the day** *(selon, d'après).* **After all** *(après tout, au fond),* **he's still a child.**

2. (conjonction). *Après que :* **After she had received his letter** (*Après qu'elle eut reçu).* **After her child was born** *(après la naissance de).* Voir 958, e.

3. (adverbe, plus rarement et seulement en fin de proposition) : **He was taken ill on Christmas Day and died a week after** (= **a week later**).

N.B. Ne pas dire « **and after,** ... » *(et après, et ensuite).* Dire : **and then,** ou : **after that, afterwards, next.**

AFTERWARDS. *Après cela, ensuite, plus tard :* **He travelled round the world, and afterwards** (= **then, after that**) **he settled in Switzerland.**

●

849 AGAIN. *De nouveau, encore,* ou préfixe *re- :* **Try again** (= **once more**). **Don't do it again** *(ne recommencez pas).* **I will never trust you again** *(jamais plus).* **You again ! Again and again** *(à maintes reprises).*

AGAINST. *Contre.*
1. (contraire de ***for***) **To fight against tyranny. The wars against France.**

2. **To lean against the door** *(être appuyé contre).*

3. **Dark figures against the white snow** *(se détachant sur).*

4. **To store wood against the winter** *(en prévision de).*

AGO. Voir 273 et 285.

AHEAD. *En avant :* **He walked quickly and soon got ahead of us all** *(nous dépassa).* **Standard time in that country is four hours ahead of Greenwich Mean Time** *(a quatre heures d'avance sur).*

ALMOST. *Presque* (= ***nearly***; mais ***almost*** n'est jamais précédé de ***very***) : **It's almost finished. She's almost ready. I almost fell down** *(j'ai failli tomber).*

N.B. *Presque rien* = ***hardly anything*** (beaucoup plus courant que « almost nothing »); de même : ***hardly anybody, hardly ever*** (29).

ALONG.
1. *Le long de, en longeant :* **He crept along the wall.**

2. *En suivant* (un chemin) : **He walked along** *(suivit)* **the road for three miles** (sens le plus fréquent).

3. Idée de continuation (= ***on***) : **Move along !** *(Avancez, circulez).* **Come along** *(venez donc).*

ALREADY. *Déjà :* **They are already in bed** (≠ **They aren't in bed yet**). **I've already seen that film** (= **I've seen that film already**).

ALSO. *Aussi, en plus, également :* **She can sing and also play the piano** (= **and play the piano, too** = **and play the piano as well**).

N.B. N'a jamais le sens de l'allemand *also* (par conséquent).

ALTHOUGH [ɔ:l'ðou] (= ***though***). *Bien que* (866).

ALTOGETHER.

1. *Entièrement, absolument :* **It's altogether out of the question.**

2. *Somme toute, en tout :* **Altogether, his stay in England was not very profitable. We spent £ 200 altogether.**

N.B. **All together** = *tous ensemble.*

---

850 AMIDST (ou : AMID). *Au milieu de, parmi :* **Amidst the crowd** (littéraire, beaucoup moins courant que *among*).

AMONG (ou : AMONGST). *Parmi :* **Among the crowd. Among the English** *(chez les Anglais).* **He is among the best** (= **one of the best**) **Irish poets. Among other things** *(entre autres choses).*

N.B. *Among* donne un sens réciproque aux pronoms réfléchis : **They are always fighting among themselves.**

AND. Remarquer (1) l'emploi de *and* dans certains proverbes (= « *cela revient à* ») : **Live and learn** *(On apprend à tout âge).* **Spare the rod and spoil the child** *(Qui aime bien châtie bien);* (2) la tournure « **go and fetch** », « **come and see** », « **wait and see** », « **try and understand** » (530); (3) les emplois de *and* avec les nombres (799) et les sommes d'argent (808); (4) l'emploi ou l'omission de *and* pour séparer les adjectifs (623); (5) le remplacement de *and* par une virgule dans les titres des journaux, surtout américains (988, 4°).

ANY. *Le moins du monde* (avec un comparatif à la forme négative) : **Life isn't any cheaper** *(n'a absolument pas diminué).* Voir 658.

ALWAYS. *Toujours :* **He is always late. It always rains on Sunday** (prov.).

N.B. *Aimes-tu toujours* (= *encore*) *le jazz ?* **Are you still fond of jazz ?** Voir aussi *ever.*

ANYHOW (= ANYWAY). *De toute façon, d'ailleurs :* **It's too late anyhow. Anyhow you can ask him** (*Vous pouvez toujours...*).

ANYWHERE. Voir *somewhere* (865).

APART. *A part; de côté :* **They were kept apart** *(On les tenait séparés).* **It's difficult to tell them apart** *(les distinguer).* **Apart from the fact that he is my brother-in-law** *(sans parler de).* **Apart from those difficulties** *(hormis, outre).*

AROUND. Voir *round* (864).

AS. Voir DMC (839).

ASIDE. *De côté, à l'écart :* **To stand aside. To glance aside** *(détourner les yeux).*

AT. Voir DMC (840).

AWAY. Voir Postp. (191).

BACK. Voir Postp. (192). **As far back as the early 19th century** *(Dès le début du 19e siècle).* Voir -*wards.*

BARELY. *A peine* (= *hardly, scarcely*) : **I barely know them.**

BECAUSE. *Parce que :* **They dislike us because we are foreigners** (889). Voir *that* (865, « *parce que... et que...* »).

Because of. A cause de (= *on account of, owing to*) : **We had to stay at home because of the rain** (891).

---

851 BEFORE (Cf. les trois fonctions de *after*).

1. (préposition) *Avant, devant :* **Before Christmas. Before dinner. Before the war. They brought him before the judge** (Comme contraire de *behind, in front of* est plus courant; mais *before* s'emploie dans diverses expressions :

Before my eyes. Before God. Before the court).

2. (conjonction) *Avant que :* **I had made up my mind before he spoke to me.**

3. (adverbe, en fin de proposition) : **I had seen him before** *(déjà).* **A few days before** *(quelques jours auparavant).*

BEFOREHAND. *A l'avance :* **You should have warned us beforehand.**

BEHIND. *Derrière* (≠ *in front of*) : **There is a garden behind** (= at the back of) **the house. He's left his brief-case behind** *(a oublié).* **I am behind with my work** *(en retard).*

BELOW. *Au-dessous de, au-dessous* (contraire de *above*) : **Below the horizon. 20 degrees below zero** (ou : **below freezing point**). **200 feet below sea level. His results are below (the) average.**

BENEATH.

1. *Sous* (synonyme littéraire de *under*) : **Beneath the trees.**

2. *Indigne de :* **Such wickedness would be beneath him** (cf. *above*).

BESIDE.

1. *A côté de* (= by the side of) : **The town is beside the sea. Come and sit beside me.**

2. *En dehors de :* **This is beside the point** *(en-dehors de la question).* **He was beside himself with joy** *(fou de joie).*

BESIDES (ne pas confondre avec *beside*).

1. (préposition). *En plus de :* **Three people besides me** *(sans me compter)* **witnessed the accident.**

2. (adverbe) *En outre, d'ailleurs, de plus* (= *Moreover*) : **I don't feel like going out tonight; besides, it's too late.**

BETWEEN. *Entre :* **Between London and Oxford. Between the two wars.**

His visits are *few and far between* *(très espacées).* **The villages in these parts are few and far between.**

Between the three of us *(à nous trois)* **we have more than £ 1,000. Between you and me** (parfois : « between you and I », 703) = **between ourselves, between our two selves** *(entre nous, confidentiellement).*

BEYOND. *Au-delà (de) :* **Their house is beyond the bridge** (dans la langue parlée : on the other side of the bridge). **Beyond the frontiers** (≠ *within* the frontiers).

Sens figuré : **Beyond all praise** *(au-dessus de tout éloge).* **Burnt beyond recognition** (structure résultative : *au point de n'être pas identifiable*).

BOTH. *A la fois :* **Blake was both a poet and a painter.**
Voir 831.

BUT. Voir DMC (841).

BY. Voir DMC (842).

●

852 CLOSE TO, CLOSE BY. *Tout près de :* **The vicarage stands close by the church.**

DESPITE. *Malgré* (= *in spite of*, 856 et 906).

DOWN. Voir Postp. (193). Aussi préposition : **Tears ran down his cheeks. He climbed down the ladder. Walk down the street** *(suivez cette rue)* **as far as the traffic lights** (ici down = along).

Voir -*wards*.
Downstairs.

1. (avec déplacement) : **He ran downstairs** *(descendit quatre à quatre).*

2. (sans déplacement) : **The guest-room is downstairs** *(au rez-de-chaussée).*

DURING. *Pendant* (préposition) : **During the weekend** (voir 862, « over the weekend »). **During our stay in Ireland.** Ne pas confondre *during* et

447

for : I was ill for a week during the holidays (*for* + durée de l'action, nombre de jours, d'années, etc.; *during* + période au cours de laquelle l'action est située).
Voir *while* et *meanwhile.*

EARLY ≠ LATE. **To get up early. It's getting late** *(il se fait tard).*
N.B. Ces deux adverbes sont aussi adjectifs : **I'm late** *(en retard).* **In early June** *(au début de juin).* **She was in her late fifties** *(elle avait près de soixante ans).*

EITHER.
1. (en fin de phrase négative). *Non plus :* **She loathes cats, and does not like dogs either** (163).

2. *Either... or... Soit... soit... :* **Either you apologize or you leave the room. His behaviour is very strange, he must be either mad or drunk.**

3. (pronom ou adjectif) *N'importe lequel des deux* (830)..

ELSE.
1. *Autrement, sinon* (= *otherwise*) : **Write to me, or else I won't write to you. He must be mad, or else he's drunk.**

2. *Autre* (après un terme négatif ou interrogatif ou un composé de *some, any, no, every*) : **What else ? Anything else ? Nothing else** (836).
Elsewhere = **somewhere else** *(ailleurs).*

ENOUGH. *Assez, suffisamment* (1) après un adjectif (**tall enough**) ou adverbe (**oddly enough**); (2) après un verbe (**I've worked enough for today. He's drunk enough**); (3) avant (rarement après) un nom (**We haven't enough time,** rarement : **time enough**); (4) employé seul dans : « **Enough is enough ! »** *(ça suffit comme ça !).*
N.B. *Assez* (= passablement) : *rather, fairly, pretty* (**It's pretty expensive**).

●

853 EVEN. *Même :* **Even a child would understand that.**
Devant un comparatif : **even worse** *(encore pire),* **even more expensive.**
Even though = even if. *Même si :* **Even though I were to lose** *(Même si je devais perdre).* Voir aussi 904.

EVER.
1. S'oppose à *always* (affirmatif) et à *never* (négatif) comme *any* s'oppose à *some* et à *no.* S'emploie dans des phrases négatives ou exprimant un doute, une interrogation : **Nothing ever happens in our village** *(jamais rien).* **Have you ever seen a ghost ? I hardly ever see them** *(presque jamais; hardly* est un terme négatif). **I'll never ever do that again** (langue un peu précieuse : *Jamais, au grand jamais, je ne recommencerai).*

2. S'emploie après des expressions de sens restrictif (only, first, superlatifs) dans le sens de *so far (jusqu'ici) :* **The best holidays we've ever had. The only book he has ever read. The fastest train ever** *(qu'il y ait jamais eu,* construction elliptique). **The biggest ever train robbery** (style de la presse).

3. N'a le sens (affirmatif) de *always* que dans quelques expressions : **Ever since** *(depuis lors).* **For ever** *(à jamais).* **For ever and ever** *(dans les siècles des siècles).* **Ever more** *(à tout jamais).* « **Yours ever** » *(bien à vous).*

4. S'ajoute aux termes interrogatifs pour renforcer l'idée de doute : **Where ever can she be ?** (156).

5. Précède *so* et *such* pour renforcer une exclamation : **ever so nice; ever such a long time** (447 et 451).

EVERYWHERE. *Partout :* **They looked everywhere but couldn't find it. Everywhere she went people liked her** (ici everywhere = wherever).

EXCEPT *Sauf :* **The whole family except John came to see us. This is a good play, except for the last scene** *(à part).* Voir 406 (*Except* + infinitif sans to).

FAIRLY (a fairly good play). Voir *quite, rather* (863).

FAR *(from)* ≠ *near* : His office is far from (couramment : a long way from) his house. How far did you go ? *(jusqu'où)*. We went as far as the church *(jusqu'à)*.
Sens figuré : His behaviour is far from satisfactory. How far have you got with your plans ? *(où en êtes-vous de...)* I wouldn't go so far as to say that *(je n'irais pas jusqu'à dire)*.
So far. Jusqu'à maintenant : All has gone well so far. So far, so good.
So far (ou : *as far*) as I am concerned *(en ce qui me concerne)*. So far (ou : as far) as I know *(autant que je sache)*.
In so far as. Dans la mesure où : I'll help you in so far as I can.
Far peut renforcer un comparatif **(far better = much better)** et *by far* un superlatif : **By far the best** *(de loin le meilleur)*.
From afar (littéraire) = from a distance *(de loin, vu de loin)*.

●

854 FIRST. *D'abord, en premier lieu :* I first thought (= At first I thought) it was going to be a failure. When did you first go to England ? *(pour la première fois)*. I first met him in 1985 *(j'ai fait sa connaissance)*. When he first stayed in London *(au début de son séjour)*.
First of all, first and foremost, in the first place *(en tout premier lieu)*.

FOR. Voir DMC (843).

FORMERLY. *Autrefois, jadis* (aussi : *in the old days, once* ≠ *nowadays, these days*) : Mr Smith, formerly a Liberal (= who used to be a Liberal), is now a member of the Labour Party.

FORTH. *En avant,* surtout dans : to go back and forth *(faire la navette)* et : and so forth (= and so on and so forth, *et ainsi de suite*).

FROM.
1. (origine, provenance). A letter from my sister. The train from Oxford (≠ the train to Oxford). A quotation from the Bible. Where are you from ?
2. (point de départ, dans le temps comme dans l'espace). From Paris to London. From May 1st until June 30th. From now on *(dorénavant)*.
3. (cause). He suffers from headaches. He died from his injuries *(des suites de*; mais : he died of a heart attack, of old age, etc.)
4. (référence). From what I've heard *(d'après)*. From his point of view.
From time to time. De temps en temps (= *now and then, now and again*).

HARD. *Avec acharnement :* To work hard *(d'arrache-pied)*. Try hard ! *(faites un gros effort)*. Ne pas confondre avec *hardly.*

HARDLY. *A peine, presque pas, ne... guère* (synonymes moins employés : *scarcely, barely*) : You hardly know him, do you ? (*hardly* se construit comme un terme négatif). Speak louder, I can hardly hear you. We can hardly blame him for what he did (ici, *hardly* = not at all, litote).
Hardly any. Presque pas de.
Hardly anyone. *Presque personne.*
Hardly anything. *Presque rien.*
Hardly ever. *Presque jamais* (29).
Voir 209 et 958 *(Hardly... when...).*

●

855 HENCE.
1. (archaïque) *D'ici* (= from here).
Lieu où l'on est :

| where | here | there |

Lieu d'où l'on vient :

| whence | hence | thence |

Lieu où l'on va :

| whither | hither | thither |

On emploie ordinairement les trois premiers adverbes à la place des autres (dans la langue littéraire : **hither and thither,** *çà et là).*

2. *D'où* (idée de conséquence) : **He works without method, hence his bad result.**

3. **A week hence** (rare pour : **in a** week's time, contraire de **a week ago).** *Dans une semaine.*

Henceforth, henceforward (moins courant que *from now on).* *Dorénavant.*

HERE. *Ici :* **Here she comes** *(la voici, elle arrive).* **Here you are !** *(Tenez, voici,* en remettant quelque chose). **Look here, I never promised anything** *(dites donc).*
Here and there. *Çà et là.*
Composés rares aujourd'hui :
  Hereafter = after this
  Herewith = with this
  Herein = in this
  Hereby = by means of this

HITHERTO. *Jusqu'à présent* (beaucoup moins courant que *so far, up to now).*

HOME. Adverbe (d'où l'absence d'article et de préposition) dans : **to go home, to be home** *(être de retour),* **on one's way home** *(sur le chemin du retour).*

N.B. Ne pas confondre **to be home** et **to be at home** (ici *home* est un nom). Toutefois on dit couramment en américain « **He's home** » dans le sens de « **He's at home** ».

HOW.
1. (interrogatif) **How are you ? How old is she ? How often do you write to them ?** (voir 441).
2. (exclamatif) **How old he looks !** (voir 446).

HOWEVER.
1. *Cependant* (= *still, nevertheless, and yet).* **He worked very hard, however he failed his exam. If however you don't like it** *(si toutefois).*
2. (devant adjectif ou adverbe) *Si... que... :* **However rich he is. However tired you may be** (voir 907).

IF.
1. (supposition, condition) : **If they don't come** (= **Suppose they don't come)... If you come and (if) the weather is fine, we can play tennis** *(Si... et que...* = **If... and if...,** le second *if* pouvant être sous-entendu). **If I were you...** (voir 358).
2. (doute; synonyme courant de *whether)* : **I wonder if the weather will keep fine** (voir 442).

●

856 IN.
1. (lieu; cf. *into)* : **She is in England, in London** (cf. **She is going to England). In the rain** *(sous).* **In the sun** ≠ **in the shade. In the square** *(sur la place).* **Wounded in the leg.** Voir Postp. (194).
2. (temps) : **In spring, in 1789, in the morning. In ten years** (= **in ten years'** time).
3. **In twos, in threes** *(par deux...).* **A slope of 1 in 5** *(de 20 %).*

In front of ≠ *behind* (voir aussi *before* et *opposite).*

In order that (voir 888), *in order to* (voir 886).

In spite of. Malgré : **They walked on in spite of the rain** (= *despite* the rain).

In view of. Etant donné : **In view of the situation we shall have to take drastic measures** (891).

Inasmuch as. Attendu que (langue juridique).

INDEED. *En vérité, certes, effectivement* (136) : **I like it very much indeed. They are indeed very great friends. Are you pleased with your new job ? — Yes, indeed.**

INSIDE. *A l'intérieur (de) :* **Come inside** *(Ne restez pas dehors).* **When they** were inside the gates *(Quand ils eurent franchi).*

INSTEAD *(of...).*
1. (préposition) *Au lieu de :* **He is always playing instead of working.** Voir 968.
2. (adverbe, sans *of*) *Au lieu de cela :* **The theatre was full, so we went to a music-hall instead** *(à la place).*

INTO.
1. *Dans* (mouvement vers l'intérieur) : **She went out into the garden. Throw it into the basket.**
2. (changement, etc.) : **The dream turned into a nightmare** *(se changea en).* **I want to make the boy into a man** *(faire de ce garçon un homme).* **She burst into tears. She talked her husband into buying a caravan** *(A force de discussion elle persuada...,* structure résultative, 518).

JUST.
1. (= exactly) : **It's just twelve.**
2. (= very recently) : **They've just left** *(ils viennent de partir,* 266).
3. (= at this very moment) : **I was just thinking of you when you rang me.**
4. (= shortly) **Hurry up ! The train's just going to leave** (= is about to leave). Voir 320.
5. (= only) : **Just ask me what you need** *(Vous n'avez qu'à).*
6. **Just now** : voir *now* (860).
N.B. *J'allais justement vous écrire* = **As a matter of fact** (ou : **As it happened) I was going to write to you.** *C'est justement pour cela que...* = **That is precisely why...** (ou : **That is the very reason why...**).

●

857 LAST.
1. *En dernier :* **He came last** *(arriva le dernier).*
Cf. **at last** *(enfin,* exprime souvent le soulagement, 840) et *lastly* (v. infra).
2. *La dernière fois :* **When did you last go to Britain ?**

LASTLY. *En dernier* (dans une énumération) : **Lastly** (ou : **Finally), I must mention...**

LATE. Cf. *early* (852).
Of late = recently.
Later on. Par la suite : **He was very cross at first, but later on he forgave them.** Voir 958, e (« **minutes later** »).

LATELY. *Récemment* (surtout dans des phrases interrogatives ou négatives) : **Have you seen them lately ?** Dans une phrase affirmative : **I've seen them** *recently.*

LEAST (superlatif de *little).* *Le moins :* **The things that happen when you are least expecting them. Least said soonest mended** (prov. : *Moins on parle mieux ça vaut).* **Not in the least** *(pas le moins du monde).* **It**

doesn't matter in the least (= at all).
At least : voir 840.

LESS (comparatif de *little).* *Moins :* **Talk less and work more.** Voir 795.
None the less = **nevertheless.** *Néanmoins, malgré tout.*

LEST. *De peur que* (seulement dans la langue écrite soignée, 368).

LIKE. *Comme* (ressemblance) : **He looks like his father.** Voir 961.
Dans une énumération : **Birds of prey, like** (= **such as) eagles, hawks and vultures.**

LIKELY (souvent précédé de *very).* *Vraisemblablement :* **They will very likely be disappointed.**
Cf. 112 *(be likely to). Likely* est aussi un adjectif : **The likely** (= **probable) consequences.**

LITTLE. *Peu :* **I little suspected that he was going to ask me that question** (style très soigné : *je ne soupçonnais guère que).* **Little does he know that he'll be in jail tonight** *(il ne se doute guère que;* voir 209).

Little by little (= *gradually, by degrees*). *Peu à peu.*

LONG. *Longtemps :* **He left his country long** (= **a long time) ago. How long have you been waiting ?** *(Depuis combien de temps).* **All day long** *(toute la journée).* **So long !** *(A bientôt !).*

As long as I live *(tant que je vivrai).* **As (ou : so) long as** (= **provided) you take care, you'll be all right.**

A LOT (familier) = very much : **He works a lot by night. I'm feeling a lot better.**

N.B. *A lot of (beaucoup de)* s'emploie aussi surtout dans la langue parlée mais peut convenir à un style plus soigné que l'adverbe « a lot ».

●

858 MAYBE. *Peut-être* (plus courant que *perhaps* en Amérique) : **Maybe I made a mistake. Maybe you're right.**

MEANWHILE. *Pendant ce temps, dans l'intervalle :* **Meanwhile** (= **in the meantime) the police had arrived on the spot** *(sur ces entrefaites).* **Meanwhile you ought to get ready** *(en attendant).*

MORE (comparatif de *much* et de *many*). *Plus, davantage :* **You ought to work more.** *Once more* = once again *(une fois encore).* *No more* (voir *no,* 859).

MOREOVER. *En outre, de plus* (= *besides*).

MOST (superlatif de *much* et de *many*).
1. *Le plus :* **What I dislike most.**
2. *Extrêmement* **(It was most kind of her to invite us,** langue soignée, 651). **Most everybody** (américain) = almost everybody.
Cf. 828 (*most = la plupart de*).

-MOST (*utmost, foremost,* etc.) : voir 647.

MOSTLY. *Pour la plupart :* **The immigrants came mostly from Ireland. We are mostly out on Sundays** *(presque toujours).*

MUCH. *Beaucoup* (souvent : *very much*) : **I enjoyed the film very much = I very much enjoyed the film. Much to my surprise, he accepted my offer** *(à ma grande surprise).*

Renforce un comparatif : **Much better** (= **far better), much more expensive.**

NEAR. *Près, près de* (cf. *by, beside, close to*) : **Near the door. Near where I live** *(près de chez moi).* **They live near here = nearby** *(près d'ici).* **They live quite near** *(tout près).* **Come nearer** *(approchez).*

Near to s'emploie surtout au comparatif **(nearer to the door),** au sens figuré **(it was very near to/near Christmas; she was near to tears)** ou suivi d'un gérondif **(We are very near to solving the problem. He came very near to being run over,** *Il a bien failli se faire écraser).*

NEARLY. *Presque* (= *almost*) : **He is nearly sixty. We are nearly there** *(presque arrivés).*
I nearly got on the wrong bus *(j'ai failli me tromper d'autobus).* **He very nearly died** *(Il a bien failli mourir).*
She is not nearly as old (= **nowhere near as old) as she looks** *(il s'en faut de beaucoup).*
N.B. *Nearly* n'est jamais suivi d'un terme négatif (cf. *almost* et *hardly*).

NEITHER.
1. *Non plus :* **She didn't like the film, neither** (= **nor) did I** (163).
2. *Ni l'un ni l'autre, aucun des deux* (830) : **Neither of us liked it.**
3. *Ni... ni... :* **He can neither read nor write.** Voir *either.*

●

452

859 NEVER.

1. *Ne... jamais :* **I've never been to Australia. Never again** *(plus jamais; nevermore* est plus littéraire).

Never in my life have I seen such a fool (inversion littéraire, 209). **I never saw such a fool** (preterite, 264).

2. *Absolument pas* (148) : **He never even apologized** *(ne présenta pas les moindres excuses).*

NEVERTHELESS. *Néanmoins, malgré tout :* **Everything went wrong for him; nevertheless** *(= none the less;* dans une langue plus simple : *and yet, all the same)* **he kept smiling.** Voir aussi : *however.*

NEXT.

1. *Ensuite, après cela* (cf. *after*) : **What did you do next?**

2. *La prochaine fois* (cf. *last*) : **When shall we meet next?** *(Quand nous reverrons-nous ?)*

3. (superlatif de *near*) **Next to.** *Tout près de :* **I was sitting next to him.** Sens figuré : **Next to nothing** *(presque rien) :* **The old lady eats next to nothing. Next to no evidence** *(presque pas de preuves).*

Voir 597 (adjectif *next*).

NO + *comparatif. Pas du tout :* **I'm feeling no worse than yesterday** (658).

Whether or no : voir 903.

No longer. Ne... plus (durée) : **We are no longer very young** ($\neq$ **we are** *still* **young**). Voir 845.

No more. Ne... plus. 1. (quantité, nombre) : **I have no more money** (= **I have no money left**). **No more than** *(pas plus de)* **ten people attended the lecture** ($\neq$ *no fewer than, pas moins de).* 2. (durée) synonyme de *no longer :* **They aren't in England any more** (= **they're no longer in England**).

NOR.

1. (en tête de phrase, avec inversion dans un style soigné emphatique) = *And... not :* **Nor was he the only one to agree with me. Nor will I deny that...** *(Et je ne nierai pas que...)*

2. (synonyme de *neither*) *Non plus :* **She doesn't like him, nor do I** (163).

3. *Neither... nor... :* voir *neither.*

NOT peut remplacer toute une proposition commençant par *that :* **Are they coming? — I hope not** (179, 181).

Not that (en tête de phrase) *Non pas que :* **I wonder if she'll marry him — no that I care** *(d'ailleurs cela m'est égal).*

Not at all (ou not... at all). *Pas du tout :* **I didn't like that at all** (137).

NOTWITHSTANDING. *Néanmoins; malgré* (surtout dans le jargon juridique; beaucoup moins courant que *however, all the same; in spite of).*

●

860 NOW.

1. *Maintenant :* **Where are they living now? Join the Air Force NOW** *(engagez-vous immédiatement).*

Now that I've finished my work, I can relax *(maintenant que).*

2. *Now... now...* Tantôt... tantôt... (langue écrite) : **Now walking, now hitch-hiking, they travelled right across France.**

3. (construit comme un nom) **Now is the time** *(l'heure est venue).*

4. (exaspération) **Now, now, now, don't make such a fuss** *(allons, allons).*

5. *Or :* **Now there was a traitor among them** (surtout dans un récit).

Now and again = now and then. De temps en temps. (= *occasionally, from time to time)* : **Every now and then he looked at his watch.**

Just now (1) *Pour l'instant :* **I'm busy just now** (ou : *right now,* expression d'origine américaine) (2) *A l'instant, il y a très peu de temps* (avec un preterite) : **I saw him** *just now* (= **I've** *just* **seen him**, au present perfect avec simplement *just,* 266).

NOWADAYS. *De nos jours* (= *these days*) : **Few people have servants nowadays** (≠ *in the old days, formerly*).

NOWHERE. *Nulle part* (voir *somewhere*, 865).

Nowhere near. Loin de (sens figuré) : **He is nowhere near as hardworking as his sister** *(loin d'être aussi).* **It's nowhere near enough** *(loin d'être suffisant).* **The house is nowhere near finished yet** *(encore loin d'être terminée).*

OF. Noter les constructions :

A cup of tea (≠ a teacup, 575).

It was clever of him to notice that detail (687).

Her drunkard of a husband (609).

A friend of ours, a friend of my father's (758).

Of an evening (langue écrite) = sometimes in the evening : **She would play the piano to them of an evening.**

Of peut être sous-entendu avec *age* et *size* dans des expressions comme : **A man my age. I have a son your age. In a town this size there ought to be a university.** (Aussi, dans un magasin d'habillement : **What size collar ?** *Quelle encolure ?*).

Of all... (permet d'insister sur le caractère inattendu, ironique, d'une situation, surtout dans la langue écrite) : **Christmas day, of all days, was when they had chosen to make the journey** *(Croiriez-vous que c'est le jour de Noël qu'ils avaient choisi pour...).* **Miss Helen, of all people, said, 'I'll sing you a song'** *(A notre grande surprise, Miss Helen annonça...).*

Of course. Bien sûr : **Do you play tennis ? — Of course I do. You didn't tell him I was here, did you ? — Of course not** *(bien sûr que non).*

Of late (langue écrite, = *recently*) ≠ *of yore* (archaïque = *formerly*).

OFF. Voir Postp. (195). S'emploie aussi comme préposition :

1. Contraire de *on :* **I'm off duty** *(je ne suis pas de service).* **Keep off the grass. He fell off his horse, off the ladder.**

2. *A quelque distance de, au large de :* **Downing Street is a little street off Whitehall** *(qui donne dans).* **Their house is off the main road. A little theater off Broadway** (par contraste avec les grandes salles qui sont « on Broadway »). **An island off the Irish coast.**

●

861 OFTEN [ɔfn] plus couramment que [ɔftn]. *Souvent* (≠ *rarely, seldom*). **Does it often rain in your country ?** *How often... ? Tous les combien... ?* (280).

Every so often. De temps à autre.

More often than not (ou : *As often as not)* = most of the time, generally *(la plupart du temps).*

Once too often. Une fois de trop.

ON. Voir Postp. (196). Comme préposition :

1. *Sur* (ou traductions diverses) : **Don't sit on the grass. To go on foot, on tiptoe, on all fours** *(à quatre pattes).* **On the left, on the right. To get on** (≠ *off*) **the bus. To go on a journey. On** (ou : **in**) **the train/plane. He works on a farm.**

2. (introduisant une date, un moment précis. **He came on Tuesday** (Am. E. : **He came Tuesday**). **We work on Saturdays** (Am. E. : **We work Saturdays**). **On July 14th, on the evening of July 14th** (mais : *in* the evening). **On that occasion. Were you on time ?** *(à l'heure).* **On coming into the room, I noticed a smell of gas** (956).

3. Divers : **To be on duty, on holiday, on strike, on the jury** *(faire partie de),* **on the staff. To travel on business** *(pour).* **To keep a dog on a lead** (= **on a leash,** *en laisse*).

Comme adverbe, *on* exprime la continuation : **They walked on (and on) for hours** *(sans s'arrêter).* **There's a war on in that country** *(il y a la guerre).* **From now on** *(à partir de maintenant).*

454

And so on (and so forth). What's on at the National Theatre ? *(que joue-t-on ?).*

On and off (ou : off and on). *Par intervalles, par intermittence.*

On account of (= because of). *A cause de* (891).

On condition that. A condition que : You can go swimming on condition that (= provided that) you don't go too far from the bank.

On the whole. Dans l'ensemble : On the whole, I am pleased with my new job.

Onto (ou : *on to*) s'oppose à *on* comme *into* s'oppose à *in*, mais moins rigoureusement : He walked back on to the pavement *(remonta sur).* He jumped onto (ou : on) the horse.

ONCE.

1. *Une fois :* Once a month. Once more = once again *(une fois de plus).* Just this once *(pour une fois).*

2. *Une fois que :* You'll like it once you're used to it (325).

3. *Autrefois, un jour :* Once upon a time there was... *(il était une fois).* This actress, who was once famous, ... (= this once famous actress).

At once (1) = *immediately :* Do it at once. (2) *A la fois :* To do two things at once (= at a time).

ONLY. *Seulement, ne... que :* He only said what he had seen *(se contenta de).* He only died a week ago (= He died only a week ago, 221). Only she (sujet accentué) can understand *(Elle seule).*

●

862 OPPOSITE. *Juste en face (de) :* Their shop is opposite the post-office. They sat opposite each other *(face à face).*

OR. *Ou bien :* In a day or two (plus courant que : in one or two days). In a week or so (= in about a week).

OTHERWISE. *Autrement* (1) *différemment :* He thought otherwise *(ne partageait pas cette opinion);* (2) *sinon* (= *or else*) : Do what he tells you, otherwise you'll get into trouble; (3) *par ailleurs :* He is rather shy, but otherwise he is very nice.

OUT. Voir Postp. (197).

Before the week is out *(avant la fin de la semaine).* I was not far out *(je ne me trompais pas de beaucoup).*

OUT OF.

1. (contraire de *into*) : To run out of the room. To look out of the window *(par la fenêtre;* cf. *by).*

2. (cause) : He said it out of sheer malice *(par pure méchanceté).*

3. (provenance) : To drink out of (et non « in ») a cup. She bought it out of her own pocket money.

4. Divers : To be out of breath *(essoufflé).* To sing out of (≠ in) tune *(faux).*

We've run out of petrol *(en panne d'essence).*

In nine cases out of ten *(neuf cas sur dix).*

Dans une structure résultative (≠ *into*) : They talked her out of marrying that boy *(la dissuadèrent à force de discussions).* Voir 518.

OUTSIDE. *A l'extérieur (de) :* There was a long queue outside the cinema *(devant);* I heard footsteps in the corridor outside my room *(à la hauteur de).* It's outside my experience *(en dehors de).*

OVER. Voir Postp. (198). Comme préposition :

1. *Sur, au-dessus de* (en recouvrant) : She spread a cloth over the table. A cloud of smoke hung over the city *(planait sur).* Cf. *above,* qui exprime une différence de niveau, alors que *over* implique un rapport : protection, menace, etc.; mais ils sont parfois interchangeables : The lamp hung over/above the table.

2. *Par-dessus* (en franchissant) : To jump over a ditch, over a gate. To go over the frontier *(franchir).* Tourists from over the Channel *(d'outre-Manche).*

3. *Partout sur* (ou *dans*) : **There were papers lying all over the floor. All over the world** *(dans le monde entier).*

4. (rang supérieur, autorité) : **Queen Victoria reigned over an immense empire.**

5. *Plus de* (= more than) : **Over fifty years ago. He is over eighty** (cf. **The over-eighties,** *les octogénaires*).

6. Divers : **The storm is over** *(terminé).* **They stayed over the weekend** *(pendant tout le week-end).* **We had a chat over a cup of tea** *(en prenant une tasse de thé).*

Over there. *Là-bas.*

Over and over again. *A maintes reprises.*

●

863 OWING TO. *En raison de* (= *because of, on account of*) : **Owing to the bad weather, the open-air show had to be cancelled.**

PAST.

1. (en passant) *devant, à la hauteur de :* **He ran past me without seeing me** (cf. **by**, 842, 4°).

2. (sens figuré) **The patient is past recovery** *(dans un état désespéré).* **I'm past caring** *(plus rien ne m'affecte).* **The car was past** (ou : **beyond**) **repair** *(n'était plus réparable).* **I wouldn't put it past him to steal money from his own mother** *(Je le crois capable de).*

PENDING. *En attendant* (vocab. surtout juridique) : **Pending a decision of the court. Pending the discussions** *(en attendant la fin de).*

PERHAPS. *Peut-être* (= **maybe**). **Perhaps he has forgotten** (= **He has perhaps forgotten**) **our invitation. Is it going to rain ? — Perhaps not** (181).

PRETTY. Voir *quite.*

PROVIDED (parfois : *providing*). *Pourvu que :* **You can stay provided (that) you keep quiet.**

QUITE - RATHER - FAIRLY - PRETTY.
Quite.

1. (avec l'expression de faits présentés comme incontestables) *Tout à fait, très, vraiment, complètement :* **She has quite recovered from her illness. I quite agree. You're quite right. They are both quite young. She is quite a beauty. He is not quite ready.**

2. (avec des adjectifs exprimant une opinion personnelle) *Assez* (mais non « très », donc sens un peu restrictif) : **She is quite pretty. He is quite a good pianist.** (Mais le sens n'est pas restrictif en américain, où « quite pretty » = very pretty).

3. (pour approuver) *Certes :* **That was a great surprise. — Yes, quite** (= **quite so, indeed**).

Cf. *quite a few, quite a lot* (788).

Rather.

1. *Plutôt, assez, quelque peu* (avec adjectif de sens défavorable) : **Rather stupid, rather ugly, rather touchy, rather expensive, rather late, rather unfortunate.**

2. *Très* (avec adjectif de sens favorable) : **Rather clever, rather pretty, rather a good idea** (= **a rather good idea**).

3. *Tout à fait, vraiment* (avec nom ou verbe) : **That was rather a pity. He is rather a bore. We rather thought he was the best** *(Il nous a bien semblé).*

4. (Dans une langue un peu archaïque et affectée, pour approuver) *Vraiment* (= **yes indeed, quite so**). Les emplois 2, 3 et 4 sont des « understatements ».

Cf. 407 *(rather than)*, 118 *(would rather)*, 658 (*rather* + comparatif).

Remarquer la place de l'article indéfini dans : **quite a good pianist, rather a good idea** (= **a rather good idea**).

Fairly.

Assez (surtout avec adjectif de sens favorable) : **A fairly good wine. A fairly large car. Fairly rich, fairly clever, fairly interesting. He plays fairly well.**

N.B. Avec de nombreux adjectifs *rather* et *fairly* s'emploient l'un et l'autre, mais avec des nuances différentes : **The**

book is fairly easy (sens favorable : not too difficult). **The book is rather easy** (sens défavorable : perhaps too easy).
Pretty.

Assez, plutôt (plus emphatique que *fairly* ou *rather*) : **It's pretty cold today.**

The play was pretty good *(pas mauvaise du tout).* **It was pretty awful** *(vraiment affreux).* **They are pretty much alike** (= almost alike). **It was pretty nearly** (= very nearly) **the same** *(presque la même chose).*

●

864 RE (= with regard to, with reference to) : **Re** [riː] **your letter of Feb. 12th** (style du courrier commercial).

RIGHT.
1. *Tout droit :* **Right in front of you** *(droit devant vous).*
2. *Complètement :* **We walked right to the end of the pier** *(jusqu'au bout de).*
3. *Bien, correctement :* **If I remember right** (= If my memery's good. *Si j'ai bonne mémoire*).
Serves you (him...) right. *C'est bien fait pour toi (pour lui...).*
N.B. **Rightly or wrongly.** *A tort ou à raison.*

ROUND. Voir Postp. (199). Comme préposition :
1. (mouvement circulaire) **The earth revolves round the sun.**
2. (changement de direction) **We had to go round the mountain** *(contourner).* **He disappeared round the corner** *(au coin de la rue).* **A little shop round the corner** *(dans la rue voisine, à deux pas d'ici;* ou : *au coin de la rue).*
3. (en tous sens, un peu partout) : **I'll show you round the town** *(je vous ferai visiter la ville).*
4. (sans déplacement) **They were sitting round the table.**
5. *Environ* (= about) : **He's ready to pay somewhere round £ 5,000 for a car. They came round about** (ou simplement : about) **twelve o'clock.**
Around peut s'employer en British English à la place de round dans les

sens nᵒ 4 **(sitting around the table.** **There are some interesting old houses around the neighbouring countryside :** *çà et là dans la campagne environnante)* et nᵒ 5 **(around £ 5,000),** parfois aussi dans le sens nᵒ3 **(I'll show you around the town).** Son emploi dans les deux premiers sens est un américanisme.

All around. *De tous côtés, tout autour de :* **There was a lot of shooting all around them** *(on tirait beaucoup tout autour d'eux).*

SCARCELY. *A peine, ne... guère* (= **hardly**). **I scarcely ever see them** *(presque jamais,* 29).

SELDOM. *Rarement* (= **rarely,** qui s'emploie plus couramment) : **We seldom go to the theatre.**

SINCE.
1. (préposition). *Depuis* (+ date, heure, moment où une action a commencé) : **Since 1922, since Tuesday, since tea-time, since half past twelve** (282, 285).
2. (adverbe, en fin de phrase) *Depuis lors :* **He lost his job two years ago and has been unemployed ever since.**
3. (conjonction) *Depuis que :* **Since he left the country. Since I've been here** *(depuis que je suis ici,* 289). **It's three years since we bought the house** *(il y a trois ans que,* 288).
4. (conjonction) *Puisque :* **Since we can't help it, it's no use complaining** (889).

SO. Voir DMC (844).

●

865 SOMEHOW.

1. *D'une façon ou d'une autre :* **We must find money for the rent somehow (or other).**

2. *Pour une raison ou pour une autre :* **Somehow I don't trust that man** *(je ne sais pas pourquoi, mais...).*

SOMETIME. *A un certain moment :* **I saw him sometime last summer** *(au cours de l'été dernier).* **Professor X., sometime lecturer at Queen's University, Belfast** *(qui fut chargé de cours...).*

N.B. Ne pas confondre avec *some time (pendant un certain temps) :* **We have been waiting some time.**

SOMETIMES. *Quelquefois* (= *at times, now and then, occasionally*) : **I sometimes walk to my office.**

N.B. Ne pas confondre avec *several times (plusieurs fois).*

SOMEWHAT. *Quelque peu* (= *rather*) : **He was somewhat puzzled by the question.**

SOMEWHERE. *Quelque part :* **Somewhere else.** *Autre part, ailleurs.* Synonymes américains familiers : *someplace, someplace else.*

Nowhere. Nulle part : **The key was nowhere to be found** *(introuvable).* Voir 860 *(nowhere near).*

Anywhere

(1) avec négation, interrogation ou expression d'un doute : **Nobody saw him anywhere.**

(2) forme affirmative, *N'importe où :* **Put it down anywhere** (= **It doesn't matter where you put it**).

SOON. *Bientôt :* **They will soon be ready. Sooner or later** *(tôt ou tard).* Cf. 118, 121 (*I would as soon, I would sooner*) et 958 (*No sooner...*).

As soon as. Dès que : **Come as soon as you are ready** (325).

STILL. Voir DMC (845).

STRAIGHT.

1. *Tout droit :* **Keep straight on.**

2. *Directement :* **We'll come straight home after the show.**

THAN. Ne s'emploie que pour introduire le complément d'un comparatif de supériorité (**better than, more interesting than**) ou d'infériorité (**less interesting than**). Voir 668.

THAT conjonction.

1. Peut être sous-entendu après un verbe (**I think you're right**) ou un adjectif (**I'm glad you've come**), mais pas après un nom (**His fear that we should be late. The doctrine that the Pope is infallible**).

2. Ne peut pas remplacer une autre conjonction, qui peut être répétée ou sous-entendue (en français : *Si... et que...; comme... et que...; parce que... et que...*) : **If you come and (if) the weather is fine, we'll go for a walk. She had to look for a job because her husband was in hospital and (because) she had a large family to support. As it was raining and (as) I didn't want to go out...**

3. Exprime le but, suivi de *may* (mais *so that* est plus courant, 367), l'indignation oratoire (332). Voir aussi 911 (*Not that...*).

●

866 THEN.

1. *Ensuite, après :* **We had dinner in town and then** (= afterwards, mais non « and after ») **we went to a nightclub.**

2. *A ce moment-là, alors :* **He was a shy young man then** (= **He was then a shy young man**).

N.B. (comme adjectif) **The then Prime Minister** *(le Premier Ministre d'alors).*

3. *Par conséquent, alors, dans ce cas :* **I've lost my ticket. — Then you must buy another. Whisky ? — No, thanks. — Have a cigar, then.**

THERE. *Là, y :* **I was there when he made the remark. We shall soon be there** *(nous serons bientôt arrivés).* **We're nearly there** *(presque arrivés).*

Cf. 45 (*there is*), 48 (*there seems, there remains*).

N.B. *There* peut être sous-entendu après *to go* et « son present perfect » *have been :* **We're going to Paris next summer, we haven't been (there) for years.**
There and then (aussi : *then and there*). *Séance tenante.*

Thereabouts. *Environ* **(at 9 o'clock or thereabouts, £ 50 or thereabouts).**

Thereupon = after that (littéraire) : **Thereupon he proceeded to...** *(Là-dessus il se mit à).*

D'autres composés de *there* sont archaïques : *thereafter* (= after that), *thereby* (= by that means), etc.

THEREFORE; *Donc* (conséquence logique, surtout dans la langue écrite) : « **I think, therefore I am** » (therefore = *consequently*). Dans une langue plus familière, *donc = so, then.*

THOUGH.
1. (très souvent remplacé par *although*). *Bien que, quoique :* **Though she is only thirteen, she is as tall as her mother** (904).
2. (dans une langue très soignée, précédé d'un adjectif ou d'un adverbe, parfois d'un nom). *Si... que :* **Rich though he is** (ou : **Rich though he may be,** 908). **Much though** (plus couramment : **Much as**) **I want to help her...** *(Malgré mon désir de).* **Londoner though I am...** *(Tout Londonien que je sois,* 908).
3. *Et pourtant* (en début ou en fin de proposition) : **He says he'll write every week, though I don't think he will. I don't feel like working today; I must though.**
4. *As though* = as if, 358
Even though = even if (358, 904).

●

867 THROUGH. Voir Postp. (200). Comme préposition :
1. *A travers, au travers de* (passage étroit, agglomération, obstacles à éviter).

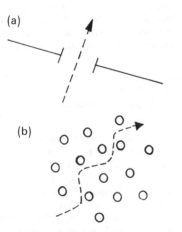

(a)

(b)

(a) **The burglar came in through the window. He was looking through a telescope. The train passes through a tunnel.**

(b) **He rode through the wood** *(traversa à cheval).* **We made our way**

through the crowd *(nous nous sommes frayé un chemin).*
2. (épreuve traversée). **They went through many ordeals. He got through** (= **passed**) **his exam** *(à réussi).*
3. (cause) **The accident happened through your carelessness.**
4. (intermédiaire) **You can write to me through the British Consulate.**
5. (temps) *D'un bout à l'autre de :* **They drank and sang all through** (= **throughout**) **the night.**
N.B. **Monday through Friday** (américain) = from Monday till Friday.

THROUGHOUT. *D'un bout à l'autre (de) :* **Throughout the country** *(dans le pays tout entier).* **Throughout the novel** *(tout au long du roman).* **Throughout Queen Victoria's reign.**

THUS (dans la langue écrite). *Ainsi, de cette façon* (couramment : *in this way*) : **Only thus was he able to avoid any embarrassment** *(C'est seulement ainsi que).*

TILL = UNTIL (la seconde forme est plus courante).
1. (préposition) *Jusqu'à* (+ complément de temps) : **We'll stay in London**

until July 31st. Good bye till Saturday ! = See you on Saturday *(A samedi !)*.

2. (conjonction) *Jusqu'à ce que :* They sat on the lawn until it started to rain. Wait till I come back *(Attendez que)*.

3. *Not till* (prép. ou conj.) *Pas avant (que) :* We shan't see them till next week. He won't come until you invite him. She won't rest until her work is finished.

TO.

1. (déplacement vers) To go to London, to Scotland. On my way to my office. The entrance to the tube station.

2. (aboutissement) From Monday to (= *till*) Friday. From beginning to end.

3. (attribution) Give it to me (ou : Give me it, « give it me », 492).

4. Introduit un infinitif, comme simple particule ou exprimant le but (leçon 18).

Voir 176 (*to* anaphorique).

5. Préposition suivie d'un nom ou d'un gérondif (389) : I'm not used to this climate/to drinking so much tea.

●

868 TOGETHER.

1. *Ensemble :* We are working together. They are not married but they are living together. Dick's failure in his exam, together with *(ajouté à)* the bad weather, spoilt our holidays completely.

2. *Sans interruption :* To read for three hours together = three hours on end *(d'affilée)*.

TOO. Voir DMC (846).

TOWARDS [tə'wɔːdz] ou [tɔːdz] (aussi : *toward*, plus littéraire en Angleterre, forme courante en Amérique).

1. *Vers* (direction) : He went towards the door.

2. *Vers* (environ) : Towards the end of the century.

3. *Envers :* My feelings towards the present government.

4. *En vue de, pour :* We are saving money towards the children's education.

UNDER.

1. *Sous, au-dessous de* (cf. *below, beneath, underneath*) : Under the trees, under the bridge, under my umbrella (contraire de *on, above, over*).

2. *Moins de* (≠ *over*) : Children under ten (cf. the under-tens, *les moins de dix ans*).

3. *Divers :* A machine under repair *(en réparation)*. Under (= *in*) the circumstances. The project is under review/under consideration *(à l'étude)*. I was under the impression that... *(J'avais l'impression que...)*.

UNDERNEATH.

1. Synonyme moins employé de *under*, sens n°1.

2. (adverbe) *Au-dessous* (*under* est préposition). Comparer : Under the mat was a key *(Sous le paillasson il y avait)*, et : Underneath was a key *(Dessous il y avait)*.

UNLESS. *A moins que* (902) : You won't catch your train unless you leave (= if you don't leave) immediately. His father was a clergyman, unless I am mistaken *(si je ne me trompe pas)*.

UNLIKE (≠ *like*). *Contrairement à, à la différence de :* Unlike his brother, he is good at maths (966).

UNTIL. Voir *till.*

UP. Voir Postp. (201). He isn't up yet *(pas encore levé*; cf. : He isn't down yet, *il n'est pas encore descendu*, les chambres étant généralement au premier étage). To walk up and down (= *to and fro*, *faire les cent pas*). Time is up *(c'est l'heure)*. What's up ? *(Que se passe-t-il ?)*. We are up against difficulties *(nous devons faire face à)*.

Comme préposition : To walk up the hill *(gravir)*. Sens affaibli dans : Walk up the street, où *up* peut signifier *along*).

Up to.

1. *Jusqu'à* (espace et temps) : **To climb up to the top. Up to now** (= *so far, jusqu'à présent*).

2. *Capable de, à la hauteur de :* **They didn't offer him the job, as they didn't feel he was up to it.**

3. *Occupé à :* **What are you up to ?** *(Qu'est-ce que vous complotez ?).*

4. **It's up to you (to them...) to decide** *(c'est à vous, à eux, de...).*

●

869 UPON. Synonyme de *on*, qui s'emploie surtout dans des expressions de sens abstrait : **Once upon a time there was** *(Il était une fois).* **We look upon** (= we regard) **her as a friend** *(considérons).* Aussi parfois en fin de phrase : **You can't depend on him/He can't be depended upon.**

UPSTAIRS.

1. (avec déplacement) : **He called me upstairs** *(me demanda de monter).*

2. (sans déplacement) : **The bedrooms and the bathroom are upstairs** *(à l'étage).*

VERSUS (parfois écrit *v.*). *Contre*, surtout dans les procès (**Robinson versus Smith**) et les compétitions sportives (**Kent v. Surrey**, au cricket).

VERY.

1. Adverbe. S'emploie devant un adjectif (**very cold**), un adverbe (**very early**), un superlatif (**the very best; the very first,** *le tout premier*).

N.B. Devant un participe passé : *much* ou *very much* (650) : **This canal is not much used nowadays** *(pas très utilisé).* **Their gesture was (very) much appreciated.** Voir 223 (place de *very much* et *very well*).

2. Adjectif : **You are the very man I wanted to see** *(justement).* **At the very moment** *(A cet instant précis).* **This very day** *(Aujourd'hui même).* **At the very end of the play** *(tout à la fin).* **I shudder at the very thought (of it)** *(rien que d'y penser).*

-WARDS (aussi : -*ward*, surtout en américain). Suffixe indiquant la direction : **upwards** *(vers le haut),* **downwards, inwards, outwards, homewards, northwards** *(eastwards,* etc.), **backwards** (mais : *forward,* généralement sans *s*) : **To walk backwards** *(à reculons).* « **Onward, Christian soldiers** » (*En avant, soldats du Christ,* chant de l'Armée du Salut). **From tomorrow onwards/on** *(à partir de).*

N.B. La forme sans -*s* s'emploie avec valeur d'adjectif : **The homeward journey** *(voyage de retour).* **A backward glance** *(coup d'œil en arrière).*

WHEN. *Quand.*

1. Conjonction de subordination (seul emploi pour lequel le futur et le conditionnel sont impossibles) : **We will start when you are ready** (325).

2. Adverbe interrogatif (= *à quel moment ?*) : **When will they be back ? I wonder when they will be back** (interrogative indirecte).

3. Conjonction de coordination (= and then) : **He was a sailor until 1980, when he bought a farm in New Zealand** *(date à laquelle).*

4. Pronom relatif : **We are looking forward to the day when we shall be free** (*Nous attendons avec impatience le jour où*).

N.B. Voir 765 *(That was when...).*

WHENEVER. *Toutes les fois que :* **Whenever he appeared on the screen, the audience would burst out laughing. Come whenever you like** *(toutes les fois que vous voudrez,* = **as often as you like;** ou simplement : *quand vous voudrez*).

●

870 WHERE. *Où :* **Where are you from ? That's where you are mistaken** *(C'est là que).* **This is where I was born** *(C'est ici que).* **He works near where he lives** *(près de chez lui).*

Wherabouts, forme familière (= where, interrog.) : **Whereabouts do you come from ? Whereabouts do you live ?** S'emploie aussi comme nom : **The police are trying to discover his whereabouts** (= where he is).

Whereupon = after which (littéraire) : **He drank another glass of whisky, whereupon he left us** *(sur quoi il nous quitta).*

Whereby = by means of which, according to which : **He devised a plan whereby** *(grâce auquel)* **he might escape.**

Autre composés de *where*, peu employés : *wherein* (= in which), *wherewith* (= with which).

Wherefore. Synonyme peu employé de *why.*

WHEREAS. *Alors que* (contraste) : **She would like to go to Spain whereas** (ou : **while**) **he prefers a quiet holiday in Cornwall** (cf. while).

WHEREVER. *Partout où :* **Wherever she went she made friends.**

Idée d'éventualité dans : **Anyway the wine is excellent, wherever it comes from** *(d'où qu'il vienne).* **He comes from Pwllheli, wherever that may be** *(Il vient d'un endroit qui s'appellerait).*

WHETHER.

1. *Si* (idée de doute; souvent remplacé par *if* dans la langue parlée) : **I wonder whether we shall see the sun today. I wonder whether we'd better go now or wait a little longer.**

2. Avec une préposition, ou suivi d'un infinitif (ne peut pas alors être remplacé par *if*) : **He didn't know whether to greet me or ignore me** *(Il ne savait pas s'il devait).* **I'm not interested in whether he succeeds or fails.**

3. **Whether... or (whether...).** *Soit que... (ou que...).* **You must eat it, whether you like it or not** *(que cela te plaise ou non).*

Voir 903 *(whether or no).*

WHILE (plus rarement : *whilst*). *Pendant que, tant que :* **They came while we were out. They shan't sell the house while I'm still alive** *(tant que je vivrai).* **I wrote a long letter while** (= while I was) **waiting for you** *(en vous attendant,* 953).

While et *whilst* s'emploient aussi comme synonymes de *whereas* (contraste).

WHY.

1. *Pourquoi :* **Why didn't your friends come ? That is why he is so touchy** *(c'est pour cela que).* **The reason why we disagree** *(la raison pour laquelle).* **Why not spend a week in Malta ?** (405).

2. *Eh bien :* **Why, it's true** *(C'est ma foi vrai).* **Why, where's the harm ?** *(Voyons, quel mal y a-t-il à cela ?).*

●

871 WITH. *Avec :* **I'll go with you** *(je vais vous accompagner).* **He was standing with his hands in his pockets** *(les mains dans les poches).* **He was shaking with cold** *(de froid).* **Down with the tyrant !** *(A bas,* 189). **A holiday with a difference** *(des vacances pas comme les autres).* **Filled with, covered with** (420). **Together with** (voir *together*).

What with... and (with)... En partie à cause de... et en partie à cause de... : **What with overwork and (with) undernourishment he finally fell seriously ill.**

WITHIN. *A l'intérieur de* (surtout au sens figuré, cf. *inside*) : **To stay within** (≠ **to go beyond**) **the frontiers** *(en-deça de).* **He was born within the sound of Bow bells** *(en plein cœur de Londres).* **I could see nobody within earshot** *(à portée de ma voix).* **To keep within the law** *(rester dans la légalité).* **He came**

462

back within an hour *(en moins de)*.
Within... of... *A moins de... :* The station is within two miles of the village. He married again within six months of his wife's death. Within ten minutes of my arriving at their house... *(moins de dix minutes après).*

WITHOUT.

1. (contraire de **with**) *Sans :* He went out without a hat (remarquer l'article). He went out without saying a word. She went to the dance without her parents knowing (without their knowing/without them knowing) about it (388). I got up too late this morning, and had to do without breakfast *(me passer de).*

2. (contraire de **within**) *A l'extérieur* (emploi beaucoup plus rare) : **From without** (= from outside), **the house looked empty** *(De l'extérieur).*

YET. Voir DMC (847).

872   Cette liste ne prétend pas être complète. N'y figurent pas un certain nombre de mots rares ou archaïques, comme **albeit** *(malgré),* **betwixt** (= between) ou **ere long** (= before long). Il convient d'y ajouter les nombreux adverbes en -*ly*, dont plusieurs sont des *faux-amis*. Retenir en particulier :

Accordingly. (Agir) *en conséquence.*
Actually. *En réalité, en fait, bel et bien* (135).
Admittedly. *De l'aveu général.*
Apologetically. (Dire quelque chose) *pour s'excuser; comme pour s'excuser.*
Appreciably. *Sensiblement.*
Casually. *Par hasard, comme par hasard;* ou : *avec désinvolture.*
Chiefly (= mainly). *Principalement, surtout.*
Consequently. *Par conséquent, donc.*
Currently. *Actuellement, en ce moment.*
Definitely. *Manifestement, nettement;* ou : *catégoriquement;* ou : « *absolument* » (= oui).
Deliberately. *Intentionnellement, exprès;* ou : *posément.*
Distinctly. *Nettement.*
Duly. *Comme il se doit.*
Emphatically. *Formellement, catégoriquement.*
Eventually. *Finalement, en fin de compte.*
Finally. *Enfin, en dernier lieu;* ou : *définitivement* (= for good).
Fortunately. *Heureusement.*
Gradually. *Petit à petit* (= by degrees).
Incidentally. *Incidemment; soit dit en passant, à propos* (= by the way).
Merely. *(Purement et) simplement* (132).
Momentarily. *Momentanément;* ou : *d'un instant à l'autre.*
Newly. *Récemment, fraîchement.*
Obviously. *De toute évidence, manifestement.*
Occasionally. *De temps en temps.*
Presently. *Bientôt, dans un instant;* aussi (d'origine américaine) : *à présent.*
Presumably. *Vraisemblablement, probablement.*
Repeatedly. *A plusieurs reprises.*
Reportedly. *De source officieuse, d'après ce que l'on croit savoir* (988, 7°).
Roughly. *Approximativement.*
Shortly. *Prochainement.*
Subsequently (= Later on). *Par la suite.*
Supposedly. *Censément, soi-disant.*
Thoroughly. *Tout à fait, complètement, à fond.*

Undoubtedly. *Sans aucun doute.*

Unexpectedly. *De façon inattendue, à l'improviste.*

Urgently. *De toute urgence;* ou : (demander) *avec insistance.*

Remarques :

(1) Ceux qui sont formés à partir d'un adjectif en *-y* se terminent en *-ily :* happy → **happily.**

Exceptions : shy → **shyly**; dry → **drily** ou (plus rarement) **dryly.**

(2) Pour la prononciation d'adverbes comme **supposedly, resignedly, fixedly,** voir § 12.

(3) Quand l'adjectif est terminé par *-ly*, l'adverbe correspondant n'existe pas toujours : **kindly** et **cowardly** sont à la fois adjectifs et adverbes, alors que **friendly** est seulement adjectif (*amicalement* = **in a friendly way**).

N.B. *Difficilement* = **with difficulty** (pas d'adverbe formé à partir de difficult).

EXERCICES

Les exercices relatifs à cette leçon sont placés après la leçon 43 (page 469).

---

43. — TRADUCTION DE QUELQUES MOTS INVARIABLES FRANÇAIS

873 | AUSSI |

1. *Comparatif d'égalité avec un adjectif ou un adverbe : as... as...* (as good as, as soon as). Avec une négation : *not so... as.../not as... as...* (not so tall as/not as tall as). Voir 649.

2. *Comparatif d'égalité avec un nom* accompagné d'un adjectif : *such... as...* (such pretty flowers as). Si le nom est employé sans adjectif : *as much of a... as...* (as much of a liar as). Voir 659.

3. = *également, en plus :* **also** (849), *too* (846), *as well* (839).

4. *Moi aussi :* **so do I** (ou so have I, so can I, etc., selon les cas) ou, familièrement, *me too.* Voir 163.

5. = *donc, par conséquent :* **therefore** (866), *consequently*; dans la langue familière : *so* (896).

874 | CHEZ |

1. *Je suis chez moi, il rentre chez lui* (*chez* désigne la maison du sujet de la phrase) : **I am at home** (sans déplacement), **he is going home** (avec déplacement; ici *home* est un adverbe, 855).

2. *Quand viendrez-vous chez moi ? Nous passerons la journée chez eux* (*chez* désigne une autre maison que celle du sujet de la phrase) : **When will you come**

to my house (= to my place)? **We'll spend the day at their house** (sans déplacement : *at*, avec déplacement : *to*).

3. *Il est chez Mrs Williams. Je vais chez mon frère* (*chez* + nom) : **He is at Mrs Williams's** ['wiljəmziz]. **I'm going to my brother's** (génitif elliptique : *house* est sous-entendu).

> *Chez qui séjourne-t-il?* **Whose house is he staying at?** (mieux que : At whose house is he staying?), ou très couramment : **Who is he staying with?**

4. *Va chez le boulanger. Je l'ai rencontrée chez le pharmacien* (*chez* = dans la boutique de) : **Go to the baker's. I met her at the chemist's** (génitif elliptique : *shop* est sous-entendu). On dit familièrement, sans marque de génitif après *to go :* **to go to the dentist, to the doctor** (mais il ne s'agit pas de boutiques).

> *Je l'ai acheté chez Smith.* **I bought it at Smith's.**

5. Au sens figuré : *with* ou *among* + pluriel; *in* ou *about* (ou *with*) + singulier.

> *C'est une coutume chez les Canadiens de...* **It's a custom among (= with) the Canadians to...**
> *Ce que j'aime chez elle, c'est...* **What I like about her is...**

6. *Chez nous, chez eux...* peuvent aussi signifier **in our country, in their country...**

---

875 | COMME |

1. Comparaison avec un *nom* ou pronom, ressemblance : *like*. Voir leçon 51.

2. Comparaison avec une *phrase*, qui peut être elliptique : *as*. Voir 962. *Comme pour* = *as if to* (393).

3. = *au moment où*, ou : *à mesure que : as*. Voir 839, 3°.

4. Cause (= *vu que*) : *as*. Voir 894.

5. = *en tant que, en qualité de : as*. Voir 839, 5°.

6. = *par exemple : such as*, ou : *like*. Voir 961.

7. Exclamation : *how*. Voir 446.

---

876 | EN |

En est soit une *préposition*, soit un *pronom*.

ⓐ *Préposition.*

1. *Lieu. Elle est en Angleterre* (sans déplacement vers ce lieu) : **She is in England.** *Elle va en Angleterre* (avec déplacement vers ce lieu) : **She is going to England.**

2. *Matière, domaine. Le plat est en argent.* **The dish is made of silver.** *Une montre en or.* **A gold watch.** *Il est bon en langues.* **He is good at languages.**

3. *Moyen de transport. Venir en voiture (en taxi, en avion...).* **To come by car (by taxi, by plane...).** *Aller à Rome en avion.* **To fly to Rome** (514).

4. « **En + participe présent** » (gérondif français) peut exprimer diverses notions :

- **Actions simultanées ou successives** : voir leçon 50 (**while, as** + proposition, **on** + gérondif...).

Il lut son journal en prenant son petit déjeuner. **He read his paper while having his breakfast.**

En allant à l'école, il a été renversé par une moto. **As he was going** (ou : **When going) to school, he was knocked down by a motor-cycle.**

En apprenant la triste nouvelle, elle s'évanouit. **On hearing the sad news, she fainted.**

- **Manière ou moyen** : **by** + gérondif (884) ou structure résultative (leçon 28).

Il gagnait sa vie en enseignant le latin. **He made a living by teaching Latin.**
Il monta la côte en boitant. **He limped up the hill.**
Ils le réveillèrent en le secouant. **They shook him awake.**
En le menaçant, ils le contraignirent à signer le chèque. **They threatened him into signing the cheque.**

- **Surprise, frayeur** : **at.**

Nous avons été surpris en apprenant (= d'apprendre) qu'il était Irlandais. **We were surprised at hearing that he was Irish.**

Il est terrifié en pensant à (= à l'idée de) ce qui pourrait arriver. **He is terrified at the thought of what might happen.**

5. Divers. *En vacances* : **on holiday.** *En guerre* : **at war.** *Partir en voyage* : **to go on a journey.** *Déguisé en cow-boy* : **dressed up as a cowboy.** *Peindre les volets en vert* : **to paint the shutters green.**

877 (b) *Pronom personnel.*

1. Remplace *de* + pronom : bâtir la phrase selon la construction propre au verbe, au nom ou à l'adjectif.

Je m'en souviens. **I remember it.**
Vous ne devez pas vous en inquiéter. **You mustn't worry about it.**
J'en suis fier. **I am proud of it.**
Elle ne s'en est jamais remise. **She never recovered from it.**
Nous en sommes surpris. **We are surprised at it.**
J'en connais la raison. **I know the reason for it.**

2. Remplace un nom précédé d'un *partitif* : *some/any.*

En voulez-vous encore ? **Will you have some more ?**
Nous avons cherché des champignons, mais nous n'en avons pas trouvé. **We looked for mushrooms, but we didn't find any.**

3. Remplace *de* + complément de lieu (provenance) : *from there/it.*

Pendant que nous nous dirigions vers le village, ils en revenaient. **While we were going towards the village, they were coming from it.**

4. Avec un nombre : ne se traduit pas.

J'en ai mangé quatre. **I've eaten four.**

5. Accompagné d'un adjectif : *one.*

Ce vase est trop petit, il m'en faut un plus grand. **This vase is too small, I want** (ou : **I need) a bigger one.**

466

ENCORE

1. = *jusqu'à maintenant* : ***still.*** Voir 845.
2. *Pas encore* : ***not yet.*** Voir 847.
3. = *de nouveau* : ***again, once more.*** Voir 849 et 861.
4. = *en plus* (quantité) : ***more.***
   Donne-moi encore une tasse de thé. **Give me one more** (ou : **another**) **cup of tea.**
   Encore deux gâteaux. **Two more cakes.**
5. Devant un comparatif : ***still, even*** **(even better, still better, better still).** Voir 658.
6. = *en plus* (temps, distance) : ***another,*** qui peut être suivi d'un pluriel.
   Encore deux semaines. **Another two weeks.**
   Encore cent kilomètres. **Another sixty miles.**
   Aussi : **Five minutes to go.** *Encore* (= il reste) *cinq minutes.*
7. Exaspération : ***now.***
   Qu'as-tu encore fait ? **What have you done now ?**

JUSQU'À

1. + complément de *temps* : ***until*** (= *till*), ***to.*** Voir 867.
   Jusqu'à la fin de l'année. **Until the end of the year.**
   Jusqu'à présent. **Up to now, so far, as yet.**
2. + complément de *lieu* : ***as far as*** (qui insiste sur une longue distance), ou plus simplement : ***to*** (ou : ***down to, up to,*** selon le cas).
   Nous sommes allés jusqu'au bout de la jetée. **We went as far as the end of the pier** (ou : **right to the end of the pier**).
   Jusqu'au troisième paragraphe. **Down to the third paragraph.**
   Jusqu'où êtes-vous allés ? **How far did you go ?**
3. Sens figuré, pour insister : ***actually, even, as far as/so far as,*** l'adjectif ***very.***
   Il n'est pas allé jusqu'à s'excuser, mais... **He didn't actually apologize** (= **He didn't go so far as to apologize**), **but...**
   Je ne vais pas jusqu'à excuser le meurtre, mais tout de même... « **I don't go as far as condoning murder, but all the same...** » (A. Christie).
   Ils massacrèrent jusqu'aux femmes et aux enfants. **They slaughtered even the women and children** (ou : **the very women and children**).
4. Suivi d'un nombre : ***as many as, up to.***
   Il boit jusqu'à dix tasses par jour. **He drinks as many as** (= **up to**) **ten cups a day.**

MÊME

1. Adverbe : ***even.*** Voir 221.
   Même lui a trouvé le film ennuyeux. **Even he found the film boring** (*he* est accentué).

467

Il partit sans même exprimer des regrets. **He left without even saying** (ou dans une langue plus recherchée : **without so much as saying**) **he was sorry.**

2. Adjectif : *same.* Voir 669.

A peu près la même chose. **About the same, much the same.**

Pour insister : *very* (869).

Ce sont ses paroles mêmes. **Those were his very words.**
Aujourd'hui même. **This very day.**

3. Pronoms en *-self* (sens réfléchi ou emphatique). Voir 717 à 719.

4. Expressions diverses.

De même : **in the same way, likewise.**
De même que : **just as.**
Tout de même : **all the same, even so, for all that** (905).
Etre à même de : **to be able to** (70).

881 POUR

1. Devant un *nom* ou un pronom (destination) : *for.* Voir 843.

2. Devant un verbe à l'*infinitif présent* (but) : *to, so as to, in order to* + infinitif. Voir 886.

3. Devant un verbe à l'*infinitif passé* (cause) : *for* + gérondif. Voir 893.

4. *Pour que* (but) : *so that* (+ *should* ou *may/might*, 888), *for* + proposition infinitive (887).

5. = *bien que* : *though.*

Pour riche qu'il soit. **Rich though/as he may be** (ou : **he is**). Voir 908.

882 SI

1. Supposition, condition : *if* (ou : *suppose*). Voir 899.

2. Doute *(je me demande si..., dites-moi si...)* : *whether* (familièrement : *if*). Voir 436.

3. = *tellement* : *so* + adjectif ou adverbe (**so tall, so fast**), *such* + nom accompagné ou non d'un adjectif (**such a kind lady, such a miser**). Voir 897, 898.

4. « *Si* + adjectif + *que* + subjonctif » (concession) : *however, though, as.* Voir 908.

Si fort qu'il soit. **However strong he is** (ou : **he may be**, 365), **strong as he is, strong though he is** (style très soigné).

5. *Pas si... que* (forme négative du comparatif d'égalité) : *not so... as* (ou : *not as... as*). Voir 649.

6. Affirmation : *yes* (+ un *tag* si la clarté l'exige). Voir 158.

On peut aussi employer une construction emphatique (153).

Mais si, je l'ai vu. **But I did see it** (*did* est accentué).

7. « *moi si* » (idée de contraste) : un *tag* avec sujet et auxiliaire accentués l'un et l'autre (164).

Ils n'aiment pas la musique moderne, moi si. **They don't like modern music, I do** (ou : **but I do**).

468

EXERCICES DES LEÇONS 41, 42 et 43

[A] Compléter avec des prépositions :

1. She objects ... (She disapproves...) people smoking in her house. — 2. He fell ... his horse and broke his back. — 3. I only paid £2.50 ... this record. — 4. You'll have to borrow the money ... a bank. — 5. What did you buy this microscope...? I'm sure you'll never use it. — 6. They treated us ... an excellent meal. — 7. Are you pleased ... your new car ? — 8. I don't think much ... her drunkard ... a husband. — 9. What time did you arrive ... (= did you get ...) your office this morning ? — 10. They congratulated her ... her success. — 11. Tell me the truth, don't hide anything ... me. — 12. She was angry ... being kept waiting. — 13. We are looking forward ... seeing them again. — 14. ... the time he was fifty, he looked quite old. — 15. They had robbed him ... all his money. — 16. I prefer going to the ground ... watching the match ... TV. — 17. He didn't want to join the club, but we talked him ... joining it. — 18. He is good ... languages, he is interested ... history, he is keen ... poetry. — 19. He committed suicide.. jumping ... the top of the Eiffel Tower. — 20. We shan't see her again ... next year. — 21. It was very kind ... your father to lend us his car. — 22. Help yourself ... some more tea. — 23. I don't like walking ... the rain. — 24. A neighbour looked ... her cat while she was away...holiday. — 25. ... years he suffered.. rheumatism, but he died ... a heart attack. — 26. The man was charged ... poisoning his wife. He was sentenced ... twenty years' imprisonment ... poisoning his wife. — 27. There's no need ... you to shout ... me ... this way. — 28. We English people are not used ... spending so much money ... food. — 29. They advised me ... buying the car, they said it was too expensive. — 30. What time is it ... your watch ? — 31. What are you blaming me ... ? (What are you reproaching me ... ?) — 32. She stayed ... us ... a week ... the holidays. — 33. They apologized ... us ... the mistake they had made. — 34. After a ten-minute ride he got ... the bus at Piccadilly Circus. — 35. I'll lend you the money ... condition that you give it back to me ... the end of the year. — 36. He is not very ambitious, he is content ... what he has. — 37. We haven't seen her ... Christmas. — 38. We can't accuse her ... laziness. — 39. When I was in Canada last January the temperature was 20 degrees ... freezing point. — 40. The burglars had broken ... the house ... the window. — 41. What ... inviting the Smiths ... dinner ? We haven't seen them ... ages. — 42. Do you know the reason ... this delay ? — 43. He was taken ... hospital to be operated ... ... appendicitis. — 44. ... the circumstances, we'll have to cancel our trip ... the Channel Islands. — 45. He had played a dirty trick ... his sister. — 46. We'll have to make up ... the time we have wasted. — 47. We had some difficulty ... finding their address. — 48. She is very punctual, she is always ... time. — 49. We are not ... friendly terms ... him. — 50. Ken is ... 18, he can't inherit his uncle's money until he is ... age. — 51. I hadn't expected his question, I was ... a loss ... an answer. — 52. She won their confidence ... always telling them the truth and never hiding anything ... them. — 53. He insisted ... paying the bill. — 54. You know how shy she is. It was silly ... you to laugh ... her. — 55. She wanted to sell her house, but her children talked her ... ... selling it. — 56. They have been living ... Manchester ... last October. — 57. What do you need a hammer ... ? — 58. ... the time we get ... the station the train will have left. — 59. They threatened him ... giving them the keys. — 60. He fell ... love ... her and asked her to marry him. — 61. They were speaking ... each other ... a low voice. — 62. I met Barbara ... my way ... the station. — 63. Why are they angry ... me ? I can't see any reason ... it. — 64. They prefer going to the canteen ... cooking their own meals. — 65. She reminded me ... my promise to take her ... the opera. — 66. We might go ... a long walk tomorrow, it will depend ... the weather. Let's hope ... the best. — 67. I don't object ... lending him my bike, but I wish he had one ... his own. — 68. What's wrong ... you ? — I'm fed up ... this dirty job. — 69. She's been waiting ... you ...

5 o'clock. — 70. They always blame me ... whatever goes wrong. — 71. It was very clever ... him to succeed ... finding the solution so quickly. — 72. I had to get used ... getting up very early. — 73. I'm afraid we'll have to climb ... the stairs, the lift is ... repair. — 74. I'm not giving my own opinion, I'm speaking ... behalf ... all my colleagues. — 75. The man they arrested was known ... the police ... a drug peddler. — 76. They are always quarrelling and fighting ... themselves. — 77. "Any person ... charge ... a dog which fouls the pavement is liable ... a fine ... £50". — 78. He is a very conceited man, always fishing ... compliments. — 79. What ... working too hard and taking too little care ... himself, he became quite ill. — 80. I can't stand that son ... theirs.

[B] Exprimer la même idée en employant le terme entre parenthèses.

1. He only learnt to drive when he was forty (until). — 2. They walked on in spite of the rain (though). — 3. We will stop for a rest only if you are tired (unless). — 4. Your father will come home and then we can have dinner (as soon as). — 5. He had just come back from Brazil, when he left for Japan (no sooner). — 6. My brother isn't very fond of games, I am (unlike). — 7. They bought their house twenty years ago (since). — 8. Very few people attended the lecture (hardly). — 9. They've just left (just now). — 10. He is much less intelligent than his brother (nowhere near). — 11. Unexpectedly, it was John who was made chairman of the club (of all). — 12. She's still in her teens (yet). — 13. They talked to her until they persuaded her to go and see a doctor (into). — 14. When she was only twenty, she had already been married twice (by). — 15. If he hadn't been there, you would have been put in jail (but for).

[C] Compléter avec *above* ou *over* :

1. She was wearing a veil ... her face. — 2. We were flying ... the clouds. — 3. She spread a handkerchief ... the child's face to keep the flies off. — 4. The water came ... our knees. — 5. We flew ... the Atlantic. — 6. ... a million people have seen this film. — 7. ... all, don't speak to him about it. — 8. A sword was hanging ... his head. — 9. He was bent ... his books. — 10. We were flying (at) twenty thousand feet ... sea-level. — 11. Their flat is ... their shop. — 12. There was a lamp hanging from the ceiling ... the table.

[D] Traduire (« *aussi* » et « *comme* ») :

1. Nous avons séjourné à Glasgow et aussi à Inverness. — 2. Il a plu toute la journée, aussi sommes-nous restés à la maison à regarder la télévision. — 3. Il joue du piano, et sa femme aussi. — 4. Il joue du piano et aussi de l'orgue. — 5. Il est aussi hypocrite que toi. — 6. Comme il avait l'air triste, je lui ai demandé ce qui n'allait pas. — 7. Comme ils ont l'air tristes ! — 8. Il portait une grande barbe, comme Bernard Shaw. — 9. Il aime les mathématiques, moi aussi. — 10. Comme acteur, il ne vaut pas Laurence Olivier. — 11. A l'âge de six ans il nageait comme un poisson. — 12. Comme il était en colère ! Il hurlait comme un fou. — 13. Pourquoi n'êtes-vous pas venu hier, comme je vous l'ai demandé ? — 14. Les grandes villes industrielles, comme Glasgow et Birmingham, possèdent de très bons musées. — 15. Il a passé trois ans en Angleterre comme précepteur.

[E] Traduire (« *chez* » et « *jusqu'à* ») :

1. Nous ne serons pas chez nous dimanche, nous serons chez mon beau-frère. — 2. Ce qui m'inquiète chez lui, c'est son manque d'intérêt pour quoi que ce soit. — 3. Chez les Thomson la salle de séjour est plus petite que chez vous. — 4. Vous, les Français, vous donnez des poignées de mains à longueur de journée. Cela ne se fait pas chez nous. — 5. Je ne m'attendais pas à trouver tant de malveillance chez lui. — 6. Jusqu'en 1947 l'Inde était une Colonie de la Couronne. — 7. Comme il faisait beau, nous sommes allés en voiture jusqu'à Salisbury. — 8. Ils sont allés

jusqu'à dire que nous les avions trompés intentionnellement. — 9. Il y avait jusqu'à cinq cents personnes qui venaient l'écouter prêcher. — 10. Il se dit notre ami, mais il n'irait pas jusqu'à nous prêter la somme dont nous avons besoin.

[F] Traduire (« *encore* » et « *même* ») :
1. Nous resterons ici encore trois semaines. — 2. Il est encore plus grand que son père. — 3. S'il n'a pas encore repris son travail, c'est certainement parce qu'il est encore malade. — 4. Encore dix miles et nous serons arrivés. — 5. A une heure du matin il n'était pas encore couché, il travaillait encore. — 6. C'est ici même, dans cette pièce, que le traité fut signé. — 7. Il sortit sans même dire au revoir. — 8. Nous lisons les mêmes livres. — 9. Même lui l'a dit. — 10. Ils ne se parlent même plus.

[G] Traduire (« *pour* » et « *si* ») :
1. Il part toujours très tôt pour ne pas manquer son train. — 2. J'ai dû payer une amende de 10 livres pour avoir laissé stationner ma voiture devant le cinéma. — 3. Pour qui est ce disque ? — Il est pour toi. — 4. Téléphonons-leur pour qu'ils sachent que nous sommes rentrés. — 5. « Pour grands que soient les rois, ils sont ce que nous sommes ». — 6. Nous nous demandons si elle pourra venir. — 7. Il n'est pas si riche qu'on le dit. — Oh, mais si. — 8. Je n'ai pas aimé le film. — Moi si. — 9. Ne marchez pas si vite; ne soyez pas si pressé. — 10. Si forts qu'ils soient, nous nous défendrions s'ils nous attaquaient.

[H] Traduire (« *en* ») :
1. En s'apercevant que j'étais ici, il vint me serrer la main. — 2. Ne traverse jamais la rue en courant. — 3. Reprenez-en si vous aimez cela. — 4. Tu peux prendre la voiture si tu en as besoin, je ne m'en servirai pas aujourd'hui. — 5. En faisant cela, vous allez certainement le vexer. — 6. J'ai reçu votre colis ce matin, et je vous en remercie. — 7. En entendant ces mots, il se leva et sortit en claquant la porte. — 8. Elle gagnait sa vie en donnant des leçons de piano. — 9. Il paya les 20 dollars en se disant que c'était une bonne affaire. — 10. Nous n'aimons pas le poisson, nous n'en mangeons jamais. — 11. Quel genre de sac à main désirez-vous ? — J'en voudrais un noir, si vous en avez. — Nous en manquons en ce moment. — 12. En rentrant chez nous, nous découvrîmes que la maison avait été cambriolée. — 13. Il écoute les informations en faisant sa culture physique. — 14. Il fut fâché en s'apercevant qu'on l'avait trompé. — 15. Il a un nouvel appareil photo, il en est satisfait.

[I] Traduire (« *que* ») :
1. Qu'ils attendent ! — 2. Que cela te plaise ou non, il faut que tu ailles les voir. — 3. Si vous rentrez tard et que vous ayez faim, vous pourrez manger ces sandwichs. — 4. Je ne peux que vous donner ce conseil. — 5. Puisque les garages sont très chers et qu'il est impossible de stationner le long des trottoirs, tu ferais mieux de revendre ta voiture. — 6. Que Dieu vous entende ! — 7. Qu'ils viennent ou non, cela m'est indifférent. — 8. Attendez qu'il ait donné son opinion. — 9. Que je ne vous y reprenne pas ! — 10. Il me le demanderait que je ne le ferais pas. — 11. Qu'ils disent ce qu'ils veulent ! — 12. Elle est plus grande que lui, elle est aussi grande que moi. — 13. Nous n'y sommes restés qu'une semaine. — 14. Que c'était difficile ! Il ne savait que faire. — 15. Que dira-t-il quand il rentrera et qu'il verra ce que vous avez fait ?

4

GRAMMAIRE,
NOTIONS ET SITUATIONS

44. — MOYEN ET BUT, CAUSE ET CONSÉQUENCE

883 Dans les leçons 44 à 51 seront examinées les différentes façons d'exprimer certaines notions, certaines situations, domaine dans lequel il n'y a pas de frontière nette entre la grammaire et le vocabulaire. L'accent sera mis sur le choix des tournures grammaticales, la construction de la phrase, en précisant les niveaux de langue.

Un certain nombre de « notions » ont déjà été examinées, par exemple la notion de date, de fréquence et de durée (leçon 12 : Comment situer une action dans le temps), la notion de possession (leçon 37), la notion de quantité (leçon 39).

De nombreux renvois seront faits notamment aux leçons consacrées à la modalité, à l'aspect, aux emplois du gérondif et de l'infinitif. Il sera essentiel de se reporter à ce qui a été dit dans ces leçons et de revoir les exercices qui s'y rapportent.

1. — MOYEN

884 (a) Le moyen peut s'exprimer avec **by + gérondif** (388). Comparer les phrases :

How did he earn his living ? — **He gave piano lessons.** *Comment gagnait-il sa vie ? — Il donnait des leçons de piano.*
He earned his living by giving piano lessons. *Il gagnait sa vie en donnant des leçons de piano* (voir 876, autres traductions de « en + participe présent »).
She lost weight by following a strict diet. *Elle perdit du poids en suivant un régime sévère.*

By s'emploie aussi pour le moyen de transport (**by bus, by train, by air = by plane**, etc.) et dans les expressions **by means of** et (moins couramment) **by dint of.**

They climbed on the roof by means of a ladder. *Ils grimpèrent sur le toit au moyen d'une échelle.*
By dint of hard work, he finally succeeded. *A force de travail, il finit par réussir.*

885 (b) **Une structure résultative** permet d'exprimer le rapport entre un moyen et un résultat (leçon 28). C'est le verbe qui exprime le moyen.

They flew round the world. *Ils firent le tour du monde en avion.*
I groped my way towards the door. *J'avançai vers la porte à tâtons.*
They kicked the dog out. *Ils chassèrent le chien à coups de pieds.*
She sang the child to sleep. *Elle endormit l'enfant en lui chantant une chanson.*
We talked her out of selling her house. *A force de discussions, nous l'avons dissuadée de vendre sa maison.*

886 (a) *Un infinitif complet* peut exprimer le but (393).

> **She followed a strict diet to lose weight.** *Elle suivit un régime sévère pour perdre du poids.*
> **She went to Cambridge to learn English.** *Elle est allée à Cambridge pour apprendre l'anglais.*

Une question qui appelle une réponse à l'infinitif exprimant le but peut être construite avec « *What... for ?* ». La réponse peut être elliptique. Comparer avec les questions commençant par *why* (889).

> **What did she go to Cambridge for ? — To learn English.** *Pourquoi est-elle allée à Cambridge ? — Pour apprendre l'anglais.*

Pour insister plus nettement sur l'idée de but, on peut employer les expressions *in order to, so as to* (afin de, de façon à), **on purpose to** (exprès pour).

> **We'll start early so as to** (= in order to) **get there before it's too hot.** *Nous partirons de bonne heure de façon à arriver avant qu'il ne fasse trop chaud.*
> **He said it on purpose to annoy me.** *Il l'a dit exprès pour m'agacer.*

Pour exprimer un but négatif : *so as not to, in order not to* (remarquer la place de la négation), ou : *to avoid* + *gérondif* (pour éviter de).

> **I tiptoed to my room so as not to wake them up** (ou : **to avoid waking them up**). *J'allai dans ma chambre sur la pointe des pieds pour ne pas (pour éviter de) les réveiller.*
> **They whispered to each other in order not to be heard.** *Ils se parlèrent à voix basse pour ne pas être entendus.*

L'expression « *with a view to* » (dans le dessein de) est suivie du gérondif. Ne pas confondre avec « in view of » (= *étant donné*, 891).

> **They went to see him with a view to learning the truth.** *Ils allèrent le voir dans l'intention d'apprendre la vérité.*

887 (b) *Les propositions infinitives introduites par for* expriment le but *(pour que, afin que)*. Voir 397.

> **The policeman blew his whistle for the cars to stop.** *L'agent donna un coup de sifflet pour que les voitures s'arrêtent.*
> **I've brought this book for you to read (it).** *J'ai apporté ce livre pour que vous le lisiez.* Dans cette phrase, l'emploi de *it* suggère : « je m'attends à ce que vous le lisiez ». Sans le pronom *it* on sous-entend : « si vous en avez envie ».

888 (c) *So that* et *in order that* (pour que, afin que) sont suivis de *may/might* (couramment remplacés par *can/could*) exprimant la possibilité, ou de *should* exprimant la contrainte (avec une négation : l'empêchement). Voir 367.

> **I've brought this book so that you may** (ou : **can**) **read it.** *J'ai apporté ce livre pour que vous le lisiez.* Mais on dit beaucoup plus couramment :
> **I've brought this book for you to read** (voir ci-dessus).
> **They locked him in so that he shouldn't escape.** *Ils l'enfermèrent à clef pour qu'il ne s'échappât pas.*

Pour exprimer un but négatif *(pour que... ne pas)*, on peut aussi employer, suivies de *should*, les expressions *in case, for fear, lest*, dans une langue très soignée. Voir 368.

That + verbe construit avec *may/might* ne s'emploie que dans la langue littéraire.

> **He died that his son might live in a free country.** *Il mourut pour que son fils vécût dans un pays libre.*

3. — CAUSE, MOTIF

889 (a) Les subordonnées exprimant la cause peuvent être introduites par *because* (parce que), **since** (puisque), *seeing that* (vu que), **as** (comme).

> **I didn't write to them because I had lost their address.** *Je ne leur ai pas écrit parce que j'avais perdu leur adresse.* C'est la façon normale de répondre à une question commençant par *why* : **Why didn't you write to them ?**

Dans la langue familière, la réponse est souvent elliptique, *because* peut être sous-entendu.

> **Why did you stop ? — I was tired.** *Pourquoi t'es-tu arrêté ? — J'étais fatigué.*
> **Since** (= **seeing that**, ou : **seeing**) **he hasn't come, we can assume that he isn't interested.** *Puisqu'il n'est pas venu, nous pouvons supposer que cela ne l'intéresse pas.*
> **As we were late we decided not to wait for them.** *Comme nous étions en retard, nous avons décidé de ne pas les attendre.* Avec **as**, on insiste moins sur la cause. Il y a une relation de cause à effet entre les deux propositions, mais on l'indique sur un ton plus familier, c'est pourquoi **as** s'emploie beaucoup dans la conversation.

890 (b) *For* (car) s'emploie surtout dans la langue écrite, précédé d'une virgule. La subordonnée qu'il introduit n'est jamais en tête de phrase.

> **They went to the refreshment-room to have tea, for they had twenty minutes to wait.** *Ils allèrent au buffet prendre le thé, car ils avaient vingt minutes d'attente.*

891 (c) Si la cause est exprimée sous forme d'un nom (ou d'un gérondif qui peut être précédé de son sujet ou d'un possessif), il peut être introduit par *because of, owing to, on account of, in view of* (à cause de, en raison de, étant donné).

> **Because of the fog** (= **Owing to the fog**) **the planes couldn't take off.** *A cause du brouillard les avions n'ont pas pu décoller.*
> **She didn't marry again, because of her children.** *Elle ne s'est pas remariée, à cause de ses enfants.*
> **In view of the situation we'd better put off our trip.** *Etant donné la situation nous ferions mieux de remettre notre voyage à plus tard.*
> **On account of his being an Irishman they wouldn't give him a visa.** *A cause de sa nationalité irlandaise on ne voulut pas lui donner de visa.*

Le dernier exemple, avec un gérondif précédé d'un possessif, appartient à la langue très soignée.

N.B. *Due to* s'emploie parfois aujourd'hui dans le sens de *owing to*, tournure condamnée par les puristes.

> **Due to the crowd's behaviour, the referee had to abandon the match.**
> *A cause de l'attitude de la foule, l'arbitre dut interrompre le match.*

Ne pas confondre cette construction avec l'emploi normal de *l'adjectif due.*

The accident was due to (= caused by) his careless driving. *L'accident a été causé par sa négligence* (Voir aussi « *to be due to* + infinitif » exprimant une action convenue, 128).

892 (d) Quand la cause est *un sentiment, un comportement*, on l'exprime souvent à l'aide d'une expression utilisant *une préposition* qui dépend de l'usage (et qu'il faut apprendre avec soin) : **to shudder with fear** *(frémir de peur)*, **to weep for/with joy** *(pleurer de joie)*, **to make an unpleasant remark out of sheer malice** *(par pure méchanceté)*, **the accident happened through** (= was due to) **your carelessness** *(à cause de votre négligence)*, etc.

893 (e) Après certains verbes et expressions, « *for* + *gérondif ou nom* » exprime un *motif*, par exemple : **to thank somebody for** *(remercier quelqu'un de)*, **to praise somebody for** *(louer quelqu'un de)*, **to blame somebody for** *(reprocher à quelqu'un de)*, **to punish somebody for** *(punir quelqu'un pour avoir)*, **to forgive somebody for** *(pardonner à quelqu'un de)*, **to apologize for** *(s'excuser de)*, **to feel guilty for** *(se sentir coupable de)*, **I am sorry for** *(excusez-moi de)*, etc.

> **Thank you for your advice.** *Merci de vos conseils.*
> **I thanked her for telling me the truth.** *Je la remerciai de m'avoir dit la vérité* (remarquer l'infinitif passé dans la phrase française).
> **Thank you for helping me.** *Merci de m'avoir aidé.*
> **They praised him for behaving** (= for having behaved, 382, 388) **so bravely.** *Ils firent l'éloge de sa conduite si courageuse.*
> **He was punished for lying to his parents.** *Il a été puni pour avoir menti à ses parents.*
> **I felt guilty for not helping them.** *J'avais mauvaise conscience de ne pas les aider.*
> **I'm sorry (Excuse me, forgive me) for being so late (for this delay).** *Excusez-moi d'arriver si tard (de ce retard).* On dit aussi : **I'm sorry to be so late, I'm sorry I'm so late.**
> **He was sentenced to twenty years' imprisonment for poisoning his wife.** *Il fut condamné à vingt ans d'emprisonnement pour avoir empoisonné sa femme* (Ne pas confondre cette construction avec l'expression du but, dans : **He bought some arsenic to poison his wife.** *Il acheta de l'arsenic pour empoisonner sa femme.* Comparer les temps dans les deux langues).
> **I couldn't sleep for the noise.** *Je n'ai pas pu dormir à cause du bruit.*

Voir aussi 843, 6° (« *for want of* », « *for lack of* »).

> **If he fails, it will not be for want of trying.** *S'il échoue, ce ne sera pas faute d'avoir essayé.*

Noter les verbes construits avec une autre préposition que *for* pour exprimer le motif : **to accuse somebody** *of* *(accuser quelqu'un de)*, **to charge somebody with** *(inculper quelqu'un de)*, **to reproach somebody** *with/for* *(reprocher à quelqu'un de)*, **to congratulate somebody on** *(féliciter quelqu'un de)*. Voir 494.

> **She reproaches me with/for my extravagance.** *Elle me reproche d'être dépensier* (avec un gérondif : **She reproaches me for/with being extravagant).**
> **I have nothing to reproach myself with** (ou : for). *Je n'ai rien à me reprocher* (N.B. La construction avec *for* est de plus en plus courante).
> **We congratulated her on her success (on passing her exam).** *Nous l'avons félicitée de son succès (d'avoir réussi à son examen).*
> **He was charged with killing the policeman.** *Il fut inculpé du meurtre de l'agent.*

894 (f) Dans un style soigné (jamais dans la conversation) *un participe présent* en tête de phrase peut avoir le même sens qu'une proposition commençant par *as.* Le participe présent peut être seul ou précédé d'un sujet (personnel ou impersonnel).

Being late (= **As we were late), we decided not to wait for them.** *Etant en retard, nous décidâmes de ne pas les attendre.*

John being late (= **As John was late), we guessed that something had happened.** *John étant en retard, nous avons deviné qu'il s'était passé quelque chose.*

It being late, we decided to leave at once (Construction rare quand le sujet est *it* ou *there*, § 380). *Comme il était tard, nous décidâmes de partir immédiatement.*

Having received no answer to our letter, we concluded that they must have moved to a new address. *N'ayant pas reçu de réponse à notre lettre, nous avons conclu qu'ils avaient dû changer d'adresse.*

Having said that, their behaviour is quite unpredictable (construction courante, quoique grammaticalement incorrecte, le sujet sous-entendu de **having** n'étant pas **they**). *Cela dit, leur comportement est tout à fait imprévisible.*

895 (g) Le schéma « *so* + *adjectif ou adverbe* + *inversion* » peut exprimer une cause (style soigné).

They shouted insults at him, so furious were they (dans une langue plus simple : **as they were so furious) at having been fooled.** *Ils lui criaient des injures, tellement ils étaient furieux de s'être laissé duper.*

(h) Pour l'expression de la cause après « *(all) the more...* » (*d'autant plus... que...*), voir 667.

(i) On peut demander la cause d'un événement avec le verbe *to bring about* (= *to cause*). Le nom *reason* se construit avec « *for* + nom » ou « *why* + proposition ».

What brought about (= **What caused) his resignation ?** *Quelle a été la cause de sa démission ?*

Do you know the reason for their divorce ? (= **the reason why they got divorced ?).** *Savez-vous la raison de leur divorce ? (la raison pour laquelle ils ont divorcé ?).*

| 4. — CONSÉQUENCE |

896 (a) *So that* (ou simplement *so*) employé sans auxiliaire *may/might (can/could)* ou *should* exprime non un but mais une conséquence *(si bien que).* Cf. 880.

It poured with rain the whole afternoon, so (that) the procession had to be cancelled. *Il a plu à verse tout l'après-midi, si bien qu'il a fallu supprimer le défilé.*

Comparer : **He failed to wake me up so that I should be late** (expression du but : ici intention de nuire) et : **He failed to wake me up, so (that) I was late** (expression de la conséquence d'un oubli peut-être accidentel).

Therefore exprime une conséquence logique (langue écrite soignée). Voir 866.

897 (b) Si la cause est exprimée à l'aide d'un *adjectif* ou d'un *adverbe*, on peut introduire la conséquence en employant les constructions suivantes :

It was so expensive that hardly anybody could afford to buy it. *C'était si cher que presque personne n'avait les moyens de l'acheter.*

479

He was so stupid as to (= He was stupid enough to) inform everybody of what he had found. *Il a été stupide au point de faire savoir à tout le monde ce qu'il avait trouvé.*

It's too difficult for him to understand. *C'est trop difficile pour qu'il comprenne.*

She speaks slowly enough for them to understand. *Elle parle assez lentement pour qu'ils comprennent.*

898 (c) Si la cause est exprimée à l'aide d'*un nom*, on le fait précéder de *such*. Pour l'emploi de l'article indéfini, voir 610.

He was in such a hurry that he left without saying goodbye. *Il était si pressé qu'il partit sans dire au revoir.*

Quand le nom est accompagné d'un adjectif deux constructions sont possibles :

It was so expensive a car that hardly anybody could afford to buy it (construction assez gauche, possible seulement avec un dénombrable singulier). *C'était une voiture si chère que presque personne n'avait les moyens de l'acheter.*

It was such an expensive car that hardly anybody could afford to buy it (construction plus courante, qui peut s'employer avec tous les noms, au pluriel comme au singulier).

EXERCICES

A Transformer les phrases suivant le modèle :

How did she lose weight ? — She followed a strict diet → She lost weight *by* following a strict diet.

1. How did he make himself heard ? — He used a megaphone. — 2. How did they catch the lion alive ? — They dug a trap. — 3. How did he keep his teeth sound ? — He never ate sweets. — 4. How did she manage to look taller ? — She wore high-heeled shoes. — 5. How did he keep awake ? — He drank strong coffee. — 6. How did she succeed ? — She worked hard. — 7. How did he prove that the man was guilty ? — He produced three eye-witnesses. — 8. How did they escape being caught by the police ? — They hid in a cave. — 9. How did she save her life ? — She swam to the shore. — 10. How did he cure his patients ? — He hypnotized them.

B Poser les questions relatives au but des actions, suivant le modèle :

She went to Cambridge to learn English → *What* did she go to Cambridge *for* ?

1. They bought those hats to dress up as cowboys. — 2. She phoned the police to tell them she had seen a ghost. — 3. I made that remark to see their reaction. — 4. He shouts to show everybody that he is the boss. — 5. They emigrated to America to live in a free country. — 6. She brought her camera to take pictures of the children. — 7. I got up at 5 to see the sunrise. — 8. We went to town to do some shopping. — 9. They stopped in the village to have lunch. — 10. She wanted to see the manager to complain about the rudeness of the shop assistants.

[C] Transformer les phrases suivant le modèle :

They wore gloves *so as not to* leave any fingerprints ↔ They wore gloves *to avoid* leaving any fingerprints (transformation dans l'un ou l'autre sens).

1. We camped whenever we could so as not to spend too much on hotel rooms. — 2. I preferred to say nothing so as not to tell her a lie. — 3. We never talk politics to avoid quarrelling. — 4. He kept smoking cigarettes to avoid being bitten by the

mosquitoes. — 5. He looked up the word in a dictionary to avoid making a mistake. — 6. He said he had nothing to declare to avoid paying customs duties. — 7. We'll have to drive very slowly to avoid skidding on the ice. — 8. He did not speak to people so as not to show that he was a foreigner. — 9. I didn't join in their discussion so as not to give my opinion. — 10. She wore a large straw hat so as not to get sunburnt.

[D] Transformer les phrases suivant le modèle :
They were punished because they had cheated in the exam → They were punished *for* cheating (plus courant que : for having cheated) in the exam.

1. The policeman took down his name and address because he had ignored the red lights. — 2. We all laughed at him because he had lost his temper. — 3. They envy us because we live in a free country. — 4. They all despise him because he is a henpecked husband. — 5. They arrested him because he belonged to an underground movement. — 6. We thanked him because he had lent us his camping equipment. — 7. They blamed him because he was so selfish. — 8. She thanked the doctor because he had come so quickly. — 9. I will never forgive myself because I forgot her birthday. — 10. He felt guilty because he had not told them the truth. — 11. They praised her because she was so generous. — 12. We apologized because we had not answered her letter. — 13. He was sentenced to death because he had betrayed his country. — 14. I thanked them because they did not ask me any questions. — 15. He apologized because he could not help us.

[E] Traduire.
1. Il se reprochait d'avoir été lâche. — 2. Elle gagna leur confiance en leur disant toujours la vérité. — 3. Je vais le noter sur mon agenda pour ne pas l'oublier. — 4. Ils s'excusèrent de ne pas nous avoir reconnus immédiatement. — 5. Etant étranger, je ne pouvais pas exprimer mes opinions. — 6. Nous leur avons prêté notre voiture pour qu'ils n'aient pas à en louer une. — 7. A cause de la grève des autobus, plusieurs employés sont arrivés en retard ce matin. — 8. Je ne me pardonnerai jamais d'avoir fait cette gaffe. — 9. Il était si bon pianiste que tout le monde croyait qu'il était professionnel. — 10. Nous déjeunerons dans le train pour ne pas perdre de temps. — 11. Il était timide au point de refuser toutes les invitations. — 12. C'est un homme si vaniteux qu'il est facile de le flatter. — 13. Il bafouilla épouvantablement, si bien que personne ne comprit ce qu'il dit. — 14. Etant donné le mauvais temps, nous ne pourrons pas aller camper. — 15. Pourquoi t'es-tu levé si tôt ce matin ? — Pour aller me baigner avant le petit déjeuner.

1. — SUPPOSITION, CONDITION

899 (a) **If (si), suppose, supposing** (à supposer que) introduisent des subordonnées au présent (potentiel), au preterite modal (irréel du présent) ou au past perfect modal (irréel du passé). Voir 430. Pour l'emploi de **shall** après **if**, voir 314.

> **If he worked harder, he would get better results.** S'il travaillait plus, il obtiendrait de meilleurs résultats.

Au potentiel on peut employer **should** ou **were to** pour exprimer une condition qui ne sera vraisemblablement pas réalisée.

> **If he should (= if he were to, if he happens to) find out what you have done, he will never forgive you.** Si le hasard veut qu'il découvre ce que vous avez fait, il ne vous pardonnera jamais.

S'il y a deux conditions (si... et que...) le second **if** peut être sous-entendu (mais non remplacé par « that »).

> **If they come and (if) the weather is fine we'll go for a long walk.** S'ils viennent et qu'il fasse beau nous irons faire une longue promenade.

Noter l'expression « **if and when** » (condition + temps).

> **I'll do it if and when I like.** Je le ferai si cela me plaît, et à mon heure.

900 (b) **Une inversion** peut exprimer une supposition, au preterite modal ou au past perfect modal, dans un style soigné.

> **Had I been told (= If I had been told) in time, I could have come.** Si on me l'avait dit à temps, j'aurais pu venir.
> **Were it not** (ou plus simplement : **If it were not**) **for you, they would have been drowned.** Sans vous, ils se seraient noyés.

L'inversion peut se faire aussi avec **should** (supposition peu vraisemblable).

> **Should you meet him (= If you should meet him), you had better not speak to him.** Si par hasard vous le rencontrez, vous feriez mieux de ne pas lui parler.
> **Should this happen again, please let us know immediately.** Si cela se reproduit, veuillez nous le faire savoir immédiatement.

901 (c) **Provided (that), providing (that), on condition (that)** et dans une langue plus familière **so long as** (ou : **as long as**) permettent d'insister sur une condition nécessaire (Cf. aussi « **if and only if** », qui s'emploie notamment en mathématiques pour l'énoncé de « conditions nécessaires et suffisantes »).

> **I'll tell you about it provided (= on condition) that you promise to keep it a secret.** Je vais vous en parler à condition que vous me promettiez de garder le secret.
> **You can do what you like so long as you keep quiet.** Vous pouvez faire ce que vous voulez pourvu que vous ne fassiez pas de bruit.

On condition (that) est souvent construit en américain avec un subjonctif.

> **They spoke on the condition they not be identified** (International Herald Tribune). *Ils parlèrent à condition de rester dans l'anonymat* (en anglais britannique, *on condition* s'emploie sans l'article *the*).

902 (d) *Unless* introduit une condition négative (synonyme au présent et au futur de « *if... not* »).

> **He will do nothing unless you ask him.** *Il ne fera rien à moins que vous ne le lui demandiez.*
> **She is divorced, unless I am mistaken.** *Elle est divorcée, si je ne me trompe pas.*

Après *unless* on emploie parfois un preterite modal, comme après *if* (358).

> **Unless something were done soon, it would be too late** (J. Wyndham). *A moins qu'on ne fît quelque chose sans tarder, il serait trop tard.*

Dans les contextes passés *unless* et *if... not* ne sont pas toujours synonymes. Comparer (sens et intonation) :

> **They wouldn't have stopped fighting** \ **if the police hadn't arrested them** \/ (sous-entendu : the police arrested them).
> **They wouldn't have stopped fighting** \/ **unless the police had arrested them** \ (= They would have stopped fighting only if the police had arrested them. Sous-entendu : but they didn't arrest them).

903 (e) « *Whether... or...* » sert à introduire deux suppositions faites parallèlement. Voir 436 (*whether* exprimant le doute).

> **You must go there, whether you like it or not.** *Vous devez y aller, que cela vous plaise ou non.*
> **Whether we go to a restaurant or have dinner at home, I'm sure they'll enjoy it.** *Que nous allions au restaurant ou que nous dînions à la maison, je suis sûr que cela leur plaira.*

Dans une langue soignée, *or not* est parfois placé immédiatement après *whether.* L'expression *whether or no* (= whether or not) est archaïque.

> **Whether or not he apologized** (plus simplement : **Whether he apologized or not**, ou : **Even if he did apologize**), **his behaviour cannot be excused.** *Qu'il se soit excusé ou non, sa conduite est impardonnable.*

---

2. — CONCESSION, RESTRICTION, OPPOSITION

904 Il s'agit d'examiner notamment « une circonstance qui normalement devrait empêcher l'action principale, mais ne l'empêche pas parce qu'on passe outre » (M. Galliot et R. Laubreaux : « Le français langue vivante », p. 286).

(a) *Though* (très souvent remplacé par *although* en tête de proposition) introduit généralement une subordonnée. Mais on le place parfois en fin de phrase.

> **Although he is only fourteen, he is as tall as his father.** *Bien qu'il n'ait que quatorze ans, il est aussi grand que son père* (contraste).
> **Although my dog cannot speak, we understand each other very well.** *Quoique mon chien ne sache pas parler, nous nous comprenons très bien.*
> **He says he'll write every week — though I don't think he will.** *Il dit qu'il écrira chaque semaine, mais je ne crois pas qu'il le fera* (Dans cette phrase *though*, synonyme de *but*, exprime une restriction).

483

I don't feel like working today. I must, though (= And yet I must). *Je n'ai pas envie de travailler aujourd'hui. Pourtant il le faut.*

Even though peut avoir deux sens : « *bien que* » et « *même si* » (= « *quand bien même* »).

Even though (= Although) he swore he hadn't seen it, I didn't believe it. *Bien qu'il ait juré ne pas l'avoir vu, je ne l'ai pas cru.*
Even though (= Even if, qui est plus courant) he swore he hadn't seen it, I wouldn't believe it. *Jurerait-il ne pas l'avoir vu que je ne le croirais pas.*
Even though I knew it, I wouldn't tell you. *Quand bien même je le saurais, je ne vous le dirais pas.*

Voir 908 (« *Strange though it may seem...* », « *Frenchman though I am...* »).

905 (b) *However, still, yet (cependant, pourtant),* **all the same, even so** (quand même); dans une langue soignée : **nevertheless, none the less** (néanmoins).

It was pouring with rain. However (= Still) they decided to go. *Il pleuvait à verse. Cependant ils décidèrent de partir.*
The next morning, however, he had changed his mind. *Le lendemain matin, cependant, il avait changé d'avis.*
I am very happy here, still (plus familier que : and yet) I can't help feeling a little homesick at times. *Je suis très heureux ici, toutefois je ne puis m'empêcher d'éprouver un peu de nostalgie par moments.*
He looks strong, and yet he is seriously ill. *Il a l'air fort, et pourtant il est gravement malade.*
It is strange, yet true (= but it is true). *C'est étrange, mais vrai.*
Everything went wrong for him; nevertheless (plus simplement : **even so, all the same**) he kept smiling. *Tout allait mal pour lui; néanmoins il gardait (mais il gardait quand même) sa bonne humeur.*

Synonymes rarement employés : *notwithstanding (nonobstant*, adverbe synonyme de **nevertheless**, ou préposition synonyme de **in spite of**), *albeit* (conjonction synonyme de **though**, archaïque).

906 (c) *In spite of (malgré)* est suivi d'un nom ou d'un gérondif.

They walked on in spite of the rain. *Ils continuèrent leur marche malgré la pluie.*
They elected him in spite of his being a foreigner. *Ils l'élurent bien qu'il fût étranger* (dans une langue plus simple : **They elected him although he was a foreigner**).

Despite est un synonyme assez courant de *in spite of.*

Despite all reassurances he was none the less worried. *Malgré tous les efforts pour le rassurer il n'en était pas moins inquiet* (ici **none the less** est proche de son sens premier : comparatif d'infériorité, 667).

907 (d) Les composés de *-ever (whatever, however, whoever, wherever...)* peuvent se construire avec *may/might* pour insister sur l'éventualité (365), mais aussi sans auxiliaire dans une langue plus simple. L'expression *no matter (+ what, how, who, where...)* a le même sens.

Whatever you (may) do, he will always complain. *Quoi que vous fassiez, il se plaindra toujours.* Construction synonyme : **No matter what you (may) do, he will always complain.**
However strong he is (= No matter how strong he is), we aren't afraid of him. *Si fort qu'il soit, nous n'avons pas peur de lui.*

484

However much you may resent it, you will have to accept it. *Si fort que cela vous déplaise, il vous faudra l'accepter.*

No man, however ignorant (= however ignorant he may be, avec ellipse du verbe *to be* et de son sujet, possible avec *however* et *no matter how*), can say 'I don't know that'. *Aucun homme, si ignorant soit-il, ne peut dire : « Je ne sais pas cela ».*

A letter from you, no matter how short, would make her happy. *Une lettre de vous, si courte soit-elle, lui ferait plaisir.*

'Whenever a white man does that to a black man, no matter who he is, how rich he is, or how fine a family he comes from, that white man is trash' (Harper Lee). *Toutes les fois qu'un homme blanc agit ainsi envers un noir, quels que soient son nom, sa richesse, ou l'excellente famille dont il est issu, cet homme blanc est un individu abject.*

No matter how much of a hurry he was in, he always found time for a few minutes' flirtation with her (Ch. Isherwood). *Si pressé qu'il fût, il trouvait toujours le temps de flirter quelques minutes avec elle.*

908 (e) La tournure « *adjectif (ou adverbe)* + *as/though* + *sujet* + *verbe* » est synonyme de la construction ci-dessus avec *however* ou *no matter how* (dans cette structure, *as* appartient à une langue plus courante que *though*). Le verbe est construit avec ou sans l'auxiliaire *may*. Voir 366.

Strange as it may seem, he did not know he had a son. *Si bizarre que cela puisse paraître, il ignorait qu'il avait un fils.*

Patient as she was, there were days when she could no longer bear him. *Si patiente qu'elle fût, il y avait des jours où elle ne pouvait plus le supporter.*

Much as I dislike him, I must say I admire his courage. *Quelle que soit l'antipathie qu'il m'inspire, je reconnais que j'admire son courage.*

We shall perform our task, perilous though it may be (style élevé; on peut employer un subjonctif « présent » : « perilous though it be »). *Nous accomplirons notre tâche, si périlleuse qu'elle soit.*

La phrase peut commencer par un nom attribut du sujet (langue très soignée).

Frenchman though I am, I am interested in cricket. *Bien que je sois français, je m'intéresse au cricket.*

909 (f) « *Verbe* + *as/what* + *sujet* + *may/will* » : cette tournure s'emploie dans un style très soigné, voire littéraire. Voir 366.

Try as I would, I could not understand what he meant. *J'avais beau essayer, je n'arrivais pas à comprendre ce qu'il voulait dire.*

Do what I might, I failed to convince him. *J'eus beau faire, je ne parvins pas à le convaincre.*

Say what you will, they are more painstaking than we are. *Vous avez beau dire, ils sont plus travailleurs que nous.*

Noter l'expression : « **Be this as it may...** » (*Quoi qu'il en soit...*).

(g) « *Be* + *sujet* + *ever* (ou *never*) *so* + *adjectif* » s'emploie dans une langue très soignée, voire affectée.

No doctor, be he ever so skilful, could save him now. *Aucun médecin, si habile qu'il soit, ne pourrait le sauver maintenant.*

910 (h) *For all* est suivi d'un nom ou d'une proposition.

For all (= In spite of) his wealth, he is very unhappy. *Malgré sa fortune (ou : il a beau être riche), il est très malheureux.*

485

For all (= Whatever) you may think, we have nothing to reproach ourselves with. *Quoi que vous en pensiez, nous n'avons rien à nous reprocher.*

For all I know, he is still alive. *Il est encore vivant, que je sache.*

Noter l'expression « **for that matter** » *(d'ailleurs).*

She didn't tell him, or anyone else **for that matter.** *Elle ne lui ne parla pas, ni à personne d'autre d'ailleurs.*

911 (i) **Not that** introduit une proposition exprimant une restriction, surtout dans des expressions toutes faites.

What does he say about it ? **No that I care** (langue courante). *Qu'en dit-il ? D'ailleurs cela m'est indifférent.*

Not that it matters (expression courante). *D'ailleurs peu importe.*

What an exciting journey ! **Not that it was very easy every day** (style écrit). *Quel voyage passionnant ! Non pas que ce fût de tout repos tous les jours.*

(j) Voir aussi 966 à 971 (Contraste, différence).

EXERCICES

A Transformer les phrases suivant le modèle :

If you see him, tell him I'm waiting for him → If you **should** see him (ou : If you **happen to** see him), tell him I'm waiting for him.

1. If you lose your ticket, you'll have to buy another with your own pocket money. — 2. If it rains, we'll have to cancel the open-air concert. — 3. What will you do if you fail in your exam ? — 4. If the train is late, we're sure to miss our connection. — 5. If you change your plans, please let us know. — 6. If the canoe capsizes, they'll be drowned. — 7. What are we supposed to do if he refuses to help us ? — 8. The doctor says, if she feels tired, she ought to stop working at once. — 9. If you are in Wales in July, don't fail to go to the Eisteddfod. — 10. If you find this book in a shop, please buy it for me.

Voir aussi leçon 21, exercice A (concordance des temps après if).

B Transformer les phrases suivant le modèle :

You'll only catch your train if you hurry → You won't catch your train **unless** you hurry.

1. They will only understand the film if there are subtitles. — 2. I can only do my work if you stop chattering. — 3. You'll only get the job if you can speak German. — 4. She only goes to London if she has some shopping to do. — 5. Grandfather will only hear you if you shout. — 6. You can only go to that country if you have a visa. — 7. She only bathes in the sea if the water is very warm. — 8. I can only wake up if I have an alarm-clock. — 9. Speak to them only if they ask you questions. — 10. Take these tablets only if the doctor has prescribed them.

C Transformer les phrases suivant le modèle :

Though you are very impatient, you will have to wait →
  (a) **However** impatient you are, you'll have to wait.
  (b) **No matter how** impatient you are, you'll have to wait.
  (c) **Impatient as** (ou : **though**) you are, you'll have to wait (langue soignée).

1. Though it's very cheap, it's too expensive for them. — 2. Though he is very foolish, he can't have made that mistake. — 3. Though we admire him very much,

486

we can't forgive him for being so cruel. — 4. Though I tried very hard, I couldn't understand the sentence. — 5. Though I write to him very often, he hardly ever answers my letters. — 6. Though his car is very big, it will be too small for the seven of us. — 7. Though he is very clever, he is apt to make mistakes. — 8. Though she is very pretty, I don't like her at all. — 9. Though he is very absent-minded, he never forgets her birthday. — 10. Though it is very late, I must write a few letters before I go to bed.

[D] Transformer les phrases suivant le modèle :
They walked on **although** it was raining ↔ They walked on **in spite of** (= **despite**) the rain (transformation dans l'un ou l'autre sens).

1. In spite of her shyness, she told them what she thought of them. — 2. Although the weather was bad, they managed to get there in good time. — 3. He gets fairly good results in spite of his laziness. — 4. He still played golf although he was over seventy. — 5. I don't like their house although it has a large garden. — 6. They are very generous in spite of their poverty. — 7. Although she was wearing a lovely dress, she looked rather vulgar. — 8. In spite of being very tired, he could not go to sleep. — 9. I have little in common with him although he is my brother. — 10. He was wise although he was so young.

N.B. Les phrases construites avec « **in spite of** + gérondif » sont moins courantes dans la langue parlée.

[E] Traduire.

1. Il a beau être très instruit, je doute qu'il sache ceci. — 2. Ils font une longue promenade tous les jours, qu'il fasse beau ou non. — 3. Qu'il soit ou non votre ami, je ne peux pas le supporter. — 4. Si fatigués que nous soyons, il nous faut travailler encore deux heures. — 5. Ils travaillèrent tout l'après-midi malgré la chaleur. — 6. Ils ne viennent nous voir que si nous les invitons (employer unless). — 7. Vous ne pouvez apprendre le piano que si vous travaillez votre instrument tous les jours (employer unless). — 8. Il ne me comprend que si je parle très lentement (employer unless). — 9. Je les aurais aidés même s'ils ne me l'avaient pas demandé. — 10. Quoi que cela me coûte, il faut que je vous dise la vérité.

46. — SOUHAITS, PRÉFÉRENCES, REGRETS

1. — SOUHAITS ET ESPOIRS

912 (a) **To wish** peut exprimer un souhait dans diverses constructions :

● avec un complément d'objet.

I wish you a merry Christmas. *Je vous souhaite un joyeux Noël.*
I wish you success. *Je vous souhaite le succès* (Cf. **I hope you'll succeed.** *Je vous souhaite de réussir*).

He has everything a child can wish for. *Il a tout ce qu'un enfant peut désirer.*

- avec un infinitif (dans une langue très polie).

Do you wish (moins courant que : Do you want) to be woken up tomorrow morning ? *Désirez-vous être réveillé demain matin ?*
Do you wish me to stay ? *Désirez-vous que je reste ?*

- avec *would*, pour exprimer un potentiel (359, 3°).

I wish it would stop raining. *Je voudrais bien que la pluie s'arrête.*
She wished something would happen. *Elle souhaitait qu'il se passât quelque chose.*

Dans cette construction, quand le sujet est une personne, on emploie *would* si la réalisation du souhait dépend de la volonté de cette personne (I wish she would come tomorrow : je ne suis pas sûr qu'elle le veuille), sinon on emploie *could* (I wish she could come tomorrow : je ne suis pas sûr qu'elle en ait la possibilité). Voir 917 (constructions de *to wish* exprimant un regret).

913 (b) *To like* peut exprimer un souhait, un désir, au conditionnel de politesse.

What would you like ? Would you like a drink ? *Que désirez-vous ? Voulez-vous boire quelque chose ?*
I'd like (= I should like ou I would like, 338) to have a car. *J'aimerais avoir une voiture.*
I'd like him to lend me (= I wish he would lend me) his car. *Je voudrais bien qu'il me prête sa voiture.*

914 (c) *To hope* s'emploie dans diverses constructions :

Let's hope for the best. *Espérons que tout ira bien.*
I hope to see you soon. *J'espère vous voir bientôt.*
We're going to the seaside tomorrow. Let's hope it doesn't rain. *Nous allons au bord de la mer demain. Espérons qu'il ne pleuvra pas* (Après *to hope*, un présent simple a souvent le sens d'un futur, 322).
I hope you may be right. *Je souhaite que vous ayez raison* (**May** peut s'employer après *to hope*, mais non après *to wish*).

Voir 178 à 180 (I hope so, I hope not), 82 (optatif avec *may*).

To trust construit avec une subordonnée peut exprimer un espoir, dans une langue soignée.

I trust (= I hope) you're in good health. *J'espère que vous êtes en bonne santé.*
I trust I'll be able to join you. *J'espère bien pouvoir me joindre à vous.*
I trust you enjoyed your holiday. *J'espère que vous avez bien profité de vos vacances.*

---

2. — PRÉFÉRENCES

915 *To prefer* s'emploie dans une langue soignée, *would rather* dans la conversation.

(a) *To prefer* est suivi d'un nom, d'un gérondif ou d'un infinitif (463).

I prefer tea to coffee (*to* et non « than »). *Je préfère le thé au café.*
I prefer waiting for people to being waited for. *Je préfère attendre les gens plutôt que de les faire attendre* (préférence permanente : gérondif).

488

Would you prefer to stay here (rather than come with us, 407) ? *Préfé-reriez-vous rester ici (plutôt que de venir avec nous) ?* (préférence s'appliquant à un cas précis : infinitif).

We would prefer him not to stay with us. *Nous préférerions qu'il ne reste pas avec nous* (proposition infinitive, 479).

Synonyme courant du premier exemple : **I like tea better than coffee.**

Pour la construction (plus rare) de ***to prefer*** avec ***should*** ou un preterite modal, voir 370. Voir aussi 45 (citation de Wesker).

916 (b) ***Would rather*** (beaucoup plus courant aujourd'hui que « had rather ») est suivi d'un infinitif sans to quand il n'y a qu'un sujet (118 à 120), d'un preterite modal quand il y a deux sujets (361).

> **I'd rather do it by myself.** *Je préfère* (ou : *je préférerais*) *le faire tout seul* (S'il y a un complément, il est introduit par ***than***, par exemple : **than ask for his help**).
>
> **Which one would you rather have ?** *Lequel préférez-vous ?* (***Would rather*** doit être suivi d'un verbe, jamais d'un complément d'objet).
>
> **I'd rather he didn't interfere with my private life.** *Je préférerais qu'il ne se mêle pas de ma vie privée.*
>
> **We'd rather you came next week.** *Nous préférerions que vous veniez la semaine prochaine* (Dans les deux derniers exemples le subjonctif preterite n'a pas la valeur d'un passé, il exprime l'irréel du présent ou le potentiel).

La périphrase ***would rather*** joue le rôle d'un auxiliaire de modalité : quand je dis : « **She would rather not go with them** », je cite dans le style indirect elliptique les sentiments du sujet (She says/thinks : 'I'd rather not go with them'), alors que si je dis : « **She prefers not to go with them** », je constate les sentiments du sujet de façon plus impersonnelle, plus sèche. Si le sens est le même, le ton est très différent.

---

3. — REGRETS

917   On peut les exprimer de différentes façons : avec ***I'm sorry*** (construit avec une subordonnée ou avec ***for*** + nom ou pronom), ***I regret*** (suivi d'une subordonnée ou d'un gérondif à sens passé), ***I wish*** (construit avec un preterite ou past perfect modal, 359-360), ***I'd like*** (suivi d'un infinitif ou d'une proposition infinitive). Les deux dernières expressions ne sont équivalentes des premières que si l'on ajoute ou supprime une négation. ***To regret*** s'emploie surtout dans une langue soignée.

(a) ***Regrets concernant le présent***, qui n'est pas ce que l'on souhaiterait (c'est l'irréel du présent).

> **I'm sorry (= I regret) that he isn't here (= I wish he were here = I'd like him to be here).** *Je regrette qu'il ne soit pas ici.*
>
> **She is sorry (= She regrets) that she is so shy (= She wishes she weren't so shy).** *Elle regrette d'être si timide.*

I'm sorry se construit de plusieurs façons pour exprimer des excuses :

> **I'm sorry I'm so late (= I'm sorry for being so late = I'm sorry to be so late**, 684). *Je regrette (ou : Excusez-moi) d'arriver si tard.*

Pour la construction de ***to regret*** avec un infinitif (formule polie : **I regret to tell you...**), voir 465.

(b) **Regrets concernant le passé**, qui n'a pas été ce qu'on aurait souhaité (c'est *l'irréel du passé*).

> I'm sorry (= I regret) that you didn't warn me (= I wish you had warned me = I'd like you to have warned me). *Je regrette que vous ne m'ayez pas prévenu.*
>
> We are sorry that we bought this car (= We regret buying this car = We wish we hadn't bought this car = We would like not to have bought this car). *Nous regrettons d'avoir acheté cette voiture.*

Would rather peut aussi exprimer un regret concernant le présent ou le passé, construit comme *I wish* avec un preterite ou past perfect modal (361).

> We'd rather we hadn't bought this car. *Nous préférerions ne pas avoir acheté cette voiture.*

I'm sorry et *I regret* s'emploient pour exprimer des excuses concernant des actions passées.

> I'm sorry for (= I regret) what I did. *Je regrette ce que j'ai fait.*
>
> I'm sorry (= I regret) that I didn't warn you. *Je regrette de ne pas vous avoir prévenu.*

(c) **Regrets exprimés dans le passé.**

> She was sorry that she hadn't told the police (= She regretted not having told the police = She wished she had told the police). *Elle regrettait de ne pas avoir informé la police.*
>
> We were sorry that we had told him the truth (= We regretted telling him the truth = We wished we hadn't told him the truth). *Nous regrettions de lui avoir dit la vérité.*

(d) Une phrase exclamative commençant par « *If only... !* » peut exprimer un regret concernant le présent (avec un preterite modal) ou le passé (avec un past perfect modal). Comparer avec la construction de *I wish* (360).

> If only they were here ! (Cf. I wish they were here, irréel du présent). *Si seulement ils étaient ici !*
>
> If only you had warned us ! (Cf. I wish you had warned us, irréel du passé). *Si seulement vous nous aviez prévenus !*

EXERCICES

A Transformer les phrases suivant le modèle :
I'd like him to lend me his car → *I wish he would* lend me his car.

1. I'd like you to stop grumbling. — 2. I'd like them to follow your advice. — 3. I'd like her to marry me. — 4. I'd like you to behave sensibly. — 5. I'd like you to tell me the truth. — 6. We'd like him to mind his own business. — 7. I'd like you to drive more carefully. — 8. She'd like you to write to her. — 9. You'd like them to invite you, wouldn't you ? — 10. We'd like them to stop bickering. — 11. I'd prefer you not to eat like a pig. — 12. I'd prefer him not to tell everybody about it. — 13. She would like her husband to give up smoking. — 14. We'd like her to give us an answer quickly. — 15. I'd like them to leave me alone.

[B] Transformer les phrases suivant les modèles :
I'm sorry that he isn't here → *I wish he were* (ou : was) here.
I'm sorry that you didn't tell me → *I wish you had* told me.

1. I'm sorry that I've come. — 2. I'm sorry that I can't help you. — 3. He is sorry that he made that promise. — 4. I'm sorry that I'm so clumsy. — 5. I'm sorry that it's so late. — 6. You're sorry that you've sold your car, aren't you ? — 7. I'm sorry that I have to (= I'm sorry to have to) tell you this. — 8. My parents are sorry that I'm not good at maths. — 9. We're sorry that we've waited so long. — 10. We're sorry that you didn't come yesterday. — 11. I'm sorry that you have to leave so early. — 12. She's sorry that she can't speak Italian. — 13. I'm sorry that I made that mistake. — 14. They're sorry that they forgot to invite her. — 15. You're sorry that you have to work this afternoon, aren't you ?

[C] Transformer les phrases suivant les modèles :

I('d) prefer to stay here → *I would rather* (= *I'd rather*) stay here.
They ('d) prefer him not to go with them → *They'd rather* he didn't go with them.

1. They would prefer not to travel by night. — 2. I'd prefer people to keep their mouths shut. — 3. She'd prefer to have dinner out. — 4. I'd prefer you to come and see me on Tuesday. — 5. She'd prefer him to buy her a camera. — 6. Wouldn't you prefer to have a rest before you go on with your work ? — 7. They'd prefer you not to disturb them. — 8. You'd prefer not to wait for us, wouldn't you ? — 9. I prefer not to answer your question. — 10. She'd prefer not to meet them. — 11. I'd prefer you not to tell them who I am. — 12. We'd prefer him not to lie to us. — 13. She'd prefer to go to a concert. — 14. He'd prefer us not to regard him as a foreigner. — 15. I prefer to play with you.

D Traduire.

1. I wish I hadn't bought this dictionary. — 2. They wish they had a son. — 3. She wishes she could stay a little longer. — 4. I wish it weren't so cold. — 5. I wish you'd let me help you (Cette phrase peut avoir deux sens différents. Cf. phrases 10 et 11). — 6. Don't you wish that were true ? — 7. She wishes she hadn't married him. — 8. We all wished you had been with us. — 9. I wish I didn't have to get up so early. — 10. I wish you'd come yesterday. — 11. I wish you'd come tomorrow (N.B. *'d* n'est pas la forme faible du même auxiliaire dans les phrases 10 et 11). — 12. I wish you'd tell me the truth. — 13. I wish you'd told me the truth. — 14. I wish they would stop shouting. — 15. She wishes he weren't so shy. — 16. She wishes she weren't so shy. — 17. We'd rather you helped us. — 18. I'd rather you hadn't left so early. — 19. We'd rather she came on Saturday. — 20. We'd rather she'd come on Saturday.

[E] Traduire en employant *to wish* ou *would rather* :

1. Ils regrettent d'avoir dépensé tout leur argent. — 2. Je regrette que vos enfants ne soient pas ici. — 3. Nous préférerions qu'ils ne viennent pas trop tôt. — 4. Nous aimerions pouvoir vous aider. — 5. Je regrette d'avoir brûlé leur lettre. — 6. Il regrette d'avoir à prendre sa retraite. Il préférerait continuer à travailler pendant quelques années. — 7. J'aimerais savoir pourquoi elle ne veut pas me parler. — 8. Je préférerais qu'il ne me téléphone pas si souvent. — 9. J'aimerais qu'elle se décide rapidement. — 10. Ses parents préféreraient qu'elle n'aille pas en Angleterre seule. — 11. Je regrette d'avoir perdu leur adresse. — 12. Il aimerait savoir jouer du piano. — 13. Elle aimerait qu'il conduise plus prudemment / Elle préférerait qu'il conduise plus prudemment. — 14. Nous préférerions passer nos vacances en Grèce. — 15. Nous aimerions que vous apportiez quelques disques. — 16. Je regrette d'avoir à te punir. — 17. Je regrette que vous m'ayez caché la vérité. — 18. Je préfère ne pas leur parler. — 19. J'aimerais avoir un magnétophone. — 20. J'aimerais qu'il me prête son magnétophone. — 21. Nous préférerions qu'elle ne rentre pas si tard. — 22. La pluie ne me dérange pas, mais j'aimerais qu'il fasse moins froid. — 23. Je préférerais ne pas attendre sous la pluie.

— 24. Je préférerais mendier dans les rues plutôt que d'accepter son offre. — 25. Nous regrettons de ne pas avoir su que vous deviez emprunter de l'argent.

47. — NÉCESSITÉ, ORDRES, CONSEILS

1. — NÉCESSITÉ, OBLIGATION

918 (a) *To have* + *infinitif complet* exprime la nécessité, dans un style impersonnel (55).

> **He has to work on Saturday afternoons.** *Il doit travailler le samedi après-midi.*
> **Do you have to read all these books ?** *Faut-il que vous lisiez tous ces livres ?*
> **How long did you have to wait ?** *Combien de temps avez-vous dû attendre ?*

Dans ces phrases, on donne (ou demande) des faits, et non une opinion.

919 (b) *Must*, auxiliaire de modalité, permet d'exprimer l'opinion du locuteur, son point de vue, sur des actions présentes ou futures, qui lui paraissent nécessaires, ou du moins très souhaitables (90).

> **You must read this book.** *Il faut que tu lises ce livre* (je t'y engage).
> **I must phone Barbara tonight.** *Il faut que je téléphone à Barbara ce soir.*

On peut donner à la phrase un ton emphatique en remplaçant *must* par « *have (simply) got to* ».

> **You've (simply) got to come tomorrow.** *Il faut absolument que tu viennes demain.*

920 (c) A la forme négative, distinguer *must not* (interdiction) de *need not* ou *don't have to* (absence de nécessité). Voir 91.

> **You mustn't tell him** *(tu ne dois pas lui en parler)* est le contraire de : **You may tell him, if you like** *(tu peux lui en parler, si tu veux).*
> **You needn't wait** *(il n'est pas nécessaire que tu attendes)* est le contraire de : **You must wait** *(il faut que tu attendes).*
> **He doesn't have to get up at 6 every morning.** *Il n'est pas obligé de se lever à 6 heures tous les matins.*

Pour les questions commençant par « *Need I...* ? », « *Must I...* ? », « *Do I have to...* ? » et « *Do I need to...* ? », voir 90, 95.

921 (d) *To be obliged to* et *to be compelled to* (moins employés que *to have to*) insistent plus nettement sur une idée de contrainte.

> **He was compelled to sell his house in order to pay his debts.** *Il dut (fut contraint de) vendre sa maison pour payer ses dettes.*

(e) *To be* + *infinitif complet* peut exprimer une nécessité ou ce qu'il convient de faire, en particulier quand on consulte un interlocuteur (124).

492

What am I to do if I fail ? *Que dois-je faire si j'échoue ?*
He expected me to tell him what he was to do. *Il s'attendait à ce que
je lui dise ce qu'il devait faire.*
What's to be done if he can't pay ? *Que faut-il faire s'il ne peut pas payer ?*

(f) **It is necessary** et **it is imperative** se construisent avec une proposition
infinitive ou avec **should** (aussi avec un subjonctif « présent », surtout en américain).

> **It's imperative for him to attend the meeting** (style officiel : **It is impe-
> rative that he should attend the meeting**; américain : **It's imperative
> he attend the meeting**). *Il est indispensable qu'il assiste à la réunion.*

---

2. — ORDRES ET INTERDICTIONS, DEMANDES

922 (a) Verbes construits avec *une proposition infinitive :* **to order, to command, to
request, to ask, to want, to expect, to invite, to forbid** (mais **to prohibit** se
construit avec **from** + gérondif).

> **I ordered him to leave the house.** *Je lui ai ordonné de quitter la maison.*
> **They requested us to be silent.** *Ils nous prièrent de ne pas faire de bruit.*
> **I forbid you to say that.** *Je vous interdis de dire cela.*

Ces verbes (sauf **to want** et **to command**) peuvent se construire au passif :

> **We were requested not to smoke.** *On nous pria de ne pas fumer.*
> **He was forbidden to leave the country.** *On lui interdit de quitter le pays.*

923 (b) Verbes suivis d'*une subordonnée avec should* (ou d'un subjonctif « présent »,
surtout en américain) : **to order, to command, to request** (mais ces trois verbes
s'emploient plus couramment avec une proposition infinitive, v. supra), **to insist**
(qui se construit aussi avec **on** + gérondif), **to demand.**

> **They ordered that the man should be hanged** (américain : **that the man
> be hanged**; langue courante : **They ordered the man to be hanged**). *Ils
> ordonnèrent que l'homme fût pendu.*
> **She insisted that he should write** (américain : **that he write**) **every week**
> (aussi : **She insisted on his/him writing every week,** 384). *Elle insista
> pour qu'il écrivît chaque semaine.*
> **The opposition demanded that all the facts (should) be made public.**
> *L'opposition exigea que tous les faits fussent divulgués.*

924 (c) Un *ordre sévère* peut s'exprimer avec **You are to** (ou : **You must**, qui est moins
sec). Voir 125.

> **You are to obey at once.** *Tu dois obéir immédiatement.*
> **You're not to tell anybody.** *Je vous interdis d'en parler à qui que ce soit.*

On peut aussi (style familier) employer un impératif précédé de **you**, sans
virgule (valeur emphatique).

> **You stay where you are.** *Vous, ne bougez pas de là.*
> **Don't you call the police, or else...** *Et surtout n'appelez pas la police,
> sinon...*
> **You mind your own business.** *Occupez-vous donc de vos affaires.*

Les *interdictions légales* sont souvent exprimées avec **no** + gérondif.

> **No smoking** (= **Smoking prohibited**). *Défense de fumer.*
> **No bill-sticking** (= **Stick no bills**). *Défense d'afficher.*

Shall/shall not s'emploie dans un style solennel pour les commandements divins, les règlements officiels, les ordres pompeux.

Thou shalt love they neighbour as thyself. *Tu aimeras ton prochain comme toi-même* (2ᵉ personne du singulier, 21).

Thou shalt not kill. *Tu ne tueras point.*

The fine shall not exceed £ 50. *L'amende n'excèdera pas 50 livres.* (Voir 312, « Trespassers will be prosecuted »).

You shall leave the room at once. *Je vous ordonne de sortir immédiate-ment* (mais on dit, plus calmement, « You will leave the room at once » si l'on est sûr d'être obéi. Voir 312).

925 (d) *Instructions, prières, demandes polies.*

Les instructions sont souvent exprimées au futur (**You will**...).

You will post this letter tomorrow morning. *Vous posterez cette lettre demain matin.*

Un impératif suivi de « *will you* » (intonation ascendante) permet d'exprimer une demande de petit service sur un ton familier (418).

Open the door for me, will you (= please). *Ouvre-moi la porte, veux-tu ?*

Pour les demandes polies, on peut se servir des tournures suivantes :

Would you mind switching off the light ? *Voudriez-vous* (= *Cela vous dérangerait-il d'*) *éteindre la lumière ?* (462).

Will you be kind as to (plus cérémonieux que : **Will you**, ou : **Would you**) **lend me your glasses ?** *Auriez-vous l'amabilité de (Voudriez-vous) me prêter vos jumelles ?* (678, 305, 333).

On peut aussi employer *should*, comme s'il s'agissait d'un simple conseil, ou *might* (demande ironique).

You shouldn't tell anybody. *N'en parlez à personne, je vous en prie.*

You might give me a cigarette. *Tu pourrais me donner une cigarette* (sous-entendu : je ne devrais pas avoir à te le demander).

Quand à l'expression « *I wish you would* », elle exprime tantôt un ordre sur un ton excédé (quand il y a de la mauvaise volonté de la part de l'interlocuteur : **I wish you would stop making all that noise**), tantôt une demande polie, sur un ton insistant. Le ton et le contexte renseignent sur le sens de l'expression (359, 3°).

I wish you would speak to him about it. *Voudriez-vous lui en parler ?* (demande plus insistante que : « Please speak to him about it »).

---

3. — CONSEILS, SUGGESTIONS

926 (a) *Should, ought to* (ce dernier auxiliaire insiste parfois un peu plus sur une contrainte morale, 328, 97).

You should see this film. *Tu devrais voir ce film.*

You shouldn't smoke so much. *Tu ne devrais pas tant fumer.*

We ought to invite them. *Nous devrions les inviter.*

You ought to apologize to her. *Tu devrais t'excuser auprès d'elle.*

On emploie parfois *should*, inaccentué (auxiliaire du conditionnel) à la première personne du singulier, en sous-entendant « if I were you ».

I shouldn't worry. *A votre place je ne m'inquiéterais pas.*

On peut aussi, pour insister, employer *must* (**You must see this film**) ou *have got to* (**You've simply got to see this film.** *Il faut absolument que tu voies ce film*).

(b) **Had better** + infinitif sans **to** (117).

> **You'd better wait until it stops raining.** *Vous feriez mieux d'attendre que la pluie s'arrête.*
> **You'd better not answer his letter.** *Vous feriez mieux de ne pas répondre à sa lettre.*

927 (c) **To advise** se construit avec une proposition infinitive. Pour les conseils négatifs on peut aussi construire avec **against** + gérondif.

> **I advise you to start early.** *Je vous conseille de partir de bonne heure.*
> **He advised us not to buy** (ou : **He advised us against buying**) **that house.** *Il nous déconseilla d'acheter cette maison.*

928 (d) **To suggest** se construit souvent avec **should** (ou avec un subjonctif « présent »). Voir 356.

> **I suggest you (should) try once more.** *Je vous suggère* (ou : *je vous conseille*) *d'essayer encore une fois.*

Quand il n'y a pas de second sujet, **to suggest** est suivi d'un gérondif.

> **I suggest taking** (ou : **I suggest we take**) **a taxi.** *Je propose qu'on prenne un taxi.*

929 (e) Une suggestion peut aussi s'exprimer avec « **Shall we... ?** » (311), « **What about... ?** » (= « **How about... ?** »), « **Why not... ?** », « **We might...** » (on consulte l'interlocuteur sur ce qu'on propose de faire).

> **Shall we go to the theatre ?** (ou : **What about/How about going to the theatre ?**). *Si nous allions au théâtre ?* (qu'en dites-vous ?).
> **Why not take a taxi ?** *Pourquoi ne pas prendre un taxi ?* (infinitif sans **to** après **why not**, 405).
> **We might dine out tonight** (85). *Nous pourrions dîner au restaurant ce soir.* (Voir 925 : **You might give me a cigarette**).

EXERCICES

[A] Transformer les phrases suivant le modèle :
They insisted that she (should) go with them → She insisted **on** her going with them (langue plus soignée).
1. They insisted that she should have tea with them. — 2. We insist that you (should) tell us the truth. — 3. We insisted that he (should) be our leader. — 4. She insisted that I (should) be her guest. — 5. They will no doubt insist that you (should) play an encore. — 6. His father insisted that he (should) go to Cambridge. — 7. They insisted that we (should) play bridge with them. — 8. They insisted that she (should) stay another week. — 9. They insist that he (should) pay his debt. — 10. We insist that she (should) take the exam.

B Transformer les phrases suivant le modèle :
I forbid you to open that door → **You're not to** open that door (ton très sec).
1. I forbid you to see those people again. — 2. I forbid you to tell them what you saw. — 3. I forbid her to go out with that boy. — 4. I forbid you to read this letter. — 5. I forbid him to smoke in the office. — 6. I forbid you to touch my camera. — 7. I forbid him to come here again. — 8. I forbid them to pick these flowers. — 9. I forbid him to borrow my car today. — 10. I forbid you to spend the whole afternoon watching T.V.

C Transformer les phrases suivant le modèle :

Will you (please) help me ? → **Would you mind** helping me ? (plus poli) → **Will you be so kind as to** help me ? (un peu cérémonieux).

1. Will you translate this letter for me ? — 2. Will you lend me your pen ? — 3. Will you buy me an ice-cream ? — 4. Will you give me a lift to the nearest garage ? — 5. Will you call me when dinner is ready ? — 6. Will you look after the baby for a few minutes ? — 7. Will you tell her that I might be late for dinner ? — 8. Will you bring me a deck-chair ? — 9. Will you ask him to give me a ring tonight ? — 10. Will you call a taxi for me ?

D Transformer les phrases suivant le modèle :

I advise you to sell your car → You **should** (ou : **ought to**) sell your car → You **had better** sell your car.

1. I advise you to learn to drive. — 2. I advise you to see a doctor. — 3. I advise you not to flatter him too much. — 4. I advise you to give up smoking. — 5. I advise them to mind their own business. — 6. I advise her not to believe what he says. — 7. I advise them to ignore his remark. — 8. I advise her to work harder. — 9. I advise you not to waste your time reading that book. — 10. I advise him not to follow their advice.

E Donner un équivalent construit avec « **What about... ?** ».

1. Do you think we should fly to Manchester ? — 2. Shall we have dinner in a Chinese restaurant ? — 3. Why not camp ? — 4. I suggest resting for a few minutes. — 5. Do you think we should invite the neighbours ? — 6. Why not spend the night in a motel ? — 7. Shall we go to a concert tonight ? — 8. I suggest buying a present for her mother. — 9. Why not rent a car ? — 10. Shall we ask Jennifer to join us ?

[F] Traduire.

1. Il est tard, il faut que tu ailles te coucher. — 2. Si vous voulez être interprète, vous devez parler couramment deux langues étrangères. — 3. Il fait très beau. Pourquoi ne pas aller faire un pique-nique ? — 4. Vous feriez mieux de fermer votre porte à clef. — 5. Il ferait mieux de ne pas tant fumer. Le médecin lui a conseillé de ne pas tant fumer. — 6. Je propose d'inviter John. Pourquoi ne pas inviter aussi sa petite amie ? — 7. Ils nous déconseillèrent de nous baigner dans le lac. — 8. Que devons-nous faire s'il refuse de nous prêter de l'argent ? — 9. Si l'on sortait ce soir ? — 10. Cela vous ennuierait-il de surveiller mes bagages pendant que je serai au wagon-restaurant ? — 11. J'insiste pour que vous veniez avec nous. — 12. Je propose que l'on prenne une tasse de thé en les attendant. — 13. Avez-vous dû payer des droits de douane ? — 14. Nous ferions mieux de ne pas leur mentir. — 15. Il faut absolument que vous alliez en Irlande, je suis sûr que ce pays vous plaira beaucoup.

48. — INTENTION, VOLONTÉ, REFUS.

930   Ces notions peuvent s'exprimer (a) à l'aide de **verbes ordinaires** comme to **intend, to want, to mean, to refuse...,** (b) à l'aide d'**auxiliaires de modalité** (will, shall) ou de périphrases construites avec **to be** (I am going to, I am to). Ces diverses constructions comportent plus ou moins nettement une idée de futur (leçon 13).

496

Dans l'ensemble le ton est plus personnel, plus familier avec les auxiliaires et les périphrases (« **I'm going to do it** », « **I won't do it** ») qu'avec les verbes ordinaires (« **I intend to do it** », « **I refuse to do it** »).

---

1. — INTENTION, VOLONTÉ, REFUS EXPRIMÉS
   A LA PREMIÈRE PERSONNE

---

931 (a) *I want to, I'd like to, I wish to* expriment un besoin, une volonté.

> **I want to rest a few minutes.** *Je veux* (ou : *J'ai besoin de*) *me reposer quelques minutes.*
> **I'd like** (jamais « I'd want ») **to see this film.** *Je voudrais voir ce film.*
> **I wish to be obeyed (I insist on being obeyed).** *Je désire (J'insiste pour) qu'on m'obéisse.*

(b) *I will/I won't* s'emploie pour exprimer une volonté bien affirmée, pour faire acte d'autorité (305, 306).

> **I will do** (= **I am determined to do**) **as I like.** *Je ferai ce qui me plaît.*
> **I won't apologize to him.** *Je refuse de lui présenter des excuses.*

932 (c) *Une intention réfléchie* s'exprime avec **to intend, to consider, to contemplate, to mean, to propose, to think of,** etc., ou la périphrase **be going to** (317).

> **I intend to spend** (ou : **I intend spending**) **a year in Canada.** *J'ai l'intention de passer un an au Canada.*
> **I propose** (= **intend**) **to stop in Rome a couple of days.** *Je compte m'arrêter à Rome un ou deux jours.*
> **I didn't mean to offend him.** *Je n'avais pas l'intention de le vexer.*
> **We are considering staying** (dans la langue familière : **We are thinking of staying**) **here another week.** *Nous envisageons de rester ici encore une semaine.*
> **I'm going to retire at the end of the year.** *J'ai l'intention de prendre ma retraite à la fin de l'année.*
> **I'm not going to invite them again.** *Je n'ai pas l'intention de les inviter de nouveau.*
> **We're going to buy a cottage in Bedfordshire.** *Nous allons (Nous avons l'intention d') acheter une petite maison dans le Bedfordshire.*

Le nom *intention* se construit avec *of* + gérondif.

> **I have no intention of changing my plans.** *Je n'ai nullement l'intention de modifier mes projets.*

933 (d) *Un projet* s'exprime avec **I am** + participe présent, **I am** + infinitif complet (dans la langue écrite) ou le verbe **to plan** (suivi d'un infinitif ou de *on* + gérondif).

> **I'm leaving tomorrow.** *Je pars demain* (321).
> **We're going to a concert tonight.** *Nous allons au concert ce soir.*
> **We've planned to spend a month in Corsica** (langue très soignée : **We are to spend...**; couramment : **We're going to spend...**). *Nous devons passer un mois en Corse.*

934 (e) *Le consentement* s'exprime avec **I am willing to, I am prepared to.**

> **I'm quite willing to lend you the sum you need.** *Je suis tout disposé à vous prêter la somme dont vous avez besoin.*
> **I'm not prepared to listen to their complaints.** *Je ne suis pas disposé à écouter leurs récriminations.*

935 ⓐ Il convient de distinguer entre « **are you going to... ?** » (quelles sont vos intentions ?), « **do you want to... ?** » ou « **would you like to... ?** » (que désirez-vous faire ?) et « **will you... ?** » (qui s'emploie surtout pour formuler une invitation).

> **Are you going to reply to his letter ?** (= **Do you intend to... ?**). *Allez-vous (Avez-vous l'intention de) répondre à sa lettre ?*
> **What are you going to do today ?** (= **What do you intend/propose to do today ?**). *Qu'avez-vous l'intention de faire aujourd'hui ?*
> **Do you want to read my paper ?** *Voulez-vous lire mon journal ?*
> **Would you like to go to the cinema tonight ?** *Aimeriez-vous aller au cinéma ce soir ?*
> **Will you have a drink ?** *Voulez-vous boire quelque chose ?* (ou : *Vous boirez bien quelque chose*). Le sens de cette phrase est très proche de : Please have a drink.

Pour la différence entre « **will you come ?** » et « **will you be coming ?** », voir 302.

936 ⓑ Pour *consulter l'interlocuteur* sur ce qu'il veut que je fasse, on peut dire :

> **Do you want me** (= **Would you like me**) **to bring a few records ?** *Voulez-vous (Voudriez-vous) que j'apporte quelques disques ?* (proposition infinitive, 477).
> **Shall I make the tea ?** *Voulez-vous que je fasse le thé ?* (offre de service).
> **Shall we take a taxi ?** (ou : **What about taking a taxi ?**). *Voulez-vous que nous prenions un taxi ?* ou : *Et si nous prenions un taxi ?* (consultation + suggestion, 311).

---

3. — INTENTIONS ET DÉSIRS D'UNE TIERCE PERSONNE

C'est dans ce cas que la différence est la plus nette entre une information impersonnelle (avec **to intend, to want, to mean, to refuse...**) et une citation implicite des paroles prononcées par la personne qui exprime ses intentions, ses désirs, ses refus (avec **be going to, will/won't**; il s'agit alors d'un style indirect elliptique).

Comparer : **He wants to do it by himself** *(Il veut le faire seul)* et : **He will do it by himself** (= He says : 'I will do it by myself'). Dans la seconde phrase, le ton est plus vivant, on se représente la personne affirmant sa volonté avec force, voire avec obstination.

Comparer de même : **They refused to listen to her** (on constate ce refus) et : **They wouldn't listen to her** (on les imagine disant ou tout au moins pensant : 'We won't listen to her').

---

4. — VOLONTÉ DU SUJET CONCERNANT LES ACTES D'UN AUTRE SUJET

937 ⓐ *To want* (au conditionnel de politesse : *would like*), *to expect, to forbid...* + proposition infinitive.

Her parents want her to marry an engineer. *Ses parents veulent qu'elle épouse un ingénieur.*

We would like you to spend the weekend with us. *Nous aimerions que vous passiez le week-end avec nous.*

I expect you to work harder. *J'attends de toi que tu travailles plus.*

I forbid him to speak to them. *Je lui interdis de leur parler.*

(b) Voir 922 à 924 (ordres et interdictions).

938 (c) Après *to want, would like* et « *will/would have* » le second verbe peut être au participe passé quand la construction est passive (avec ou sans complément d'agent).

I'd like these shoes repaired by Tuesday. *Je voudrais que ces chaussures soient réparées d'ici mardi.*

Comparer la construction des deux phrases :

I won't have you laugh (ou : **laughing**) **at him** (construction active). *Je ne tolérerai pas que vous vous moquiez de lui* (505, 507).

I won't have such lies published (construction passive). *Je ne souffrirai pas que l'on publie de tels mensonges* (508).

EXERCICES

A Transformer les phrases suivant le modèle :

We intend to buy (ou : buying) a caravan (intention) → We are *considering* buying a caravan (action envisagée, style soigné) → We are *thinking of* buying a caravan (même sens, style familier). Rester au même temps.

1. I intend to write a detective story. — 2. We intend to camp in Spain. — 3. He intended to leave his fortune to the Red Cross. — 4. They intend to adopt a child. — 5. He had intended to join the Navy. — 6. Why do they intend to settle in Switzerland ? — 7. When does he intend to retire ? — 8. He didn't intend to divorce his wife. — 9. They intend to have the old theatre pulled down. — 10. The Prime Minister has intended to resign on several occasions. — 11. Didn't he intend to emigrate to New Zealand ? — 12. When do they intend to produce the film ? — 13. I had never intended to stay there more than a week.

B Transformer les phrases suivant le modèle :

Shall I make the tea ? ↔ *Do you want me to* make the tea ? (transformation dans l'un ou l'autre sens).

1. Shall I wash the car ? — 2. Shall we come and see you tomorrow ? — 3. What do you want me to give you for your birthday ? — 4. Shall I tell you what I think of him ? — 5. Do you want us to invite your mother-in-law ? — 6. Where shall we have dinner ? — 7. How many blankets shall I put on your bed ? — 8. What time do you want me to wake you up ? — 9. Do you want me to call a doctor ? — 10. Where shall I put the vase ?

C Transformer les phrases suivant le modèle :

She refuses to come with us → She *won't* come with us (won't est accentué).

1. He refuses to cooperate with us. — 2. They refuse to give their opinion. — 3. The donkey refused to go any further. — 4. She refused to let me see the letter. — 5. I refuse to lie to them. — 6. She refuses to tell us what she did last night. — 7. I refuse to answer their questions. — 8. They refuse to let her marry a foreigner. — 9. He refused to admit that he had made a mistake. — 10. Why did she refuse to give us her telephone number ?

[D] Traduire.

1. Ils ont l'intention de passer quelques jours à Bath. — 2. Nous envisageons de louer une voiture à l'aéroport Kennedy. — 3. A quelle heure voulez-vous que je vous téléphone ? — 4. Nous avons l'intention d'aller à Winchester en voiture. — 5. J'aimerais que tu cesses de me mentir. — 6. Il refusa de leur donner son adresse. — 7. Veux-tu que je te traduise sa lettre ? — 8. Ils ne veulent pas que je prévienne (Ils me défendent de prévenir) la police. — 9. Nous aimerions qu'ils nous traitent comme des êtres humains. — 10. N'envisagez-vous pas de prendre bientôt votre retraite ? — 11. Combien d'argent veux-tu que je te prête ? — 12. Ils veulent que je me présente à l'examen, mais je n'en ai pas l'intention. — 13. Il refusa de dire à la police où était son ami. — 14. Nous aimerions qu'ils cessent de plaisanter. — 15. Ils ne veulent pas que je rentre à la maison après minuit.

49. — OPINION, INCERTITUDE, DÉCLARATION

1. — OPINION, CONVICTION, DOUTE

939 (a) Les verbes exprimant une opinion *ne s'emploient pas à la forme progressive* (247).

> **I think (that) he is right.** *Je pense qu'il a raison.*
> **They believed (that) the earth was flat.** *Ils croyaient que la terre était plate.*
> **I feel (that) we ought to tell her the truth.** *J'estime que nous devrions lui dire la vérité.*

A l'actif ces verbes ne sont pas suivis directement d'un infinitif.

> *Il croit savoir qui elle est.* **He thinks he knows who she is.**

Pour la construction avec une *proposition infinitive*, à l'actif et au passif, voir 481 et 482.

> **He felt the plan to be unwise.** *Il estimait que le projet était peu judicieux.*

To believe se construit aussi avec *in* + nom ou gérondif.

> **Do you believe in God (in democracy) ?** *Croyez-vous en Dieu (à la démocratie) ?*
> **The Headmaster believed in using the cane.** *Le proviseur pensait (= était d'avis) qu'il fallait utiliser les châtiments corporels.*

940 (b) *To be sure* peut se construire avec une subordonnée ou avec *of* + gérondif.

> **He is sure that he will fail = He is sure of failing** (= **He expects to fail**). *Il est sûr d'échouer (il s'attend à échouer).*

Mais suivi d'un infinitif *to be sure* exprime la conviction du locuteur (113).

> **He is sure to fail.** *Il va sûrement échouer* (en disant cela, j'exprime non pas son opinion mais la mienne; synonyme : **I'm sure he will fail).**

To be convinced et **to be persuaded** se construisent avec une subordonnée ou avec **of** + complément.

>**I am convinced that it is a mistake.** *Je suis persuadé que c'est une erreur.*
>**I am not convinced** (ou : **persuaded**) **of his innocence.** *Je ne suis pas convaincu de son innocence.*

941 ⓒ *To consider* peut se construire avec une proposition infinitive ou avec *as*.

>**I consider him to be** (= **In my opinion he is**) **the greatest poet of this century.** *Je le considère comme le plus grand poète de ce siècle* (Au passif : **He is considered to be...** *On le considère...*).
>**We consider it a mistake to lay the blame on her** (construction avec *it* + attribut + infinitif ou subordonnée, 688). *Nous considérons que c'est une erreur de rejeter la responsabilité sur elle.*
>**We consider him as** (= **We regard him as** = **We look upon him as**) **a member of the family.** *Nous le considérons comme un membre de la famille* (ne jamais employer « like » au lieu de *as*).

On peut aussi faire suivre *to consider* d'une subordonnée ou d'un complément accompagné d'un attribut.

>**I consider that** (= **As I see it,**) **the State isn't spending enough on research.** *Je considère que (A mon avis,) l'Etat ne dépense pas assez pour la recherche.*
>**She considers him very selfish.** *Elle le considère très égoïste.*

Voir 458 (*to consider* + gérondif exprimant un projet).

942 ⓓ *To doubt* se construit à la forme affirmative avec *whether* (parfois *if* dans une langue moins soignée), à la forme négative avec *that*.

>**I doubt whether he can understand.** *Je doute qu'il puisse comprendre.*
>**I doubt whether he will succeed.** *Je doute qu'il réussisse.*
>**I don't doubt** (= **I feel certain**) **that he will agree.** *Je ne doute pas qu'il ne soit* (= *Je suis sûr qu'il sera*) *d'accord.*

Autre construction de ce verbe :

>**I doubt his honesty.** *Je doute de son honnêteté.*
>**He says so but I doubt it.** *Il le dit mais j'en doute.*

Quand il y a doute on peut aussi se servir des expressions :

>**I wonder whether** (fam. : **I wonder if**) **they acted sensibly.** *Je me demande s'ils ont agi raisonnablement.*
>**I wish I knew who that man is** (359, 360). *J'aimerais savoir qui est cet homme.*

943 ⓔ Une *absence de doute raisonnable* peut s'exprimer avec différents verbes ou périphrases suivis de subordonnées : **I suppose, I expect** (496), **I presume** (familièrement : **I guess, I reckon**), **I take it, I don't doubt** (942), **we can assume, we can take it for granted (that...).**

>**I presume he is a Conservative.** *Je suppose* (ou : *Je crois pouvoir supposer*) *qu'il est conservateur.*
>**I take it that you agree.** *Je suppose que vous êtes d'accord.*
>**We can assume that he hasn't received our letter.** *Nous pouvons tenir pour certain qu'il n'a pas reçu notre lettre.*
>**He took it for granted that his father would lend him the money.** *Ils pensait que son père allait certainement lui prêter l'argent* (cela allait de soi).

944   Il s'agit de *l'opinion du locuteur concernant différents degrés de vraisemblance.* Les tournures que l'on va examiner lui permettent de préciser si l'action dont il parle lui paraît *incertaine, vraisemblable, inévitable,* etc. Elles se construisent tantôt avec des *auxiliaires de modalité* (may, must...), tantôt avec des *périphrases* dont le verbe est *to be* (to be likely to, to be sure to...). On peut aussi employer des *adverbes de modalité* (perhaps, certainly, undoubtedly...), dans une langue moins idiomatique.

On distinguera quatre degrés : actions incertaines < vraisemblables < très probables < inévitables.

(a) *Incertitude, éventualité.*

• *May*, qui est alors accentué, exprime une action incertaine présente ou future (78,79).

> **You may be right and you may be wrong.** *Il se peut que vous ayez raison et il se peut que vous ayez tort.*
> **I may be late tomorrow.** *Il se peut que je sois en retard demain.*

Ces phrases signifient : **Perhaps you are right...** (ou : **Maybe you are right...**), **Perhaps I shall be late...**

Quand l'incertitude s'applique à un fait passé : « *may have + participe passé* ».

> **They may have come while we were out.** *Peut-être sont-ils venus pendant que nous étions sortis.*
> **He may not have received my letter.** *Il se peut qu'il n'ait pas reçu ma lettre.*

• *Might* s'emploie pour des faits encore plus incertains, ou bien est un simple synonyme de *may*, qu'il remplace souvent dans la langue courante (**I might be late tomorrow**). Voir 84.

> **It might rain this afternoon.** *Il se pourrait qu'il pleuve cet après-midi.*

• *Could* s'emploie dans le même sens.

> **There could be showers tomorrow morning.** *Il pourrait y avoir des averses demain matin.*

945 (b) *Vraisemblance, probabilité.*

• *To be likely to* s'emploie pour une action qui paraît vraisemblable dans le présent ou l'avenir (112).

> **They are likely to be at home.** *Il est vraisemblable qu'ils sont chez eux.*
> **She is likely to be waiting for us.** *Elle nous attend probablement.*
> **There's likely to be a storm tonight.** *Il y aura sans doute une tempête ce soir.*

Pour un fait passé qui paraît vraisemblable : « *to be likely to have + participe passé* ».

> **She is likely to have been disappointed.** *Elle a vraisemblablement été déçue.*

• *Should* et *ought to* peuvent exprimer la probabilité, le pronostic.

> **He ought to enjoy the film.** *Le film devrait (normalement) lui plaire.*
> **They should win.** *Ils devraient gagner* (on peut s'y attendre).

• *I daresay* et *I expect* peuvent aussi exprimer la vraisemblance (opinion du sujet à la première personne du singulier).

I daresay you're right. *Vous avez sans doute raison.*
I expect they'll come by train. *Ils viendront sans doute par le train.*

946 (c) *Forte probabilité, quasi-certitude.*

● *Must* ne peut pas s'appliquer à des actions futures (comparer avec *may*, 944). Pour une quasi-certitude négative on emploie plutôt *cannot* (voir 88).

Le verbe qui suit l'auxiliaire est souvent *be.*

He must be very old. *Il doit être très vieux.*
That must be true. *Cela doit être vrai* (le contraire est : That can't be true).
They must be having tea. *Ils doivent être en train de prendre le thé.*

Quand je dis « **he may be ill** » *(il se peut qu'il soit malade)*, j'envisage cette maladie comme une simple éventualité (avec 50 % de risque d'erreur); alors que quand je dis « **he must be ill** » *(il doit être malade)*, je pense que le risque d'erreur est très faible : d'après ce que je sais, je *conclus* qu'il est certainement malade.

Quand la quasi-certitude s'applique à un fait passé : « *must* (≠ *cannot*) *have* + *participe passé* ».

You must have been afraid. *Vous avez dû avoir peur.*
He can't have known our address. If he had, he would have written to us. *Il devait ignorer notre adresse. Sinon il nous aurait écrit.*

● *To be sure to* (ou : *to be certain to*) insiste un peu plus sur la certitude, pour des faits présents ou futurs (113).

They are sure to be wondering where we are. *Ils doivent se demander où nous sommes.*
It's sure to be cold tomorrow. *Il fera certainement froid demain.*
He is sure to fail. *Il va certainement échouer* (c'est mon opinion; voir 940).

Pour des faits passés : « *to be sure* (ou : *certain*) *to have* + *participe passé* ».

It's certain to have been a mistake. *Cela a certainement été une erreur.*

● *Will* peut exprimer une action qui paraît probable parce qu'on l'attend.

Somebody's knocking at the door, that will be the postman. *On frappe, cela doit être le facteur.*

Would peut exprimer une action peu surprenante parce que typique (style ironique).

He said he couldn't afford it. — He would ! *Il a dit que c'était trop cher pour lui. — C'est bien de lui ! (C'était à prévoir !).*

● *To be going to* exprime souvent une conviction concernant l'avenir (319).

It's going to rain. *Il va pleuvoir* (cela paraît certain).
Hurry up ! You're going to miss your train. *Dépêchez-vous ! Vous allez manquer votre train.*

947 (d) *Actions inévitables.*

● *To be bound to* s'emploie pour les actions présentes ou futures (114).

You are bound to admit that I was right. *Vous ne pouvez pas ne pas reconnaître que j'avais raison.*
There's bound to be trouble. *Il va inévitablement y avoir des ennuis.*
That was bound to happen ! *Cela devait arriver !* (futur dans le passé).

Pour un fait passé envisagé rétrospectivement : « *to be bound to have* + *participe passé* ».

She is bound to have noticed it. *Elle ne peut pas ne pas l'avoir remarqué.*

- *Cannot help* exprime aussi le caractère inévitable d'un fait.

> **It's one of those things that we can't help.** *C'est une de ces choses qu'on ne peut empêcher.*
> **It can't be helped.** *On n'y peut rien.*

Voir 460 (*cannot help* + gérondif).

- Actions inévitables parce que voulues par le Destin, par Dieu : *is/was to* (123).

> **He was to die in exile.** *Il devait mourir en exil.*
> **They were never to meet again.** *Ils ne devaient plus se revoir.*

948 (e) Pour résumer l'essentiel, comparer les phrases suivantes :

(1) *Au présent* : he *may* be tired (c'est possible, le contraire l'est aussi). < he's *likely to* be tired (c'est vraisemblable) < he *must* be tired (c'est fort probable) < he's *sure to* be tired (c'est presque sûr, j'en suis convaincu) < he's *bound to* be tired (c'est inévitable).

(2) *Au futur* : they *may* (ou : *might*) come tomorrow < they're *likely to* come tomorrow < they're *sure to* come tomorrow (must ne s'emploie pas avec le sens d'un futur) < they're *bound to* come tomorrow.

(3) *Au passé* : she *may have* enjoyed it < she's *likely to have* enjoyed it < she *must have* enjoyed it < she's *sure to have* enjoyed it < she's *bound to have* enjoyed it.

---

3. — DÉCLARATION, INFORMATION

949 (a) *To say, to declare, to state, to proclaim* peuvent être suivis d'une subordonnée. Au passif *to say* peut être suivi d'un infinitif.

> **They said he was a miser** (passif : **He was said to be a miser**). *On le disait avare.*

(b) Pour déclarer *avec insistance* (par exemple dans une discussion) on peut employer les verbes *to maintain, to assert (affirmer, soutenir), to argue, to contend (prétendre),* suivis d'une subordonnée; ou *to claim (prétendre)* suivi d'une subordonnée ou d'un infinitif.

> **He maintained that he was right.** *Il affirmait qu'il avait raison.*
> **He contended that it was too difficult for him.** *Il prétendait que c'était trop difficile pour lui.*
> **She claims to have seen** (= that she saw) **you.** *Elle prétend vous avoir vu.*

950 (c) *L'information* s'exprime avec les verbes *to tell somebody about* (ou : *of*), *to inform somebody about* (ou : *of*), *to report something.* Ces verbes peuvent se construire au passif.

> **They told us about** (plus courant que : *of*) **their plans.** *Ils nous ont parlé de leurs projets.*
> **She informed me of** (= about) **what had happened.** *Elle m'informa de ce qui s'était passé.*
> **He reported seeing** (= He reported he had seen) **a flying saucer.** *Il signala avoir vu une soucoupe volante.*
> **I've been told (I've been informed) that there will be a taxi strike tomorrow.** *On m'a dit (informé) qu'il y aura une grève des taxis demain.*

504

951 (d) *Une information non confirmée,* une rumeur, peut s'exprimer à l'aide des expressions : *I understand that...* (*Il paraît que...), **I hear that...** (= **I've heard that...,** Je crois savoir que...*).

I understand they are leaving tomorrow. *Il paraît qu'ils partent demain.*
I hear you are getting married. *On m'a dit que vous allez vous marier.*

Dans la presse, le passif **to be reported** (= **to be alleged**) et l'adverbe **reportedly** (= **allegedly**) s'emploient pour les nouvelles non confirmées.

The prisoner is reported to have escaped. *Le prisonnier se serait évadé.*
They are alleged to have passed on secret information to a foreign magazine. *Ils auraient transmis des renseignements secrets à un magazine étranger* (remarquer l'emploi du conditionnel en français dans ces deux phrases).

EXERCICES

[A] Construire des phrases exprimant des degrés différents de vraisemblance (voir 948), suivant le modèle :
He thought it was a joke → He **may** have thought... < He **is likely to** have thought... < He **must** have thought... < He **is sure to** have thought... < He **is bound to** have thought... (Ne changer ni le temps ni l'aspect de la phrase).
1. They felt a bit nervous. — 2. They are thinking about their holidays. — 3. The "Wolves" will win the match. — 4. There was a lot of fog. — 5. They are waiting for us. — 6. The neighbours will complain. — 7. It will be a failure. — 8. She resented my remark. — 9. There will be trouble. — 10. She is feeling a little homesick.

[B] Traduire.
1. On les avait toujours considérés comme des ennemis. — 2. Je doute qu'il sache résoudre le problème. — 3. On croit qu'il est l'homme le plus âgé des Iles Britanniques (He is...). — 4. On dit qu'elle a connu personnellement Winston Churchill. — 5. Le pasteur a dit que tous les hommes doivent se considérer comme des frères. — 6. Une catastrophe ferroviaire s'est produite ce matin. Il y aurait plus de cinquante victimes. — 7. On nous avait dit que la guerre ne durerait pas longtemps (We...). — 8. Ils prétendent être nos amis. — 9. On le croyait mort depuis longtemps (He...). — 10. Je doute que nous puissions lui faire reconnaître qu'il se trompe. — 11. Ils signalèrent avoir entendu un coup de feu. — 12. Nous pouvons tenir pour certain qu'il refusera de nous aider. — 13. Il croit aux soucoupes volantes, mais je doute qu'il en ait vu une. — 14. Peu de gens étaient d'avis qu'il fallait abolir la peine de mort. — 15. Vous ne pouvez pas ne pas les avoir vus. — 16. Cela va probablement se reproduire. — 17. Ils ont sûrement le téléphone. — 18. Il est inévitable qu'elle ait un peu le trac. — 19. Ils doivent nous haïr. — 20. Ce sera inévitablement plus cher que nous ne l'avons prévu. — 21. Vous ne pouvez pas ne pas avoir reçu notre télégramme. — 22. Il y a peu de chances pour qu'ils arrivent chez eux avant minuit. — 23. Il va sûrement rouspéter si le dîner n'est pas prêt. — 24. Il est probable qu'elle va se remarier. — 25. Il y aura inévitablement une guerre avant la fin de l'année. — 26. Le lièvre était sûr de gagner la course. — 27. Je doute qu'il ait compris ce qu'elle lui a dit. — 28. On disait qu'il avait passé dix ans en prison. — 29. Je le considère comme un génie. — 30. Ils prétendent avoir fait leur devoir. — 31. On croyait qu'elle avait été mariée trois fois (She...). — 32. On dit qu'Homère était aveugle (Homer...). — 33. Il est probable qu'ils ont renoncé à leur projet. — 34. J'avais l'impression de l'avoir déjà vue. — 35. Elle prétend que personne n'a essayé de l'aider. — 36. Il est sûr de réussir à son

examen, il ne doute pas de son succès. — 37. Ils ne m'avaient jamais considéré comme un étranger. — 38. Je doute qu'ils puissent être heureux ensemble. — 39. « Il paraît que ta sœur va divorcer ». « Qui t'en a parlé ? » — 40. Elle signala avoir vu l'homme jeter un revolver dans la rivière.

50. — ACTIONS SIMULTANÉES ET ACTIONS SUCCESSIVES

1. —ACTIONS SIMULTANÉES

On remarquera que la plupart des exemples ci-dessous sont traduits par un « gérondif français » (en + participe présent).

952 (a) Quand les actions sont rapides (ou qu'on n'insiste pas sur leur durée), celle qui accompagne l'action principale peut être exprimée à l'aide d'un simple **participe présent**.

> **She rushed out, shouting 'Help'.** *Elle sortit précipitamment, en criant « au secours ».*
>
> **'Serves you right', she said laughing.** *« C'est bien fait pour toi »,* dit-elle *en riant* (dans cette phrase, **laughing** est un complément de manière).

On peut aussi employer une proposition introduite par **as**.

> **'So long', he said as he got on the bus.** *« A bientôt »,* dit-il *en montant dans l'autobus.*

953 (b) Quand l'action de référence a une durée, le verbe qui l'exprime, généralement à la forme progressive, est précédé de **while**.

> **While you were playing tennis, I wrote a long letter to my sister.** *Pendant que vous jouiez au tennis, j'ai écrit une longue lettre à ma sœur.*

Si les deux verbes ont un sujet commun, la forme progressive après **while** peut être **elliptique** (style soigné).

> **I wrote a long letter while waiting for you** (= while I was waiting...). *J'ai écrit une longue lettre en vous attendant.*
>
> **He would often read his evening paper while having tea** (= while he was having tea). *Il lisait souvent son journal du soir en* (= tout en) *prenant le thé.*

Ne pas confondre la conjonction **while** (pendant que), l'adverbe **meanwhile** (pendant ce temps) et la préposition **during** (pendant : **during the holidays**).

> **They were having a good time. Meanwhile I was trying to repair the engine of the car.** *Ils s'amusaient bien. Pendant ce temps-là j'essayais de réparer le moteur de la voiture.*

954 (c) Pour exprimer qu'une action était « en progrès » quand une autre s'est produite, on peut commencer la subordonnée par **when** (ou **while**) suivi d'une forme progressive elliptique (style soigné), ou **as**.

> **When** (ou : **While**) **crossing the river** (= **As they were crossing the river**) **they were drowned.** *En traversant le fleuve ils se noyèrent.*

When watching television he would often fall asleep. *En regardant la télévision il lui arrivait souvent de s'endormir.*

In s'emploie aussi, mais plus rarement, dans des cas où l'expression « in the act of » (ou « in the process of ») est sous-entendue (style soigné).

In trying to open the tin I cut my finger. *En essayant d'ouvrir la boîte de conserve je me suis coupé le doigt.*

(d) *As long as* (*tant que*) suit la même règle que **when** (325) dans une phrase au futur.

I will work as long as I live. *Je travaillerai tant que je vivrai.*

---

2. — ACTIONS SUCCESSIVES

955 (a) *After* est soit une préposition (suivie d'un nom ou d'un gérondif), soit une conjonction (suivie d'une proposition complète).

After reading his paper, he went for a walk. *Après avoir lu son journal, il alla se promener* (remarquer « after reading », beaucoup plus courant que « after having read », 388).
After her husband died, she went to live with her daughter. *Après la mort de son mari, elle alla vivre avec sa fille.*

After ne s'emploie comme adverbe qu'en fin de phrase après l'expression d'un laps de temps.

He was taken ill on Christmas Day and died a week after (plus couramment : **a week later**). *Il tomba malade le jour de Noël et mourut une semaine plus tard.*

Dans un récit, ne jamais dire « and after, ... » (*et après, et ensuite...*). Dire : **and then**, ou : **after that, afterwards.**

956 (b) *On* + gérondif s'emploie quand les deux actions sont presque simultanées (l'une suit immédiatement l'autre).

On hearing the sad news, she fainted (ou : **She fainted on hearing the sad news**). *En apprenant la triste nouvelle, elle s'évanouit.*

957 (c) *As soon as* (*dès que*) suit la même règle que **when** dans une phrase au futur.

We shall leave as soon as you are ready. *Nous partirons dès que vous serez prêt.*

Attention à la concordance des temps dans les phrases au style indirect.

He said he would join the Navy as soon as he was eighteen. *Il disait qu'il s'engagerait dans la Marine dès qu'il aurait dix-huit ans* (preterite et non conditionnel après *as soon as*, 325).

958 (d) On peut aussi insister sur le fait que deux actions se suivent de très près en utilisant les expressions « *no sooner... than* » et « *hardly* (ou : *just*)... *when* ». On peut les construire avec une inversion emphatique (style écrit soigné, 209).

He had no sooner opened the door than the dog rushed out. *A peine eut-il ouvert la porte que le chien sortit en courant.*
They had no sooner (ou : **No sooner had they**) **sat down on the lawn to have tea than it started raining/They had hardly** (ou : **Hardly had they**) **sat down on the lawn to have tea when it started raining.** *Ils ne furent pas plus tôt assis sur la pelouse pour prendre le thé qu'il se mit à pleuvoir.* Voir aussi 668 (« hardly... than »).

507

(e) Pour insister sur le peu de temps qui sépare deux actions on peut employer une *unité de temps au pluriel* (sans article ni autre déterminant) suivie de *later* ou *after*.

> **They arrested him, but minutes** (= a very few minutes) **later he left the police station.** *Ils l'arrêtèrent, mais dans les minutes qui suivirent il quitta le poste de police.*
>
> **It took place only hours** (= within a few hours) **after they arrived.** *Cela se produisit dans les heures qui suivirent leur arrivée.*

959 (f) *Not... until...* (ou : *Not... till...*) s'emploie lorsqu'une action ne se produit pas avant une autre, qu'il faut attendre l'accomplissement de cette autre action (Voir aussi 275).

> **I won't take a holiday until** (plus couramment que : **till**) **I have finished this work.** *Je ne prendrai pas de congé avant d'avoir fini ce travail.*
>
> **We won't let you go until you've told us the truth.** *Nous ne vous laisserons pas partir avant que vous ne nous ayez dit la vérité.*

960 (g) *By the time* s'emploie quand une action se situe avant une autre, au plus tard au moment où cette autre action se produit (Voir aussi 274 et 316).

> **By the time you arrive we'll have finished our dinner** (présent après *by the time*, comme après *when*). *Quand vous arriverez nous aurons fini de dîner.*
>
> **By the time he was fourteen he was taller than his father.** *Dès l'âge de quatorze ans il était plus grand que son père.*

(h) Pour situer une action dans le temps par rapport à une autre, voir aussi *when, once, whenever*, etc. (325), le conjonction *since* (*depuis que*, 289), l'expression *within... of...* (871).

EXERCICES

A Transformer les phrases suivant le modèle :

He had just come back from Sweden, when he left for Morocco → He had *no sooner* (style plus soigné : No sooner had he) come back from Sweden *than* he left for Morocco.

1. He had just finished smoking his cigar, when he lit his pipe. — 2. I had just made the remark, when I realized it was a blunder. — 3. She had just passed her exam, when she was offered a good job. — 4. They had just got married, when they started quarrelling. — 5. We had just mentioned his name, when he appeared. — 6. He had just passed his driving test, when he had an accident. — 7. They had just started a new game, when she said, 'Dinner is ready'. — 8. He had just emptied a bottle, when he opened another. — 9. I had just posted a letter to him, when he rang me. — 10. I had just entered the room, when I heard my name called.

[B] Transformer les phrases suivant le modèle :

We'll only go to bed when you've returned (place de *only*, voir 211) → We *won't* go to bed *until* you've returned.

1. You'll only feel better when your bad tooth has been taken out. — 2. He only learnt to drive when he was forty. — 3. It only stopped raining when we got to London. — 4. He can only inherit his father's money when he is eighteen. — 5. He will only be happy when she has promised to marry him. — 6. You'll only have some pudding when you've eaten all your vegetables. — 7. She only married again when

her son was eighteen. — 8. I'll only go to bed when I've finished reading this book. — 9. She will only forgive you when you have apologized to her. — 10. He was only allowed to go out when his temperature had fallen down.

C Transformer les phrases suivant le modèle :
It will stop raining, and then we can walk to the station → We can walk to the station **as soon as** it stops raining.

1. The tyrant died, and then they all felt relieved. — 2. They will arrive, and then we shall play tennis. — 3. He saw us, and then he left the room. — 4. She will be eighteen, and then she will take her driving test. — 5. He had finished his work, then he went to bed. — 6. The murderer returned to Britain, then the police arrested him. — 7. Father will come home, and then we can have dinner. — 8. She will retire, and then her colleagues will miss her. — 9. You will receive his letter, then you must show it to me. — 10. Her husband died, and then she married again.

[D] Traduire.
1. A peine eut-elle ouvert la porte qu'elle remarqua une odeur de gaz. — 2. Tu ne pourras pas voter avant d'avoir dix-huit ans. — 3. Dès l'âge de douze ans, il parlait couramment trois langues. — 4. Qu'avez-vous fait en les attendant ? — 5. Ne cueille pas les fraises avant qu'elles ne soient vraiment mûres. — 6. Elle n'eut pas plus tôt quitté l'hôpital qu'elle eut un autre accident. — 7. Nous ne nous reposerons pas avant d'avoir trouvé la solution du problème. — 8. En entendant appeler son nom, il pâlit. — 9. Dépêchez-vous. Quand vous arriverez au cinéma le film sera commencé. — 10. A peine le train eut-il démarré qu'il s'aperçut qu'il s'était trompé de train. — 11. En entendant ces mots, il se leva et sortit en claquant la porte. — 12. Il m'a dit qu'il me préviendrait dès qu'il aurait de leurs nouvelles. — 13. Il n'eut pas plus tôt acheté le dictionnaire qu'il commença à le regretter. — 14. En allant à l'école notre fille a été renversée par une moto. — 15. Ils n'aiment pas regarder la télévision en dînant.

51. — SIMILARITÉ ET CONTRASTE

1. — SIMILARITÉ

961 (a) *Like*, préposition, introduit un nom (ou un pronom).

Like his brother, he is very fond of music (cf. They are both fond of music, 830). *Comme son frère, il aime beaucoup la musique.*
He speaks English like an Englishman. *Il parle l'anglais comme un Anglais.*
Why don't you come by bus, like me ? (plus familier que : as I do, § 962). *Pourquoi ne venez-vous pas par l'autobus, comme moi ?.*

Like s'emploie aussi (1) pour une ressemblance : **He looks like his father.** *Il ressemble à son père* (538); (2) pour une description : **What is the weather like ?** *Quel temps fait-il ?* **It looks like rain.** *On dirait qu'il va pleuvoir;* (3) dans l'expression *to feel like* + gérondif : **I don't feel like going out tonight.** *Je n'ai pas envie de sortir ce soir* (540); (4) pour introduire des exemples : **Birds of prey, like** (= such as) **eagles and vultures...** *Les oiseaux de proie, comme les aigles et les vautours...;* (5) comme conjonction synonyme de *as* (962) ou de *as if*, dans une langue relâchée (540, 3°).

962 (b) **As**, conjonction, introduit une proposition (sujet + verbe).

> **Why don't you come by bus, as I do ?** *Pourquoi ne venez-vous pas par l'autobus, comme moi ?* (comparer avec le 3ᵉ exemple du § 961).
> **As you say, it's a matter of opinion.** *Comme vous dites, c'est une question d'opinion.*

Dans ces deux phrases, l'emploi de *like* au lieu de *as* (« like I do », « like you say ») est une incorrection que commettent fréquemment les personnes peu instruites.

Toutefois on trouve *like* employé comme conjonction, à la place de *as*, chez certains bons auteurs, en particulier quand le verbe est répété dans la seconde proposition (usage critiqué par les puristes).

> **Some girls change their lovers like they change their winter clothes** (Graham Greene, cité dans 'The Spoken Word, a BBC Guide', de Robert Burchfield).

As s'emploie devant un titre, une qualité, une fonction.

> **I protest as a free citizen.** *Je proteste en tant que citoyen libre.*
> **He is greater as a poet than as a philosopher.** *Il est plus grand comme poète que comme philosophe* (remarquer l'emploi des articles indéfinis, voir 609).

Comparer : **He acted as a judge** (c'était sa fonction) et : **He acted like a judge** (avec autant de sagesse que s'il l'avait été). Voir 839, 5°.

Bien construire avec *as* (et non « like ») les verbes **to regard, to look upon** et **to consider.**

> **We regard (= look upon = consider) her as a friend.** *Nous la considérons comme une amie.*

To treat peut se construire avec **as** ou avec **like.**

> **She treated them as (= like) children.** *Elle les traitait comme des enfants.*

Pour les autres sens de *as*, voir §§ 839, 954 (simultanéité), 889 (cause).

963 (c) **Similar** s'emploie comme épithète ou comme attribut. **Similar to** est le contraire de **different from** (670).

> **We have similar opinions.** *Nous avons des opinions semblables.*
> **My opinions are similar to yours.** *Mes opinions sont semblables aux vôtres.*

Pour les constructions de **same** (avec *as*, avec un article défini), voir 669.

964 (d) Pour exprimer des attitudes ou comportements similaires, on peut employer le « tag » étudié au § 163.

> **She likes classical music, so do I** (fam. : **me too**). *Elle aime la musique classique, moi aussi.*
> **She doesn't like classical music, neither do I** (= **nor do I** = **I don't either**). *Elle n'aime pas la musique classique, moi non plus.*

965 (e) **Too** se place après le terme auquel il s'applique.

> **I, too, like classical music** (avec ou sans virgules). *Moi aussi, j'aime la musique classique.*
> **I like classical music, too.** *J'aime aussi la musique classique* (pas seulement la musique de variété). Mais cette phrase peut aussi être synonyme de la précédente (224).

Voir 846 (**too, also, as well**).

2. — CONTRASTE, DIFFÉRENCE

966 (a) **_Unlike_** est le contraire de **_like._**

> **Unlike his brother, he is very patient.** *Contrairement à son frère, il est très patient.*
> **He is very (ou : quite) unlike his brother.** *Il ne ressemble en rien à son frère.*

(b) **_Contrary to_** peut être suivi d'un nom abstrait ou du pronom **_what._**

> **Contrary to accepted opinions...** *Contrairement aux idées reçues...*
> **Contrary to what I had thought...** *Contrairement à ce que j'avais pensé...*

967 (c) **_Whereas,_** conjonction, introduit une proposition exprimant un contraste. **_While_** (870) s'emploie parfois dans le même sens.

> **She works very hard, whereas (ou : while) her brother is very lazy.** *Elle travaille beaucoup, alors que son frère est très paresseux.*
> **His wife is fond of jazz, whereas (ou : while) he prefers chamber music.** *Sa femme aime le jazz, alors que lui préfère la musique de chambre.*

968 (d) **_Instead of_** introduit un nom ou un gérondif (qui peut être précédé de son sujet ou d'un adjectif possessif dans une langue soignée).

> **I would like fish instead of meat.** *Je voudrais du poisson à la place de la viande.*
> **He watched a film on television instead of doing his work.** *Il a regardé un film à la télévision au lieu de faire son travail.*
> **We'll take a taxi instead of John coming (instead of your coming) to fetch us.** *Nous prendrons un taxi au lieu que John vienne (au lieu que vous veniez) nous chercher.*

L'adverbe **_instead_** (sans **_of_**) s'emploie surtout en fin de phrase.

> **As the theatre was full, we went to the cinema instead.** *Comme le théâtre était complet, à la place nous sommes allés au cinéma.*
> **There isn't any wine left, we'll drink beer instead.** *Il ne reste pas de vin, à la place nous boirons de la bière.*

969 (e) Pour exprimer des qualités contrastées, on peut utiliser « **_may not... but..._** ».

> **The restaurant may not be select but it's cheap.** *Ce restaurant n'est peut-être pas chic, soit, mais il est bon marché.*
> **She may not work very hard but she is very clever.** *Je vous accorde qu'elle ne travaille pas beaucoup, mais elle est très intelligente.*

970 (f) Pour le contraste entre l'illusion (les erreurs, les mensonges, les promesses non tenues, etc.) et la réalité, on se sert de **_but_** (ou **_though,_** ou **_whereas,_** parfois **_when_**) suivi de **_actually, in (actual) fact, as a matter of fact._**

> **I congratulated him on his novel, though actually (ou : when in fact) I didn't like it very much.** *Je l'ai félicité pour son roman, alors qu'à vrai dire je ne l'ai pas beaucoup aimé.*
> **He said shyly he could hardly play the cello, whereas in actual fact he had been a member of an Austrian quartet.** *Il dit timidement qu'il savait à peine jouer du violoncelle, alors qu'en réalité il avait été membre d'un quatuor autrichien.*

971 (g) Le contraste, la différence peuvent aussi s'exprimer avec l'expression **_on the contrary_**; l'adjectif **_different_** (**They want to be different from other people.** Pour

« **different to** » et « **different than** », voir 670); l'adjectif *opposite* (**The opposite sex, the opposite direction. His political position is opposite to ours**); un comparatif de supériorité ou d'infériorité (leçon 34).

Pour exprimer des attitudes ou comportements contrastés, on peut employer le « tag » étudié au § 164.

She likes classical music, I don't. *Elle aime la musique classique, moi pas.*
She doesn't like classical music, I do. *Elle n'aime pas la musique classique, moi si.*

EXERCICES

[A] Compléter les phrases avec *as* ou *like*.

1. We wish we had a large garden... yours. — 2. You ought to walk to your office, ... I do. — 3. I am not speaking... an Englishman, but... a citizen of the world. — 4. He speaks English well, but not... an Englishman. — 5. She is only an amateur but she plays... a professional. — 6. She has been giving concerts for ten years; ... a professional, she can give you good advice. — 7. ... a foreigner, I can judge the situation without prejudice. — 8. I don't like being treated... a foreigner. — 9. He shook hands with me, ... Frenchmen will. — 10. We did... you told us, but it didn't work. — 11. It's rather difficult for a middle-aged man... him to find a job. — 12. Do... you are told. — 13. It's far too expensive for ordinary people... them. — 14. We regard him... a brother. — 15. Northern countries, ... Finland and Sweden, have a high standard of living.

[B] Compléter les phrases avec *unkile*, *whereas*, *instead of* ou *contrary to*.

1. ... the Scots, the Welsh prefer day-dreaming to business. — 2. You ought to help her... criticizing her. — 3. ... what we expected, we found the people very hospitable. — 4. ... most English boys, he was not fond of cricket. — 5. My English friends don't show their feelings, ... my Welsh friends are very demonstrative. — 6. ... you, they don't believe in capital punishment as a deterrent. — 7. ... the information I had gathered, we had no difficulty in finding good hotels. — 8. He is playing the guitar... preparing for his exam. — 9. They spoil their daughter, ... they are very strict with their son. — 10. ... common prejudices, a great many Americans are highly cultured. — 11. ... her mother, she is not very good at languages. — 12. She is not very good at languages, ... her mother can speak four languages fluently. — 13. Why not come and have a drink with us... attending that boring lecture ? — 14. ... what they had feared, their son was pleased with his new job. — 15. She is an active militant of the party, ... her husband is not really interested in politics.

[C] Traduire.

1. Tu te conduis comme un enfant. — 2. Comme ami je l'aime beaucoup, mais je n'aimerais pas l'avoir comme collègue. — 3. Contrairement à nos voisins, nous nous couchons très tard. — 4. Contrairement à ce qu'on m'avait dit, le restaurant était fermé le dimanche. — 5. Il n'a que douze ans, mais il parle comme un adulte. — 6. Tu devrais l'encourager au lieu de la punir. — 7. Il n'obtient pas des résultats brillants en classe, soit, mais c'est un très bon gardien de but. — 8. Nous passons tous nos week-ends à la campagne, comme eux. — 9. A la différence des Robinson, les Morgan sont très accueillants. — 10. Les Robinson sont assez mesquins, alors que les Morgan sont très généreux.

5

ADDENDA

972 La conversion est un ***changement de catégorie*** qui permet d'employer un verbe comme nom, un nom comme adjectif, une onomatopée comme verbe, etc. Ce procédé de formation des mots nouveaux existe aussi en français (exemples de noms qui sont à l'origine des verbes : *le coucher, le manger;* des adjectifs : *le vrai, le beau;* des prépositions : *le pour et le contre*). Mais il est beaucoup plus courant en anglais, où le petit nombre de terminaisons grammaticales (-s, -ed, -ing, -er, -est) permet une plus grande liberté dans les changements de catégories. On n'en examinera ici que quelques exemples.

(a) Des verbes de sens précis sont souvent remplacés par des noms de même forme précédés de verbes de sens vague : ***to have, to give, to take***... (nuance de familiarité, ou action faite une seule fois ou rapidement).

> **She had a good cry.** *Elle pleura un bon coup* (57).
> **Let me have a look.** *Laissez-moi jeter un coup d'œil.*
> **Let's have a go.** *Essayons un peu.*
> **Go and have a lie down.** *Allez vous étendre quelques instants.*
> **I'm going to have a quick wash.** *Je vais faire un brin de toilette.*
> **Let's have a rest.** *Reposons-nous un instant.*
> **To go for a swim.** *Aller se baigner*
> **I'll give you a ring after lunch.** *Je vous donnerai un coup de fil après le déjeuner.*
> **He gave his hat a brush.** *Il donna un coup de brosse à son chapeau.*
> **He gave his shoulders an angry shrug.** *Il haussa les épaules d'un air furieux.*
> **He took a look round before opening the door.** *Il regarda autour de lui avant d'ouvrir la porte.*
> **He took a deep breath** [eθ]. *Il respira profondément* (cf. to breathe [iːð]).

Dans 'Travels with My Aunt', Graham Greene décrit ainsi le rire de deux des héroïnes de ce roman (pour la construction, voir 609) :

> **She** (Aunt Augusta) **gave a croak of a laugh** (rire sinistre, **croak** = *croassement*).
> **She** (Miss Tooley) **gave a bubble of a laugh** (*Elle pouffa de rire,* **bubble** = *glouglou*).

Noter aussi l'emploi fréquent de ***to do*** suivi d'un gérondif (**to do the shopping, the washing up, the talking**, etc.).

> **I haven't done any swimming for a long time.** *Cela fait longtemps que je n'ai pas nagé.*

973 (b) ***Les onomatopées*** s'emploient avec des fonctions diverses.

> **It went 'bang'.** *Cela a fait « pan »* (ou : *« vlan »*).
> **He banged the door = he shut the door with a bang.** *Il claqua la porte.*
> **The door banged = the door banged shut.** *La porte claqua.*
> **He stood bang in the middle of the road.** *Il se tenait au beau milieu de la chaussée.*

974 (c) ***Mots employés comme adjectifs.*** Voir noms composés (574, etc.) et adjectifs composés (629, etc.). Le premier élément d'un nom composé ou d'un adjectif composé sert de déterminant au second. Il est considéré comme un adjectif, ce qui explique qu'il ne prenne pas normalement la marque du pluriel (577). Le premier élément d'un nom composé peut être d'origine très variée : adverbe (a **yes**-man, un **béni**-oui-oui), postposition (an **up**-train, un train de banlieue allant vers Londres), pronom personnel (a **he**-goat, un bouc), lettre de l'alphabet (a **U**-turn, un demi-tour sur place), etc.

> **A takeover bid.** Une offre publique d'achat.

Very et **then** sont adjectifs dans : **at the very end of the play,** tout à la fin de la pièce, et : **the then Prime Minister,** le Premier Ministre d'alors.

On peut employer comme adjectifs des **mot étrangers** (noms, verbes, membres de phrases) : **a de luxe** [di'lʌks] **car; a laissez-faire policy; an au pair girl** (aussi : **an au pair,** pluriel : **au pairs**); « **Bijou maisonette** (appartement en duplex) **for sale** » (style des agents immobiliers); **an avant-garde painter; après-ski clothes; a retroussé nose,** etc.

> **The last chapter is rather de trop** (= superfluous).
> **Her remarks were very apropos** (= pertinent).

975 (d) Mots employés comme **noms.**

> **This book is a must.** Il faut absolument lire ce livre.
> **Is it a he or a she ?** Est-ce un mâle ou une femelle ?
> **The ups and downs of life.** Les hauts et les bas de la vie.
> **I don't want to hear any buts.** Je n'accepterai pas d'objections.
> « **When oil haves and have-nots** (ceux qui ont du pétrole et ceux qui n'en ont pas) **need each other** » (titre du Christian Science Monitor).
> **A list of do's and don'ts.** Une liste de choses à faire et de choses à éviter (par exemple dans un guide touristique).
> **Too many don'ts.** Trop d'interdictions.
> **The don't knows.** Les « sans opinion » (dans les sondages).
> **To go on all fours.** Aller à quatre pattes.
> **To go in twos/threes,** etc. Aller par deux/par trois, etc.

Voir 579 (noms composés : certains sont composés de divers éléments dont aucun n'est un nom, par exemple **a good-for-nothing,** un bon à rien; **a die-hard,** un réactionnaire; **a merry-go-round,** un manège de chevaux de bois).

Voir 633 (adjectifs substantivés : **the blind, the English; the over-eighteens,** etc.).

976 (e) Mots employés comme **verbes.**

> **He backed the car out of the garage.** Il sortit la voiture du garage en marche arrière.
> **He thumbed a lift to Dover.** Il est allé à Douvres en stop.
> **To be X-rayed.** Se faire radiographier.
> **They had to rough it.** Ils mangèrent de la vache enragée (709).
> **'Ah no bloody hell'**
> **'You don't bloody hell me, my son'** (dans 'The Kitchen', d'Arnold Wesker).
> **'I hate their 'if'-ing and 'but'-ing and 'and'-ing'** (E.M. Forster).
> **He ran about the house effing and blinding** (c'est-à-dire en employant des jurons commençant par f... et par bl... = en jurant comme un charretier).

Les terminaisons **-s, -ed** (ou **'d**) et **-ing** s'ajoutent facilement à des **mots étrangers,** qui peuvent être employés comme éléments de couleur locale, parfois avec humour.

> **They outcomedied the Comédie Française** (dans un article de l'Observer, sur le modèle de « **it out-herods Herod** », dans 'Hamlet').

516

The two spacecraft **rendez-voused** [-vuːd] **successfully.**
Sautéed potatoes (-*ed* ajouté au verbe « to sauté »), ou : **sauté potatoes.**
Starve the snails and then degorgé them in a salt solution (recette de « cuisine française »).
In the act of crossing the gangway we renounced England... We "S'il vous plaît'd" one another on the deck, "Merci'd" one another on the stairs, and "Pardon'd" to our heart's content in the saloon (K. Mansfield).

977 ⓕ Mots employés comme *adverbes.*

Certains adjectifs s'emploient comme adverbes : *fast* **(to drive fast),** *early, late* **(to get up late, to go to bed early),** *long* **(How long did it take you ?** *Combien de temps avez-vous mis ?),* *straight* **(Go straight on.** *Continuez tout droit),* *clean* **(He's clean off his head.** *Il est complètement fou),* *dead* **(dead on time,** *juste à l'heure;* **'dead slow",** « *au pas* », dans la signalisation routière), etc.

Ne pas confondre *hard (avec acharnement)* et *hardly (ne... guère, à peine); late (tard)* et *lately (récemment).*

Dans la langue relâchée on emploie un certain nombre d'adjectifs comme adverbes, alors que les adverbes (terminés par -*ly*) existent.

"It hurts terrible". *Ça fait rudement mal.*
"It happens regular". *Ça arrive tout le temps.*

Les comparatifs de nombreux adjectifs s'emploient couramment comme adverbes (**louder** = more loudly, **quicker** = more quickly, etc.).

Les germanistes doivent se garder d'employer l'adjectif *good* comme adverbe (He plays **well** = Er spielt **gut**).

Home est tantôt un nom (**She is at home. Her home is in Norwich**), tantôt un adverbe (**She is going home. She isn't home yet**).

978 ⓖ Quand le nom et le verbe d'origine française ont la même forme écrite, ils sont parfois accentués différemment : le nom sur la 1ʳᵉ syllabe, le verbe sur la dernière.

A présent → to presént *(offrir).*
A récord → to recórd *(enregistrer).*
A pérmit → to permít.
A prótest → to protést.

Mais **a cómment** *(un commentaire)* et **to cómment** sont accentués l'un et l'autre sur la 1ʳᵉ syllabe, **a concérn** et **to concérn** sont accentués l'un et l'autre sur la 2ᵉ syllabe, ainsi que **an addréss** et **to addréss** (en américain le nom **an address** est souvent accentué sur la 1ʳᵉ syllabe).

Distinguer :

advice [s] *(des conseils)* de **to advise** [z];
practice [s] de **to practise** [s] (simple différence d'orthographe).

Distinguer phonétiquement :

to use [z] du nom **use** [s];
to excuse [z] du nom **excuse** [s].

53. — PHONÉTIQUE ET GRAMMAIRE

En anglais plus qu'en français, phonétique et grammaire sont étroitement liées : le sens d'une phrase prononcée dépend souvent de son accentuation, de son intonation, de la prononciation de certains mots grammaticaux (auxiliaires, pronoms personnels, prépositions, etc.) autant que de sa syntaxe.

On se limitera ici à quelques principes importants. La liste des sons (voyelles et consonnes) de l'anglais tel qu'il est parlé par les personnes instruites du sud de l'Angleterre figure sur le marque-page inséré dans cet ouvrage. On fera bien de s'y reporter en étudiant cette leçon.

979   (1) La plupart des mots grammaticaux (auxiliaires, pronoms personnels, adjectifs possessifs, that, some, etc.) ont deux prononciations : une *forme pleine* (ex. : **for** [fɔː]) et une *forme faible* (ex. : **for** [fə]). C'est cette dernière qui s'emploie normalement dans le cours d'une phrase, sauf si l'on a une raison spéciale d'accentuer le mot grammatical (voir « phrases emphatiques », 155).

	Formes faibles	Formes pleines
To be	I'm [aim] ready We're [wiə] ready She's [ʃiːz] ready	Yes, I am [æm] Yes, we are [ɑː] Yes, she is [iz]
To have	I've [aiv] seen this film She's [ʃiːz] seen it He'd [hiːd] told us	Yes, I have [hæv] Yes, she has [hæz] Yes, he had [hæd] en fin de phrase
Can/Must, etc.	I can see [aikn'siː] it We must go [wiməs'gou] I should have thought [aiʃətəf'θɔːt] I'll [ail] do it	Yes, I can [kæn] Yes, we must [mʌst] I know I should [ʃud] I will do it (promesse)
Négations	He isn't [iznt] our friend They weren't [wəːnt] pleased	He is not our friend emphatique They were not pleased
Pronoms	Give him ['givim] the money Listen to them [ðəm] You [jə] know it, don't you ? [jə]	Give it to him [him], not to her [həː] Listen to them [ðem], not to him That's what you [juː] think
Possessifs	He came on his [ɔniz] bicycle She's in her [inə] room	It's his [hiz] bicycle, not yours I like her [həː] room better than mine
Prépositions	I'm waiting for [fə] the bus I'm writing to [tə] Barbara I'm looking at [ət] a bird	What are you waiting for ? [fɔː] en fin Who are you writing to ? de phrase What are you looking at ? [æt]
Article the	The [ðə] book I lent you	The Bible is the [ðiː] book for him
And	Bed and [ənd, ən, n] breakfast	Don't drink AND [ænd] drive
Just	They've just [dʒəst] left	This is just [dʒʌst] what I want (emphatique)
That	I know that [ðət] you are right (conjonction) The book that [ðət] I'm reading (pronom relatif)	Look at that [ðæt] bird (démonstratif)
Some	Give me some [səm] milk (*du lait*)	Some [sʌm] people don't like milk (*certaines personnes*)

On remarque que les formes pleines s'emploient en fin de phrase (une phrase ne peut pas se terminer par 'm, 've, 'll, 'd, etc.) ou pour donner à la phrase un sens

518

emphatique (par exemple pour insister sur un contraste). Pour **that** et **some**, les deux prononciations correspondent à des mots de nature différente.

Les contractions en *-n't* (formes faibles des négations) sont les seules formes faibles que l'on trouve en fin de phrase **(Is she at home ? — No, she isn't).**

980 (2) La forme faible **'s** (prononcée [z] ou [s]) signifie tantôt *is*, tantôt *has.*

- **'s = is :** She's in bed. He's working in the garden. It's raining. He's tired. It's broken.
- **'s = has :** He's got a new car. She's brought a record. He's seen us. It's been raining. He's been arrested.

De même la forme faible **'d** signifie tantôt *had*, tantôt *would* (parfois *should*).

- **'d = had :** He'd seen the film before. I wish you'd come yesterday *(Je regrette que vous ne soyez pas venu hier).*
- **'d = would :** I'd buy the house if I had enough money. I wish you'd come tomorrow *(J'aimerais que vous veniez demain*, 359, 3°).

981 (3) L'un des défauts majeurs des francophones consiste à prononcer trop distinctement, comme si on voulait les accentuer, les mots qui doivent passer inaperçus dans une phrase, en particulier les pronoms personnels (v. supra : formes faibles).

Where's the key ? — I'm looking for it.
They're very nice, I like them.
She's singing, listen to her.

Dans ces phrases il faut prononcer le moins distinctement possible les pronoms *it, them* et *her*.

982 (4) *L'intonation* est particulièrement importante dans les phrases interrogatives. Voir leçon 22 (Phrases interrogatives) et comparer :

Who are you waiting for ? ↘ (intonation descendante). C'est une « *question ouverte* », c'est-à-dire qu'on ne peut pas répondre *yes* ou *no*. Elle commence par un terme interrogatif comme *what, who, where, why, how...*

Are you waiting for John ? ↗ (intonation ascendante, la dernière syllabe étant prononcée sur une note plus élevée que les précédentes). C'est une « *question fermée* », à laquelle on ne peut répondre que *yes* ou *no*. Elle commence par un auxiliaire.

Le « question tag » (« *n'est-ce pas ?* », 166) a normalement une intonation descendante quand il est ajouté à la phrase machinalement (ce n'est pas une question qui appelle une réponse).

It's cold today, isn't it ? ↘
The English drink a lot of tea, don't they ? ↘

Mais l'intonation peut exceptionnellement être ascendante quand on veut montrer qu'on attend une réponse, une confirmation (on n'est pas très sûr de ce qu'on affirme).

You're not going to drink all that whisky, are you ? ↗
You posted the letter yesterday, didn't you ? ↗ .

L'intonation d'une phrase affirmative est généralement descendante. A l'impératif elle peut être ascendante quand on veut marquer une nuance de familiarité, de politesse, de timidité, etc., pour éviter le ton d'un ordre brutal. Comparer :

Stop shouting, will you. ↘ (ordre brutal).
Come and help me, will you (?) ↗ (demande sur un ton familier).

54. — NIVEAUX DE LANGUE

983   « Niveaux de langue : caractère stylistique d'une langue (littéraire, familier, vulgaire) d'après le niveau social, culturel de ceux qui la parlent » (définition du Petit Robert).

On distinguera quatre niveaux :

(a) **la langue parlée par les personnes instruites** ou moyennement instruites dans la conversation courante;

(b) **la prose écrite** simple et correcte, sans affectation (c'est aussi la langue des conférences, des discours soignés, etc.);

(La plupart des exemples qui illustrent les leçons de cette grammaire peuvent se ranger dans l'une ou l'autre de ces deux catégories, souvent dans les deux),

(c) **la langue recherchée** comportant des formes et des tournures affectées, littéraires ou archaïques qui seraient déplacées ou ridicules dans la langue orale et qui ne conviennent qu'exceptionnellement au style écrit d'aujourd'hui;

(d) **la langue relâchée** qui comporte des formes et des tournures considérées comme incorrectes, toujours évitées par les personnes instruites (« nonstandard English », ou « substandard English »).

On se limitera à quelques remarques rapides sur les niveaux extrêmes, (c) et (d) .

1. — LANGUE PARLÉE ET LANGUE ÉCRITE

984   Récapitulation des principales différences entre les niveaux (a) et (b) définis ci-dessus. Mais il n'y a pas de frontière nette entre ces deux niveaux. On ne peut que mentionner des tendances générales, les critères des choix pouvant varier suivant les individus d'un même groupe socio-culturel.

(a) Appartiennent plus spécialement à **la langue parlée** familière mais sans vulgarité (ainsi qu'au style du courrier familier) :

(1) **Les formes faibles et les contractions** (37 à 39, 979).
- auxiliaires (**I'm ready. It'll be too late, We've lost. I'd like a drink. It's been a lovely day**).
- formes négatives (**He doesn't know. I won't do it. She isn't here**).
- divers (**Let's go for a swim. D'you know his name ?**).

N.B. Attention à **'s** (= is, has, us, parfois does, 23) et à **'d** (= had, would, parfois should). Voir 980.

(2) **Les phrases elliptiques** (leçon 7).
- ellipse du sujet et de l'auxiliaire, surtout **be**, mais aussi **do, would...** (**Going for a walk ? Pretty girl, isn't she ? Warm day, isn't it ? Nice of you to say that. Like my new tie ? Like to go for a walk ? — Glad to**).
- ellipse du prédicat grâce à un substitut verbal (**You may not be thirsty, but I am. He thinks it's a good idea, I don't**).
- ellipse d'une proposition subordonnée grâce à l'emploi de **so** ou de **not** (**I think so. I hope not**).

(3) *Les phrases emphatiques* (leçon 6) qui diffèrent des phrases ordinaires soit grammaticalement (**He does stammer. I did tell you it was no good. Do have another cup**), soit phonétiquement (**You *are* clever. It's *not* funny. Is this the train *to* London or *from* London ? *You* are to blame for it**).

(4) L'emploi de *got* après *have* exprimant la possession (**They've got a new car**) ou la nécessité (**We've got to do it quickly**).

(5) L'emploi des auxiliaires (ou périphrases) de *modalité* de préférence aux verbes ordinaires et aux adverbes, afin d'adopter un ton moins sec, plus personnel (**She won't come with us**, plutôt que : **She doesn't want to come with us. I'd rather not wait**, plutôt que : **I prefer not to wait. He's bound to disagree**, plutôt que : **He will inevitably disagree**).

(6) Le *rejet de la préposition*, notamment dans les phrases interrogatives, qu'elles soient complètes (**Who were you talking to ? What are you doing that for ?**) ou elliptiques (**I'm going to play bridge. — Who with ?**).

(7) L'emploi de la *forme progressive* lorsque deux constructions sont possibles (**We are leaving tomorrow**, plutôt que : **We leave tomorrow. We are looking forward to her visit**, plutôt que : **We look forward to her visit. We'll be seeing them tonight**, plutôt que : **We shall see them tonight. We've been drinking some tea**, plutôt que : **We have just drunk some tea**).

(8) Le remplacement du preterite modal *were* par *was* au singulier (**If he was here. I wish I was with them**).

(9) L'emploi de *me* au lieu de *I* après un comparatif (**He's taller than me**, pour : **He's taller than I am**) et dans *me too* (**He likes jazz, me too** = **so do I**, 163).

(10) L'emploi de *a lot of* au lieu de *much* ou *many* dans les phrases affirmatives (**I've a lot of work to do this week. A lot of people complained**).

(11) L'emploi de *will* au lieu de *shall* à la première personne quand il y a une idée de contrainte (**We will have to wait**), d'inexorabilité (**I will be twenty-five next week**), de sensations ou de sentiments qu'on ne choisit pas (**I will be disappointed. We will be cold**).

(12) Les expressions de sens vague, souvent superflues, destinées à rendre les phrases moins sèches, les déclarations moins brutales, à « arrondir les angles » (c'est ce qu'on appelle « *padding* »).

    — par politesse (**I'm afraid you've failed. I wonder if I could borrow your bike. I thought I would give you a ring**).

    — pour prendre l'interlocuteur à témoin, ou par simple désir de terminer la phrase de façon moins impersonnelle : le « *question tag* » (**It's cold, isn't it ? She enjoyed it, didn't she ? It isn't true, is it ? You haven't lost the tickets, have you ?**).

    — pour donner à la phrase un caractère imprécis ou incomplet (**After tea we'll go to the cinema or something. They are rather disturbed by the recent thefts and all that. That police inspector, or superintendent, or whatever he is —**).

    — pour hésiter (**Well —, you know —, I mean —, er**[əː] **—, um —**).

    — dans une langue relâchée : « **sort of** », « **kind of** » (« **kinda** »), « **like** » (**I'm sort of beginning to see what he means. It was an accident like**).

985 (b) Appartiennent surtout à *langue écrite* :

(1) Les *phrases complexes* comportant des subordonnées relatives introduites par *who, which* (remplacé par *that* ou sous-entendu dans la langue parlée toutes les fois que c'est possible), et plus encore par *whom* (forme très rare dans la langue parlée), *whose* (qui ne s'emploie dans la langue parlée que comme

interrogatif) et *of which.* Dans la langue parlée on emploie plus volontiers une suite de propositions indépendantes.

(2) Le *subjonctif « présent »* (**They insisted that she come,** 354 à 356) et les constructions à valeur de subjonctif avec *may* (**However clever he may be/Clever though he may be...**) ou avec *should* (**It's important that he should pass his exam**; langue parlée : **It's important for him to pass his exam**). Mais le subjonctif preterite (preterite modal) s'emploie dans la langue parlée comme dans la langue écrite (**I wish they were here**).

(3) Les périphrases *be + infinitif complet* et *be about to* (**They are to buy a new car**; langue parlée : **They're going to buy a new car. She was to have come**; langue parlée : **She was supposed to come. He was about to write to them**; langue parlée : **He was just going to write to them**).

(4) Le *gérondif précédé d'un possessif* (**I don't object to their behaving as they like**; Langue parlée : **I don't object to them behaving as they like**).

(5) Le *participe présent* en tête de phrase *exprimant la cause* (**Being late, we had to take a taxi**; langue parlée : **As we were late, we had...**, ou : **We were late, so we had...**).

(6) La *voix passive* lorsque le complément d'agent est exprimé et qu'il n'y a pas de raison spéciale de le mettre en relief (**« Linda's dress was being made by Mrs Josh »**, écrit Nancy Mitford; langue parlée : **Mrs Josh was making Linda's dress**).

(7) L'emploi de *would pour exprimer l'aspect fréquentatif* du passé (**He would go for a swim every evening**; langue parlée : **He went for a swim...**).

(8) *L'inversion exprimant une supposition* (**Should you need any help... Were it not for your help...**).

(9) *L'inversion après un terme négatif* placé en tête de phrase (**Never have I seen such a funny scene**).

(10) *Le gérondif ou l'infinitif* (ou « *that* » + proposition) servant de *sujet* (**Working during the holidays is very unpleasant**; langue parlée : **It's very unpleasant to work during the holidays**).

(11) L'emploi de *l'article défini devant un nom d'espèce* (**The dog is a faithful animal**; plus simplement : **Dogs are faithful animals**) *ou un adjectif substantivé* (**The blind are very unhappy**; plus simplement : **Blind people are very unhappy**).

(12) Les adjectifs composés du type « *black-hatted* » employés pour un portrait physique (**a black-hatted man**; langue parlée : **a man with a black hat**). Mais **bad-tempered, old-fashioned, narrow-minded**, etc. (portrait moral) s'emploient couramment dans la langue parlée.

(13) Les *structures résultatives* construites avec *into* ou *out of* + gérondif (**They threatened him into accepting their conditions**; langue plus simple : **They made him accept their conditions by threatening him**). Mais cette construction s'emploie dans la langue parlée avec le verbe *to talk* (518).

---

2. — LANGUE AFFECTÉE

986   Au cours de cet ouvrage on a signalé un certain nombre d'archaïsmes, de tournures affectées, pompeuses, ou exceptionnelles en dehors de la langue littéraire.

Rappelons notamment :

She feared she knew not what (33).
Would to God that it were not true (333).
Far be it from me to lay the blame on you (354).
Be they ever so rich... (355).
We must be ready to do our duty when the time shall come (373).
Disraeli, than whom no greater Prime Minister ever governed this country (776).
No doctor, be he ever so skilful, could save him now (909, g).

3. — LANGUE RELÂCHÉE

987 Principales formes et tournures incorrectes, voire vulgaires, que l'on entend fréquemment et que l'on lit dans les romans policiers, les bandes dessinées, etc. (« *nonstandard English* » ou « *substandard English* »).

(1) We **was**, you **was**, they **was** (= we were, etc.).

(2) Look at **them** planes (= those planes).

(3) I **didn't** see **nobody**, I **don't** know **nothing** (= anybody, anything).

(4) John and **me** went to London yesterday (= John and I...).

(5) Eat them with your fingers **like I do** (= as I do, ou : like me).

(6) 'Now', I **says** to him (ou : **says** I), 'what are you going to do ?' (ici, says = say ou said).

(7) It was Betty **as** did it (as = who). Seeing **as** (= that) he hasn't come...

(8) **An** horrible scream, **an** horse race (cockney English pour : a horrible scream, a horse race).

(9) It **ain't** right. I **ain't** got a gun (= it isn't, I haven't; d'origine américaine).

(10) **I got** a new gun. **She got** to do it now (= I've got, she's got; d'origine américaine).

(11) **I seen** him somewhere. **I done** nothing (= I've seen, I've done; d'origine américaine). **Who done it ?** (= who did it ? d'où « a whodunnit » = a detective story). **You done what ?** (= what have you done ? ton de consternation, d'indignation).

(12) It hurts **terrible** (= terribly). It happens **regular** (= regularly).

(13) You **didn't ought to** have done that (= you oughtn't to have done that).

(14) Orthographes notant des modifications phonétiques :

I dunno ['dʌnou] (= I don't know)
I betcha ['betʃə] (= I bet you)
Gotcha ! ['gɔtʃə] (= I've got you !)
I ('m) gonna ['gɔnə] do it (= I'm going to do it)
I gotta ['gɔtə] do it (= I've got to do it)
I wanna ['wɔnə] do it (= I want to do it)
kinda ['kaində] (= kind of).

De même : **a cuppa** (= a cup fo tea), **a pinta** ['paintə] (= a pint of beer, of milk).

In **me** pocket (= in my pocket). I'll make **meself** (= myself) a cuppa.
"There ain't gonna be no war" (= there isn't going to be a war).

988   On se limitera à quelques remarques sur le style des titres des journaux, qui diffère de la prose normale plus qu'en français.

(1) *Omission* du verbe *to be*, des *articles*, et parfois de l'*adjectif possessif.*

(The) Prime Minister (is) **to visit** (the) **President of** (the) **U.S.A.**
(A) woman (is) **found drowned in** (her) **bath**
Petrol (is) **to cost** (a) **penny more**
Two (people are) **held on** (a) **charge of aiding** (a) **gunman.**

(2) Emploi du *présent simple* à valeur de présent progressif ou de passé récent (241).

Holidaymakers flee fire
Wasp sting kills woman
Five babies die in hospital
Mr — dies at 73 (américain : **Mr — is dead at 73**)
Britain declares war on Germany.

(3) Prédilection (dans les « popular papers » plus que dans les « quality papers ») pour les *noms et adjectifs composés* qui tiennent lieu de phrases complètes, ce qui rend parfois les titres un peu énigmatiques (c'est une invitation à acheter le journal).

> **Go back TV plea to dockers** (Appel télévisé aux dockers pour qu'ils reprennent le travail).
> **£5 walk-out** (début de l'article : 500 men walked out rejecting a productivity scheme. They are to press for an extra £5 a week...).
> **Swim-for-it jail break** (Seven IRA suspects escaped last night from the top security prison ship Maidstone. They swam 200 yards to the shore, The Daily Mail, Jan. 1972).
> **Baby find girl in fare row** (Jennifer Boyle, 16, jumped on a bus with an hour-old abandoned baby she found in a telephone box yesterday, but an argument with the conductor followed because she did not have the full fare, The Daily Telegraph, 1974).

(4) Surtout dans la presse américaine, remplacement de *and* par *une virgule.*

Japan, USA to sign new treaty
Hijacks, drugs top today's ills
Romania urges NATO, Warsaw pacts be ended (356).

(5) Emploi fréquent du *style emphatique* : mots mis en relief en gros caractères ou en italiques.

Britain IN
Margaret NOT to divorce.

(6) Emploi de *mots monosyllabiques*, parfois archaïques, par souci de concision : **wed** (= marry), **slay** (= murder), **foe** (= enemy), **bid** (= attempt), **plea** (= appeal), **chide** (= reprimand), **top talk** (= summit conference, dans la presse américaine).

(7) Dans le texte comme dans les titres, les nouvelles non confirmées sont données avec les expressions *is/are said to, is/are reported to, is/are alleged to* (dans les titres l'auxiliaire *is/are* est souvent sous-entendu) ou l'adverbe *allegedly* (ou *reportedly*). Le français emploie le conditionnel.

(A) tenth boat (is) **said** (to have been) **seized by Ecuador.**
(The) cabinet shift (is) **said** (to have been) **known for a week.**
China speech reportedly angers Nixon (International Herald Tribune).
Cambodians reportedly capture a town (International Herald Tribune).

55. — LE DIALECTE AMÉRICAIN

1. — GRAMMAIRE DU DIALECTE AMÉRICAIN

989   On examinera ici les principales différences morphologiques et syntaxiques avec le dialecte britannique. Ces différences portent sur des points de détail, et se remarquent plus dans la langue parlée que dans la langue écrite soignée, la plupart des bons auteurs américains ayant une syntaxe proche du British English. Il est conseillé d'observer les américanismes mais de ne pas en abuser, car il est difficile de trouver le ton juste quand on cherche à imiter un dialecte.

Les Américains appellent English, et non « American », leur langue maternelle. On ne peut pas dire qu'il y ait une « langue américaine ». British English et American English sont deux dialectes de la même langue, parmi d'autres : Australian English, South African English, Indian English, Caribbean English, etc., auxquels il faut ajouter, dans les Iles Britanniques, Scottish English, Irish English et des variétés locales anglaises (Scouse à Liverpool, Geordie à Newcastle, Cockney dans l'East End de Londres...). Chacun de ces dialectes a ses particularités morphologiques et syntaxiques, mais les structures principales sont communes.

Si les Britanniques ont parfois des difficultés à comprendre les Américains, c'est moins à cause de la syntaxe américaine qu'en raison de différences phonétiques et sémantiques.

Ce que pensent des dialectes britannique et américain les Professeurs Albert H. Marckwardt (Princeton University, New Jersey) et Sir Randolph Quirk (University College London) est résumé dans cette phrase de la préface à leur livre « A Common Language », publié par la BBC et The Voice of America : « The two varieties of English have never been so different as people have imagined, and the dominant tendency, for several decades now, has clearly been that of convergence and even greater similarity ».

990 (a) *Le verbe et la construction de la phrase.*

(1) *To have* exprimant la possession ou un lien de parenté *se conjugue avec do* plus généralement qu'en Br. E. (54).

I don't have a sister (= I haven't a sister).

A la forme affirmative, dans la langue familière, *got* s'emploie souvent seul à la place de « have got », « has got », cela beaucoup plus couramment qu'en Br. E.

They got a new house. He got no money.

La construction causative de *to have* (505) est plus courante qu'en Br. E.

They had (= made) **him give them the money.**

Have to exprime parfois la quasi-certitude.

He has to (= He must) **be joking !**

Had better est parfois remplacé par *would better* (117).

(2) *Will* s'emploie plus généralement qu'en Br. E. à la première personne.

Shall s'emploie rarement comme auxiliaire du « plain future » (300).

How long will we have to wait ? (en Br. E. on préfère **shall we**).

(3) *Le subjonctif « présent »* s'emploie plus fréquemment qu'en Br. E., en particulier après *to order, to insist, to ask, to suggest, it is necessary that, it is imperative that, it is important that...* Voir 356.

They ordered that he come with them (= They ordered that he should come, they ordered him to come...).
Senator asks executions, if any, be public (titre de l'International Herald Tribune).
Russia denounces US, insists blockade end (titre de l'I.H.T.).

(4) *Verbes irréguliers* : Le participe passé de *to get* (dans les sens de to obtain et de to become, ainsi que dans diverses expressions) est *gotten.*

I still hadn't gotten around (= got round) **to reading the first book on the list** (Erich Segal).
It is a shame to look down upon the rich the way we do. They are not scoundrels because they have gotten (= made) **money** (R.H. Conwell).
We've gotten (= got) **used to it.**

Mais en Am. E. comme en Br. E. : **They've got a new house. I've got to write to them** (fam. : « they got », « I got », v. supra).

Autres formes irrégulières : *dove* (preterite de **to dive**, rég. en Br. E.), *proven* (participe passé de **to prove**, rég. en Br. E. sauf dans les textes juridiques), *pled* (temps irrég. de **to plead**), et les preterites semblables à l'infinitif pour **to quit, to spit, to fit, to sweat** (pour ces deux derniers verbes les formes régulières s'emploient aussi).

He quit (= stopped) **grumbling.**

Les preterites et participes passés de **to burn, to lean, to learn, to smell, to spell, to spill, to spoil** sont presque toujours réguliers.

Pour l'orthographe de **traveled, traveling**, etc., voir 19.

(5) *Le preterite* est souvent employé à la place du present perfect, notamment avec *just* et avec *already.*

I just saw (= I've just seen) **him at the drugstore.**
I already read (= I've already read) **this book.**

Dans la langue relâchée, plus qu'en Br. E., le participe passé s'emploie seul à la place du present perfect **(I seen him somewhere)** ou du preterite **(I seen him yesterday).**

(6) *La proposition infinitive* est plus souvent qu'en Br. E. *introduite par for* (voir 478, remarque 2).

She'd like for you (= She'd like you) **to go with her.**
'Calpurnia said for us to try (= told us to try) **and clean up the front yard'** (Harper Lee).

(7) *So* peut introduire une proposition exprimant *le but* (Br. E. : so that).

They gave him a nickel so he could buy an icecream (= for him to buy...).

Une virgule avant *so* indiquerait que la subordonnée exprime une simple conséquence (= They gave him a nickel, and so he could...).

(8) *To go* est souvent suivi d'un *infinitif sans to* (*and* est omis).

Go (and) **help them.**
We had to go (and) **call the sheriff.**

Voir aussi le dernier exemple de l'alinéa suivant.

(9) *To help* se construit plus généralement qu'en Br. E. avec un *infinitif sans to.*

I helped her carry her baggage.
Go help carry the baggage.

(10) **Les verbes de perception** (to see, to hear, to feel) se conjuguent moins qu'en Br. E. avec **can** (**Do you see... ?** = Can you see... ?). **Cannot** s'écrit aussi **can not** (en deux mots).

(11) **Le split infinitive** (surtout dans la langue écrite) s'emploie plus qu'en Br. E. (voir 225).

(12) **Like** s'emploie couramment dans la langue familière dans le sens de **as if.**

> **He looked at me like I was a madman** (J.D. Salinger).
> **'Look, Ray, in a mature love affair —'**
> **'Love ?'**
> **'Don't say it like it's** (= as if it were) **a dirty word'** (Eric Segal).

991 (b) **Divers.**

(1) Le génitif générique est parfois remplacé par **un nom composé** (ou « génitif à désinence zéro »). Voir 742.

> **A barbershop** (= a hairdresser's shop).
> **A baby carriage** (= a pram).
> **The Kennedy foreign policy** (= Kennedy's foreign policy).

Le trait d'union s'emploie peu pour les noms composés : **dining room, post card; lamppost, drugstore,** etc. (mais l'usage, comme en Br. E., admet des variantes).

(2) **Les adverbes de fréquence ou de temps imprécis** sont souvent placés **avant l'auxiliaire** (218, 219).

> **The President long has favored** (= has long favoured) **the plan.**
> **He already has** (= He has already) **been warned.**

(3) **Himself** s'emploie souvent au lieu de **oneself,** et **his** au lieu de **one's,** dans une phrase dont le sujet est **one** (730).

(4) **L'article indéfini** se place **avant half.**

> **A half hour** (= half an hour).

(5) **And** est généralement omis après **hundred.**

> **275** se lit généralement : **two hundred seventy-five.**

(6) **Someplace, anyplace, no-place** s'emploient comme synonymes familiers de **somewhere, anywhere, nowhere.**

> **Let's go someplace.**
> **There's no-place left to hide.**

(7) Diverses **prépositions et postpositions** ont des emplois différents.

> **It's 20 after 6** (= 20 past 6); **it's a quarter of 12** (= a quarter to 12).
> **On** (= in) **the street. On Fifth Avenue, on Broadway** (d'où : « off Broadway »).
> **On the weekend** (= at the weekend).
> **Monday through** (ou : « **thru** ») **Friday** (= from Monday till Friday).
> **Fayetteville was named for** (= named after) **General La Fayette.**
> **He looked out** (= out of) **the window.**
> **We haven't seen her in years** (= for years, plus courant en Br. E.).
> **The worst accident in months** (= for months).
> **He hadn't eaten a good meal in a long time** (= for a long time).
> **He dropped by** (= dropped in) **last night.**
> **Stop by his office** (= Call at his office) **before you leave.**

(8) Quelques prépositions sont *omises.*

They came Tuesday (= on Tuesday).
We play baseball Saturdays (= on Saturdays).
Tell them I'm not home (= at home). Dans une phrase affirmative : I'm home, ou : I'm at home.
She couldn't sleep nights (in the night, frequently).

(9) Les verbes de sens précis sont parfois accompagnés de postpositions ou de prépositions qui n'ajoutent rien à leur sens, par exemple *with* dans :

He went to visit with them (= to visit them).
I met up with him (= I met him, I ran into him).

---

2. — GRAMMAIRE DU « BLACK ENGLISH »

992   La langue que parlent les Noirs américains, comme celle que parlent les Blancs, connaît différents niveaux suivant les classes sociales et les degrés d'éducation.

Un Noir instruit parle la même langue (Standard English) qu'un Blanc instruit. Mais dans les milieux les moins cultivés la langue des Noirs (« Black English ») comporte un certain nombre de caractères spécifiques.

On remarque ces particularités notamment dans les dialogues des romans et des films, dans les paroles des Negro spirituals, etc. Voici les principales :

(a) *L's de la 3ᵉ personne* du singulier est souvent omis.

He go see them. He don't know. She come every day.
'**She deserve to have evvy** (= every) **bit of her hair shave** (= shaved) **off**' (B. Malamud, 'Black is my favorite color').

En revanche *la 1ʳᵉ personne* peut être terminée par un *s.*

'**I looks out and sees Kate runnin' towards me**' (Ralph Ellipson, 'Invisible Man').

Is s'emploie après *I* ou des *sujets pluriels. Has* s'emploie parfois après *I.*

'**You ain't guilty, but she thinks you is**' (Ralph Ellison).
'**I's seed** (= I've seen) **signs, plenty o' signs**' (Paul Green, 'The Man Who Died at Twelve O'Clock').
'**I'se telling you de truf**' (= the truth) (P. Green).

(b) *Be* s'emploie comme présent à toutes les personnes pour l'expression d'un *caractère permanent*, d'une *activité continuelle.*

'**Why you be black ?**' (Ralph Ellison).
He be at work (be = is all the time).
She don't never be scared (= she is never afraid), exemple donné dans un livre de lecture (« in Black English and Standard English ») pour les enfants des ghettos noirs.

(c) Les temps (présent et preterite) ne sont pas toujours différenciés, le *preterite* et le *participe passé* sont souvent *semblables au présent.*

He give it to me yesterday.
He miss his train yesterday.
He had miss his train.
'**I coulda** (= could have) **sworn you love** (= loved) **me**' (B. Malamud).

Il arrive aussi que l'on conjugue certains verbes irréguliers *comme des verbes réguliers.*

'Tell me all you seed' (P. Green).
'He knowed (...) dat 'twas de sheriff' (P. Green).

(d) *He* s'emploie parfois comme pronom de genre indéterminé.

He (= she is) **a nice little girl** (cité dans un article de Time, « Black English », 1972).

Le pronom réfléchi de la 3ᵉ personne du pluriel est souvent *themself.*

'**Our children need new clothing to present themself in school in proper neat**' (= neatness), sur un panneau porté par des manifestants noirs à New York en 1969.

(e) Le present perfect est souvent conjugué avec *l'auxiliaire done* (au lieu de *have, has*).

The bells done rung (= have rung) (dans un Negro spiritual).
'**I done** (= have) **been treating you wrong**' (P. Green).
'**We sons of Mama Africa, you done forgot ?**' (= have you forgotten ?) (Ralph Ellison).
'**I done done** (= I have done) **my duty for this year**' (Harper Lee).

S'il y a un complément de temps, le present perfect se réduit au participe passé (sans auxiliaire).

He gone home already.
We been waiting here for hours.
I been having plenty of trouble lately.
'**She gone**' (= she is gone) (B. Malamud).

(f) La langue des Noirs peu instruits comporte aussi des éléments que l'on trouve dans la langue relâchée des Blancs, américains ou britanniques. Voir 987 (« substandard English »).

EXERCICES DE RÉCAPITULATION

Ⓐ TRADUIRE

1. Je ne suis pas habitué à ce qu'on me fasse attendre. — 2. Ils sont partis au Canada, nous ne les reverrons pas avant l'été prochain. Nous ne les reverrons pas avant six mois. — 3. Il ferait mieux de préparer son examen, n'est-ce pas ? Il préférerait aller camper avec ses amis, n'est-ce pas ? — 4. Dès que j'aurai fini d'écrire cet article, je le ferai taper par ma secrétaire. J'aimerais que vous me disiez ce que vous en pensez. — 5. Il paraît qu'ils ont l'intention de lui offrir un dictionnaire pour son anniversaire. Il préférerait qu'ils lui donnent un magnéto-phone. — 6. Plus il vieillit, moins il comprend la jeune génération. Ses enfants lui reprochent de trouver à redire à tout ce qu'ils font. Bref, ils ne s'entendent pas bien. — 7. Les conseils que le médecin lui a donnés étaient excellents, mais il ne les a pas suivis. Il lui a dit qu'il devrait boire moins de whisky et fumer moins de cigares. — 8. Je l'observais depuis quelques instants, je me demandais à qui elle parlait. Je finis par m'apercevoir qu'elle parlait toute seule. — 9. On leur avait dit de ne pas emporter trop de bagages parce qu'il leur faudrait les porter eux-mêmes. — 10. Il croit pouvoir apprendre le chinois tout seul. C'est en cela qu'il se trompe.

11. Nous nous connaissons depuis notre enfance, mais nous ne nous écrivons presque jamais. Nous ne nous rencontrons que tous les deux ou trois ans, ce qui est bien dommage. — 12. Il serait temps que je fasse vérifier les freins de la voiture. — 13. Le hasard voulut qu'il restât deux places au premier rang. Quelle chance ! — 14. Il fit enseigner trois langues à ses enfants. Il pensait que le latin ne valait pas la peine d'être appris. — 15. Ne regrettes-tu pas de ne pas être médecin ? Je préférerais que tu sois médecin plutôt qu'homme d'affaires. — 16. Vous ne le connaissez presque pas, n'est-ce pas ? Personne ici ne le connaît bien, n'est-ce pas ? — 17. Je regrette de ne pas avoir apporté sa lettre. J'aurais pu vous montrer comme elle écrit bien le français, bien qu'elle ne l'apprenne que depuis six mois. — 18. Je ne sais pas quel âge a sa femme, mais elle n'est plus très jeune. Ses cheveux commencent à grisonner, elle devrait les faire teindre. — 19. Il était mort depuis plusieurs heures quand les policiers découvrirent le corps. Aucun de ses voisins n'avait entendu quoi que ce soit d'insolite. — 20. J'aimerais qu'il me dise la vérité. J'ai l'impression qu'il me cache quelque chose. On ne peut pas lui faire confiance.

21. Ils ne pouvaient pas ne pas tomber amoureux l'un de l'autre. Elle ne peut pas ne pas avoir remarqué qu'il est follement amoureux d'elle. — 22. Tout le monde s'amusait bien, n'est-ce pas ? Nous regrettions tous que Jennifer n'ait pas pu venir. — 23. Vous faites de moins en moins de fautes. — J'aimerais que ce soit vrai. J'aimerais savoir taper à la machine aussi bien qu'elle. — 24. Ils nous ont reproché de ne pas les avoir prévenus. Moi, je n'ai rien à me reprocher. — 25. On m'a volé ! On m'a volé mon passeport ! Que faut-il que je fasse ? — Vous feriez bien de contacter le consulat le plus proche. — 26. Comme c'est agaçant ! Il faut toujours qu'il nous téléphone quand nous regardons un bon film à la télévision. — 27. Vous

leur êtes très sympathique, vous leur manquerez quand vous aurez pris votre retraite. — Je regrette d'avoir à prendre ma retraite, je préférerais continuer à travailler encore deux ou trois ans. — 28. Pourriez-vous m'expliquer ce qu'est le YMCA ? C'est la première fois que je suis en Angleterre. — 29. Autrefois je lisais le Times, maintenant je lis le Guardian tous les jours. — Je ne suis pas habitué à lire autant de journaux qu'eux. — 30. Ils travaillaient d'autant plus qu'ils savaient que leur examen ne serait pas facile.

31. Penses-tu que je devrais faire la connaissance de tes parents, ou préfères-tu que je m'abstienne ? — 32. Si timide qu'il fût, il leur dit ce qu'il pensait de leur comportement égoïste. — 33. Il posa peu de questions pour éviter de montrer combien il était ignorant. — 34. Il a dit qu'il considérait que c'était son devoir de faire respecter la loi. — Ça ne m'étonne pas de lui ! — 35. Cela a été très chic de sa part de nous prêter sa voiture. Nous ne savons pas comment l'en remercier. — 36. Je regrette de devoir passer mon dimanche après-midi à travailler. Je préférerais ne pas rester à Londres par cette chaleur. — 37. Il ne vous reste que dix minutes, vous feriez mieux de vous dépêcher. Dimanche, vous avez failli rater le dernier autobus, pas vrai ? — 38. Regardez ces nuages, on dirait qu'il va y avoir un orage. Je regrette de ne pas avoir pris mon parapluie. — 39. Nous avons beau lui écrire très souvent, il ne répond presque jamais à nos lettres. J'aimerais qu'il réponde à celle-ci sans tarder. — 40. J'espère que cela ne vous ennuie pas que j'écoute les informations. Je suis impatient d'apprendre lequel des deux candidats a été élu.

---

⑧ QUESTIONS À CHOIX MULTIPLES

Il y a une seule solution correcte pour chaque question. Le corrigé est donné page 584.

EXERCICE A

1. Be careful, you... skid on the ice.
   1) should, 2) might, 3) mightn't, 4) wouldn't

2. She wants... her with her work.
   1) that we help, 2) that we should help, 3) us helping, 4) us to help

3. Where and when... born ?
   1) were you, 2) have you been, 3) did you, 4) are you

4. His grandfather... for fifty years.
   1) has been dying, 2) has died, 3) died, 4) has been dead

5. His jokes made us all...
   1) laughing, 2) to laugh, 3) laughed, 4) laugh

6. She doesn't like camping, ...
   1) neither I do, 2) so I do, 3) neither do I, 4) so do I

7. He's been working... half past two.
   1) since, 2) after, 3) for, 4) until

8. What... to you last night ?
   1) was happening, 2) happened, 3) has happened, 4) has been happening

9. What will they do when he... dead ?
   1) will be, 2) shall be, 3) is, 4) is going to be

10. ... M.P. is visiting... university.
    1) an — an, 2) an — a, 3) a — an, 4) a — a

11. You're late, you... have got up earlier.
    1) may, 2) must, 3) would, 4) should

12. When I got up this morning it...
    1) rained, 2) was raining, 3) has rained, 4) has been raining

13. There... people waiting for him.
    1) were a few, 2) were a little, 3) was a few, 4) was a little

14. Romeo and Juliet loved...
    1) themselves, 2) each another, 3) each other, 4) one other

532

15. ... of the two actresses did you like best ?
1) Which, 2) Whom, 3) What, 4) Who

16. We were... to show our passports.
1) saying, 2) said, 3) telling, 4) told

17. He... since he was 25.
1) didn't smoke, 2) hasn't smoked, 3) wasn't smoking, 4) isn't smoking

18. You had nothing to eat for two days, you... have been hungry !
1) can, 2) should, 3) must, 4) may

19. That was nobody's business, ... ?
1) was it, 2) wasn't it, 3) was that, 4) wasn't that

20. He is the oldest man... I know.
1) whom, 2) as, 3) that, 4) than

21. I'm going to... my car...
1) make — wash, 2) make — washed, 3) have — wash, 4) have — washed

22. He won't let me... his camera.
1) to use, 2) using, 3) use, 4) used

23. Would you mind... outside ?
1) to wait, 2) waiting, 3) wait, 4) to be waiting

24. This remark will be...
1) remembered, 2) remembered of, 3) reminded, 4) reminded of

25. He doesn't speak German, ...
1) neither I do, 2) so do I, 3) so I do, 4) I do

26. ... have you been to England ?
1) How long, 2) How many times, 3) How much time, 4) For how long

27. The Welsh are... fond of music.
1) told to be, 2) told being, 3) said to be, 4) said being

28. He's been waiting for us... an hour.
1) during, 2) since, 3) while, 4) for

29. She prefers the English to...
1) the Americans, 2) the American, 3) Americans, 4) American

30. She insisted... with us.
1) to go, 2) for going, 3) on going, 4) about going

31. He finally succeeded... his exam.
1) to pass, 2) in passing, 3) on passing, 4) to passing

32. How long... English ?
1) have you been learning, 2) do you learn, 3) are you learning, 4) were you learning

33. We were waiting...
1) that he came, 2) that he would come, 3) for him to come, 4) for him coming

34. We'd better leave now, ... ?
1) didn't we, 2) shouldn't we, 3) wouldn't we, 4) hadn't we

35. I am tired, I would... stop now.
1) better, 2) rather, 3) prefer, 4) like

36. The... I've just heard... very sad.
1) news — are, 2) news — is, 3) new — are, 4) new — is

37. He is good... maths, he is keen... chemistry.
1) at — on, 2) in — on, 3) in — with, 4) at — with

38. She isn't so pretty as she...
1) was used to be, 2) used to being, 3) was used to being, 4) used to be

39. John rang me... you were asleep.
1) since, 2) for, 3) while, 4) during

40. We... our car since Christmas.
1) have had, 2) have got, 3) are having, 4) have been having

EXERCICE B

1. They were punished... late.
1) to be, 2) to have been, 3) from being, 4) for being

2. That brother of... is an idiot.
1) you, 2) yours, 3) your, 4) yourself

3. He's not used to... given orders.
1) being, 2) be, 3) having, 4) have

4. I wish I... that dictionary.
1) didn't buy, 2) shouldn't have bought, 3) hadn't bought, 4) shouldn't buy

5. He looks very sad, he... smiles.
1) hardly ever, 2) hardly never, 3) nearly ever, 4) nearly never

6. Why not... with them ?
   1) going, 2) to go, 3) gone, 4) go

7. ...happened to be a doctor in the audience.
   1) It, 2) There, 3) He, 4) Here

8. There's been a mistake, ... ?
   1) isn't there, 2) isn't it, 3) hasn't there, 4) hasn't it

9. How many times... to England so far ?
   1) have you been, 2) have you gone, 3) were you, 4) did you go

10. Is he... CIA agent or... FBI agent ?
    1) an — an, 2) an — a, 3) a — an, 4) a — a

11. We'd rather you... next week.
    1) will come, 2) would come, 3) should come, 4) came

12. It's about time you... us what you think.
    1) should tell, 2) would tell, 3) told, 4) tell

13. We had to borrow...
    1) him £ 500, 2) £ 500 from him, 3) £ 500 out of him, 4) £ 500 to him

14. I've been... my money.
    1) robbed of, 2) robbed, 3) stolen of, 4) stolen

15. You have... luggage, ... too heavy.
    1) too many — they're, 2) too many — it's, 3) too much — they're, 4) too much — it's

16. If you... hear from him, please let me know.
    1) may, 2) should, 3) might, 4) would

17. Everyone was tired, ... ?
    1) wasn't he, 2) weren't they, 3) wasn't one, 4) wasn't everyone

18. I wish she... yesterday.
    1) came, 2) could come, 3) has come, 4) had come

19. ... three miles from here to the town.
    1) It is, 2) They are, 3) There is, 4) There are

20. He had never been heard...
    1) complain, 2) complained, 3) to complain, 4) in complaining

21. ... three years since I... the Times.
    1) It is — have last read, 2) It is — last read, 3) It was — have last read, 4) It was — last read

22. Poor John ! ... he tries, ... he succeeds.
    1) The more — the less, 2) More — less, 3) The most — the least, 4) Most — least

23. How long... the Second World War... ?
    1) has — lasted, 2) was — lasting, 3) did — last, 4) has — been lasting

24. He shot his wife...
    1) dying, 2) died, 3) to death, 4) dead

25. The film... my childhood.
    1) reminded me, 2) reminded me of, 3) remembered me, 4) remembered me of

26. She reproaches us... too much.
    1) that we smoke, 2) for smoking, 3) to smoke, 4) to have smoked

27. My car is smaller than...
    1) John's, 2) John's one, 3) John's own, 4) the one of John

28. They were throwing snowballs...
    1) at one other, 2) one at other, 3) one at another, 4) at one another

29. It looks... it's going to rain.
    1) that, 2) like if, 3) as if, 4) as

30. ..., he could not solve the problem.
    1) Clever as he was, 2) Clever as he wasn't, 3) For not being clever, 4) For he was not clever

31. I hate his old witch... mother-in-law.
    1) of, 2) of a, 3) as, 4) as a

32. Aren't you pleased... your new camera ? What's wrong... it ?
    1) with — with, 2) with — about, 3) of — with, 4) of — about

33. ... opening the door she noticed a smell of gas.
    1) On, 2) In, 3) By, 4) As

34. It's high time I... myself a new pair of glasses.
    1) should buy, 2) shall buy, 3) will buy, 4) bought

35. We should find... unpleasant to queue in the rain.
    1) very, 2) this, 3) that, 4) it

36. ... do you go to England ?
    1) How long, 2) How many times, 3) How often, 4) How much time

37. He drove... carefully... it was very foggy.
    1) all the most — as, 2) all the most — that, 3) all the more — as, 4) all the more — that

38. What... laziness ! What... shame !
    1) ∅ — a, 2) a — ∅, 3) a — a, 4) ∅ — ∅

39. He often reads... to sleep.
    1) to himself, 2) himself, 3) for himself, 4) to him

40. As it was very cold there... people at the open-air meeting.
    1) were a few, 2) were few, 3) was a little, 4) was little

EXERCICE C

1. He hardly... smokes, ... he ?
   1) never — does, 2) ever — does,
   3) never — doesn't, 4) ever — doesn't

2. I prefer swimming... tennis.
   1) than play, 2) than playing, 3) to play,
   4) to playing

3. When she died, Victoria had been...
   queen for sixty-four years.
   1) the, 2) a, 3) Ø, 4) being

4. Mind... your fingers.
   1) you not burning, 2) you'll burn, 3) your
   not burning, 4) you don't burn

5. He... to concerts.
   1) doesn't use to going, 2) isn't used to
   going, 3) doesn't use to go, 4) isn't used
   to go

6. It's difficult for some people to make
   up...
   1) his mind, 2) their minds, 3) one's
   mind, 4) one's minds

7. ... are often selfish.
   1) The rich, 2) The riches, 3) Rich,
   4) Riches

8. His friends talked... his car.
   1) to him not to sell, 2) him not to sell,
   3) to him out of selling, 4) him out of
   selling

9. We... see this film, ... come with us ?
   1) will — will you, 2) shall — will you,
   3) are going to — will you, 4) will — are
   you going to

10. You were lucky, a policeman... have
    seen you write the graffiti.
    1) might, 2) may, 3) must, 4) shouldn't

11. He objects... regarded as a foreigner.
    1) to be, 2) to being, 3) at being, 4) for
    being

12. They met... reaching a compromise.
    1) in view of, 2) with a view of, 3) in view
    to, 4) with a view to

13. Why did you invite him yesterday ? I
    wish you...
    1) hadn't, 2) didn't, 3) shouldn't,
    4) wouldn't

14. He gave you very bad advice, you... not
    have followed...
    1) must — them, 2) must — it, 3) should
    — them, 4) should — it

15. He has three sisters, ... are married.
    1) whose two, 2) two of whose, 3) whom
    two, 4) two of whom

16. ... he come, I wouldn't speak to him.
    1) Would, 2) Wouldn't, 3) Should,
    4) Shouldn't

17. They are considering... a house.
    1) buying, 2) for buying, 3) to buy, 4) in
    order to buy

18. If she'd watched the film she... it.
    1) 'd liked, 2) 'd have liked, 3) 'd like,
    4) 'd be liking

19. Nobody has phoned, ... ?
    1) haven't they, 2) hasn't he, 3) have
    they, 4) has he

20. He... have come yesterday, I wonder
    why he didn't.
    1) had to, 2) was to, 3) must, 4) need

21. I wish they... return next week.
    1) shall, 2) will, 3) should, 4) would

22. We don't like him, he's... gentleman.
    1) not at all, 2) not, 3) no at all, 4) no

23. It was silly... him to lose his temper.
    1) about, 2) of, 3) for, 4) in

24. Do you spell your name with... s or... z ?
    1) a — a, 2) a — an, 3) an — a, 4) an — an

25. There's nothing we can do, ... ?
    1) is it, 2) isn't it, 3) is there, 4) isn't there

26. You... have bought this book, I could
    have lent it to you.
    1) needn't, 2) mustn't, 3) wouldn't,
    4) couldn't

27. They have two sons, I don't know... of
    them.
    1) any, 2) either, 3) none, 4) neither

28. I wish I... have to get up at 6 tomorrow.
    1) shouldn't, 2) didn't, 3) needn't,
    4) mustn't

29. They haven't answered my letter...
    1) still, 2) already, 3) yet, 4) soon

30. He said that as long as he... with them
    they would be perfectly safe.
    1) would be, 2) should be, 3) were,
    4) was

31. It's stopped... ?
    1) raining, isn't it, 2) raining, hasn't it,
    3) to rain, isn't it, 4) to rain, hasn't it

32. Would you mind... ?
    1) not smoking, 2) no smoking, 3) not to
    smoke, 4) not smoke

33. It's too difficult, he...
    1) shan't understand, 2) isn't going to
    understand, 3) won't understand,
    4) won't be understanding

535

34. He was hanged... his wife.
1) to poison, 2) for poisoning, 3) for poison, 4) to have poisoned

35. Your coat is dirty, it wants...
1) cleaning, 2) being cleaned, 3) to clean, 4) cleaned

36. She was ill... a week last summer.
1) while, 2) for, 3) during, 4) since

37. He is... relative of...
1) no — ours, 2) no — us, 3) not — ours, 4) not — us

38. Obey immediately, do as you are...
1) said, 2) told, 3) saying, 4) telling

39. I am looking forward... her.
1) meeting, 2) for meeting, 3) to meeting, 4) to meet

40. ... had he put down the receiver when the phone rang again.
1) Just as, 2) Hardly, 3) No sooner, 4) Directly

EXERCICE D

1. There's been no mail today, ... ?
1) hasn't there, 2) has there, 3) isn't there, 4) is there

2. What... working too hard and sleeping too little, he became seriously ill.
1) about, 2) for, 3) from, 4) with

3. They're trying to hide...
1) something from me, 2) me something, 3) me from something, 4) something to me

4. She lost weight... following a strict diet.
1) with, 2) in, 3) out of, 4) by

5. They talked her... that boy.
1) against marrying, 2) not to marry, 3) from marrying, 4) out of marrying

6. He was... away.
1) seeing run, 2) seeing to run, 3) seen to run, 4) seen run

7. We congratulated her... her success.
1) on, 2) for, 3) about, 4) with

8. I don't feel... out tonight.
1) I like to go, 2) like going, 3) as if going, 4) I would go

9. They regard him... a friend.
1) like, 2) like being, 3) as, 4) as being

10. Why did you lie to me ? I wish you... told me the truth.
1) should have, 2) had, 3) have, 4) would have

11. He hasn't come yet, he... have been delayed by the traffic jams.
1) needn't, 2) should, 3) mustn't, 4) must

12. Are they coming ? — ...
1) I don't hope so, 2) I hope not, 3) I don't hope, 4) I hope no

13. When they found his body, he... for a week.
1) had been dead, 2) was dead, 3) had been dying, 4) was dying

14. I wonder whose...
1) is this car, 2) this car belongs to, 3) car this is, 4) car is this

15. I must... her tomorrow.
1) remember to ring, 2) remind to ring, 3) remember ringing, 4) remind ringing

16. She didn't learn to drive... she was fifty.
1) unless, 2) by the time, 3) before, 4) until

17. Are you... ?
1) attending to, 2) being attended to, 3) attending, 4) being attended

18. He avoided... them about it, he hesitated... them about it.
1) to tell — to tell, 2) to tell — telling, 3) telling — to tell, 4) telling — telling

19. We wish we... have to work on Saturdays.
1) didn't, 2) shouldn't, 3) needn't, 4) don't

20. Those naughty boys want...
1) being caned, 2) caned, 3) caning, 4) to cane

21. He... all these books for his exam.
1) need read, 2) needs reading, 3) needn't to read, 4) needs to read

22. Stop working, you'll work... silly !
1) yourself to be, 2) yourself into being, 3) yourself, 4) into being

23. I've seen the two films, I didn't like... of them.
1) neither, 2) either, 3) none, 4) any

24. How long... them ?
1) have you known, 2) have you been knowing, 3) are you knowing, 4) do you know

25. ... people read peotry, I'm afraid.
1) Not very much, 2) Very little, 3) Less and less, 4) Fewer and fewer

26. Let's go to a restaurant, ... ?
1) will we, 2) shall we, 3) will you, 4) won't you

27. He said he would have done it if he...
1) were able to, 2) had been able to, 3) could, 4) would be able to

28. She played... she knew I was listening to her.
1) so well that, 2) all the best that, 3) as well as, 4) all the better as

29. He did the best he could, ... wasn't much.
1) which, 2) that which, 3) what, 4) what which

30. They live in a palace... house.
1) like a, 2) like, 3) of a, 4) as

31. He'd... come with us, even if he doesn't like it.
1) rather, 2) better, 3) never, 4) certainly not

32. They hardly... go to church, ... they ?
1) ever — do, 2) ever — don't, 3) never — do, 4) never — don't

33. But for the storm, they... have arrived earlier.
1) must, 2) should, 3) would, 4) can't

34. The trip was cancelled... the storm.
1) in spite of, 2) despite, 3) instead of, 4) on account of

35. Are they going to divorce ? ...
1) Not that I don't care, 2) Not that I care, 3) Although I don't care, 4) Although I care

36. You'll have to do it, ... you like it or not.
1) whether, 2) either, 3) unless, 4) if

37. Why didn't you bring your girlfriend yesterday ? We all wish you...
1) would, 2) should, 3) did, 4) had

38. ... he is, he is bound to know that.
1) As ignorant as, 2) How ignorant, 3) No matter how ignorant, 4) No matter so ignorant

39. They had... all her savings.
1) stolen her of, 2) stolen her, 3) robbed her of, 4) robbed her

40. She hadn't been used... like that.
1) to be treated, 2) to being treated, 3) to be treating, 4) to treating

---

Ⓒ CORRIGEZ LES ERREURS !

Chacun des alinéas suivants comporte une faute de grammaire (une seule, mais qui peut apparaître deux fois dans le même alinéa). Corrigez-la.

1. — 'Which of these two actresses do you like best ?'
'I don't like any of them'.

2. — 'How long have they got their car ?'
'They've got it for over a year'.

3. — 'Is he used to getting up early ?'
'Yes, I think he's'.

4. — 'Is the breakfast ready ?'
'I'm afraid not'.

5. — 'Whose is that car ?'
'It's my brother's one'.

6. — 'I'm too lazy for washing the car'.
'Have it washed, then'.

7. — 'I like the English better than the German'.
'I myself like both languages'.

8. — 'I wish they'd come yesterday'.
'I wish they'd come tomorrow'.
'So I do'.

9. — The news isn't very good, are they ?
10. — There's a good five miles from here to the station.
11. — Do you know where the children are ? I'm looking for them for an hour.
12. — Mind you don't break that vase, your grandmother has bought it fifty years ago.
13. — We've had an enjoyable two and a half weeks in Ireland last year.
14. — He couldn't make himself understood, he didn't speak well enough English.
15. — Do the Cape-coloureds of South Africa enjoy the same rights than the Europeans ?

Ⓓ PROVERBES

Les proverbes suivants ont servi à illustrer des paragraphes de cette grammaire. Complétez-les.

1. — Birds of a feather... together.
2. — It never rains... it pours.
3. — ... is silver but silence is gold.
4. — In the country of the blind... is king.
5. — Waste not, ... not.
6. — ... begins at home.
7. — All work and no play makes Jack a... boy.
8. — ... reckonings make... friends.
9. — When the cat is... the mice...
10. — ... will happen.
11. — When... do as... do.
12. — Spare... and spoil the child.
13. — He who laughs last laughs...
14. — ..., the merrier.
15. — It... all sorts to make a world.
16. — Once bitten, twice...
17. — It always rains...
18. — The proof of the pudding's in...
19. — Live... learn.
20. — One bird in the hand is worth...

CORRIGÉS DES EXERCICES

Leçon 1.

A (a) terminaisons de la 3ᵉ personne du singulier.

[s]	[z]		[iz]
hopes	rains	suffers	punches
insists	orders	stays	manages
stops	denies	conquers	faces
laughs	bores	needs	passes
votes	obeys	appears	mixes
excites	offers	dries	rushes
profits	skids	answers	amazes
knocks	plays	endeavours	
	stares		

(b) terminaisons du preterite.

[t]	[d]		[id]
hoped	rained	suffered	insisted
punched	ordered	stayed	voted
stopped	denied	conquered	skidded
laughed	managed	appeared	excited
faced	bored	dried	profited
passed	obeyed	amazed	needed
mixed	offered	answered	
rushed	played	endeavoured	
knocked	stared		

C a — whining, spinning, sinning, shining, imagining, fining, winning, dining, repining;

b — rapping, raping, shaping, kidnapping (U.S. : kidnaping), strapping, aping, escaping, developing, hoping, hopping, groping;

c — happening, obtaining, cleaning, penning, opening, listening, mentioning, banning, threatening, raining;

d — hitting, admitting, inviting, profiting, permitting, fitting, exciting, submitting;

e — agreeing, sighing, defying, bowing, seeing, lying, being, neighing, roaring, obeying, tying, spying;

f — ordering, staring, occurring, injuring, stirring, tiring, insuring, starring, inferring, appearing, preferring, offering, blurring, differing, jarring, suffering, conferring, considering.

B 1. There was hardly anyone at the concert. — 2. There's hardly any wind today. — 3. We hardly ever go to the pictures. — 4. There are hardly any coloured people in this city. — 5. Hardly anybody knows about it. — 6. There were hardly any flowers in the garden. — 7. I've hardly ever seen him laugh. — 8. There was hardly anything left for us. — 9. Hardly any. — 10. Hardly anything. — 11. Hardly anything has happened so far. — 12. I hardly ever receive any letter. — 13. Because of the weather the event attracted hardly anyone. — 14. Since living here I've made hardly any friends. — 15. He was so accurate that he made hardly any mistakes. (phrases 13, 14 et 15 : dans une langue moins soignée on place souvent *hardly* avant le verbe : the event hardly attracted anyone; I've hardly made any friends; he hardly made any mistakes).

E 1. Are Peter, his wife and his children still in Italy ? — 2. Aren't you hungry ? — Aren't you tired ? — 3. Can't you come with us ? — 4. Didn't Fred ring you last night ? — 5. Aren't you pleased to be here ? — 6. Nobody ever goes to see them. — 7. He never understands anything. — 8. There's hardly anything to eat. — 9. We hardly ever go to the theatre — 10. I have never heard anybody say that. — 11. There is hardly anybody in the City on Sundays. — 12. We can do hardly anything for them. (= There's hardly anything we can do for them) — 13. Would Betty and her husband have come if we had invited them ? — 14. What does this word mean ? — 15. What does Dicky want to be when he is grown up ? (= when he grows up ?). — 16. Who (plus couramment que whom) did you meet ? — 17. What do English people do on Sundays ? — They hardly do anything. — 18. Why didn't you come by train ? — 19. Who told you that ? — 20. What did he tell you ?

A 1.There have been. — 2. There would be. — 3. There will be. — 4. There were. — 5. There is. — 6. There have been. — 7. There had been. — 8. There has been. — 9. There will be. — 10. Let there be.

D 1. How many people were there at the meeting ? — 2. How old was he when his parents died ? — 3. How long is your car ? It's eleven feet (ou : foot) long. — 4. There seems to be a mistake. — 5. How old will you be on December 31st ? I'll be just eighteen. — 6. How wide is this window ? It's 5 feet (ou : foot) 6 inches wide. — 7. My great-grandfather will be 94 next week. — 8. There must be two thousand pupils in this school. — 9. There seem to be very few foreigners in this town. — 10. There have been three accidents at this crossroads since the beginning of the year. — 11. How many speeches will there be ? — 12. There seemed to be a lot of poverty in the villages. — 13. How lucky you are ! — 14. Don't be afraid ! Be a man ! — 15. I'm sleepy. How sleepy I am ! — 16. How far is the sea from here ? (= How far is it from here to the sea ?) — 17. It's twelve miles from Cardiff to Newport. Newport is twelve miles from Cardiff. — 18. The Straits of Dover are twenty miles wide. — 19. What was the weather like while you were in England ? — 20. There had been a thunderstorm during the night.

Leçon 4.

F 1. They may come. — 2. He must be. — 3. She must have noticed. — 4. They may have found. — 5. It must have been. — 6. They may be having. — 7. There may have been. — 8. She must have forgotten. — 9. She may have forgotten. — 10. He must have been. — 11. They must be waiting. — 12. There may be. — 13. They may have heard. — 14. There must have been. — 15. He must have been. — 16. They must be enjoying. — 17. They may be. — 18. He may have felt. — 19. He must be working. — 20. It must have taken.

P 1. There may have been. — 2. There ought to (= should) be. — 3. There must have been. — 4. There must be. — 5. There may (ou : might) be. — 6. There can't have been. — 7. There should (= ought to) have been, (ou : there might have been, 104) — 8. There may not be any (= there may be no). — 9. There may not have been any (= there may have been no). — 10. There might have been. — 11. There must be. — 12. There must have been. — 13. There may be. — 14. There may have been. — 1 5. There can't have been any. — 16. There needn't have been such a lot of fuss. — 17. There must have been. — 18. There must be. — 19. There can't be two. — 20. There may be no (= there may not be a, there may not be any).

Q 1. He may not like it. — 2. Were you able to (= Could you) understand what he was saying ? — 3. We shan't be able to stay here very long. — 4. Could you translate this letter for me ? — 5. The road was in bad repair, but we were able to (= we managed to) reach the inn before dark. — 6. Were you able to help him ? — 7. I haven't been able to make their acquaintance yet. (fam : to get to know them yet) — 8. You may (plus familier : you can) call me John if you like. — 9. I was able to (= I managed to) finish my work over the week-end. — 10. Could you come on Sunday ? — 11. He couldn't see me, he was too busy; fortunately, I was able to (= I managed to) speak to him on the phone. — 12. He tried to repair the engine, but he couldn't. — 13. You can (plus familier que may) stop a moment when you are tired. — 14. They can't hear us, they may be watching television. — 15. We might go to the United States next year. — 16. He may have misunderstood what I told him. — 17. He can't have misunderstood what I told him. — 18. He may not have liked the play. — 19. You might (ou : could) have broken your leg. — 20. He asked us if he could (plus familier que might) borrow our lawn-mower. — 21.They might at least have warned us. — 22. He can't have spent all that money in a month. — 23. Do you realize that you might have run over me ? — 24. You might at least say you're sorry. — 25. Why did you keep us waiting ? You could (ou : might) have phoned to tell us that you couldn't come. — 26. We'll do all we can not to be late. — 27. If I hadn't gripped her arm (ou : grabbed her by the arm), she might have been run over. — 28. If only we could have guessed what he wanted ! — 29. We might never have met. — 30. I wonder what he can have told them. — 31. You may not be hungry, but I am. — 32. They may have left a message for us. — 33. There may have been ice on the road. — 34. Oxford might win the race this year. — 35. He can't be guilty. — 36. He may not be guilty. — 37. He may not have seen us. — 38. He can't have seen us. — 39. They saw him drown without being able to rescue him. — 40. They apologized for not being able to come.

R 1. He owns three factories, he must be very rich. — 2. Do we have to (ou : Have we got to) wait for them ? — 3. You ought to know that, you ought to have learnt it at school (ought to = should). — 4. You'll have to learn (how) to type. — 5. I can't find his letter, I must have lost it. — You should have put it in your desk. — 6. We ought to invite them, we ought to have done so long ago (ought to = should). — 7. They must have been very surprised. — 8. They had to cancel their journey because their son was ill. — 9. Did we really have to invite them ? — I don't think we need have. — 10. How happy they must have been to see you ! — 11. We had to queue up for twenty minutes. — 12. We must have taken the wrong direction. — 13. You shouldn't have woken him up so early. — 14. What time will you have to get up ? — 15. Do you have to get up at 6 every morning ? — 16. He must be at least eighty. — 17. He must have been at least fifty when his son was born. — 18. The house is silent : they must be having a rest. — 19. We needn't have gone and fetched him in the car (= by car), he could have walked. — 20. We didn't need (= have) to go and fetch him in the car, he wrote to tell us that he'd rather walk.

Leçon 5.

D 1. He is apt to be (he can be, he is liable to be, he tends to be) bad-tempered on Monday mornings. — 2. He is liable to fail again. — 3. We are to (we are going to, we have arranged to) have lunch together in a Chinese restaurant. — 4. He is bound to realize that he has made a mistake. — 5. He (ou : She) is bound/sure to have resented my remark. — 6. They were to have come (plus simple : They were supposed to come) early, I wonder what has happened to them. — 7. You mustn't (You're not to) go out until you've done your homework. — 8. There are likely (fam. : There's likely) to have been very few customers. — 9. You're bound to have seen them (ou : You can't have missed them, You can't have failed to see them). — 10. They're likely to have given up the idea of their picnic. — 11. They must have been waiting for a long time. — 12. That is likely to happen again. — 13. He is apt/liable to lose his self-control when things are going wrong. — 14. He drives so fast that he is always liable to have an accident. — 15. There was to have been (plus simple : There was supposed to be) an open-air concert last night, but it rained all evening. — 16. The Prime Minister is (due) to speak on television tonight. — 17. He/she was apt/liable to offend his/her friends without realizing it. — 18. The doctor said she was liable to die at any moment. — 19. Their plane is due (to arrive) at 4. — 20. She is bound to have noticed (ou : She can't fail to have noticed) that he is in love with her.

Leçon 6.

C 1. They have not yet succeeded in convincing him (plus familier : managed to convince him). — 2. We very nearly lost our passports. — 3. He hardly knows their names. — 4. He actually said (He went so far as to say) that we had insulted him. — 5. I wonder how he managed to deceive the customs-officers. — 6. It looks as if it's going to snow. — 7. He looked as

542

if he had liked the whisky a little too much. — 8. Hardly had he (ou plus simplement : he had hardly) succeeded in opening his umbrella when it stopped raining (No sooner had he... than it stopped raining). — 9. Don't fail to come (ou plus simplement : Do come, you must come) and see us when you are in France. — 10. I very nearly told him what I thought of him. — 11. I merely (= just) said what I knew. — 12. They actually intended to kill (ou : killing) him. — 13. Did you manage to translate (ou dans une langue plus soignée : Did you succeed in translating) the text ? — 14. She felt as if she were going to die. — 15. There happened to be nobody to hear him. — 16. I happened to have noticed them. — 17. I nearly took the wrong hat. — 18. We happened to be the only French people on board. — 19. They merely said they would call again the next day. — 20. Do you happen to know why they haven't come ?

E   1. You do look. — 2. He did play. — 3. She did feel. — 4. I will try. — 5. They did apologize. — 6. He *is* a fool. — 7. I did *not* receive, I *didn't* receive, I never received. — 8. You *have* changed. — 9. I did have. — 10. He does stammer. — 11. We did tell. — 12. We did have. — 13. They *are* hypocrites. — 14. She's *not* going to. — 15. He did look. — 16. I *have* brushed. — 17. We will drive. — 18. He does think (ou : He thinks he *is* clever). — 19. You did behave. — 20. She does make. — 21. He's *not* our friend (ou : He is no friend of ours). — 22. You (simply) *must* stay (ou : You've got to stay). — 23. I did do. — 24. We did have to wait. — 25. You can't possibly say. — 26. We did think (ou : We thought you *were* joking). — 27. It does look. — 28. We will write. — 29. I did try. — 30. She does look.

F   1. and build it I will. — 2. and dive in he did. — 3. and marry him she did. — 4. and buy it I will. — 5. and translate it he did.

Leçon 7.

B   1. Hungry, aren't you ? — 2. Feeling homesick, aren't you ? — 3. Rather ugly, isn't it ? — 4. What a beauty, isn't she ? — 5. Been crying, haven't you ? 6. Fishing for compliments as usual, isn't he ? — 7. Waiting for Sheila, aren't you ? 8. What a great pity, isn't it ? ou : (A) great pity this, isn't it ? — 9. Feeling rather ashamed, isn't he ? — 10. Been drinking with your friends again, haven't you ?

F   1. He deserves to. — 2. Only if he asks me to. — 3. He doesn't want to. — 4. They will expect you to (You will be expected to). — 5. I prefer not to. — 6. You promised not to. — 7. I told you not to. — 8. I didn't mean to. — 9. They advised him not to (He was advised not to). — 10. We don't allow them to (They are not allowed to).

G   1. I hope so. — 2. I don't think so, I don't believe so (plus courant que : I think not, I believe not). — 3. We hope not. — 4. He told me so. — 5. I don't suppose so (moins catégorique que : I suppose not). — 6. I don't think so. — 7. I'm afraid so. — 8. I expect so. — 9. I'm afraid not. — 10. I don't think so. — 11. He said so (ou : he says so). — 12. I'm afraid not. — 13. I hope not (ou : I hope so). — 14. He didn't say so. — 15. I don't suppose so (moins catégorique que : I suppose not).

H 1. Who was afraid ? — I was. Weren't you ? — 2. Do you like this picture ? I don't. — 3. I have finished my work at last. — I haven't yet. — 4. I was wrong, and so were you (I made a mistake, and so did you). — 5. I walk to my office. Why don't you ? — 6. The rain's stopped. — So it has ! — 7. Drink it with a little milk, as we do. — 8. They often go to the theatre. We rarely do. — 9. Don't you agree with me ? — Of course I do. — 10. My father doesn't like jazz, neither (= nor) does my mother. I do. — 11. So you want to be a sailor, do you ? — 12. Aren't you going to wait for them ? I am. — 13. Your brother is very nice. Why aren't you ? — 14. They have been to see the film. We haven't yet. — 15. Who said Jack London was English ? He wasn't. — 16. She said she hated you. — Did she (now) ? ou : Did she really ? — 17. She said she hated you. — Oh she did, did she ? — 18. Had you forgotten the appointment ? So had we all, for that matter. — 19. We didn't congratulate him. We should have (= we should have done). — 20. They must have spent the evening watching television — Yes, they must (= they must have = they must have done).

Leçon 8.

A 1. through. — 2. in. — 3. out. — 4. off. — 5. up. — 6. on. — 7. down. — 8. up... away. — 9. down. — 10. on. — 11. off... down... up. — 12. round. — 13. up. — 14. out. — 15. over. — 16. about (= here and there), ou : out... (≠ inside). — 17. back. — 18. through. — 19. on. — 20. over. — 21. round. — 22. away. — 23. back. — 24. off. — 25. down. — 26. on. — 27. off. — 28. over (ou : round). — 29. down... through. — 30. down... back. — 31. up. — 32. up...off. — 33. down (ou : away). — 34. off... off. — 35. on. — 36. through. — 37. over. — 38. off. — 39. back. — 40. round (= here). — 41. on. — 42. through. — 43. up. — 44. in. — 45. up. — 46. about. — 47. together... off. — 48. out. — 49. up. — 50. in.

C 1. Up and down went the ship. — 2. Out he went. — 3. Down she came. — 4. Round and round for several days went the astronauts. — 5. Away flew the bird. — 6. On they walked.

Leçon 9.

A 1. Never have I seen. — 2. Nowhere were the jewels. — 3. Not once did he smile. — 4. On no account must you open. — 5. Nor were they the only ones. — 6. Only by flattering him will you be able to. — 7. Seldom had I seen. — 8. Not once did they stop. — 9. No sooner had we opened. — 10. Nor did he expect. — 11. Never had I read. — 12. Only in Welsh villages can you see. — 13. Never shall we see. — 14. So weak was she that. — 15. So ashamed did he feel that. — 16. So happy were we that. — 17. Should you need. — 18. Had he been there. — 19. Had I been told. — 20. Should we ever meet him.

B 1. They did not work very hard, so they failed. — 2. Little do you know what he is going to say. — 3. Perhaps you will find that I am a little inquisitive.

544

— 4. Do you know what this word means ? — 5. No sooner had he finished drinking his cup of tea than he resumed his work. — 6. I don't know where the plug is. — Here it is. — 7. What a big house your neighbours have ! — 8. Victoria Station is the station the Dover trains start from. — 9. We thought he was in America, so we were very surprised to meet him in Oxford. — 10. You don't know yet what English food is like. — 11. Never will he know the truth about them. — 12. I wonder who these new neighbours are. — 13. Little does he realize that what he says is true. — 14. Perhaps I am mistaken. — 15. Had we known that they were in London, we would have tried to meet them. — 16. I saw an old man and a little child come towards me (aussi, dans une langue soignée : I saw coming towards me an old man and a little child). — 17. Hardly had he come back from Brazil when the editor sent him to Vietnam to report on the war. — 18. Perhaps they'll come by train. — 19. Do you know what your parents think about it ? — 20. Not only did he refuse their offer, but he also insulted them.

C   1. I like this wine very much. — 2. Only we know... — 3. Did they play the symphony well ? — 4. Even he... — 5. He hardly knew... — 6. He is often ill, but he never looks ill. — 7. She plays the piano very well. — 8. I rather liked... — 9. I very much enjoyed.,. (plutôt que : I enjoyed very much spending... ou : I enjoyed... in New York very much). — 10. She slowly read... — 11. I half understood... — 12. I bought a new book about Lewis Carroll yesterday (aussi : a new book yesterday about Lewis Carroll). — 13. Even he could... — 14. I have often told you... you often have. — 15. I nearly lost... — 16. Only I understand you... — 17.... And to N.Z. too. And also to Borneo. And to Ceylon as well. — 18. He is often bad-tempered. — Yes, he often is. — 19. He soon recovered... — 20. We usually go...

Leçon 10.

A   1. cuts... am doing... is going. — 2. Are you reading... do you want... — 3. do you read... we read... we prefer... — 4. don't you think... is making... he knows... is gradually improving. — 5. We are looking (plus familier que : we look)... we don't see... — 6. What are you thinking of ? I'm thinking... What do you think about them ? — 7. he's having... he isn't sleeping... — 8. We must be going (plus familier que : we must go)... they must be wondering... I hope they aren't looking... — 9. We're going... do you go... — 10. We're having.. we're having... — 11. He's playing... Are you going ? I don't feel like it... I know he plays well, but I don't like the concerto he's playing. — 12. Do you like... I love... I'm enjoying... I even prefer... — 13. Why are you giggling..., looks like..., don't you think ? I think you're (being) silly. — 14. They have... I don't like... I hear they're having... — 15. We're seeing... they're coming by car and having...— 16. looks like... is even wearing (aujourd'hui) ou : even wears (habituellement)... I forget... I know... — 17. Do you want... I'm dying... — 18. is being born... is dying... do you agree... — 19. we have... we're having... we're going... — 20. Do you mind if I open...

545

A 1. He's just gone out. — Why didn't he wait for us ? — 2. We had got up very early, we were tired, we went to bed early. — 3. This is the first time that I've seen an eclipse. — 4. I've already heard that story (I've heard that story before). Haven't you ? 5. Why are you shouting at him ? What's he done ? — Look, he's spilt his soup on the cloth. — 6. I've never been to Ireland — I have. I went there two years ago. — 7. Have you read this novel ? — Yes (I have). — Did you like it ? — Yes, I enjoyed reading it. — 8. He had been born in Africa, it was the first time that he had come to Europe. He had never seen any snow before. — 9. When was Milton born ? He was born in 1608. When did he die ? He died in 1674. — 10. I've just bought a tape-recorder. Where did you buy yours ? I bought it in Germany. — 11. I've known the Webbs for over (= more than) twenty years, in fact I always have. — 12. Why are you so late ? We've been waiting for you for almost an hour. What on earth have you been doing ? — 13. I always knew he couldn't be trusted. — 14. I've never seen this film. — I have. I saw it in London. — 15. Has John written to his grandfather ? — Yes (he has). He sent him a postcard before lunch. — 16. We had just gone to bed when we heard someone shout 'Fire ! Fire !' — 17. I never saw (langue plus simple : I've never seen) such a mean man. Did you ever see (ou : Have you ever seen) such a mean man ? — 18. Why did you tell me you didn't know him, when in fact you've known him for years ? — 19. Look, I've brought you a present. — This is the first time that you've given me a present. — 20. Have you read 'Alice in Wonderland' ? — Yes, I've read it several times. — I was eight when I read it, and I've never read it since. — 21. While the plane was taking off he realized it was the first time he had flown to London. — 22. I understand he's writing a new play. He's written three so far. I didn't think much of the first two, I haven't seen the third (one) yet. — 23. Have you read today's Times ? They've published the letter I sent them last week. — 24. I've finally succeeded in persuading him to come with us. — How did you manage it ? — 25. Is dinner ready ? I'm starving, I didn't have any lunch today. — 26. I haven't met him yet, though he's been living in my street for a few months. — 27. I've just met him. He was setting off for a walk with his wife and children. I hadn't seen him for a long time. — 28. Have you ever seen the Queen ? — No (I haven't), I've never had a chance (an opportunity) to yet. (= I've never had the chance to yet). But I saw King George VI, who came to my street during the blitz in 1943. — 29. I've been to London twice this year, and my friends have invited me again for Christmas. I received their invitation this morning, I haven't replied yet. — 30. Has John phoned (ou : got round to phoning) then ? — Yes (he has). He rang us (up) while we were having tea. — Did he tell you when he was coming back ? — He hasn't made up his mind yet.

B 1. Yes, I have. I saw it at Stratford three years ago / Yes, I've seen it twice. — 2. No, he hasn't yet / Yes, he has. He told me yesterday. — 3. Yes, I've read two or three / Yes, I've read 'The Day of the Triffids'. — 4. Yes, I have. I was introduced to him at his son's wedding. / Yes, I have. I was introduced to him long ago. — 5. Yes, I have. I ate (= I had) some when I was in France / Yes, I have, all my life. — 6. Yes, I've been several times / Yes, I have. I went in 1968. — 7. Yes, I have. I listened to them (ou : I did so, I used to do so) every day when I was in England / Yes I have, only once or twice though. — 8. Yes, I've climbed it twice.../ Yes, I have. I climbed it twice when I was a young man. — 9. Yes, they have. They went there last week. — / Yes, they've been there every week... — 10. Yes, quite a few people have on several occasions / Yes, someone has. I told him so (= as much) only yesterday.

Leçon 12.

G 1. He must have had... — 2. He must have been... — 3. They may have been trying... — 4. He must have been... — 5. He may have been working... — 6. They must have been living... — 7. He must have been lying... — 8. They may have spent... 9. He may have been dead... — 10. He must have been watching...

H 1. We went to see them a fortnight ago. — 2. They have been in Scotland since January Ist. — 3. He's been speaking for nearly two hours (It's nearly two hours since he started speaking). — 4. Our grandfather only went to school for four years. — 5. I've been working since six a.m. — 6. He went out ten minutes ago. — 7. He's been ill for several years. — 8. He hasn't been ill for several years. — 9. He was ill two months ago. — 10. Last summer he was ill for six weeks. — 11. He's been ill since Sunday. — 12. He's been ill since (ou : ever since) he came back (ou : since he's been back) from England. — 13. How long has he been ill ? — 14. How long did he have to stay in bed ? — 15. How long did you wait for them ? — 16. How long have you been able to swim ? — 17. We've been working for three hours (It's three hours since we started working) — 18. I worked for three hours last night. — 19. They haven't come (= been) to see us since we've been living here. — 20. Dinner has been ready for a long time. — 21. How long did the American Civil War last ? — 22. The taxi-drivers have been on strike for a week. — 23. How long has Ireland been a republic ? — 24. I haven't played tennis for years (It's years since I last played tennis). — 25. I haven't read a paper for a fortnight (It's a fortnight since I last read a paper). — 26. How long have his parents been dead ? (How long is it / How long ago is it since his parents died ?) — 27. They died a long time ago (They've been dead for a long time), he was ten when they died. — 28. How long have you known him ? — 29. I've known him since before the war. — 30. I've been living (ou : I've lived) in Paris since I was five.

I 1. He had been speaking for more than two hours. — 2. How long had they been married ? — 3. They had been living in this house since their father (had) retired. — 4. I had already seen the play a few years before. — 5. How long had he been working in that bank when they dismissed him ? — 6. He had been working there for four years, since he (had) left school. — 7. I had not seen him for twenty years (It was twenty years since I had last seen him). — 8. He had been dead for a month when his son returned from the war. — 9. He had already studied German for three years when he was at school. — 10. It had been snowing since eight in the morning. — 11. She had been a widow since the age of twenty-five. — 12. She had been a widow for twenty-five years. — 13. How long had George VI been king when the war broke out ? — 14. He had been king for three years, since 1936, since his brother (had) abdicated. — 15. He had been looking for us for an hour. — 16. He had not been to London for ten years (It was ten years since he had last been to London). — 17. He must have been in America for twenty years. — 18. How long have you had your driving licence ? — 19. I've had it for three years. — 20. You may have had your licence for three years, but you can't drive. — 21. We've had our television set since Christmas. — 22. They must have had theirs since October. — 23. He had not shaved for a week (It was a week since he had last shaved). — 24. How long is it since you last shaved ? — 25. How long was it since you (had) last heard from him ? — 26. How long had you known the truth ? — 27. How long has she been divorced ? — 28. He was wondering how long she had been divorced ? — 29. We've been up since six in the morning. — 30. We've been up for more than six hours, whereas he's just got up.

K   1. How often do the children go to the swimming-pool ? — They go two or three times a month. — 2. I go to the dentist's regularly every six months. — 3. He comes and borrows my dictionary every other day. — 4. Every few years he went to spend a month in his native country. — 5. It will be two months before I know the result of my exam (I shan't know the result of my exam for another two months). — 6. Within (less than) three days of coming back from Japan he was planning another long journey. — 7. Within (less than) a month he had spent all his money. — 8. They landed in Normandy on June 6th (the sixth) 1944. — 9. Every year we listened (ou : we would listen, we used to listen) to the Queen's message (= speech) on Christmas Day at three in the afternoon. — 10. They went to bed at nine, and by half past all the lights were out. — 11. Can you give me an answer by the end of the week ? — 12. By the time he was fourteen he could speak three languages fluently. — 13. I wonder whether in a hundred years'time life will be worth living. — 14. He works on Saturday mornings every other week — 15. We won't go until the rain stops. — 16. There is a presidential election in the United States every four years. — 17. It always rains on Sunday(s). — 18. You won't get your sweet (ou : pudding) until you've eaten all your vegetables. — 19. How often do you go to England ? Once or twice a year. — 20. It was six months before we received his first letter.

Leçon 13.

F   1. I'm going to buy... We'll (will / shall) buy one... — 2. I will (I'll) translate... — 3. He won't be coming... — 4. He won't come... — 5. I'm going to see... Will you come... — 6. will be having... — 7. will always remember... — 8. We are going to stay (ou : we will be staying)... John will come and see (ou : will be coming to see)... — 9. I'll give... — 10. it's going to rain... it will be raining... — 11. we shall see / we shall be seeing... — 12. He will know... — 13. We're going to spend (ou : we shall be spending)... Tom will join us (ou : will be joining us)... he will have to... — 14. you will visit us... — 15. Bob won't come... — 16. Bob won't be coming... — 17. You're going to miss (ou : you'll miss)... — 18. You'll miss (ou : you're going to miss)... — 19. I'll (I shall) miss it (ou : I'm going to miss it)... — 20. We're going to get married (ou : we're getting married)... we'll get married... (ou : we're going to get married...).

G 1. I will never play bridge with him again, he always cheats. — 2. I won't be playing bridge tomorrow, I (shall) have to stay at my office till seven. — 3. We shall all be disappointed if you don't come. — 4. We won't invite him again, he drinks too much. — 5. She won't be coming to the sea-side with us because her son is ill. — 6. She won't come because she doesn't like the sea. — 7. I've seen the play, now I'm going to read the book. — 8. He won't know what to do. — 9. I won't apologize (ou : I'm not going to apologize) to him, even if you ask me (to). — 10. She won't marry me. What shall I do ? — 11. If my son doesn't pass his exam I shall be furious. — 12. What are you going to do with all this money ? — 13. If you don't (ou : won't) lend me your car I shall know that you are no longer my friend. — 14. We shall have to wait. — I'm not going to (ou : I won't, ou : I shan't) wait more than ten minutes, I hate waiting. — 15. I hope they'll understand what you mean. — 16. After such a long walk we shall be tired, shan't we ? — 17. We shall enjoy seeing our old school again. — 18. I'm going to tell you what I know about it (plus spontané : I'll tell you...) — 19. I'll tell you what I know if you promise to keep it a secret. — 20. She won't be leaving until next week. — 21. Where will you spend (ou : be spending) your holidays next summer ? (ou : Where are you going to spend... ? ou : Where are you spending... ?) — 22. I'm going to London tomorrow. Will you come with me ? I'm (going) to have (fam : I'm having) lunch with Ken in a Chinese restaurant. — 23. We shall be very grateful to you if you will (kindly) give him a few French lessons. — 24. There's going to be a gale. I'm going to be sick. — 25. Do you know where the nearest tube station is ? I don't know, I'll ask a policeman. — 26. I'm going to ask you a difficult question. — 27. I'll lend you my book if you've forgotten to bring yours. — 28. What shall we do (what will we do, what are we going to do) if the plane can't take off ? — 29. You're not going to spend the whole day watching television, are you ? — 30. This suitcase is very heavy. — I'll call my husband (ou : Let me call...), he' ll carry it to the taxi for you.

N.B. Dans les phrases 3, 11, 14,16, 17 et 23 **will** s'emploie au lieu de **shall** dans une langue moins soignée. On dit couramment : I'll, we'll.

H 1. Lock the door when you go out. — 2. I wonder when he will receive my letter. — 3. He said that when he came home he would go to bed at once. — 4. When will she be back ? Ring us up as soon as she's back. — 5. I may be away when they arrive. — 6. I'm going to write to the Morgans while you're making the tea. — 7. He's sure to be furious when he hears this. — 8. I guessed what he was going to answer. — 9. You'll have nothing to fear while we're here. — 10. Once you know them better, I'm sure you'll get on well with them. — 11. He told me he would lend me the book when he had finished reading it. — 12. Don't fail to go (fam. : you simply must go) to Chester when you are in England. — 13. I wish I knew when this war will end. — 14. What are you going to do (ou : What will you do) when he is dead ? — 15. Will you be so kind as to lend me (Would you lend me) this book when you have read it ? — 16. I'm going to buy a tape-recorder, but I won't lend it to anybody. — 17. Would you like this electric train ? Well, you shall have it (promesse solennelle; sinon : you can have it). — 18. He won't come, he doesn't want to meet Bill. — 19. He won't be coming, he's on duty tonight. — 20. I won't stay in London more than two days. I can't stand the noise and the traffic. — 21. We were just going to (ou : about to) leave when they arrived. — 22. There is to be (langue plus simple : there is going to be, there is supposed to be, there is due to be) an open-air concert tonight (An open-air concert is due to be held tonight). — 23. There was to have been (there was supposed to be) an open-air concert (An open-air concert was due to be held) last night, but it poured down the whole evening. — 24. Look at that plane, it's just going to (plus courant que : it's about to) take off. — 25. What time is their plane due (to arrive) ?

Leçon 14.

A 1. We should all be sorry if you could not come. — 2. If you needed a typewriter I would lend you mine. — 3. We should like to know why you are late. — 4. Do you think they would leave their country ? — 5. I should be sorry not to attend their wedding. — 6. From this window we could see the sea if there weren't (ou : wasn't) so much mist. — 7. You should (= ought to) apologize. (If I were you) I should apologize. — 8. We should be very happy to make your wife's acquaintance (ou : to meet your wife). — 9. What advice would you have given him ? — 10. I wouldn't have come if I had known that there would be nobody there. — 11. You would never have guessed who he was, would you ? — 12. We should have been disappointed if he had failed. — 13. You shouldn't treat him like a child. — 14. You shouldn't have treated him like a child. — 15. You shouldn't worry. (If I were you) I shouldn't worry. — 16. We knew he would give up. — 17. Shouldn't you (= Don't you think you should) work harder ? — 18. A Boeing crashed in the Alps this morning, there are reported to be seventy casualties (ou : seventy casualties are reported). — 19. Would he have come if we had invited him ? — 20. They would all have been delighted if he had won. — 21. Would you have helped him if he had asked you (to) ? — 22. I should like to add a few words. — 23. I should never have thought that he would have married her. — 24. Would he have believed you or would you have had to show him my letter ? — 25. You shouldn't have let them play on the river bank, they might have been drowned. — 26. They should (= ought to) have been warned at once. — 27. You could have bought it at Smith's, you would have paid less for it (ou : it would have cost you less, ou : it would have been cheaper). — 28. I would rather not give my opinion. — 29. You had better not offend them. — 30. When could he give me back (ou : return to me) the books I would lend him (ou : I should be lending him ?).

N.B. **Would** peut s'employer à la place de **should** (style plus familier, moins soigné) dans les phrases 1,3, 5, 8, 12, 22, 23. **Ought to** peut s'employer à la place de **should** dans les phrases 13, 14, 17 et 25.

Leçon 15.

B 1. They used to read the Times, they no longer do (= they don't any longer). — 2. She used to be a good pianist, she no longer is. — 3. I used to play chess, I no longer do. — 4. He used to be my friend, he no longer is. — 5. I used to believe in God, I no longer do. — 6. He used to collect stamps, he no longer does. — 7. They used to have a dog, they no longer have (one). — 8. I used to be in love with her, I no longer am. — 9. I used to trust him, I no longer do. — 10. They used to be on friendly terms, they no longer are.

— 11. There used to be an orchestra in our school, there no longer is. — 12. It used to be a member of the Commonwealth, it no longer is. — 13. I used to smoke cigars, I no longer do. — 14. It used to be the largest state, it no longer is. — 15. She used to teach in a technical school, she no longer does. (Toutes ces phrases peuvent se terminer par « n't any longer »).

F   1. This is where I used to live when I was a child. — 2. They go to the pictures every Saturday. — 3. Whenever I called him he would pretend he hadn't heard me (ou : pretend not to have heard me). — 4. I used to think he was conceited. — 5. He would always come twenty minutes late. — 6. He doesn't lose his temper as often as he used to (do). — 7. He doesn't speak English as fluently as he used to (do). — 8. He used to (ou : would) spend hours playing with his tin soldiers (= toy soldiers). — 9. He will forget (ou : he keeps forgetting) to sign his cheques. — 10. He would always make (ou : he kept making) the same mistakes. — 11. The telephone will always ring (ou : keeps ringing) when I'm having my bath. — 12. The Empire State Building used to be the tallest skyscraper in the world. — 13. She would (ou : used to) say that all men are cowards. — 14. Every year we would (ou : used to) listen to the Queen's Christmas message (= speech). — 15. We buy the Observer every Sunday.

Leçon 16.

B   (a) 1. I wish it weren't. — 2. I wish I knew. — 3. I wish your friends were. — 4. I wish the holidays weren't. — 5. I wish I could. — 6. I wish I weren't. — 7. I wish it were. — 8. I wish she could. — 9. I wish I weren't. — 10. I wish (ou : we wish) we could.

N.B. Were est couramment remplacé par was au singulier (phrases 1, 6, 7 et 9).

(b) 1. I wish I hadn't sold. — 2. I wish he hadn't made. — 3. I (ou : we) wish we hadn't forgotten. — 4. I wish she had been able to stay (= I wish she could have stayed). — 5. I wish you had brought. — 6. I wish there hadn't been so few people. — 7. I wish they had told us. — 8. I wish he hadn't interfered. — 9. I wish the exam hadn't been. — 10. I (ou : we) wish we had known.

C   1. No, but I wish I could. — 2. No, but I wish they had. — 3. Yes, but I wish he weren't (ou : wasn't). — 4. Yes, but I wish I didn't. — 5. Yes, but I wish I weren't (ou : wasn't). — 6. No, but I wish I had. — 7. Yes, but I wish I hadn't. — 8. No, but I wish they were. — 9. No, but I wish I had (one). — 10. Yes, but I wish they hadn't.

D   1. They'd rather we didn't come. — 2. We'd rather they had kept. — 3. I'd rather you didn't wait. — 4. She'd rather he didn't. — 5. I'd rather you hadn't mentioned. — 6. He'd rather we left. — 7. Wouldn't you rather we didn't wake you up ? — 8. Wouldn't they rather I came... ? — 9. I'd rather you stopped. 10. We'd rather you hadn't brought.

E   1. I wish it were over. — 2. We wish you had come yesterday. — 3. I wish you would tell me the truth. — 4. I wished she had not misunderstood my letter. — 5. We'd rather you came in July. — 6. He wishes he could have come with us. — 7. I'll tell them you can play the piano. — I'd rather you didn't (ou : I wish you wouldn't). — 8. I wish I had brought my sun-glasses. — 9. I wish they could hear you. — 10. I wish I could believe what he says, but it's obviously a lie. — 11. I'd rather you did your work first. — 12. I wish I hadn't burnt those papers. — 13. He wishes he hadn't trusted you. — 14. We'd rather they didn't bring their children. — 15. We wished we hadn't promised to attend his lecture. — 16. He wishes he could play chess. — 17. We wished he hadn't forgotten to warn us. — 18. I wish he would teach me German. — 19. We all wished he had won. — 20. He wishes he had a son.

F 1. Whatever they may think. — 2. Whoever he may be. — 3. However hard he may try. — 4. However clever he may be. — 5. However much he may trust you. — 6. Wherever he may go. — 7. However tired you may be. — 8. Whatever you may read. — 9. However dejected she might be. — 10. Whatever we might give them.

G 1. He insisted that I (should) be his best man (= *garçon d'honneur*). — 2. I don't, see why I should wait for them all day. — 3. It was inevitable that they should get arrested. — 4. It's incredible that he should have been such a fool. — 5. It's important that you (should) all come on time. — 6. He wore a false beard so that nobody should recognize him. — 7. We suggested that she (should) buy a new car. — 8. They insisted that he should run/that he run/that he ran the club. — 9. It's extraordinary that there should have been a misunderstanding. — 10. It's imperative that he (should) give them an answer today.
N.B. L'omission de *should* dans les phrases 1, 5, 7, 8 et 10 est un américanisme (subjonctif « présent »), que l'on rencontre aussi très couramment en Angleterre.

H 1. We must send the parcel today so that they may (ou : can) get it before Christmas (ou : for them to get it). — 2. They started whispering so that I shouldn't (ou couldn't, ou might not) hear what they were saying (litt. : lest I should hear...) — 3. I suggested he (should) help them (aussi : he helped them). — 4. It's incredible that he should have been so rude. — 5. However learned you may be (ou : you are), you can't know everything. — 6. He insisted that we (should) wait a little longer before taking (= we took) a decision (ou : he insisted on our waiting...) — 7. We'll give you a key so that you may (ou : can) come back (ou : for you to come back) at any time that suits you (at any time you like). — 8. Whatever (= no matter what) you (may) do, you will always find (ou : meet with, ou : come across) people who (will) criticize you (ou : who find fault with you). — 9. He suggested that each of us (should) give two dollars (aussi : gave). — 10. I insist that you (should) apologize to him. — 11. It's extraordinary that Oxford should have won the race. — 12. Whatever may happen (ou : whatever happens), he will never admit that he was wrong. — 13. We should write to them so that they shouldn't (in case they should) (litt : lest they should, for fear they should) think we've forgotten them — 14. It wasn't to be expected that he should speak to us politely. — 15. I don't see why you should think you're the boss here (regard yourself as the boss). — 16. It's high time we left (we were leaving). — 17. However strong you may be (ou : you are), we aren't afraid of you (ou : No matter how strong you are...) — 18. I'm very anxious that you should make (= anxious for you to make) their acquaintance. — 19. They insisted that she (should) stay another week. — 20.

552

I'm surprised that you (should have) misunderstood my words. — 21. It's imperative that each of you should get there on time. — 22. If anyone should (happen to) ask you where I am, say you don't know. — 23. There's no reason why she shouldn't be (= no reason for her not to be) happy here. — 24. I've warned him, so that he shouldn't (shan't, won't) be disappointed. — 25. If it should (happen to) rain, the concert will be postponed. — 26. Don't tell her I'm ill, in case she should worry (ou : in case she worries; litt. : lest she should worry). — 27. Wherever (= No matter where) you may hide, the police are sure to find you. — 28. It's (about) time you stopped behaving like a child. — 29. I'll see (= I'll make sure = I'll see to it that) he doesn't disturb you again. — 30. It's normal (ou : understandable) that you should feel tired.

Leçon 17.

C   1. see. — 2. seeing. — 3. having. — 4. have. — 5. steal. — 6. stealing. — 7. saying. — 8. say. — 9. be. — 10. being. — 11. lying. — 12. giving. — 13. travel. — 14. travelling. — 15. learning.

D   1. He was punished for lying to his father. — 2. They went out without locking the door. — 3. I am not used to getting up so early. — 4. It's no use (= no good) complaining when he's not there to hear you. — 5. After shutting the door he realized he had left the key inside. — 6. He is very fond of bird-watching. — 7. This book is worth reading several times. — 8. She thanked the doctor for coming so quickly. — 9. He took a hat without noticing it was not his (own). — 10. We are looking forward to your (ou : you) staying with us. — 11. It's no use our (fam. : us) insisting, he won't come. — 12. This offer is worth thinking over. — 13. Far from being your enemy, I should be glad to help you. — 14. They were reduced to eating all sorts of roots — 15. There was no (= no means of) knowing what he had done with the money. — 16. After travelling for twenty years, he wanted to lead a quiet life. — 17. He is rather given to regarding (ou dans une langue plus simple : apt to regard) those around him as his servants. — 18. He devoted his whole life to fighting for the happiness of his fellow-beings. — 19. She was not used to seeing so many people in the streets. — 20. It's no use you (plus familier que : your) giving him good advice.

E   1. I hope they won't mind us leaving just after lunch (style plus soigné : mind our leaving). — 2. Her failing (= Her failure) in her exam surprised everyone. — 3. What do you think of their calling their father Bill and their mother Betty ? — 4. He doesn't approve of his son ('s) smoking a pipe. — 5. You don't mind George playing with your electric train, do you ? — 6. His having been brought up by his Austrian grandmother explains why he speaks German fluently (ou : accounts for his speaking...) — 7. Their shaking hands with everybody showed they were not English. — 8. I didn't like his hinting that I had told a lie. — 9. His being able to pilot a plane amazed us. — 10. Nobody believed in his having travelled round the world several times. — 11. They don't understand our spending so much money on food. — 12. What do you think of his going to bed at twelve every night ? — 13. I hope the neighbours won't mind my (ou : me) playing a record, though it's rather late. — 14. Her not knowing how to type (her not being able to type) is a handicap for her. — 15. Did you like their playing Bach's concerto as if it were jazz ? — 16. My being left-handed doesn't disturb me in the least. — 17. He apologized for his dog ('s) digging a hole near our rose-trees. — 18. Their winning the race can be accounted for by their practising regularly for the past three months. — 19. Your being in a hurry is no excuse for taking French leave. — 20. How can you account for her marrying such a fool ? Remarque : il est rappelé que les gérondifs sujets précédés de génitifs appartiennent surtout à la langue écrite soignée (phrases 2, 6, 7, 9, 14, 16, 18, 19).

Leçon 18.

B 1. What an unkind remark for her to make (ou : to have made) ! — 2. What an important decision for us to take ! — 3. What an interesting museum for the children to go to (ou : to have gone to) ! — 4.. What an excellent play for the students to put on (ou : to have put on) ! — 5. What a happy occasion for her to look forward to ! — 6. What a difficult book for the child to read ! — 7. What a wonderful birthday present for him to give his mother ! — 8. What a rash thing for them to do (ou : to have done) ! — 9. What a heavy case for her to carry ! — 10. What strange advice for him to give (ou : to have given) his students (ou : to his students) ! (sans article après what, advice étant un nom indénombrable, 450).

C 1. He is learning Spanish so as to be able to read Don Quixote. — 2. I've put the letter in my pocket so as not to forget it. — 3. I'm leaving the paper here for him to have a look at it. — 4. He is in England to learn English, not to enjoy himself (= to have a good time). — 5. They went on tiptoe so as not to wake him up. — 6. He wore gloves so as not to leave any finger-prints. — 7. They rang the bells for everybody to know that the war was over. — 8. I'll send you a few pictures of my village for you to show (them to) your friends. — 9. I'll bring them a bottle of champagne for them to drink at Christmas. — 10. Give me a vase for me to put these flowers in.

D 1. He (fam : Him) marry a French girl ? I thought he hated France. — 2. Me (plus courant que : I) apologize to them ? Who do you think I am ? — 3. Why make all this fuss ? Keep smiling. — 4. Why spend so much time working ? Life is so short ! — 5. Why not try once more ? — 6. Why not learn Esperanto ? — Me learn Esperanto ? You must be joking ! — 7. All he could do was go and tell the police what he knew. — 8. All you have to do is press this button and wait ten minutes. — 9. It's too late for us to go to the cinema. — 10. I would lose my job rather than apologize to them (= I'd rather lose my job than apologize to them).

E 1. I hope we shan't have to walk. — I'm afraid we'll have to. — 2. Would you like to go to Greece ? — Oh yes, I'd love to. — 3. Don't go there unless you really want to. — 4. I didn't write to them, they asked me not to. — 5. I only read this book because I had to. — 6. Have you posted my letter ? — No I haven't. I meant to but I forgot (to). — 7. You may smoke if you want to. — 8. We don't go to the theatre as often as we used to. — 9. He wanted to go to Egypt in July, but we advised him not to. — 10. They will help you if you ask them to.

A   1. Be ready by seven. — 2. Don't be afraid. Don't worry. — 3. Let's stay another ten minutes. — 4. Let them all know that I won't give in. — 5. Let's tell anybody (= let's not tell anyboby = don't let's tell anybody) about it. — 6. Do (= please) make yourself at home. — 7. Let's sit down and have a cup of tea. — 8. Let this sort of thing never occur again. — 9. May I use your telephone ? — By all means do. — 10. Don't be so greedy. — 11. Do come and play with us. — 12. Let's make up our minds quickly. — 13. Be sensible, don't make such a fuss (don't be so fussy). — 14. Don't let's quarrel. — 15. Do stop complaining. — 16. Have a look at this photo. — 17. Let them (= they'll have to, ou : they'd better) behave well if they want me to take them to the circus. — 18. Don't let them imagine this exam will be easy. — 19. Let everyone do his best. — 20. Let those who disagree give their point of view. — 21. God said, 'Let there be light'. And there was light. — 22. Let there be no misunderstanding. — 23. Be a good boy, stop teasing your sister. — 24. Let him do as he thinks best. — 25. Don't let's go yet (Let's not go yet). Let's wait for them.

B   1. Mind you don't break your neck. — 2. Do stop complaining. — 3. Do help yourself to some more cake. — 4. Do go and see him when you are in London. — 5. Yes, by all means do. — 6. Don't you try and deceive me. — 7. Do be careful. Mind you don't break the Chinese vase. — 8. Do let's stop for a rest. — 9. Do have a cigar. — 10. Do be a little more sensible.

Leçon 20.

C   1. He was told to show his passport. — 2. He was regarded as (ou : looked upon as) a member of the family. — 3. Is English spoken in Jamaica ? — 4. Such learned men are not met every day. — 5. My car is being repaired. — 6. Little was said about what had happened. — 7. He had never been told about his father. — 8. How many thatched cottages are left in the village ? — There's only one left. — 9. When and where were you born ? — 10. They will be shown round the town. — 11. They were being given a talking to by the Headmaster. — 12. Only two seats are left (ou : there are only two seats left) in the front row. — 13. In England cigarettes are sold in the same shops as sweets. — 14. They were advised to take some warm clothes. — 15. He realized he was being stared at and he blushed. — 16. This noun cannot be used in the plural. — 17. Not much could be done to rescue them. — 18. He had never been (litt : Never had he been) spoken to with such kindness. — 19. Is philosophy taught in secondary schools in England ? — 20. 'Too many children are born in the poor families', said the village squire 'They have to be supported by the rich people of the parish.'

D   1. I must be going, somebody's waiting for me. — 2. People respected him in the town, but they did not make friends with him. — 3. (Are you) enjoying yourselves, children ? — 4. You (ou : We) can never be sure what the weather's going to be like, better take a mac. — 5. I can see I'm not wanted here. — 6. He was said to be strict. — 7. They read many more newspapers in England than we do. — 8. Do you want to be taken to the station in the car ? — 9. Welsh is spoken in North Wales. — 10. Stay here, you're needed. — 11. One should never lose one's temper. — 12. Don't be angry. Can't we joke now and again ? — 13. My purse has been stolen. — 14. When one is on holiday, one does not like writing long letters. — 15. 'In summer, in my country, we drink a lot of iced tea', said the American. — 'But you drink even more coca-cola, don't you ?', said the Frenchman. — 16. You will be given everything you (will) need. — 17. What can be done in a case like that ? — 18. They are taught three languages. — 19. They had been advised not to complain. — 20. They were not allowed to say what they thought.

Leçon 21.

B 1. It was in 1968 that I made... — 2. It will be Mrs Herdman who will teach... — 3. It was I who saw it first. — 4. It had been (ou : it was) the Brazilians who had won... — 5. It was John who broke... — 6. It will be the Prime Minister himself (herself) who will answer... — 7. It was in a baker's shop that the fire broke out. — 8. It won't be until the end of the month that he will know... — 9. It was on June 6th, 1944 that the allied forces landed... — 10. It had been (ou : it was) because of her son that she had not married again.

C 1. She said she had seen a ghost and she would not sleep in that room again. — 2. They said they had been waiting for me for half an hour, but I replied/answered I did not believe it. — 3. I wonder who this man is. — 4. She asked them whether (= if) they would have a cup of tea. But they replied/answered they had already had several cups. — 5. He asked whether (= if) there was a telephone box near and where the police station was. — 6. He said he didn't know that man and he had never met him. — 7. I asked them whether (= if) they were tired. They said they were not. — 8. They said they would stay with her until the doctor arrived, but she said they need not. — 9. I asked him whether (= if) he could lend me £50. He replied/answered he was afraid he could not. — 10. He said he would not sing because he had no voice and he did not want to make a fool of himself. — 11. I asked her whether (= if) she had read "Jane Eyre". She said she had. — 12. I asked her whether (= if) she trusted me. She replied/answered she was afraid she did not any more (= she no longer did). — 13. I asked him whether (= if) he had enjoyed listening to the lecture. He said he had not. — 14. He said he was afraid he must go, because his wife must have been wondering where he was. — 15. I told him to just phone me if he needed my help.

D 1. 'When did you come back ?' she asked us. 'Did you enjoy your holidays ?' — 2. 'We're tired', they said. 'Could (ou : can) we have a rest ? — 3. 'I'm sorry for being so late' (ou : I'm sorry I'm so late), he said. (I promise) I will never be late again. — 4. 'Where's Cyprus ?' he asked me. 'Have you been there ?' — 5. 'How long have you been living in Bradford ?' I asked him. 'I was born there', he answered (si la question est posée à Bradford : 'I was born here'). — 6. 'I'm glad I've come', he said. — 7. 'How often do you go to England ?' I asked them. 'We go as often as we can', they said.

— 8. 'When I'm rich I'll buy a yacht', he said. — 9. 'I wish I could play the cello', he often says. — 10. 'Can you drive ?' we asked her. 'Yes, I can', she said. — 11. 'Do you think it's going to rain ?' I asked him. He said, 'I hope it'll keep fine until you've left'. — 12. 'Take your macs', they told us, 'it's sure to rain'. — 13. 'How are you ?' She asked us. 'Do you know that my husband was taken ill a few days ago ?' — 14. 'Come (= You must come) and visit us while we are at the seaside in July', they suggested. — 15. 'You've been very silly', she said. 'You mustn't do it again'.

Leçon 22.

B (a) 1. Can you tell me where your brothers are ? — 2. I wish I knew who this man is (ou : was). — 3. I wonder what the so-called flying-saucers are. — 4. Nobody here knows where Reykjavik is. — 5. Can you tell me whose house this is ? — 6. I don't know what the time is. — 7. Please tell us how your father is. — 8. I think I know whose fields these are. — 9. I'd like to know what these insects are. — 10. He asked me whether (= if) I knew the new librarian.

(b) 1. Can you tell us where to go now ? — 2. Please tell me what to write to them. — 3. I wish I knew whether to wait here or go and look for them. — 4. Show me how to start the engine. — 5. Ask him which bus to take. — 6. We don't know where to forward the letter. — 7. We are still considering whether to camp in Corsica or drive to Lapland. — 8. I can't make up my mind which card to send them. — 9. Teach me how to pronounce his name. — 10. I wonder whether to tell my friends about it or keep it a secret.

C 1. I don't know where to go. — 2. Tell me when to stop. — 3. They wonder whether to rent a flat or buy a house. — 4. Advise me which one to buy. — 5. Show them where to leave their luggage. — 6. They don't know whether to walk or go by bus. — 7. Did he tell you which books to read ? — 8. She is wondering whether to bake the potatoes or boil them. — 9. Have you made up your minds where to go tonight ? — 10. Will you advise me which tie to wear ?

D 1. Would you show him (ou : her) where the library is ? — 2. I wonder how old his wife is. — 3. Do you know who the Regent was ? — 4. Can you explain to me (et non "explain me") what the Y.M.C.A. is ? — 5. Look what's happened ! — 6. Never mind how much it will cost. — 7. I'd like to know (ou : I wish I knew) where the children are. — 8. Do you know how many tentacles an octopus has ? — 9. During his holidays on (ou : at) the farm he learnt how to milk a cow. — 10. It all depends what he will say (ou : he says). — 11. Never mind (ou : It doesn't matter) what he thinks. — 12. He did not know whether to greet us or pretend not to have seen us. — 13. It won't take you ten minutes to learn how to use this washing-machine. — 14. Nobody knows where the new neighbours come from. — 15. Do you know where the Falkland Islands (= the Falklands) are ?

C   1. How happy they looked ! — 2. How he does talk ! What a bore ! — 3. He flew into such a rage ! — 4. Nobody knew how brave he had been. — 5. How lucky your friend is to be spending his holidays in Italy ! — 6. What a good trick we played on him ! — 7. You must realize what a liar he is. — 8. What a lazy boy ! How angry your father will be when he hears how lazy you have been ! — 9. We had such a storm ! — 10. What a dreadful blunder ! How uncomfortable everyone felt ! — 11. How depressed and bitter (= embittered) we found him ! — 12. How homesick he felt while listening to those songs ! — 13. They had a good laugh when I told them what a fool he had made of himself. — 14. We didn't even think of inviting them, as we were so surprised (litt. : so surprised were we) to see them. — 15. I went to bed without having any dinner, (as) I was so tired (litt. : so tired was I) after the long journey. — 16. What a lot of (= How many) problems we had to solve ! What a lot of (= How much) time we wasted ! — 17. What a beautiful country Ireland is ! — 18. They had been travelling all day. How tired they looked ! — 19. What a relief ! How worried we were ! — 20. How expensive books are ! What a lot of (= How much) money I've spent on books this year !

A   1. meeting. — 2. to tell. — 3. to see. — 4. to learn (= learning) to play. — 5. staying. — 6. to stay. — 7. watching. — 8. to be. — 9. giving. — 10. to be. — 11. to say. — 12. having told (ou : telling). — 13. to hurt. — 14. waiting... being. — 15. to be. — 16. cleaning. — 17. to have. — 18. settling. — 19. to take. — 20. having. — 21. buying. — 22. to do. — 23. to leave (= leaving). — 24. smoking. — 25. being. — 26. to spend. — 27. spending. — 28. to spend. — 29. to spend (= spending). — 30. spending.

B   (c) 2. I enjoyed their/ them playing... — 5. I shall enjoy her staying (ou : having her stay)... — 6. They enjoyed your/you telling them... (pour les phrases 2 et 6, la seconde traduction est plus familière).

(e) 2. My watch wants seeing to. — 7. This plan wants thinking over. — 10. Their children want looking after.

C   1. quarrelling. — 2. to have. — 3. to wonder (= wondering). — 4. to understand. — 5. to cry (= crying). — 6. to learn (ou : learning). — 7. meeting. — 8. to introduce. — 9. to teach (ou : teaching). — 10. punishing... being... misbehaving... to try not punishing (ou : not to punish) — 11. to ask. — 12. complaining. — 13. locking. — 14. to lock. — 15. to have. — 16. having (ou : to have). — 17. raining. — 18. to examine. — 19. to make. — 20. to make... speaking.

D   1. They told us to avoid banging the doors. — 2. Would you mind not smoking ? — 3. They are thinking of getting married. — 4. I've given up trying to help him. — 5. They succeeded in opening the safe. — 6. He resents being treated like a foreigner. — 7. I enjoyed going to the opera with her. — 8. Whatever you do, avoid discussing politics with him. — 9. We are considering buying a caravan. — 10. Would you mind helping me ? — 11. He's given up reading the Observer every Sunday. — 12. The car wants washing. — 13. We shall enjoy being in Scotland again. — 14. He avoided answering their questions, he refused to answer their questions. — 15. Would you mind me (langue soignée : my) using your telephone ? (ou : Do you mind if I use...?).

E   1. We enjoyed your/ you playing with us. — 2. I don't know what to do to prevent the birds (from) eating our fruit. — 3. I hope he doesn't mind our/ us coming home late tonight. — 4. We can't help laughing when we see him. — 5. He resents being regarded as a foreigner. — 6. You don't mind my/ me calling you Ken, do you ? — 7. We have given up looking for a flat and we are contemplating (= thinking of) buying a house. — 8. He denied receiving (ou : having received) the letter. — 9. I enjoyed spending that Sunday in the country. — 10. I don't mind waiting, but I suggest waiting (= that we wait) inside. — 11. Did you enjoy Grannie telling you this story ? — 12. I admit having made (ou : making) a mistake, but I deny having lied (ou : lying) to you (aussi : I admit that I made... I deny that I lied). — 13. If he goes on behaving like that, he risks losing (= he is likely to lose) his job. — 14. She loves being told that she is pretty. — 15. Do you remember asking him this question ? — 16. Your coat needs brushing. — 17. I hate being told what I am to do. — 18. Has he really given up smoking and drinking ? — 19. They are waiting to be given orders. — 20. He resents having to polish his own shoes. — 21. I remember giving him ten dollars. — 22. Did you remember to ring him up ? — 23. I regret telling him about it. — 24. I regret to say that I disagree with you. — 25. What would you like to do now ? — 26. I don't like being disturbed when I'm working. — 27. We prefer playing music to listening to it. — 28. Would you prefer to go to the pictures ? — 29. I shall never forget his/him saying that I had cheated. — 30. I hate being late. — 31. They are contemplating spending three weeks in Ireland. — 32. Would you mind translating this letter for me ? — 33. I like playing chess. Would you like to play with me ? — 34. How could we prevent him (from) making that mistake ? — 35. I can't help thinking that you'll miss him when he's dead. — 36. Please forgive me (for) not going with you. — 37. They have agreed to lend us the money we need. — 38. They have at last agreed to John buying a motor-bike. — 39. Avoid teasing him (ou : Mind you don't tease him), he's very touchy. — 40. They want to prevent me (from) saying what I think.
N.B. Dans les phrases 1, 3, 6 et 29, la première traduction (adjectif possessif) appartient à une langue plus soignée, la seconde (pronom complément) est plus courante dans la langue parlée.

Leçon 25.

A   1. They want me to go to the cinema with them. — 2. His wife would prefer him to buy a big American car. — 3. We would like them to be our friends. — 4. We want them to spend a month in an English school. — 5. His daughter wants him to give it to her. — 6. We would like him to play bridge with us. — 7. She would like him to retire when he is 60. — 8. Their parents would prefer them to wait until they have finished their exams. — 9. Our children would like us to invite them for the weekend. — 10. Barbara wanted him to stop drinking.

C 1. She was believed to be a witch. — 2. He is said to be very cruel. — 3. He was thought to have been a secret agent during the war. — 4. He is believed to be the murderer. — 5. He is considered to be the greatest poet of this century. — 6. He was believed to have had a French wife. — 7. He was said to have been a sailor in his youth. — 8. The Welsh are known to be good singers. — 9. She is said to have been a beauty when she was a girl. — 10. He is thought to be very rich. — 11. He was known to have spent his childhood in Australia. — 12. The Scots are said to be tight-fisted. — 13. He was said to be able to speak five languages. — 14. He was believed to be a Freemason. — 15. His initiative is considered to have been a mistake.

D 1. We should like you to be back by six. — 2. My mother wants me to write to her every week. — 3. Is he expecting us to help him ? — 4. I'd prefer you to tell me the truth (plus courant : I'd rather you told me...). — 5. I'm waiting for her to give me an answer. — 6. What time do you want me to wake you up ? — 7. Are they expecting us to write first ? — 8. I hate you to talk (= I hate to hear you talk) like that. — 9. They wouldn't like their daughter to marry a foreigner. — 10. We should like the Christmas holidays to be longer. — 11. We are waiting for the rain to stop (= for it to stop raining). — 12. I'm not expecting you to believe me. — 13. I want you all to listen to me very carefully. — 14. We are waiting for them to make up their minds. — 15. He would like all men to be happy. — 16. They would love us to invite them. — 17. I don't want you to be late. — 18. Would you like me to teach you to drive ? — 19. We should prefer our garden to be larger. — 20. Why do you want him to learn Latin ?

E 1. I was asked to give... — 2. She was persuaded to change... — 3. I was advised not to trust him. — 4. She will be expected to help... — 5. We were told not to bathe... — 6. We were required to take off... — 7. She was advised to rest... — 8. — Am I expected to make... ? — 9. Were you asked to show... ? — 10. Is he allowed to receive... ?

F 1. They were advised to go there by train. — 2. He is considered to have been the most learned man of his century. — 3. You are expected to introduce yourself. — 4. He was asked to take a decision at once. — 5. He was said to have swum the Channel when he was eighteen. — 6. They believe themselves (to be) very clever (plus simplement : they think they are...). — 7. The Scots are said to be tight-fisted. — 8. They are taught never to lie. — 9. He was believed to be fond of shooting and fishing. — 10. They were requested not to touch the exhibits. — 11. He was expected to apologize. — 12. I haven't been told not to smoke. — 13. They will be taught English and Russian. — 14. They were compelled (= forced) to sell their house. — 15. She was believed (= thought) to be a divorcee. — 16. They are said to be very hospitable. — 17. They were told to wait outside. — 18. He was thought to be still alive. — 19. They believe themselves to be more virtuous than their neighbours (plus simplement : they think they are...). — 20. He is said to have spent his childhood in Ceylon.

B 1. My remark was resented. — 2. They cannot be trusted. — 3. We were being stared at. — 4. Your orders shall (ou : will) be obeyed. — 5. We were shown the 13th century cellars. — 6. The doctor had to be sent for. — 7. I wasn't obeyed. — 8. She will be given good advice. — 9. He was pointed at. — 10. He is very well looked after. — 11. He was praised for his courage. — 12. We were told an incredible story. — 13. All the pupils are taught three languages. — 14. You will be supplied with skis. — 15. The man was charged with killing the old lady. — 16. I have been robbed of my passport. — 17. She was presented with a transistor radio. — 18. I was reminded of a film I had seen. — 19. We have been told about your accident. — 20. I can't be reproached with anything. — 21. The question could not be answered. — 22. You are needed. — 23. His health was drunk. — 24. Trouble is expected. — 25. You were missed while you were away. — 26. How can that be accounted for ? — 27. He does not like to be laughed at. — 28. We were treated to a very good dinner. — 29. You'll be spared the horrible details. — 30. They were congratulated on their success.

C 1. What were you looking for ? — 2. A great success is expected. — 3. Who was looking after them ? — 4. What will his decision depend on ? — 5. Who are you waiting for ? — 6. His threat will be remembered. — 7. I don't need anything. — 8. Did you attend the lecture ? — 9. All you can hope for is their indulgence. — 10. Who are they supposed to obey ? — 11. The law must be obeyed. — 12. He asked for a drink. — 13. You must not ask too much of him. — 14. Did they ask you (= were you asked) for a deposit ?. — 15. His violin is very beautiful. How much is he asking for it ? — 16. I must not forget to pay my taxes. — 17. How much did you pay for this picture ? — 18. He refused to comment on the recent events. — 19. Do you approve of his behaviour ? — 20. I like French cooking, but I miss my English tea.

D 1. Who will provide them with the books they (will) need ? — 2. The thieves had robbed them of their luggage. They had been robbed of their luggage. — 3. He borrows money from all his friends and never gives it back to them. — 4. Remind him of the time of the train. — 5. I would not trust him with my car. — 6. I've been robbed. I've been robbed of my passport (ou : My passport has been stolen, ou : I've had my passport stolen, 508). — 7. Ask him to tell us about his journey. — 8. Who are you going to borrow the money from ? — 9. Who will you entrust with the documents ? (langue très soignée : To whom will you entrust the documents ?). — 10. Explain your difficulties to us. — 11. You are trying to hide something from me. — 12. I congratulate you on keeping your self-control (on your sensible behaviour).

E 1. He thinks he can win the race. — 2. We think we'll arrive on Thursday night. — 3. I feel I've done well. — 4. We'll see (to it) that he behaves well. — 5. Have you heard that he's going to get married again ? — 6. Mind you don't (= Be careful you don't, ou : Be careful not to) spill the pot of paint on the carpet. — 7. I think I've convinced them. — 8. He explained to us that he could do nothing for her. — 9. He proved to us that he had not lied. — 10. He thinks he has strict parents, but we feel we've rather spoilt him.

D 1. He made me waste my afternoon. — 2. We are going to have the fence painted green. — 3. How long did they keep you waiting ? — 4. He couldn't make himself heard. — 5. We'll make him tell (ou : we'll get him to tell) the story when you're there. — 6. I'll let you know what I've decided. — 7. He had his sons taught Latin. — 8. You ought to have that tooth (taken) out. — 9. You'll make me lose my patience. — 10. He had them sent to jail. (= put in prison). — 11. How often do you have your hair cut ? — 12. He made his brother cry. — 13. He had his brother punished. — 14. You ought to make yourself respected. — 15. You ought to have your suit cleaned. — 16. Don't make me laugh ! — 17. Have you had your watch repaired ? — 18. We'll make him grow out of this bad habit. — 19. What made you think that I was in a bad temper ? — 20. We'll make him learn English as soon as he is seven. — 21. You ought to have your cat examined by the vet. — 22. Don't flatter me, you'll make me blush. — 23. Hurry up, don't keep them waiting. — 24. They gave him to understand that it was his duty to marry their daughter. — 25. They have French books sent to them regularly. — 26. He had the situation explained to him. — 27. She had her meals brought to her room. — 28. He got himself invited by all the best families in the town. — 29. Why don't you get your father to help you ? — 30. His odd behaviour made us doubt his honesty.

A 1. reeling (ou : staggering) (L'ivrogne traversait la rue en titubant). — 2. stole (ou : sneaked) (L'assassin sortit de la maison furtivement). — 3. sailing (Le « United States » remontait le cours de l'Hudson). — 4. tiptoed (J'allai jusqu'à ma chambre sur la pointe des pieds pour ne pas les réveiller). — 5. plodded (Après une longue journée de travail, le vieux fermier fatigué rentra chez lui d'un pas pesant). — 6. whizzed (La flèche passa près de mon oreille avec un sifflement). — 7. wade (Il nous fallut traverser à gué la rivière peu profonde). — 8. limping (L'infirme suivait la route en boitant). — 9. creeping/limping (La petite voiture montait péniblement la côte, et nous nous demandions si elle pourrait aller jusqu'en haut). — 10. flew (Blériot traversa la Manche en avion en 1909).

B 1. They enticed him into joining their organisation. — 2. They talked her into accepting their offer. — 3. They laughed him out of wearing his green hat. — 4. She cajoled him into proposing to her. — 5. Her parents talked her out of marrying her cousin. — 6. The gangsters frightened him into opening the safe for them. — 7. They threatened her into receiving the stolen money. — 8. We bullied him into doing his homework. 9. We laughed him out of sucking his thumb. — 10. We shamed them out of playing the trick on the poor fellow.

C 1. The sledge jingled past. — 2. The old lorry rattled its way into the distance. — 3. The heavy cart rumbled past our house. — 4. She glared him out of the room. — 5. He waved them away. — 6. They talked him into

562

joining the party. — 7. They laughed him out of that habit. 8. They threatened her into handing over all her jewels to them. — 9. His friends eventually talked him out of buying a sportscar. — 10. She shamed him into going to the hairdresser's. — 11. They shamed him into apologizing. — 12. Will you be flying or driving to Marseilles ? — 13. He gambled away all his fortune. — 14. The lights went out and we had to grope our way back to our seats. — 15. She tiptoed to the bed of the sleeping child. — 16. I helped her off with her coat. — 17. The baby cried itself to sleep. — 18. You'll drink yourself sick. — 19. He'll work himself to death. — 20. Go and see this film. You'll laugh yourself silly.

Leçon 29.

A   (a) 1. We were told to reserve our seats. — 2. He is said to have been a hero during the war. — 3. You will be told the whole story. — 4. She had never been told that her son was in hospital. — 5. They are said to be good at languages. — 6. We were told to stop smoking. — 7. He is said to have been a good pianist. — 8. He was told the train had just left the station. — 9. We were told about their difficulties. — 10. I don't like to be (= being) told lies. — 11. She was never told the truth. — 12. He was said to have owned three factories. — 13. Was he told to show his driving licence ? — 14. They will be told where to stay for the night. — 15. Have you been told that he is leaving next week ?
(b) 1. Their kindness to us will always be remembered. — 2. We were reminded not to light a fire in the wood. — 3. The foreign motorist was reminded that he must keep to the left. — 4. (The) students are reminded that they have to be back by 11 p.m. — 5. He was reminded of his promise. — 6. The telephone number of the police station is easily remembered. — 7. Someone was heard to shout 'Fire I Fire !'. — 8. The man was seen to drop a gun into the river. — 9. He was never seen to laugh. — 10. They had never been heard to complain.

B   1. Did he say thank you to you ? — 2. We told him to stop. — 3. Tell us why you are late. — 4. Everyone says he is conceited, but I can tell you it is not true. — 5. She has not yet told her parents that she is engaged. — 6. You should have told us the truth. — 7. We were told to come early. — 8. Have you been told that Mr Smith has had an accident ? — 9. He is said to have been a medical student for three years. — 10. They will be told when (they are) to leave. — 11. Tell us what American cities are like. — 12. He is said to be very shy. — 13. Never tell lies. — 14. You will be told to read many English papers. — 15. Tell all your friends what I have just told you (ou : said to you). — 16. He was said to have been a cinema actor before the war. — 17. Have you been told where the library is ? — 18. When shall we be told the truth ? — 19. He had not been told that smoking was prohibited (= it was forbidden to smoke) — 20. I have been told (= I've heard) a lot about you.

C   1. I (can) never remember his address. — 2. Do you remember inviting them ? — 3. This concerto always reminds me of 'Brief Encounter'. — 4. They reminded us that there would be a power cut in the afternoon. — 5. I don't remember him, but I remember his brother very well. — 6. I remember noticing that she looked tired. — 7. The scenery of this district reminds me of Switzerland. — 8. He reminded me that I was supposed (= had agreed) to lend him my record-player. — 9. What a lesson that must have been to them! I'm sure they'll remember it (ou : They're sure to remember it). — 10. It was you who refused to do it, so far as I can remember.

D 1. They wouldn't let us in. — 2. Leave the key under the mat. — 3. She leaves her children free to do what they like. She lets them (ou : She allows them to) do what they like. — 4. Don't let the cat come into the kitchen. — 5. I must have left my pipe at your place. — 6. Who's left the window open ? — 7. They won't let me go to the pictures tonight. — 8. Don't let your brother go near the river. — 9. You will have half an hour left to relax before dinner. — 10. If we don't hurry, there'll be nothing left for us. — 11. They are left alone (= by themselves) all day long. — 12. Let them speak, they don't know what they are saying.

E 1. I like this tree very much. I saw it planted when I was a child. — 2. Can you hear the bells ? I (can) hear them ring every evening. — 3. Their explanations don't sound very convincing. — 4. What does this syrup taste like ? — It tastes awful. — 5. Does he look like his father or his mother ? — 6. He swam towards the little desert island, feeling like Robinson Crusoe. — 7. I don't feel like answering (= I have a good mind not to answer) his letter. — 8. Their songs sound like Negro spirituals. — 9. This fruit looks like a pear but doesn't taste like one. — 10. We all felt like heroes. — 11. He looks as if he were (fam. : he is) the boss here. He sounds as if he were (fam. : he is) the boss here. — 12. This bridge is not very old, I saw it built. 13. This quartet sounds like the Austrian national anthem. — 14. He looks (as if he were, ou : as if he is) intelligent; he does not sound like it. — 15. This sweet tastes like ginger. — 16. His large hat made him look like a Texan. — 17. I don't feel like going out tonight. — 18. I sent him up to bed without any dinner; it made me feel a swine. — 19. We've all heard his evidence, which doesn't sound true. — 20. He looked as if he were going to cry.

F 1. They look like twin brothers. — 2. It sounded like a shot. — 3. It tastes (ou : smells) like gin. — 4. It sounds as if we're going to have another breakdown. — 5. He looks as if he's going to be sick. — 6. It looked like a flying saucer. — 7. The piano sounds as if it needs tuning. — 8. She looks as if she's feeling homesick. — 9. It looks like a Manx cat. — 10. It sounds like Hungarian. — 11. It tastes like horse meat. — 12. It tastes as if the cook forgot to put salt in the soup. — 13. It smells as if your cake's burning. — 14. It sounds like Handel's 'Messiah'. — 15. He looks as if he's been ill.

Leçon 30.

B 1. a piece of advice. — 2. a pair of shorts. — 3. a piece of toast. — 4. items (= pieces) of news. — 5. crossroads. — 6. trousers. — 7. pairs (ou fam. : pair) of pyjamas. — 8. a useful piece of information (ou : a piece of useful information). — 9. brick works. — 10. pairs (ou fam. : pair) of compasses.

C A pair of scales (ou : some scales; parfois : a scales), a bit of (ou : some) rubbish, a piece of luggage (mais plus couramment : a bag, a case...), an item (= a piece) of news, a barracks, a pair (aussi : a suit) of pyjamas, an article of clothing (ou : a garment), a piece of advice, a pair of clippers, (pas d'article indéfini possible avec politics), a pair of shorts, a gas-works, a person, a warlike people, a hair in the soup, a shaggy head of hair, a leather article, a fowl, a gallows, a series, an army corps, a shambles, a pair of (bathing) trunks.

E 1. Is the news good ? — Here is a piece of news that will surprise you. — 2. Your hair is very long, you ought to have it cut. — 3. Don't listen to him, the advice he gives is very bad. — 4. He always travels with very little luggage. — 5. My wages haven't been raised (= increased) for four years. — 6. We don't do much business with them. — 7. Why are you taking so much luggage ? Who's going to carry it ? — 8. Is there a (ou : any) means of knowing what happened ? — 9. How many people came to the lecture ? — Over a hundred. Everybody was very pleased. — 10. I have some reliable information about this business. — 11. The progress he has made is most encouraging. — 12. My hair is beginning to turn grey, I'm going to have it dyed. — 13. If you ask any person in the street what he thinks of the House of Lords, he will probably answer (he is likely to answer) that he doesn't care much about it (aussi : what they think... they will ou : they are likely... they don't care). — 14. I'm by myself (= on my own), my family have gone to spend a week at the seaside. — 15. His family has been living in the Isle of Wight since the 14th century. — 16. They risked their lives to try and rescue the child. — 17. Let me give you a good piece of advice. — 18. The audience were very pleased, and they clapped enthusiastically. — 19. Great Britain is trying to sell her (ou : its) small cars to the United States. — 20. Giraffes have long necks and small heads (ou : a long neck and a small head). — 21. Visit Scotland and her (ou : its) lakes. Visit Wales and her (ou : its) mountains. — 22. The police have not yet arrested the murderer. — 23. Did you think the United States was going to win the Vietnam War ? — 24. The crowd are waiting for the Queen to come out of the Palace. — 25. Business has been very slow since the beginning of the year.

Leçon 31.

B 1. fish. — 2. The fish. — 3. humour. — 4. the humour. — 5. The English... French. — 6. the French. — 7. The French... good food. — 8. French people... good food. — 9. The man in the street... politics. — 10. the music... the only music... chamber music. — 11. Queen Elizabeth and the Duke of Edinburgh ... the King of Belgium and Queen Fabiola. — 12. the Queen on (the) television last Saturday... on the radio. — 13. Lake Leman... the Lake of Geneva... Lake Geneva (nom le plus courant). — 14. Foxes and wolves... the New World... the Old... the coyote... America. — 15. The jackals and (the) hyenas of Africa are fierce animals. — 16. The earth... the sun. — 17. the planet Mars... the moon. — 18. Most boys... cars. — 19. Most of the boys... doctors. — 20. the Isle of Wight last summer... the last week... the rain. — 21. the cinema... on Wednesdays and Saturdays. — 22. moral courage... the courage. — 23. Man is the king of the Universe. — 24. mankind... all men.

— 25. the man. — 26. the people in the village... people. — 27. The people.
— 28. the wines... the cooking. — 29. Chinese cooking and French cooking...
the best in the world. — 30. English children don't go to school on
Saturdays. — 31. birds... the red-headed woodpecker... ostriches. — 32.
autumn... winter. — 33. The winter. — 34. King Henry VIII [ðiˈeitθ],... the
Pope ...(the) head of the Church. — 35. the north of France, Belgium, the
Saar and the Ruhr... the Netherlands. — 36. the USA... the United Kingdom.
— 37. Memory... the most... the mind. — 38. Dinner. — 39. Most of his
novels... the selfishness of the rich. — 40. Truth... fiction. — 41. the truth
of the matter. — 42. The donkey. — 43. hospital... the hospital. — 44. the
church... the stained-glass windows. — 45. The neighbours go to church
on Sunday evenings. — 46. the phone. — 47. (the) relationships... the
President... Congress. — 48. The Irish... English... the Scots... most of the
Welsh. — 49. cricket... the piano. — 50. Greek... modern Greek... the Greek
of Plato. — 51. The Japanese... the loveliest gardens in the world. — 52.
The Prime Minister... Parliament last week. — 53. The English... democracy...
the freedom of the press. — 54. Engineers... teachers. — 55. the war... King
George VI [ðəˈsiksθ]... the Prime Minister. — 56. The RSPCA... The Royal
Society for the Prevention of Cruelty to Animals. — 57. Great Britain... the
United States... the same language. — 58. Books... the book... the Public
Library. — 59. the lunch... on Fifth Avenue. — 60. Wales ... the best... the
British Isles.

Leçon 32.

B 1. His brother, a famous journalist, was a member of the Fabian Society.
— 2. Their dunce of a son will never pass his exam. — 3. He is too conceited
a man to admit that he has been wrong. — 4. That swine of a customs-
officer made me empty both my cases. — 5. Kipling was both a novelist
and a poet. — 6. What a masterpiece ! What genius there is in this painter !
— 7. I can't stand his idiot of a brother. — 8. I've never eaten such a good
cake. — 9. These eggs cost 20 pence a dozen. — 10. He earns £20,000 a
year. — 11. They go to the swimming-pool twice a week. — 12. What a
dreadful bore ! What a pompous ass ! — 13. What advice to give such a
young child ! — 14. What progress he has made ! What a relief for his
parents ! — 15. Do you/they drink wine or cider in your part of the country ?
— 16. Will you have some mint-sauce ? It's very good with mutton. — 17.
There isn't any (= There's no) tea left. There's hardly any tea left. — 18.
Will you have some peas with your fish ? — 19. Are there any Protestants
in Southern Ireland ? — 20. There isn't any (= there's no) wind today.
There's hardly any wind today.

Leçon 33.

A 1. White-toothed, woolly-haired Africans. — 2. The double-headed eagle.
— 3. A three-cornered hat. — 4. The 10 o'clock plane; the 10.45 plane; the
10.45 p.m. plane. — 5. A ten-year-old girl. — 6. A five-storeyed (= five-
storied) house (aussi : a five-storey house). — 7. A ten cent stamp; a five

dollar bill. — 8. A four-handed animal. — 9. A leather-bound book; a paperbacked book (couramment : a paperback). — 10. A nimble-fingered girl. — 11. A one-armed man; a one-legged man; a short-sighted man; a one-eyed man; a left-handed man. — 12. A first-class ticket; a sixth-form pupil (= a sixth-former); the middle-class families. — 13. A sweet-smelling flower; a foul-smelling (= an evil-smelling) pipe. — 14. He was well-mannered, almost over-polite. — 15. A quick-witted man; a cool-headed man; a narrow-minded man; an open-minded man. — 16. Happy-looking men; sad-looking men; open-faced men; dark-skinned men. — 17. A kind-hearted man; a keen-eyed man; a quick-tempered man; an old-fashioned man; a close-fisted (= tight-fisted) man. — 18. A red-coated waiter. — 19. A second-hand car. — 20. A red-haired girl. — 21. A blind girl. — 22. Snow-covered (= capped) mountains; a snow-white table-cloth. — 23. Long-legged birds. — 24. A half-term holiday. — 25. The fair-haired woman was wearing a sky-blue suit and the dark-haired girl a lemon-yellow dress.

B   1. The young and the old do not always get on very well. — 2. Which (ou : Which one) is Laurel, the fat one or the thin one ? — 3. An allegorical poem about the good and the wicked. — 4. He is a selfish, conceited man. — 5. Look, a blind man is crossing the street. — 6. Give me a cake, a big one. Give me some cherries, big ones. — 7. "Blessed are the poor in spirit : for theirs is the kingdom of heaven". — 8. There were two cars parked along the kerb, a grey one and a white one. — 9. We are shocked by the selfishness of the rich (of some rich people). — 10. Are second-hand cars really cheaper than new cars (plutôt que : new ones) ?

C   1. Three Englishmen and an Irishwoman — 2. The Welsh team and the Scottish one. — 3. Two Frenchmen and two Italians. — 4. The Poles are very fond of France and the French. — 5. The Turks and the Portuguese are used to a warmer climate than the Dutch, the Belgians and the Danes. — 6. He speaks Spanish like a Spaniard. — 7. Do you understand Welsh ? Do the Welsh all speak Welsh ? — 8. Is Swedish very different from Norwegian and Danish ? Do the Swedes understand the Norwegians and the Danes ? — 9. This Englishman does not like the Irish, or the Welsh either. He likes the Scots better. — 10. We Scots of Inverness speak English better than the English. — 11. This German girl is very fond of French and Latin. — 12. A New Zealander sends me his Christmas greetings every year. — 13. The American thought that the British had remained very Victorian. — 14. The Swiss speak German, French or Italian. Some Swiss people speak the three languages. — 15. Are the Israelis all Jewish (ou : all Jews) ? — 16. What is the English for "gemütlich" ? — 17. The Russians and the Chinese drink tea. So do the Scots and the Irish, but they often prefer whisky. — 18. The Dutch and the Swiss make better cheeses than the English and the Germans. — 19. The Japanese very nearly invaded Australia during the Second Word War. The Australians were expecting a Japanese invasion. — 20. Two Frenchwomen and an Irishman were having a friendly chat in English.

Leçon 34.

A 1. This is one of the best wines I've ever drunk (This wine is as good as any I've drunk). — 2. This is one of the most thrilling novels I've ever read (This novel is as thrilling as any I've read). — 3. This is one of the most brilliant pupils I've ever had (This pupil is as good as any I've had). — 4. This is one of the best cakes you've ever made (This cake is as good as any you've made). — 5. This is one of the biggest fish I've ever caught (This fish is as big as any I've caught). — 6. This is one of the warmest days we've ever known in November (This day is as warm as any we've known in November). — 7. This is one of the prettiest jewels I've ever seen (This jewel is as pretty as any I've seen). — 8. This is one of the most interesting games I've ever played (This game is as interesting as any I've played). — 9. This is one of the thickest fogs we've ever had (This fog is as thick as any we've had). — 10. This remark is one of the most impertinent I've ever heard (This remark is as impertinent as any I've heard). — 11. This is one of the wisest men I've ever met (This man is as wise as any I've met). — 12. This is one of the tallest men I've ever seen (This man is as tall as any I've seen).

B 1. The older he gets, the less he works. — 2. The nearer we got to the house, the more we liked it. — 3. The more they read about that mysterious island, the more determined they were (= the more they were determined) to explore it. — 4. The less food there was in the shops, the more expensive it became. — 5. The louder you speak, the less attentively they will listen to you. — 6. The farther they went into the tunnel, the darker it got. — 7. The more they punished him, the less he obeyed them. — 8. The older he got, the more he looked like his father. — 9. The farther north they went, the fewer people they met. — 10. The less he ate, the better he felt.

C 1. They were all the more lenient as the delinquent was very young. — 2. The noise frightened her all the more as she happened to be alone in the house. — 3. He felt all the more tired as he had had a sleepless night. — 4. He drove all the more carefully as it was very foggy. — 5. They were all the happier as their friends were staying with them. — 6. We were all the more depressed as it had been raining all day. — 7. He laughed all the more as he didn't realize he was being laughed at. — 8. He worked all the harder as he knew the exam would not be easy. — 9. We were all the more hungry (= the hungrier) as we had not had any breakfast. — 10. They played all the better as they knew we were listening to them. — 11. His reaction was all the less understandable as he knew it was only a joke. — 12. His success surprised us all the less as we knew what a brilliant student he was.

D 1. He had no sooner made the remark than he realized... — 2. They had no sooner come back from Japan than they started... — 3. He had no sooner dropped the letter into the pillar-box than he realized... — 4. I had no sooner gone to sleep than the telephone rang. — 5. She had no sooner consented to marry him than she wished she hadn't. — 6. The funeral was no sooner over than the heirs started... — 7. She had no sooner settled in her new house than she felt... — 8. He had no sooner been introduced to her than he fell... — 9. I had no sooner started to tell him the story than he interrupted me... — 10. They had no sooner started to explain why they were late than he flew...

568

E 1. He is even more gifted than his brother. — 2. The younger of his two sons is a law student, the elder is already a barrister. — 3. She is much younger than he is. — 4. I haven't got such a powerful car as (= as powerful a car as) they have. — 5. He is by far the wealthiest man in the town. — 6. He isn't as tall as his brother but he's just (= quite) as strong. — 7. Our flat is twice as large as theirs. — 8. He is a better pianist than she is; He is the best pianist I've ever heard. — 9. Spanish is just (= quite) as difficult as English. — 10. England has not as good cheeses as we have. — 11. Brazil is by far the largest country in South America. — 12. It's (getting) more and more difficult to find a flat in London. — 13. He is getting stronger and stronger. — 14. The longer we waited, the more impatient he got. — 15. We were all the more surprised to see him as we thought he was in Australia. — 16. He was all the more disappointed as he had expected to pass with distinction. — 17. Our trip to Scotland was all the more enjoyable as the weather was exceptionally fine. — 18. He is growing (= getting) more and more selfish; all the more reason to send him to a boarding-school. — 19. His results are getting worse and worse (fam. : are going from bad to worse). — 20. This playwright is not as famous as Bernard Shaw, but I think his plays are just (= quite) as good. — 21. Oxford and Cambridge are both very pleasant towns; the latter is smaller and quieter. — 22. We have faster and faster trains. They are the fastest in the world. — 23. The older he gets, the more he looks like his father. — 24. The Empire State Building is three times as tall as the United Nations Building. But it is no longer the tallest skyscraper in New York. — 25. This winter has been colder than usual. It's the coldest winter we've had for years. — 26. For several weeks we had no other food than coconuts. — 27. He is very much liked by those who know him well. — 28. We were all very tired and very disappointed. — 29. I have read "Pamela" and "Tom Jones"; I found the latter novel funnier than the other. — 30. He has the same car as I have (ou : "as me").

Leçon 35.

G 1. The Tate Gallery is worth visiting. — 2. This wine is worth tasting. — 3. This magazine is worth keeping. — 4. The exam is worth taking. — 5. This matter is worth inquiring into. — 6. This address is worth remembering. — 7. This suggestion is worth thinking over. — 8. His lecture is worth going to. — 9. This recipe is worth trying. — 10. Your ideas are worth fighting for.

H 1. I don't know (the reason) why he is angry with me. — 2. I am very glad I have seen the film. — 3. I am sorry I have lost this book. — 4. It will be easy for us to help him. — 5. I find it ridiculous to spend so much on food. — 6. It's too cold for us to have tea in the garden today. — 7. Circumstances have made it necessary for them to sell their parents' house. — 8. I wouldn't be so simple as to trust him. — 9. He is easy to get on with. — 10. They are pleasant to work with. — 11. Is the water warm enough for us to go for a swim ?. — 12. It is very kind of him to have sent us a Christmas present. — 13. It was silly of him to make such a fuss. — 14. We find it a pity to have to refuse their offer. — 15. It will be impossible for us to give you an answer before Monday. — 16. Is it time for you to go ? — 17. I hope he won't be silly enough to tell everybody about it. — 18. Would you find it pleasant to be given such orders ? — 19. This diamond is worth £100. I thought it was worth more than that. — 20. Is this film worth seeing ? — 21. He thought Latin was not worth learning. — 22. The question (as to) whether to go by plane or by boat has not been decided yet. — 23. We are still uncertain where to go next summer. — 24. He is very keen on his daughter marrying (ou : that his daughter should marry) a clergyman. — 25. His father is very keen on his (ou : him) learning (ou : keen that he should learn) modern maths.

Leçon 36.

A Ajouter *it* dans les phrases 1, 4, 5, 8, 11, 12.

C 1. He and I are very good friends. — 2. Did he or she say that ? (Was it he or she who said that ?) — 3. I wish I knew what he thinks of (= about) it. — 4. They are staying until the end of the month, but we have to leave on Sunday. — 5. I for my part (= I myself) haven't made up my mind yet (ou : I haven't made up my mind myself yet). — 6. You French people don't know what tea is. — 7. I'm always wrong and you're always right. — 8. She and I were born in the same village. — 9. Are you telling *me* that ? — 10. I wonder what he would do if he were here. — 11. Only I know (= I'm the only one who knows) what happened. — 12. She plays better than he does. I find her more gifted than him (= I think she is more gifted than he is). — 13. He and I have known each other for over fifteen years. — 14. Even he admits I'm right. — 15. We too learn modern maths.

D 1. We should have written to them ourselves. — 2. I told myself (= I thought to myself) that I had been very lucky. — 3. They phone each other ten times a day. — 4. This knife is very sharp. Don't cut yourself. — 5. We have only ourselves to blame. — 6. I wondered who she was talking to, but then I realized she was talking to herself. — 7. One should always keep one's passport on one. — 8. They were trying to steal each other's secret documents. — 9. They keep themselves to themselves. — 10. We have known each other for a long time, but we don't write to each other very often. — 11. He is a selfish husband, he only thinks of himself. — 12. He could already see himself (as) chairman of the club. — 13. We see one another at the stadium every Saturday. — 14. She was sitting by herself in one (ou : a) corner of the room. — 15. They were whispering to each other. — 16. I had never thought about it. — 17. He told me it was true, but I doubt it. — 18. I've bought a new camera, I'm pleased with it. — 19. It was a great success, nobody expected it. — 20. Take the car, I won't be using it today.

Leçon 37.

E 1. génér. — 2. déterm. — 3. ambigu (cette bicyclette neuve pour enfant, la bicyclette de ce nouvel élève). — 4. génér. — 5. ambigu. — 6. génér. — 7. déterm. (= Association des Anciennes Elèves). — 8. ambigu. — 9. déterm. — 10. génér. — 11. déterm. — 12. génér. — 13. ambigu. — 14. génér. — 15. ambigu (la nouvelle épicerie, la boutique du nouvel épicier).

F 1. George and his wife; Betty and her husband; Charles Lamb and his sister; Emily Brontë's portrait by her brother; the house and its garden; the lamp and its shade; the cat and her (ou : its) kittens. — 2. They had their hands in their pockets and cigarettes in their mouths (ou : a cigarette in their mouth). — 3. They were plodding on slowly, with their heads bent down and heavy rucksacks on their backs. — 4. My opinions are nobody's business. — 5. That lazy brother of yours has been expelled from his school. — 6. A school-fellow of Dick's has phoned to ask if he wanted to play tennis with him. — 7. We have the same name but he is no relation of mine. — 8. He is everybody's friend. — 9. The odd ways of the Irish; the prejudices of the French (French people's prejudices). — 10. It is silly to lose one's self-control for such a small thing (= over such a small matter). — 11. One ought to love and help one's fellow-beings. — 12. One is still young at forty. — 13. I'm afraid they've gone out of their minds. — 14. They grow their own vegetables. — 15. This isn't Betty's bike, is it ? — No, it isn't hers. — 16. Their children are in England, mine are in Germany. — 17. It's pleasant to have one's own study, where one can work in peace. — 18. Whose are these pyjamas ? (= Whose pyjamas are these ?). — They're mine. — 19. Theirs is a well-kept garden. — 20. Mine is a very small car.

Leçon 38.

A 1. that ou "zéro". — 2. which... who (mieux que that). — 3. that ou "zéro". — 4. whom... "zéro". — 5. who. — 6. that ou "zéro". — 7. which. — 8. whose. — 9. that ou "zéro". — 10. whose. — 11. which. — 12. that ou "zéro". — 13. that ou "zéro". — 14. which. — 15. that... that ou "zéro".

B 1. The record we were listening to... — 2. John's wife, whom we had tea with, is...— 3. The lady we had tea with is...— 4. The friends we are waiting for... — 5. Their house, which ten people could live in comfortably...— 6. The chair you are sitting in... 7. The people this house belongs to...— 8. Brian, whom I never agree with... — 9. The film which so much has been written about is... — 10. He is a friend you can always rely on.

C 1. The disease he died of (= of which he died) was leprosy (aussi : died from). — 2. The wall the garden is surrounded by is 5 ft. (= foot ou feet) high. — 3. Wilde, whose comedies I am so fond of, was Irish. — 4. The man he is jealous of hates him. — 5. The overcoat he was wearing was in rags. — 6. J.S. Bach had twenty children, four of whom became famous composers. — 7. That was a shock he never recovered from (= from which he never recovered). — 8. John Morgan, whose first cousin I am (= who is a first cousin of mine), is coming to see us next week. — 9. His wife, whom you will certainly remember, spent her childhood in South Africa. — 10. He lent me several books, none of which I liked. — 11. There were twelve glasses on the table, three of which were cracked. — 12. They took a great many jewels, most of which were worth several hundred pounds. — 13. Her parents don't like the boy she is in love with. — 14. I got to know several English people there, three of whom have become my friends. — 15. Our neighbour is a very learned man, two of whose sons teach mathematics.

D 1. She was introduced to a lot of people, none of whom she made friends with. — 2. He bought a number of newspapers, only one of which he read. — 3. There are thirty boys and girls in my form, several of whom have been to Britain. — 4. There will be twelve people at the party, most of whom you've already met. — 5. They spoke to him in several languages, none of which he understood. — 6. They arrested five men, all of whom were found guilty. — 7. We sent them a lot of postcards, some of which they never received. — 8. I read the list of applicants, some of whose names were familiar to me. — 9. They awarded the prize to a young woman, most of whose short stories had been published in magazines. — 10. He invited a few of his colleagues, all of whom we found very nice.

E 1. He never listens to what you tell him. — 2. All (= everything) he says is true. — 3. There was a lot of fog on the road, which made us (ou : caused us to) arrive very late (= made us very late). — 4. I wonder what the government will do. — 5. His neighbour plays the violin, which annoys him very much. — 6. We laughed, which made him furious. — 7. What offended him was that we laughed. — 8. He does whatever he likes and does not care what his parents think (about it). — 9. He finds fault with everything (= all that) I do, which gets on my nerves (= which annoys me). — 10. He gave us a lot of advice (singulier), which we could have done without. — 11. All I need to be happy is a sailing-boat and a windy day. — 12. What amazed him was that they eat mutton with mint-sauce. — 13. I forget (= I've forgotten) what you told me about. — 14. What she is terribly afraid of are spiders. — 15. He has at last got through (= passed) his exam, which makes us all very happy. — 16. What worries me is that I can't find my passport. — 17. They allowed us to use their telephone, for which we thanked them. — 18. He did not keep his promise, for which we all blamed him. — 19. What I congratulate you on is your sense of humour. — 20. This is what he was referring to (= alluding to). — 21. This is where I was born. — 22. That was when the policemen came into the bar. — 23. This is how you will improve your English. — 24. This is where we are going to have lunch. — 25. This is when we must intervene.

F 1. The friends I often travel with are very fond of archaeology. — 2. These are not the kind of books I am interested in. — 3. I've found the book you're looking for. — 4. I would like to find a secretary I could trust. — 5. Be careful, the chair you're sitting on is not very strong. — 6. The subjects he is interested in bore us stiff. — 7. Most of the actors were good, though I didn't think much of the one who played the part of Banquo. — 8. The film I saw on Saturday was very funny. — 9. The film, which I had seen before, was very funny. — 10. The family she belongs to is one of the wealthiest in Britain.

G 1. Where do you think we could... ? — 2. How many people do you think attended... ? — 3. How far do you think we can go... ? — 4. What do you think you are doing ? — 5. Which of these books do you think he would like best ? — 6. What do you think will happen next ? — 7. What do you think we invited them for ? — 8. Which of the two sisters do you think he fell... ? — 9. Why do you think he sold his house ? — 10. How much do you think he paid for it ?

H 1. Which of you has broken this window (-pane)? — 2. Who do you want to speak to? — 3. Who are you laughing at? — 4. Who are you waiting for? — 5. Who came while I was out? — 6. What are we going to open these tins with? — 7. Which of us would you rather travel with? — 8. Who do you think was the greatest king of France? — 9. Who on earth does he think he is? — 10. Who do you think won the race? — 11. Who do you think you are talking to? — 12. What else can you hope for?

Leçon 39.

A 1. a few — 2. little — 3. a little — 4. few — 5. a little — 6. a few — 7. few — 8. a few — 9. little — 10. a little.

B 1. many — 2. much — 3. much — 4. many — 5. much — 6. much — 7. much — 8. much — 9. many — 10. much... many.

C 1. less... fewer. — 2. fewer — 3. less — 4. fewer and fewer — 5. fewer — 6. less — 7. less — 8. fewer... less — 9. fewer. — 10. less... fewer.

D 1. There were a lot of (= a great many) people, they were making a lot of noise. — 2. How many people were there? — There were few people. — 3. How much money have you in the bank? — 4. There was very little fog. There was hardly any fog. — 5. Bring a few records if you like. — 6. We have very few records and we hardly ever listen to them. — 7. Now that he is poor he has fewer friends. — 8. We didn't expect there would be so few people. — 9. Drink as much milk as you like but don't eat too much fruit. — 10. He made such a fuss that nobody can stand him any more. — 11. We have too few customers and too much income tax to pay. — 12. We have little time left. — 13. How much luggage are you taking? — I'm taking hardly any luggage. — 14. I have a lot of work to do and too little time to do it (ou : in which to do it). — 15. How many books we have read! How much time we spent reading! (couramment : What a lot of books... What a lot of time...) — 16. I read fewer and fewer detective novels. — 17. You ought to smoke fewer cigarettes and more cigars. — 18. He has very few books, he hasn't as many as we have. — 19. How much time we wasted! (Couramment : What a lot of timed we wasted!). — 20. He has made little progress (singulier) this term. He makes as many mistakes as before.

I 1. Three dozen eggs. — 2. Hundreds of people. — 3. Thousands of ants. — 4. About fifty miles. — 5. Several thousand years. — 6. More than (= over) five hundred pounds sterling. — 7. Nearly twenty minutes. — 8. He is three and a half years old. — 9. Less than ten years (= under ten years). — 10. At least five miles (= a good five miles). — 11. Several hundred pages. — 12. Nearly half a million inhabitants. — 13. She is about thirty. — 14. Less than 30 miles an hour (= under 30 miles an hour). — 15. I wrote to them two and a half months ago.

J 1. He is 6 ft. 3 ins. tall (= 6 foot 3 inches). — 2. The train arrives at 5 to 12 and leaves at 7 minutes past (12). — 3. The Gunpowder Plot was exposed on November 5th, 1605. — 4. The first two acts are excellent, I don't like the last two so much. — 5. Churchill became Prime Minister on May 10 th, 1940. — 6. The Second World War broke out on September Ist, 1939; it ended in Europe on May 8th, 1945 and in the Far East on August 15th, 1945. — 7. The Empire State Building has 102 (a hundred and two) floors (= is 102 floors high); it is 1250 (twelve hundred and fifty) feet high. — 8. They sat down to dinner at 10 past 8, and by half past they were already doing the washing up. — 9. The earth is about fifty times as big as (ou : bigger than) the moon. — 10. Petrol costs nearly three times as much in France as in the United States. — 11. One pupil out of three (= in three) got more than fifteen out of twenty for this exercise. — 12. Two men out of three (= in three) do not eat enough. — 13. A good hundred people wrote to congratulate him on his article. — 14. My daughter, who is in form 2 (= in the 2nd form), is learning at school that sometimes 2 plus 1 (= 2 and 1) are ten (ou : equals ten) ! — 15. The drought killed more than (ou : over) half a million people. — 16. King James II (the Second) spent the last thirteen years of his life in exile. — 17. The United States became independent on July 4th (the fourth), 1776, but it had to fight against Britain until 1781. — 18. We spend a third (ou : one third) of our lives sleeping. — 19. "Hamlet" is almost (= nearly) twice as long as "Macbeth". — 20. Several million American citizens speak Spanish better than English. Few of them speak both languages fluently.

Leçon 40.

A 1. any — 2. either — 3. neither — 4. none — 5. either — 6. either — 7. none — 8. any — 9. no — 10. neither.

B 1. Some students (= some of the students) learn Spanish, others German. — 2. Most children like animals. — 3. Most of our customers prefer Indian tea, but some (= a few) of them are very fond of China tea. — 4. Everybody had their meals in the canteen. — 5. They are both (= both of them are) Welsh, but neither of them speaks Welsh. — 6. None of his (ou : her) friends was able to help him (ou : her). Neither of his (ou : her) two brothers was able to (ou : could) help him (ou : her). — 7. Nobody ever knew anything about it. — 8. He never tells anybody anything. — 9. Do you want anything else ? — No, nothing else. — 10. They are both mad, neither of them behaves sensibly. — 11. If you have nothing else to do, you might mow the lawn. — 12. The whole village laughed at him. — 13. You won't find a healthier climate anywhere else (litt. : Nowhere else will you find a healthier climate). — 14. He reads whatever books come into his hands. — 15. I'm too busy, ask someone else to help you.

Leçons 41, 42 et 43.

A 1. to - of. — 2. off. (ou : from). — 3. for. — 4. from. — 5. for. — 6. to. — 7. with. — 8. of - of. — 9. at - to. — 10. on. — 11. from. — 12. at. — 13. to. — 14. by. — 15. of. — 16. to - on. — 17. into. — 18. at - in - on. — 19.

by - from (ou : off). — 20. until (= till). — 21. of. — 22. to. — 23. in. — 24. after -- on. — 25. for -- from -- of. — 26. with -- to -- for. — 27. for -- at -- in. — 28. to -- on. — 29. against. — 30. by. — 31. for -- with (ou : for). — 32. with -- for -- during. — 33. to -- for. — 34. off. — 35. on -- by (ou : at, ou : before) — 36. with. — 37. since. — 38. of. — 39. below. — 40. into -- through. — 41. about -- to -- for. — 42. for. — 43. to -- on -- for. — 44. under (ou : in) -- to. — 45. on. — 46. for. — 47. in. — 48. on. — 49. on -- with. — 50. under -- of. — 51. at -- for. — 52. by -- from. — 53. on. — 54. of -- at. — 55. out of. — 56. in -- since. — 57. for. — 58. by -- to. — 59. into. — 60. in -- with. — 61. to -- in. — 62. on -- to (ou au contraire : from). — 63. with -- for. — 64. to. — 65. of -- to. — 66. for -- on -- for. — 67. to -- of. — 68. with -- with. 69. for -- since. — 70. for. — 71. of -- in. — 72. to. — 73. up -- under. 74. on -- of. — 75. to -- as. — 76. among. — 77. in -- of -- to -- of. — 78. for. — 79. with -- of. — 80. of.

B 1. He didn't learn to drive until he was forty. — 2. They walked on though it was raining. — 3. We won't stop for a rest unless you are tired. — 4. We can have dinner as soon as your father comes home. — 5. He had no sooner come (ou : No sooner had he come) back from Brazil than he left for Japan. — 6. Unlike my brother, I am very fond of games. — 7. It's twenty years since they bought their house. — 8. Hardly anybody attended the lecture. — 9. They left just now. — 10. He is nowhere near as (ou : so) intelligent as his brother. — 11. John, of all people, was made chairman of the club. — 12. She's not yet out of her teens (= She isn't out of her teens yet). — 13. They talked her into going to see a doctor. — 14. By the time she was twenty, she had already been married twice. — 15. But for him, you would have been put in jail.

C 1. over. — 2. above (à plus haute altitude que) ou : over (= nous survolions). — 3. over. — 4. above (aussi : over). — 5. over. — 6. over. — 7. above. — 8. over. — 9. over. — 10. above. — 11. above ou over. — 12. over (il est évident que la lampe est "above, not under, the table"; "over" précise qu'elle est placée de façon à éclairer la table, exprimant donc un rapport entre deux éléments et non seulement une différence de niveau).

D 1. We stayed in Glasgow and also in Inverness (= and in Inverness too = and in Inverness as well). — 2. It rained all day, so we stayed at home and watched television. — 3. He plays the piano, and so does his wife. — 4. He plays the piano and also the organ (= and the organ too = and the organ as well). — 5. He is as much of a hypocrite as (= as hypocritical as) you are. — 6. As he looked sad, I asked him what was wrong. — 7. How sad they look ! — 8. He had a long beard, like Bernard Shaw. — 9. He likes mathematics, so do I. — 10. As an actor, he is not as good as Laurence Olivier. — 11. At the age of six he could swim like a fish. — 12. How angry he was ! He was shouting like a madman. 13. Why didn't you come yesterday, as I asked you to ? — 14. The big industrial cities, like (ou : such as) Glasgow and Birmingham, have very good art galleries. — 15. He spent three years in England as a private tutor.

E 1. We shan't be at home on Sunday, we shall be at my brother-in-law's. — 2. What worries me about him is his lack of interest in anything. — 3. At the Thomsons' the living-room is smaller than in your house — 4. You French people shake hands all day long. That is not done in our country.

— 5. I didn't think there was so much malice in him. — 6. Until 1947 India was a Crown Colony. — 7. As the weather was fine, we drove as far as Salisbury. — 8. They went as far (= so far) as to say (ou : They even said, they actually said) we had deliberately deceived them. — 9. As many as (= Up to) five hundred people would come and hear him preach. — 10. He says he is our friend, but he would not go as far (= so far) as to lend us the sum we need.

F   1. We will stay here (for) another three weeks. — 2. He is even taller than his father. — 3. If he hasn't gone back to work yet, it must be because he's still ill. — 4. Another ten miles and we'll be there. — 5. At one in the morning he wasn't in bed yet (= he was not yet in bed), he was still working. — 6. It was here, in this very room, that the treaty was signed. — 7. He went out without even saying goodbye. — 8. We read the same books. — 9. Even he said so. — 10. They don't even speak to each other any more (= any longer).

G   1. He always leaves very early so as not to miss his train. — 2. I had to pay a fine of £10 for parking my car outside the cinema. — 3. Who is this record for ? -- It's for you. — 4. Let's phone them so that they know (ou : so that they may know, so that they can know, ou : to let them known) we're back. — 5. Great though kings may be, they are made of the same stuff as we are. — 6. We are wondering if (= whether) she'll be able to come. — 7. He isn't as rich as he is said to be (ou plus simplement : as they say he is). -- Oh yes, he is. — 8. I didn't like the film. -- I did. — 9. Don't walk so fast, don't be in such a hurry. — 10. However strong (= No matter how strong) they may be (ou : they are), we would defend ourselves if they attacked us (dans un style recherché : Strong as/though they are...).

H   1. On realizing (ou : When he realized) that I was here he came to shake hands with me. — 2. Never run across the street. — 3. Have some more if you like it. — 4. You can take the car if you need it, I won't be using it today. — 5. By doing that you are sure to hurt his feelings. — 6. I received your parcel this morning and I should like to thank you for it. — 7. On hearing (= When he heard) these words he got up and went out banging the door. — 8. She earned her living by giving piano lessons. — 9. He paid the 20 dollars, thinking it was a good bargain. — 10. We don't like fish, we never eat any. — 11. What kind of handbag do you want ? -- I would like a black one, if you have any. -- We are out of them (= out of stock) at the moment. — 12. On getting home (= When we got home) we found that our house had been broken into. — 13. He listens to the news while doing his physical jerks. — 14. He was annoyed at realizing that he had been deceived. — 15. He's got a new camera, he's pleased with it.

I   1. Let them wait ! — 2. Whether you like it or not, you'll have to go and see them. — 3. If you come home late and you're hungry, you can eat these sandwiches. — 4. I can only give you this advice. — 5. Since garages are very expensive and (since/as) it's impossible to park along the kerb, you'd better (ou : you'd be well-advised to) sell your car. — 6. May God hear you ! — 7. Whether they're coming or not I don't care. — 8. Wait until he's given his opinion. — 9. Don't let me catch you doing that again ! — 10. Even if (= Even though) he asked me I wouldn't do it. — 11. Let them say what they like ! — 12. She is taller than he is, she is as tall as I am. — 13. We only stayed there a week. — 14. How difficult it was ! He didn't know what to do. — 15. What will he say when he returns and sees what you have done ?

Leçon 44.

C 1. We camped whenever we could to avoid spending too much on hotel rooms. — 2. I preferred to say nothing to avoid telling her a lie. — 3. We never talk politics so as not to quarrel. — 4. He kept smoking cigarettes so as not to be bitten by the mosquitoes. — 5. He looked up the word in a dictionary so as not to make a mistake. — 6. He said he had nothing to declare so as not to pay customs duties. — 7. We'll have to drive very slowly so as not to skid on the ice. — 8. He did not speak to people to avoid showing that he was a foreigner. — 9. I didn't join in their discussion to avoid giving my opinion. — 10. She wore a large straw hat to avoid getting sunburnt.

D 1. The policeman took down his name and address for ignoring the red lights. — 2. We all laughed at him for losing his temper. — 3. They envy us for living in a free country. — 4. They all despise him for being a henpecked husband. — 5. They arrested him for belonging to an underground movement. — 6. We thanked him for lending us his camping equipment. — 7. They blamed him for being so selfish. — 8. She thanked the doctor for coming so quickly. — 9. I will never forgive myself for forgetting her birthday. — 10. He felt guilty for not telling them the truth. — 11. They praised her for being so generous. — 12. We apologized for not answering her letter. — 13. He was sentenced to death for betraying his country. — 14. I thanked them for not asking me any questions. — 15. He apologized for not being able to help us.

E 1. He blamed himself for (plus courant que : He reproached himself for/with) being (ou: having been) a coward. — 2. She won their confidence by always telling them the truth. — 3. I'll note it down in my diary so as not to forget it. — 4. They apologized for not recognizing us immediately. — 5. Being a foreigner (ou dans une langue plus simple : As I was a foreigner), I could not express my opinions. — 6. We lent them our car so that they shouldn't have to (aussi, moins élégamment : for them not to have to) rent one. — 7. Because of (= Owing to) the bus strike, several members of staff arrived late this morning. — 8. I will never forgive myself for making that blunder. — 9. He was such a good pianist that everybody thought he was a professional. — 10. We'll have lunch on the train so as not to waste any time. — 11. He was so shy as to refuse all invitations. — 12. He is such a conceited man that it's easy to flatter him. — 13. He stammered horribly, so (= so much so) that nobody understood what he said. — 14. Owing to (ou : because of, in view of, on account of) the bad weather, we shan't be able to go camping. — 15. What did you get up so early for this morning ? — To go for a swim before breakfast (ou : Why did you get up so early this morning ? — Because I wanted to go for a swim before breakfast).

D   1. Although she was shy, she told them what she thought of them. — 2. In spite of the bad weather, they managed to get there in good time. — 3. He gets fairly good results although he is lazy. — 4. He still played golf in spite of being over seventy. — 5. I don't like their house in spite of its having a large garden. — 6. They are very generous although they are poor. — 7. In spite of wearing a lovely dress, she looked rather vulgar. — 8. Although he was very tired, he could not go to sleep. — 9. I have little in common with him in spite of his being my brother. — 10. He was wise in spite of being so young (ou : in spite of his youth).

E   1. However learned he is (= No matter how learned he is = Learned as/ though he is), I doubt whether he knows this. — 2. They go for a long walk every day, whether it's fine or not. — 3. Whether he is your friend or not, I can't stand him. — 4. However tired we are/we may be (= No matter how tired we are = Tired as we are), we have to work another two hours. — 5. They worked all afternoon in spite of the heat (= although it was so hot). — 6. They don't come and see us unless we invite them. — 7. You can't learn the piano unless you practise your instrument every day. — 8. He doesn't understand me unless I speak very slowly. — 9. I would have helped them even if (= even though) they hadn't asked me. — 10. However much I dislike it (= No matter how much I dislike it = Much as/though I dislike it), I have to tell you the truth.

B   1. I wish I hadn't come. — 2. I wish I could help you. — 3. He wishes he hadn't made that promise. — 4. I wish I weren't (fam. : wasn't) so clumsy. — 5. I wish it weren't (fam. : wasn't) so late. — 6. You wish you hadn't sold your car, don't you ? — 7. I wish I didn't have to tell you this. — 8. My parents wish I were (fam. : was) good at maths. — 9. We wish we hadn't waited so long. — 10. We wish you'd come yesterday. — 11. I wish you didn't have to leave so early. — 12. She wishes she could speak Italian. — 13. I wish I hadn't made that mistake. — 14. They wish they hadn't forgotten to invite her. — 15. You wish you didn't have to work this afternoon, don't you ?

C   1. They would rather not travel by night. — 2. I'd rather people kept their mouths shut. — 3. She'd rather have dinner out. — 4. I'd rather you came to see me on Tuesday. — 5. She'd rather he bought her a camera. — 6. Wouldn't you rather have a rest... ? — 7. They'd rather you didn't disturb them. — 8. You'd rather not wait for us, wouldn't you ? — 9. I'd rather not answer your question. — 10. She'd rather not meet them. — 11. I'd rather you didn't tell them who I am. — 12. We'd rather he didn't lie to us. — 13. She'd rather go to a concert. — 14. He'd rather we didn't regard him as a foreigner. — 15. I'd rather play with you.

E 1. They wish they hadn't spent all their money. — 2. I wish your children were here. — 3. We'd rather they didn't come too early. — 4. We wish we could help you. — 5. I wish I hadn't burnt their letter. — 6. He wishes he didn't have to retire. He would rather go on working for a few years. — 7. I wish I knew why she won't speak to me. — 8. I'd rather he didn't phone me so often. — 9. I wish she would make her mind up quickly. — 10. Her parents would rather she didn't go to England alone. — 11. I wish I hadn't lost their address. — 12. He wishes he could play the piano. — 13. She wishes he would drive more carefully/ She'd rather he drove more carefully. — 14. We'd rather spend our holidays in Greece. — 15. We wish you would bring a few records. — 16. I wish I didn't have to punish you. — 17. I wish (ou : I'd rather) you hadn't hidden the truth from me. — 18. I'd rather not speak to them. — 19. I wish I had a tape recorder. — 20. I wish he would lend me his tape recorder. — 21. We'd rather she didn't (ou : We wish she wouldn't) come home so late. — 22. I don't mind the rain, but I wish (ou : I'd rather) it weren't (ou : wasn't) so cold. — 23. I'd rather not wait in the rain. — 24. I'd rather beg in the streets than accept his offer. — 25. We wish we had known you had to borrow some money.

Leçon 47.

A 1. They insisted on her having tea with them. — 2. We insisit on your (plus simpl. : you) telling us the truth. — 3. We insisted on his (plus simpl.: him) being our leader. — 4. She insisted on my (plus simpl. : me) being her guest. — 5. They will no doubt insist on your (plus simpl. : you) playing an encore. — 6. His father insisted on his (plus simpl. : him) going to Cambridge. — 7. They insisted on our (plus simpl. : us) playing bridge with them. — 8. They insisted on her staying another week. — 9. They insisted on his (plus simpl. : him) paying his debt. — 10. We insist on her taking the exam.

F 1. It's late, you must go to bed. — 2. If you want to be an interpreter, you have to (ou : you must) speak two foreign languages fluently. — 3. The weather is very fine. Why not go for a picnic ? — 4. You had better lock your door. — 5. He'd better not (ou : He'd be well-advised not to) smoke so much. The doctor advised him not to smoke so much (ou: advised him against smoking so much). — 6. I suggest inviting John (I suggest we (should) invite John). Why not invite his girlfriend too (ou : as well) ? — 7. They advised us not to bathe (ou : They advised us against bathing) in the lake. — 8. What are we to do (ou : What must we do, ou : What shall we do) if he refuses to lend us some money ? — 9. What about (= How about) going out tonight ? — 10. Would you mind looking after my luggage while I am in the restaurant car ? — 11. I insist that you (should) come with us (ou : I insist on your/you coming with us). — 12. I suggest having a cup of tea (ou : I suggest we (should) have a cup of tea) while waiting for them. — 13. Did you have to pay customs duties ? — 14. We had better not lie to them. — 15. You simply must go to Ireland (= You've got to go to Ireland), I'm sure you'll love that country.

D 1. They intend spending/to spend (They are going to spend) a few days in Bath. — 2. We are considering (plus simplement : We are thinking of) renting a car at Kennedy Airport. — 3. What time shall I (ou : do you want me to) ring you ? — 4. We intend to (We are going to) drive to Winchester. — 5. I wish you would stop lying to me. — 6. He refused to (ou : He wouldn't) give them his address. — 7. Do you want me to (ou : Shall I) translate his/her letter for you ? — 8. They don't want me to (They won't let me) warn the police. — 9. We would like them to (ou : We wish they would) treat us as human beings. — 10. Aren't you thinking of (= considering) retiring soon ? — 11. How much (money) do you want me to lend you ? — 12. They want me to take the exam, but I'm not going to. — 13. He wouldn't (ou : refused to) tell the police where his friend was. — 14. We wish they would stop joking. — 15. They don't want me to (ou : They won't let me) come home after midnight.

A 1. They may have felt... < They are likely to have felt... < They must have felt... < They are sure to have felt... < They are bound to have felt... — 2. They may be thinking... < They are likely to be thinking... < They must be thinking... < They are sure to be thinking... < They are bound to be thinking... — 3. The "Wolves" may (ou: might) win... < The "Wolves" are likely to win... < (pas de construction avec must) The "Wolves" are sure to win... < The "Wolves" are bound to win... - 4. There may have been... < There's likely to have been... < There must have been... < There's sure to have been... < There's bound to have been...

B 1. They had always been considered to be (= considered as = regarded as) enemies. — 2. I doubt whether he can solve this problem. — 3. He is believed (ou : thought) to be the oldest man in the British Isles. — 4. She is said to have known (ou: It is said that she knew) Winston Churchill personally. — 5. The vicar said all men ought to consider (= regard = look upon) one another as brothers. — 6. A train crash occurred this morning. There are reported to be more than fifty casualties. — 7. We had been told that the war would not last long. — 8. They claim to be (ou : They maintain/claim that they are) our friends. — 9. He was believed to have been dead for a long time. — 10. I doubt whether we can make him admit that he is mistaken. — 11. They reported hearing (ou : having heard) a shot. — 12. We can assume (= take it for granted) that he will refuse to help us. — 13. He believes in flying saucers, but I doubt whether he's seen one. — 14. Few people believed in abolishing the death penalty (ou sans article : capital punishment) — 15. You're bound to have seen them (ou : You can't have missed them, ou : missed seeing them). — 16. It's likely to happen again. — 17. They are sure (ou : bound) to be on the phone. — 18. She's bound to have been a little nervous. — 19. They are sure to (ou : They must) hate us. — 20. It's bound to be more expensive than we expected. — 21.

You are bound to have received our telegram. — 22. They're not likely to (= They're unlikely to) get home before midnight. — 23. He's sure (ou : bound) to grumble if dinner isn't ready. — 24. She's likely to marry again. — 25. There's bound to be a war before the end of the year. — 26. The hare was sure of winning (= sure that he would win) the race. — 27. I doubt whether (ou : if) he understood what she told him. — 28. He was said to have spent (ou : It was said that he had spent) ten years in jail. — 29. I consider him to be (= I consider him as = I regard him as = I look upon him as) a genius. — 30. They claim to have done (ou : They maintain/claim that they did) their duty. — 31. She was believed (ou : thought) to have been married three times. — 32. Homer is said to have been blind. — 33. They are likely to have given up their plan. — 34. I felt I had seen her before. — 35. She claims (ou : maintains) that nobody tried to help her. — 36. He is sure of passing (= He is sure that he will pass, ou : He is convinced that he will pass) his exam, he doesn't doubt that he'll pass. — 37. They had never considered (= regarded) me as a foreigner. — 38. I doubt whether they can be happy together. — 39. "I understand (ou : I hear) your sister's going to get divorced". "Who told you about it ?" — 40. She reported seeing (ou : having seen) the man throw a revolver into the river.

Leçon 50.

B 1. You won't feel better until your bad tooth has been taken out. — 2. He didn't learn to drive until he was forty. — 3. It didn't stop raining until we got to London. — 4. He can't inherit his father's money until he is eighteen — 5. He won't be happy until she has promised to marry him. — 6. You won't have any pudding until you've eaten all your vegetables. — 7. She didn't marry again until her son was eighteen. — 8. I won't go to bed until I've finished reading this book. — 9. She won't forgive you until you've apologized to her. — 10. He wasn't allowed to go out until his temperature had fallen.

D 1. She had no sooner (= No sooner had she) opened the door than she noticed a smell of gas. — 2. You won't be able (ou : allowed) to vote until you are eighteen. — 3. By the time he was twelve he could speak three languages fluently. — 4. What did you do while (you were) waiting for them ? — 5. Don't pick the strawberries until they are quite ripe. — 6. She had no sooner (= No sooner had she) left hospital than she had another accident. — 7. We won't rest until we've found the solution to the problem. — 8. On hearing his name called he went pale (ou : He went pale on hearing...). — 9. Hurry up ! By the time you get to the cinema the film will have started. — 10. The train had no sooner (= No sooner had the train) started than he realized he had got on the wrong train. — 11. On hearing these words he got up and went out banging the door. — 12. He told me he would let me know as soon as he (had) heard from them. — 13. He had no sooner (= No sooner had he) bought the dictionary than he began to wish he hadn't. — 14. When going (ou: As she was going) to school, our daughter was knocked down by a motor-cycle. — 15. They don't like watching television while (they are) having dinner.

Leçon 51.

A 1. like. — 2. as. — 3. as -- as. — 4. like. — 5. like. — 6. as. — 7. as. — 8. like ou as. — 9. as. — 10. as. — 11. like. — 12. as. — 13. like. — 14. as. — 15. like.

B 1. unlike. — 2. instead of. — 3. contrary to. — 4. unlike. — 5. whereas, — 6. unlike. — 7. contrary to. — 8. instead of. — 9. whereas. — 10. contrary to. — 11. unlike. — 12. whereas. — 13. instead of. — 14. contrary to. — 15. whereas.

C 1. You are behaving like a child. — 2. As a friend I like him very much, but I wouldn't like to have him as a colleague. — 3. Unlike our neighbours, we go to bed very late. — 4. Contrary to what I had been told, the restaurant was closed on Sundays. — 5. He is only twelve, but he speaks like an adult. — 6. You should encourage her instead of punishing her. — 7. He may not get brilliant results in class, but he's a very good goalkeeper. — 8. We spend all our weekends in the country, as they do (= like them). — 9. Unlike the Robinsons, the Morgans are very hospitable. — 10. The Robinsons are rather mean, whereas the Morgans are very generous.

(A) 1. I am not used to being kept waiting (344, 512). — 2. They have gone to Canada, we shan't see them again until next summer. It will be six months before we see them again (275, 277). — 3. He'd better prepare for his exam, hadn't he ? He'd rather go camping with his friends, wouldn't he ? (117, 118). — 4. As soon as I have finished writing this article, I will have it typed by my secretary. I should (ou : would) like you to tell me what you think of it (325, 511, 477). — 5. I hear (= I understand) they are going to give him a dictionary for his birthday. He would rather they gave him (ou : He would prefer them to give him) a tape recorder (951, 318, 916). — 6. The older he gets, the less he understands the younger generation. His children blame him for finding fault with everything (ou: whatever) they do. In a word, they don't get on very well (666, 893, 782). — 7. The advice the doctor gave him was excellent, but he did not follow (ou : he ignored) it. He told him he should drink less whisky and smoke fewer cigars (ou : he shouldn't drink so much whisky and smoke so many cigars) (565, 795, 796). — 8. I had been watching her for a few moments, wondering who she was talking to. I finally realized she was talking to herself (293, 784, 718). — 9. They had been told not to take too much luggage because (= as) they would have to carry it themselves (524, 565). — 10. He thinks he can learn Chinese by himself (ou : he can teach himself Chinese). This is where he is wrong/mistaken (939, 718, 765).

11. We have known each other since we were children, but we hardly ever write to each other. We only meet every two or three years, which is a great pity (286, 290, 29, 221, 278, 782). — 12. It's about time I had the brakes of the car (ou : the car brakes) checked (ou : seen to) (362, 511). —13. There happened to be two seats left in the front row (ou : As luck would have it, there were...). How lucky ! (ou : What a stroke of luck !) (142, 533, 446). — 14. He had his children taught three languages. He thought Latin wasn't worth learning (511, 490, 696). — 15. Don't you wish you were a doctor ? I'd rather you were a doctor than a businessman (359 à 361). —16. You hardly know him, do you ? Nobody here knows him well, do they ? (167, 835). — 17. I wish I'd brought her letter. I could have shown you how well she writes French, although she has only been learning it for six months (359, 446, 285). — 18. I don't know how old his wife is, but she isn't as young as she used to be. Her hair is beginning to turn grey, she should (ou : ought to) have it dyed (442, 341, 508, 568). — 19. He had been dead for several hours when the policemen found the body. None of the neighbours had heard anything strange/unusual (268, 829, 628). — 20. I wish he would tell me the truth. I feel he is hiding something from me. One (ou : You) can't trust him (ou : He can't be trusted) (359, 493, 428).

21. They were bound to fall in love with each other. She is bound to have realized that he is madly in love with her (114, 724). — 22. Everyone was having a nice time (ou : was enjoying themselves), weren't they ? We all wished Jennifer had been able to come (ou : could have come) (835, 359, 102). — 23. You are making fewer and fewer mistakes. — I wish that (ou : it) were true. I wish I could type as well as she can (ou : does) (665, 795, 395). — 24. They blamed (ou : reproached) us for not warning them. I myself have nothing to reproach myself for (ou : with) (893, 701). — 25. I've been robbed ! My passport has been stolen ! (I've been robbed of my passport). What shall I (ou : must I, ou : am I to) do ? — You'd better (ou : You'd be well-advised to) contact the nearest consulate (494, 495, 921, 117). — 26. How annoying ! (ou : What a nuisance !) He will always ring (ou simplement : He always rings) us while we are watching a good film on television (446, 450, 349). — 27. They like you very much, they will miss you when you have retired. — I wish I didn't have to retire, I'd rather go on working for another two or three years (485, 325, 360, 118, 562). — 28. Could you explain to me what the YMCA is ? This is the first time that I've been in England (493, 442, 263). — 29. I used to read the Times, now I read the Guardian every day. — I'm not used to reading as many newspapers as they do (344, 350, 793). — 30. They were working all the harder as they knew their exam wouldn't be an easy one (667).

31. Do you think I ought to meet your parents, or would you rather I didn't ? (ou: would you prefer me not to ?) (915, 916). — 32. However shy he was (ou : No matter how shy he was, ou : Shy as he was), he told them what he thought of their selfish behaviour (907, 908). — 33. He asked few questions so as not to show (ou : to avoid showing) how ignorant he was (886, 453). — 34. He said he felt it was his duty (ou : he considered it his duty) to have the law respected (ou : to see to it that the law was respected). — He would ! (= He would say that !) (941, 508, 336). — 35. It was very decent of him to lend us his car. We don't know how to thank him for it (687, 893). — 36. I wish I didn't have to spend my Sunday afternoon working. I'd rather not stay in London in this heat (360, 118). — 37. You've only (got) ten minutes left, you'd better hurry. On Sunday you nearly missed the last bus, didn't you ? (533, 117, 130). — 38. Look at those clouds, it looks as if there's going to be a thunderstorm. I wish I'd taken my umbrella (539, 359). — 39. No matter how often we write to him, he hardly ever answers (ou : replies to) our letters. I wish he would answer (ou : reply to) this one promptly (ou: without delay) (907, 29, 539). — 40. I hope you don't mind if I listen (ou : mind me listening, langue soignée : mind my listening) to the news (bulletin). I'm anxious to hear (= learn) which of the two candidates has been elected (462, 785, 262).

(B) Q.C.M. Exemple : 19 : 4 (337) signifie : pour la question n° 19, la solution 4 est correcte (et les trois autres sont impossibles), et le § 337 de la grammaire traite de cette question.

Exercice A :

1 : 2 (84). — 2 : 4 (477). — 3 : 1 (421). — 4 : 4 (291). — 5 : 4 (504). — 6 : 3 (163). — 7 : 1 (285). — 8 : 2 (255). — 9 : 3 (325). — 10 : 2 (604). — 11 : 4 (328). — 12 : 2 (257). — 13 : 1 (558). — 14 : 3 (723). — 15 : 1 (785). — 16 : 4 (524). — 17 : 2 (265). — 18 : 3 (105). — 19 : 1 (167). — 20 : 3 (774). — 21 : 4 (508). — 22 : 3 (404). — 23 : 2 (462). — 24 : 1 (528). — 25 : 4 (164). — 26 : 2 (279

et 532). — 27 : 3 (524). — 28 : 4 (281). — 29 : 1 (638 et 639). — 30 : 3 (388). — 31 : 2 (138). — 32 : 1 (286). — 33 : 3 (480). — 34 : 4 (117). — 35 : 2 (118). — 36 : 2 (554). — 37 : 1 (673). — 38 : 4 (341). — 39 : 3 (953). — 40 : 1 (54).

Exercice B :

1 : 4 (388). — 2 : 2 (759). — 3 : 1 (344). — 4 : 3 (359). — 5 : 1 (29). — 6 : 4 (405). — 7 : 2 (47). — 8 : 3 (167). — 9 : 1 (263). — 10 : 3 (604). — 11 : 4 (361). — 12 : 3 (362). — 13 : 2 (493). — 14 : 1 (494 et 495). — 15 : 4 (565). — 16 : 2 (372). — 17 : 2 (835). — 18 : 4 (359). — 19 : 1 (50). — 20 : 3 (402). — 21 : 2 (288). — 22 : 1 (666). — 23 : 3 (286). — 24 : 4 (519). — 25 : 2 (527). — 26 : 2 (893). — 27 : 1 (737). — 28 : 4 (724). — 29 : 3 (539). — 30 : 1 (908). — 31 : 2 (609). — 32 : 1 (673). — 33 : 1 (956). — 34 : 4 (362). — 35 : 4 (688). — 36 : 3 (280). — 37 : 3 (667). — 38 : 1 (450). — 39 : 2 (520). — 40 : 2 (791).

Exercice C :

1 : 2 (29). — 2 : 4 (915). — 3 : 3 (608). — 4 : 4 (497, 4°). — 5 : 2 (344). — 6 : 2 (558). — 7 : 1 (633). — 8 : 4 (518). — 9 : 3 (318). — 10 : 1 (104). — 11 : 2 (462). — 12 : 4 (886). — 13 : 1 (360, 5°). — 14 : 4 (328 et 565). — 15 : 4 (780). — 16 : 3 (372). — 17 : 1 (458). — 18 : 2 (430). — 19 : 3 (167). — 20 : 2 (123). — 21 : 4 (359). — 22 : 4 (605). — 23 : 2 (687). — 24 : 3 (604). — 25 : 3 (167). — 26 : 1 (106). — 27 : 2 (830). — 28 : 2 (360). — 29 : 3 (847). — 30 : 4 (325). — 31 : 2 (466). — 32 : 1 (462). — 33 : 3 (318). — 34 : 2 (893). — 35 : 1 (468). — 36 : 2 (281). — 37 : 1 (758). — 38 : 2 (524). — 39 : 3 (389). — 40 : 2 (958).

Exercice D :

1 : 2 (167). — 2 : 4 (871). — 3 : 1 (493). — 4 : 4 (884). — 5 : 4 (518). — 6 : 3 (402). — 7 : 1 (893). — 8 : 2 (540). — 9 : 3 (941). — 10 : 2 (359). — 11 : 4 (105). — 12 : 2 (179). — 13 : 1 (268). — 14 : 3 (442). — 15 : 1 (526). — 16 : 4 (959). — 17 : 2 (489). — 18 : 3 (460 et 461). — 19 : 1 (360). — 20 : 3 (468). — 21 : 4 (93). — 22 : 3 (520). — 23 : 2 (830). — 24 : 1 (286). — 25 : 4 (795). — 26 : 2 (418). — 27 : 2 (358). — 28 : 4 (667). — 29 : 1 (782). — 30 : 3 (609). — 31 : 2 (117). — 32 : 1 (29 et 167). — 33 : 3 (841). — 34 : 4 (891). — 35 : 2 (911). — 36 : 1 (903). — 37 : 4 (360, 5°). — 38 : 3 (907). — 39 : 3 (494). — 40 : 2 (344).

Ⓒ 1. I don't like either of them (830). — 2. How long have they had... ? They've had it... (54). — 3. I think he is (38). — 4. Is brekfast ready ? (598). — 5. It's my brother's (737). — 6. I'm too lazy to wash... (395). — 7. I like English better than German (643). — 8. So do I (163). Dans la première phrase they'd come = they had come, dans la deuxième they'd come = they would come. — 9. The news isn't very good, is it ? (554). — 10. It's a good five miles (50). — 11. I've been looking for them for an hour (285). — 15. Your grandmother bought it fifty years ago (285). — 13. We had... (254). — 14. He didn't speak English well enough (652). — 15. ... the same rights as the Europeans (669).

Ⓓ 1. flock (236). — 2. but (841, 4°). — 3. Speech (583). — 4. the one-eyed man (634). — 5. want (413). — 6. Charity (236). — 7. dull (568). — 8. Short... long (583). — 9. away... will play (349). — 10. Accidents (349). — 11. in Rome... the Romans (44). — 12. the rod (850). — 13. longest (657). — 14. The more (666). — 15. takes (714). — 16. shy (Verbes irréguliers, note 6). — 17. on Sunday (849). — 18. the eating (383). — 19. and (850). — 20. two in the bush (696).

VERBES IRRÉGULIERS

Pour **to be** et **to have**, voir leçon 3 (N.B. **to behave** [bi'heiv] est régulier).

Les verbes à préfixe (**to become, to forgive, to understand...**) sont mentionnés en notes lorsqu'ils se conjuguent comme les verbes qui leur servent de radical.

	to awake	awoke, ou rég.	awoke(n), ou rég.	*(se) réveiller* (cf. wake)
	to bear [εə]	bore [ɔ:]	borne (1)	*supporter*
	to beat [i:]	beat [i:]	beaten (2)	*battre*
	to begin	began [æ]	begun [ʌ]	*commencer*
	to bend	bent	bent (3)	*(se) courber*
	to bet	bet, ou rég.	bet, ou rég.	*parier*
	to bid	bid	bid	*offrir* (prix) (4)
	to bind [ai]	bound [au]	bound (5)	*lier, relier*
	to bite [ai]	bit [i]	bitten (6)	*mordre*
10	to bleed	bled	bled	*saigner*
	to blow [ou]	blew [u:]	blown (7)	*souffler*
	to break [ei]	broke [ou]	broken (8)	*briser*
	to breed	bred	bred	*élever* (bétail) (9)
	to bring	brought [ɔ:t]	brought	*apporter, amener*
	to build [bild]	built [bilt]	built	*bâtir*
	to burn	burnt, ou rég.	burnt, ou rég.	*brûler*
	to burst	burst	burst	*éclater*
	to buy [ai]	bought [ɔ:t]	bought	*acheter*
	to cast	cast	cast	*jeter* (10)
20	to catch	caught [ɔ:t]	caught	*attraper*
	to choose [u:]	chose [ou]	chosen [ou]	*choisir*
	to cling	clung [ʌ]	clung	*s'accrocher*
	to come [ʌ]	came [ei]	come [ʌ]	*venir* (11)
	to cost	cost	cost	*coûter*

(1) **to be born** (sans e) = *naître* (verbe passif); comme **to bear : to forbear** *(s'abstenir)*.

(2) Participe passé **beat** employé comme adjectif dans **dead beat** (fam., *crevé de fatigue*) et dans « **the beat** (= **beatnik**) **generation** ».

(3) Participe passé rég. dans **on bended knee(s)**, *à genoux* (pour supplier).

(4) Ne pas confondre avec **to bid** (= *ordonner*), voir liste 2.

(5) Participe passé **bounden** employé comme adjectif dans **my bounden duty** *(mon devoir impérieux)*.

(6) Participe passé familier : *bit*. **The biter bit** *(le trompeur trompé)*, mais : **Once bitten, twice shy** *(chat échaudé craint l'eau froide)*.

(7) Participe passé rég. dans **I'll be blowed if...** *(Le diable m'emporte si...)*.

(8) Participe passé **broke** employé comme adjectif (fam., *fauché, sans le sou*).

(9) Pour les enfants on emploie **to bring up, to breed** est archaïque sauf dans **well-bred** *(bien élevé,* ou : *de bonne famille)* et dans **born and bred** (**He was born and bred in India**).

(10) De même : **to forecast** *(prévoir, pronostiquer)*; **to broadcast** *(radiodiffuser)* est parfois régulier.

(11) de même : **to become** *(devenir)*, **to overcome** *(surmonter, vaincre)*; mais **to welcome** *(accueillir)* est régulier, ne pas confondre son participe passé **welcomed** avec l'adjectif **welcome** *(bienvenu)*.

	to creep	crept	crept	*ramper*
	to cut	cut	cut	*couper*
	to deal [iː]	dealt [e]	dealt [e]	*distribuer*
	to dig	dug [ʌ]	dug	*creuser*
	to do	did	done [ʌ]	*faire* (12)
30	to draw [ɔː]	drew [uː]	drawn	*tirer, dessiner* (13)
	to dream [iː]	dreamt [e], ou rég.	dreamt [e], ou rég.	*rêver* (14)
	to drink	drank [æ]	drunk [ʌ] (15)	*boire*
	to drive [ai]	drove [ou]	driven [i]	*conduire*
	to dwell	dwelt, ou rég.	dwelt, ou rég.	*habiter* (16)
	to eat	ate [et] ou [eit] (17)	eaten	*manger*
	to fall	fell	fallen	*tomber* (18)
	to feed	fed	fed	*nourrir*
	to feel	felt	felt	*sentir, éprouver*
	to fight	fought [ɔː]	fought	*combattre*
40	to find [ai]	found [au]	found	*trouver*
	to flee	fled	fled	*s'enfuir* (19)
	to fling	flung [ʌ]	flung	*jeter violemment*
	to fly	flew [fluː]	flown [ou]	*voler*
	to forbid	forbade [æ] (20)	forbidden	*interdire*
	to forget	forgot	forgotten	*oublier*
	to freeze	froze	frozen	*geler*
	to get	got	got (21)	*obtenir, devenir etc.*
	to give	gave	given	*donner* (22)
	to go [ou]	went	gone [ɔ]	*aller* (23)
50	to grind [ai]	ground [au]	ground	*moudre*
	to grow [ou]	grew [gruː]	grown	*grandir, pousser* (24)
	to hang [æ]	hung [ʌ]	hung (25)	*pendre, accrocher*
	to hear [iə]	heard [əː]	heard	*entendre* (26)
	to hide [ai]	hid [i]	hidden, parfois hid	*(se) cacher* (27)
	to hit	hit	hit	*frapper, atteindre*
	to hold [ou]	held	held	*tenir* (28)

(12) De même : **to overdo** *(exagérer),* **to undo** *(défaire).*

(13) De même : **to withdraw** *(se retirer).*

(14) Irrég. dans la langue courante; rég. dans la langue littéraire (**I dreamed a dream**).

(15) Cf. **drunken**, adjectif épithète (**a drunken man**); mais : **he is drunk**.

(16) Dans la langue courante : **to live** *(habiter),* **to dwell on** *(s'appesantir sur).*

(17) La prononciation la plus courante du preterite (parfois orthographié « eat ») est [et] en Angleterre, [eit] en Amérique.

(18) De même : **to befall** *(survenir).*

(19) L'infinitif est généralement remplacé par **to fly away**; les autres formes s'emploient plus couramment.

(20) Le preterite, parfois orthographié **forbad**, s'emploie peu; il se prononce rarement [fəˈbeid].

(21) Le participe passé est normalement **gotten** en américain quand il est synonyme de **obtained** ou de **become** (990, 4°); cette forme ne subsiste en Angleterre que dans **ill-gotten gains** *(biens mal acquis);* cf. la conjugaison de **to forget** et de **to beget** (liste 2).

(22) De même : **to forgive** *(pardonner).*

(23) De même : **to undergo** *(subir);* **to forego** (rare sauf dans : **a foregone conclusion,** *une conclusion prévue d'avance);* **to forgo** *(s'abstenir de,* rare au preterite).

(24) Cf. le participe passé **overgrown with** *(couvert de, envahi par).*

(25) Généralement rég. dans le sens de « *exécuter par pendaison* »; comme **to hang,** irrég. : **to overhang** *(surplomber).*

(26) De même : **to overhear a conversation** *(surprendre).*

(27) **Hidden** surtout après **be** (**they are hidden by the trees**), **hid** surtout après **have** (**they have hid somewhere**).

(28) De même : **to withhold** *(retenir, refuser de donner);* **to behold** (litt., bibl. : *voir*) cf. : **to be beholden to** *(être redevable à).*

to hurt	hurt	hurt	*blesser, faire mal*
to keep	kept	kept	*garder*
to kneel	knelt, ou rég. (US)	knelt	*s'agenouiller*
60 to knit	rég. ou **knit**	rég. ou **knit**	*tricoter* (29)
to know [nou]	knew [njuː]	known [noun]	*savoir, connaître*
to lay	laid [ei]	laid	*poser à plat* (30)
to lead [iː]	led [e]	led	*mener* (31)
to lean [iː]	leant [e], ou rég.	leant [e], ou rég.	*s'appuyer* (32)
to leap [iː]	leapt [e], ou rég.	leapt [e], ou rég.	*sauter* (32)
to learn	learnt, ou rég.	learnt, ou rég.	*apprendre* (32)
to leave	left	left	*laisser, quitter*
to lend	lent	lent	*prêter*
to let	let	let	*laisser, permettre, louer*
70 to lie [ai]	lay [ei]	lain [ei] (33)	*être étendu*
to light	lit, ou rég.	lit, ou rég. (34)	*allumer, éclairer*
to lose [uː]	lost [ɔ]	lost	*perdre*
to make	made	made	*faire, fabriquer*
to mean [iː]	meant [e]	meant	*signifier*
to meet	met	met	*(se) rencontrer*
to mow	mowed	mown, ou rég.	*faucher* (35)
to pay [ei]	paid [ei]	paid	*payer*
to put	put	put	*mettre*
to quit [kwit]	quit, ou rég.	quit, ou rég.	*cesser (de)* (36)
80 to read [iː]	read [e]	read [e]	*lire*
to rid	rid, ou rég.	rid	*débarrasser* (37)
to ride [ai]	rode [ou]	ridden [i] (38)	*aller (à cheval, etc.)*
to ring	rang [æ]	rung [ʌ]	*sonner* (39)
to rise [ai]	rose [ou]	risen [i] (40)	*s'élever, se lever*
to run [ʌ]	ran [æ]	run [ʌ]	*courir*
to saw [ɔː]	sawed [ɔːd]	sawn, ou rég. (41)	*scier*
to say [ei]	said [e]	said [e]	*dire, réciter* (42)
to see	saw [ɔː]	seen	*voir* (43)
to seek	sought [ɔːt]	sought	*chercher* (44)

(29) Généralement rég. au sens propre **(a knitted sweater)**, irrég. au sens figuré : **he knit his brows** *(il fronça les sourcils)*, **a well knit plot** *(une intrigue bien nouée)*.

(30) De même : **to waylay** *(attirer dans un guet-apens, accrocher au passage)*.

(31) De même : **to mislead** *(induire en erreur)*.

(32) Réguliers en américain; **leaned** et **learned** s'emploient en Angleterre parallèlement aux formes irrégulières.

(33) **To lie** *(mentir)* est rég.; le participe présent des deux verbes est **lying**.

(34) Participe passé rég. quand il est employé comme épithète **(a lighted candle)**, irrég. après **be (the candle was lit)** et dans les composés **(floodlit, starlit)**; preterite généralement irrég. **(he lit the fire)**.

(35) Rég. dans la langue courante **(I've mowed the lawn)**, irrég. dans la langue soignée **(the scent of new-mown hay)**.

(36) Très courant en Amérique (irrég.).

(37) Surtout employé au participe passé, dans **to be rid of** *(être débarrassé de)* et **to get rid of** *(se débarrasser de)*.

(38) Cf. les adjectifs composés : **a gang-ridden city** *(infestée de gangsters)* et **a guilt-ridden conscience** *(torturée par le remords)*.

(39) **To ring** *(encercler)* est rég.

(40) De même : **to arise** *(s'élever, survenir)*.

(41) La forme rég. est surtout américaine.

(42) Remarquer que la voyelle de **said** est courte; elle est parfois diphtonguée dans **gainsaid**, temps irrég. de **to gainsay** *(contredire)*.

(43) De même : **to foresee** *(prévoir)*; cf. **unforeseen** *(imprévu)*.

(44) S'emploie surtout aux sens abstraits; *chercher ce qu'on a égaré* = **to look for**.

589

90	to sell	sold [ou]	sold	*vendre*
	to send	sent	sent	*envoyer*
	to set	set	set	*fixer* (45)
	to sew [ou]	sewed [oud]	sewn, ou rég. (41)	*coudre*
	to shake	shook	shaken	*secouer*
	to shear [iə]	sheared	shorn, ou rég.	*tondre* (les moutons)
	to shed	shed	shed	*verser* (larmes, sang)
	to shine [ai]	shone [ɔ]	shone [ɔ]	*briller* (46)
	to shoe	shod [ɔ]	shod (47)	*ferrer, chausser*
	to shoot	shot	shot	*tirer* (arme à feu)
100	to show	showed	shown, ou rég. (48)	*montrer*
	to shrink	shrank [æ] ou shrunk	shrunk [ʌ]	*rétrécir* (49)
	to shut	shut	shut	*fermer*
	to sing	sang [æ]	sung [ʌ]	*chanter*
	to sink	sank [æ] ou sunk	sunk [ʌ] (50)	*sombrer, couler*
	to sit	sat	sat	*être assis*
	to sleep	slept	slept	*dormir*
	to slide [ai]	slid [i]	slid	*glisser*
	to sling	slung [ʌ]	slung	*lancer* (avec force)
	to slink	slunk [ʌ]	slunk	*aller furtivement*
110	to slit	slit	slit	*fendre, inciser*
	to smell	smelt, ou rég.	smelt, ou rég.	*sentir* (odorat) (51)
	to sow [ou]	sowed [oud]	sown, ou rég.	*semer*
	to speak	spoke	spoken	*parler* (52)
	to speed	sped	sped	*aller à toute vitesse*
	to spell	spelt, ou rég.	spelt, ou rég.	*épeler* (51)
	to spend	spent	spent	*dépenser*
	to spill	spilt, ou rég.	spilt, ou rég.	*renverser* (liquide) (51)
	to spin	spun ou span(53)	spun	*filer*
	to spit	spat ou spit (54)	spat ou spit	*cracher*
120	to split	split	split	*fendre*
	to spoil	spoilt, ou rég.	spoilt, ou rég.	*gâcher, gâter* (55)
	to spread [e]	spread [e]	spread [e]	*étendre, répandre*
	to spring	sprang [æ] ou sprung	sprung [ʌ]	*jaillir, bondir* (56)
	to stand	stood	stood	*être debout* (57)
	to steal	stole [ou]	stolen	*voler, dérober*
	to stick	stuck [ʌ]	stuck	*coller*

(45) De même : **to upset** *(bouleverser, renverser),* **to beset** *(assaillir).*

(46) Bien distinguer phonétiquement **shone** [ɔ] de **shown** [ou]; **to shine shoes** *(cirer)* est rég.

(47) S'emploie surtout au participe passé **(ill shod children)**; noter l'orthographe de **shoeing.**

(48) Orthographe ancienne, encore employée par G. Bernard Shaw : **shew, shewed, shewn** (même prononciation); participe passé parfois rég. dans une langue moins soignée.

(49) Cf. le participe passé **shrunken** employé comme adjectif *(ratatiné).*

(50) Cf. le participe passé **sunken** employé comme adjectif épithète : **sunken cheeks** *(des joues creuses).*

(51) Formes rég. surtout américaines.

(52) De même : **to bespeak** *(témoigner de);* cf. aussi : **a bespoke bootmaker** *(un bottier, qui travaille sur mesures),* **a bespoke tailor.**

(53) Le preterite **span** est archaïsant.

(54) Les formes irrég. **spit** sont surtout américaines.

(55) Le participe passé employé comme adjectif est **spoilt (a spoilt child).**

(56) Le preterite **sprung** est surtout américain.

(57) De même : **to understand** *(comprendre),* **to withstand** *(résister à).*

to sting	stung [ʌ]	stung	*piquer* (insectes)
to stink	stank [æ] ou stunk	stunk [ʌ]	*puer*
to strew [struː]	strewed	strewn, ou rég.	*joncher*
130 to stride [ai]	strode [ou]	stridden [i], ou strode (58)	*marcher à grands pas*
to strike [ai]	struck [ʌ]	struck (59)	*frapper*
to string	strung [ʌ]	strung (60)	*enfiler, tendre* (corde)
to strive [ai]	strove [ou]	striven [i]	*s'efforcer*
to swear [εə]	swore [ɔː]	sworn	*jurer* (61)
to sweep	swept	swept	*balayer*
to swell	swelled	swollen, ou rég.	*enfler* (62)
to swim	swam [æ]	swum [ʌ]	*nager*
to swing	swung [ʌ]	swung	*se balancer*
to take	took	taken	*prendre* (63)
140 to teach	taught [ɔː]	taught	*enseigner*
to tear [εə]	tore [ɔː]	torn	*déchirer*
to tell	told [ou]	told	*dire, raconter* (64)
to think	thought [ɔː]	thought	*penser* (65)
to throw [ou]	threw [θruː]	thrown	*jeter, lancer*
to thrust	thrust	thrust	*enfoncer*
to tread [e]	trod	trodden	*fouler aux pieds*
to wake	woke, ou rég.	woken, woke, ou rég.	*(se) réveiller* (66)
to wear [εə]	wore [ɔː]	worn	*porter* (vêtements)
to weave	wove	woven	*tisser* (67)
150 to weep	wept	wept	*pleurer*
to win	won [ʌ]	won	*gagner*
to wind [ai]	wound [au]	wound	*enrouler* (68)
to wring	wrung [ʌ]	wrung	*tordre*
to write [ai]	wrote [ou]	written [i]	*écrire*

(58) Participe passé rarement employé; de même : **to bestride** *(être à califourchon sur).*

(59) Au sens figuré le participe passé est souvent **stricken** *(blessé, éprouvé)* : **panic-stricken, awe-stricken** ou **awe-struck** *(frappé de terreur),* **a town stricken with plague.**

(60) Cf. **high(ly)-strung** *(nerveux, tendu)*; participe-adjectif rég. dans : **stringed instruments** *(à cordes)*; comme **to string,** irrég. : **to hamstring** *(couper ses moyens à).*

(61) De même, **to forswear** *(renoncer à).*

(62) Le participe passé rég. s'emploie surtout au sens figuré : **swelled with pride, to suffer from a swelled head** *(être bouffi d'orgueil),* **he is swelled-headed.**

(63) De même : **to overtake** *(rattraper, doubler),* **to undertake** *(entreprendre),* **to mistake** *(se méprendre sur; cf.* **to be mistaken,** *être dans l'erreur),* **to partake** *(prendre part),* **to betake oneself to** *(se rendre à).*

(64) De même : **to foretell** *(prédire).*

(65) De même : **to bethink oneself** *(réfléchir).*

(66) Cf. **to awake. To wake up** est le verbe le plus courant (transitif et intransitif : **I woke up at 6, they woke me up at 6**); il y a beaucoup d'incertitude sur sa conjugaison, ainsi que sur celle de **to awake. To awaken** et **to waken (up)** sont rég.; ce dernier s'emploie surtout au passif: **I was wakened** (= **woken up**) **by the noise.**

(67) Régulier dans le sens de « *se faufiler* » : **he weaved his way through he crowd.**

(68) **To wind** [ai] **a horn** *(sonner du cor)* est généralement rég.; **to wind** [i] *(mettre hors d'haleine)* est rég.

to abide	abode, ou rég.	abode, ou rég.	*demeurer* (69)
to beget	begot (Bibl. : **begat**)	begotten	*engendrer*
to bereave	bereft, ou rég.	bereft, ou rég.	*déposséder* (70)
to beseech	besought, ou rég.	besought, ou rég.	*implorer*
to bid	bade [æ] ou [ei]	bidden ou **bade** ou **bid**	*ordonner* (71)
to chide [ai]	chid [i], ou rég.	chidden ou **chid**	*réprimander*
to cleave	cleft ou **clove**	cleft ou **cloven**	*fendre* (72)
to crow	crew, ou rég.	rég.	*chanter* (coq) (73)
to forsake	forsook	forsaken	*abandonner*
to gird	rég. ou **girt**	girt ou rég.	*ceindre*
to heave	rég. ou **hove**	rég. ou **hove**	*soulever* (74)
to hew	rég.	hewn, ou rég.	*tailler à coups de hache*
to prove	rég.	rég. ou **proven**	*prouver* (75)
to rend	rent	rent	*déchirer* (76)
to shrive [ai]	shrove, ou rég.	shriven, ou rég.	*confesser et absoudre*
to slay	slew [uː]	slain	*massacrer* (77)
to smite [ai]	smote [ou]	smitten [i]	*frapper violemment* (78)
to stave (in)	stove, ou rég.	stove, ou rég.	*défoncer* (coque ou carrosserie)
to thrive [ai]	throve [ou] ou rég.	thriven [i] ou rég.	*prospérer* (79)
to wed	rég.	rég. ou **wed**	*épouser* (80)
to wet	rég. ou **wet**	rég. ou **wet**	*mouiller* (81)

(69) Courant et régulier dans **to abide by** (**the law, a promise...,** respecter).

(70) Courant et rég. dans le sens de « *endeuiller* ».

(71) Cf. « **Do as you are bid(den)** » *(Fais ce qu'on te dit)*. Ne pas confondre avec **to bid** (= *offrir*), liste 1.

(72) Participes passés encore employés couramment dans : **the cloven foot of the devil** *(pied fourchu)* et : **to be in a cleft stick** *(en face d'un dilemme)*.

(73) Cf. dans la Bible (reniement de Pierre) : « **the cock crew** ». Aujourd'hui le verbe est généralement régulier, notamment dans le sens de « *chanter victoire* ».

(74) Rég. dans **to heave a sigh** *(pousser un soupir)*, irrég. dans la langue des marins (ex. : **to heave in sight**, *poindre à l'horizon*).

(75) Le participe passé irrégulier est américain. **Proven** s'emploie aussi dans le droit écossais (prononcé [ˈprouvn]) : « **the case was not proven** » *(Il y a eu non-lieu)*.

(76) Surtout au sens figuré : **a terrible cry rent the air**. Au sens propre, **to tear** (liste 1).

(77) Rare en Angleterre, assez courant en américain, en particulier dans les titres des journaux (« **Hostages slain by terrorists** »).

(78) S'emploie surtout au sens figuré : **smitten with grief, with remorse**; aussi ironiquement : « **he is quite smitten with** (ou : **by**) **that girl** » *(« il en pince pour cette fille »)*.

(79) S'emploie surtout au sens figuré : **a thriving firm, he is thriving**.

(80) Le verbe courant est **to marry**; **to wed** est parfois employé dans les titres des journaux (parce que monosyllabique).

(81) Régulier sauf dans des phrases comme « **Bobby's** (= has) **wet his bed** ». Cf. de même : « **Bobby's shit** (et non **shitted**, parfois **shat**) **his trousers** (ou : **himself**) » (a taboo word of course !).

REMARQUES

(1) Ne pas confondre :

a. **to lie** *(être étendu,* intransitif) et **to lay** *(poser à plat,* transitif).

b. **to feel** (ressentir), **to fall** *(tomber),* **to fell** (rég. : **to fell a tree,** *abattre un arbre*).

c. **to fly** (voler), **to flee** (ou : **to fly away,** fuir), **to flow** (rég. : *couler*).

d. **to find** (trouver) et **to found** (rég., *fonder*).

e. **to sew** (coudre), **to sow** (semer), **to saw** (scier), qui se conjuguent de même; les deux premiers se prononcent de même.

592

f. *to ring, a, u (sonner)* et *to wring, u, u (tordre)*.

(2) *To lay* et *to pay* ne sont irréguliers que par l'orthographe (**laid** rime avec **played**), alors que *to say* est irrégulier phonétiquement, *said* ayant une voyelle courte (il en est de même pour la 3ᵉ personne : *he says* [sez]).

(3) *To burn, to dream, to dwell, to lean, to leap, to learn, to smell, to spell* et *to spoil* sont généralement réguliers en américain.

Le preterite *dove* de to dive *(plonger)* est américain. Voir aussi 990, 4º (*quit, fit, sweat*).

(4) *Participes passés irréguliers* (formes isolées ou employées dans des sens particuliers, avec valeur d'adjectifs).

Blest (de to bless, *bénir*); ironiquement : **I'm blest** (ou : **blessed**) **if...** *Le diable m'emporte si...*

Clad (de to clothe, *vêtir*) : **Poorly clad children.**

Fraught (cf. freight, *cargaison*) : **A decision fraught with consequences** *(lourde de conséquences)*.

Gilt (de to gild, *dorer*) : **Gilt-edged** *(doré sur tranche)*. **Gilt-edged securities** (à la Bourse : *valeurs de tout repos*).

Graven (de to grave, arch.) : **Graven in his memory** *(gravé dans sa mémoire)*.

Laden (de to lade, synonyme arch. de **to load**, *charger*) : **A fully laden lorry. A mind laden with grief** *(accablé de douleur)*. Mais : **the gun is loaded.**

Molten (de to melt, *fondre*) : **Molten lead** *(du plomb fondu)*.

Pent (de to pen, *parquer*) : **Pent up emotions** *(contenues)*.

Roast (de to roast, *rôtir*) : **Roast chicken, roast beef.**

Rotten (de to rot, *pourrir*) : **Rotten eggs. Rotten weather ! I feel rotten** *(je suis mal fichu)*. **A rotten borough** *(un « bourg pourri »)*.

Shaven (de to shave, *raser*) : **A clean-shaven face** *(rasé de frais, glabre)*.

Wrought (de to work) : **Wrought iron** *(fer forgé)*. **To be overwrought** ou : **wrought-up** *(à bout de nerfs)*; mais : **To be overworked** *(surmené, accablé de travail)*.

Mais les participes passés à valeur verbale sont réguliers : **The snow has melted away. You haven't shaved. He had rotted in jail for ten years,** etc.

(5) Pour la prononciation des adjectifs *blessed, cursed, learned, aged* et *beloved,* voir 11. Comparer phonétiquement :

I'm blessed/blest [blest] **if I know where he is** (v. supra).

The Blessed Virgin ['blesid] *(la Sainte Vierge)*.

We've missed the bus. What a blessed ['blesid] **nuisance !** *(c'est rudement embêtant !)*

INDEX ALPHABÉTIQUE

Les mots anglais sont en **caractères gras**, les mots français et les notions abstraites en *italiques*.

Sauf indications différentes, les numéros sont ceux des paragraphes.

595

attributs, 608, 500, 501.
— en tête de phrase, 210.
aucun, 829, 830.
aussi 873, *moi aussi*, 163.
autant de, 793.
autant plus que (d'—), 667.
autre, 824, 825, 836.
auxiliaires 4, leçons 2, 3 et 4.
— de modalité, 59 à 68, etc.
— + **have** + participe passé 100 à 110.
avail (to —), 720.
aveux, 464.
avoid (to —), 460.
award (to —), 425, 490.
aware, 690, 694.
away, 191.

baby, 572.
back, 192, 850.
baggage, 565.
bare, 627.
barely, 129.
bang, 973.
barracks, 553.
bath(s), 545, bathed, bathing, 9, 13.
be (to —), 40 à 50.
— (forme progressive), 250.
— sous-entendu, 44.
— + infinitif complet, 122 à 127.
— + participe passé, 41, leçon 20.
— + participe présent, 228 à 235, 321, 348.
— (there is) 45 à 49, (there to be) 397, 45.
— able to, 70 à 74.
— allowed to, 81.
— apt to, 115.
— bound to, 114, 947.
— due to, 128.
— going to, 317 à 320, 946.
— liable to, 115, 144.
— likely to, 111, 112, 945.
— sure to, 113, 946.
— used to, 344.
bear (can't —), 463, 477.
bear (won't —), 468.
beaucoup de, 787, 788.
because, 850, 889, 891.
beckon (to —), 474.
become (to —), 501, 665.
bed, 569.
before, 851, before this, 764.
— (it is... —), 277.
beg (to —), 457, 474.
begin (to —), 467.
behalf (on —), 760.
behave oneself (to —), 720.
behind, 851.
believe (to —), 247, (+ proposition infinitive) 481, (-in) 488, (-that) 496, 497, 939.
— + so/not, 178, 179.
belong (to —), 247, 502, 731.
beloved, 11.
below, 851.
beneath, 851.
benefit (to —), 488.
beside(s), 851.
betcha, 987.
better, best, 647, 657, 662, 663, (place) 225.
— (had —), 53, 117.
between, 851, ("between you and I") 703, (-ourselves) 721, (-them) 727.
beyond, 517, 851.
biased, biassed, 19.

bilan (notion de —), 263 à 265, 268.
bitch, 572.
black English, 992.
blacks (the —), 635.
blame (to —), 495, 893.
blessed, 11.
blind, 520, 633, 634.
blunder, 564.
board (to —), 484.
bob, 808.
-body, 832 à 836.
boil (to —), 512, 521.
born (to be —), 421.
borrow (to —), 215, 493.
both, 830, 831, 851.
bound to, 114, 947.
brace oneself (to —), 720.
bread/loaf, 565.
bring (to —), 529, (to bring about) 895.
British, Britisher, Briton, Brit, 642.
brothers/brethren, 548.
buck, 808.
burst out (to —), 466.
business, 568.
busy, 377, 697.
but, 841, (nobody but) 703.
— (infinitif après —), 406.
but (notion de —), 886 à 888.
buy (to —), 491, 492.
by, 842, 419, 420.
— + date, 274, 316, (by the time) 960.
— + nom d'auteur, 759.
— + gérondif, 884, (by means of) 884.
— now, 265.
— oneself, 721.
— far, 658.
— all means, 416.

cake, 568.
can, 69 à 76.
— (possibilité), 69.
— (faculté, capacité), 70 à 74.
— (permission), 75.
— have + participe passé, 101.
cannot help 460, cannot bear 463, 477, cannot stand 462.
car (for), 843 (10), 890.
care (to —), 486, 488, 489.
cas possessif, 732.
case (in —), 368.
cat, 572, 606.
catch (to —), 379.
cattle, 558.
causatives (structures —), leçon 27.
cause (to —), 477, 506.
cause (notion de —), 889 à 895.
ce que, ce qui, ce dont, 782, 783.
c'est... que/qui, 433.
cease (to —), 467.
celui de/qui, 766.
certain to, 113, 946.
certitude, 944 à 948.
chacun, chaque, 826.
challenge (to —), 474.
chance (to —), 142, 469.
chance (by —), 143.
change (to —) + pluriel 561.
charge (to —), 893.
chez, 874.
child, 548, 572, 590.
Chinese, 641.
choix (which/what), 785.
choose (to —), 457.
church, 569, 738.
cinema, 588.

claim (to —), 949.
close to, close by, 852.
cloth, cloths, clothes, 544, 545, 557, 577.
college, 569, 738.
colloquial query, 166 à 169.
coloureds, 635.
combien de, 790.
come (to —), (come/go) 516, 529, (-and) 530, (inchoatif) 501.
— + infinitif, 138.
— (how come), 28.
— (there + —), 48.
— (here comes), 207.
command (to —), 369.
comme, 875.
comment (to —), 486, 978.
comparatifs, leçon 34.
— de supériorité, 644, 645, 654, (+ be) 713.
— irréguliers, 647.
— d'infériorité, 648, 654.
— d'égalité, 649, 713.
— des adverbes, 646.
— et superlatifs, 662, 663.
compass(es), 556.
compel (to —), 478.
compléments (nature), leçons 24 à 29.
— directs et indirects, leçon 26.
— (place), 212 à 216.
— du nom et de l'adjectif, leçon 35.
— d'agent, 419.
concession, 904 à 911.
concordance des temps, leçon 21.
condition (notion de —), 901.
condition (on —), 901.
conditionnel, 337 à 339, 429, 430.
— perfect, 340.
confess (to —), 464.
confiance, 480, 494.
congratulate (to —), 893.
Congress, 588.
conjonctions, liste, leçon 42.
— de temps, 325.
conjugaison, 14 à 18, 21, 22.
conseils, 926, 927.
consent (to —), 459.
consentement, 305, 307, 459.
conséquence, 896 à 898.
consider (to —), (+ gérondif) 458, (+ proposition infinitive) 481, (+ objet + attribut) 501, (+ it..., + as..., + that...) 941.
— (construit avec it), 688, 692.
contemplate (to —), 458.
contend (to —), 949.
content with, 673.
contents, 557.
continue (to —), 467.
contractions en -n't, 30, 39.
contrary to, 966.
contraste, 966 à 971.
contrive (to —), 138.
conversion, leçon 52.
convince (to —), 485.
convinced, 940.
could, 77, 944.
— have + participe passé 102.
could/was able to, 72.
count (to —), 480.
country, 568.
couple of, 802.
cowardly, 872 (remarque 3).
craft, 549.
crainte, 368.
croire (I think so) 178, (think, believe) 481, 496, 497, 939.

crossroads, 553.
crowd, 560.
cum, 579 (6).
cuppa, 987.
customs, 577.

'd, 980.
-d, -ed, 10 à 12, 16, 19.
dare/to dare, 99, 474.
daresay (I —), 496, 945.
data, 551.
date, 272, 810, 743.
dead, to die, 284, 291, (shot dead) 519, (the dead) 633, 634.
deal (a great —), 788.
death, 519, 521, 561, 573, 585.
deceive (to —), 518.
decide (to —), 457, 474.
décimales, 803.
declare (to —), 481, 501.
défectifs (verbes —), 59.
defer (to —), 460.
défini (article —), leçon 31.
delight, 672.
delude (to —), 518.
demandes, 925.
démonstratifs, leçon 38.
dénombrables et indénombrables, 563 à 568, 582 à 587, 607, 618.
deny (to —), 464, 481, 496.
depend (to —), 443, 480, 488.
déplacements, 514.
depuis, 284 à 295.
— *que*, 289.
— *quand ? — combien de temps ?* 286.
dès, 274, 960.
dès que, 325, 340, 957.
describe (to —), 493.
deserve (to —), 468, 469.
despite, 852, 906.
destin, 123.
déterminants, 541, 622.
determine (to —), 457, 369.
déterminés (noms —), 582 à 591.
deux (tous les —*)*, 830, 831.
devoir, falloir (must) 87 à 92, 105, (ought to) 97, 98, 107, (be sure to) 113, (be + infinitif) 122 à 127, (be due to) 128, (should) 327 à 331, (notion d'obligation, de nécessité) 918 à 921.
devote (to —), 389.
die (to —)/to be dead, 284, 291.
die/dye, 20.
die, dice, 548.
different, 670.
difficilement, 872.
difficulty, 672.
dimensions, 43.
dire, 522 à 525.
direct (to —), 478.
discourage (to —), 474.
disgrace, 566, 607.
dislike (to —), 463, 477.
dissuade (to —), 474.
distances, 43, 743.
distributif (sens —) de a/an, 616.
— de the, 601.
do (to —), leçon 2, 24, (forme emphatique) 153, 154, (do the shopping) 972.
— (all I do is, all you have to do is), 406.
dog, 572, 583, 589.
done (to have —), 466.
done (= have, has), 992 (e).
dont, 780, 783.

doubt (to —), 496, 942.
doute, 942, 943.
down, 193, 852.
dozen, 800.
dream (to —), 502.
dress(es), 568.
dress (to —), 502, 720.
drink (to —), 489, 520.
drive (to —), 182, 514.
drunk, drunken, 625.
due to, 128, 891.
duel, 829, 830.
dunno, 987.
durée, 281 à 283, 743.
during, 852.
during/for, 281, 286.
Dutch, 638.
dwarf, 547.

each, 826, 827.
each other, 723 à 725.
eager, 676.
early, 852, 977.
earth (the —), 588.
— ("on earth"), 156.
échec, 139.
Ecossais, 642.
-ed, 10 à 12, 16, 19, -edly 12.
effectivement, 172.
either, 29, 829, 830, 852.
elder, eldest, 661, 662.
elliptiques (phrases —), 171 à 181.
else, 668, 836, 852.
emperor, 592.
emphatiques (phrases —), 146 à 156, 415 à 418.
en (traduction de —), 716, 876, 877.
enable (to —), 469, 475.
encore, 878.
encourage (to —), 474.
endeavour (to —), 457.
English, the English, 638, 642, 643.
enjoy (to —), (+ gérondif) 462, (+ nom) 484, 485, ("enjoy !") 502, (+ oneself) 720.
enough (+ verbe), 223, (+ adjectif ou adverbe) 395, 652, 678, 852, (+ nom) 797.
enter (to —), 484.
entreat (to —), 474.
entrust (to —), 494, 495.
épithète, 623, 624.
equal to, 389, 674.
equivalent to, 673.
-es, 9, 544.
escape (to —), 460.
espoir, 914.
-est, -st (2ᵉ personne sing.), 21.
-eth, -th (3ᵉ personne archaïque), 22.
étonnement, 162.
étrangers (pluriels —), 551.
even, 134, 221, 853.
— + comparatif, 658.
even so, 905.
even though, even if, 904.
éventualité, 78, 84, 103, 104, 944.
ever, 29, 218, 264, 853.
— dans interrogation emphatique, 156.
— so, ever such, 447, 451.
-ever (suffixe, dans les concessives), 365, 837, 907.
every, 826, 827.
— + complément de fréquence, 278.
— (composés de —), 832.
everybody, everyone, 748, 832, 835.

evidence, 565.
except, 406, 853.
exclamatives (phrases —), leçon 23.
exclamatives indirectes, 453.
excuse (to —), 464.
excuses, 893, 917.
expect (to —), (+ infinitif) 457, (+ proposition infinitive) 480, (+ objet) 484, 489, (-that) 496.
— + so/not, 178, 179.
explain (to —), 215, 493, 499.
extraordinary (it is —), 371.

-f, -fe → -ves, 547.
fact, 689.
faibles (formes —), 37 à 39, 979.
fail (to —), 32, 47, (échec) 139, (= négation emphatique) 149.
faillir, 130.
failure, 675.
« faire + infinitif » (traduction de —), 511, 512.
fairly, cf. quite, 863.
fall to (to —), 389.
falloir, voir *devoir*.
family, 560.
fancy (to —), 470.
far, 658, 853.
— and away, by far, 658.
fatalité, 123.
fear (to —), 178, 179.
fear (for —), 368.
fed up with, 673.
feel (to —), 246, 379, 402, (that...) 496, (+ attribut) 500, (constructions diverses) 534 à 540.
— (construit avec it), 688, 692.
female, 570, 571.
féminin, 570 à 573.
few/little, 789.
few (a —), 789.
fewer/less, 795.
fight (to —), 502.
find (to —), 379, (construit avec it) 688, 692.
finish (to —), 466.
first, 812, 854.
fish, 568.
fit (to —), 484, 502.
fit (to see —), 688.
fly (to —), 514.
fois (nombre de —), 816.
-fold, 817.
folk, folks, 558.
foot, feet, 43, 548, 568, 811.
foot it (to —), 709.
for, 843, for/to, 393.
— (durée), 281, 285, 286, 293.
— + gérondif (motif, cause), 893.
— *(car)*, 890.
— all, for that matter, 910.
— the past/the last, 287.
forbid (to —), 478.
force (to —), 478.
foremost, 647.
forget (to —), (I forget) 245, (régime) 465, 496.
forgive (to —), 464, 893.
former, 662.
formerly, 854.
formes pleines et formes faibles, 37 à 39, 979.
formes verbales en -ing, leçon 17.
forth, 854.
forward to (to look —), 389.
fractions, 814.
français (pluriels —), 551.
freedom, 585.

needn't have + participe passé, 106.
négative (forme —), 23, 29 à 33.
négation en tête de phrase, 209.
neglect (to —), 461.
neither, 830, 858.
n'est-ce pas ? 166 à 169.
Netherlands (the —), 555, 595.
neutre, 572.
never (place), 218, 219, (avec prete-rite ou present perfect) 264, 859.
— emphatique, 148.
— (avec inversion), 209.
nevertheless, 859, 905.
news, 554.
New Zealand, 640.
next, 597, 812, 859.
ni..., ni... (neither..., nor...), 858.
ni l'un ni l'autre, 830.
ni moi non plus, 163.
nil, 804.
niveaux de langue, leçon 54.
no, 158, 159, 859.
— emphatique, 150, 658, 758.
— (= not a), 605.
— (= not any), 620.
— sooner, 209, 958.
nobody 832, 835, 748.
nom, leçon 30.
— dénombrables et indénombra-bles, 563 à 568, 582 à 587, 607, 618.
— composés, 574 à 580.
— (genre), 570 à 573.
— (nombre), 544 à 561.
— (régime), leçon 35.
— (mots employés comme —), 975.
nombre (singulier et pluriel), 544 à 561.
— (accord en —), 561.
nombres, 798 à 807.
non, 158, 159.
— (moi non), 164.
— (moi non plus), 163.
none, 829, none too 652.
nonetheless, 905.
nonsense, 566.
nonstandard English, 987.
nor, 209, 859.
not, leçon 2, 151 (I know not).
— dans une phrase elliptique, 178 à 181.
— any, 619.
— at all, 137.
— nearly as, 658.
— only, 209.
— that, 859, 911.
— until, 275, 959.
nothing, 832, nothing but 406.
nothing like, 150.
notice (to —), 180, 379.
nought, 804.
now, 860.
nowhere, 860, nowhere near 150.
nuisance, 564.
numéraux (adjectifs —), 798 à 807.
nurse, 570.

-o → -os, -oes, 546.
obey (to —), 484, 489, 510.
object (to —), 462.
objection, 672.
obligation, cf. nécessité, 55, 90, 918 à 920.
oblige (to —), 478.
occasion, 679.
occur (to —), 714.
odd (the —), adjectif, 603.

odds, 554.
of, 693, 860, 758, (the end of it) 751, (of one's own) 757.
off, 195, 521, 860.
offer (to —), 425, 457, 490, 492.
often, 218, 861.
— how often... ? 278 à 280.
old, 647, how old... ? 43, 446.
omit (to —), 461.
on, 196, 861.
— + gérondif, 956.
— + date, 278.
on account of, 891.
on purpose, 886.
on (traduction de —), 428.
once, 279, 816, 861, (at once) 861.
one, numéral 613.
— indéfini, 818 à 823.
— pronom personnel, 728, 729.
— dans le « question tag », 167.
— remplaçant un nom, 637.
— (the one, the ones), 766.
— (I for one), 701.
— ..., the other/another..., 824.
one's, 729, 747, 750.
one another, 723 à 725.
oneself, 730.
only, 861, (place) 209, 221.
— (if —) 917, 360 (4°).
onomatopées, 973.
operate (to —), 486, 489.
opinion, 939 à 943.
opportunity, 679.
opposite, 862.
optatif, 82, 354.
or, 862.
order (to —), 369, 478, 506.
order to (in —), in order that, 886, 888.
ordinaires (verbes —), 5.
ordinaux (nombres —), 805 à 807.
ordres, 922 à 924.
orthographe des désinences verba-les, 9 à 13.
other, others, 812, 825.
other than, 668.
other day (every —), 278.
où (where) 870, (when) 869.
ought to, 97, 98, 107, 328, 331.
oui, 158, 159.
out, 197, 862.
out of dans une structure résulta-tive, 518.
over, 862, 198.
owing to, 380, 863, 891.
own après un possessif, 756, 757.
own (to —), 731.
— up to, 464.

pair(s) of, 556.
pains, painstaking, 630.
Parliament, 588.
part (for my —), 701.
participe passé, 6, 10.
— auxiliaire des perfects, 52, 230, 260 à 270.
— auxiliaire du passif, leçon 20.
— à valeur d'adjectif, 622, 650.
— dans les adjectif composés, 630.
— dans les structures causatives, 508 à 510.
participe présent, 376 à 380.
— exprimant la cause, 380, 894.
— dans les adjectifs composés, 630.
— dans les structures causatives, 507.
partitif (article —), 618 à 621.

partout, 832, 837.
party, 558, 560.
passé, leçon 11.
— récent, 266.
— révolu (used to), 341.
passer(s)-by, 579.
passif, leçon 20.
— progressif, 426.
— construit avec get, 423.
past (préposition), 863.
past perfect, 267 à 270, 293 à 295.
— modal, 270, 357 à 361.
past tense (= preterite), leçon 11.
path(s), 545.
patronize (to —), 484.
pay (to —), 486, 490.
pays (noms de —), 595, 638 à 641.
pendant (during) 852, (for) 281.
— que (while), 870, 953.
pending, 863.
penny, pennies, pence, 548, 632, 635.
people, 558, 585.
per, 616, 815.
perception (verbes de —), 246, 379, 534 à 536.
perfects, 52, 230, 260 à 270.
perhaps, 206, 863.
périphrases, 2.
— exprimant la modalité, leçon 5.
— à valeur de subjonctif, 364 à 373.
permission (can) 75, (could) 77, (may/be allowed to) 80, 81, (might) 86.
permit (to —), 469, 475.
person, 570, 558.
personne (ne —), 29, 833, 835.
personne du singulier (2ᵉ —), 21.
personnifications, 573.
persuade (to —), 474, 485.
peu de, 789.
— (un —), 791, 792.
— (si —), 796.
phenomenon, -na, 551.
phone, 588.
phonétique et grammaire, leçon 53.
phrasal verbs, leçon 8.
physics, 552.
piece of, 565.
pinta, 987.
pity, 566, 607, (it's a pity that) 371.
plan (to —), 457.
play (nom), 568.
play (to —), 285, 286, 493, 598.
plead (to —), 474.
pleased, 673, 674, 676.
pleines (formes —), 979, 37 à 39.
plenty of, 788, 797.
plupart (la —), 828.
pluriel des noms, 544 à 561.
pluriels irréguliers, 545 à 548.
— des noms propres, 550.
— étrangers, 551.
plus de, 794.
plus... plus..., 666.
plus en plus (de —), 665.
plus que (d'autant —), 667.
plus-que-parfait, voir past perfect.
poetry, 588.
point (to —), 486, 502.
police, 560, 588.
politics, 552.
portmanteau words, 579 (7).
possessif (cas —), 732 à 742.
possessifs (adjectifs et pro-noms —), 744 à 753.
possession (notion de —), leçon 37.
possibilité, 69, 101.

603

TABLE DES MATIÈRES